宋明理學家年譜續編

①

國家圖書館出版社

圖書在版編目(CIP)數據

宋明理學家年譜續編:全五册/ 陳來選;于浩輯. —北京:
國家圖書館出版社,2006.7(2020.8 重印)
ISBN 978 - 7 - 5013 - 3144 - 4

Ⅰ.①宋… Ⅱ.①陳… ②于… Ⅲ.①哲學家 - 年譜 - 中國 - 兩宋時代
②哲學家 - 年譜 - 中國 - 明代 Ⅳ.①B244.05②B248.05

中國版本圖書館 CIP 數據核字(2006)第 050543 號

書　　名	宋明理學家年譜續編(全五册)
著　　者	陳　來　選　于　浩　輯
責任編輯	于　浩
重印編輯	苗文葉
出版發行	國家圖書館出版社(北京市西城區文津街 7 號　100034) (原書目文獻出版社　北京圖書館出版社) 010 - 66114536　63802249　nlcpress@ nlc. cn(郵購)
網　　址	http://www. nlcpress. com
印　　裝	河北三河弘翰印務有限公司
版次印次	2006 年 7 月第 1 版　2020 年 8 月第 3 次印刷
開　　本	850 × 1168(毫米)　1/32
印　　張	107.5
書　　號	ISBN 978 - 7 - 5013 - 3144 - 4
定　　價	970.00 圓

出版説明

在中國學術發展史上，宋明理學作爲一種新儒學思想，自北宋中期形成以後，逐漸居於社會思潮的主流地位，對此後中國社會的各個方面産生了深遠的影響。

本書在前編《宋明理學家年譜》的基礎上，又陸續收録了著名理學家范仲淹、歐陽修、司馬光、游酢、陳瓘、朱熹、尹焞、李侗、劉子翬、陳傅良、金履祥、唐順之等十八人的年譜二十餘種，這些年譜對於研究譜主的個人生平與理學思想，對於認識宋明理學的形成、發展、演變具有重要的研究與參考價值。值得一提的是，由於我社即將出版《清初名儒年譜》，彙集順治、康熙、雍正三朝名儒六十一家的年譜，因此其中的孫奇逢、陳確、黄宗羲、陸世儀、張履祥、王夫之、湯斌、李顒、陸隴其、顧炎武等爲代表的清初理學家的年譜，本書不再收録。

《宋明理學家年譜》及續編的出版，得到北京大學哲學系陳來先生的悉心指導，在此致以誠摯的謝意。

北京圖書館出版社

二〇〇六年七月

總目録

第一册

第二册

第三册

第四册

第五册

第一册目録

范文正公年譜

（宋）樓鑰編　（宋）范之柔補遺

民國間影印本

范文正公年譜

後學時兆文校正
後學黄姬水校正
後學李鳳翔校正
十五世孫啓乂同校
十六世孫惟元同校

公昔遠祖博士范滂爲清詔使裔孫履冰爲唐丞相鸞臺鳳閣平章事世居河内四世祖上柱國隋懿宗朝咸通二年任幽州良鄉主簿誥書猶存至十一年遷處州麗水縣丞一支渡江中原亂離不克歸子孫遂爲中吳人曾祖夢齡任吳越中吳節度判官宋贈

太師徐國公祖贊時任吳越九歲童子出身終秘書監宋贈太師唐國公父墉從錢俶歸宋任武寧軍節度掌書記武寧軍即徐州封太師周國公文正公即書記第三子也諱仲淹字希文端拱二年己丑八月癸酉二日丁丑以辛丑時生二歲而孤母夫人謝氏貧無依再適淄州長山朱氏亦以朱爲姓名説上長白山僧舍脩學醴泉寺內有祠後居南都郡庠五年大通六經之旨爲文章論説必本於仁義孝弟忠信祥符八年年二十七歲舉進士禮部選第一遂中乙科初任廣德軍司理後迎侍母夫人至姑蘇欲還范姓而族人有難之者公堅請云止欲歸本姓他無所覬始許焉至天禧元年爲亳州節度推官始奏復范姓其後名益大

位益顯嘗語諸子弟曰吾吳中宗族甚衆於吾固有親踈然以吾祖宗視之則均是子孫固無親踈也吾安得不卹其饑寒哉且自祖宗來積德百餘年而始發於吾得至大官若獨享富貴而不卹宗族異日何以見祖宗於地下亦何以入家廟乎故恩例俸賜嘗均族人盡以俸餘買田於蘇州號曰義莊贍養宗族無間親踈日有食歲有衣嫁娶凶葬咸有贍給公爲人外和内剛樂善汎愛喪毋時尚貧終身非賓客食不重肉臨財樂施意豁如也及退而視其私妻子僅給衣食其於富貴貧賤毀譽歡戚不一動其心而慨然有志於天下常自誦曰士當先天下之憂而憂後天下之樂而樂也其事上遇人一以自信不擇利害

爲趨襜凡有所爲必盡其方曰爲之自我者當如是其成與否有不在我者雖聖賢不能必吾豈苟哉公爲政所至民多立祠畫像其行已臨事自山林處士里閭田野之人外至夷狄莫不知其名字而樂道其事仕至參知政事謚文正（道德博洽曰文經天緯地曰文內外賓服曰正）有文集二十卷別集五卷蘇軾作序政府論事三卷奏議十七卷韓琦作序娶李氏參政昌齡女也公有四子長曰純祐歷守將作監主簿自幼讀書爲文章籍籍可稱嘗侍公城馬鋪寨率兵馳據其地西戎兵衆大至且戰且督不數日而成其城一路恃以爲安次曰純仁字堯夫皇祐元年進士相哲宗謚忠宣御書世濟忠直之碑高宗朝贈太師追封許國公次曰純

禮字彝叟仕至尚書右丞次曰純粹字德孺仕至龍
圖閣學士戶部侍郎知河南府
太宗皇帝端拱二年己丑秋八月丁丑公生於徐州節
度掌書記官舍按公神道碑及國史皆云年六十四薨于皇祐四年也
淳化元年庚寅丁父太師憂年二歲
太中祥符元年戊申年二十歲
按公譔鄠郊友人王鎬墓表云君之父贊善公哀慷
慨有英氣善為唐律詩歷著作適判會太守不法憤
而辱之失官居長安中與豪士遊縱飲浩歌有嵇阮
之風人特駭之公不安其高復起家就祿得請監終
南山上清太平宮從吏隱也時祥符紀號之初戴其
薄遊至止及公之門因與君交相與嘯詠於鄠杜之

間
二年己酉年二十一歲讀書長白山醴泉寺是歲改科舉
取士按言行録載涑水記聞曰范公少冒朱姓舉學
究嘗同衆客見姜諫議遵遵素以剛嚴著名與人不
款曲衆客退獨留范公引入中堂謂其夫人曰朱學
究年雖少奇士也他日不惟爲顯官當立盛名於世
參坐置酒待之如骨肉人莫測其何以知之也
三年庚戌年二十二讀書長白山按東軒筆録公與劉
某同在長白山醴泉寺僧舍讀書日作粥一器分爲
四塊早暮取二塊斷虀數莖入少鹽以啗之如此者
三年
四年辛亥年二十三詢知世家感泣去之南都入學舍

掃一室晝夜講誦其起居飲食人所不堪而公自刻益苦按家録云公以朱氏兄弟浪費不節數勸止之朱兄弟不樂曰我自用朱氏錢何預汝事公聞此疑駭有告者曰公乃姑蘇范氏子也太夫人携公適朱氏公感憤自立決欲自樹立門戶佩琴劍徑趨南都謝夫人亟使人追之既及公語之故期十年登第來迎親

七年甲寅年二十六有睢陽學舍書懷詩在南都學舍家録云真宗謁太清宮幸亳駕次南京皆往觀之獨公不出或以問公公曰異日見之未晚留守有子居學見公食粥及不出觀駕歸告其父以公廚食饋公既而悉已敗矣留守子曰大人聞公清苦故遺以食

物而不下節得非以相況爲罪乎公謝曰非不感厚
意蓋食粥安之巳久今遽享盛饌後日豈能啗此粥
乎又按遺事云公處南都學舍晝夜苦學五年未嘗
解衣就枕夜或昏怠輒以水沃面往往饘粥不充日
昃始食

八年乙卯

甲第九十七名試置天下如置器賦君子以恐懼修
省詩順時知微何先論登第後有詩云長白一寒儒
名登二紀餘百花春滿路三月雨隨車鼓吹迎前道
煙霞指舊廬鄉人莫相羨教子讀詩書調廣德軍司
理參軍按張唐英撰公傳云祥符八年登進士第朱
説者是也又按汪藻撰祠堂記云公以進士釋褐爲

廣德軍司理參軍日抱具獄與太守爭是非守數以盛怒臨之公不爲屈歸必記其往復辯論之語于屏上比去字無所容貧止一馬鬻馬徒步而歸非明於所養者能如是乎獄官有亭以公名之者舊矣公既登仕版始迎其母以養初廣德人未知學公得名士三人爲之師於是郡人之擢進士第者相繼于時

天禧元年丁巳年二十九遷文林郎權集慶軍按九域志亳州也節度推官始復范姓其表略云名非霸越乘舟偶效於陶朱志在投秦入境遂稱於張祿用事最爲親切

二年戊午年三十歲爲譙郡從事亳州也祭龍圖楊給事文曰余歲三十兮從事于譙獨棲難安兮孤桓易搖

公方監郡兮風采翹翹一顧而厚兮甚乎神交又太子中舍上官融墓銘云余天禧中爲譙之從事秋八月進皇儲資聖頌

三年己未年三十一除祕書省校書郎

四年庚申年三十二是歲校書芸省守官集慶

五年辛酉年三十三監泰州西溪鎮鹽倉有西溪見牡丹詩西溪書事按皇朝類苑云初呂文靖嘗官于此手植牡丹有詩刻後公復題一絶後人以二公詩故題詠極多而花亦爲人重護以朱欄歲久益茂爲西陵奇觀

仁宗皇帝乾興元年壬戌年三十四歲按文集冬十二月有上張知白右丞書稱文林郎試祕書省校書郎

權集慶軍推官監泰州西溪鎮鹽倉
仁宗皇帝天聖元年癸亥年三十五公在西溪上言寇
準被謫事除興化令時富鄭公弱冠來謁公識其遠
大力教載而激勸之故其祭文略云昔弱初冠識公
海陵顧我譽我謂必有成我稔公德知已服膺自是
相知莫我公比一氣殊息同心異體始未聞道公實
告之未知學文公實教之肇復制舉我憚大科公實
激之既舉而仕政則未諭公實飭之徙楚州糧料院
二年甲子年三十六遷大理寺丞子純佑生
三年乙丑年三十七夏四月二十日上書請救文弊復
武舉重三館之選賞直諫之臣及革賞延之弊
四年丙寅年三十八丁母夫人憂有書與發運使張綸

言復海堰之利按李燾通鑑長編泰州海堰久廢不治歲患海濤冒民田疇公言于發運副使張綸請修復之綸遂奏以公知興化縣總其役難者謂濤患不息則積潦必爲災綸曰濤之患十九而潦之患十一獲多亡少豈不可乎役遂興會大雨雪驚濤洶湧役夫散走旋濘而死者百餘人衆讙言曰堰不可成復詔遣中使按視將罷之又詔淮南轉運使胡令儀同公度其可否令儀力主公議而公尋以憂去綸表請身自督役踰年堰成民至今享其利又按記聞通泰海州皆濵海舊日潮水皆至城下田土斥鹵不可稼穡文正公監西溪鹽倉建白于朝請築捍海堤於三州之境長數百里以衛民田朝廷從之以公爲興化

令掌斯役發通泰楚海四州民夫治之既成民享其
利興化之民往往以范爲姓
五年丁卯年三十九夏六月丁亥子純仁生時公寓南
京應天府按公言行録云時晏丞相殊爲留守遂請
公掌府學公常宿學中訓督學者皆有法度勤勞恭
謹以身先之由是四方從學者輻湊其後以文學有
聲名於場屋朝廷者多其所教也是年有上執政書
略云蓋聞忠孝者天下之大本也其孝不逮忠可忘
乎所以冒哀上書言國家事不以一心之戚而忘天
下之憂請擇郡守舉縣令斥游惰去冗僭遴選舉敦
教育養將材保直臣斥佞臣使朝廷無過生靈無怨
以杜姦雄凡萬餘言東軒筆録云公在睢陽掌學有

孫秀才者索遊上謁公贈錢一千明年孫生復謁公又贈一千因問何爲汲汲於道路孫生戚然動色曰母老無以養若日得百錢則甘旨足矣公曰吾觀子辭氣非乞客二年僕僕所得幾何而廢學多矣吾今補子爲學職月可得三千以供養子能安於學乎孫生大喜於是授以春秋而孫生篤學不舍晝夜行復脩謹公甚愛之明年公去睢陽孫亦辭歸後十年間泰山下有孫明復先生以春秋教授學者道德高邁朝廷召至乃昔日索遊孫秀才也有送李紘殿院赴闕詩按九域志南京應天府睢陽郡

六年戊辰年四十歲上書言朝政得失民間利病宰相王曾見而偉之時晏殊在樞府薦一士爲館職曾諭

之日公知范仲淹舍而他薦乎晏公遂以狀舉公其略云臣伏以先聖御朝群才効用惟小大之畢力叶天人之統和凡有位於中朝願薦能於丹扆不虞進越用廣詢求臣伏見大理寺丞范仲淹爲學精勤屬文典雅略分吏局亦著清聲前曾任泰州興化縣典海堰之利昨因服制退處睢陽日於府學之中觀書肄業敦勸徒衆講習藝文不出戶庭獨守貧素儒者之行實有可稱云云欲望試其詞學奬以職名庶參多士之林允洽崇丘之詠是歲服除冬十二月甲子以公爲秘閣校理晏丞相殊之薦也又文集有南京府學生朱從道名述有南京書院題名記又奏乞王洙充南京講書狀

七年乙巳年四十一歲按長編是年十一月癸亥冬至
上率百官上皇太后壽于會慶殿乃御天安殿受朝
公上疏言天子有事親之道無爲臣之理有南面之
位無北面之儀若奉親于內以行家人禮可也今顧
與百官同列虧君體損主威不可爲後世法疏入不
報東坡志林云先君奉詔脩太常因革禮求之故府
朝政案牘具在考其始末無諫止之事而有已行之
明驗質之於文忠公公曰范公實諫而卒不從墓碑
誤也當以案牘爲正今按涑水記聞亦但云奏以爲
不可而不言見從與否則蘇公所記疑若可信但諸
書皆云冬至而蘇公獨云朝正則誤也晏公所薦公
爲舘職聞之大懼召公詰以狂率邀名且將累朝薦

者公正色抗言曰其緣屬公舉每懼不稱爲知巳羞
不意今日反以忠直獲罪門下殊不能答公退又作
書遺殊申理前奏不少屈殊卒媿謝焉又奏疏請皇
太后還政亦不報遂乞補外尋出爲河中府通判
八年庚午年四十二歲按長編上䟽論職田不可罷其
畧曰真宗初賜職田實遵古制盖大賚於多士俾無
蠹於生民無厭之徒或冒典憲由濫官之咎非職田
之過若從而廢罷則吏困於廉收而均給則民受其
弊天下幕職州縣官三班使臣俸禄微薄全藉職田
濟贍其無職田處持廉之人例皆貧窘曩時士負尚
少凡得一任必五六年方有交替到闕即日差除復
便請給當時條例未寄士寡廉隅雖無職田自可優

足令物貴與昔不同替罷之後守選待闕動踰二年
官吏衣食不足廉者復濁何以致化天下受弊必如
臣言乞深加詳軫不以一時之論廢經遠之制天下
幸甚上疏論士人寄貫開封府上疏論太后復辟其
略云陛下擁扶聖躬聽斷大政日月持久今皇帝春
秋已盛睿哲明聖握乾綱而歸坤紐非黃裳之吉象
也豈若保慶壽於長樂卷收大權還上真主以享天
下之養疏入不報是歲三月三司言方建太一宮等
處乞下陝西市材詔可公在河中府上言昭應壽寧
天戒不遠今復修土木破民產非所以順人心合天
意也宜罷修宮觀減定常歲市木之數蠲除積負以
彰聖治夏四月轉殿中丞五月有上時相議制舉書

六月十五日有與周騤推官書七月十二日有與歐
静書上疏言減郡邑以平差役其略云天下郡縣至
密吏役至繁奪其農時遺彼地利是以邊廪或窘民
財未豐臣觀漢光武朝併合四百餘縣吏職減損十
置其一今欲去煩苛之便致富壽之俗當施此令以
寬兆民如河中府倚郭二縣惟河東縣主戶四千不
至遍追河西縣主戶一千九百內八百餘戶屬鄉村
本縣尚差公吏三百四十人內一百九十五人於鄉
村差到緣鄉村中等戶只有一百三十戶更於已下
抽差是使堪役之家無所休息以臣管見其河西縣
宜併入河東及大名府縣分極多甚可省去或謂縣
邑之中有権酤關征之利臣謂所廢之縣止可為鎮

而坊市仍舊所貴吏役稍減農時不奪地利無遺民財可阜也有上資政晏侍郎書十二月與唐處士書

邵氏聞見録云富鄭公初遊場屋穆修伯長謂之曰進士不足以盡子之才當以大科名世公果禮部試下時太師公官耀州公西歸次陝范文正公遣人追公曰有旨以大科取士可亟還公復還見文正辭以未嘗爲此學文正曰已同諸公薦君矣久爲君闢一室皆大科文字可往就館時晏元獻公判南京公以大理寺丞丁憂權西監一日晏謂范曰吾一女及笄仗君爲我擇壻范曰監中有二舉子富皐張爲善皆有文行他日皆至卿輔並可壻也晏曰然則孰優范曰富脩謹張疎俊晏曰唯即取富皐爲壻後改名即

富公弼也爲善後亦更名方平云按登科記天聖八年富弼中制科然

按國史范文正公是時當在陳州薦舉求婿之事未詳

九年辛未年四十三歲春三月辛巳子純禮生公遷太常博士移通判陳州上疏乞將磨勘轉官恩澤移贈考妣其略曰臣自蒙恩改授京官到今七年不敢僥求磨勘今爲遷奉在邇未曾封贈父母竊念臣襁褓之中已丁何怙鞠養在母慈愛過人卹臣幼孤憫臣多病夜扣星象食斷葷血踰二十載至于其終又臣遊學之初違離者久幸嘗殞血幾至喪明而臣仕未及榮親已不逮既育之恩則重罔極之報曾無今欲將磨勘轉官恩澤乞先移贈考妣所貴安厝之日得及追榮臣在壯年序進未晚伏望特降曲成之造用

覃廣愛之風奏致仕分司官乞與折支全俸狀
明道元年壬申年四十四歲在宛丘聞京師多不關有司而署官賞者乃附驛奏疏甚懇至願以唐中宗朝上官婕妤賀婁氏賣墨敕斜封官爲戒又屢上疏言內降之弊引韋后爲戒
二年癸酉年四十五歲是年三月甲子太后崩帝始親政裁抑僥倖中外大悅時公爲陳州通判太常博士四月公被召赴闕除右司諫公初聞遺誥以楊太妃爲皇太后參決國事亟上疏言太后母號也未嘗因保育而代立者今一太后崩又立一太后天下且疑陛下不可一日無母后之助也時已刪去參決等語然太后之號訖不敢止罷其冊命而已時太后既崩

言者多追斥垂簾時事公言於上曰太后受遺先帝保佑聖躬十餘年矣宜掩其小故以全其大德上大感悟五月降詔曰大行皇太后保佑冲人十有二年恩勤至矣而言者罔識大體務詆訐一時之事非所以慰朕孝思也其垂簾日詔命中外毋輒以言行公之言也六月同審刑院大理寺詳定天下當配隸罪人刑名秋七月甲子以公同管勾國子監是歲以江淮京東災傷公奏請遣使巡行未報公請間曰宮掖中半日不食當何如今數路艱食安可置而不卹八月甲申遂命公安撫江淮所至開倉廩賑乏絕禁淫祀奏蠲廬舒折役茶江東丁口塩錢饑民有食烏昧草者擷草進御請示六宮貴戚以戒侈心又陳救弊

八事上嘉納之又薦知崇州吳遵路爲郡得古人風
乞以遵路救災事跡須諸州幷付史舘十二月奏請
天下諸郡縣亏手七週年者聽歸農從之時郭皇后
廢率諫官御史伏閤諫先是美人尚氏於上前有侵
皇后語后不勝忿批其頰上自起救之誤批上頰上
大怒內侍閻文應因與上謀廢后且勸上以爪痕示
執政上乃示宰臣呂夷簡且告之故夷簡以前罷相
故怨后而范諷方與夷簡相結乘間言后九年無子
當廢夷簡贊其言上意未决外人籍籍頗有聞者公
因對極言不可且曰宜早息此議不可聞於外也居
久之乃定議廢后夷簡先敕有司無得受臺諫章疏
詔稱皇后以無子願入道特封淨妃玉京冲妙仙師

賜名清悟別居長寧宮臺諫章疏果不得入公即中丞孔道輔率知諫院孫祖德等詣垂拱殿門伏奏皇后不當廢願賜對以盡其言守殿門者闔扉不爲通道輔撫銅環大呼曰皇后被廢柰何不聽臺諫入言尋有詔宰相召臺諫諭以當廢狀道輔等悉詣中書語夷簡曰人臣之於帝后猶子事父母也父母不和固宜諫止柰何順父出母乎夷簡曰廢后自有故事道輔及公曰公不過引漢光武勸上耳是乃光武失德何足法也自餘廢后皆前世昏君所爲上堯舜之資而公顧勸之效昏君所爲可乎夷簡不能荅拱立曰諸君更自見上力陳之道輔與公等遂退將以明日留百官揖宰相廷爭而夷簡即奏臺諫伏閤請對非

太平之美事遂詔出道輔知泰州公知睦州祖德等罰金詔諫官御史自今毋得相率請對於是御史楊偕請與道輔等俱貶御史郭勸復言廢后及不許請對之説爲非是河陽簽判富弼亦言朝廷一舉而二失縱不能復后宜還范仲淹以來言路疏入不報

景祐元年甲戌年四十六是歲春正月出守睦州有睦州謝上表及出守睦州詩赴桐廬淮上遇風三首出守桐廬道中十絶公在桐廬與晏尚書書畧云罪有餘責尚同一毫敢不盡心以求疾苦二浙之俗躁而無剛豪者如虎示之以文弱者如鼠示之以仁吞奪之害稍稍而息乃延見諸生以博以約非某所能盖師門之禮訓也又云郡之山川滿目奇勝且有章阮

二從事俱富文能琴風宵爲會交迭唱和爲郡之樂有如此者於君親之恩知己之賜宜何報焉在郡有瀟洒桐廬郡十絕新定感興五首[redacted]遊烏龍山寺詩桐廬郡齋書事一首依韻酬周騤太傅同年詩建嚴先生祠堂復其子孫四家而奉祠焉又圖唐處士方干像于堂之東壁夏六月壬申徙蘇州蘇爲公鄉郡地濵震澤田多水患募遊手疏五河導積水入海有上呂相公并呈中丞諮目言水利事秋八月徙明州轉運使上言公治水有緒願留以畢其役九月詔復知蘇州有與曹都官書與孫明復書略云某至新定江山清絕自謂得計及來姑蘇郡修人事斯亦勞矣今在海上部役開决積水俟寒而罷之足下未嘗遊

浙或能枉駕與吳中講貫經籍教育人材是亦先生之爲政買山之圖其在中矣以來者衆未易他謀也與晏尚書書云某自睦改蘇首捧鈞翰屬董役海上至還郡中災困之氓其室十萬疾苦紛沓夙夜營救智小謀大厥心惶惶久而未濟在郡有蘇州十詠用韻謝晏尚書近著示及詩又有奉酬晏尚書見寄詩天平山白雲泉詩題常熟頂山上方院僧居詩

二年乙亥年四十七歲是年公在蘇州奏請立郡學先是公得南園之地既卜築而將居焉陰陽家謂必踵生公卿公曰吾家有其貴孰若天下之士咸教育于此貴將無已焉遂即地建學既成或以爲太廣公曰吾恐異時患其隘耳元祐四年公之子純禮出自奉

常制置江淮六路漕事持節過鄉郡即學拜公像觀學之敝復請于朝新而廣之吳學至今甲于東南五月八日有朝賢送定惠大師詩序八月有祭謝賔客文冬十月除尚書禮部員外郎天章閣待制有謝表見文集召還判國子監時朝廷更定雅樂詔求知音公薦白衣胡瑗對崇政殿授校書郎公進除吏部員外郎權知開封府　公自還朝論事益急宰相陰使人諷公待制侍臣非口舌任也公曰論思正侍臣事余敢不勉宰相知不可誘乃命知開封府欲撓以繁劇使不暇他議亦幸其有失即罷去公決事如神京邑肅然稱治都下謡曰朝廷無憂有范君京師無事有希文十二月郭皇后暴薨中外疑内侍閻文應置毒

公劾奏其事即不食悉以家事屬其長子曰吾不勝
必死之上卒聽其言寘文應嶺南尋死于道
三年丙子年四十八歲春正月公上太宗尹京日所判
案牘遂命崇政殿說書賈昌朝王宗道同編次三月
應制賞花釣魚詩夏五月戊寅朔公論建都事其略
謂洛陽險固而汴爲四戰之地西洛帝王之宅絕無
儲備宜以將有朝陵爲名漸營廩食陝西有餘可運
而下東路有餘可運而上數年之間庶幾有備太平
則居東京通濟之地以便天下急難則居西洛險固
之宅以守中原陛下內推修德使天下不聞其過外
亦設險使四夷不敢生心此長世之策也上嘗以遷
都事訪諸夷簡夷簡謂公迂闊務名無實公聞之又

上四論以獻一曰帝王好尚二曰選賢任能三曰近
名四曰推委大抵譏指時政又爲百官圖以獻因指
其遷進遲速次序曰某爲超遷某爲左遷如是爲公
如是爲私意在丞相又言漢成帝信張禹不疑舅家
故有王莽之亂臣恐今日朝廷亦有張禹壞陛下家
法以大爲小以易爲難以未成爲已成以急務爲閑
務者不可不早辯夷簡大怒以公語辯於上前且訴
公越職言事薦引朋黨離間君臣公亦交章辯析辭
益切遂罷黜落職知饒州時朝士畏宰相無敢過公
者獨龍圖閣直學士李紘集賢校理王質出郊餞飲
之時質以病在告扶病祖宴都門獨留語累夕大臣
謂之曰子有疾可辭何爲自陷朋黨質曰范公天下

賢者質何敢忘之若得爲其黨人公之賜實厚矣聞
者爲之縮頸公既貶諫官御史莫敢言祕書丞集賢
校理余靖上言謂公所言事在陛下母子夫婦之間
猶以合典禮故加優奬今坐刺譏大臣重加譴謫倘
其言未協聖慮在陛下聽不聽耳安可以爲罪乎陛
下自專政以來三逐言事者恐非太平之政也請速
改前命靖遂落職監均州酒稅太子中允館閣校勘
尹洙言臣常以范仲淹直諒不回義兼師友自其被
罪朝中多云臣亦被薦論范某既以朋黨得罪臣固
當從坐況余靖素與范某分踈猶以朋黨[illegible]
[illegible]洙爲
崇信軍節度掌書記監郢州酒稅館閣校勘歐陽脩

移書責右司諫高若訥曰范希文平生剛正好學通
古今班行中無與比者其立朝有本末天下所共知
今以言事觸宰相得罪足下既不能爲辯其非辜又
畏有識者之責己遂隨而詆之以爲當黜是可怪也
今皇帝即位以來進用諫臣容納言論足下幸生此
時遇納諫之聖主如此猶不敢一言何也前日又聞
御史臺牓朝堂戒百官不得越職言事是可言者惟
諫臣爾若足下又遂不言是天下無得言者也足下
在其位而不言便當去之無妨他人之堪其任者也
春秋之法責賢者備今脩區區猶望足下之能一言
不忍便絕足下而以不賢者責若猶以希文不賢而
當逐則予今所言如此乃是朋邪之人爾願足下直

携此書于朝使正予罪而誅之亦諫臣之一効也若
訥得書忿乃言范某貶職之後臣諸處察訪端由參
驗所聞與勑牓中意頗同固不敢妄有營救今歐陽
脩移書詆臣言范某平生剛直好學通古今班行中
無與比者責臣不能辯其非辜猶能以面目見士大
夫出入朝中稱諫官及謂臣不復知人間有羞恥事
仍言今日天子與宰臣以迕意逐賢人責臣不言臣
謂賢臣者國家恃以爲治也若陛下以迕意逐之臣
合諫宰相以迕意逐之臣合爭臣愚以范某頃以論
事切直亟加遷用今兹狂言自取譴辱豈得謂之非
辜恐中外聞之謂天子以迕意逐賢人所損不細請
令有司召脩戒諭脩坐罪貶爲夷陵令西京留守推

官仙遊蔡襄作四賢一不肖詩傳于時四賢指公靖洙脩不肖指若訥也是時契丹使至密市以歸張中庸使虜過幽州見燕山館中已有書永叔書于壁者秋八月饒州有謝上表略曰守土非輕報天無所臣出自畎畝階于縉紳歷天閣之遊親委王畿之政至孤難立屢請弗諧眷寵既渥補報宜異必將危墜猶或建明情雖匪他罪實由己然而有犯無隱惟上則知許國忘家亦臣自信此時爲郡陳優優布政之方必也立朝謇謇匪躬之節公又遷建饒之郡學饒之山水大率秀拔公識其形勝曰妙果院一塔高峙當城之東南屹起千餘尺城之下桃溉數湖水脉連秀於是名之曰文筆峰硯池學既建而生徒浸盛

由公遷指學基而興建也且曰二十歲後當有魁天下者逮治平乙巳彭汝礪果第一人及第公沈幾遠識如此有題芝山院詩云偶臨西閣坐五老夕陽關之句五老峰有亭饒人踏青而至必曰范公五老亭又饒有九賢堂自開寶迄紹聖郡守六十八人而在九賢之序者公一人而已饒人爲立祠須春堂天慶觀州學之講堂凡三所由景祐距此六十載牲牢日盛凡禱晴雨及州官之到罷皆致禮焉講堂每上丁具禮祝有滕公夫人刁氏墓誌銘有靈烏賦和謝希深學士見寄詩在郡有依韻酬黃灝秀才詩鄱陽酬泉州曹使君見寄詩郡齋即事詩云三出專城鬢似絲蓋公先歷睦蘇二郡也

四年丁丑年四十九歲十二月壬辰公徙知潤州上論
執政令移近地故也 先是京師地震直史館葉清臣
上疏因言公與余靖以言事被黜天下之人齗舌不
敢議朝政者行將二年願陛下深自咎責詳延忠直
敢言之士庶幾明威降鑒而善應來集也書奏數日
公等皆得近徙公既徙潤州讒者恐其復用遽誣以
事語入上怒亟命置之嶺南參政陳琳辯其不然公
訖得免自公貶而朋黨之論起朝士牽連出語及公
者皆指爲黨人琳獨爲上開說上意解乃已有潤州
謝上表移丹陽郡先遊茅山詩京口即事詩滕子京
魏介之二同年相訪丹陽郡詩
寶元元年戊寅年五十歲春正月十三日赴潤州道由

彭澤謁狄梁公廟慨慕名節爲之作記立碑至郡謁
甘露寺李衛公祠以其湫隘遷于南樓并以本傳刻
之祠下與李泰伯書云今潤州初建郡學可能屈節
教授又慮遠來難爲將家蘇州掌學胡瑗秘閣校理
見明堂圖亦甚奉仰或能挈家必有經畫請先示音
爲幸與胡安定屯田書略云近改丹徒併獲雅問豈
君之心不易改棄而然耶其念入朝以來思報人主
言事太急貶放非一然僕觀大過之象患守常經九
二以陽處陰越位救時則王室有棟隆之吉九三以
陽處陽固位安時則天下有棟撓之凶非如艮止之
時思不出位者也吾儒之職去先王之經則茫乎無
從矣又豈暇學人之巧失其故步但惟精惟一死生

以之冬十一月徙知越州按公文集有刻唐祖先生墓誌於賀監祠堂序題曰寶元元年知越州范某序係元年知越州長編却稱二年三月丁未當考是冬元昊僭號元昊性凶鷙猜忌通漢文字嘗諫父德明毋臣中國德明曰吾族三十年衣錦綺此聖宋天子恩不可負也元昊曰英雄之生當霸王耳何錦綺爲明道元年德明死朝廷遂命元昊襲父爵元昊雖嘗奉貢然居國中益僭侈景祐元年春始寇邊犯府州秋七月又寇環慶因下詔約束之元昊既悉有夏銀綏靜宥靈鹽會勝甘凉瓜肅之地仍居興州阻河依賀蘭山爲固始大補僞官創十六司以統衆務又置十八監軍司委酋豪分統其衆總十五萬又選豪族

善弓馬三千人迭直偽號六班直至是用其黨楊守素之謀築壇受冊僭號始受英武興法建禮仁孝皇帝國稱大夏改天授禮法延祚元年點兵蓬子山遣使奉表來告僭號納旌節敕告鄜州通判富弼請斬其使尋詔削元昊官爵除屬籍絕互市牓沿邊有能擒元昊除定難節度使

康定元年己卯公年五十一歲在越有諸暨道中詩越上聞子規詩春二月有兵部侍郎胡公墓誌銘有贈兵部尚書田公墓誌銘有題翠峰院詩有與李泰伯書其略云此地比丹陽又似閑暇可以十居請一來講說因而圖之誠衆望也兒子在蘇州今年欲行鄉飲酒俟先生講求也公在越有清白堂記六月有祭

胡侍郎文又有祭蔡侍郎文

三年庚辰年五十二歲春二月有胡公夫人陳氏墓誌銘節度掌書記沈君墓誌銘三月公復天章閣待制知永興軍用陝西安撫使韓琦之言也未至永興又改陝西都轉運使五月甲戌西方用兵公上疏言守邊城實關中之計近邊城砦有五七分之備而關中之備無二三分者昊賊深入乘關中之虛或東阻潼關隔兩川貢賦則朝廷不得安枕矣爲今之計莫若且嚴戒邊城使持久可守實關内使無虛可乘若寇至使邊城清野不與大戰關中稍實豈敢深入既不得大戰又不能深入二三年間彼自困弱此上策也又聞邊臣多請五路入討臣恐未可輕舉太宗朝以

宿將精兵而西討艱難終未收復況今承平歲久無
宿將精兵一旦興深入之謀臣謂國之安危未可知
也惟陛下緩而圖之七月己卯公除龍圖閣直學士
與韓琦並爲陝西經略安撫副使同管勾都部署司
事初公與呂夷簡有隙及議加職夷簡請超遷之上
悅以夷簡爲長者既而公入謝上諭公使釋前憾公
頓首曰臣向所論蓋國事於夷簡何憾也八月庚戌
兼知延州有延州謝上表先是詔分邊兵部署領萬
人鈐轄領五千人都監領三千人有寇則官卑者先
出公曰不量賊衆寡而出戰以官爲先後取敗之道
也乃分州兵爲六將將三千人分部教之量賊衆寡
使更出禦賊賊不敢犯既而諸路皆取法焉賊相戒

曰無以延州爲意今小范老子腹中有數萬甲兵不
比大范老子可欺也大范盖指雍也是歲横渠先生
張載來謁勸讀中庸呂與叔作横渠先生行狀云康
定用兵時先生方年十八慨然以功名自許上書謁
范文正公公知其遠器欲成就之反責之曰儒者自
有名教何事於兵因勸讀中庸即是年也築青澗城
復承平永平廢砦神道碑云公爲將務持重不急近
功小利於延州築青澗城墾營田復承平永平廢寨熟
羌歸業者數萬戶有舉張問孫明復狀乞修京城二劄子
慶曆元年辛巳年五十三歲朝命以正月出兵討元昊
公上疏其略云正月起兵塞外雨雪大寒暴露僵仆
我師可憂萬一有失噬臍何及春深漸暖方賊馬瘦

人饑其勢易制此得天時之便又可以擾其耕作且
元昊謂國家太平忘戰邊城無備是以桀驁今邊鄙
漸飭賊至則爭願許臣稍以恩信示之或可招納不
然臣恐情意阻絕偃兵無期若用臣等歲月無効徐
圖舉兵先取綏宥據其要害屯兵營田爲持久之計
則橫山人戶挈族來歸拓疆禦寇莫此之利上用其
議於是公固守鄜延有荅趙元昊書是年元昊遣塞
門寨主高延慶還延州令見公約和公不聞之朝廷
乃自爲書遺元昊諭以禍福二月元昊寇渭州始朝
廷既從陝西都部署司所上攻守策經略安撫判官
尹洙以正月丙子至延州與公謀出兵越三日公徐
言已得旨聽兵勿出洙留延州幾兩旬公堅持不可

辛丑洙還至慶州乃知任福等敗績賊侵劉璠堡未退因遣權環慶路都監劉政將銳卒數千來援未至賊引去夏竦尋劾奏洙擅發兵降通判濠州始韓周等持公書入西界逆者禮意殊善行兩日聞山外諸將敗亡周等抵夏州留四十餘日元昊俾其親信野利旺榮爲書報公別遣使與周俱還且言不敢以聞兀卒書辭益慢公對使者焚其書而潛録副本以聞書凡二十六紙其不可以聞者二十紙公悉焚之餘又略刪改書既達大臣皆謂公不當輒與元昊通書又不當輒焚其報宋庠因言於上謂公可斬杜衍謂公本志蓋忠朝廷欲招納叛羌爾何可深罪夷簡亦徐助衍言知諫院孫沔又上疏爲公辯上悟乃薄其

責夏四月癸未公以陝西經略副使兼知延州龍圖閣直學士戶部郎中降爲戶部員外郎知耀州職如故有謝降官知耀州表及耀州謝上表五月壬申公徙知慶州兼管勾環慶路都部署司事初元昊反陰誘屬羌爲助環慶酋長六伯人約與賊爲鄉導後雖首露猶懷去就公至部即奏行邊以詔書犒賞諸羌閱其人馬立條約明賞罰諸羌受命悅服始爲漢用九月辛酉公復戶部郎中十月公以龍圖閣直學士戶部郎中管勾環慶路部署司事兼知慶州爲左司郎中是月梁適自陝西還公附奏攻守二議是歲有舉滑州節度判官歐陽脩充經略安撫司掌書記狀又舉天雄軍通判張方平充經略安撫司掌書記狀

是歲築大順城神道碑云於慶州城大順以據要害
又城細腰胡蘆於是明珠滅臧等大族皆去賊爲中
國用又曰其城大順也一旦引兵出將不知所嚮軍
至柔遠始號令告其地處所往築城至於版築之用
大小畢具而軍中初不知賊以三萬騎來爭公戒諸
將戰而敗走者追勿過河已而賊果走追者不渡而
河外果有伏賊失計乃引去於是諸將服公爲不可
及有兵部尚書蔡公墓誌銘太常少卿賈公墓誌銘
舉丘良孫應制科狀
二年壬午年五十四歲三月癸丑公請給樞密院空名
宣及宣徽院頭子各百道以備賞功從之巡邊至環
州州屬羌陰連虜爲患邊上公謂种世衡素得屬羌

心而青澗城已堅固乃奏世衡知環州以鎮撫之詔從其請四月癸亥除鄜州管內觀察使辭不受其讓表略云觀察使班待制下臣守邊數年羌胡頗親愛臣呼臣爲龍圖老子今改觀察使則與諸族首領名號相亂恐爲賊所輕且無功不應更增厚祿辭甚切表三上乃命復爲龍圖閣直學士左司郎中有謝守舊官表傳宣候將來邊事稍寧詔御用在兩地非出擬亦非臣僚奏舉特出朕意宣諭卿知兼令密舉臣僚代邊任奏聞先差入內內侍省高班陳舜封至傳宣又差入內西頭供奉官麥知微至傳宣旨撫問賜鳳茶一合有上呂相公三書十月辛亥以公爲樞密直學士右諫議大夫鄜延路都部署經略安撫招討

使有讓表元昊寇邊葛懐敏戰死賊大掠至潘原關中震恐公自將兵由邠涇援之知賊已出塞乃還上始聞之川事按圖謂左右曰若仲淹出援吾無慮矣奏至上大喜曰吾固知仲淹可用亟加職進官公以西帥久無功密疏乞賜貶降以謝邊陲辭不受命不聽十一月復置陝西四路都部署經略安撫兼沿邊招討使命公及韓琦龐籍分領之公與琦開府涇州而徙文彥博帥秦滕宗諒帥慶皆從公之請也十二月壬戌詔韓琦范仲淹龐籍已帶四路都招討使其諸路招討使副並罷從知慶州滕宗諒請也有舉滕宗諒狀是歲有書環州馬嶺鎮夫子廟碑陰乃正月書也

三年癸未年五十五歲正月辛卯詔陝西沿邊招討使

韓琦范仲淹龐籍凡軍期申覆不及皆便宜從事用
安撫使王堯臣議也上親擢公與富韓諸賢而黜夏
竦國子監直講石介作慶曆聖德詩以美之指夏竦
爲大姦公聞之不樂蓋恐其召禍於後日也二月乙
卯公與韓琦上疏言元昊如大言過望爲不改僭號
之請則有不可許者三如卑詞厚禮從兀卒之稱亦
有大可防者三神道碑云公待將吏必使畏法而愛
巳所得賜賚皆以上意分賜諸將使自爲謝諸蕃質
子縱其出入無一人逃者蕃酋來見者召之卧内屏
人徹衛與語不疑公居三歲士勇邊實恩信大洽乃
決策謀取横山復靈武而元昊數遣使稱臣請和上
亦召公歸矣按名臣傳曰公與韓琦叶謀必欲收復

靈夏橫山之地邊上謡曰軍中有一韓西賊聞之心膽寒軍中有一范西賊聞之驚破膽元昊大懼遂稱臣四月甲辰公與韓琦並除樞密副使皆以西事未寧凡五辭不許而後就道有除樞密副使召赴闕陳讓五表有與朱校理書云十六日被旨赴闕至二十五日與韓公同上五章爲邊事未寧防秋在近乞且留任必得俞允入則功遠而未濟後有邊患咎歸何人軍民億萬生死一戰得爲小事耶諫官歐陽脩言公與韓琦久在陝西備諳邊事才識不類常人宜時御便殿訪問使其盡陳西邊事宜合如何措置是歲自春至夏不雨上言六事其略云臣親聞德音謂屢有災異當脩德以及民并詔臣等謹省刑法此實見

聖人憂畏之心合於天意今條奏數事一降詔罪已
二遣使決獄三詔州縣賑卹四存養陣亡之家五邊
民被戎狄驅虜者量支官物贖還六已該赦除放欠
負官司不得催理諫官歐陽脩余靖蔡襄咸言公有
宰輔才不宜局在兵府願罷王舉正以公代之舉正
亦自求罷上從其請六月丁丑除參知政事固辭不
拜甲申以公爲陝西宣撫使公既辭參政願與韓琦
迭出行邊上因付以西事而公又言河東亦當爲備
任師中常守并州上即命使河東兩人留京師第先
移文兩路公又請近臣同使每事議而後行詔命田
況爲副使按公尺牘載與中舍家書略云某近蒙恩
擢貳樞府此蓋祖宗之慶下及家世累讓不允今月

二日已簽署勾當至十二日蒙恩改參大政尋面陳利害已得旨依讓且在西府相次必出巡邊諸骨肉各安吉互相戒約勿須州縣如輒興詞訟必奏乞深行請指揮兒姪知委八月丁未公自樞密副使右諫議大夫復除參知政事知諫院蔡襄言已差公宣撫陜西又除參政未有尋邊之日切以西賊遣使入朝其言驕慢必無可從之理原其姦心本無欲和之意朝廷既罷遣之其勢必須用兵邊將雖多莫如朝廷輟柄臣以臨之又謂柄臣之中莫如公自行望於西人未行之前早遣巡邊無使後時以失大計先是公與任師中分路宣撫踰月皆未行韓琦言賊恐乘忿盜邊當速遣某河東臣方壯年可備奔走師中宿舊

大臣毋勞往乃詔琦宣撫陝西師中卒不行九月庚辰命同修中書時政記有述實諫議陰德録祭石曼卿學士文祭吳龍圖文上擢任公與韓琦富弼每進見必以太平責之數令條奏當世之務公語人曰上用我至矣然事有後先且革弊於久安非朝夕可能也上再賜手詔督促曰比以中外人望不次用卿等今琦暫往陝西仲淹弼與宰臣章得象盡心國事毋或有所顧避其當世急務有可建明者悉爲朕陳之既又開天章閣召對賜坐給筆劄使疏于前公與弼皆皇恐避席退而列奏十事一曰明黜陟二曰抑僥倖三曰精貢舉四曰擇官長五曰均公田六曰厚農桑七曰修武備八曰減徭役九曰覃恩信十曰重命

令上方信嚮公等悉用公說當者爲令者皆以諸事畫一次第須下獨府兵輔臣共以爲不可而止十月丙午詔中外有陳叙勞績或訴雪罪狀中書批送有司者謂之送殺更不施行自宜令主判官詳其可行者別奏聽裁行公之奏也是歲劫盜張海橫行數路剽劫淮南將過高郵知軍晁仲約度不能禦諭富民出金帛牛酒使人迎勞盜悅徑去不爲暴事聞朝廷大怒樞副富弼議欲誅仲約公時爲參政欲宥之爭於上前弼曰盜賊公行守臣不能戰不能守而使民醵錢遺之法所當誅也聞高郵之民疾之欲食其肉不可釋也公曰郡縣兵械足以戰守遇賊不禦而又賂之此法所當誅也今高郵無兵與械雖仲約之義

當勉力戰守然事有可恕戮之恐非法意也小民之情醵出錢物而得免於殺掠或喜之而云欲食其肉傳者過也上釋然從之仲約由此免死既而弼愠甚謂公曰方今患法不舉舉法而多方沮之何以整衆公密告之曰祖宗以來未嘗輕殺一臣下此盛德之事柰何欲輕壞之且吾與公在此同僚之間同心者有幾雖上意亦未知所定而輕導人主以誅戮臣下他日手滑雖吾輩亦未敢自保也弼終不以爲然其後兩人不安于朝相繼出使弼還自河北及國門不許入未測上意比夜彷徨不能寐遶床嘆曰范六丈聖人也又遺事亦載此事但云淮南盜王倫與此不同又載公與富公爭於上前之語曰寇至無備若守

臣死之則民盡塗炭今吏雖不死節而民之完者數萬家誠國家實事所存不細乃與有備而縱賊者倒行誅罰恐非陛下寧失不經之意退至政事堂昌言曰朝廷異時以四方無事不肯爲郡縣設備吏敢以治城隍閱兵卒爲請者以狂妄坐之一旦事生不虞吾輩不自引咎專以死責外臣誠有愧於青史也按言行録載遺事曰公爲參政與韓富二樞並命鋭意天下之事患諸路監司不才更用杜杞張昷之輩公取班簿視不才監司每見一人姓名一筆勾之以次更易富公素以丈事公謂公曰范六丈公則是一筆焉知一家哭矣公曰一家哭何如一路哭耶遂爲罷之

四年甲申年五十六歲四月上與執政論及朋黨事公對曰方以類聚物以群分自古以來邪正在朝未嘗不各爲一黨不可禁也在聖上鑒辨之耳誠使君子相朋爲善其於國家何害五月壬戌朔公與韓琦對於崇政殿上四策一曰和二曰守三曰戰四曰備請朝廷力行七事一密爲經略二再議兵屯三專於遣將四急於教戰五訓練義勇六修京師外城七密定討伐之謀是日公與琦指陳於上前數刻乃罷六月公與琦又奏陝西八事河北五事已而公又奏今防秋事近願賜罷臣參政知邊上一郡帶安撫之名足以照管邊事乞更不帶招討都部署職任遂以公爲陝西河東宣撫使先是公嘗言契丹元昊事可疑者

六可憂者三始公以忤呂夷簡放逐數年士大夫持
二人曲直交指爲黨及陝西用兵天子以公士望所
屬拔用護邊及夷簡罷召還倚以爲治中外屬望公
亦感激眷遇以天下爲已任遂與富弼日夜謀慮興
致太平然規模濶大論者以爲難行及按察使多所
舉劾人心不自安任子恩薄磨勘法密僥倖者不便
於是誇毁浸盛而朋黨之論滋不可解然公與弼等
所議不變先是石介奏記於弼責以伊周之事夏竦
怨介斥已又欲因是傾弼等乃使女奴陰習介書久
之習成遂改伊周曰伊霍而僞作介爲弼撰廢立詔
草飛語上聞上雖不信而公與弼恐懼不敢自安于
朝皆請出按西北邊未許適有邊奏公因固請行乃

有是命初公之出也過鄭州因見吕夷簡問何事遽出公對以暫往經撫兩路事畢即還夷簡曰君此行正蹈危機豈復再入又龍川志云范公以參知政事出使吕公已老居鄭范公往見之吕公欣然相與語終日問曰何爲亟去朝廷范公言欲經制西事耳吕公曰經制西事莫如在朝廷之爲便范公爲之愕然公遂去自公出使讒者益深而王益柔者亦公所薦王拱辰因其作傲歌事劾奏之力言其罪當誅蓋欲因益柔以累公也時賈昌朝陰主拱辰等議及輔臣進白琦獨言益柔少年狂語何足深治天下大事固不少近臣同國休戚置此不言而攻一王益柔此其意有所在不特爲傲歌事可見也上悟乃寬之夏六

月有上呂相公書八月辛卯命公領刑法事賈昌朝
願天下農田有利害其悉條上之初公援唐故事請
以輔臣分總其務雖嘗降勑然其後弗果行有上呂
相公書冬十月丙申命公提舉三館秘閣寫書籍上
疏乞罷政事知邠州詔不許十一月四日又有上呂
相公書有舉許渤簽署陝府判官事狀十二月公議
築古細腰城檄知環州种世衡與知原州蔣偕共幹
其事又檄偕築大蟲堡是歲有陳乞邠州狀十二月
有祭呂相公文祭陳相公文有舉張伯玉應制科狀
五年乙酉年五十七歲正月乙酉公自右諫議大夫參
知政事除資政殿學士知邠州兼陝西四路緣邊安
撫使可賜推誠保德功臣有謝授邠州表邠州謝上

表有祭韓少傅文二月癸卯公請以新建細腰城隷原州從之有邠州州建學記有論復併縣劄子閏五月有祭環州种染院文八月有祭陝府王待制文自公與韓琦出使讒者益甚兩人在朝所施爲亦稍沮止獨杜衍左右之上頗惑焉公愈不自安因奏乞罷政事上欲聽其請章得象謂公素有虛名今一請遽罷恐天下謂陛下輕黜賢臣不若且賜不允若即有謝表則是挾詐要君乃可罷也上從之公果捧表謝上愈信得象言於是富弼自河北還將及國門右正言錢明逸希得象等意言弼過又言公去年受命宣撫河東陝西聞有詔戒勵朋黨心懼彰露稱疾乞醫纔見朝廷別無行遣遂拜章乞罷政事知邠州欲固已

位以弭人言欺詐之迹甚明乞早廢黜以安天下之
心使姦詐不敢效尤忠實得以自立明逸疏奏即降
詔罷公及弼并罷學士院草制罷衍十一月詔以邊
事寧息盜賊衰止罷公陜西四路安撫使并罷富弼
安撫其實讒者謂石介謀亂弼將舉一路兵應之故
也公先引疾求解邊任遂改知鄧州有陳乞鄧州表
是月乙未轉給事中資政殿學士知鄧州謝轉給事
中知鄧州表鄧州謝上表

六年丙戌年五十八歲秋七月丙戌子純粹生公在鄧
是年鄧人賈內翰黯以狀元及第歸鄉謁公願受教
公曰君不憂不顯惟不欺二字可終身行之內翰不
忘其言每語人曰吾得於范公者平生用之不盡

也二月有祭謝希深舍人文九月十五日作岳陽樓記中有先天下之憂而憂後天下之樂而樂之句蓋公平日允蹈之言也有依韻酬荅邠州通判王稷詩依韻酬太傅張相公見贈詩依韻酬李光化見寄詩依韻荅王源政憶百花洲詩中元夜百花洲詩覽秀亭詩合提刑張太傅嘗新醞詩喜雪詩資政殿學士謚忠獻范公雍墓誌銘依韻和安陸孫司諫詩送河東提刑張太博詩种世衡墓誌銘

七年丁亥年五十九歲公在鄧二月有祭龍圖楊給事文有祭尹師魯舍人文按尺牘載與韓魏公書略云師魯去赴均州時已覺疾作至均寢食或進或退僅百餘日得提刑司文字舁疾來鄧以存歿見托至五

日而啓手足苦痛苦痛至終不亂初相見時却且着
灸不談後事疾勢漸危遂中夜詰驛着他告伊云足下
平生節行用心待與韓公歐陽公各做文字垂于不朽
他舉手叩頭又告伊云待與諸公分俸贍家不令失所
他舉手云渭州有二兒子即就枕更不他語來日與趙
學士看他云夜來示諭並記得已相別矣顧家人云我
自了當不復管汝略無憂戚又兩日猶能扶行忽索澀
漱訖憑案而化衆人無不悲泣無不欽服其明也別趙
學士云不怛化別韓倅云少年樹德別賈狀元云亦無
鬼神亦無煩惱尋常於兒女多愛不謂能了了如此又
云已去安州蘇之翰處作行狀待送求叔作墓誌其不
敢作恐知當年事不備故也却待作文集序明公可與

他作墓表也十一月有祭故相太傅李侍中文有乞召

還王洙及就遷職任事劄子

八年戊子年六十歲春正月丙寅徙知荊南府鄧人愛

之遮使者請留公亦願留從其請也有謝依舊知鄧

州表公守鄧凡三歲求知杭州二月有十六羅漢因

果識見頌序

皇祐元年己丑年六十一歲正月乙卯公知杭州有杭

州謝上表公守杭日林逋隱孤山公過其廬贈詩曰

巢由不願仕堯舜豈遺人風俗因君厚文章到老醇

其激賞如此與人約訪林處士阻兩見寄詩和沈書

記同訪林處士詩時孫甫爲兩浙轉運公以大臣或

便宜行事孫曰范公貴人也吾屈於此不得不伸於

彼由是一切繩以法而常以監司自處范公遇之無倦色公遇范公不少下退而未嘗不稱其賢也按文集天竺山日觀大師塔記云皇祐元年余至錢塘正月帝御便殿訪近臣以備禦之策權三司使葉清臣言詔問輔弼之能令爲社稷之固者莫如公又謂公深練軍政公在杭有過餘杭白塔寺詩西湖筵上贈胡侍郎詩和僧湖居五絶和運使舍人觀潮二首和蘇州蔣密學詩并謝賜鳳茶表和蘇之翰對雪詩和并州鄭宣徽見寄二首秋七月癸卯除尚書禮部侍郎舉張昪自代云伏見工部郎中集賢殿修撰知潤州張昪筮仕以來清介自立精思劇論有憂天下之心挺誠直道無讓古人之節朝對推服臣所不如乞

回臣所授以允公論十月庚申朔有祭葉翰林文置
義莊于蘇州按言行録云公在杭子弟以公有退志
乘閒請治第洛陽樹園圃以爲逸老之地公曰人苟
有道義之樂形骸可外况居室乎吾今年踰六十生
且無幾乃謀治第樹園圃顧何待而居乎吾之所患
在位高而艱退不患退而無居也且西都士大夫園
林相望爲主人者莫得常遊而誰獨障吾游者豈必
有諸己而後爲樂耶俸賜之餘宜以賙宗族若曹遵
吾言毋以爲慮又按程氏遺書云横渠張先生言有
欲爲公買緑野堂公不肯曰在唐如晉公者誰可尊
也一旦取其物而有之如何得安寧使耕壞及他人
有之已則不可取也

二年庚寅年六十二歲春有段君墓表兵部員外郎王
君墓表公在杭轉尚書戶部侍郎依前職任有謝表
按沈存中筆談云皇祐二年吳中大饑殍殣枕路是
時公領浙西發粟募民存餉爲術甚備吳民喜競渡
好爲佛事乃縱民競渡太守日出宴于湖上自春至
夏居民空巷出遊又召諸寺主首諭以饑歲工價至
賤可大興土木於是諸寺主作鼎興又新倉廒吏舍
日役千夫監司奏劾杭州不恤荒政嬉遊不節及公
私興造傷耗民力公乃自條叙所以宴遊興造皆欲
以有餘之財以惠貧者貿易飲食工技服力之人仰
食於公私者日毋慮數萬人荒政之施莫此爲大是
歲兩浙惟杭州晏然民不流徙皆公之惠也歲饑發

司農之要募民興利近歲遂著爲令既已恤饑因之以成就民利此先王之美澤也八月建昌軍草澤李覯撰明堂圖議公奏之授試太學助教覯能研精經訓會同大義按而視之可以興制令朝廷行此盛禮千載一辰斯人之學上契聖作謹具録以進庶討論之際有所補助詔送兩制看詳稱其學業優博有舉李宗易向約堪任清要狀有乞召杜衍等備明堂老更表進故朱寀所撰春秋文字狀冬十一月有兄中舍墓銘

三年辛卯年六十三歲是歲公以戶部侍郎知青州充淄濰等州安撫使有貴州謝上表正月八日有續家譜序按尺牘載與韓魏公書云某上巳日方至青社

繼富公之後廉事有倫守之弗墜但歲饑物貴河朔流民尚在村落因須救濟又按言行録載東齋記事云公鎮青社會河朔艱食青之與賦博州置納場青民大患輦置之苦公戒民納價每斗三錢納鈔與之以書與博守遣官輓金詣博坐倉以倍價招之賫巨牓數道介其境則張之且戒曰郡不假廩寄僧舍可也至則貿者山積不五日遂足而博斛亦衍斛金尚餘數千緡按等差給還之青民因立像祠焉有舉彭乘自代狀舉張諷李厚充青州職官狀正月有祭杜待制文三月有太子中舍上官君墓銘有陳乞潁亳一郡狀冬十有一月戊申有寫黃素伯夷頌寄京西轉運蘇才翁文潞公杜祁公富鄭公等一時名人題

踐上書言古者内置大夫士助天子司察天下之政
外置岳牧方伯刺史觀察使採訪使統領諸侯守宰
以分理之今轉運按察使古之岳牧方伯知州知縣
古之諸侯守宰之任也與陛下共理天下者爲守宰
最要耳比年以來不知擇選一切以例除之以一縣
觀一州一州觀一路一路觀天下率皆如此其間縱
有良吏百無一二使天下賦税不得均獄訟不得平
水旱不得救盜賊不得除民既無告訴必生愁怨救
之之術莫若守宰得人若守脩政舉則天下自無事矣
四年壬辰年六十四春正月戊午徙知潁州夏五月二
十日至徐州薨先是公在青未盈歲以疾徙知潁州
詔自青州徙行于徐州有遺表歷官推誠保德功臣

資政殿學士金紫光祿大夫尚書戶部侍郎護軍汝
南郡開國公食邑二千三百戶食實封六百戶贈兵
部尚書謚文正累贈太師中書令兼尚書令追封楚
國公十二月壬申葬于河南洛陽縣尹樊里之萬安
山下初公病上嘗遣使賜藥存問既卒嗟悼者久之
輟朝一日以其遺表無所請遣使就問其家所欲既
葬上親篆其碑曰褒賢之碑勑賜西京褒賢顯忠禪
寺蘇州天平山白雲禪寺奉公香火賜忠烈廟額爲
政忠厚所至有恩邠慶二州之民與屬羌皆畫像立
生祠及其卒也羌酋人數百爲舉哀佛寺哭之如父
三日而去
宣和五年慶帥宇文虛中奏請賜忠烈廟額慶陽平江

府凡一十九處成都府學以上並有公祠朝旨所在
監司郡守學官歲時詣祭祀
欽宗皇帝靖康元年丙午二月壬寅詔褒贈近世名臣
故任資政殿學士贈太師追封楚國公謚文正范某
可特追封魏國公

年譜補遺

前譜所載公事多有闕遺今取其未載者見之逐年之下

明道二年八月公時爲江淮安撫勘會直楚之泗州有發運司轉般斛斗差撥綱運於三處裝發粳米大小麥豌豆等共六五十萬石救濟沂密徐兖等州九月體量淮南州軍賒糴人民二麥并賒買亭民塩貨未有見錢支給并向春逐處缺乏軍儲亦無錢和糴奏乞借賜錢五十萬貫并疋帛香藥三五十萬下淮南軍州應副前項支贍又體問得諸軍州自來和糴當農民出糶被行人抑壓價例收糴不前直候冬深斛斗巳入商賈之家方始添價出糴是以大段虚費官錢又

不濟得農民奏乞許農民作保申乞先請價錢限一
月内入納免被經販人隔截農民不得抑勒令請領
十月奏爲蘇常秀潤旱蝗乞依吴遵路所奏權罷配
糴斛斗又自江寧府乘遞馬到潤州起發楚州等處
斛斗往廬壽登萊等州時江淮州軍有因疾疫死亡
人口種蒔不敷田段甚多公牒逐官依災傷一例體
量放減并孤貧老幼不濟人户多無田苗除減放外
移税數不多者虚煩催科無可送納即與全放十一
月牒江淮災傷州軍應實因災傷逃移拋下税産已
曾申報州縣後來雖是未差官撿覆今却歸業者並
放免税賦及有已曾歸業爲官中令納税存濟不得
又逃移者亦許歸業依此減放税科十二月奏乞免

放舒廬等州折役茶又看詳江寧府上元縣等處所管主客戶口逓年送納塩錢即不曾請塩食用其客戶塩錢數不多欲乞朝廷特與除放

景祐元年正月薦丁鈞鄧資徐執中衛齊盧革李碩張弁並公廉文雅爲衆所稱堪充京官如擢用後犯入已贓甘當同罪時黎德潤無辜獄死公奏乞訪求本家骨肉量與支賜令其收瘞仍乞指揮今後命官使臣犯公罪流以下贓罪徒以下並不禁繫許責保出外聽勑

康定元年正月十二日牒環慶路今後如有報到賊馬深入鄜延路更請相度一面部領軍馬入賊界攻討要害城寨須管大段殺獲分張賊勢不得只在界首

及打虜些少族帳便爲策應之名若環慶有賊馬亦
令鄜延路分擘諸頭出軍馬深入賊界攻討十五日
陜府申税戶朱大成等八百九戶各於送納秋税不
前拋下税額全家逃走公牒陜府指揮逐縣鄉村拘
管上件逃移人戶屋業生産不得燒㷠斫伐其逃移
人口即與倚閣去年秋税招誘歸業免致逃移毀却
素産將來歸業不得即大段虧失省税所有諸州軍
人戶慮恐亦有似此逃移并牒逐州亦請相度安恤
樞密院劄子奉聖旨西界首領約遇没兀等二人部
領蕃賊七百餘人在塞門寨駐泊其部署司爲何不
差人馬掩殺公言延州去塞門寨並無人煙又行川
路之中一水屈曲五七十處涉渡恐傷兵士脚手周

廻又無舊日熟戶縱得此寨其勢孤絕亦恐難爲駐
兵以此不如訓練兵士候春煖可以涉水或輕兵掩
襲或大軍攻賊縱被棄去自家兵士不致有損○二
月八日奏上延州熟戶見今饑餓若春深無田可耕
別思作過或虜刼漢戶北入横山則延州東界大有
憂事乞與脩廢寨御前劄子付夏竦仰一面與范仲
淹計會商量但應機乘便可以出師即同謀進取又
聖旨令范仲淹於鄜州與夏竦韓琦商議邊事十二
日奏乞相度禁放青塩利害事十四日公有疏奏荅
朝旨論攻討西賊利害十七日奏張建侯狄青等與
西賊戰于保安軍有功乞重加錫賜公嘗舉歐陽公
充本路掌書記尋詔除館閣不赴任十七日公上言

竊見著作佐郎通判天雄軍張方平富於文學後有才用乞朝廷改除充本司掌書記取進止是月二十四日牒張亢修豐林城及萬安寨又牒朱吉任守信种世衡高良夫相度東路承平南安兩寨如久遠可守即進兵前去修復是月二十五日又奏乞修廢寨

○三月初一日牒青澗城种世衡永平寨郭延珎等接此春煖耕農之時速勘會上件驚移熟戶蕃部如内有未敢歸業依舊耕種即便相度鄰近有無官司空閑地土或遠年逃田權撥與耕種如無牛具者官與量借錢收買常切安存無令失所初二日又奏邠兵馬五萬防托秦川時知保安軍王信西路巡檢狄青自來入陣勇猛公恐其爲賊所誘二十八日奏乞

指揮二人令持重不須身自鬬敵○四月五日差周
美楊麟陳永圖等修復萬安寨豐林城甘泉城巳畢
公又相度將典修承平南安新寨等十一日牒种世
衡郭延珎等據的是見闕乏糧草蕃部相度逐戶口
數目每十口巳上官中量支借貸糧粟各一石十口
巳下各借五斗仍常切照管安存無令失所○六月
奏乞指揮逐路將諸軍弓弩手教習短兵又乞揀選
武士充節級○七月十五日舉孫沔田況充經略判
官又舉胡翼之充本司催驅公事○八月一日舉劉
牧錢中孚等十七人充陝西差遣時延州金明寨招
到殘破蕃部三百二十八戶雖給與田土無力耕種
缺少粮食公奏體量延州西北被西賊破蕩無知延

州張存母年八十寄泊他郡人子之心宜不獲安伏
乞別選人知延州如未選得間即令臣知延州所貴
依得約束訓練兵馬十八日公牒延州通判大理寺
丞高良夫將本寨見管熟戶蕃部等每家十口已下
各支斛斗二石其十口已上支三石公巡邊到延州
據左侍禁王聰狀陳弟王繼元差在塞門寨權兵軍
監押被蕃賊打破寨門相殺身死二十日爲奏聞朝
廷乞特賜獎錄以勸死節之士○初鄜州至延州一
百六十里元是三程於新店牢山各有館驛後減廢
○九月公與轉運使明鎬巡歷自鄜州至延州兩程
遇晴明皆昏黃後方到驛程太遠山坂至多及巡歷
回來却值泥雨崖路險滑三十餘度涉河自甘泉縣

早發至晚只到得皇甫店去鄜州尚更兩鋪所有隨
行軍馬已各疲乏便無喫食須用回買其軍馬既不
到驛即無支請草料去處兼是山居無可收買遂牒
延州將牢山新店館驛量行脩補及存留甘泉新置
驛每有過往使命軍馬或遇晴明直中路甘泉縣即
支給一日口食糧草或遇雨雪并山河水漲即於新
店牢山勘請止宿十六日奏乞放免張亢斬軍不當
罪名是月奉聖旨節文令公案切厚支與金帛召募
敢死之士深入賊境探候等事公言臣在延州差韓
周張宗永賫送文字直到昊賊處二人不期為臣所
累皆竄遠方今雖奉聖旨令臣募人入賊界以何面
目更可使人伏乞勾還韓周張宗永量加恩澤○十

月初一日巡檢李惟希下兵士王羲等四人作鬧扇
搖軍人公到延州據司理院勘到並斷送葛懷敏軍
前要斬初五日公牒朱觀將領兵軍計會王達朱吉
王守琪張宗武自鄜州西北入德靜寨進兵討掠族
帳又牒葛懷敏將帶周英鄭從政部領兵馬離延州
往保安軍逼逐蕃賊仍差劉政充先鋒取路深入破
蕩部署初九日又奏乞逐路部署已下出入進退處
置軍馬公事並聽經略安撫都部署司諸使處分時
西賊大將剛浪唛兵馬家爲強勁在夏州東彌陀洞
居止又次東七十里有鐵冶務即是賊界出鐵製造
兵器之處去河東麟府界黃河西約七八十里可出
麟府幷石隰州兵馬與隰州兵馬與延州兵馬會合

掩襲以分賊勢惟朱觀久在麟州知得次第已曾密
議奏乞令朱觀討會河東軍馬以幹此事鄜州曹司
馬勳張式黃貴減尅兵士請受公言當此軍期之際
兵士多是饑寒逃亡若更減尅轉難存濟遂牒鄜州
將馬勳等三人對諸軍處斬又奏脩城及般運糧草
工役辛苦地又惡寒日有逃亡乞每月支醬菜錢是
月十二日公上言陝西軍州自西事以來應副軍期
科率百出如官員得人稍能均濟或知寬猛則不致
於殘民其不得人處政在胥吏因其急速得恣貪暴
既屬軍期民無所訴臣自膺寄任奏薦頗多乞朝廷
深加照察知非請托其所奏之人多是僥倖優穩之
處永祝辭免不來赴任朝廷遂一夫之私情忘百姓

之深患滿目疾苦將何以濟伏望聖慈特賜愛軫應
陝西所奏官員曾經免者除別有擢用外却乞盡底
催發前來赴任十七日公具諸將所獲生口鞍馬畜
産器械并首級具聞于朝十八日保安軍奏乞早降
宣命下本路轉運使司并經略安撫使副火急於近
裏州軍人戶秋稅内科撥赴本軍公體量得延州至
保安軍山路一百五十餘里昨因西賊侵擾燒却人
戶田土則各逃散沿路不住有蕃賊出來打刼若令
近裏州軍人戶就保安軍輸納轉見苛虐於民不便
公遂擘畫只將鄜延兩路界近保安軍送納公將部
將任福打破白豹城蕩四十餘里狄青黃世寧到盧
子平挺到西賊婦女朱覷打破洪州一十餘寨并族

帳二十餘處二十八日奏乞不禁青鹽二十九日奏
乞朝廷念及邊遠之人率多無告特告朝旨應舉充
縣令人限一季內並與移陝西路如在沿邊州軍即
便乞與除職官知縣如人數不足即乞委清望官於
三舉已上進士有行止文學者具事狀連坐各薦一
兩人不致闕官辦集邊事○是歲十一月虎翼軍第
九指揮王瓊奪長行于興斫到人頭作自已功劄上
名字申奏宜轉充下名正指揮使後于興告訴問訖
招伏公書斷云奪戎士死戰之功誤朝廷重賞之意
其王瓊集軍員等處斬又奏乞建故寬州爲青澗城
十三日奏狄青黃世寧頗勇氣乞早加獎用十六日
奏張繼勳破賊於歸娘谷乞賜酬獎十七日時陝西

軍州每年夏稅支移在邊上送納民疲於役公又上
言乞令於陝西近裏州軍送納則借得百姓時自京
起發兵馬來陝西邊上州軍駐劄訪知押軍使臣內
有懦弱生踈不能鈐轄致兵士在路作過攪擾縣鎮
十九日公牒鄜同華州河中府如軍馬經過相度使
臣稍有生踈不能鈐轄便請那差都監監押一員或
差得力使臣支與驛券同共管押逐州交割不得縱
令不著次第及攪擾縣鎮施行十一月差張建侯與
狄青黃世寧劉政在保安軍差鄭從政在萬安鎮又
牒鄜州令張宗武往敷政縣且令探候如近邊寨無
備則便行討擊二十六日奏舉种世衡知環州〇十
二月初二日乞陞擢滕宗諒差赴陝西必可濟辦邊

事時清邊弩手新到州司不敢依例給錢公言沿邊苦寒之地所有晉州清邊弩手指揮人員兵士已到延州例各單寒闕少衣裝初四日遂牒延州一例支給○十二月十二日奏乞朝廷特降指揮下京西陝西嚴切鈐束如有兇惡即行軍法十六日牒同州抽差北縣分弓手二千人并牒河中府抽差弓手一千人並差使臣押送鄜城縣駐劄把隘防托又牒耀州郡兵士兩指揮赴坊州防托時關中諸郡支移百姓苗稅配納糧草往邊上州軍送納惟鄜延一路最是辛苦縻費數倍蓋是山陵道路不可通大車只是小車并驢子般運或遇晴明則一月程僅可往還或值雨雪艱難寸進至有離家四五十日累饉乾糧並盡

却更那人歸取盤纏今延州稈草每束一百七十文其關中百姓秋稅入邊上送納每束稈草只折三十文若據在市價頗甚虧民公相度得鄜州鄜城縣後魏時爲鄜城郡隋爲僖州南至同州河中府各是四程北至鄜州兩程至延州五程物價稍賤奏乞朝廷建鄜州爲軍令建營房倉厫廨舍所有同華河中府以來州軍近下等第苗稅只於此處送納且減得一半惡路至春却那減鄜延軍馬於此處屯泊就得賤價粮草稍減得百姓勞弊辛苦亦且近便往復[illegible]

[illegible]十二月二十八日奏乞暫出延州賞給熟戶蕃部首領給與文帖并散茶絲內有功勞異於衆者等第支給襖子腰帶係蕃部巡檢者給與紅纓交椅

仍與別立約束令遞相鈐轄准備點集時聖旨令公
與梁適商量邊機事公奏乞指揮涇原路招安明珠
滅藏二族時邊上臣僚陳乞買馬纔得宣頭便令人
於熟戶及百姓公人之家覷步收買其差去人接便
起動熟戶取奉虧價强買邊上新舊官員各稱准宣
買馬無時了絕往往一道宣頭應帶數疋公乞朝廷
降指揮將買馬宣頭並乞勾收繳納
慶曆元年是歲春正月公在延州朝廷既用韓琦等所
畫攻策先戒師期公言正月內起兵塞外雨雪大寒
暴露僵仆使賊乘之必有所傷願朝廷存此一路未
行討伐容臣示以恩信或可招納戊午詔從公所請
時公前凡六奏卒城承平等十二寨蕃漢之民相踵

復業〇二月四日奏乞於諸寨置榷場用疋帛等博買熟戶將到青鹽只於慶環二州添起一倍價錢出賣收得一色見錢糴買糧草及支諸軍請受大段藏得近裡見錢應副邊上〇三月任福等既敗朝議因欲悉罷諸路行營之號明示招納使賊驕怠仍密收兵深入討擊詔范仲俺体量士氣勇怯公言任福已下皆邊上有名之將尚不能料賊令之所選往往不及更令深入禍未可量於是行營之號卒不罷兵亦不復出〇四月徙知慶州兼管勾環慶路部署司事初元昊陰誘屬羌為助環慶酋長六百人約與賊為鄉道後雖首露猶懷去就公至部即奏行邊以詔書犒賞諸羌閱其人馬立條約諸羌受命悅服自是始

爲漢用初曹瑋於環慶添置六寨差田敏部轄軍馬在彼防托至今熟戶倚此城寨四月公奏乞聖慈以曹瑋田敏前後戰功并建寨托邊之利特加贈典其直下子孫量行恩澤以奬勸邊士六月陝西體量使王堯臣言范仲淹韓琦皆天下選其忠義智勇名動夷狄不宜以小故置散地○先是一月聖旨令擘畫牽制西賊不令往河東作過公牒本路主兵官員盡底部領戰兵往沿邊入界牽制併擘畫合行事件指揮逐路主兵官員施行十月初五日將所行事件畫一具奏○十一月二十一日舉劉貽孫及葛宗古二十六日乞將以所授左司郎中一官回授种世衡與轉諸司使知環州是月罷適自陝西還公附奏攻守

二儀是月奉聖旨體量鈐轄都監〇十二月初七日
奏乞改移張明郝緒
慶曆二年時蕃部巡檢趙明勾招到歲界僞署團練使
訛乞并手下蕃官等共二十三戶公定奪賞賜銀椀
頭巾角茶交椅銀帶錦襖等物那與蕃官房舍居住
正月初二日公奏乞爲蕃官訛乞等補官十一日到
環州管設蕃官支與銀綵等物與立約束蕃部喜羅
二十九日再舉种世衡知環州時牒各寨逐月一度
勾集蕃官管設又恐公用錢物使用不足又牒環州
簽判陰諒臣往逐寨標撥官地種蒔蔬菜貨賣并諸
蕃部贓罰添助公用去訖所貴不破省錢是月公到
邠州排揀新兵據人戶王招瑋等陳告稱官中修營

古郤園林地土拆了屋舍乞估計合支價錢公牒委邠州請依上項條貫支給逐人價錢及除放隨地錢稅後邠州准轉運司牒勾收已支價錢公言雖准都轉運司指揮令將空閑官地充還既無官地即合回申都轉運司豈得故違條貫並不回申便却倒行催納已支價錢侵害人戶勾到本州元行典級王益等取勘招伏上項有違條貫情罪於杖一百上斷遣差人押送本州收管所有上件人戶地土價錢却牒邠州依條支遣○二月四日太子中舍通判延州高良夫奏乞下陝西四路令銷兵士防托州軍一依范仲淹擘畫先定下守城人數於近裏州軍輪差弓箭手充數次邊州軍弓箭手却輪差在極邊城寨奉聖旨

且令邠寧環慶路諸都部署司相度又無妨礙且利害疾速聞奏公言相度所差弓手並是人戶三丁內破一丁充役若是撥於極邊州軍屯戍緣邊上食物踊貴亦少營舍官中請受至薄難裹纏必於本家骨肉處頻有呼索動是數百里本家更破一名往來供送即是一戶三丁之內二丁防邊徒使破壞家產伏乞朝廷更請相度二月奏言延州陷破前年西賊圍閉之時山城未曾脩築微有墻壘未能禦捍惟劉平星夜前來救濟得延州不至陷破此實劉平忠勇之力今來子弟復在邊任其跡孤危未能雪恥竊聞劉平尚在恐邊臣有所憎愛別造飛語乞朝廷倍賜照管又言計用章無不順之意乞與叙用初五日有看

詳趙珣所奏畫一奏疏時樞密院劄付經略司諸將在外者若賊寇大至並須領兵覓便攻擊二十五日公言將有勇怯師有衆寡用兵無常勢非可畫一而制者也乞朝廷指揮逐路主帥近難降此指揮仰更體量將之强弱敵之衆寡地勢險易天時明晦臨事處分以保民安邊事爲重庶少敗事其樞密院指揮未敢施行○三月七日奏陜西不可行用鐵錢○四月令李丕諒宋良移風川寨於烽火臺山上尋令弓箭手兵士等寅夜與工山上只築女墻四面削壁近下低處築城圍入水泉續又牒本州通判太常博士范祥與李丕諒等同相度新修寨城巳了見分擘街巷脩蓋軍營倉草場廨署及城上置敵樓般運糧儲

兵甲入新寨二十八日奏舉高端高良夫楊畋〇寧
州狀申稱於五月五日申時以後忽降猛雨風雹雷
電有大霹靂一聲於草場火發燒却稈草四千餘束
轉運司令觀察推官劉銑置院取勘公言逐處異物
蓋藏之處多致雷火合依邊勅指揮只令陪納入官
若更須令根勘官吏不切防慎罪狀却慮今後沿邊
倉場作過要得貟累官負爲害轉大願乞朝廷特賜
釋免二十四日奏舉焦遂御李顒張忠張信等乞與
轉官二十九日體量得環州界肅遠馬領安邊安和
安塞等寨軍馬糧草人戶不少並各城墻低下濠塹
淺狹未得牢固遂牒環州立便刷那廂軍兵士脩築
開淘〇六月初六日石昌鎮申梁家族蕃官屈都等

弁小遇族蕃官薛娘等爲讐其梁家族點集一千餘
人騎待報讐相殺公又差指揮使郭慶宗齎銀椀綵
絹走馬往本鎮體量各且和斷之○閏九月初九日
慶州北路都巡檢司狀申探得昊賊親領八萬人騎
奔往鎮戎軍去遂牒寧州通判張去惑著作暫往邠
州計會點檢城上防城戰具家事安排整齊如聞西
賊大入漢界即起遣鄉村人戶入州其人戶多是少
得柴草不願入城即官中擘畫揀損稈草支借十九
日諸處申探到西界點集蕃賊馬大段緊急公差集
遂鄉种世衡等點集蕃兵防托所有老小牛羊並發
遣入寨城廻避其候看族帳田苗蕃部即令於高險
上空處權時就藏避其入寨城人口並依先降條貫

支與口食并鞍馬草料牛羊即令於側放牧如遇閑
圍三五日間亦借與稈草淮涇原路經略招討司牒
今月十日夜一更時准副使葛懷敏公文及鎮戎軍
號𤆬申蕃賊不知數目奔充圍遶三川㝉之川寨公牒
張建侯策應探事軍人張遇分析狀稱今月二十二
日早辰到鎮戎軍西南蓮花堡德勝堡見自家軍馬
與蕃賊相殺又見向太保劉太保手下軍馬被蕃賊
殺散所有自家軍馬總在㝉之川寨與蕃賊相殺公令
鈐轄李丕諒領軍馬於二十日起發計會張建侯同
往原州會合策應〇十月二十八日入内内侍省西
頭供奉官王懷德齎降御前劄子問當欲移鄉往涇
原路爲本路近經賊馬抄掠藉招緝與文彥博對換

公乞依舊領環慶路職任同涇原路經略並於涇州駐劄與韓琦日夜聚首三二年間可期平定時渭州鎮軍戎寨主職田有每歲獲千餘貫延州慶州諸寨多無職田十月廿八日奏乞均定諸寨官員職田〇十一月初六日公上言涇原土兵有在慶州者慶州土兵有在涇原路者山川道路既不諳練又是邊上土兵請受微薄拋離本營裹纏不易公欲朝廷指揮逐處土兵各令撥歸本路使與公私俱便是月復置陝西四路都部署經略安撫兼治邊招討使命韓公與公及龐公分領之公與韓公開府涇州而徙文彦博帥秦宗諒帥慶皆從公之請也甲申以處士孫復為國子監直講從公與富公之薦也〇十二月西賊

入山外打幷原州打虜公牒知原州景泰與當路鈐
轄李丕諒等六人部領軍馬計會節次向前於鎮戎
軍以來會合出奇伏截山外回來賊馬收救人民公
又到邠州示以兵勢出榜示與軍諸州以安衆心又
與都監張擎部領諸兵馬於初三日發離邠州取長
武路往涇州策應
慶曆三年正月辛卯詔陝西沿邊招討使韓琦凡軍期
中覆不及者皆便宜從事宣命指揮召募沿邊少壯
人爲護塞指揮公言其不便○二月己卯保安軍狀
申鄜延經略司牒報西人請和公上言有不可許者
三有不可防者三○三月甲午上令内侍宣諭韓琦
范仲淹等候邊上稍寧當用卿等在兩地又令琦等

密奏可代處邊任者琦等言元昊雖約和誠僞未可
知願盡力塞下不敢擬他人爲代○四月庚申諫官
蔡襄言伏見陝西路招討使范仲淹韓琦各除樞密
院副使並以西寇未寧懇辭乞朝廷不聽辭讓各授
恩命二十四日公起發往邠州提舉并就近勾抽乾
耀州新兵請知州通判内一員押赴一依宣命指揮
重行揀選并排連人員及指畫閱教次第并商量定
奪蓋造營房○五月江淮歲漕不給京師乏軍儲發
運非人公言國子博士許元可獨倚辦辛未擢元江
淮兩浙荆湖制置發運判官京師足食辛卯公與韓
公又言臣等切以天下郡邑牧宰爲重得其人則致
化失其人則召亂推擇之際不可不謹雖曾詔臣寮

各舉所知或舉主非賢則多謬薦臣等欲乞聖慈特
降詔書令中書樞密院臣僚各於朝臣中薦堪充舉
主者三人候奏到姓名即逐人各賜勑一道若將來
顯有善政其舉主當議旌賞若贓汙不理苛刻害民
並與同罪所貴生民受賜寇盜自息從之○十月初
五日用張昷之爲河北都轉運按察使王素爲淮南
都轉運按察使沈邈爲京東轉運按察使從公與富
公之言也
慶曆四年二月切見審官三班院并銓曹自祖宗以來
條貫極多乞選差臣僚就審官三班院并銓曹取索
前後條例與主判官員同共看詳重行刪定畫一聞
奏付中書樞密院參酌進呈別降勑命各令編成例

策施行是時公意欲復古勸學數言興學校本行實詔近臣議於是宋祈王拱臣張方平歐陽脩曾公亮王洙孫甫劉湜等合奏謹參考衆說擇其便於今者莫若使士皆土著而教之於學校則學者脩飾矣先策論則文辭者留心於治亂矣簡程式則閎博者得以騁矣問以大義則執經者不專於記誦矣乙亥詔州縣皆立學○五月壬戌朔公與韓琦並對於崇政殿上四策○六月十二日舉元積中管勾機宜文字○七月丙戌詔諸路轉運使副提點刑獄察所部知州軍知縣縣令有治狀者以名聞議旌擢之其或不如所舉令御史臺劾奏並坐不實之罪從公奏請也十三日舉葛宗古楊鱗充閤門祗候是月勘會河東

邊上所闕弓弩弁衣甲器械刀槍等自來從京支撥
多是沿路損失枉費脚乘般載邊事不逮二十七日
公上言伏乞朝廷指揮下河東轉運司取要便出産
炭鐵州軍置都作院舉差官員專監其人匠於本路
諸州軍揀選抽差○八月辛卯命參知政事賈昌朝
領天下農田公領刑法事有利害其悉條上初四日
昊賊差使臣一道姓金不得名徃北界契丹處去不
知事意公慮兩國計會與謀十五日奏乞那撥陝西
兵三萬來赴江東乞朝廷更不遷延十三日舉張子
奭張壽張去惑蘇舜元陳榮古堪充刑獄錢穀重難
任使十五日舉夏安期充河東轉運使又舉向約乞
差知陝西河東煩難大郡十六日又舉張子奭等五

人赴河東任使初諸州軍縣每五年一造城郭等第簿公體量得河東陝西自西事以來甚有人戶因差配破却家產州縣不能矜恤減放第候五年造簿方行定奪必是破盡家產多爲失所之人十八日奏言八月出榜曉示逐處人戶并劄與逐州軍及都轉運司及三年便造簿重定等第其因差配破落更不候三年便於簿內注鑿減下其有即令淪落應役不得者即與免放先是除宣撫韓琦到邊上散却特支後至是已是一年不曾支付二十一日公奏臣今往陝西河東宣撫其沿邊駐泊諸州軍及就戰兵并人員兵士欲乞朝廷等第各賜特支〇九月公在并州見都轉運司指揮諸州軍場務更不得收納大鐵錢要

得止絶欺弊饒方行下文字便有百姓經并州告訴
各是交易到大鐵錢無處使用公遂出榜并州街市
且令依舊行用擬嵐州申本州九月一日支料錢并
銀鞋錢二百萬准運司上項指揮尋行告示其軍人
例各高聲言道官中支賜與我因何却不得行用其
轉運司牒本州更不敢施行公又恐諸處軍民疑惑
發下榜示逐處曉示軍民其官鑄大鐵錢並依舊行
使時河東諸軍州抛新收刈白草降下萬數不少逐
處官吏不能體量利害例各差兵士或採斫不前即
便逃走公人等即出錢官買或於人戶係稅草地內
強行採打引惹爭競即令逐處搔擾公出榜曉示諸
軍州自榜到日以前抛下兵士公人收刈白草數目

並與放免體量得逐處賊盜多是逃軍兼近南郊恐成羣黨驚刼人戶州縣不能禁止指揮河東州軍令逐處出榜招召今日以前逃走廂禁軍人與限一月許於官司首身更不問罪並令依舊收管十六日西夏楊守素赴闕公奏乞所有封冊之禮須候西北收兵只行於體稍便乞朝廷再三詳審二十日樞密院劄子奉旨令公就近差人知麟州公與明鎬商量舉閤門祗候張繼勳是月出榜曉示諸州軍應坊郭鄉村人戶今日已前帶即配賣物色或包二稅移逃者並令與放罪各令歸業其元欠二稅並與除免仍劄都轉運司公到憲州體量憲州城池窄小奏乞增修

○十月九日余靖奏乞劄付河東令彼處差人伴作

蓋豐州所貴帮丹不敢占據奉聖旨令公相度公言
豐州至河東一百二十餘里並無人烟道路不通今
來難便去管與脩初麟州無酒務不榷酒利寬假邊
民自慶曆二年十二月榷起酒利公恐居民貧困出
榜弁劄與麟州令百姓依舊任便開沽十日公到麟
州體量二州四面邊疆並無城寨防護人戶不敢復
業遂與明鎬商量申奏乞脩復城寨是月發遣散移
往府州與土田耕種十三日奏乞收贖麟府陷破蕃
界熟戶百姓依舊住坐耕作出得糧草方可却減下
正兵大段省得國家錢帛是月體量得火山嵜嵐保
德軍三處各屯兵馬所入軍儲皆是商旅人戶將銅
錢接糴北界斛斗入倉中糶每日計出却銅錢數百

貫過往北界每歲計置河東銅錢不日將盡此邊防
之大弊也十九日奏乞朝廷支絹五萬疋送下河東
轉運司俵與岢嵐等三處博糴軍儲急止銅錢出界
之弊二十七日張亢奏准經略司牒岢嵐軍等處有
閑地萬頃乞先於要路安置堡子兩三箇然後將上
件地土擘畫奉聖旨令入公相度公恐置堡子代州與
北界相接引惹言語只令作社戶名目三五十家靠
險居住高築墻院防備盜賊○十一月初五日知原
州蔣偕狀申細腰城修築已完須藉土兵守禦公劄
與涇原路土兵充細腰城就糧振武蕃落指揮○十
二月經畧司管勾何涉有毋在蜀中迎侍不得切於
孝養初一日公舉涉充益梓路通判以便奉親俾全

孝道時蔣偕出兵至佛空平燒蕩族帳种世衡領環
州蕃漢兵燒蕩大小羊族帳十四日奏乞酬奬諸將
功勞是月劄付陝府據諸縣逃官田地勒令地分鄰
人空納租錢者并見欠見錢數並與除放劄付與河
東轉運司將麟府等州色役公人支與係官閑田仍
免送二稅時契丹與元昊戰不利奉聖旨指揮令公
體探北界事宜公言自古兵家每有挫衄恐其下離
叛即別舉事圖其復振以攝衆心今契丹西征無功
愧見其下或謀起事欲振兵威此朝廷不可不防是
月明鎬奏募民請射禁地奉聖旨令公詳明鎬所奏
相度經久利害聞奏臣僚又奏焦太師來天池打量
事又奉聖旨令公計會相度穩審從長指揮又奏相

度到開耕禁地利害事十六日公自麟府路回到岢嵐軍次日有鈐轄孟元并岢嵐軍使米元溍來言有萬勝指揮兵頗和告稱有本指揮軍人結集背叛司理院勘得本人不着次第多欠人債所告只聞人說並無照據欲領頗和赴營處斬公尋指揮令與逐官更子細勘鞫實情如委實誣告亦且決配況未曾刑害著被告之人恐今後更不敢告事至十八日孟元等來言審勘得別無實情更不敢枝蔓追究公又奏訪問得萬勝指揮招到雜色人多有邊上已滿三年其間輕狂之人一不柰辛苦或亂出語扇搖人衆於邊上不便乞早降指揮差替十九日奉聖旨差入内供官衛克勤押賜醫藥至公處并傳宣命公探候北界

事宜及邊上設備者公言見各訓練選奇兵備戰敵
以分朝廷萬一之憂二十日西賊點集壯人壯馬往
環州界公劄經略司起發軍馬赴乾興寨駐劄防托
及令環元州多方安撫前來蕃部蕃官二十三日奏
言切見太常博士趙拯秘書丞劉奕馮浩殿中丞范
寬之馬仲甫徐執中杜樞太子中允王復太子中舍
王孝和大理寺丞張讜並有才稱宜處要務俾臨邊
事可濟軍期伏乞望朝廷速差上件官充陝西河東
大郡通判貼黃自來兩府臣僚無同罪舉官條例臣
出使應所舉過官員恐朝廷未賜施行如任用後犯
正入已贓臣並行同罪
慶曆五年正月十四日奏撥細腰城屬環州二十七日

河東轉運司申諸縣尚顯等陳狀爲老小殘疾及年六十已上至七十年老除外別無人丁見今單身乞放免公劄下磁州疾速體量尚顯等如有人戶可以指射充替即依條貫施行如別無人戶指射即與免放施行○二月劄下并代等路經略司東都轉運司遍行指揮逐處疾速出榜曉示諸義勇軍習學弓弩是月翰林學士吳育爲諫議大夫育初尹開封府時公在政府因白事數與公有迕既而公出安撫河東有奏請多爲當國者所沮育取可行者固執行之○三月十八日西賊部領三千餘人打劫箄篥城等四月十四日公奏乞下部署司揀選得力將佐嚴行禁約至時與漢兵會免致疏虞○四月三日新邊壕外

種稱至葫蘆河一帶稱有西賊人馬約二萬餘人劄寨及逐川內各有烟火五里至七里蕃漢人戶一例驚移及差人探問却稱來放牧牛羊其驚移蕃漢人戶尋却歸復本處住坐公言昨往河西體問得鄜州路前來被西賊破蕩之時其初西賊用謀亦是如此其人戶爲前來無事便各安心更不驚移遂遭虜殺今來亦恐如打鄜州時設此計謀遂牒涇原路經略司今後如得知西賊點集人馬即將蕃漢人戶多差人起遣回避不得慢緩免致驅虜初四日奏留蔣偕知原州新降宣命應係弓手兵士年及五十已上或疾病久遠不堪醫治者許本戶人填替如本戶無人即許召人充替施行公十七日奏言似此篤疾癈疾

之類非可許僞者爲年末五十已上有碍上項宣命
諸處不敢替放官中前來許顧人承替之時内有事
力之家即可雇人其下等第無錢顧人多是恐脅家
間骨肉令典賣莊田雇人深屬不便乞指揮轉運司
看驗如委實是篤疾廢疾之類並依諸軍類更不問
年甲便與揀停歸農不須要家人并顧人充替又令
疾苦之人各歸田園所以不致失所○五月歐陽脩
上疏伏見杜衍韓琦范仲淹富弼等皆是陛下素委
任之臣一旦相繼而罷天下士皆素知其可用之賢
而不聞其可罷之罪陛下於千官百辟之中親選得
此數人一旦罷去而使羣邪相賀於内四夷相賀於
外此臣所以爲陛下惜也十五日奏乞指揮麟府二

州勘會歸業蕃漢人戶約量人口數目支與貧粮乞更賜指揮與逐戶買牛具錢本遣差朝臣一員照管撫恤各令安歸復業○閏五月涇原部署司所奏抽減年深上京東兵那官部押赴近裏永興等處駐劄候今秋管押歸營次奉聖旨令公相度公相度上件兵士已各年深過滿又知別路並減那歸營秋間縱有事宜亦難勾回邊上恐逓相扇揺別有言詞尋涇原路差使臣管押歸營二十四日具狀申奏○六月十四日奏諸軍頭失墜補署文帖免勤充長行只於舊職名上降一等所貴兵級安心十七日舉劉貽孫知鎮戎軍二十九日舉譚嘉震知德順軍時慶州東路巡檢竹昺爲公勒膽勇狄青許遷等皆推許此人可

用舉㫤充慶州駐泊都監○八月十三日聞朝廷差
國子博士高良夫往延州計會夏國差人定立疆界
又據高良夫申商量立界未定其西界楊守素回宥
州取覆褁齎去公言夏國一面稱大段點集軍馬待
與契丹相殺一面却與漢家爭些小疆界臣謂契丹
元昊除是天亡時則有戰爭不顧利害如顧利害則
無戰爭之理或二蕃連謀窺伺中原則今後契丹先
起事端候朝廷抽減陝西軍馬往河北然後元昊入
寇則陝西四路皆可憂虞乞朝廷察此情狀不可信
憑大為之備免致臨時敗事再録與韓琦所上攻守
策録呈乞賜親覽是月與韓魏公奉舉李顯授閤門
祇候二十三日禁秦州博易奏體量得秦州自來客

旅收買川貨物帛等入蕃博易券馬入官中賣兼販
蕃馬回訖百姓所買馬錢亦收買匹帛入蕃與販今
來若將秦州界西蕃博買一例止絕必是一路蕃情
觖望兼大段隔却與販券馬及阻節客旅與販川貨
則一路粮草少人入中必是誤事伏乞朝廷下秦州
依舊降條貫施行二十九日舉李顯充邠州都監○
九月舉張摯知寧州公以河西麟府田野空荒城市
窮困使河東一路供饋粮草錢帛未有休期若置一
権務一則招誘蕃部牛羊鞍馬行貨供河東一路官
税要用二則麟府路收得客旅税錢大段出得貨利
就近供軍三則止絕得私下與外界交易免犯令初
四日奏乞於麟州剏置権場二十日西界送石元孫

歸漢配全州編管公言素不與元孫相識亦不知本人善惡臣在延州但聞劉平石元孫部領軍馬救護延州同戰拒賊日夜血戰兵少食盡力屈被擒即不曾退走亦非不戰而降但有不死於王事之罪又累該大赦卻有救存延州之勞縱不堪任用亦且免其戮辱少加存恤當授一南班近下名目於近州安置使陷蕃將校等聞之未絕向漢之心不怨朝廷不助夷狄此禦戎之一策也○十一月十一日准樞密院劄子節文臣僚劄子秦鳳路部署巳下自來各破親兵逐月支破添支錢乞今後所差親兵揀選知武藝慣熟人數不得替換逐月更支破添支錢候巡邊及駐劄出戰時即乞一例量支盤纏錢三百文所貴均

平免有虛破官錢奉聖旨令陝西四路安撫司相度
公相度若是揀却知武藝慣熟人數久占在逐官手
不得替換却恐不切閱習因玆生踈有誤使喚已牒
秦鳳路都部署司據部署手親兵輪差替換依其餘
路分更不逐月支添支文錢○十二月二十一日山外
德順軍界靖邊隆德寨壕外各有新招弓箭手共八
百餘人請射地土耕種脩築堡子把截弁逐家老小
在彼居住自來累遭虜掠公牒涇原路安撫司各令
將老小人口等般入壕裏居住只量留少壯人在壕
外堡子安泊防守管勾耕種若遇大段賊馬難以禦
捍亦須入壕裏回避免枉遭虜掠
按舊年譜竄閩文應嶺南尋死于道此據富

鄭公所作墓誌按閤文應景祐二年十二月辛亥落入内都知以昭宣使領嘉州防禦使爲泰州鈐轄後兩日改鄆州鈐轄百官表同景祐四年四月乙丑文應徙潞州鈐轄百官表同寶元二年九月癸卯文應卒此據百官表贈邠州觀察使此據實録未嘗有寓嶺南指揮及死于道事迹不知鄭公何據也今姑從鄭公墓誌竢考

增訂歐陽文忠公年譜

（清）華孳亨編　清道光十四年刻本

昭代叢書丙集補卷三

吳江　沈楙悳　翠嶺　輯

增訂歐陽文忠公年譜

無錫華孳亨韋軒著

公諱修字永叔先世居長沙太子率更令詢詢子通禮卿通顯于唐通曾孫琮爲吉州刺史子孫因家廬陵吉州首縣十六傳至公之祖偃始居吉水之沙溪鎮至和二年析吉水置永豐縣而沙溪隸永豐遂爲永豐人曾祖郴字可封南唐檢校右散騎常侍兼御史大夫

累贈金紫光祿大夫太師中書令曾祖妣劉氏累封楚國太夫人祖偃南京街院判官累贈金紫光祿大夫太史中書令兼尚書令祖妣李氏累封吳國太夫人考觀字仲賓咸平三年進士終泰州軍事判官累贈金紫光祿大夫太師中書令兼尚書令追封鄭國公妣鄭氏累封韓國太夫人

丁未眞宗景德四年六月二十一日寅時公生

時鄭公爲綿州軍事推官　按通鑑是年閏五月而前五月丙申朔此當是戊申月乙卯日戊寅時

庚戌大中祥符三年公四歲

鄭公終于泰州叔父燁時任隨州推官燁字日華終都官員外郎太夫人攜公往依之嘗謂公曰兒欲識爾父乎視爾叔父其狀貌起居言笑皆似爾父也公雖幼已知母言之悲與叔父之親矣自是家于隨州太夫人守節自誓居貧自力于衣食常以荻畫地教公書字

按鄭公之卒年五十九而太夫人始三十昞曰修疑鄭公向有原配昞是其所出然徧閱公集不聞有前母若昞爲太夫人所出與公年正相若往隨之日昞又安在也公與韓魏公簡云私門薄祜少苦終鮮惟存二姪又喪其一皇考焚黃祭文云謹遣兄之子廬陵縣尉嗣立以告又公與十二姪通理十三姪奉職書諄諄告戒如父子此二

人非同生不知誰爲嗣立亦不知二人之父爲誰姑識所疑以俟知者

辛亥大中祥符四年公五歲

葬鄭公于沙溪之瀧岡

丙辰大中祥符九年公十歲

在隨家益貧常借書抄抄未畢而已成誦州南大姓李氏子好學公多游其家于故書中得唐韓昌黎文六卷乞以歸讀而愛之至晝夜忘寢食爲詩賦下筆已如成人叔父見之謂太夫人曰嫂無以家貧子幼爲念此奇兒也不惟起家以大吾門他

日必名重當世

癸亥仁宗天聖元年公十七歲

應舉隨州試左氏失之誣論其略曰石言于晉神降于莘內蛇鬭而外蛇傷新鬼大而故鬼小人已傳誦坐賦逸官韻黜

丙寅天聖四年公二十歲

自隨州薦名禮部

丁卯天聖五年公二十一歲

試禮部不中

戊辰天聖六年公二十二歲

攜文謁胥學士偃于漢陽胥公大奇之留置門下

冬攜公泛江如京師按公與刁景純書敘感胥公知遇之恩又言不欲效世俗子以卑昵自親名曰報德非惟自私直亦待所知以不厚惟欲少勵名節庶不泯然無聞用以不負所知雖胥公未必諒此心也蓋胥公與范文正不睦而公方坐范公貶既不忍負知己之恩又不敢沒是非之實故其言如此程明道先生公嘉祐二年所取士也爲婦翁彭思永撰行狀語不滿公思永以風聞之語誣衊大臣而明道信之不疑晦庵撰張魏公行狀左李忠定二先生晚年皆深以爲悔也

己巳天聖七年公二十三歲

從胥公在京師試國子監爲第一補廣文館生秋
赴國學解試又第一
庚午天聖八年公二十四歲
正月試禮部翰林學士晏公殊知貢舉公復爲第
一　三月御試崇政殿公甲科第十四名　五月
授將仕郎試祕書省校書郎充西京留守推官
辛未天聖九年公二十五歲
三月至西京錢文僖公惟演爲留守幕府多名士
與尹洙師魯梅堯臣聖俞尤善日爲古文歌詩遂

以文章名冠天下　初胥公許以女妻公是歲親迎于陳武　公舊譜每歲列其著述考文詞之先後今所傳譜係郡人胡柯編次皆刪去惟目錄于每篇之下題所撰年月或漏或訛茲詳閱本文參稽史傳倣舊譜之意存其什一始于是年以前此俱不可考也　智蟾上人游南嶽五言律　會聖宮頌　伐樹記

壬申明道元年公二十六歲

二月同楊子聰張應之陳經秀才游嵩山　秋行縣視旱蝗　九月通判謝絳希深奉詔書御香告嵩嶽太常移文合用讀祝捧幣二員府以公與楊子聰分攝而尹師魯王幾道適至遂約同游十二

日出建春門宿十八里河十三日至緱嶺尋子晉祠陟轘轅道入登封出北門齋于廟中十四日五鼓朝服行禮遂謁新宮拜眞宗御容至峻極中院始改冠服卻車徒輕齎以行登太室中峯時秋清日陰天未甚寒晚花幽草虧蔽巖壁遂窺玉女窗搗衣石迤邐至八仙壇憩三醉石日昃抵峻極上院躋封禪壇下瞰羣峯向所跂而望之謂非插翼不可到者皆培塿焉夕宿東峯頂上會幾望大無纖翳萬里在目子聰疑去月差近令人浩然絕世

閒處五八者相與岸幘褫帶環坐滿引賦詩談道夜分少就枕以息十五日訪歸路出登封西門道賴陽十六日訪石堂山紫雲洞邢和璞著書之所山徑極險捫蘿而上者七八里上有大洞蔭數畝水泉出焉見峭壁有若四字云神清之洞體法雄妙疑古苔蘚自成文又意造化者筆焉問道士及近居之民皆曰向無此異不知也十七日緣伊流陟香山上上方飲于八節灘上自峻極中院至此凡題名于壁于石于樹間者十有四處○紅鸚鵡賦遊龍門分

題十一首五言古　伊川獨游　嵩山十二首
雨後獨行洛北五言律　陪府中諸官游城南
緱氏縣作　又行次作　河南王尉西齋　張主
簿東齋　和游午橋莊　被牒行縣因書所見呈
僚友五言排律　游龍門分題四首五言絕　送
陳經秀才序　送梅聖俞歸河陽序　叢翠亭記
　書梅聖
俞槀後

癸酉明道二年公二十七歲

正月以吏事如京師因省叔父于漢東　三月還
洛　夫人胥氏卒年始十七時生子未踰月　九月莊
獻劉后莊懿李后祔葬定陵公至鞏縣陪祭　十
二月進階承奉郎　鞏縣初見黃河七言古　送楊
子聰戶曹序　送廖倚歸衡山

序　李秀才東園亭記　東齋記　上范司諫書　與郭秀才書　與張秀才棐第一書　與張秀才第二書

甲戌景祐元年公二十八歲

三月西京秩滿歸襄城　五月如京師會前留守王文康公曙入樞府薦召試學士院先是公在河南有一兵士自役所逃歸文康問曰勘兵士何謂未斷公曰合送本處行遣文康曰似此某作官處斷過甚多不須疑公不可一夜文康召問軍人未斷否公曰未文康曰幾至誤事明日遂送所屬處

及文康召歸謂公曰今來有例合舉館職當奉舉遂有是薦　閏六月乙酉授宣德郎試大理評事兼監察御史充鎮南軍節度掌書記館閣校勘三館祕閣所藏書多脫謬七月庚辰詔委官編定倣開元四部著爲總目公預焉　是歲再娶諫議大夫楊公大雅女　春日獨游上林苑後亭見櫻桃花五言律　獨至香山憶謝學士　送王汲宰藍田　罷官西京回寄河南張主簿　離彭婆值雨投臨汝驛回寄張九屯田司錄　行至椹澗作　送祝熙載之東陽主簿　夏侯武陟尉　伊川獨游　答西京王相公書　投時相書　代人上王樞密求先集序書　代楊推官洎上呂相公求見書　與黃校書論文章書　謝

校勘啟　尚書職方郎中
分司南京歐陽公墓誌銘

乙亥景祐二年公二十九歲

七月公同產娣之夫張龜正死于襄城謁告視之

九月夫人楊氏卒年始十八　十一月詔錄五代及諸國後時御史臺辟石介爲主簿介未至論朱梁劉漢不當求其後裔坐罷公貽書責中丞杜公衍曰主簿于臺中非言事官介足未履臺門之閾已用言事見罷可謂正直剛明不畏避矣度介之才不止爲主簿直可爲御史今黜介而他舉亦必擇

賢夫賢者固好辨又有言則又黜而他舉乎如此則必得愚闇懦默者而後止也杜公不能用與石推官第一書　與石推官第二書　上杜中丞書　謝襄州燕龍圖惠詩啓　諫議大夫楊公墓誌銘

丙子景祐三年公三十歲

天章閣待制范公仲淹以言事忤宰相落職知饒州公遇司諫高若訥于余襄公靖家若訥非短范公以爲宜貶公歸貽書責之謂不知人間有羞恥事若訥怒上其書五月戊戌貶峽州夷陵令既而余襄公尹師魯皆連坐被貶蔡襄君謨爲四賢一

不肖詩以美公及范尹俞而譏若訥都人傳寫粥書者市之得厚利契丹使適至買以歸張于幽州館公自京師沿汴絕淮泝江奉母夫人赴貶所有于役志　十月至夷陵與尹師魯書有云昨日因參轉運使作庭趨始覺身是縣令矣其餘皆如昔時師魯簡中疑修有自疑之意者非他懼責人太深以取直耳今而思之自決不復疑也五六十年來沈默畏懼相師成風忽見吾輩作此事下至竈閒老婢亦相驚怪不知此事古人日日有之但問

所言當否而已又有深相賞歎者亦是不慣見事人也然吾輩亦當絕口不及前事居閒僻處日知進道而已

黃楊樹子賦　初出眞州泛大江作七言律　冬至後三日陪丁元珍游東山寺　夷陵歲暮書事呈元珍表臣　初至夷陵荅蘇子美見寄五言排律　江行贈雁七言絕　送王聖紀赴扶風主簿序　泗州先春亭記　夷陵縣至喜堂記　與高司諫書　回丁判官書　與尹師魯第一書　讀李翺文

丁丑景祐四年公三十一歲

正月有書與師魯約分撰五代史

明年與李淑書云收拾綴緝粗若有成首尾顛倒未有卷第嘉祐五年知制誥范鎭奏取公五代史付唐書局繕寫上進公辭云往

任夷陵及知滁州以負罪謫官閒僻無事因將五代史試加補緝而外方難得文字檢閱所以詮次未成云云以此知公撰著五代史始于是年公于宋祁尚不忍没何況師曾知實未分任也
張舜民芸叟嘗問公曰學者之見先生皆欲聞道德文章今先生多教人以吏事所未喻也公曰文學止于潤身政事可以及物吾昔貶夷陵欲求史漢一觀公私無有無以遣日因取陳年公案反覆觀之見其枉直乖錯違法狥情滅親害義無所不有以夷陵荒遠褊小尚如此天下固可知矣當時仰天誓心曰自爾遇事不敢忽也迨今三十餘年

出入中外忝塵三事以此自將今日以人望我必爲翰墨致身以我自觀諒是當時一言之報也此係後日追述夷陵時事姑附于此　三月謁告至許昌娶薛簡肅公季女後公十八年卒累封岐國太夫人　九月還夷陵　十二月

壬辰移光化軍乾德縣令下牢溪五言古　三游洞七言古　黃牛峽祠　千葉紅梨花和丁寶臣游甘泉寺　代贈田文初勞停驛五言律　松門七言律　黃溪夜泊　至喜堂新開北軒手植楠木兩株走筆呈元珍表臣　戲荅元珍　初晴獨游東山寺五言排律　夷陵書事寄謝三舍人七言排律　寄梅聖俞　泰誓論　春秋論三首　春秋或問二首　易或問　送田畫秀才寧親萬州序　謝氏詩序　峽州至喜亭記　與荊南樂秀才書　與謝景

山書

戊寅寶元元年十一月改元　公三十二歲

三月赴乾德　是歲胥夫人所生子夭　送京西提點刑獄張駕部七言古　送琴僧知白　離峽州後回寄元珍表臣七言律　襄州穀城縣夫子廟記　游鯈亭記　荅孫正之第二書　金部郎中贈兵部侍郎閻公神道碑銘　資政殿學士尚書戶部侍郎薛公墓誌銘　尚書屯田員外郎李君墓表　祭薛尚書文

己卯寶元二年公三十三歲

二月知制誥謝希深出守鄧州梅聖俞將宰襄城與希深偕行五月公謁告往會鄧旬日而還　六

月復舊官權武成軍節度判官廳公事公自乾德
奉母夫人特次于南陽　冬暫如襄城薛質夫墓誌銘
庚辰康定元年二月改元公三十四歲
春至滑州會范公復起經略陝西辟公掌牋奏時
天下久無事一旦西邊用兵士之負材能者皆欲
因時有所施爲而范公以天下重名好賢下士故
士之樂從者衆公獨歎曰吾初論范公事豈以爲
己利哉同其退不同其進可也遂辭不往公與聖俞簡云
安撫見辟不行非惟奉親避嫌而已從軍常事何
害奉親朋黨蓋世俗見指吾徒寧有黨耶直以見

召掌牋奏遂不去矣公荅范公書亦見此意 六月辛亥召還復充館閣校勘修崇文總目 十月轉太子中允 癸巳同修禮書 十二月二十四日詔通進司上書爲三策以料賊情又言四五十萬之人連年坐食關西已重困一旦水旱必起爲盜謹上便宜三事一曰通漕運二曰盡地利三曰權商賈三術竝施以足財用而紓西人然後賊可圖書凡四千餘言 是歲子發生發字伯和少好學師事安定胡瑗得古樂鍾律之說不治科舉文詞獨探古始立論議自書契來君臣世系制度文物旁及天文地理靡不悉究官至殿中丞宋史附公傳後 贈杜默

五言古　送任處士歸太原　通進司上皇帝書
縱囚論　原弊　怪竹辨　荅陝西安撫使范
龍圖辭辟命書　荅吳充秀才書　與刁景純學
士書　與陳員外書　張子野墓誌銘　祭謝希
深文

辛巳慶曆元年公三十五歲

五月庚戌權同知太常禮院以見修崇文總目辭
許之　八月乙酉許州對公事同依舊供職　十
一月丙寅祀南郊攝太常博士引終獻　十二月
加騎都尉　己丑崇文總目成改集賢校理　哭曼卿五
言古　送孔秀才游河北　聖俞會飲七
言古　釋惟儼文集序　石曼卿墓表

壬午慶秝二年公三十六歲

正月丁已考試別頭舉人　三月丙辰御試進士

應天以實不以文賦公擬進一首指陳時政之闕

賜敕書獎諭　四月丙子復差同知禮院　契丹

遣泛使求關南地宰相呂夷簡薦富弼報聘人皆

危之公上書引顏眞卿使李希烈事乞留弼不報

五月有詔百官許上封章言事公上書言三弊

五事力陳當時之患　八月請外　九月通判滑

州　十月至　荅朱寀捕蝗詩七言古　準詔言事上書　論罷鄭戩四路都部署劄子

本論三首 爲君難論二首 釋祕演詩集序

送曾鞏秀才序 御書閣記 晝舫齋記 翰

林侍讀學士給事

中梅公墓誌銘

癸未慶秝三年公三十七歲

仁宗思廣言路增諫官爲四員擇用端鯁公首被其選三月召還癸巳轉太常丞知諫院賜五品服

七月上言參知政事王舉正懦默不任事范仲淹有相材請罷舉正而用仲淹從之洎范公與杜韓富同輔政公屢請召對咨訪責以所爲既而仁宗降手詔出六條以責諸公又開天章閣召見使

其條對仲淹退而上十事弼亦上當世之務十餘條及安邊十三策公復上言仲淹等所奏必先絕僥倖因循姑息之事方能救數世之積弊恐姦邪時有讒沮則事不成宜力主張勿爲浮言所奪九月戊辰賜緋衣銀魚　己已同詳定國朝勳臣名次　丙戌同修三朝典故　十月戊申擢同修起居注　公上言天下官吏既多朝廷無由徧知其賢愚善惡乞立按察之法于內外朝官中選強幹廉明者爲之使至州縣徧見官吏其公廉勤幹

者及老病不才者皆以朱書于姓名之下其中材之人以墨書之歲具以聞詔從之仲淹弼因請詔中書樞密通選逐路轉運使皆兼領按察即委使自擇知州知州擇知縣不任事者罷之于是張昷之王素沈邈施昌言李絢等皆與其選　淮南轉運使呂紹寧進羨餘錢十萬公乞拒而不納以彰朝廷均恤外方防禦姦吏刻剝之意　杜杞爲京西轉運使與蔡稟同治賊公言杞可獨任無用稟若不相叶同各出異見使諸將難從一失事機反

成敗誤兼聞稟處置多未合宜恐別致生變乞早抽回從之杞果遂平諸盜京西無事　澧州進柿木成文有太平之道四字公言今四海騷然未見太平之象又其文止曰太平之道者其意可推自古帝王致太平皆有道得道則太平失道則危亂今見其失未見其得願陛下憂勤萬務漸期致理其瑞木乞不宣示于外　十二月己亥召試知制誥公辭辛丑有旨不試直以右正言知制誥仍供諫職賜三品服宋知制誥不試而授者楊文公陳文惠及公三人而已公既典制誥

尤務敦大體初作勸農敕旣出天下翕然人人傳誦王言之體遠復前古　丁未同詳定編敕　立春祭西太一宮爲獻官尋例賜紫章服　張美人方有寵因生皇女染綾羅八千疋公言嘗此苦寒歛冰染練供應艱辛況枉費財物不過支散與衆人中外譏議則陛下自受廣散何益又內降張氏親戚恩澤太頻皆可減罷極陳近年女寵驕恣以致禍敗欲愛惜保全張氏宜常令謙儉不至驕盈皆人所不敢言者　是歲元昊上書請和公力言不可許如乞集百官廷議乞以五問

詰大臣乞不遣張子奭使元昊論元昊不當稱兀
卒（華言吾祖）論元昊來人乞不賜御筵乞不令朝臣館
伴乞令龐籍與元昊力爭所占延州侵地乞密諭
邊臣以西賊辭未遜順必不通和之意絕其顧望
早爲準備論狄青使公用錢乞不根勘令用人之
際如青忠勇材武無三兩人豈可因些小公用錢
自將青等爲賊拘囚又言方今急須良將及軍中
自可求將之法因事論列章十餘上大抵言和而
偷安利在目下和後大患伏而未發小人但欲偷

安無事因進其邪佞惑亂聰明古今人主憂勤小人所不願惟斷自宸衷決定大義則社稷之福若羌夷險詐雖和而不敢罷兵是空包屈就之羞全無紓患之實若通和之後便忘發憤因循弛廢爲患轉深若北戎攬爲已功過有邀求是暫息小患于關西復生大患于河北不若勿和之愈　又奏言禦盜四事一曰州郡置兵爲備二曰選捕盜之官三曰明賞罰之法四曰去冗官用良吏以撫疲民使不起爲盜　時陝西用兵久京東西盜賊羣

起中外騷然仁宗鋭于求治公自入諫院感激恩
遇知無不言每入對必爲上分别君子小人切切
無顧避人疾之如仇帝獨奬其敢言顧侍臣曰如
歐陽修者何處得來　讀張李二生文贈石先生七
言古　論乞令百官議事劄
子　論軍中選將劄子　論乞不遣張子奭使元
昊劄子　論止絶呂夷簡暗入文字劄子　乞主
張范仲淹富弼等行事劄子　論江淮官吏劄子
論澧州瑞木乞不宣示外廷劄子　論美人張
氏恩寵宜加裁損劄子　論西賊議和利害狀
論西賊議和請以五問詰大臣狀　謝知制誥表
章望之字序　送張唐民歸青州序　王彦章
畫像記　蔡君山墓誌銘　黄夢升墓誌銘

甲申慶秝四年公三十八歲

正月荆王元儼卒議者以國用不足請待豐年而葬公言儉葬古人之美節今避儉葬不可節費留喪而待有物之年非臣所知也若曰儉葬亦未能辦則言之太過今凡百用度不能節費處多獨于皇叔之身有所裁損傷陛下孝治之美且使四夷聞天子皇叔薨無錢出葬遂輕中國而動心仁宗然之有旨節減浮費而葬　前公乞選差按察使糾舉州縣官吏而朝廷重于特遣惟詔諸路轉運使兼領按察轉運使多不才不能舉職按察空名

久而寖廢公奏言臣之前議本欲使者四出使天下悚然知朝廷賞善罰惡之意按文責實以救民急病譬農夫治田蒿萊蕪穢必先墾闢芟除待其成田然後以時耘耨冗濫之官蕪穢天下久矣必力行澄汰待百職粗治然後精選有司常令糾舉令特遣之使如久荒而芟闢也轉運兼按察乃以時之耘耨者耳寛猛疾徐各有所宜也漢時刺舉唐世黜陟使考課使之類歲歲遣出祖宗朝亦有考課院葢按察升黜古今常法非異事也謹條陳

冗官利害六事以明利博效速而可行不疑王
堯臣爲三司使有爲無名詩中傷之者公請嚴禁
止之以絕小人流言搖動朝政之漸敕出賞錢官
爵購募其人時上欲改更朝政小人不便故造作語言動搖及敕榜出自此遂絕以上二條奏狀目錄註慶秝五年詳味本文當在是年未奉使河東之前初石介作
慶秝聖德詩有曰衆賢之進如茅斯拔大姦之去
如距斯脫其言大姦斥夏竦也竦深恨之遂與其
徒造爲黨論目公與范杜等爲黨互相煽惑久而
益熾公乃爲朋黨論以進言君子以同道爲朋小

人以同利爲朋然小人所好者利祿所貪者財貨當其同利之時暫相黨引以爲朋者僞也及見利而爭先或利盡而交疏則反相賊害君子則不然所守者道義所行者忠信所惜者名節以之修身則同道而相益以之治國則同心而共濟始終如一此君子之朋也故爲人君者但當退小人之僞朋用君子之眞朋則天下治矣　三月庚午兼判登聞鼓院　四月乙未押伴契丹賀生辰使御筵于都亭驛　己亥命公使河東計度麟州及盜

鑄鐵錢并礬課虧額利害時陝西兵役之後河東困弊芻糧不足言者遂請廢麟州或請徙治合河津或請廢五寨公奏曰麟州天險不可失也麟州廢則五寨不可守五寨不守則府州爲孤壘矣往時賊猶在二三百里外五寨廢則夾河對岸皆其巢穴泛舟踐水終歲常憂寇至沿河州縣豈得晏然今若不減寨卒只于建寧留一千人鎮川中堠百勝各留五百餘兵徙屯清塞堡此堡最在近東屯兵可就保德軍請糧不煩輸運過河供饋有警

呼集則四寨相去百里亦不失應援兵既滅糧自
不乏詔從之麟州遂得不廢。又建言忻代岢嵐
火山四州軍並邊民田始潘美患虜時入寇乃使
民內徙空其地自後虜盜耕不已請募民賦田入
租歲可得三五百萬石一二歲間北界斛斗可以
不糴則邊民無爭糴引惹之害我軍無饑飽在敵
之害沿邊地有定主無爭界之害邊州自有粟則
內地之民無遠輸之害若棄而不耕他日必盡為
虜所有時并帥恥謀不自已沮撓久之其後卒如

公請　自西事後河東賦斂重而民貧道路嗟怨公奏罷十數事疲俗以安如乞罷和糴米三司銀之類　七月還京師　八月甲午保州軍叛天子念非公不能定契丹盛兵雲州聲言討西夏朝廷疑其有謀議選文武材臣密爲經畫二府請輟公以往癸卯除龍圖閣直學士河北都轉運按察使諫官蔡襄孫甫請留公不許陛辭上面諭曰勿爲久留計有所欲言言之公曰臣在諫職得論事今越職而言罪也上曰但言之勿以中外爲間　保州賊平總管

李昭亮私取叛兵妻女通判馮博文等亦往往效之公發博文罪置獄推勘亮恐懼立令送出自保州事後河北兵驕少不如意即謀結集處處有之上下務在姑息公乞假將帥權事從鎮重以銷未萌河北卒無事　九月三朝典故書成以公嘗預編纂賜詔獎諭　十一月南郊恩進階朝散大夫封信都縣開國子食邑五百戶　水谷夜行寄子美聖俞五言古　絳守居園池七言古　晉祠　再至西都七言律　論張子奭恩賞太頻劄子　論葬荊王劄子　論葬荊王一行事劄子　乞與元昊約不攻唃廝囉劄子　論湖南蠻賊可招不可殺劄子　論水洛

城事宜乞保全劉滬劄子　再論水洛城事宜乞
保全劉滬劄子　論任人之體不可疑劄子　論
西賊占延州侵地劄子　論麟州事宜劄子　請
耕禁地劄子　再論按察官吏狀　論禁止無名
子傷毀近臣狀　論劉三嘏事狀　朋黨論　吉
州學記　與尹師魯第四書　太子太師致仕贈
司空兼侍中文惠陳公神道碑銘
尚書都官員外郎歐陽公墓誌銘

乙酉慶秝五年公三十九歲

正月眞定帥田況移秦州公權府事者三月初保
州叛兵旣降其脅從者二千餘人分隸河北諸州
富鄭公爲宣撫使恐復生變欲委諸州同日誅之
公適移鎮與富公遇于內黃富公夜半屏人以告

公曰禍莫大于殺降昨保州叛卒朝廷許以不死今戮之矣此曹本以脅從故得免奈何一旦殺無辜二千人且非朝旨若諸郡不肎從事旣參差則必生變是趣其爲亂也且某至鎮州必不從命遂止時富公方大閱河北之兵譖者因曰富弼擅命專權自作威福已收河北軍情于是京師禁兵亟亦大閱多所升擢而富公歸至國門不得入遂罷知鄆州向微公力沮殺降之議禍且不測然則公一言不但活二千人命亦免富公于大禍也公外制集

序云明年秋余出爲河北轉運使又明年春權知成德軍事按宋史慶秝四年八月以富弼爲河北宣撫使五年正月罷以此知公與富公過內黄當在是月也神宗實錄公本傳以宣撫使爲夏竦恐不可從宋史田況傳言平保州況功最多以坑降卒晚得無子之報即公所云朝廷許以不死今戮之者也

契丹拘四定州巡兵湯則侵過銀坊冶谷地界公上言銀坊險要若爲其所侵則我腹背受敵此兵法必爭之地也況違誓約彼曲我直何故不爭臣見朝廷常有懼虜之色而無憂虜之心憂懼名近而實殊憂者深思竭慮而不敢暫忘懼者臨事惶惑而莫知所措今邊防措置多失其機由

懼虜之意過深也臣謂二虜勢非久相攻者一二年間不能相并則必復合合則必爲我患此深可憂宜舉材擇能早思禦備之策至于自今小事未銷過自怯懼虜侵我冶谷雖立寨屋三十餘間然尚遲延未敢便貯兵甲湯則亦聞囚而未敢殺朝廷宜速降嚴切指揮令邊臣以理爭辨旦夕之間機不可失

公在河北既被朝廷委任之重悉力經營凡一路官吏能否山川地理財產所出兵糧器械教閱陣法一一別爲圖籍盡四路之事如在

目前或問公曰公以文章儒學名天下而治此俗吏之事乎公曰吏之不職吾所媿也繫民休戚其敢忽乎奏置御河催綱司通致糧運以省入中之數邊州賴之于磁相二州置都作院以繕一路戎器既究見河北利害本末乃一一條列偏貽書于執政將大爲經畫未盡行而公罷去　三月以杜范諸公相繼罷政慨然上䟽曰杜衍韓琦范仲淹富弼天下皆知其可用之賢而不聞其可罷之罪自古小人讒害忠賢其說不遠欲廣陷良善則指

爲朋黨欲動搖大臣則誣以專權蓋去一善人而衆善人尚在未爲小人之利欲盡去之則善人少過惟指爲朋黨則可盡逐大臣已被主知蒙信任難以他事動搖惟有專權是上之所惡方可傾之夫正士在朝羣邪所忌謀臣不用敵國之福也今此四人一旦罷去而使羣邪相賀于內四夷相賀于外竊爲陛下惜之用事者深憾公會公孤甥張氏犯法驅正前妻之女四歲失父公妹攜之以歸既笄公以嫁族子歐陽晟至是以失行繫獄諫官錢明逸因以劾公下開封鞫治府尹楊日

嚴觀望傳會上命戶部判官蘇安世入內供奉官王昭明監勘實無他安世曰不如鍛鍊就昭明正色曰上令某監勘正欲盡公道爾鍛鍊何等語也公遂得免猶坐用張氏奩中物買田立歐陽氏券

八月甲戌落龍圖閣直學士左遷知制誥知滁州

十月甲戌至滁州　是歲子奕生（奕字仲純太常寺丞班班）

林間鳩寄內五言古　留題鎮陽潭園　病中代書奉寄聖俞二十五兄七言古　初伏日招王幾道小飲　永陽大雪　席上送劉都官七言律　論兩制以上罷舉轉運使省府推判官等狀　論杜衍范仲淹等罷政事狀　論契丹侵地界狀　滁州謝上表　外制集序　大理寺丞狄君墓誌

銘 南陽縣君謝氏墓誌銘
萬壽縣君徐氏墓誌銘

丙戌慶秝六年公四十歲

、滁地僻而事簡公因其俗而善道之其設施井然而與民不擾滁人愛公若父母焉州南百步許有山曰豐山山勢一面高峯三面竹嶺山下一徑穿入竹篠蒙密中豁然路盡遂得幽谷泉名引泉爲池作亭其上號豐樂亭州之西南曰琅琊山巖谷深遠有溪自兩峯夾流而下曰釀泉公自號醉翁作醉翁亭于泉上每暇日或獨游或攜賓客觴詠于二亭滁人望公若神仙焉公之生滁人已爲立祠而瑯琊山五賢祠祀公及州守王禹偁張方平曾鞏蘇軾至今猶在游瑯琊山五言古　讀徂徠集　幽谷亭　秋晚凝翠亭　題滁州醉翁亭　幽谷晚飲　送章生東歸七言古　啼鳥　百子坑賽龍　菱谿大石豐樂亭記　醉翁亭記　菱谿石記　偃虹隄記與曾鞏論氏族書　尚書戶部郎中曾公神道碑銘

丁亥慶曆七年公四十一歲

游瑯琊山有詩曰洞門常自起煙霞洞穴傍穿透谿谷朝看石上片雲陰夜半山前春雨足石歸雲洞空山雪消谿水漲游客渡谿橫古槎不知谿源來遠

近但見流出山中花右琅邪谿石屏自倚浮雲外石路久無人跡行我來攜酒醉其下卧看千峯秋月明右石屏路信馬尋春踏雪泥醉中山水弄清輝野僧不用相迎送乘興閒來興盡歸右班春亭公于斯時悠然自得會心獨遠非惟負謗謫官不足爲公累而胸中浩然如此宜發爲文章雍容敷愉而筆力高妙迥出尋常人謂得江山之助信不虛也公與韓魏公簡云構小亭于泉側理其傍爲教場時集州兵弓手閱其習射以警饑年之盜與梅聖俞簡云某

此愈久愈樂不獨爲學之外有山水琴酒之適而
已小邦爲政期年粗若有成固知古人不忽小官
有以也觀此二札知公平日留心民事滁人安公
之政而樂從公游非然者欲獨享林泉之樂詎可
得哉其後有憶滁州幽谷詩云滁南幽谷抱千峯
高下山花遠近紅當日辛勤皆手植而今開落任
春風主人不覺悲華髮野老猶能說醉翁誰與援
琴親寫取夜泉聲在翠微中又贈沈遵詩有云翁
歡不待絲與竹把酒終日聽泉聲有時醉倒枕谿

石青山白雲爲枕屏花間百鳥喚不覺日落山風吹自醒公情深于滁已去數載惓惓不忘誦其詩覺當年高致猶宛然在目也　十二月以南郊恩加上騎都尉進封開國伯加食邑三百戶　是歲子棐生棐字叔弼邵康節先生高弟廣覽强記能讀而愛之意公自作也知襄州蔡州皆有政聲官至朝奉大夫右司郎中坐元祐黨籍廢宋史附公傳後　重讀徂徠集五言古　拜赦　滄浪亭七言古　豐樂亭小飲　希眞堂手種菊花十月始開　贈無爲軍李道士二首　紫石屏歌　送張生七言律　琅琊山六題七言絶　豐樂亭游春三首　謝判官幽谷種花　送揚寘序　祈雨祭漢高皇帝文

戊子慶曆八年公四十二歲

閏正月乙卯轉起居舍人依舊知制誥徙知揚州

二月庚寅至郡　公嘗語人曰治民如治病彼富醫僕馬鮮明進退有禮按醫書述病症口辯如傾聽之可愛然病兒服藥云無效不如貧醫無僕馬舉止生疏不能應對病兒服藥云已愈則便是良醫凡治人者不問吏才能否施設如何但民稱便即是良吏故公爲郡不見治迹不求聲譽以寬簡不擾爲意而所至民便既去民思揚州故大郡

多事公至數日事十簡五六比三月衙齋如僧舍或問公爲政寬簡而事不弛廢者何也曰以縱爲寬以略爲簡則弛廢而民受其弊吾所謂寬者不爲苛急耳簡者不爲煩碎耳識者以爲知言後歷南京青州諸劇郡皆然

建無雙亭于城東以州有瓊花一株天下無雙也建平山堂于城西北據蜀岡臨邗江名勝爲淮南第一左右竹樹參天坐者忘暑公嘗携客堂中遣人走邵伯折荷花百朶插四坐以花傳客飲酒往往載月而歸後數年公過揚州賦朝

中措詞云平山欄檻倚晴空山色有無中手種堂前垂柳別來幾度春風文章太守揮毫萬字一飲千鍾行樂直須年少樽前看取衰翁蓋不勝今昔之感云　揚州亦有公生祠　荅謝判官獨游幽谷見寄七言律　別滁七言絕　海陵許氏南園記　尹師魯墓誌銘　長壽縣太君李氏墓誌銘　連處士墓表　祭尹師魯文　祭蘇子美文

己丑皇祐元年公四十三歲

正月丙午移知潁州　二月丙子至郡樂西湖之勝將卜居焉　值歲凶奏免黃河夫役得全者萬

餘家修陂溉田民賴其利　四月丙戌轉禮部郎
中　八月辛未復龍圖閣直學士　是歲子辯生
辯字季默承議郎　荅呂公著見贈五言古　永
州萬石亭　伏日贈徐焦二生七言古　謝復龍
圖閣直學士表　送祕
書丞宋君歸太學序
庚寅皇祐二年公四十四歲
七月丙戌改知應天府兼南京留守司事己酉至
府　十月己未明堂覃恩轉吏部郎中加輕車都
尉　是歲約梅聖俞買田于潁　聚星堂紫薇花五
言古　竹間亭
奉荅子華學士安撫江南見寄之作　寄聖俞七
言古　祈雨曉過湖上七言律　南京謝上表

系擇傳　荅李大臨學士書　尙書主客郎中劉君墓誌銘　翰林侍讀學士右諫議大夫楊公墓誌銘

辛卯皇祐三年公四十五歲

南京素號要會賓客往來無虛日一失迎候則議論蜂起公在南京雖貴臣權要過者待之如一由是造爲語言達于朝廷時陳丞相升之安撫京東因令審察是非陳公陰訪之民閒得俚語謂公爲照天蠟燭還奏之　廬山高贈同年劉中允歸南康　七言古　蘇氏文集序　眞州東園記

壬辰皇祐四年公四十六歲

三月壬戌丁太夫人憂歸潁州　四月起復舊官

公固辭許之　是歲有與十二姪通理簡云歐陽氏自江南歸明累世蒙朝廷官祿吾今又被榮顯致汝等並列官品當思報效偶此多事如有差使盡心向前不得避事至于臨難死節亦是汝榮事但存心盡公神明亦自祐汝慎不可思避事也昨書中言欲買硃砂來吾不闕此物汝于官下宜守廉何得買官下物吾在官所除飲食物外不曾買

一物汝可觀此爲戒也蘇內翰軾題其後曰凡人勉强于外何所不至惟考之其私乃見眞僞此公與其弟姪家書也又一簡云昔選人有陳奇者舉主十六人仁宗見其未嘗歷選調特旨不改官以戒馳騖者初官宜少安之祭資政范公文

癸巳皇祐五年公四十七歲

八月護太夫人喪歸葬瀧岡胥楊二夫人祔焉二夫人誌門人徐無黨焦千之秉筆是冬復至潁州七賢畫序翰林侍讀學士右諫議大夫贈工部侍郎張公墓誌銘太常博士周君墓表

甲午至和元年三月改元公四十八歲

五月服闋除舊官職赴闕　六月癸巳入見仁宗惻然怪公鬢髮之白問公在外幾年今年幾何恩意甚至公求補外仁宗曰此中見人多矣爲小官時則有何盡言名位已高則多顧藉如卿且未要去　七月甲戌權判流內銓素忌公者恐將大用乃僞爲公奏請汰內臣以激衆怒判銓甫六日有選人胡宗堯當改官坐嘗以官舟假人經赦去官法當循資公引對取旨上特令改官宦者楊永德密奏曰宗堯翰林學士宿之子有司營救之私也

戊子遂出公知同州判吏部南曹吳充爲公辨明不報知諫院范鎮一再極言上悟會參知政事劉沆方提舉修唐書亦乞留公遂止　八月丙午沆拜相戊申詔公修唐書　上問公翰林學士有八未沆曰見商量上曰歐陽修不止一好差遣亦好一翰林學士便可替曾公亮九月辛酉拜公翰林學士壬戌兼史館修撰又差勾當三班院上嘗問公以唐學士院鈴索故事將議臨幸其于眷待之意甚厚　十月乙巳朝饗景靈宮天興殿攝侍中

捧盤取水 十二月庚戌臘饗孝惠孝章淑德章懷皇后廟攝太尉行事 送徐生之澠池七言古去思堂手植雙柳令已成陰因而有感七言律 謝宣召入翰林表 送徐無黨南歸序 資政殿學士戶部侍郎文正范公神道碑銘 尚書度支郎中天章閣待制王公神道碑銘 兵部員外郎天章閣待制杜公墓誌銘 太常博士尹君墓誌銘

乙未至和三年公四十九歲

仁宗嘗聞行舉首見御閣帖子讀而愛之問何人作左右以公對即悉取皇后夫人諸閣中者閱之見其篇篇有意歎曰舉筆不忘規諫眞侍從之臣

也自是每學士院進入文書必問何人當直若公所作必索文書自覽內官梁寔嘗爲公言春帖子詞云陽進升君子陰消退小人聖君南面治布政法新春及溫成皇后閤帖子云君王念舊憐遺族常使無權保厥家宮中人人能誦之　三月同孫抃考試諸司寺監人吏　六月己丑上書論宰相陳執中已而乞外改翰林侍讀學士集賢殿修撰出知蔡州侍御史趙抃知制誥劉敞上疏留公七月戊午復領舊職　八月辛丑假右諫議大夫充

賀契丹國母生辰使將持送仁宗御容會契丹主殂癸丑改充賀登位國信使以往契丹使其貴臣陳留郡王宗愿惕隱大王宗熙（並契丹皇叔）北宰相蕭知足（蕃官中最高者）尚父中書令晉王蕭孝友（太皇太后弟）來押宴曰此非常例以公名重故爾送伴使耶律元寧言自來不曾如此一併差近上親貴大臣押宴

十二月庚戌宿虜界松山

風吹沙七言古奉使道中作　內直對月

寄子華舍人持國廷評七言律　論臺諫官言事未蒙聽允書　太尉文正王公神道碑銘　觀文殿大學士行兵部尚書西京留守贈司空兼侍中晏公神道碑銘　尚書屯田員外郎張君墓表

丙申嘉祐元年九月改元公五十歲

二月甲辰使還進北使語錄　公未使北時河患方急賈昌朝欲開橫壠故道囘河使東陳恭公當國主其議公上疏言其不可未幾恭公罷新宰相用李仲昌議欲開商胡入六塔河公復上疏爭之其事中止及使還方大興六塔之役公極言河水重濁理無不淤下流既淤上流必決今六塔功大難成雖成欲其久遠不決必無是理況六塔狹小不能容受大河以全河注之必橫流散溢濱棣德

博齊州之界咸被其害不若因水所趨增治隄防疏其下流浚之入海則河無決溢散漫之憂數十年之利也不聽河纔成而決按通鑑河決在四月溺兵夫漂芻藁不可勝計河北被害者數千里仲昌等流竄遠方悉如公所料　閏三月丁亥判太常寺兼禮儀事孟夏薦饗攝太尉行事　五月癸未知通進銀臺司兼門下封駁事　乙未免勾當三班院

六月甲子奉敕祈晴醴泉觀時雨壞太社太稷壇詔羣臣實封言闕失七月公上言陛下臨御三十

餘年而儲宮未建此久闕之典也昔漢文帝從羣臣言早建太子享國長久爲漢太宗後唐明宗儲嗣不早定而秦王以窺覬陷于大禍後唐遂亂可以爲鑒又狄青爲樞密使上不豫訛言籍籍公言武臣掌樞密而得軍情不惟于國不便鮮不以爲身害請出之外藩以保其終始遂罷青知陳州

八月知益州張方平除三司使甲子詔公權發遣三司公事以俟其至而命李淑代知銀臺司　乙亥車駕詣景靈宮朝拜天興殿充贊導禮儀使又

朝謁眞宗及章懿太后神御殿攝太常卿　九月辛卯大慶殿行恭謝禮爲贊引太常卿禮成加上輕車都尉進封樂安郡開國侯加食邑五百戶

十一月賈昌朝爲樞密使公言其人好陰謀陷害良士小人朋附樂爲其用前在相位累害善人所以聞其復來望風畏恐乞早罷還之舊鎮　十二月押伴契丹賀正旦人使御筵于都亭驛　鳴蟬賦　醉翁吟琴操　贈沈遵七言古　吳學士石屏歌　盤車圖　寄題梅龍圖滑州溪園七言律　贈王介甫　論水災疏　論狄青劄子　論賈昌朝除樞密使劄子　論修河第三狀　議學狀　湖州長

史蘇君墓誌銘
祭程相公文

丁酉嘉祐二年公五十一歲

正月癸未權知禮部貢舉賜御書文儒二字乙巳磨勘轉右諫議大夫時士子尚爲險怪奇澀之文號太學體公痛排抑之凡如是者輒黜畢事向之囂薄者伺公出聚譟于馬首街邏不能制然場屋之習從是遂變文格漸以復古公之力也是歲進士若蘇軾蘇轍曾鞏皆以文章名天下程顥張載朱光庭呂大鈞竝爲名儒貢舉得人之盛獨絕前

後而禮部奏名御試賜及第出身有差不復黜落
亦自此始至今永爲定制　公自記云余與端明
韓子華翰長王禹玉侍讀范景仁龍圖梅公儀同
知貢舉辟梅聖俞爲小試官凡鎖院五十日六人
者相與唱和爲古律詩歌一百七十餘篇集爲三
卷禹玉余爲校理時武成王廟所解進士至此新
入翰林與余同院又同知貢舉故禹玉贈余云十
五年前出門下最榮今日預東堂余荅云昔時叨
入武成宮曾看揮毫氣吐虹夢寐閒思十年事笑

談今此一樽同喜君新賜黃金帶顧我宜爲白髮翁也天聖中余舉進士國學南省皆忝第一人薦名其後景仁相繼亦然故景仁贈余云澹墨題名第一人孤生何幸繼前塵也聖俞自天聖中與余爲詩友余嘗贈以蟠桃詩有韓孟之戲故至此梅贈余云猶喜共量天下士亦勝東野亦勝韓而子華筆力豪贍公儀文思溫雅而敏捷皆勁敵也前此爲南省試官者多窘束條制不少放懷余六人者歡然相得羣居終日長篇險韻衆製交作筆史

疲于寫錄僮隸奔走往來間以滑稽嘲詼形于風刺更相酬酢往往烘堂絶倒自謂一時盛事前此未之有也　三月癸卯爲狄青發喪苑中攝太常卿　六月丙寅福康公主進封兖國公主七月壬午命公攝禮部侍郎以印綬冊使乙未兼判尚書禮部上言人之常情莫親于父子陛下向雖未有皇嗣尚有公主之愛上慰聖顔今既出降深宮之中萬幾之暇誰可與語言承顔色宜因此時選宗室材賢可喜者使出入左右問安侍膳以慰悅聖

情未即立爲儲貳而且養爲子旣可以徐察其賢否亦可以待皇太子之降生今其時矣　九月己卯兼判祕閣祕書省　十一月辛巳權判使館丙申權知審刑院候胡宿回依舊辛丑免　十二月辛亥權判三班院　癸亥權奉安明德元德章穆三后御容于啟聖院車駕行酌獻禮充禮儀使

是月押伴契丹賀正旦人使御筵于都亭驛　答聖俞莫登樓七言古　答聖俞莫飲酒　思白兎雜言　戲答公儀憶鶴之作　戲答聖俞　贈沈博士歌　于劉功曹家見楊直講女奴彈琵琶戲作呈聖俞　戲書七言律　出省有日書事　和較

藝將畢　論選皇子疏　論契丹求御容劄子
禮部唱和詩序　鎮安軍節度使同中書門下平
章事贈中書令謚文簡程公墓誌銘　孫明復先
生墓誌銘　尚書工部郎中歐陽公墓誌銘　太
子太師致仕杜祁公墓誌銘
河南府司錄張君墓表

戊戌嘉祐三年公五十二歲

正月壬午上幸興國寺及啓聖院朝謁太祖太宗
神御殿攝太常卿　二月癸卯契丹遣使告其國
母哀命公館伴　三月辛未兼侍讀學士以員多
固辭不拜　癸未充宗正寺同修玉牒官　甲午
同陳旭考試在京百司等人　六月庚戌兼龍圖

閣學士權知開封府前尹包公以威嚴御下名震都邑公簡易循理不求赫赫之譽或以少風采爲言公曰人材性各有短長今舍所長强其所短以狥俗求譽我不能也既而都下事無不治至寵貴犯禁令多求內降苟免公上奏論列乞今後求內降以免罪者更加本罪二等內臣梁舉直私役官兵付開封府取勘既而內降放罪凡三次內降公終執而不行 送朱職方提舉運鹽五言古 送宋次道學士赴太平州七言古 歸田四時樂分得春夏二首 浮槎山水記 忠武軍節度使同中書門下平章事武恭王公神道碑銘

祭吳尚書文

己亥嘉祐四年公五十二歲

正月奏府界鄉開孟陽新河村民所掘墳墓屍首骨殖布在新河兩岸其莊宅屋宇累世安居一旦毀拆全家露坐冤痛之聲聞于遠近殃及幽明可憫可駭兼體問得所開新河有害無利下原高仰水勢難行且三道減水盡聚一河必有決溢之虞乞差朝臣相度未開三料更不開掘卻移夫役修整舊河其元獻利之人與從初檢計壕寨官吏蒙

昧朝廷並下開封取勘所貴少謝枯骨兼慰生人
有司以常例張燈公奏言上元放燈不出典禮
况方正旦日蝕避殿減膳聖心憂畏中外所知立
春以來陰寒雨雪小民失業坊市寂寥薪炭食物
其價增倍乞特罷放燈所有供擬游幸及修道路
寒凍兵士並乞放罷以副陛下畏天憂民之心從
之　三月戊辰免開封轉給事中同提舉在京諸
司庫務　是月充御試進士詳定官賜御書善經
二字　四月丁卯奏告今冬太廟行祫饗之禮癸

西孟夏薦饗並攝太尉行事　丙子兼充羣牧使

六月甲申刪定景祐廣樂記　九月丁酉奉敕

祈晴相國寺　十月壬申車駕朝饗景靈宮癸酉

祫饗太廟並攝侍中行事丁丑加護軍食實封二

百戶　是歲奏近年史館撰述簡略遺漏百不存

一弊在修撰之官惟據諸司供報而不敢書所見

聞又自古人君不自閲史今撰述既成必錄副本

進呈則事有諱避又承前積滯相因纂錄者追修

累年前事歲月既遠遺失莫存若不革其弊史官

永無舉職時矣乞特詔修時政記起居注之臣並以德音宣諭臣下奏對之語書之編次除目並須考驗事實其除某官者以某功貶某職者坐某罪使聖朝賞罰之典可以勸善懲惡昭示後世若大臣用情朝廷賞罰不當者亦得以書爲警戒歲終命監修宰相親至史院檢點有不勤其事隳官失職者奏行責罰其時政記起居注日曆等並乞更不進本所貴少修史職從之[illegible]撰毛詩本義成其論詩曰察其美刺知其善惡以爲勸戒所謂聖人

之志者本也因其失傳而妄自爲之說者經師之末也學者得其本而通其末斯盡善矣得其本而不通其末闕其所疑可也又曰先儒于經不能無失而所得多矣盡其說而理有不通始爲辨正不嘗過求聖人之意以立異于先儒也（以卷首公自題官知在是年）

自唐太宗詔名儒撰定九經註疏號曰正義學者奉爲宗師公病其書駁雜因奏言讖緯之書淺俗誣怪悖經妨道凡諸書及傳疏所引讖一切削去之以無悞後學仁宗命國子學官取諸經正

義所引讖緯之說逐旋寫錄奏上時執政者不甚主之竟不行公劄子不注年月呂氏家塾記云公在翰林日建言姑附于此

秋聲賦　病暑賦　夜聞風聲有感奉呈原父舍人聖俞直講五言古　鳴鳩七言古　荅聖俞白鸚鵡雜言　明妃曲和王介甫作　再和明妃曲　唐崇徽公主手痕和韓內翰子華七言律　送王平甫下第　論包拯除三司使上書　論史館日秝狀　乞與尹構一官狀　有美堂記　鎮安軍節度使同中書門下平章事贈大師中書令程公神道碑銘　尚書戶部侍郎參知政事贈右僕射文安王公墓誌銘　資政殿大學士尚書左丞贈吏部尚書正肅吳公墓誌銘　右班殿直贈右羽林將軍唐君墓表

庚子嘉祐五年公五十四歲

四月丁卯孟夏薦饗太廟攝太尉行事　癸未梅聖俞卒聖俞與公交最深元年以公薦補國子監直講既歿家素貧公醵錢于諸公得錢數百千置義田以恤其家且乞錄其子增（公于故人子加意振掖尹師魯之子構孫明復子大年皆以公薦授官不獨增也）爲之作詩集序惜其不得用于朝廷作爲雅頌薦之清廟乃徒發于蟲魚物類羈愁感歎之言世徒喜其工不知其窮之久而將老低徊惋惜情文兼至公于聖俞力所能及豈有慚哉王荆公哭聖俞詩云貴人憐公青兩眸吹

嘘可使高岑樓坐令隱約不見收空能乞錢助饋餾以刺當時用事者或乃云此語爲公設誤矣詩序云今年五十猶從辟書爲人之佐是聖俞尚在也後又云聖俞以疾卒于京師一篇之中自相矛盾何耶公于舊作多所改定疑後人編輯偶失檢點取原本與改本誤合爲一目錄注慶秝六年則皆非也

七月戊戌上新修唐書二百五十卷庚子推賞轉禮部侍郎初奉敕撰唐書專成紀志表而列傳則宋公祁所撰朝廷恐其體不一詔公看詳合刪爲一體公雖受命退而曰宋公于我爲前輩且人所見不同豈可悉如己意于是一無所易書成

奏御舊制惟列官最高者一人公官高當書公曰宋公于傳功深而日久豈可掩其名而奪其功于是紀志表書公名而列傳書宋公宋丞相庠聞之歎曰自古文人好相凌掩此事前所未有也其子禮樂志發明禮樂之本言前世治出于一而禮樂達于天下後世治出于二而禮樂爲虛名五行志不書事應悉破漢儒災異傅會之說皆出前人所未至　八月奏言今之馬政皆因唐制而馬少于唐者唐世牧地皆與馬性相宜今其地沒入蕃界

惟河東嵐石之間及汾河之側草軟水甘最宜牧養此乃唐樓煩監地也可以興置一監若推迹而求之則天池元池三監之地尚冀可得又往年因奉使嘗行威勝以東及遼州平定軍山川深峻水草甚佳其地高寒必宜馬性又京西唐汝之間荒地亦廣請下河東京西轉運司遣官審度若可以興置新監則河北諸監內有地不宜馬處卻議行廢罷又宜不惜金帛以招誘蕃部若券馬利厚來者必多于其多中時得好馬然招誘之方事非一

體乞特遣官至邊訪問利害以此三者參酌商議庶不倉卒輕爲改更　九月丁亥兼翰林院侍讀學士（公在翰林己七年士大夫相語以富鄭公眞宰相胡侍講眞先生包孝肅眞中丞公眞翰林學士時謂之四眞）　十月庚午下元節車駕朝拜景靈宮天興殿朝謁眞宗及章懿太后神御殿攝侍中[illegible]十一月辛丑拜樞密副使加食邑五百戶食實封二百戶甲寅同修樞密院時政公在密院與曾魯公（公亮）悉力振舉紀綱革去宿弊大考天下兵數及三路屯戍多少地理遠近更爲圖籍之法兵防

久闕屯守者大加蒐補數月之間機務寖理　先是朝廷置均稅司差官分往河北陝西議者多言不便公奏言均稅非以規利本以便民葢只以見在稅數量輕重均之初不令其別生額外之數也近聞衛州通利軍括出民冒佃田土不于見在管催數內均減重者攤與冒佃戶卻別生令稅數配之此非朝廷本意又聞澶州諸縣將祥符景德以前遠年樁管虛數並攤與見今人戶又聞以地肥瘠定為四等其下等田並一例均攤與稅謂此雖

不可耕種倘可煎鹽河北之民自祖宗以來蒙賜恩卹放行鹽不禁只令據鹽斤兩納稅令煎鹽者已納鹽稅又令更納田稅豈祖宗所以惠河北民之意又聞河南不殖之地係禁鹽地分者亦均攤與稅又不知使民何以納也伏望特賜指揮將生立稅數及遠年虛數並與放免未均地分並且罷均無使俗吏貪功希賞為國斂怨

十二月押伴契丹賀正旦人使御筵于都亭驛

奉荅原父九月八日見過會飲之作七言古

再論許懷德狀

論茶法奏狀

進新修唐書表

尚書刑部郎中充天章閣待制

兼侍讀贈右諫議大夫孫公墓誌銘　北
海郡君王氏墓誌銘　祭梅聖俞文
辛丑嘉祐六年公五十五歲
三月戊申侍上幸後苑賞花華景亭釣魚涵曦亭
遂宴太清樓　四月諫官唐介趙抃臺官范師道
呂誨王陶皆以言事被黜公言介等久在言職其
人立朝各有本末前後補益甚多況斥逐諫臣非
朝廷美事阻塞言路不爲國家之利望特賜召還
以勸守節敢言之士其後介等竝復進用　閏八
月辛丑轉戶部侍郎參知政事進封開國公加食

邑五百戶食實封二百戶公辭轉官許之　九月庚申同修中書時政記時韓魏公琦當國每諸公聚議事有未可公未嘗不力爭而韓公亦欣然忘懷以此與公相知益深與曾魯公三人同心輔政百官奉法循理朝廷稱治初百司所行兵民官吏財用之類皆無總數中書一有行移則下有司纂集公因暇日盡以中書所當知者集爲總目一日上有所問宰相以總目對公以祀假家居上遣中貴人就中書閤子取而閱之　十二月丙戌臘饗

太廟攝太尉行事論臺諫官唐介等宜早牽復劄子　廖氏文集序　內制集序
胡先生墓表　梅聖俞墓誌銘
壬寅嘉祐七年公五十六歲
正月己酉朔大慶殿朝賀攝侍中承旨宣制　三月乙卯祈雨南郊攝太尉行事　辛酉提舉三館祕閣寫校書籍同譯經潤文　四月壬午上嘉祐編敕　七月庚戌充明堂鹵簿使　前公在侍從再上疏請選立皇子以固天下根本言甚激切及在政府司馬光呂誨各有疏論及明日公奏事垂

拱殿讀二章畢遂力贊其議英宗居濮王憂始起
復知宗正寺公與韓公同奏此大事不可中止乞
陛下斷在不疑仍乞自内中批出臣等奉行仁宗
曰此事豈可使婦人知只中書行可也命既出而
英宗前後十餘讓服除猶堅卧稱疾一日奏事仁
宗前顧問之際公獨進曰宗室自來不領職事今
外人忽見不次擢此子又判宗正皆知陛下將以
爲子不若遂正其名緣防禦使判宗正用誥敕宗
實得以堅卧不受若立爲皇子只煩陛下命學士

作一詔書告報天下事卽定矣不出宗實受不受也仁宗沈思久之顧韓公曰如此莫亦好否韓公力贊之八月遂降詔書立宗實爲皇子賜名曙初公擇日旁十字請仁宗點之其最下一字卽今名甫半載而仁宗大漸中外帖然微公與韓公協定大計禁中夜半出寸紙宗社安危未可知也　九月戊申文德殿奏請致齋攝侍中奏中嚴外辦己酉朝饗景靈宮庚戌朝饗太廟竝攝司徒辛亥大饗明堂己未進階正奉大夫加柱國仍賜推忠佐

理功臣　十二月丙申上幸龍圖閣召輔臣觀三
聖御書又幸寶文閣親飛白書分賜羣臣公得雙
幅大書歲字下有御押加以御寶王珪夾題八字
云嘉祐御札賜歐陽修仍于絹尾書翰林學士臣
王珪奉聖旨題賜名又出御製觀書詩一首令羣
臣屬和遂宴羣玉殿庚子再召近臣及三館臣僚
觀三朝瑞物太宗眞宗御集次赴寶文閣御飛白
書賜公金花牋字復宴羣玉殿後數日公以狀進
書謝　是月押伴契丹賀正旦人使御筵于都亭

驛集古錄目序與蔡君
謨求書集古錄序書

癸卯嘉祐八年公五十七歲

上元夜賜中書樞密院御筵于相國寺羅漢院是日韓曾二公樞密張太尉皆在假不赴惟公與西廳趙侍郎槩副樞胡諫議宿吳諫議奎四人在席酒半相顧四人者皆同時翰林學士相繼登二府前此未有也因相與道玉堂舊事爲笑樂遂皆引滿劇飲諠譁爲一時盛事　二月乙亥奉敕充沈貴妃冊禮使三月仁宗崩不及行禮　四月壬申英宗即位甲

戌奉敕書大行皇帝哀冊謚寶甲申草恩轉戶部
侍郎進階金紫光祿大夫加食邑五百戶食實封
二百戶仍賜推忠協謀佐理功臣乙酉奉敕篆受
命寶其文曰皇帝恭膺天命之寶　五月戊辰爲
皇帝祈福于南郊攝太尉行事時帝有疾未親政
曹太后御內東門小殿垂簾帝疾益甚舉措或改
常度遇宦者尤少恩左右多不悅乃共爲讒間兩
宮遂成隙內外洶懼一日公與韓公奏事簾前太
后嗚咽流涕具道所以韓公曰此病故耳病已必

不然子疾毋可不容之乎后意不解公進曰太后事先帝數十年仁德著于天下昔溫成之寵太后處之裕如今毋子間反不能容耶后意稍和公復曰先帝在位久德澤在人故一日晏駕天下奉戴嗣君無敢異同者今太后一婦人臣等五六書生耳非先帝遺意天下誰肯聽從后默然久之韓公進曰臣等在外聖躬若失調護太后不得辭其責后驚曰是何言我心更切也帝疾至七月始瘳公與韓公彌縫毋子鎮安內外卒復明辟兩宮睦然

公之危言密議忠力爲多 [illegible] 樞密使闕人公以次
當拜一日待漏院中見韓魏公耳語公覺其意
問曰得非樞密院闕人而某當次補乎二公曰然
公曰此大不可今天子諒陰母后垂簾事之得失
人皆謂吾輩爲之耳今如此則是二三大臣自相
位置何以服天下二公大然之遂起富鄭公爲樞
密使後鄭公與張康節 昪 同罷樞密英宗復欲用
公公力辭不拜 [illegible] 七月戊申押伴契丹祭弔人使
御筵于都亭驛時契丹降人韓皐謨者自言太叔

耶律重元使來言太叔謀取其國乞中國出兵爲應二府會議其事時有意主之者將議從之公爭曰中國待夷狄宜以信義爲本奈何欲助其叛亂使事不成得以爲辭主議者大笑曰迂儒迂儒公力爭之不已遂止既而重元兵敗自殺 八月癸巳奉敕篆大行皇帝謚寶其文曰神文聖武明孝皇帝之寶 十月乙酉增修太廟成命告七室 十二月庚午押伴契丹賀正旦人使御筵于都亭驛 赴集禧宮祈雪追憶從先皇駕幸泫然有感七言律 跋永城縣學記 書荔枝譜後 跋石

鼓文

甲辰英宗治平元年公五十八歲

四月甲午奉敕祈雨社稷　閏五月戊辰特轉吏部侍郎公固辭不允　八月辛丑奉敕祈晴太社

內侍任守忠于仁宗季年建議欲援立昏弱及帝有疾又離間兩宮司馬光呂誨交章論之帝納其言翼日韓公出空頭敕一道公已簽趙槩難之公曰第書之韓公必自有說既而韓公坐政事堂召守忠立庭下曰汝罪當死遂責蘄州安置取空

頭敕填與之即日押行韓公意以稍緩則中變也其黨史昭錫等悉竄南方中外快之　十二月壬子押伴契丹賀正旦人使御筵于都亭驛　是歲有上言乞將南省考試舉人各以路分糊名于逐路每十人解一人者公言國家舊制不問東西南北惟材是擇糊名謄錄使主司莫知爲何方之人誰氏之子其無情如造化至公如權衡不可易之制也今欲改法使多取西北進士不知四方風俗異宜人性各有利鈍東南好文故進士多而經學

少西北尙質故進士少而經學多但論進士則多少不等若以經學合而較之則其數均耳今東南取解者二三千人處只解二三十人蓋已痛裁抑之西北取解至多處不過百人而所解至十餘人比之東南十倍假借若至南省又減東南而增西北則是已裁抑者又裁抑之已假借者又假借之東南之士初選已精故至南省所試多合格西北之士學業不及東南初選又濫故至南省所試多不合格今若一例以十八取一人則東南合格而

落者多西北不合格而得者多取舍顛倒能否混淆大不可也且言事者本欲多取諸路士著之人若此法一行則寄應者爭趨而往是法出而姦生也議者又謂西北近虜士要牢籠此甚不然使不逞之人不能爲患則已苟可爲患則何方無之豈專西北解貢舉所設本待材賢牢籠不逞當別有術不在科場也　攝事齋宮偶書七言律　集禧謝雨七言絕　論逐路取人劄子

跋晉王獻之法帖　跋唐華陽頌　跋唐華嶽題名　跋唐甘棠館題名　跋唐李德裕平泉草木記　跋唐辯

石鍾山記

乙巳治平二年公五十九歲
正月三上表乞外任不允　四月辛丑景靈宮奉
安仁宗御容車駕行酌獻之禮攝侍中　英宗旣
釋服始詔議崇奉濮王典禮司馬光建議濮王宜
準先朝封贈期親尊屬故事尊以高官大國譙國
襄國仙游竝封太夫人中書以贈官改封當降制
行冊命制冊當曰某親某官某未審濮王稱何親
及名與不名乃再下其議王珪等議濮王于仁宗
爲兄于皇帝宜稱皇伯而不名公引喪服記爲人

後者爲其父母降服三年爲期而不沒父母之名以見服可降而名不可沒也若本生之親改稱皇伯歷考前世皆無典據進封大國則又禮無加爵之道請下尚書集三省御史臺議而太后手詔詰責執政帝乃詔曰如聞集議不一權宜罷之令有司博求典故以聞　六月孫長卿除河東轉運使臺諫論奏不已上曰已行之事何可改公奏曰臣等不爲已行難改若果除授不當能用臺諫之言改正足以上彰陛下從諫之聖臣等能不遂非而

服義亦是好事但以長卿除授不爲過當若甾從臺官之言使彼銜冤受黜于理豈安故難行也上又曰人言臺諫奪權公奏曰此則爲陛下言者過也朝廷置臺諫官專爲言事若使默然卻是失職苟以言事爲奪權則臺諫無職可供矣 八月以雨水爲災待罪三上表乞避位不允 十四日獨對崇政殿上面諭曰參政性直不避眾怨每見奏事時或與二相公有所異同便相折難其語更無回避亦聞臺諫論事往往面折其短若似奏事時

語可知人皆不喜也今後宜少戒此公對曰臣以愚拙敢不如聖訓然公天資素剛機穽在前觸發之不顧嘗稱故相王沂公之言曰恩欲歸己怨使誰當雖屢被謗譏而勁正之性終不少貶 九月辛酉提舉編纂太常禮書百卷成詔名太常因革禮賜銀絹 僧官闕人內臣陳承禮以寶相院僧慶輔爲請內降從之舊有著令僧官必試而補諸公相與執奏其事公進言曰補一僧官至爲小事但內降衝改先朝著令內臣干撓朝政此事何可

啟其漸又奏曰宦女近習前世常患難于防制此一小事陛下不以爲意而從之彼必自張以謂爲上親信朝政可迴外邊威埶不小矣若後有大事以害政不從是初欲姑息而反成怨望不若絕之于漸英宗欣然嘉納十一月庚午車駕朝饗景靈宮辛未饗太廟壬申祀南郊攝司空行事進階光祿大夫加上柱國食邑五百戶是歲奏西邊事宜言邊地東起麟府西盡秦隴長二千餘里分爲路者五路分爲州軍者二十四皆須列兵而守

吾兵既分雖多亦寡而賊常舉其國眾合聚爲一而來以彼之多擊吾之寡不得不敗也我欲合而出攻則懼後空而無備欲各留守備而合其餘則數少不足以出攻進不能攻退不能守此往年已驗之失也今誠能反其失則我當先定出攻之計凡出攻之兵勿爲大舉我每一出彼必呼集而來拒彼集于東則別出其西我歸彼散則我復出而彼又集我以五路之兵番休出入使其一國之眾聚散奔走無時暫停則無不困之虜矣至諒祚之

所爲宜少屈意含容以驕其心嚴戒五路訓兵選
將利器甲畜資糧常具軍行之計待其反書朝奏
則王師暮出以駭其心而奪其氣使其支吾不暇
則勝埶在我矣葢公自元昊初叛以迄諒祚擾邊
章奏數十上每思用奇制勝力詆和議之非凡碑
誌記序諸文每觸西事輙淋漓感激不能自已以
臨邊日少其功不若韓范之烈而請纓雪恥感時
憂國之意時時見于文辭讀者可以悲其志矣寄渭
州王仲儀龍圖七言律　言西邊事宜第一狀
言西邊事宜第二劄子　仁宗御集序　相州晝

錦堂記　徂徠

石先生墓誌銘

丙午治平三年公六十歲

正月太后手詔中書宜尊濮王爲皇夫人爲后皇帝稱親帝下詔謙讓不受尊號但稱親即園立廟以王子宗樸爲濮國公奉祠事時論以謂太后之追崇及帝之謙讓皆中書謀也于是呂誨等劾韓琦專權導諛指公首倡邪說公奏言儀禮爲人後者爲其父母報開元開寶禮國朝五服年月喪服令皆云爲人後者爲其所生父母齊衰不杖朞益

以恩莫重于所生故父母之名不可改義莫重于所後故寧抑而降其服此聖人所制之禮以爲萬世法者也夫無子者得以宗子爲後是禮之所許然安得無父而生之子以爲後乎聖人不諱無子者立人之子以爲後亦不諱爲人後者有父而生今議者欲以爲人後之故使一旦反視父母若未嘗生我者其絶之已甚矣使眞絶之與是非人情也迫于義而僞絶之與是仁義者教人爲僞也中書之議本謂稱皇伯無稽而禮經有不改父名之

義方議名號猶未定故尊崇之禮皆未及議而言事者便引漢去定陶國號立廟京師之事厚誣朝廷以爲干亂大統何其過論也乞下詔明告中外以釋羣疑公又三上表求外任不允孫謙益云公著濮議一卷力辯英廟本無固必寧以一身而當衆怒深得善則稱君過則稱己之義此語似知公而未盡蓋公眞以稱親爲不可易非知其過而吝于改也　七月癸酉薦饗太廟攝太尉行事　九月奏言近年進賢之路太狹朝廷用人自兩制選居兩府自三館選居兩制是三館者輔相養材之地也材既難得而難知故當博採

廣求而多畜之時冀一得于其閒則傑然而出爲
名臣矣餘亦不失爲佳士也往時入三館有三路
進士五人以上皆得試館職第一人及第不十年
即至輔相今第一人兩任方得試而第二人以下
無復得試是高科一路塞矣往時大臣薦舉即召
試令止令上簿候闕人乃試而館閤人無員數無
有闕時是薦舉一路又塞矣惟有因差遣例除一
路半是年勞老病之人此所謂進賢路狹也因命
韓琦曾公亮趙槩及公各舉五人皆令召試琦等

以人多難之帝曰苟賢豈患多也其後中選者往往在清近多至大用按奏事錄此係二年八月十四日崇政殿面對然公有劄子在奏議集則非止面對也綱目編三年九月今從之　十二月甲午奉敕篆皇帝尊號寶其文曰體乾膺秝文武廣孝皇帝之寶　乙巳押伴契丹賀正旦人使御筵于都亭驛　三月赴宴口占七言律　蘇主簿挽歌　乞補官職劄子　又論館閣取士劄子　議濮安懿王典禮劄子　爲後或問二首

丁未治平四年公六十一歲

正月丁巳神宗即位戊辰覃恩轉尚書左丞進階

特進加食邑五百戶食實封二百戶仍賜推忠協
謀同德佐理功臣　二月第三子棐登進士第
御史蔣之奇以飛語汙公先是公婦弟薛宗孺以
罪被劾公言不可以臣故僥倖乞特不原宗孺坐
免官而憾公切齒造帷簿不根之謗展轉達于中
丞彭思永思永以告之奇之奇即上章劾公公杜
門請付有司按治帝使詰思永之奇問所從來二
人詞窮皆坐黜帝遣中使朱可道賜御札慰安公
公力求去三月壬申除觀文殿學士轉刑部尚書

知亳州改賜推誠保德崇仁翊戴功臣　閏三月辛巳宣簽書駐泊公事陛辭乞便道過潁少留許之　五月甲辰至亳　郡齋書事寄子履七言律書懷　薦司馬光劄子　乞罷政事第三表　亳州謝上表　歸田錄序　仁宗御飛白記　贈刑部尚書余襄公神道碑銘　故霸州文安主簿蘇君墓誌銘　贈太子太傅胡公墓誌銘　祭石曼卿文

戊申神宗熙寧元年公六十二歲

是歲連上表乞致仕不允　八月乙巳轉兵部尚書改知青州充京東東路安撫使　九月丙申至青　十一月丁亥郊祀恩加食邑五百戶食實封

二百戶　是歲築第于潁　昇天檜七言古憶焦陂　表海亭七言律

亳州乞致仕第二表　端明殿學士蔡公墓誌銘　集賢校理丁君墓表

己酉熙寧二年公六十三歲

三月內侍王延慶便道傳宣撫問仍賜香藥一銀合又遞賜新校定前漢書以公嘗預刊定也　冬乞壽州便私計不允　是歲奏寬沙門島刑名設法減其人數賴以全活者甚衆　蔣之奇兄之儀知臨淄縣爲二司所不喜力欲壞之意公必憾之奇因以屬公公察其實無他力保全之公每自言

平生爲學所得惟平心無怨惡爲難故于事未嘗挾私喜怒以爲意雖嘗出死力擠陷公者他日遇之中心坦然無纖芥不足之意嘗曰孔子言以直報怨夫直者是之爲是非之爲非是非付之至公則是亦不報也初貶滁州由錢明逸還朝屢同飲宴不以爲嫌及在中書明逸罷秦州歸復用爲翰林學士其他事多此類春晴書事七言律　游石子澗　謝賜漢書表　集賢院學士劉公墓誌銘

庚戌熙寧三年公六十四歲

四月壬申除檢校太保宣徽南院使判太原府河東路經略安撫監牧使兼并代澤潞麟府嵐石路兵馬都總管命赴闕朝見中外之望皆謂朝廷方虛相位以待公公六上章堅辭以久疾昏耗不任重寄且曰時多喜新奇而臣愚守拙衆方興功利而臣欲循常執政知終不附己遂不復用　時方行青苗錢法公陳不便三事其一言朝廷本爲惠民而田野之民蠢然不知周官泉府爲何物但見官中放債每錢一百文要二十文利爾欲天下曉

然知取利非朝廷本意乞除去二分之息但令只納元數本錢蓋二分之息以爲所得多耶固不可多取于民所得不多耶則小利又何足顧何必以此上累聖政其二言元降指揮如災傷及五分以上則夏料青苗錢令于秋料送納秋料于次年夏料送納然年歲豐凶不可定若連遇兩三料水旱則青苗錢積壓拖欠數多纔遇豐熟卻須一併催納則農民永無豐歲矣今乞令人戶遇災傷本料未曾送納及無力拖延不納者並更不支俵與次

料錢始免積壓拖欠及失陷官錢之弊其三言朝廷屢降指揮約束州縣官吏不得抑配百姓然諸路各有提舉管勾等官以不能催促盡散為失職州縣之吏亦以俵錢不盡為弛慢不才上下不得不遞相督責勢使然也今乞罷提舉管勾等官不令催督其所俵錢取民情願不須盡數亦不須合縣之民戶戶盡請如此自然無抑配之患矣　五月復奏言自俵青苗錢以來議者皆以取利為非然夏料錢于春中俵散猶是青黃不相接之時以

爲惠政尚有可說若秋料錢于夏月俵散正是蠶麥成熟人戶不乏之時何名濟闕直是放債取利爾若二麥不熟則夏料尚欠豈宜更俵與秋料錢使人戶積壓拖欠以此而言秋料錢可以罷而不散奏既上令本州權停須給以俟朝命有旨不合不聽候朝廷指揮擅行止散之罪特予放免公上表陳謝　七月辛卯改知蔡州　九月甲寅至蔡

是歲更號六一居士曰吾集古錄一千卷藏書一萬卷有琴一張有碁一局而常置酒一壺以吾

一翁老于其間是爲六一自爲傳以刻石言青苗錢第一劄子 謝擅止散青苗錢放罪表 詩譜補亡後序 續思頴詩序 峴山亭記 六一居士傳 瀧岡阡表

辛亥熙寧四年公六十五歲

公在蔡累章告老六月甲子以觀文殿學士太子少師致仕公既氣貌康强而年未及例一旦勇退士大夫莫不驚歎曰近古所無也 七月歸頴賦采桑子詞十首述西湖風物之美 趙康靖槩與公同在政府相得甚歡公被誣密申辯理至欲納

誥敕以保公而不使公知聞公歸潁自睢陽單車來訪年八十矣呂正獻公著守潁爲設宴于西湖賓主稱一時之盛因題其堂曰會老堂　八月將祀明堂詔赴闕陪位公上章乞免從之禮成賜衣帶器幣牲餼蔡州乞致仕第二表蔡州乞致仕第三表江鄰幾文集序薛簡肅公文集序

壬子熙寧五年公六十六歲

閏七月庚午二十三日公薨于汝陰之私第天子震怛輟視朝一月士大夫聞公喪皆出涕相弔　八月

丁亥贈太子太師孫男四人愻憲恕愬皆以公恩試祕書省校書郎　詔頴州守取公所撰五代史進御　公歷三朝數十年閒以文章道德爲學者宗師接人待物誠信樂易不爲表暴見者莫不愛服而天資高遠常人自不能與之合公待之一也喜獎引後進賞識之下率爲聞人篤于交友不以貴賤生死易意歷七郡守以鎭靜爲本視民如家人察其所欲知其疾苦尢盡心于訟獄非盜賊大獄不過終日吏不得畱滯爲姦非已殺人而法可

出入者多所全活曰吾先君之志也其學推韓愈孟子以達于孔氏力闢非聖之説其文章天才有餘豐約中度雍容俯仰不大聲色而義理自勝筆札精勁自成一家有得其片紙必寶藏之平生于物無所好惟收蓄古文圖書集三代以來金石銘刻爲一千卷以自娱因校正史傳之失其所著述有易童子問三卷詩本義十四卷五代史七十四卷居士集五十卷外集二十五卷歸榮集一卷外制集三卷内制集八卷奏議集十八卷四六集七

卷書簡十卷集古錄跋尾十卷雜著述十九卷又
奉敕撰唐書紀十卷志五十卷表十五卷在館職
日與同時諸公共撰崇文總目祖宗故事

附東坡六一居士集序云自歐陽子出天下爭自
濯磨以通經學古爲高以救時行道爲賢以犯顏
納說爲忠長育成就至嘉祐末號稱多士歐陽子
之功爲多又云歐陽子論大道似韓愈論事似陸
贄記事似司馬遷詩賦似李白此非余言也天下
之言也又雜記云頃歲孫莘老識歐陽公嘗乘間

以文字問之云無他術惟勤讀書而多爲之自工世人患作文字少又懶讀書每一篇出卽求過人如此少有至者疵病不必待人指摘多作自能見之此公以其嘗試者告人故尤有味又跋公帖云公用尖筆乾墨作方闊字神釆秀發膏潤無窮後人觀之如見其清眸豐頰進趨煜如也

公詩文有不注年月與雖注而可疑姑摘其尤者什一附記于後以俟博考

送唐生五言古　寶劍　彈琴效賈島體　酬學詩僧惟悟　讀書　獻書拜呈學士三丈　和楊子聰荅聖俞月夜見寄　江上彈琴　別聖俞　荅錢寺丞憶伊川　寄左軍巡劉判官　送劉十

士龍門曉望
魚　月　鶴
梅聖俞詩集序　鄭荀改名序　韻總序　送王
陶序　孫子後序　帝王世次圖序　樊侯廟災
記　菩祖擇之書　記舊本韓文
後　雜說三首　跋唐薛稷書

甲寅熙寧七年八月謚文忠樞密副使吳充撰行狀以牒太常太常初謚曰文常秩言公有兩朝定策之功請加以忠從之同知太常禮院李清臣撰謚議

乙卯熙寧八年九月乙酉二十六日葬開封府新鄭縣旌賢鄉

墓誌銘太師魏國公韓琦撰朝散大夫宋敏求書神道碑諸子以屬蘇軾軾鄭重遲回久而未就歿後三載其弟轍始續成之時崇寧五年去公之葬已三十二年公四子獨棐猶在

庚申元豐三年十二月贈太尉以子發恩

乙丑元豐八年十一月贈太師追封康國公

丙子哲宗紹聖三年五月追封兗國公以子棐辯恩

舊譜載此附錄又載蘇軾祭文有維元祐六年歲次辛未昭告于故太師兗國文忠公安康郡夫人云云則兗國之封疑不在紹聖時

甲申徽宗崇寧三年追封秦國公

癸巳政和三年追封楚國公皆以子棐遇郊恩

跋

韋軒先生世居梁溪南門外研精經學立品端嚴著有詩經旨言韋軒詩文等集即其增訂歐陽文忠公年譜謂鄭國公年五十九而韓國太夫人何以年止三十且舊譜稱公有長子昞疑尚有元配又據文忠公與李淑書知撰次五代史尹師魯實未嘗分任其識見高出舊譜及胡氏柯本遠矣翠嶺沈楙悳

周子年譜

（宋）度正撰　明萬曆三十四年刻本

周子全書卷之五

明後學嘉興徐必達校正

山陽度正撰

年譜

真宗天禧元年丁巳是歲先生生周氏之先自帝嚳生后稷至太王邑于周其後遂以爲氏漢有汝南侯先生蓋汝南之後也初諱惇實字茂叔避英宗舊諱改惇頤世家營道莫詳其遷徙所自族衆而業儒曾祖從遠祖智強智強五子長式終汀州上杭縣令次鐸次正皆不仕次輔成次輅輔成卽先生之父大中祥符八年蔡齊榜六舉以上特奏名

賜進士出身終賀州桂嶺令累贈諫議大夫葬于
道州營道縣營樂鄉鍾樂里樓田先娶唐氏生礪
礪生仲章卽先生有書付之桂嶺君贈諫議大夫
誥而使之告墓者也唐卒左侍禁鄭燦成都人有
女先適盧郎中盧卒諫議以爲繼室是生先生

天禧五年辛酉先生時年五歲

乾興元年壬戌先生時年六歲

仁宗天聖元年癸亥先生時年七歲

天聖七年己巳先生時年十三志輒高遠濂溪舊有
橋橋有小亭先生常釣遊其上吟風弄月至今父

老皆能言之

天聖九年辛未先生時年十五侍禁之子龍圖閣學士珣令先生母兄盧惇文挈之遂偕母仙居縣太君自營道入京師依舅氏

明道元年壬申先生時年十六

景祐元年甲戌先生時年十八

景祐三年丙子先生時年二十行義名稱有聞於時龍圖公名子皆以惇字因以惇名先生奏補試將作監主簿故盧氏子亦名惇文

景祐四年丁丑先生時年二十一七月十六日仙居

縣太君鄭氏卒葬於潤州丹徒縣龍圖公之墓側

寶元元年己卯先生時年二十二

康定元年庚辰先生時年二十四服除從吏部調洪州分寧縣主簿

慶曆元年辛巳先生時年二十五被先生序彭應求詩自言慶曆初爲分寧主簿當是此年時分寧縣有獄不決先生至一訊立辯士大夫交口稱之嘗被臺檄攝袁州盧溪鎮市征局鮮事袁之進士來講學於公齋者甚衆

慶曆四年甲申先生時年二十八部使者以爲才奏

舉南安軍司理參軍

慶曆五年乙酉先生時年二十九南安獄有囚法不當死轉運使王逵欲深治之逵苛刻吏無敢相可否先生獨力爭之不聽則置手版歸取告身委之而去曰知此尚可仕乎殺人以媚人吾不爲也逵感悟因得不死

慶曆六年丙戌先生時年三十大理寺寺丞知虔州興國縣程公珦假倅南安視先生氣貌非常人與語果知道者因與爲友令二子師之及爲郎每遷授當舉代輒以先生名聞二子即明道伊川也明

道生於明道元年伊川生於明道二年時明道年
十五伊川年十四爾故明道傳云自十五六時與
弟頤聞周惇實論學遂厭科舉之習慨然有求道
之志其後先生作太極圖獨手授之他莫得聞焉
按程氏家傳珦知虔州興國二年就移知龔州二
年罷明堂恩改殿中丞代還在途而儂智高亂陷
龔州按國史皇祐二年祀明堂其明年智高叛則
珦之宰興國正是年也以轉運使王逵薦移郴州
郴縣令長沙王民極云先生首修縣學有修學記
當考

慶曆八年戊子先生時年三十二爲郴縣令知州求
職方員外郎李初平知其賢不以屬吏遇之嘗問
先生論學歎曰吾欲讀書如何先生曰公老無及
矣某請得爲公言之初平遂日聽先生語二年而
後有得初平兩知郴州按題名記此其再任時也
皇祐元年己丑先生時年三十三李初平卒子幼先
生曰吾事也爲護其喪歸葬之往來經紀其家始
終不懈
皇祐二年庚寅先生時年三十四爲郴州桂陽令
皇祐五年癸巳先生時年三十七先生在郴桂皆有

治績諸公交薦之

至和元年甲午先生時年三十八用薦者言改大理寺丞知洪州南昌縣南昌人見先生來喜曰是初仕分寧始至能辨其疑獄者吾屬得所訴矣嘗得疾更一日夜始甦潘興嗣視其家服御之物止一敝篋錢不滿百

至和二年乙未先生時年三十九

嘉祐元年丙辰先生時年四十以太子中舍僉書合州判官事先生性好山水泝峽至秭歸開龍昌洞之勝與廬陵蔣粲洪崖彭德純遊焉蔣記之事見

秭歸集是歲十一月至合州十日視事轉殿中丞

賜五品服

嘉祐二年丁酉先生時年四十一正月十五日作彭推官宿崇勝院詩序九月回謁鄉官州司錄黃又回謁解元才郎今不詳其爲誰氏子嘗是去年鄉貢今年南省下第而歸者聞先生學問故來求見耳遂寧傳耆伯成少有俊才年十四薦於鄉先生妻黨陸丞自小溪解官東歸過合陽爲先生言傳之爲人先生致書於傳傳答書云兢事以濟衆爲懷神所勞資故得高士與施至術而心朋遠寓名

方豈不盛哉賤子聞之弗勝喜躍書言心朋意似
指二程後書又云違遠高賢鄙吝復萌曩接高論
固多餘意行思坐想黙有所得不遂溺於時習失
於古道也傳已來合陽見先生矣後書又謂蒙示
姤說意遠而不迂詞簡而有法雜之元結集中不
知孰爲元孰爲周也盧次山謂其詞深意密如輞
之文鄭夫人前適盧郎中次山必郎中族黨之知
學者味其言尤爲知先生耳是歲傳和先生席上
酬孟翺太傅詩有興時公行已其勢不可獨善
策蔽塞助公施蘊蓄舒張太平策散作蒼生語

句

嘉祐三年戊戌先生時年四十二傅伯成請策題先生未暇作因遣人至遂寧探問新合州使君有書寄傳且託買皂紗作夏衫并樗蒲綾袴段二箇按先生在合州與同事者三人何涉董宗式李鄴何涉之來在先生前李鄴在四年十月惟宗式在三年三月此乃三月四日書則所探新合州爲宗式無疑耳

嘉祐四年己亥先生時年四十三左丞蒲公宗孟從蜀江道于合初見先生相與款語連三日夜而歎

曰世有斯人歟乃議以其妹歸之
嘉祐五年庚子先生時年四十四六月十九日先生
解命判職事時呂給事陶爲銅梁令有送先生序
并詩呂先有詩賀先生弄璋今併載集中先生初
娶職方郎中陸參之女封縉雲縣君按嘉祐二年
傳與先生書云封君尊候康寧又云聞封君雅甚
平復然竟以不起又按呂和叔有詩賀其弄璋未
知陸所出否也至是再娶常丞蒲師道女是爲左
丞宗孟之妹左丞二姊五妹其別黎郎十娘詩云
六娘周家婦晚方偶良姻適是我手嫁不見五六

春先生在合人心悅服事不經先生手吏不敢
苟下之人亦不從既去相與祠之南禪按劒門在
先生有題劒門詩先生在合陽無因過劒門或是
嘗過閬中蒲氏聞劒門之勝因往遊耳先生東歸
時王荊公安石年三十九提點江東刑獄與先生
相遇語連日夜安石退而精思忘寢食是歲趙淸
獻公抃以言事切直出知虔州
嘉祐六年辛丑先生時年四十五遷國子博士通判
虔州先生前在合陽或譖之淸獻淸獻臨之甚威
先生處之超然淸獻疑終不釋至是熟試先生所

爲執其手嘆曰幾失君矣今日迺知周茂叔也薦之於朝論之於士大夫終其身

嘉祐八年癸卯先生時年四十七行縣至雩都邀餘杭錢建侯拓四明沈幾聖希顔遊羅巖正月七日刻石四月壬申英宗登極遷虞部員外郎贈父桂嶺君爵郎中五月作愛蓮説是歲虔州民失火焚千餘家朝廷行遣差替先生時出行縣不自辨明韓魏公曾魯公皆知之遂對移通判永州程師孟時知洪州以詩送行有永水自然勝濂水浯溪應不謙濂溪沙頭候吏瞻旗脚境上鄉人待馬蹄之句

英宗治平元年甲辰先生時年四十八

治平二年乙巳先生時年四十九三月十四日同宋復古遊廬山大林寺至山巔有遊大林寺詩江南西路轉運使成都李公大臨才元以詩謁先生于濂溪云簷前翠靄逼廬山門掩寒流盡日閑指江州之濂溪也運使李公丁憂四月先生以疏慰之淸獻公自成都寄詩先生云君向濂溪湖外行倅藩仍喜便歸程指道州之濂溪也按成都記淸獻以是年四月視事所寄詩當在四月以後十一月合饗天地于圜丘先生遷比部員外郞先生在武

昌嘗以詩一軸寄蕭左丞除夕方達次年正月左丞復成十詩答之今載清風集

治平四年丁未先生時年五十一先生素貧初入京師鬻其產以行擇留美田十餘畝畀周輿耕之以灑掃其父郎中之墓至是自永州移文營道言之因歸故里經濂山留題巖扃云周惇頤攜二子壽燾歸舂陵展墓三月六日與鄉人蔣璀區有鄰歐陽麗理椽陳賡同遊含輝洞洞在今營道縣二里刻石其陰八日營道給吏文付周輿從先生之言也神宗登極遷朝奉郎尚書駕部員外郎加贈父

諫議大夫六月十四日與其兄之子仲章手帖云可具酒果香茶詣墳前告聞先公諫議是也其帖後歸張敬夫先生在永州三年嘗作拙賦既去永人思之爲立祠題曰康功胡寅明仲有詩云千古濂溪周別駕一篇清獻錦江詩是秋攝邵州事九月先生自邵陽發遞以改定同人說寄傳伯成傳時知嘉州平羌縣明年傳復先生書云蒙寄貺同人說徐展熟讀較以舊本改易數字皆人意所不到處宜乎宗師仰慕之不暇也先是邵之學在牙城之中左獄右庾卑陋弗稱先生始至伏謁先聖

祠下起而悚然乃度高明之地遷于城之東南逾月而成

神宗熙寧元年戊申先生時年五十二荆湖北路轉運使孔延之爲先生作邵學記書曰治平五年正月三日其日先生率僚吏諸生告于先聖先師亦書治平五年神宗即位改治平五年爲熙寧元年時改年詔未到故學記及祝辭皆作治平五年耳後人狥尋常便利之說輒徙其學他所乾道元年知州事胡侯始復其舊張敬夫爲詳其事而記之云呂正獻公公著在侍從間先生名力薦之令

獻公在中書權授廣東路轉運判官有啟謝正

公云在薄宦有四方之遊於高賢無一日之雅

熙寧三年庚戌先生時年五十四轉虞部郎中擢提

點廣南東路刑獄

熙寧四年辛亥先生時年五十五以正月九日領提

點刑獄職事具進退官吏得舉者自以爲不冤行

部至潮州有題大顛堂詩時虞部郎中杜諮知端

州禁百姓采石獨是知州占斷人號爲杜萬石幾

爲先生發摘因此起請每官員一任只得買石硯

二枚遂爲著令先生盡心職事務在矜恕饑得疾

聞水齧仙居縣太君鄭氏墓遂乞南康八月朔移
知南康軍十二月十六日改葬於江州德化縣廬
阜清泉社三起山葬畢曰強疾而來爲葬爾今猶
欲以病污麾紱耶上南康印分司南京
熙寧五年壬子先生時年五十六先生平日俸祿悉
以周宗族奉賓友及分司而歸妻子饘粥不給曠
然不以爲意酷愛廬阜至是遂築書堂而定居焉
正過九江必造所謂書堂者距州城十許里堂之
左即先生之祠有塑像三山帽紫衣方領赤舄坐
乎方床之上又左則爲光風霽月亭自州城[illegible]

先至焉右則愛蓮亭拙堂後爲一室其前刻
說拙賦及太極圖通書墓碣祠記圖書皆附晦
解釋於其下不著何人書或云永嘉陳益之書之
門外數步即發源蓮花峰下先生寓名以爲濂溪
者溪之外不二十里即廬山正嘗留詩云維莫之
春萬象都望花尋柳過溪居一源流水元清潔幾
片浮雲自卷舒獨對高山吟景行細看芳草訂遺
書可憐魚鳥渾無意相向欣欣總自如夔措王中
甫嘗爲德化縣近因書道舊云好事者重修書堂
前詩不復存矣

熙寧六年癸丑先生時年五十七清獻公抃再尹成都聞先生去拜章乞留朝命及門以六月七日先生卒二子壽燾皆太廟齋郎以十一月二十一日葬先生于仙居縣太君墓左從遺命也孔文仲爲文以祭先生曰童蒙之歲隨宦于洪論父之執賢莫如公公年甚壯玉色金聲從容和毅一府皆傾又曰有文與學又敏政事絕吟不凡伊傅自視其後蘇文忠公追賦濂溪詩有曰先生豈我輩造物乃其徒言之至此是必嘗見太極圖者故推之於造物以形容之也黃太史亦云人品甚高胸中

灑如光風霽月并其親見先生接其辭氣則其所以爲言亦安能曲盡其妙惟先生稟生知之異質加以汲汲於學故一時老師宿儒專門名家一藝一能有過於人有聞於世者無不訪問然其所至皆天造自得所謂不由師傳默契道體者是爲得之或謂陳摶傳种放放傳穆修修傳先生今种穆所著存於世者古文而已然亦未純於理觀摶與張忠定語及公事先後有太極動靜分陰陽之意然其所爲龍圖記豈唐末五代偶麗之體與太極圖說絕不相似今觀太極圖說精妙微密與易大

傳相類蓋非爲此圖者不能爲此說非爲此說者不能爲此圖義理混然出於一人之手決非前人創圖後人從而爲之說耳是以謂不由師傳默契道體者之爲得之也或謂無極二字出於老子先生之學豈出老子然老子之言無極如列子莊子之言無窮無極釋氏之言無量無邊蓋指四旁爲義先生之言無極而太極是指中間極至之理仝以其字之同而不察其旨之大異此而同之不惟不足以知先生之意恐於老子之言亦未識其指歸也或謂先生與胡文恭公同師潤州鶴林寺僧

壽涯或謂邵康節之父邂逅文恭於廬山從隱
老浮圖遊遂同授易書所謂隱者疑即壽涯也其
後康節著皇極經世書以數爲宗文恭立朝論堯
遷閼伯於商丘主辰遷實沈於大夏主參商丘爲
宋宋火德大夏爲并并爲水古稱參辰不並火盛
則水衰宜進辰抑參蓋亦星曆之學也先生之學
得之者莫如明道伊川明道伊川嘗云靈山會下
若干人皆悟道某敢道無一人悟者若果有一人
悟道臨死時須求一尺帛裹頭蓋謂曾子以士之
身死於大夫之簀爲非禮必易之而後卒彼斷髮

之人不能全而歸之本之則無知先生之所不取也今以先嘗請問於此二人者卽謂其學本出於此二人者亦失之遠矣盖孔子問禮於老聃訪樂於萇弘謂孔子生知未嘗師問老聃萇弘者固不可謂孔子之學本出於老聃萇弘者可乎此不待聖智知其必不然耳先生旣沒之後春陵人祠之學宫復於里舍塑像春秋二仲有職於學官者遵故事徧舍中鳳興監薦惟謹淳熙庚子郡博士章頴捐俸金率士子增大之於廳之左右闢兩齋曰吟風弄月以處學者晦菴帥長沙首遣祝

奠云維紹熙五年歲在甲寅八月己丑朔二十八日丙辰朝散郎秘閣修撰權發遣潭州軍兼管内勸農營田事主管荆湖南路安撫司公事馬步軍都總管借紫朱熹謹遣學生廸功郎道州寧遠縣尉馮允中致祭于濂溪先生周公明道先生程公伊川先生程公於皇道體沕穆無窮羲農既遠孔孟爲宗秦漢以還名崇實否文字所傳糟粕而已大賢起之千載一逢兩程之緒自我周翁清瀟之源有嚴況象欲觀無因徒有悵望吏以致告閔然于衷出金少府往佐其功爰俾諸生敬陳一酌先

生臨之有赫無昧尚饗今刻祠中壽字李老第百
一生於合州銅梁令呂陶以詩賀之娶鄭氏郎先
生母黨元豐五年黃裳榜登第初任吉州司戶次
秀州知錄終司封郎中燾字通老一字次元蒲所
生生於虔州初授司法元祐三年李常寧榜登第
官知成都府終朝議大夫徽猷待制二子既顯累
贈宣奉大夫先生之學門人弟子多矣而二程為
能傳之二程之學門人弟子亦多矣而謝上蔡楊
龜山游定夫侯師聖尹彥明為能得之龜山傳之
羅仲素仲素傳之李延平延平傳之晦菴先生師

聖傳之胡文定公文定傳之五峰五峰傳之張
夫欽夫及晦菴相繼稍被召用推明先生之學所
在祠先生於學宮以興起學者而又解釋太極圖
說及通書正學者之差繆明其心法以示後世使
百世之下有志之士得其書而讀之如親授於先
生聖賢事業可學而能謂孔孟之學絕而復續豈
誣也哉然必嘗從事於此也然後知之近年以來
蜀之推行其學講明踐修者益衆臨卭魏華甫了
翁除潼川憲使下問於正令政令所當先者正謂
之曰濂溪先生幸仕敝鄉下車之初宜遺祝幣委

僉判或教官告之導學者趨向既而華甫更思所
以表顯之者遂具奏曰臣猥以晚學誤被簡注擢
司詳刑于蜀之東既服攸司兼攝漕輓職分所繫
於教學立師崇化善俗所不當後因惟國朝盛時
先正鉅公多在於蜀其生有顯秩沒有郵章載在
史册者不待贅陳如其間有道德隆重學問正大
爲世師表而爵位弗稱至未舉易名之典臣偶職
勸學且先賢故蹟適在所部敢憚控陳臣竊見故
虞部郎中周頋嘗爲合州僉書判官州事不經其
手吏不敢决苟下之民不肯從傳謂蜀之賢人君

子莫不喜稱之其於流風所漸迄今未泯士競講學民知嚮方春秋奉嘗有永無替臣始到官遣吏即其祠而用幣焉退復惟念是特顧所以施諸一方見諸行事之一二耳蓋自周衰孔孟沒更秦漢魏晉隋唐學者無所宗主支離泮渙莫適與歸靜質者滯於佔嗶訓詁雋爽者溺於記覽詞章言義理則流於清虛寂滅論事功則騖於權謀智巧誣民惑世淪於肌髓不可救藥斯民也堯舜三代之所以治也涉秦而後千數百年治日常少亂日常多寧不以此而顧獨奮乎百世之下乃始探造化

之至賾建圖著書闡發幽秘即斯人日用常行之
際示學者窮理盡性之歸使誦其遺言者始得以
曉然於洙泗之正傳而知世之所謂學者非滯於
俗師則淪於異端蓋有不足學者於是河南程顥
程頤親得其傳而聖學益以大振雖三人於時皆
不及大用而嗣往聖開來哲發天理正人心使孔
孟絕學獨盛於本朝而超出乎百代功用所繫治
理所關誠爲不小特拘命秩未舉節忠故紹興初
侍講胡安國嘗有請于朝先爵程顥兄弟使得從
食於先聖先師之廟其後乾道間太學錄魏掞之

又嘗曰學相講摩程顥兄弟於學皆不果行如
頤則又程顥兄弟親炙而師事之者安國援之未
及以為言則尤為闕典也臣愚欲望聖慈詳臣所
陳如以為可采乞下之禮官如先朝邵雍徐積等
故事先將周頤特賜美謚其於表章風厲誠非小
補臣竊欲效使臣勸學之職因遂致蜀人甘棠之
思故出位僭言冒昧及此臣之罪大矣惟陛下裁
幸貼黃臣竊見朝廷近歲嘗因中外臣僚奏請如
朱熹張栻之學實宗周頤及程顥兄弟今録其後
而遺其先恐於褒崇美意猶有未盡是敢僭請併

臣竊照朝廷方下禮官討論而予謚又奏上曰臣聞謚者行之迹昔人所以旌善而懲惡節惠而尊名也爰自後世限以品秩濟以請託於是嘗位大官者雖惡猶將飾之品秩之所不逮則有碩德茂行而不見稱於世者矣夏竦高若訥而謚文莊蔡卞鄭居中而謚文正鄧洵武蔡修而謚文簡呂惠卿而謚文敏張商英而謚文忠陸淵明而謚文獻林希而謚文節溫益而謚定簡汪伯彥而謚定忠秦檜而謚忠獻此皆名浮於行而章章在人耳目者自餘此類又何可勝數而舉世視爲當然未嘗

以爲謬也至於倡明正學於千百餘載之後上嗣去聖下開來哲如周頤程顥程頤張載及一時大徒高第其有功於生民之類亦不爲小矣世之相後不爲近矣而卒未有表而出之者亦不以爲闕也臣自前歲誤被簡擢攝承澧寄遂因職分所關輒爲周頤胄陳易名之請又覩黃云近歲如朱熹張栻皆已賜謚而熹栻之學實宗周頤及程顥程頤今錄其後而遺其先似於褒崇美意猶有未盡已荷聖明亟垂俞允遂以所奏下之有司維時春官亦專以程顥兄弟爲請中命所屬承學之士聞

風興起蓋學術之標準風俗之樞機所關甚不小也而二年于茲猶未有以易其名者豈事大體重未容以遽議耶抑自邇年以來謚之美者曰文曰宣曰成既首以用諸周程之苗裔故思所以加諸此者而未能也然稽諸謚法亦誠無可以加此者舍曰如文如宣如成者既不可得而易則師承之間亦不嫌於同謚也臣愚欲望聖慈申飭有司速加考定表而出之庶有以風厲四方示學士大夫趨向之的則其於崇化善俗之道無以急於此者臣出位犯分薦瀆聖聰伏俟斧鑕之誅貼黃臣最

者本爲周頤嘗任本部故敢致易名之請因併及程顥程頤則已有僭越之嫌矣既荷聖慈悉加采納然同時如崇文殿校書同知太常禮院張載講道關中世所傳西銘正蒙理窟禮說諸書所以開警後學爲功亦不在周頤及程顥兄弟下而易名之議亦未有以爲言者其門人嘗欲謚爲明誠中子司馬光以爲弟子謚師不合於禮今若自公朝舉行闕典使之徧及諸儒無復遺餘之憾則正學益闡善類胥奮不勝斯道之幸欲乞聖慈併下有司討論施行太常寺中上奉聖旨令禮官議擬周

頤程顥程頤賜謚文善恭詳近備臣僚請謚先下
博士定議考功覆議厥爲常典今來濂溪明道伊
川先生定謚事關名教議不可輕蓋先儒如韓愈
不過謚文公歐陽修不過謚文忠今傳周程之學
者如朱熹已謚文張栻已謚宣呂祖謙已謚成謚
法之美無以踰此茲欲推崇師學加異後人見苟
出於己私恐未合於公議竊考唐寶應間諸請謚
者先從考功判議太常定謚都省集官共議定訖
然後奏上又考國朝治平編敕諸臣僚定謚太常
禮院集官擬議下考功覆議判都省官即於都堂

集合省官議定聞奏今三先生鳴道閩教爲一代
儒宗所有定謚乞遵唐及國朝故事下太常寺或
都省集官擬議既定仍下博士撰文庶厭服公論
禮部太常寺遵從尚書省劄子同共擬定尋據承
議郎太常丞兼權兵部郎中臧格議曰大哉元乎
在易爲乾德之首在春秋爲始年之法天下之理
蓋未嘗無其初也古者大道修明人心純一聖賢
之功固無自而見不幸而渙散彌殘之餘有能復
振遺響俾絕者自我而續晦者自我而明是故有
元之義焉參之大易春秋之說又寧有異旨哉自

孟氏没異端滋熾董以專門於漢淸談於晉至唐則文藝益工展轉沉痼以迄五季之陋幾于盡餒不存矣而在人心者了亡恙也宋興鉅公名人歸奕後先其聞道亦不爲淺大槩更相推激終不離乎文字議論之末而挈提宗旨孰主是道淑諸人有濂溪先生焉學問淵懿超然自得特出于萬物之表而其最深切者太極有圖所以發是理之幽秘易通有書所以闡是圖之精微圖有無窮之義書有不盡之言學者潛玩而力行之如是可以探二氣五行之運如是可以見中正仁義之本如是

可以識神物動靜之別槩曰廣大高深究其歸則不外乎日用飲食之常斷斷乎其有功於斯世道蓋嘗深探其造道之所由來矣或謂得之先天先天得之龍紀其説幾於迂誕而無考又云其圖實出於穆脩脩之傳出於陳摶摶老子之學也闡端清虛之地而能統盟斯道抑有疑焉要知先生所得之與不俟師傳匪由知索神交心契固已極其本統不然曹溪流之紺寒愛庭草之交翠體夫子之無言窮顏淵之所以樂是果何味而獨需嚼之耶故能發前聖之所未發覺斯人之所未覺使高

遠者不墮於荒忽使循守者不淪於滯固私意小智何所容其巧詭經僻說何所肆其誣如密雲宿霧有日斯赫如斷港絕潢有泉斯湧當旦晝梏亡之餘而平旦之復固清明也當六陰旣剝之後而天地之心固生生而不息也其功用豈不偉哉近世朱文公熹張宣公栻呂成公祖謙尊敬斯學或列之篇端或記于書後或雜于註釋之詳或嚴于問對之確先生之名蓋廣大光明於時矣謹按謚法主善行德曰元先生博學力行會道有元厥貫通上接乎洙泗條理精密下逮乎河洛以元居

名庶幾百世之下知孟氏之後觀聖道者必自濂
溪始昔潘興嗣何人敢誌其墓彼其為說曰善談
名理宜不免于後人之誚也格具官傅士職當議
謚茲復妄論先生抽關啟鑰得吾道之正傳自謂
無愧於心若夫繪畫摹寫以鄉於僧異時或與潘
同誚則不敢辭既送吏部朝奉郎軍器監考功郎
中樓觀復議曰理學之說隱然於唐虞三代之躬
行開端於孔門洙泗之設教推廣於子思孟軻之
講明駁雜於漢唐諸儒之議論而復恢於我宋濂
溪先生周公顧一濬其源而洗之混混益昌於今

放諸百世無疑也先生亦何心於易名哉監司有請博士有議諡曰元公追尊也然而易有太極是生兩儀乾坤位焉大哉乾元萬物資始至哉坤元萬物資生凡曰元者謂其肇於此者也故以元者善之長又曰春秋以一爲元先生之於理學肇而明之窒而通之亦可謂之元乎及觀河汾王通嘗遊孔子之廟而歌曰大哉乎君君臣臣父父子子兄兄弟弟夫夫婦婦夫子之力也其與太極合德蓋嘗三復斯言無極而太極太極動而生陽靜而生陰是又乾坤之元也夫子生於晚周果何與乎

太極哉春秋之際三綱淪九法斁邪誕妖異之說競起塗生民之耳目溺天下於汚濁理學亦幾乎息矣夫子出而開天理明人極扶持而封植之殆猶乾坤之再造耳謂之合德太極宜矣知夫子與太極合德則闡夫子所謂合德者於剝蝕之餘諡之以元不亦可乎於是賜諡曰元實嘉定十三年六月二十二十日也

右正少時得明道伊川之書讀之始知推尊先生而先生仕吾鄉時已以文學聞於當世遂搜求其當時遺文石刻不可得又欲於架閣庫求其書判

行事而郡當兩江之會屢遭大水無復存者始仕
遂寧聞其鄉前輩故朝議大夫知漢州傳耆曾從
先生遊先生嘗以始説及同人説寄之遂訪求之
僅得其目錄及長慶集載先生遺事頗詳久之又
得其手書手碣二帖其後過秭歸得秭歸集之成
都得李才元書臺集至嘉定得呂和叔淨德集來
懷安又得蕭傳正清風集皆載先生遺事至於其
他私記小説及先生當時事者皆裒而錄之一日
經夔路運司帳幹楊齊賢相會成都府楊方草先
生年譜且先屬以補其闕刊其誤楊先生之鄉士

也操行甚高記覽亦極詳博意其所考訂必已精審退而閱之其載先生來吾鄉歲月頗自差舛甚者以周恭叔事爲先生事又以程師孟送行詩爲趙清獻詩於是屢欲執筆未暇也及來重慶官事稍閒遂以平日之所聞者而爲此篇然其所載於先生入蜀本末爲最詳其他亦不能保其無所遺誤正往時嘗有志遍遊先生所遊之處以訪其遺言遺行今自以衰晚莫能遂其初志有志之士儻能垂意搜羅補而修之使無遺闕實區區之志也

嗚呼天之未喪斯文也故其絕千有餘年而復續

續之未久復也又晦昧至近世復燦然大明小人之用事者自以爲不利於己盡力以抑絶之頼天子之聖明大明黜陟而斯文復興如日月之麗天人皆仰之有願學之志假令百世之下復有能沮毁之者其何傷於日月乎其何傷於日月乎嘉定十四年八月十九日後學山陽度正謹序

惟善兒頃在成都讀通鑑其後常患目昏不能多作字其編類濂溪世家年表蕃執筆從旁書之書至買平敘紗衫材樗蒲綾袴段蕃曰不太茍細否曰此固哲人細事如食之精膾之細魚之餒紺緅

之飾紅紫之服當暑之絺綌鄉黨皆備書之今讀之如生於千載之前共堂合席也豈可忽乎蕃恐覩者之不達乎此故書之以示同志云嘉定十四年九月二十有五日弟蕃百拜謹跋

司馬太師温國文正公年譜（卷首至卷四）

（清）顧棟高編

民國間刻本

司馬温公年譜序

自古名儒大賢靡不有年譜以稽其學力之先後出處之事蹟然多出于門人子弟編輯成書其次則年代遼遠而景其遺風者往往因其文以譜其事如昌黎廬陵年譜凡有數家今所傳吕汲公洪興祖及胡柯孫謙益諸人皆是也温國文正公距今七百餘載而年譜獨闕凡公敷陳之章奏往來之書牘無由合諸正史攷其本末讀者病焉幸賴公集中篇目之下題所譔年月而其要者或反闕遺閒不能無差誤竊不自揣量輒因公篇目之散見者合諸行狀神道碑及宋史本傳通鑑綱目

而諸家文集名臣言行錄百家小說及公書集中有自注者俱采入焉條貫離析鉤稽同異鱗次櫛比凡排纘八閱月而始成既成而自公髫齡以及沒齒粲然大備覽者如執几杖于公之旁而親公之謦欬談笑也庸敢拜手以紀之曰公通籍垂五十年歷事四帝凡朝廷大議無不與然迹其爲相柄政出生民於塗炭厝宗社於奠安者自元豐末年至元祐之九月一年而已中間力爭大計而牴牾者有三初與韓魏公爭刺義勇繼與歐公爭濮王典禮最後與荆公爭新法皆章奏至六七上或至中書面白甚且上章乞罷以去嗚呼荆公偏拗不

足論至如韓公歐公皆天下元老而不能虛心采納卒
至貽一時之患負百代之謗其故何哉韓公天才揮霍
而自信太深歐公忠愛有餘而讀書多泥又不能無已
見好勝唯公忠厚質直根于天性學問所到誠貫金石
自少至老沈密謹慎因事合變動無過差故其文不事
高奇粥粥乎如菽粟之可以療饑參苓之可以已病使
有聖人者作收而置之德行政事文學之科吾知其不
取彼而取此也譜凡分八卷其事迹散在書冊而無年
可附者月爲遺事一卷以附其後云雍正癸丑仲冬下
浣後學棟高謹書

司馬太師溫國文正公年譜

參訂書目

宋史本紀　范忠宣公集

宋史禮志　楊龜山集

宋史河渠志　邵氏聞見錄

宋史宰執表　范蜀公東軒日記

宋史列傳　程鉅夫集

續資治通鑑　錢牧齋初學集

續綱目　倪鴻寶集

文獻通考　元懷搿掌錄

鄧元錫函史下編　蘇軾調謔編
丘瓊山大學衍義補　俞文豹吹劍錄
宋名臣琬琰集　馬永卿嬾眞子錄
宋名臣言行錄　張淏雲谷雜紀
傳家集　王暐道山清話
稽古錄　程棨三柳軒雜識
徽言　俞文豹清夜錄
朱子文集大全　費衮梁溪漫志
朱子語類大全　朱弁曲洧舊聞
歐陽文忠公集　蔡絛鐵圍山叢談

王荆公集　馬純陶朱新録
蘇文忠公集　孫宗鑑東皋雜録
二程遺書　明劉定之劉氏雜志
陳于陛意見　長谷眞逸農田餘話
朱竹垞詞綜　皇甫庸近峰聞略
李宗孔宋稗類鈔

司馬太師温國文正公年譜

目錄

至　治平二年乙巳公年四十七歲

卷四

起英宗治平三年丙午公年四十八歲

至神宗熙寧元年戊申公年五十歲

卷五

起神宗熙寧二年己酉公年五十一歲

至　熙寧三年庚戌公年五十二歲

卷六

起神宗熙寧四年辛亥公年五十三歲

至　元豐五年壬戌公年六十四歲

司馬太師温國文正公象

温公自題寫眞

黄髮霜鬚細瘦身從來未識漫相親居然不可市朝住骨相天生林野人

朱子題温公畫像贊

篤學力行清脩苦節有德有言有功有烈深衣大帶張拱徐趨遺像凛然可肅薄夫

方正學先生題公贊

儒者之澤大行於民伊周以來唯公一人始未可爲萬鍾不受逢時多艱爲世父毋凡民之心唯久乃安欲其即從聖人猷難亦猷何脩政化甚速誠於爲善四海悅

服用術相欺唯恐不深公神在天汝果何心

温公自題寫真于傳家集見之因欲訪求其遺像後閲名臣言行録中有模印者則面方而楕微髯與公所自題絶不似邑先輩泉南先生謂予曰其少時曾見先叔所購温公真容係名人筆貌清癯眉間有三皺紋其蒿目憂世之心可見當時寶若拱璧今未知誰屬矣乃訪其孫某令善丹青者以墨筆鉤得之而併識公詩及朱子正學先生二贊於後以誌區區景仰之意云棟高謹識

司馬太師温國文正公年譜

凡例共二十條

一公年譜向無底本其歷官自諫院以前凡十五任綱目通鑑俱未載遷轉年分次第俱于公詩文內參互得之此外如敘清河郡君卒年六十繫元豐五年壬戌推算到公之娶妻爲年二十歲公子康卒于元祐五年庚午年四十一歲見范太師祖禹所譔墓誌中推算其生年爲皇祐二年庚寅公年三十二歲俱用細字旁注其下非敢杜譔憑臆也

一公文章篇目下識年月最詳而如祔廟議配天議

一宗室襲封議係國家大典禮反無年份今以宋史禮志考之仁宗祔廟爲崩之本年嘉祐八年癸卯十一月二十九日配天明堂爲英宗治平元年甲辰季秋大饗宗室襲封注云時在學士院按宋史神宗本紀熙寧二年詔祖宗之後世襲補外官公時以翰林學士建議中有去年閏十一月之文則當在熙寧三年無疑也考據最確精于史學者自知之

一公生平於國家典禮政事無不關預故譜公者必與史相表裏如祔廟配天二議均可爲百代法祔

廟則議僖祖親盡宜遷于夾室雖後來朱子非之而議禮者必以此爲公案配天則謂不必泥孝經嚴父之說宜仍以眞宗配明堂爲便禮官孫抃執議不果行而其理自精當不易今於每條下附載

一當日施行如何并同時禮官及後儒議論亦附載于下以俟折衷

一公文體似西漢其奏議當不在陸贄之下故于論刺義勇及爭新法其指陳利害痛切處不嫌多載非特使事之原委瞭然而文氣古雅深厚學者讀之亦可資長筆力[illegible]

一公與人書牘懇懇款款紓餘反覆其入情理而善悟人處亦與長公兄弟相伯仲故與介甫三書撮其尤切要者著之外如與景仁論律呂書繫樂中公案與范夢得書則一部通鑑之發凡起例也故亦多采錄焉

一公爲相知民情識利病重改作愼法度蓋自弱冠侍天章公杭幕時器識已見一斑其代作兩浙不宜添置弓手狀時方二十二歲錄之以志公相業所自始狀下不誌年月但云先公知杭時爲作今以史攷之知爲康定元年元昊反叛劉平敗績朝

廷議刺弓手之後時母夫人喪甫踰年明年天章公歿公論義勇疏有云臣于康定慶厤間丁憂在陝備見當日籍鄉弓手事葢此二親繼喪時也

一公筮仕與西夏相終始大指謂當用長算謹條教蓄財穀明疆界完城堡爲務不宜規小利起事盜息先于至和中爲龐穎公建議修窟野河西二堡以兵官恃勇輕進而敗上疏申明其事熙寧初爭横山言誘納叛臣爲非計末後言朝廷雖得六砦終喪永樂得不償失乞不拒絕夏人請地以息邊疆臨歿猶惓惓焉錄之以見公籌畫西事始終精

審持重幷以識有宋馭邊之大略焉

一仁宗世多事姑息公每上疏力陳其弊言赦者害多利少非國家之善政又言凶年而寬刑辟是教民爲盜其勢不至多殺不止蓋不獨登州許遵一事與𠜂公爭執已也錄之以誌公之爲治識大體不矜小惠云

一公由龐頴公薦拔故集中書牘及龐氏傳誌爲多其生平交契則范景仁呂獻可二人最爲莫逆故一則爲誌其墓一則爲作生傳至晦叔則謂其愼默太過蓋臨終重以國事相付託也錄之以誌公

生平游從之好云

一公與荆公平生相善同年生同爲羣牧判官倚起居注同爲翰林學士其薨也亦先後五閱月爾荆公薨于元祐元年四月初五日公薨于是年九月初一日相距凡一百四十五日汴宋之天下荆公壞之而公補之天若生此兩人爲勝負者

公嘗與荆公書云忠信之士一時齟齬可憎失勢後必徐得其力諂諛之徒將有賣公以自售者及荆公薨時公已病折簡與晦叔云介甫無他但執拗耳今日宜從優厚以振起頹薄之風節錄前後書牘以誌公之盛德如此

一公生平學問用力一誠字與二程康節相切磋往來其所作子絕四及致知在格物論精微深造能自道所獨得處故伊川謂公平生用心甚苦堯夫云君實脚踏實地人又曰九分人也一時門人如范夢得劉元城輩承公指教故能更歷顛沛卓然爲元祐完人誌之以明涑水學派

一公退居洛與文富諸公爲洛陽耆英會圖形妙覺僧舍雖慕尚白傳而勳名德業實過之公又作眞率會詳著其爵秩年齒以志有宋一時巨公碩德彙在里閈風流盛事炤耀千古讀者亘起執鞭之

慕

一公集中多自稱景祐五年進士東坡譔公行狀稱至和三年仁宗違豫考之于史景祐無五年至和無三年卽寶元嘉祐之元年也蓋寶元以十一月改元嘉祐以九月改元史臣編年追改而當日臣子于未改之月猶稱舊年號諸集皆然今于改元之年兩存之而下注云某月改不唯于公集符合而凡讀宋人集者俱有所考正焉

一公于詩非所屑意而生平事蹟有散見于歌詠及賡和之中者摘錄一二隨其年附入以當紀事蓋

散者合之斷者聯之血脈聯貫宛若公之自譜匪欲誇多止求摭實云爾

一瀛州治河公奉飭相視者再于上前極論者三四而公全集中不載獨載乞優賞宋昌言劄子耳葢上前面奏之語公未嘗退而存錄也今據宋史河渠志補入

一公生平仕宦久歷任多于凡用兵刑獄議禮定樂河渠水利貢舉學校舉官選士靡不歷有條奏而同時意見有不同者如論貢舉須逐路取人與歐陽公不同瀛州治河置上約韓魏公以爲非是正

見當日諸正人羣而不黨處今撮略兩公議論而附以後儒折衷間有鄙見亦附一二

一是編以坡公行狀爲藍本而質以正史附以他書其閒鈌略者補之如登第後行狀不載華州判官及至和元年不載爲羣牧使鄆州不載典謁如云蘇州任未上學之類舛者正之如丁太夫人憂之類而公之出處無遺漏矣

一公歿後元祐之贈封賜謚紹聖之削奪仆碑靖康之追雪建炎之配享以及易世而後金皇統之龜杳示異元皇慶之從祀孔廟另錄爲卷後亦以見邪正必不相容而秉彝百世不泯彙著之使讀者

易于攷見

一漢書于王莽楊雄傳俱分上下卷其奏疏文字連篇累牘者俱詳載不遺後來朱子祖之作張魏公行狀錢牧齋作孫高陽行狀俱不下數十萬言今譜亦倣此例分爲四卷每條揭其綱于前而節錄其語于後審詳毋略首尾完備并使四朝典故粲若列眉于讀史之功亘有禆益

一凡年譜俱列于全集之首無單行者故詩文俱止錄其篇目而公集自明代已稱罕覯恐學者不見本末故每篇俱芟繁舉要務使大意撿括明白易

曉奏疏存什之七書牘存什之三他書及正史補入者什之一二而公之精蘊盡萃于是使委巷小生卷帙不多獲窺全豹于以廉頑立懦通達治道於

聖天子化民成俗之意未必無小補云

余編是譜蓋在癸丑之秋冬嗣後凡遇藏書家輒訪求温公事蹟殘編隱牒靡不搜采暨就正四方有道君子增易改竄易稿凡六七矣獨以未得公誕生之月日爲憾至訪諸星士家不獲閲四年丙辰爲

今上龍飛之首年余應鴻博試入　京師而吴君大年
亦以是年春成進士授工部虞衡司主事洎相見
出一帙授余曰頃得一祕牒當以相贈視之則明
萬厤中涞水馬君巒所輯公年譜也余得之狂喜
馬君爲公鄉人又經公十八世孫露校定宜可信
不誣則公生之月日與營葬天章公及樹碑之月
日干支俱載皆余所未及覩者恨其書疏略且譌
舛者不啻什三四如公服除授官編在慶厤五年
乙酉公年二十七歲以公詩自序攷之明云慶厤
甲申公時年二十六歲生子康編在慶厤八年戊

子公年三十七歲以范太史祖禹譔康墓誌銘攷之康卒于元祐五年庚午年四十一逆數之其生年當皇祐二年庚寅公時年三十二歲與王介甫同爲羣牧判官係至和元年甲午公年三十六有宋史介甫本傳及歐陽薦安石劄子及言行錄可攷也馬編之慶厤乙酉與武成軍判官同歲殊不知公在武成成歷三年而後歸京師中改大理評事爲國子直講遷本寺丞至三十二歲受龎莊敏公之薦召試館閣校勘因知太常禮院在太常厤三年除史館檢討改集賢校理又二年而始與介甫

同官相去至十年之久而併歸之初起官之歲無論崇卑相懸且判官與羣牧使内外隔絶是蓋約略意擬草率塡入其爲譌謬益甚如此等類不一而足蓋雖子孫及鄉里之後輩或就傳聞及他書訂定未嘗以公之自著及誌銘之年月細加推算反不若數千百里之遠疏遜後進之爲攷覈得眞也謹詳加參校凡余所未備者補入之馬書之譌漏者訂正之就兩書參稽益精核而是編可以盡先生之生平而無憾矣蓋出余區區用心之勤苦而馬譜之獲自吳君則實有佽助其功尤不可沒

云乾隆元年九月中浣棟高又書

錫山顧棟高編輯

吳興劉承幹參校

公諱光字君實其先河内人出自晉安平獻王孚王之裔孫征東大將軍陽始葬今陝州夏縣涑水鄉子孫因家焉曾祖政值五代衰亂不仕以公貴贈太子太保祖炫舉進士第試祕書省校書郎知耀州富平縣事卒官贈太子太傅父池事眞宗仁宗爲利州路轉運使御史知雜事三司副使尚書吏部郎中充天章閣待制歷知鳳翔河中同杭虢

晉六州以淸直仁厚號爲名臣贈太子太師曾祖母薛氏祖母皇甫氏母聶氏並贈溫國太夫人司馬氏累世聚居食口常不減數十推一人爲之長主家事宗族均取給焉

眞宗天禧三年己未十月十八日公生於光山官舍母夫人聶氏祕閣校理震之女生二子長諱旦字伯康丙午生長公十三歲公其次子

涑水馬巒輯公年譜云公父池爲光山令十月十八日生公于此葉佑之撰光山祠記公縣學內有司馬井世傳公生時汲井水以浴之後人建涑水書院祀公

舊記有云光雖僻陋而生司馬溫公則光之爲光也大矣見明一統志公生光州因以爲名黃氏日鈔

天禧四年庚申　公年二歲

天禧五年辛酉　公年三歲

乾興元年壬戌　公年四歲

二月仁宗即位

天聖元年癸亥　公年五歲

公嘗親書一帖云光年五六歲弄青胡桃女兄欲爲脫其皮不得女兄去一婢子以湯脫之女兄復來問脫胡桃皮者光曰是脫也先公適見訶之曰

小子何得謾語光自是不敢謾語 邵氏後錄

天聖二年甲子 公年六歲

始讀書 公爲兒時凜然如成人性不喜華靡長者加以金銀華美之服輒羞赧棄去之時天章公監安豐酒稅因家於壽之安豐

天聖三年乙丑 公年七歲

聞講左氏春秋大愛之退爲家人講即了其大義自是手不釋書至不知飢渴寒暑

天聖四年丙寅 公年八歲

天聖五年丁卯 公年九歲

天聖六年戊辰　公年十歲

天聖七年己巳　公年十一歲

天章公爲羣牧判官與龐潁公籍張尚書存數相往來客至置酒果止梨栗棗柹肴止脯醢菜羹公時以童子侍側龐獨器異公後薦公館閣校勘同知太常禮院及知鄆州并州皆辟公自佐張公遂以女妻公

公後有祭龐潁公文云念昔先人久同僚寀越自童齓得侍坐隅撫首提攜愛若子姓甫勝冠弁遽喪所天唯公眷憐過於平日既釋縗服還齒簪裾

舉首朝端緊公是賴爰加振拔俾出泥塗儲校祕
文討論前載逮公出牧兩試後車又祭張尚書文
云在昔先公與公同省閒來問訊延就中堂兆時
弁髦立侍左右蒙公一見許以成人不卜不謀遂
妻以子皆實錄也
天聖八年庚午公年十二歲
天聖九年辛未公年十三歲
迺書序云余生六歲父兄教之書雖誦之不能知其
義
又七年始得稍聞聖人之道朝誦之夕思之

公幼時患記誦不如人羣居講習衆兄弟既成誦游息矣獨下帷絶編迨能倍誦乃止用力多者收功遠其所精誦乃終身不忘也公嘗言書不可不成誦或在馬上或中夜不寢時詠其文思其義所得多矣家塾記

明道元年壬申　公年十四歲

明道二年癸酉　公年十五歲

公于書無所不通文辭醇深有西漢風天章公當任子次及公公推與二從兄然後受補郊社齋郎再奏將作監主簿行狀坡公撰

是年謁孫之翰於華州
公書孫之翰墓誌後云明道中公在華州光始以
太廟齋郎得謁見
馬譜云公辭蔭補官事在未第之先未審的在
某年故總附于十九歲之下據此條明道中已
補齋郎爲公十五歲時無疑
景祐元年甲戌　公年十六歲
天章公加直史館復知鳳翔府李燾續通鑑長編
景祐二年乙亥　公年十七歲
景祐三年丙子　公年十八歲

景祐四年丁丑　公年十九歲

景祐五年〈寶元元年〉戊寅　公年二十歲

三月舉進士甲第聞喜宴獨不戴花同年曰君賜不可違也乃簪一花

有送同年郎景微歸會稽榮覲序篇末識景祐五年季夏是年改元在十一月故季夏猶稱景祐也

改奉禮郎華州判官

時天章公知同州同年石昌言除同州推官公以吏事時往省覲與昌言遊處尋龍興寺李德林撰隋文帝碑吳道子畫壁

按坡公行狀及宋史本傳俱不載公爲華州判官事然公與昌言詩自敘最悉云昔年三月渭鱗翼化雲雷竹箭流俱上芙蓉幕對開注云釋褐昌言除同州推官光華州州判官瀵泉揚沸渭泰華聳崔嵬捧檄容歸省飛觴復屢陪時先人知同州光以吏事時往省覲復得與昌言遊芬芳襲芝室嘉慶侍蘭階吳壁評殘筆隋碑讀漬苔同州龍興寺即隋文帝故宅寺有李德林撰碑國公吳道子畫畫或未就而止云以俟後之能者淸陰依玉樹和氣樂春臺薄宦俄成別私門忽遇災一朝捐綵服五載泣麤衰其文炳然可據意坡公以爲無關輕重而略之宋史亦因

之而不改耳

范滌夫言公初宦時年尚少家人每每見其臥齋中忽蹶起著公服執手板危坐久卒以爲常竟莫識其意滌夫嘗從容問之答曰吾時忽念天下事夫人以天下安危爲念豈可不敬耶山谷冷齋語

是年娶夫人張氏禮部尚書存之女夫人時年十六

按公敘清河郡君云夫人年六十卒又云十六歸于司馬氏時元豐五年公年六十四歲是夫人少公四歲十六來歸故知是年爲公二十歲也

寶元二年己卯　公年二十一歲

作顏太初雜文序 序云在同州得其所爲題名記蓋此時已離同州矣

天章公由同州徙杭州公辭所遷官求籤書蘇州判官事以便親許之未上丁太夫人憂 行狀

按公送李子儀序云寶元中從事在蘇子儀僑居州下得從之遊送丁浦江序云及壯侍親之吳與此所云未上者不合蓋坡公誤也 公後有詩云命奇不得報勩勞自注云光仕始周歲二親繼喪故知爲是年也

公喪母夫人在二十二歲以公詩自序云光仕始周歲二親繼喪知之又東坡撰公行狀云太

夫人服未除丁天章公憂則是丙艱將滿再丁外艱知爲二十三歲也又公詩云五載服麤衰自二十一至二十五恰好五年二十六補官馬氏譜謂二十二歲母夫人錢塘縣君聶氏卒公時籤署平江軍節度判官事以內艱去任據云依龐莊敏公撰天章府君碑敘修姑兩存其說以俟知者

康定元年庚辰　公年二十二歲

公侍天章公于杭州時元昊反劉平敗績朝廷議刺鄉兵兩浙路亦議添置弓手置指揮使節級等名

目公代天章公奏狀極陳其五不可

略云西戎梗邊三方皆聳人心易動當務安之一

旦詔書大加調發擐甲執兵學習戰陣吳人輕怯

易惑難曉以爲欲傚河北陝西沿邊鄉兵謂國家

以權計點之假名捕盜漸欲收爲卒伍戍守邊防

至欲毀體捐生竄匿山澤雖復明加告諭而衆情

鼎沸不可戶說人心搖動不可一也吳越素不習

兵以故常少盜賊不過聚結朋黨私販茶鹽事訖

則散不能久相屯結又無鋭利兵器爲害尚輕今

若避差點者竄匿無歸必至流爲寇盜加以弓矢

刀戟之類許其私置是假之利兵供其剽劫以及私販茶鹽之徒皆有器械抵拒吏士益難擒討積微至著漸不可長不可二也姦吏貪饕唯喜多事今計杭州管界當差若干人他州比率大凡有幾縣胥里長于茲相慶止規自潤豈恤其他雖朝廷嚴爲懲禁而利之所在死亦冒之加以版籍差誤戶口異同毫釐不當互相告決追呼無時獄訟不止是民未暇爲公上給役而先困于貪吏之誅求不可三也民皆生長畎畝所識不過耒耜加以吳人驚弱天下所知一旦使棄其所長學所不習徒

煩教調終無所成就使有成不堪使用則是虛有煩費而與不添置無異不可四也吳于壽夢以前世服于楚自申公巫臣教吳乘車射御其後楚人戎車歲駕以至吳亡自是以來號稱輕狡遠則劉濞近至錢鏐其間承風倔強無數豈唯其人之跋扈亦由習俗之樂亂也幸賴祖宗以來訖于陛下柔服疆暴變移無迹今忽無故黷玩威靈狎侮危事示以逆德畀之凶器生姦回之心啟禍患之兆臣恐非國家之便不可五也方今兩浙雖水旱稍愆未至流殍閭閻無事盜賊不添縱使有之隨發

擒討甚有餘力不假更求正恐平居興役有害無利臣職忝密近官備藩方不敢默默伏望陛下特令兩浙一路更不添置或以事須過防舊人太少則乞量加添補更不立指揮使等名目及閱習諸事眾情大安別無生事

觀公此條奏後日太平宰相規模肇于此矣治平中與韓魏公爭刺義勇大指略同公識慮精審洞悉利害蓋自少年時而已具大抵點習鄉兵教習戰陣無論兩浙陝西均爲有害無利觀公前後諸疏可曉然矣

慶厤元年辛巳　公年二十三歲

冬十二月癸未天章公以疾終于晉州之安靖堂壽六十有二公繼丁外艱偕兄旦泣護旅櫬歸于故鄉

前編譜天章公之喪亦係此年但無月日可考今熠馬氏譜增入據云依龐莊敏撰天章府君碑敘修定宜可信從之

公執喪累年毀瘠如禮

按宋史天章公本傳公知杭州爲轉運使江鈞張從革所劾降知德州徙知晉州卒則當是庚

辰辛巳兩年閒事耳坡公行狀云公歷知鳳翔河中同杭號晉六州無德州則或係號字之譌也

慶曆二年壬午　公年二十四歲

作十哲論　四豪論　賈生論　譔蘇騏驥墓誌銘

秋八月癸酉葬天章公于涑水南原之晁村以從先塋先夫人曹氏毋夫人聶氏祔偕兄旦洎從兄里請龐莊敏公籍撰隧碑冬十月丙辰建石墓道

此條亦照馬氏譜增入依龐莊敏碑敘修定也月日確然可信不誣但毋夫人聶氏以前又有

先夫八曹氏豈係公前毋耶公集中從未之及
當存以俟考

慶厤三年癸未　公年二十五歲

慶厤四年甲申　公年二十六歲

天章公服除籤書武成軍判官事

按宋史地理志武成軍舊係滑州領縣三白馬
韋城胙城
馬氏譜以公服除籤書武成軍判官編在二十
七歲乙酉今以公詩自敘攷之明云慶厤甲申
余適延安過太行山相思亭下又武成致齋有

奉酬吳沖卿詩亦在慶厤四年甲申及乙酉冬

公罷武成幕來京師有詩自序云去歲與東郡

幕府諸君同游河亭望太行雪以三事參考則

公服除補官在甲申不在乙酉明矣馬譜葢誤

也

按公謝校勘啟云始就鄉舉徑叨上第天降之

禍服縗五年洎免喪爲吏從事藩方則知己卯

至甲申中間隔五年也

公詩自序云上郡南三十里有相思亭在太行山

之麓二水所交平皋之上往來者徒習其名莫詳

其義慶厯甲申余適延安過其下于時夏虜梗邊
征戍未息竊感東山采薇之義敘其情而憫其勞
因作五詩庶幾不違周公之旨且以釋亭之名耳
武成致齋有奉酬吳沖卿寺丞太學宿直見寄二
首
慶厯五年乙酉　公年二十七歲
改宣德郎將作監主簿權知韋城縣事
有叅龍廟祈雨文
作機權論　才德論　廉頗論　龔君賓論
河間獻王贊　不以卑臨尊議　史評十八首

述國語　送李撰之序

是冬罷武成幕來京師

公詩自序云去歲與東郡幕府諸君同遊河亭望太行雪飲酒賦詩今冬罷歸京邑悵然有懷蓋在武成幾歷二年矣

慶歷六年丙戌　公年二十八歲

改大理評事爲國子直講遷本寺丞

按公送李子儀序云寶元中光從事在蘇子儀僑居州下得從之遊是爲寶元二年己卯間二年子儀升進士第是爲慶歷二年壬午又五年

光與子儀俱官太學日夕相從是爲六年丙戌蓋自己卯至丙戌中間隔七年又云子儀遭憂去職服除來還則光去遷他官蓋是己丑校勘之年矣公居是職歷三年也

慶厤七年丁亥　公年二十九歲

祀南郊有禮畢賀赦絶句案公稽古錄是年十一月戊戌上祀圜丘大赦

是年冬十一月貝州卒王則據城反麗顯公籍爲樞密副使公有上麗樞密論貝州事宜書略云貝州軍士愚過而驕自求速死蚤晚之閒終就屠滅若兵久不決萬一城中之寇未卽伏誅而

他變旁起不逞之人同惡相濟則憂未可弭也不則自知罪惡無狀降首無由擁其徒衆盜取庫兵收載實賄豨突而出建旗鳴鼓攻剽城邑以數千之衆散之趙魏之郊東連青徐亦足以爲齊民之患未易以旬月擒也愚竊以爲宜發近郡之兵壍環其郛勿攻勿戰使不得出而又陰以重賞募人入城焚其積聚使逃無所出守無所資然後以重臣奉明詔有能捕斬首惡若唱先出降者待以不次之賞如是不過旬月逆卒之頭可致于闕下萬一議者有欲用兵碎而不以計破者非計之得者

也

按書中所云蓋恐如明季流寇之事耳時朝廷

用明鎬爲體量安撫使詔貝州有能獲賊者授

諸衞上將軍百姓劉文慶等約爲內應夜垂絙

引官軍入城數百人賊率衆逆戰官兵不利復

縋而出明年閏正月從南城爲地道入破之伏

誅

慶厤八年戊子　公年三十歲

作名苑序

皇祐元年己丑　公年三十一歲

麗穎公籍爲樞密使召試館閣校勘同知太常理院

有謝校勘啟　又謝麗參政啟

是年爲貢院屬官取鄆州進士劉恕第一

公十國紀年序云皇祐初有詔士能講解經義者

聽別奏名應詔者數十人趙周翰爲侍講知貢舉

光爲屬官問以春秋禮記大義其中一人所對最

精詳先具注疏次引先儒異說末以己意論而斷

之凡二十問所對皆然主司驚異擢爲第一及發

黏名乃進士劉恕年十八矣光以是慕重之始與

相識道原乃其字也道原是歲賦詩論策亦入高

等殿試不中格更下國子監試講經復第一
秋八月皇帝臨策賢良方正及武舉進士公與范景仁受詔讎校策卷寓直于景福殿東廂凡三日得詩十三首有讀武士策詩觀試騎射詩

按公後有與范景仁書云昔者與景仁同在貢院充點檢官主文試進士民受天地之中以生論當是時場中秉筆者且千人皆以爲民之始生無不秉天地中和之氣也其文辭之美固多以愚觀之似皆未得劉康公之指嘗欲私出鄙意論之因循汩沒卒不能就于今三十五年矣

葢是年爲元豐癸亥公年六十五歲距皇祐己丑爲三十五年也

皇祐二年庚寅　公年三十二歲

公同知太常禮院

是年告歸過家有諸兄子字序凡十四人

京字元宗亮字信之禀字從之元字茂善育字和之良字希祖富字希道齊字居德方字思之爽字成德袞字補之章字晦之奕字襲美裔字承之

按此十四人公集中不更見獨司馬富于元祐元年十月提舉公葬事

子康生先是生三子童堂皆天至是生康康字公休
按范太史祖禹譔康墓誌云康卒于元祐五年庚午年四十二歲逆算其生年當在是年庚寅馬氏譜以康生于戊子爲公三十歲今攷范太史撰公休墓誌逆數之的係庚寅非戊子馬氏蓋誤也
公又有元日示康廣宏詩廣宏皆公之兄子而前此十四八中未有蓋皆庚寅以後生也王荆公有司馬光親兄之子宏試將作監主簿制宏爲伯康之子范忠宣公壻生子朴靖康中使金

國以忠義著名

乙卯行荀子楊子法言

略云戰國以降百家蠭起先王之道荒塞不通獨荀卿楊雄排攘眾流張大正術使後世學者坦知去從今國家博采藝文扶翼聖化凡莊列異端醫方異技靡不摹刻以廣其傳顧茲二書猶有所闕誠恐賢達之言寖成廢墜伏乞下崇文院將荀子楊子法言本精加考校雕板送國子監依諸書例印賣

閏十一月朝命太子中舍致仕胡瑗定雅樂公與范

景仁皆與考正有與范景仁論樂書先是知制誥王洙言舊樂宮小商大是臣强君弱之象乃與瑗等更造鐘磬止之其法與李照一律自是黃鐘律短而所奏樂音高又其鐘弇而直聲鬱不發著作佐郎劉羲叟曰此謂害金帝將有心腹之疾已而果然遂復命詳定時益州鄉貢進士房庶謂嘗得古本漢書志其說以志所云子穀秬黍中者以一千二百黍實管中黍盡得九十分爲黃鐘之長九寸加爲一尺是謂以律生尺志所云一爲一分者乃九十分之一而非以一黍爲一分

後儒不知此乃欲累黍爲尺以制律是律生于尺非以律生尺法非是范景仁是其說公與之書略云蒙示房生尺法云嘗得古本漢書云度起于黃鐘之長以子穀秬黍中者一黍之起積于一千二百黍之廣度之九十分黃鐘之長一爲一分今文誤脫之起積一千二百黍八字故自前世以來累黍爲之縱置之則太常横置之則太短今新尺横置之不能容一千二百黍則大其空徑四釐六毫是以樂聲太高又嘗得開元中笛及方響校太常樂下五律教坊樂下三律皆由儒者誤以一黍

爲一分其法非是不若以一千二百黍實管中隨
其短長斷之以爲黃鐘九寸之管九十分其長一
爲一分取三分以度空徑數合則律正矣景仁盛
稱此論以爲可以正積古之謬光竊思之有所未
喻敢布陳之景仁曰房生家有漢書異于今本光
按累黍求尺其來舊矣生所得書不知傳于何時
而相承積謬由古及今更大儒甚衆曾不寤也又
其書既云積一千二百黍之廣何必更云一黍之
起此四字者將安施設劉子駿班孟堅之書不宜
如此冗長也且生欲以此實中乃求其長何得謂

之積一千二百黍之廣景仁曰度量衡皆生于律者也今先累黍爲尺而後制律返生于度與黍無乃非古人之意乎光謂不然夫使古之律存則歛其聲而知其聲度其長而知其度審其容而知量校其輕重而知權衡今古律已亡矣非黍無以見度非度無以見律律不生于度與黍將何從生耶夫度量衡皆所以佐律而存法古人制四器以相參校以爲三者有一存則其餘從可推又謂後世器有壞而物之形不變故借黍自然之物以寓法焉今四器皆亡不取于黍將安取之夫量有虚實

衡有低昂皆易差而難精不若因度求律之爲審房生今欲先取容一龠者爲黄鐘之律則是律不生于尺而生于量也量與度皆非律捨彼用此將何擇焉景仁曰古律法空徑三分圍九分今新律空徑三分四釐六毫此四釐六毫者何從出耶光謂不然夫徑三分圍九分者數家舉成數而言耳四釐六毫不及半分故棄之也又律管至小而黍粒體圓其中豈無負戴胮空不滿之處而必欲責其絲忽不差耶景仁曰生以一千二百黍積實于管中以爲九寸取其三分以爲空徑此自然之符

也光按量法方尺之量所受一斛此用累黍之法
較之則合矣若從生言度法變矣而量法自如則
一斛之物豈能滿方尺之量乎景仁曰量權衡皆
以千二百黍爲法何得度法獨用一黍光按黃鐘
所生凡有五法一曰備數二曰和聲三曰審度曰
曰嘉量五曰權衡量與衡據其容與其重非千二
百黍不可至于度法止于一黍爲分無用其餘若
數與分則無所事黍矣安在其必以千二百黍爲
之定率也景仁曰生云今樂太高太常黃鐘適當
古之仲呂不知生所謂仲呂者果后夔之仲呂耶

開元之仲呂耶若開元之仲呂則安之太高非昔之太下耶笛與方響里巷之樂庸工所爲豈能盡得律呂之正乃欲取以爲法考定雅樂不亦難乎

此皆光之所大惑也

皇祐三年辛卯　公年三十三歲

公同知太常禮院

論夏竦不當謚文正

略云字之美者極于文正竦何人可當此謚書再

上乃改謚文莊

論內臣麥允言不宜給鹵簿

略云孔子謂唯名與器不可假人今允言近習之臣非有元勳大勞而贈以三公之官給以一品鹵簿使之鼓吹簫鐃烜赫道路是揚其僭侈之罪使天下側目扼腕而疾之非所以爲榮也伏乞追寢前命

五月論修築皇地祇壇

略云壇制卑陋平漫無壝不與禮典相應今圓丘之制極爲崇峻豈宜于方丘有所闕略乞下有司依唐郊祀録制度增修

八月論劉平招魂葬不合典禮

六略云案晉世袁瓌賀循等議以爲非身無棺非棺無槨苟無喪而葬招幽魂氣于德爲愆義于禮爲不物當時詔書明有禁約令劉平没身虜廷子慶孫等所請招魂葬不可聽許

十二月奏乞移高禖壇

略云壇處勢下就彼塡壘功費甚大兼夏秋淫潦未免浸潰謹按北齊之制高禖爲壇于南郊壇旁乞依此制于其旁一二里踏行高燥地修築爲便

論張堯佐不當除宣徽使

略云伏見臺諫官以張堯佐事守閤請對陛下堅

拒不納昔漢元帝欲用馮野王爲御史大夫恐人謂私于後宫遂不用今堯佐有野王之嫌而無其才陛下不次用之自散郎至宣徽使其爲聖德之累不小前臺諫官不得對之日陰霧冥冥跬步相失天意昭然有如告語伏祈陛下克謹天戒亟召諫官杜塞寵倖則天下歌頌盛德于無窮矣

皇祐四年壬辰　公年三十四歲

遷殿中丞除史館檢討修日曆改集賢校書

按公謝檢討啟云俄承乏于贊宗遂參革于天禄所虞揚汰敢冀甄收何期佑弼之司誤辱褒

稱之奏俾登史觀贊治信書緝記言記動之殊

辨所見所聞之實則自太常禮院隔兩年始薦

授兹職也

爲邵興宗作賢良策問一首

八月作龍圖直學士李公墓誌銘諱某字公素公同年進士

作秀州眞如院法堂記　有祭郭侍讀文

皇祐五年癸巳　公年三十五歲

譔縉雲縣尉張君墓誌銘

至和元年甲午　公年三十六歲

公于皇祐至和閒名猶未甚輝赫呂正獻公日若

君實者可謂賞過其名也後公隆名葢代士無賢不肖皆知畏而愛之而知之衆人未知之前者龎丞相與正獻公二人而已自警編

除羣牧司判官

公嘗曰昔與王介甫同爲羣牧司判官包孝肅爲使時號清嚴一日羣牧司牡丹盛開包公置酒賞之公舉酒相勸光素不喜酒亦强飲之介甫終席不飲包公不能强也光以此知其不屈聞見錄

按言行錄介甫以至和中召試館職固辭乃除羣牧判官宋史本傳歐陽修薦爲諫官以祖母

年高辭脩以其須祿養言于朝用爲羣牧判官
歐集內薦安石劄子亦云至和中此云公與同
官故知當爲是年也此條坡公行狀不載今補入

譔王成縣君楊氏墓誌銘

是年罷潁公籍以戶部侍郎知鄆州事辟公典學
公敘淸河郡君云始余爲學官筒中衣無幾一夕
盜盡卷以去時天向寒衾無纊絮客至無衫以見
余不能不嗟歎君曰但願身安財須復有余賢其
言爲釋然

譔王內翰贈商雒麗主簿詩後序

敘云始平公先君子贈中書令至道初爲商州主
簿時中書舍人王公謫官商州贈以詩至和元年
始平公以前相國在鄆從容出公詩示光曰爲我
刻于商雒以慰史氏之思光退而序其事並詩往
刻焉

通判鄆州事　有祭黃石公文

按行狀云龐籍爲鄆州徙并州皆辟公通判州
事而公誌鄆州處士王君則云至和中光從故
丞相龐公鎭鄆州公命光典州學敘清河郡君
又云爲學官則公之典州學爲有據矣然按祭

黄石公文云鄆士居神宇下曠冬無雪宿麥將
枯唯神救民之死赦吏之罪敢不祇率所部以
承事神則又似通判之職而非學官所有事也
豈一年中先典州學旋即判州事耶姑存以俟
考　又按爲羣牧司時牡丹盛開則當在三月
中爲學官時云天向寒則當在九月十月祭黄
石公文云曠冬無雪則到是年歲盡矣一年中
凡三易任據公文約略先後如此

至和二年乙未　公年三十七歲

正月二十四日與東阿張主簿書

略云光幸蒙丞相辟署求此官朝廷委之察舉境
内賢士大夫到官以來竊觀諸縣中賢者無如足
下所以奉知固不俟足下之求也今乃貶損書誨
殊非所望君子患不能不患人不知足下勉修之
而已

按公集中編此書下識嘉祐二年正月按是時
公在并州東阿非并州所屬其爲謬誤無疑考
地理志鄆州領東阿縣則當在是年通判鄆州
時也

是年龐潁公籍除河東路經略安撫使知并州事辟

錄公通判州事

至和三年嘉祐元年丙申九月改元　公年三十八歲

公在并州

時仁宗始違豫國嗣未立天下寒心而不敢言范景仁爲諫官首發其議公聞而繼之上疏言大宗無子則小宗爲之後者爲之子願陛下擇宗室賢者使攝儲貳以待皇嗣之生退居藩服次則令典宿衛尹京邑亦足係天下之望疏三上其一留中其二付中書

九月因公事至絳州私歸拜墳不敢至夏縣而去題

絳州鼓堆祠

與范景仁書

略云光向者不自知其賤且愚輒以社稷深遠之計奏聞朝廷自夏及秋囊書三上杳然若投沙礫于滄海之中此必所言涉千里之遠歷九閽之深或棄或遺而不得上通也是敢輒取所上奏稿獻于左右伏冀景仁因進見之際爲明主開陳茲事取光所上三奏略賜省覽無使孤遠之臣徒懷憤默默而無所告語今光宦于千里之外爲邊州下吏而景仁朝夕出入禁闥天下之責治亂安危者

不在光皆在景仁光所言止于是而已

與李子儀書　答聞喜馬寺丞中庸書

作聞喜縣脩文宣王廟記爲馬寺丞作

張共字大成序爲越州張推官作

嘉祐二年丁酉　公年三十九歲

公在并州

五月五日管句麟府軍馬公事郭恩爲夏人所襲歿于忽里堆穎公坐貶節鉞言者欲并及公公上書請獨治臣罪朝廷不許

行狀云時趙元昊始臣河東貧甚官苦貴糴而民

疲于遠輸麟州窟野河西多良田與夏人接界疆埸不明虜盜耕其地俯窺麟州爲河東憂頴公命公按視公用知麟州事武戡議謂宜乘虜罷兵時築二堡河西以禁耕者且爲州耳目募民有能耕麟州閒田者復其稅役有能耕窟野河西者長復之如此耕者必衆官雖無所得而糴自賤可以漸紓河東患頴公移麟州如公言而兵官郭恩勇且狂于五月五日夜醉引千餘人渡河時虜兵已復聚恩不爲備遇敵死之議者歸罪頴公罷節度使

知青州

于事誠便遂具以所言白于麗籍籍用臣言即牒
麟州令脩築二堡因欲乘閒故不暇取旨俟報但
曾奏知而已不期牒到之後元昊興修虜已復大
集兵官但齎酒食不為戰備以致喪敗此乃諸將
恃勇輕敵之所致非修堡之過也況自元昊納款
以來麟州修建堡寨及出兵過窟野河西者前後
非一次雖與虜遇未嘗敗北則知今日之敗在于
無備不在修堡與過河也今議者乃悉歸罪于麗
籍臣豈敢晏然不言苟求自免臣雖不肖義不忍
為伏望陛下獨治臣罪以正典刑

徒又匿制獄所取文書坐是解節鉞知青州事先
守闕上書具言其狀自請斧鉞之誅朝廷不許公
又上奏引咎自歸乞矜免光罪光卒不坐
有晉祠祈雨文　謝晴文　祭晉祠文
并州學規後序
夏六月公離并州改太常博士祠部員外郎直祕閣
判吏部南曹
與夏祕丞倚書
略云光初離并州三驛曾子遞中領所賜書以道
途無便可以報謝曁至都下則朝論紛紛以忽里

之敗爲皆因築堡引惹生事光每爲開述虜侵漢地事體本末及二堡不可不築之故而氣燄方張不可鄉邇光遂閉口不敢復言但乞分取諸君之罪而并坐之所上之奏非特爲龐公也亦具述當日與諸君謀議本末令朝廷明知是非夫邊臣欲自于漢地內立一小堡已謂之引惹生事罪及元帥則後來者所爲可知益使戎狄輕漢矣

論窟野河西修堡狀

略云河西一帶田土積年爲夏虜所侵臣詢訪本州官吏以虜侵盜日久諭之以理則不肯退縮逼

之以兵則動成戰鬬召之重定界至則偃蹇不來如何區處可以不戰而得所侵之地官吏皆言州城之西臨屈野河自河直抵界首五六十里並無堡障斥堠以此虜得恣耕其田虜騎直至城下而州人不知今誠乘虜騎退散之時急于河西二十里左右增置二堡每堡不過十日可成比至虜中再行點習此堡已皆有備虜不能爲害如此則麟州永無侵軼之虞州兵出入有所宿頓堡外先所侵之田虜皆不能耕種矣臣心亦以爲虜侵耕至河則麟州孤危果能成此二堡爲麟州耳目藩蔽

公譔潁公墓誌銘云初武戡建議請乘虜罷兵時
築二堡于河西以禁耕者且爲州耳目光還以告
公從之旣與管句軍馬事郭恩走馬承受黃道元
率兵不滿千人涉窟野之西至忽里堆不爲備遇
伏恩道元皆沒戡脫走得歸初戡之往也虜兵已
復聚戡不敢興役及敗乃言其日行視堡地爲虜
所掩以至失亡會虜遣道元歸朝廷命御史按之
御史新拜官欲排擊大臣以爲名移幕府取文書
公以築堡之事光實與焉恐并獲罪乃留檄光之
書以其餘與之御史遂劾公擅築堡于邊以敗師

第二狀

略云先曾奏陳爲麟州修堡事乞獨治臣罪未奉俞旨今竊聞龎籍移知青州夏倚等各有責降臣伏自念修堡之事若治其罪臣當爲首今籍等先受其責而臣未蒙譴罰臣實內慙無以自處況臣在并州日龎籍凡處置邊事無一不詢及于臣臣以知慮淺短上爲朝廷之憂下爲龎籍之累復不即重誅罪釁愈重不容于死伏望察臣前後所陳本末嚴賜誅譴以正刑書

九月二十四日答明太祝忱書 答陳祕校充書

作迂書序　功名論　知埶論　古文孝經指解

序　進古文孝經指解序表內云臣幸得補文館

覩祕閣所藏古文孝經傳注遺逸湮微不傳輒以

所聞爲之指解則知當爲直祕閣之年注云元年

者蓋

誤也

馬氏譜據長編云至和元年十二月丁未公上

古文孝經詔送祕閣按公以至和二年六月離

并州始改太常博士直祕閣判吏部南曹則當

元年方在并州外任如何云以文史爲職得見

祕閣所藏古文孝經傳注乎馬譜與長編俱誤

也

譔程夫人墓誌銘夫人爲二蘇之母以四月癸巳卒

嘉祐三年戊戌　公年四十歲

遷開封府推官賜五品服

按是年公乞虢州狀云臣服闋以來十有餘年未嘗得近鄉里展省墳墓近方欲上煩朝廷陳乞家便一官爲判吏部南曹未及一年所以未敢陳請今知已降敕命授臣開封府推官伏望聖慈矜察云云是知判吏部爲嘉祐二年開封府推官爲三年也

八月二十七日進交趾獻奇獸賦表

交趾貢異獸謂之麟公言眞僞不可知假使其眞
非自然而至不足爲瑞若僞恐爲遠人所笑乞厚
賜其使而還其獸因奏賦以諷
有交趾獻奇獸賦　作朋黨論
嘉祐四年己亥　公年四十一歲
遷度支員外郎判句院
按公乞虢州第三狀臣自去歲蒙恩除開封府
推官臣以久不到陝州鄉里兩曾乞知虢州不
蒙聽許臣以開封府重難之處不敢更有陳請
就職以來已踰半載今竊知已降敕命除臣判

三司度支句院是知與開封府推官隔一年當爲嘉祐四年也　馬氏譜編在五年庚子公年四十二歲者誤

譔石昌言哀辭

辭云余與昌言同年登進士第遊好凡二十年又云前年光自晉陽歸昌言延我于中堂酌滑臺暑釀以飲我則知公離并州在嘉祐二年六月而公爲杜君作誌亦云秋光在京師也

譔彭城縣君劉氏墓誌銘

嘉祐五年庚子　公年四十二歲

判度支句院

按公論財利疏有云臣判度支勾院甫二年耳上自三司使下至檢發官改易皆徧甚者或更歷數則是己亥庚子二年也

諶贈太常博士吳君墓誌銘諱元亨公之從母夫也

諶贈都官郎中司馬君行狀公再從伯父子里登進士第宋史有傳

司馬太師温國文正公年譜卷之二

錫山顧棟高編輯
吴興劉承幹參校

嘉祐六年辛丑　　公年四十三歲

擢修起居注五辭而後受命同判尚書禮部

按公辭狀云臣向辭開封府推官及判三司度支句院朝廷一有指揮不令辭免臣卽時就職臣意以爲朝命已行必不可移雖辭之終無所益是以黽勉從事不敢復言及覩王安石前者辭差修起居注章七八上然後朝廷聽許臣乃

追自悔恨嚮者非朝廷不許由臣請之不堅故
也況臣與安石相去遠甚今乃與同被選擢比
肩並進据宋史仁宗本紀嘉祐五年五月己酉
安石召入爲三司度支判官直集賢院明年除
同修起居注安石辭狀云臣去年始蒙恩直集
賢院至今入館日淺不敢冒昧貪榮朝廷聽許
未幾復申前命至五辭乃受公所云比肩並進
指此
三月戊申侍上幸後苑賞花釣魚有奉聖旨次韻御
製詩

五月二十八日上日食遇陰雲不雨乞不稱賀狀

略言欽天監奏今年六月朔太陽交食臣伏覩近世以來曆官先具日月時刻及所食分數奏聞至日或爲陰雲所蔽或不滿分數百官皆奉表稱賀臣愚以爲日之所照周徧華夷雲之所蔽至爲近狹若太陽實虧而有浮雲翳塞雖京師不見四方必有見者天意若曰人君爲陰邪所蔽災歷著明天下皆知其憂危而朝廷獨不知也食不滿分者乃曆官術數之不精當治其罪亦非所以爲賀也臣職在禮官掌羣臣慶賀章表不敢不言是歲司

天言當食六分之半至六月一日果食四分而雨

不復稱賀自後遂匯以爲常

七月遷起居舍人同知諫院

按公于治平二年七月六日辭龍圖閣直學士

狀云臣自嘉祐六年七月初入諫院供職到今

已涉五年知爲是年七月無疑　按宋史仁宗

本紀云六月丙子以司馬光知諫院是月壬子

朔由壬子數至丙子當爲二十五日此云七月

者葢朝命以六月下公入院辦事則在七月也

上三劄子

其一論君德有三曰仁曰明曰武仁者非嫗煦姑息之謂興教化脩政治養百姓利萬物是爲人君之仁明者非煩苛伺察之謂知道誼識安危别賢愚辨是非是爲人君之明武者非强亢暴戾之謂惟道所在斷之不疑姦不能惑佞不能移是爲人君之武伏見陛下推心御物端拱淵默羣臣有所敷奏不復詢訪利害一一皆可之誠使陛下左右前後之臣皆忠實正人則善矣萬一有姦邪在焉則豈可不爲之寒心哉其二論致治之道有三曰任官曰信賞曰必罰勿以日月積久而置高位勿以

貪塗相倚而居重職勿以名行賞而天下得餙名
以求功勿以文行罰而天下得巧文以逃罪有功
則增秩加賞而勿徙其官無功則降黜廢棄而更
求能者有罪則流竄行誅而勿加寛貸其三言養
兵之術務精不務多一留中一下中書一下密院
八月十五日論赦及疏決
略曰古之赦出無常嚴謹周密不可前知今國家
三年一郊未嘗無赦每歲盛夏皆有疏決是使猾
吏悍民亡匿不過周歲則晏然復出爲平人往往
指望謂之熱赦致愿愨之民憤邑惴恐凶狡之羣

志滿氣揚又祖宗每歲不過一次疏決死罪以下
皆遞降一等近歲或至再三自徒以下一切赦之
此所以使百職隳慢姦邪恣睢者也
十七日進五規
一曰保業　二曰惜時　三曰遠謀　四曰重微
五曰務實
二十五日論舉選進士
乞天下諸州府軍監任內舉德行經術一人大藩
舉二人轉運使提點刑獄舉三人兩制以上歲舉
一人舉狀送下貢院擇舉主最多者取三十人本

貫敦遣赴闕試經義時務策各一道但取義理優
長不取文辭華美授官並與進士第一甲同在明
經之上若犯私罪及正入已贓舉主連坐不以赦
原若因勢要而舉之及爲人屬請者並科違制之
罪受贓者以枉法論又明經一科少有應者蓋緣
立格太高致舉人合格者少乞後明經所試墨義
止問正文不問注疏其所試大義但能具注疏本
意講解稍詳者爲通若能先具注疏本意次引諸
家雜說更以己意裁定援據該贍義理高遠者爲
優等與折二通若以己見穿鑿雖文詞辯給亦降

爲不通凡明經以六通諸科以四通以上爲合格

又舊制明經以周易尚書爲小經今欲乞以周易尚書毛詩爲一科三禮爲一科春秋三傳爲一科皆習孝經論語爲帖經

閏八月八日乞分十二等以進退羣臣

略曰今之所謂官者古之爵也所謂差遣者乃古之官今官爵混淆品秩紊亂名實不副員數濫溢是以官愈多而事愈廢欲治而清之莫若于舊官九品之外別分職任差遣爲十二等宰相第一兩府第二兩制以上第三三司副使知雜御史第四

三司判官轉運使第五提點刑獄第六知州第七通判第八知縣第九幕職第十令錄第十一判司簿尉第十二其餘文武職任差遣並以此比數若上等有闕即于次等擇才以補之

十三日辭免北朝國信使

略云臣緣名犯北朝諱所行文字雖可改更竊慮臨時語言不能記憶或有觸犯又臣體羸多病性不耐寒兼不經館伴未能諳練南北事體資性拙訥恐辱王命伏望聖慈別賜差官（尋改差人）

始平公以光得免使北賜之以詩依韻酬和有幸

免驅車涉沙漠尙容載筆侍宣温之句

二十六日入對言臣昔通判并州所言三章願陛下果斷力行仁宗沈思久之曰得非欲選宗室爲繼嗣者乎此忠臣之言但人不敢及耳公曰臣言此自謂必死不意陛下開納上曰此何害古今皆有之因令公以所言付中書公曰不可願陛下自以意諭宰相是日公復言江淮鹽事詣中書白之韓琦問公今日復何所言公曰所言宗廟社稷大計也琦喻意不復言後十餘日有旨令公與御史裏行陳洙同詳定行戸利害洙與公屛語曰日者大

饗明堂韓公攝太尉洙爲監祭公從容謂洙聞君與司馬君實善君實近建言立嗣事恨不以所言送中書無自發之行户利害非所以煩公也欲洙見公達此意耳

是月同范鎮赴崇政殿覆考應制舉人試卷内圓毡兩號辭理俱高絶而毡所對事目有漏落公與范公議以圓爲第三等毡爲第四等考官胡宿力請黜之公言毡所對于四人中最爲切直若不蒙取録恐天下謂朝廷虚設直言極諫之科而日後將以直言爲諱乃復收入等圓蓋蘇軾

毬蓋蘇轍也後子由有挽公詩云少年眞猲淺射

策本鑱疏欲廣忠言地先收衆棄餘蓋指此

是役也王介甫亦與有夜讀試卷呈君實待制

景仁內翰詩介甫是時知制誥不肯撰蘇轍制

詞韓魏公改命沈遘爲之蓋此時氣類已徵分

矣

九月公復上疏臣向者進說陛下意謂卽行今寂無

所聞此必有小人言陛下春秋鼎盛何遽爲此不

祥之事小人無遠慮特欲倉猝之際援立其所厚

善者耳定策國老門生天子之禍可勝言哉帝大

感動曰送中書公至中書見韓琦等曰諸公不及今定議異日禁中夜半出寸紙以某人爲嗣則天下莫敢違琦等拱手曰敢不盡力後月餘詔英宗判宗正寺

論荒政

略曰今歲淮南兩浙因今歲水災乏食民往往販鬻私鹽至有持兵刃與官軍拒鬭相殺傷者此大盜之漸不可不禁止葢由有司推之太急故抵冒爲奸臣謂陛下宜戒諭職司稍弛鹽禁而嚴督盜賊緩課利不充之罰急羣行剽劫之誅廢告捕私

鹽之賞旌討擒强暴之功此弭患未形之道也

論臣寮上殿屏人

略曰故事臣寮上殿奏事悉屏左右内臣今内臣不過去御座數步君臣對問之言皆可聽聞恐致漏洩機事大爲不便今後應遇臺諫兩府官上殿奏事左右並于殿角板障門外踏道下祗候仍委都知押班于兩邊門下檢校如敢竊有覘聽者並具姓名聞奏九月二十八日奉旨自今祗令御藥侍臣及扶侍四人立殿角以備宣唤餘悉屏去

論燕飲

公與王陶同上疏道路皆言陛下近日宮中燕飲
微爲過差賞賚動以萬計耗散府庫調斂細民況
酒之爲物傷性敗德殆非所以輔養聖躬之道伏
望陛下悉罷燕飲安神養氣後宮妃嬪進見有度
左右小臣賞賚有節及厚味腊毒之物無益奉養
者皆不宜數御以傷太和

十月初二日論蘇安靜不宜充內侍省押班

十一月十四日論張方平不宜任秦鳳路經略安撫
使

略云方平知秦州日邊人虛稱西夏點兵侵犯邊

境惶擾失度移牒鄰路索兵自救仍飛奏上聞致
朝廷疑憂已而按省皆無事實身爲元帥乃怯懦
輕易至此萬一疆場實有警何以待之伏望嚴加
譴謫更擇明知沈勇之人以代其任

二十五日乞懲勸均稅官吏

有答劉太博忱書　贈都官郎中司馬君墓誌
銘

十二月十四日論復著豐州

略云豐州地勢孤絕外迫寇境向有永安來遠保
寧三寨皆以蕃族守之自元昊攻陷州城三寨蕃

族盡爲所虜今所存唯丘墟草莽而已若建以爲州則須復設外寨備置官吏廣屯兵馬多積芻糧皆應調發內地之民以奉之此所謂徇虛名而受實弊也頃年朝廷欲修豐州城嫌其單外乃于其南數十里築永寧堡其地窪下疏惡難守今既修豐州則永寧堡深在腹內無所復用不若徑遷堡于豐州故城兵馬芻糧不更增益但擇使臣有材略者使守之不必假以知州之名仍召募蕃漢之民使墾闢近城之田俟其蓄庶如舊然後升以爲州未晚也

嘉祐七年壬寅　公年四十四歲

公知諫院

正月十二日論上元遊幸

略曰上元觀鐙本非典禮正以時和年豐與百姓同樂爲太平之榮觀去歲諸州多罹水旱有司不明大體務修故事不稱陛下子惠元元之意又連日遊幸在于聖躬亦爲煩勞伏望停止以安養聖神幸甚

十九日論以公使酒食遺人刑名

略曰聖王之教尙忠厚而貴愷悌故詩有鹿鳴伐

本旣醉行葦美燕好之相樂禮有幣帛饔飱行于
邦國贄獻飲酒施于鄉黨近歲以來中外有司喜
以徵文剌舉苛細至于宴飲相從酒食相饋皆集
累成過抵以峻法若朝廷因之遂爲著令臣恐百
司無所措其手足虧損聖朝堂堂之化非細故也
臣請申明舊條應以公使錢及財物贈遺人及受
者並須贓滿五疋以上方得科罪其不滿及以飲
食之物相饋餉者皆勿論

論諸科試官

略曰臣伏見朝廷取勘諸處發解考試諸科官以

所解諸人到省十有九不中者臣竊唯國家本設
六科以求通經之士竊唯去歲貢院出題曲爲奇
巧或離合句讀故相迷誤或取卷末經注字數以
爲問目雖有善記誦之人亦不能對其去設科本
意甚遠是罪在貢院出義題官不在諸處發解官
也今舉人被黜又并發解之官亦坐停替臣恐學
者從此益棄本原殆非崇經術之道伏望朝廷委
官覆考仍敕貢院將來科場依條出義毋得更如
今來詭僻苛細至時仍有十有九不中之人然後
將諸處考試官行罰則彼皆無辭而人亦不以爲

冤矣

二十八日論上元令婦人相撲

略曰今月十八日聖駕御宣德門召諸色藝人各進技藝內有婦人相撲者亦被賞賚臣竊以宣德門乃國家之象魏而使婦人臝戲于其前陛下動遵儀典而所司巧佞妄獻奇技以汚瀆聰明臣區區實所重惜若舊例所有望因此斥去仍詔有司嚴加禁約令後婦人不得于街市以此聚衆爲戲若今又上元始預百戲之列即乞取勘因何致在籍中或有臣僚奏聞因此宣召者並重行譴責

論公主宅內臣

略云近聞有聖旨令召前管句兗國公主宅內臣二八復還本宅此二人向在主第罪惡山積當伏重誅陛下寬典僅斥之外今數月復令召還道路籍籍口語可畏非所以成公主肅雍之美彰陛下義方之訓也伏望追止前命

二月初四日論正家上殿

略云臣先曾上言公主宅內臣過惡乞不召還近聞內臣梁懷吉仍赴公主宅依舊句當外議無不駭異謂陛下曲徇公主之意不復裁以禮法使之

無可畏憚觸情任性以邀君父慴賤其夫不執婦道將何以觀法四方昭示來世伏望陛下斥逐梁懷吉等另擇柔和謹愿者以補其闕仍敕公主若屢違詔命雖天子之子亦不可得而私庶幾有所戒懼牽循善道

二十八日論李瑋知衛州

略云臣竊聞駙馬都尉李瑋出知衛州兖國公主入居禁中瑋母楊歸其兄璋之宅家人悉令散遣伏以陛下追念章懿皇后故使瑋尚主欲以申固姻戚今乃母子離析家事流落陛下獨無雨露之

慼悽憤之心平宜且留李氏徐以義理曉諭公主
庶幾回心易慮復歸本宅若公主必無復歸李氏
之主者則瑋既蒙斥逐公主亦不宜全無貶損尋
詔公主降封沂國
判檢院權判國子監
三月除知制誥力辭章至九上乃許
有上龐始平相公述不受知制誥書
改授天章閣待制兼侍講賜三品服仍知諫院
五月十一日有上殿謝官劄子
六月二十九日上謹習疏

略云頃年以西鄙用兵權置經略安撫使得以便宜從事及西事已平因而不改河東一路總二十三州軍唐始置沿邊八節度之權不能過也將相大臣典州者多以貴據自恃凌忽轉運使使不得舉職又朝廷務省事崇行姑息之政至于胥吏譁譁而逐御史中丞輦官悖慢而退宰相衛士凶逆而獄不窮奸澤加于舊軍八營三司使而法官以爲非犯階級疑于用法其餘有二夫流言于道路而爲之變法推恩者多矣凡此皆非所以習民于上下之分也朝廷如是四方效之于是元帥畏偏

裨偏裨畏將校將校畏士卒姦邪怯懦之臣至有

簡省教閲使之驕惰保庇羸老使之繁冗屈撓正

法使之縱恣詆訾粟帛使之憤惋甘言諂笑無所

不至于是士卒翕然譽之一或不然則怨怒叢于

其身而禍亂生長此不已日滋月益豈有異唐之

季世乎

七月上財利疏

略曰在隨材用人而久任之養其本原而徐取之

減損浮冗而省用之又以宰相領總計使之官凡

天下金帛錢穀隸于三司如内藏庫奉宸庫之類

總計使皆統之歲終則會其出入之數若入寡而出多則總計使察其所以然之理求其費用之可省者以奏而省之必使歲餘三分之一以爲備禦不虞之計凡三司使副判官轉運使及掌內藏奉宸等庫之官皆察其能否而定其誅賞或謂宰相論道經邦不宜領錢穀不知治體者之言周禮以冢宰制國用唐制以宰相領鹽鐵度支戶部自古及今皆宰相職

按仁宗末患在財匱公此疏所云亦與荆公以宰相領制置三司條例略同矣但公意嵩主省

國家之用而荆公則欲緺天下之利其用處自不同耳

八月二十七日乞早令皇子入內

略云凡人爭絲毫之利至相爭奪今皇子辭不貲之富首尾十月其賢于人遠矣然臣等竊以臣子有君命召不俟駕之禮使者有受命不受辭之義凡宣召皇子內臣皆乞責降且以大義責皇子宜必入 英宗遂受命

九月充媛董氏薨追贈婉儀又贈淑妃輟朝成服百官奉慰定謚行冊禮葬給鹵簿公上言董氏秩本

微病亟之日方拜充媛古者婦人無謚近制唯皇
后有之鹵簿本以賞軍功未嘗施于婦人唯唐平
陽公主有舉兵佐高祖定天下之功乃得給至韋
庶人始令妃主葬日皆給鼓吹非令典不足法
十二月論壽星觀御容
先是本觀有眞宗時所畫壽星內臣吳知章稱是
眞宗御容欲張大其事遂更畫御容爲壽星服以
易其像改爲崇先觀知章又請別建更衣殿及諸
屋宇所費踰數十萬公上言祖宗神靈所憑依止
在太廟木主未聞別有象設漢氏始爲原廟已爲

達禮者所譏況畫御容于道宫佛寺而又爲壽星之服其瀆禮益甚知章妄希恩澤興造事端乞下所司明正其罪所有創漆屋宇乞一切停止

二十二日論后妃封贈

時有司新定後宫封贈法皇后與妃皆贈三代公上言禮之所慎别嫌明微妃不當與后同袁盎引卻慎夫人坐正爲此耳或謂外廷兩府皆贈三代妃正一品不可以後之此又不然夫禮内外異宜自宰相樞密副使名秩雖殊而比肩爲臣俱贈三代不足爲嫌皇后與妃位次相亞而有妾主之分

此尤宜分别名器以防僭差者也

二十七日奉和御製龍圖等閣觀三聖御書

進瞻彼南山詩表

略云陛下以十二月二十三日二十七日再幸天章閣悉召宰輔侍從之臣徧覩瑞物及先帝御書御集又幸寶文閣親爲飛白書并御墨紙筆以賜羣臣又賦詩命羣臣屬和又幸羣玉殿置酒作樂比暮而罷其酒醪肴蔌羅花金器多于禁中于二十七日仍面諭羣臣前日之燕辦于造次未盡朕心故欲重與卿等爲樂今天下方無事無惜盡醉

以稱朕意是日凡爲燕之具又加厚于前其所以
勞來存撫羣臣莫非出于陛下之志是以羣臣膏
沐寵光淪肌浹髓四方聞者無不咨嗟歎息臣願
推此心以被天下將見四海之內無不沈酣于茂
恩饜飫于盛德矣不勝鼓舞抃蹈之至謹成𥨊彼
南山詩七章隨表上進

嘉祐八年癸卯　公年四十五歲

公知諫院

春正月己酉公同翰林學士范鎮知貢舉

三月戊申故相龐籍卒公升堂拜其妻如母撫其子

三如昆弟時入賢之本傳照馬氏譜增入

是月仁宗崩四月朔英宗即位得暴疾詔請皇太后

同處分軍國事

四月十三日上皇太后疏

略云章獻明肅太后保佑先帝進賢退姦有大功

于趙氏特以親用外戚小人故負謗天下今太后

初攝太政四方之人莫不觀聽以覘盛德大臣忠

厚如王曾清純如張知白剛正如魯宗道質直如

薛奎者當信之用之鄙猥如馬季良讒諂如羅崇

勳者當疏之遠之則天下服

十五日上遺賜疏

時仁宗遺賜金珠直百餘萬公所得近千緡乃率同列上疏言國有大憂中外窘乏不可常用乾興故事若遺賜不可辭宜許侍從上進金錢佐山陵費不許公乃以所得珠爲諫院公使錢金以遺舅氏義不藏于家

二十七日上皇帝疏

略云大行皇帝春秋未甚高選擇陛下于宗族之中授以天下恩德隆厚踰于天地漢宣帝爲昭帝後終不追尊衞太子史皇孫光武起布衣有天下

自以爲後元帝亦不追尊鉅鹿都尉南頓君惟哀安桓靈皆自旁親入繼大統追尊其父祖天下非之願陛下深以爲戒杜絕此議勿復聽也

上山陵擇地劄子

略云大行皇帝以十二月二十七日大葬而朝廷遣使按行山陵未知定處或欲于永安縣外廣求吉地臣以陰陽之書使人拘而多畏向以謹于時日之故堅用八月大斂自後聖躬有疾至今未瘳其無驗亦已明矣況國家葬永安已百有餘年官司儲偫素皆有備今改卜他所不唯更須創置民

力弗堪亦恐大行皇帝眷戀祖宗未肯卽安于新
陵也

五月二十一日論御藥寄資

略云句當御藥院內臣中職任最爲親近祖宗朝恐其名位寖崇則權勢太重故常用供奉官以下爲之若轉至內殿崇班則令出外此誠防微杜漸至意近歲頗隳舊法往往闇理官資久而不去深爲不便今踐祚之初宜革積弊乞自今後凡轉官至內殿崇班以上者並須出外一遵祖宗之制不得仍留內廷差遣

是月有祭麗穎公文

六月一日上祔廟議

略云禮天子七廟三昭三穆與太祖之廟而七太祖之廟萬世不毀其餘親盡則毀示有終也自漢以來天子或起于布衣以受命之初尚在三昭三穆之次故或祀四世或祀六世其太祖以上之主雖屬尊于太祖親盡則遷故漢元帝之世太上廟主瘞于寢園魏明帝之世處士廟主遷于園邑晉武帝祔廟遷征西府君惠帝祔廟又遷豫章府君自是以下大抵過六世則遷蓋以太祖未正東嚮

之位故止祀三昭三穆若太祖已正東嚮之位則
并昭穆而爲七也唐高祖初立祀四世太宗增祀
六世及太宗祔廟則遷弘農府君于夾室高宗祔
廟又遷宣皇帝于夾室皆祀六世此前代之成法
也惟明皇立九室祀八世事不經見難可依據今
若以太祖太宗爲一世則大行皇帝祔廟之日僖
祖親盡當遷于西夾室于先世典禮及近世之制
無不符合矣
議既上禮官孫抃等以爲廟數未過七世而遷之
古無其比寢不遷至英宗祔乃遷藏熙寧中安石

當國復言僖祖廟比稷契不宜毀廟而下祔于子
孫宜還廟享韓維孫固等議言太祖靖大難垂統
百世宜爲宋太祖僖祖仰尋功業未見所因似未
可引契稷爲比神宗頗主維固議而安石持之堅
卒奉僖祖爲始祖東向而太祖居第四室政和中
蔡京祖之爰立十室紹興南渡建太廟于臨安凡
九世十二室董棻王普等上疏熙寧尊僖祖居東
向而太祖退處昭穆之位上無以當天地神祇顧
歆之意下無以答億兆臣庶尊仰之心速宜正厥
違誤詔下禮官集議不果行至孝宗升祔鄭僑等

據以爲請諸儒樓鑰陳傅良等翕然附議相汝愚主之于是自昌陵祔廟踰二百年而始正太祖東向之位如公議矣時朱文公熹獨主安石之說與汝愚爭辨謂僖祖神主遷于治平未及數年而神宗復奉以爲始祖已爲得禮之正元祐大儒程頤議論與安石每異至論廟制則深以僖祖爲不當祧議者特以司馬光韓維之賢人所敬信其議偶不出此而安石以變亂穿鑿得罪公議遂堅守二賢之說並安石當取者而廢之惑已甚禮家聚訟從來已久然考之典禮終以公之說爲正郎文公

亦未盡合也

是月壬申譔太子太保麗公墓誌銘諱籍

又譔大理寺丞麗之道墓誌銘籍長子與公同娶張氏

二十二日上兩宮疏

略云皇帝與皇太后兩宮相恃如頭目之與心腹自後萬一姦人欲有關說涉于離間者當立行誅戮以明示天下使咸知讒佞之徒不能欺惑聖明

七月十四日論夏國入弔

略曰陛下繼統之初四裔之人皆欲奉望天表又聞向曾不安意謂未能視朝故輒敢桀黠今誠郎

殿廷數步之地使之稽首拜謁瞻仰陛下神武之
姿歸至其國轉相告語使蠭蟻之衆心服氣沮此
上兵伐謀之道也

二十六日論進賀表恩澤

略云諸路轉運使下至班行幕職權知州軍等官
各遣親屬進賀登極表至京師朝廷一例推恩或
所遣不係親屬者亦除齋郎此蓋承五代姑息藩
鎮之弊揆之于理誠爲太濫況朝廷以近日官吏
繁冗特減諸色奏蔭若如此則向所減省悉爲虛
設乞進表人若係五服內親者授以一官其不係

親屬量賜金帛罷去庶幾少救濫官之失

乞簡省細務不必盡關聖覽

略云人君之職一在量材而授官二在度功而行

賞三在審罪而行罰伏見國家舊制如三司鞭一

胥吏開封府補一廂鎮之類往往皆須奏聞此蓋

國初艱難權時之制今日誠傷煩碎乞槪從簡省

陛下養性安身以耑念人君之三職幸甚

八月癸未譔清逸處士魏君墓誌銘諱閑字雲夫野有大名

九月二十三日論趙滋宜落軍職

略云臣先曾上言趙滋爲人剛愎不可管軍近聞

滋對契丹人使禮貌驕倨不遵舊式竊以先帝深
于生民之至計親屈帝王之尊與契丹約爲兄弟
自後和親垂六十年今滋數乘客氣以傲使人爭
小勝以挑强胡臣恐釁隙一開朝廷未得安枕而
臥乞落軍職别使爲國生事

二十九日乞撤去福寧殿前尼女
略云大行皇帝在福寧殿自啟菆以來每日裝飾
尼女置于殿前傅以粉黛衣之綺繡狀如俳優又
類戲劇見者無不駭異乞下有司應將來靈駕進
發凡儀仗送終之物有鄙俚無稽不合禮典如此

類者悉宜撤去

十二月三日論虞祭當親行禮

略云虞者孝子之事非臣下所得攝前以木主未至京師塗中不可一日不虞故權使羣臣攝事今木主近在內殿而有司不根禮意尚如塗中代攝于敬恭之情有所未盡今至卒哭尚有三虞乞陛下親行其禮

再論醫官宋安道宜斥去

略云臣曾上言醫官宋安道等方術無驗乞別擇良醫未聞施行竊以爲聖體已安今覩陛下不親

虞祭乃知殊未痊復竊聞安道等奏皇太后及語
大臣皆云陛下六脉平和體中無疾今疾狀如此
其面謾亦可知矣又聞朝廷選擇醫官皆試以難
經素問夫醫者得之于心未必皆讀古書而徒記
誦古書者未必能治病今擇此等人與安道雜處
是以展轉相仗雷同附和而久不見功也又聞病
人自知其病者未甚病也憎良藥而不受者病在
內拒之也今陛下不安如此而常自謂無疾卻醫
不御則病益深矣不更求名醫强進良藥縱陛下
不自惜奈宗廟社稷何

七日論張茂則

略云舊制內臣年未五十不得充內侍省押班近

除張茂則年止四十八歲恐此例一開內臣攀援

求進不可禁止陛下踐祚伊始尤宜謹守祖宗法

以示天下至公者也

二十六日上皇太后疏

略云竊聞皇帝向日疾勢稍增舉措言語不能自

擇左右一一上聞致殿下不能堪忍兩宮微相責

望方今仁宗新棄天下天下危于累卵豈可效常

人之家爭語言細故況皇帝自藩邸以至踐祚孝

謹温仁殿下所親見偶嬰疾疹亂其本性言語動作不自省記此乃有疾者之常不足爲怪殿下子天下之理無所不通豈可責有疾之人以無疾之禮耶乞精擇醫工治皇帝之疾嚴戒左右皇帝有舉措言語不合常度者不得以聞殿下惟和神養氣安靖國家俟聖躬痊復然後舉治平之業以授之不亦美乎

是日又上皇帝疏

略云臣于四月二十七日及六月二十二日皆曾上疏勿使姦邪之人有所離間向以聖體未安舉

動言語不能自省而左右妄爲增飾必無事實雖然豈可使天下聞之伏望陛下親詣皇太后閤克己自責以謝前過溫恭侍養過于未登大位之時如此則上下感悅宗社永安古之孝者雖不慈之母猶能使之感悟況皇太后聖善著聞自陛下有疾以來日夜泣禱神祇憂勞困悴陛下豈可不思有以安慰之乎

十二月二日論後宮等級

略曰前代皆擇良家子充後宮位號祖宗朝猶有公卿大夫女在宮掖者皆須年十二三以上醫工

診視防禁甚嚴近歲頗隳舊制等級寖多監勒牙
人使之僱買至有軍營市井婦女雜處其間深爲
未便今陛下即位之初嬪御未備宜乘此時定立
制度依約古禮後宮共爲幾等等幾人未足且虚
其數已足不可更增若求乳母亦須選擇良家性
行和謹者方得入宫垂之爲萬世法此誠治亂之
本也

十五日乞延訪羣臣

略云凡人牆之外則目不見里之前則耳不聞天
子奄有四海若不問之于人何從知之宜詔侍從

近臣每日輪一員値資善堂夜則宿于崇文院以備不時宣召又云爲國之要在審察人材周知下情而已審察人材之謂明周知下情之謂聰明則百官稱其職聰則萬幾當其理百官稱其職萬幾當其理治之極也賢不肖渾淆之謂昏下情不上通之謂蔽昏則百職廢蔽則萬幾乖戾百職廢曠萬幾乖戾亂之至也

諫院題名記

略云古者諫無官人無不得諫者自漢以來始制官居是職者當謹其大捨其細先其急後其緩專

利國家而不爲身謀天禧初眞宗詔置諫官六員責以職事慶曆中錢君始書其名于版光恐久而漫滅嘉祐八年刻著于石後之人將歷指其名而議之曰某也忠某也詐某也直某也曲嗚呼可不慎哉

司馬太師溫國文正公年譜卷之二

司馬太師溫國文正公年譜卷之三

錫山顧棟高編輯

吳興劉承幹參校

治平元年甲辰　公年四十六歲

公知諫院

春正月辛酉詔以仁宗配饗明堂公與呂公著上配天議

時仁宗祔廟季秋大饗明堂議以仁宗配詔臺諫與兩制官集議公議云孝子之心誰不欲尊其父聖人制禮以爲之極不敢踰也古之帝王自非建

邦啟土及造有區夏者皆無配天之文故詩曰思
文后稷克配彼天我將之詩祀文王于明堂前漢
以高祖配天後漢以光武配明堂外此雖周之成
康漢之文景明帝德業非不美而子孫不敢推以
配天者避祖宗也孝經曰嚴父莫大于配天則周
公其人也孔子以周公制禮作樂而文王適其父
故引之以證聖人之德莫大于孝非謂有天下者
皆當尊其父以配天也近世祀明堂者皆以其父
配五帝此乃誤識孝經之意而違先王之禮不可
以爲法也景祐二年仁宗詔禮官稽按典籍辨崇

配之序定二祧之位乃以太祖爲帝者之祖比周之后稷太宗眞宗爲帝者之宗比周之文武然則祀眞宗于明堂以配五帝亦未失古禮今仁宗雖豐功美德洽于四海而不在二祧之位議者乃欲捨眞宗而以仁宗配恐于祭法不合又以人情言之是絀祖而進父不唯乖違典禮恐亦非仁宗之意也議者又欲以太祖及三宗迭配郊丘及明堂臣等亦以爲不可何則國家受天永命傳祚萬世若繼體守文之君皆得配天則子孫將有無窮之數與祖宗無別也臣等竊謂宜遵舊禮以眞宗配

五帝于明堂行之爲便

議上而觀文殿學士孫抃等執議謂易稱先王作樂崇德薦之上帝以配祖考葢祖考並可配天符於孝經所稱雖周家不聞廢文配而移于武廢武配而移于成然易之配考孝經之嚴父歷代循守不爲無説魏明帝祀文帝于明堂以配上帝史官謂是時二漢之制具存則魏所損益可知亦不可謂章安之後配祭無傳遂以爲未嘗嚴父也今以我將爲祀文王于明堂而作者安知非孔子刪詩時獨取周頌之全盛者而著之而其餘並削而不存

乎仁宗臨御天下四十二年功德可謂極盛今祔
廟之始抑而不得配帝甚非所以宣章嚴父之大
孝詔從抃議

三月上皇帝事皇太后當如濮王疏

略云臣聞陛下昔在藩邸事濮王承順顏色曲盡
孝道凡宮中之事皆委陛下幹之無不平允陛下
事皇太后當一如濮王然後可視天下之政當一
如宮中之事然後可況濮王之親以恩皇太后之
親以義其奉養之謹非特有所加則無以取信也
宮中之事小天下之事大其聽斷之勤非特有所

加則無以致治也長編

夏四月上出宮人疏

略云前代帝王升遐之後其後宮下陳盡放之出宮所以遂物情重人世省浮費遠嫌疑也癸未放宮人三百三十五人長編

十四日論永昭陵建寺

略云竊聞中旨于永昭陵側別建一寺凡臣僚之臣無人守墳乃于墳側置寺晤以徼利使之守護種植至國家守衛山陵有司備具若云資薦求福則仁宗皇帝寬仁恭儉恩治四海何待別置一寺

更度數僧然後得生天堂樂處也況仁宗晚年詔
天下無名額寺屋及百間者並特與名額計創添
千有餘處而數月之間宮車晏駕其無驗亦已明
矣今國喪之後帑藏空虛百姓罷敝乃復興此無
名之役殊非中外所望逆禮傷孝蠹財勞人徒使
僧徒妄求恩澤臣竊爲朝廷惜之
定奪貢院科場不用詩賦
略云中書送下判國子監呂公著劄子乞科場更
不用詩賦委得允當然進士只試論策又似太簡
乞除論策外更試周易尚書毛詩周禮儀禮春秋

論語大義共十道爲三場其策只問時務所有進士帖經墨義從來不曾考校顯是虚設乞更不試

十七日乞車駕早出祈雨

略云陛下踐祚已踰朞年百姓未聞屬車之音重以繇者聖體不安遠方之人訛言未息若聞車駕一出則遠近釋然莫不悦喜況今春少雨麥田枯旱王者以四海爲家何必信瞽史之言選揀時日而不急百姓之急哉

二十四日乞今後有犯惡逆不令長官自劾

略云近聞開封府屢有子殺父母者竊見刑部格

赦及刑統百姓有犯惡逆以上州縣量事貶降刺
史以上附表自劾以敦風教又因朝廷務行寛政
失出槪置不問小有失入則終身廢棄以此官吏
遇此等及毆詈尊長者專務掩蔽唯恐上聞止從
杖罪斷遣蓋避自劾之耻遂使頑民益無忌憚名
敎風教其實壞之王者當善善惡惡未聞寛此悖
逆之民以爲仁政也乞今後除去貶降長吏及附
表自劾二條專令内外大僚覺察州縣官吏如有
敢將惡逆不孝不睦等罪隱蔽不依正法斷遣者
並糾舉聞奏以故出人罪論

五月十八日論爲治所先

時皇太后還政于帝公首上疏言治身莫先于孝治國莫先于公皇太后聽政之時左右侍衛不敢不恪求須之物無敢不備既委去政柄隨勢傾移侍奉懈慢供給有闕其責皆歸陛下臣愚以爲外朝之刑賞黜陟自聖心決之至禁廷之取捨賜予不若皆稟于皇太后陛下與中宮勿有所耑如此則慈母歡欣于上臣民頌詠于下不然萬一有絲毫缺失流聞于外或皇太后憂思不樂內生疾疢則陛下何以勝此名于天下哉臣謂治身莫先于

孝者此也陛下奮自宮邸入纂皇極舊恩宿怨豈能盡無然今日即政之初皆不可留于聖慮夫爵祿非以厚人君之所喜刑罰非以快人君之所怒今日苟有才德高茂合于人望者進之雖宿昔怨讎勿棄有器識庸下無補于時者退之雖親暱姻婭勿錄如此則野無遺賢朝無曠官上下悅服朝廷大治不則所進者皆平日所親愛所退者皆平生所不快所賞者皆諂諛而無功所罰者皆忠諒而無罪如此則中外解體紀綱隳紊臣謂治國莫先于公者此也

十九日論皇太后取索

略云臣聞自來內中凡有所須止用御寶合同文字于諸司取索立時供應過後方申三司覆奏若皇太后一一須待本閤使臣申牒候得御寶乃供竊慮行遣往復太爲迂迴萬一欲得藥餌什器之類有司懈慢不能應時而至有傷慈母之心乞令兩府再議凡皇太后所取一如聖旨立應已乃具數奏太后以防矯僞

二十五日乞后族不推恩

略云臣竊聞陛下欲加曹佾使相皇太后再三不

許又聞聖旨推恩與皇后本家臣愚以爲皇太后
既深執謙遜抑損外親則后族亦恐未宜㝡進一
則示人子恭孝之心不敢使后族先于母黨二則
示人君即政之初不可以爵祿待賢之具私椒房
之親于聖德益有光榮矣
二十八日上皇太后疏
略云聖體復初四方無事殿下推而不居率土臣
民莫不稱頌但道路之口皆言皇帝與皇后奉事
殿下恭勤之禮甚加于往時而殿下遇之太嚴接
之太簡或時進見殿下雖賜之坐如待疏客語言

相接不過數句須臾之間已復遣去使之疑惑恐懼而不敢自親推其本原蓋由皇帝遇疾之際必有讒人造飾語言互相間搆撥拾絲毫之失無不納于殿下之耳殿下雖至仁慈不能無怨皇帝以剛健之性屈于衆口無以自伸能不憤悒遂使兩宮之間介然相失久而不解今殿下歸政皇帝臣恐讒人愈不自安力謀離間彼皆自營一身之私非爲國家與殿下之計也願殿下斥遠其人勿置左右召諭皇帝以向來紛紛皆此屬所爲自今以後母子之間當坦然無疑皇帝必涕泣拜伏感泣

推謝然後兩宫之歡一皆如舊凡皇帝皇后進見之際殿下宜賜以温顔留之從容往來無時勿加限絶或置酒語笑與之欣欣自得一如家人之禮如此則心平氣和眉壽無疆國家乂安内外無虞與其信任讒慝猜防百端終日戚戚憂憤生疾國家不寧禍亂横生二者得失相去遠矣皇帝内則仁宗同堂兄之子外則殿下之外孫壻今日爲萬民父母孰云非殿下之力固宜撫存愛念以終太惠不可追數得疾之時以爲罪咎至皇后自童孺之歲朝夕游戲于殿下之懷分甘哺果撫循煦嫗

有恩無威今正位宮中恃昔日之愛不自疏外猶
以童孺之心望于殿下或有求須不時滿意則愠
懟怨望不能盡如婦姑之禮殿下責之固其宜也
事過之後則不宜憎疾如仇讐方今宮闈之內殿
下骨肉至親止于皇帝皇后長公主及皇子公主
數人而已其餘皆行路之人于殿下何有哉夫貴
莫貴于爲天子之毋富莫富于四海之養有此富
貴而不能自樂使受恩之子婦彷徨而不自安踧
踖而不敢進雖内懷反哺之心而無由施展臣竊
爲殿下惜之臣父子皆蒙先帝大恩心非木石惟

望殿下毋子和悅國家安寧是臣所以爲報效也
七月十八日論任守忠十大罪乞正典刑
略云臣竊聞內侍省都知任守忠擅取奉宸庫金
珠數萬兩獻遺中宮仍受中宮賞賜伏以守忠蒙
先帝賞拔日侍左右專以詼諧諂諛苟求說媚罪
一總領近侍予奪自恣援引親黨排抑孤寒罪二
資性貪𤋮老而益甚珍寶溢私室第宅甲京師罪
三妄行威福所愛者雖有大罪掩蓋不言所惡者
雖有瑕疵糾責成事使宮禁之內側足屏息罪四
濮王之薨守忠監護喪事因匄奪不滿意誣長子

宗懿以不孝使被譴責感憤成疾以死罪五先帝屬意聖明守忠沮壞大策希圖倉猝之際擇立昏懦以邀大利罪六陛下既爲皇子守忠内懷憂懼日于先帝之前離間百端隔絶内外罪七及陛下纂統不幸遇疾守忠增飾語言撰造事迹交搆兩宫遂成深隙計其深謀無所不至罪八及皇太后恭還大政守忠陡異炎涼用昔時譏陛下之計爲今日譏皇太后之辭使皇太后終日涕泣悒怏成疾罪九皇后正位尚新天下聳觀令德守忠輒爲皇后畫策並不禀問皇太后矯傳教旨開祖宗寶

藏逆婦姑之禮開驕侈之源使皇后受其惡名而
已收其重利罪十也伏乞明示四方斬於都市
按此皇后即宣仁后也三疏中所稱不無于宣
仁有礙而宣仁卒爲婦德之冠元豐末首起公
爲輔相倚任略無猜嫌豈非臣主俱美哉抑或
初正位中宮時因公言而嚮成其德者實多歟
又皇后求須必禀于皇太后則公前疏所稱内
廷賜予中宮勿有所專者朝廷已行之矣公之
調停骨月功爲不小而當日之昌言不諱尤稱
盛事云

論內侍差遣

略云臣向時上殿伏見陛下宣論以內臣差遣並一切委之都知司臣當時奏陳以爲非便令任守忠恃此權勢至罪盈惡極幸賴陛下神斷斥而去之然不收還威福之柄則去一守忠生一守忠也伏望自今以後一應要切公事並親加選擢必擇其人忠勤有功者不職則立加貶退不必一一勘會資序檢尋體例

貢院乞逐路取人狀

略云勘會嘉祐三年五年七年三次科場內開封

府國子監並約四人五人中取一人及第而西北
河東陝西及近邊夔利等路至有全無人及第者
蓋緣每次所差試官皆兩制三館之人其所好尚
即成風俗淵源漸染文采自工而使僻遠孤陋之
人混同封彌考校長短勢不侔矣孔子曰十室之
邑必有忠信豈可大段不均如此國家用人之法
非進士及第不得美官非善爲賦詩論策不得及
第而非遊學京師者不善爲賦詩論策致使四方
學士老于京師自閒歲開科以來遠方舉人憚于
往還只在京師寄應妄冒戸貫比舊尤多朝廷雖

重爲科禁然以美官厚利誘人于前而以苛法空
文禁之于後必不行矣今柳村所請遂名黏名與
在京各以分數裁定委得均平允當或又謂諸路
自以文藝疏拙理宜黜退是大不然國家設官以
待賢能豈宜專取文藝四方之人雖于文藝或有
所短而其餘有益于公家之用者蓋亦多矣豈可
盡加棄斥耶乞隨其文理善惡每十人中取一人
其不滿十人者六人以上亦取一人五人以下更
不取如允所奏乞下貢院施行
參知政事歐陽修力言其不可者有六略云言事

之人但見每次科場東南進士得多而西北進士得少故欲改法殊不知四方風俗異宜東南好文故進士多而經學少西北尚質故進士少而經學多今以進士經學合而較之則其數多矣若必論進士則多少不等此臣所謂偏見之一端不可一也國家方以官濫爲患取士數必難增若欲多取西北卻須多減東南今東南進士取解者二三千人處只解二三十人是百人取一人蓋已裁抑之矣西北至多處不過百人而解至十餘人是十人取一人已十倍假借之矣若至南省又減東南而

增西北則是裁抑者復裁抑假借者又假借不可竝也東南初選已精故至南省合格者多西北初選已濫故至南省合格者少今若一例十人取一人則東南必多屈抑而西北必多謬濫至于他路理不可齊偶有一路合格者多亦限以十一落之偶有一路合格人少亦須充足十一之數使合落者得合得者落取合顛倒不可三也且朝廷專以較藝取人而使有藝者屈落無藝者濫得不問謬濫只要諸路數停不可四也且言事者本欲多取諸路士著之人若此法一行則寄應者必爭趨而

往今開封府寄應之弊可驗矣法出而姦生不可五也廣南東西路自知無藝只來一就省試而歸冀作攝官朝廷以北人不便嶺外煙瘴因亦許之今若一例與諸路十人取一其謬濫又非西北之比不可六也臣謂宜且遵舊制不問東西南北混二合爲一唯才是擇又黏名謄錄而考之其無情如造化其至公如權衡此乃當今可行之法爾若謂士習浮華當先考行就如新議亦須只考程藝耳安能必取行實之人哉

按分路取人公與歐陽公各執一論端臨馬氏

以歐陽之說爲是然南人之優于北者文藝耳

朝廷取人固不專尚文藝況汴宋鉅公碩德多

出西北故有祖宗朝不用南人爲宰相之言則

又似公之說爲允也

二十八日論程戡施昌言

略云夏國屢起事端邊境不可不備伏見鄜延經

略使程戡資性姦回涇原經略使施昌言老病昏

眛皆以斗筲罷愞之才當折衝禦侮之任一旦警

急必敗大事乞早擇智勇以代其任

九月三日乞日御講筵不宜于重陽後罷降

十月十日論除盜[illegible]

[illegible]略云竊聞降敕下京東西災傷州軍如委是家貧偷盜斛斗者與減等此大不便周禮荒政十有二皆推寬大之恩獨于盜賊愈更嚴急頃年州縣務爲小仁凶年小加寬縱必至盜賊公行或死或流然後乃定今若朝廷明降敕文則是勸民爲盜也恐始于寬仁終無酷暴意在活人而殺人更多伏望收還此敕嚴責州縣多方擘畫救濟如有一人敢劫奪人斛斗者並加擒捕依法施行[illegible]

論備邊[illegible]

疏略云去歲先帝登遐趙諒祚遣使來致祭高宜押伴入京語言輕肆致使者自訴于朝臣當時與呂誨上言乞加宜罪朝廷不以爲意今諒祚攻圍堡寨驅脅熟戶八十餘族殺掠弓箭手約數千人朝廷乃更賫詔撫諭彼順從則侮之傲很則畏之若更辭禮驕慢侵掠不已未審將何以待之伏望博延羣臣訪以馭邊之策不可外示閒暇而養成大患

論蓄積

[illegible]略云近歲宮中及民間皆不務蓄積一有水旱則

無以相救欲開倉振貸則軍儲尚猶不足欲括取于蓄積之家則富者又將告匱又使民間不敢積貯儻凶歲復至更于何處取之臣聞平糴之法必謹視年之上下而向時有司豐年不肯預爲收貯直至凶歲更行收糴官錢既少百姓不肯自來則搜括無異寇盜緣此穀價益貴伏望敕下災傷州軍見今收糴一切止住其有常平廣惠倉之處盡數出糴振貸并諭蓄積之家許行起息借貸與人候豐年官爲理索委轉運使相度豐稔之處價賤者廣謀收糴價平則止如本路闕少錢物即于他

處那移應副論者必謂官無閒錢臣見沿邊州軍
凶歲常用數百錢糴米一斗若豐歲可糴一石臣
不知有司何故于凶歲則有錢供億至豐歲則云
無錢也

十一月十五日論軍中階級

略云祖宗鑒唐末姑息之弊立軍制曰一階一級
全歸伏事之儀有敢違犯者罪至死近歲主兵臣
僚好施小仁務行寬貸遂使行伍之閒驕恣悖慢
是活一人之命而軍法不立漸至下陵上替所繫
乃億萬人之命也伏望申明階級之法敢有輒行

寛貸者嚴加罪譴

二十二日乞罷陜西義勇

韓魏公琦言唐置府兵最爲近古今之義勇河北幾十五萬河東幾八萬勇悍純實稍加簡閱即唐之府兵也陜西事當一體刺手背以爲義勇甚便乃命徐億等往陜西諸州籍每戶三丁之一刺之凡十五萬六千餘人人賜錢二千公上言此于民有世世之害于國家無分毫之利何謂于民有世世之害河北陜西河東景祐以前本無義勇凡州縣色役並上等有力戶支當其下等人戶除二稅

之外更無差徭自元昊叛亂契丹壓境遂于三路
八戸不問貧富但有三丁之家揀一丁充鄉弓手
及强壯其時西邊事宜尤急尋將陝西鄉弓手盡
刺面充保捷正軍其河北河東稍緩遂只刺手背
皆爲義勇比于陝西雖免離家去鄉戍邊死敵之
患然一刺手背則終身拘繫或欲遠出幹事羅賤
販貴或遇水旱凶荒欲分房逐熟或典賣田產欲
浮遊作客皆慮官中非時點集不敢東西又當差
點之際州縣之吏寧無乞覓教閲之時人員教頭
寧無斂掠是于常時色役之外添此一種科徭也

若果然無害于民則民皆樂從又何必更刺其手背以防逃竄乎況陝西于慶厤年中民家已各喪一丁刺充保捷矣今又取其次丁充義勇不較之河北河東而更甚乎且既籍之後州縣義勇皆有常數每有逃亡病死必隨而補之是使陝西之民世世子孫常有三分之一爲兵也臣故曰于民有世世之害也何謂于國無分毫之利唐初府兵各有營府不屬州縣有將軍郎將折衝果毅以相統攝是以令下之日數萬之衆可以立具今鄉兵則不然雖有軍員節級之名皆其鄉黨姻族平居相

與拍肩執袂飲博鬬毆之人非如正軍有階級上
下之嚴也平居無事聚集教閱則上有行陣旗鼓
關弓纘弩坐作叫噪一聞敵寇大入邊城不守殺
掠蹂踐卷地而來則莫不風聲鶴唳奔波迸散其
軍員節級將逃竄自救之不暇豈有一人能爲縣
官率士卒而待寇乎臣故曰于國無分毫之利也
又曰今建議者必曰即日河東河北不用衣糧而
得勝兵數十萬皆教閱精熟可以戰敵又兵出民
間合于古制臣請言其不然彼數十萬者虛數也
教閱精熟者外貌也兵出民間者民與古同而實

異也何以言之河北河東州縣既承朝廷之意各揀刺義勇只求數多據帳籍言之誠有數十萬之衆矣萬一敵寇在近官中急欲點集之時則一人不可見矣豈非虛數乎平常無事州縣教閱之日觀者但見其旗號鮮明鉦鼓備具行列有序進退應節卽歎美以爲眞可戰敵殊不知彼皆隊舞聚戲聞敵寇之來則瓦解星散不知所之矣豈非外貌乎古者兵出民閒耕桑之所得皆以衣食其家故處則富足出則精銳今既賦斂農民之粟帛以贍正軍又籍農民之身以爲兵是一家獨任二家

之事也豈非名與古同而實異乎又自臣于康定慶曆間丁憂在陝備見當日籍鄉弓手事始者明出敕牓云但欲使守護鄉里必不刺充正軍牓猶未收而已盡刺充保捷指揮令于邊州屯戍矣當此之時自陝以西號哭之聲彌天亙野盡室逃避官中繫其父母妻子急加追捕鬻賣田園以充購賞暨刺面之後人員教頭利其家富百端誅剝衣糧不足以自贍須至取于私家或至屯戍在邊則更須千里供送祖父財產日銷月鑠以至于盡況其平日所習唯桑麻耒耜至于甲冑弩槊雖日加

教閲不免生疏而又資性戇愚加之畏懦臨敵之
際得便即思退走不唯自喪其身兼更搜動大陣
自後官中知其無用遂大加沙汰給與公憑放令
逐便而惰游已久不復肯服稼穡之勞兼田産已
空無復歸處皆流落凍餒不知所在長老至今言
之猶長歎出涕其爲失策較然可知今朝廷雖云
止刺手背只在鄉里不令戍邊而朝廷號令前後
失信已多雖復家至戸説終不肯信逃亡避匿刑
獄必繁怨嗟之聲足以動揺羣心感傷和氣萬一
諒詐大擧入寇乃欲驅此烏合村民以拒之不亦

難乎此適足取諒祚之笑而已凡六上劄子五進狀不聽

公復至中書與魏公辨魏公曰兵貴先聲諒祚方桀驁使驟聞益兵二十萬豈不震懾公曰兵貴先聲者爲無其實也獨可欺于一日之間耳今吾雖益兵實不可用不過十日彼將知其詳尚何懼魏公曰君但見慶歷閒鄉兵刺爲保捷憂今復然已降敕與民永不充軍戍邊矣公曰朝廷常失信民未敢以爲然雖光亦不能不疑也魏公曰吾在此君無憂公曰君長在此地可

也異日他人當位因公見兵用之運糧戍邊反
掌閒事耳魏公默然訖不爲止不十年皆如公
慮
按稽古録是年十一月乙亥詔刺陜西農民爲
義勇無慮十四萬人
十二月五日乞賜降黜
略云臣以論陜西義勇事不當上意乞賜降黜未
蒙施行蓋謂臣一言不從未可遽求引去然臣非
獨爲此一事而已臣備位諫職三年有半比于臣
未作諫官之時無分毫之勝豈可不自媿恥偷竊

寵榮云云

是年進歷年圖五卷

稽古錄序云采戰國以來至周之顯德凡小大之國所以治亂興衰之迹舉其大要集以爲圖每年爲一行六十年爲一重五重爲一卷其天下離析之時則置一國之年于上而以朱書諸國之君及其元年繫于其下從而數諸國之年則皆可知矣凡一千三百六十有二年離爲五卷命曰歷年圖後注云右周威烈王二十三年至周顯德六年并論序臣于英宗皇帝治平元

年所進不可考其月日故附載于此

治平二年乙巳　公年四十七歲

公知諫院

正月十日論陳述古宜加重辟

略云陝西都轉運使陳述古嘗因巡邊妄奏西鄙寧靜後因副總管劉几稱西人將入寇怒其與己違異擅移几知鳳翔府未幾殺掠弓箭手及熟戶蕃部數千人亦不發兵救援朝廷止勘其奏狀不實及擅移劉几以爲罪不至重臣竊以熟戶蕃部及弓箭手皆生長邊陲習于戰鬭國家賴以藩蔽

述古自避顚覆之辜抑遏將官不許救護致委數
千戸于虎口恐後日諸路皆不敢于極邊居止熟
戸蕃部皆有叛國從賊之心爲害不小乞投之荒
裔以謝邊民
十一日論皮公弼不宜權發遣三司判官
略云尚書都官員外郎皮公弼所在以貪饕致富
在京師造請不倦近降詔書權發遣三司判官九
年之内擢爲職司是開此僥倖之門以爲佞邪躁
進之途也伏望勒歸本任
十三日論王廣淵不宜除直集賢院

略云廣淵雖薄有文藝而善進取稱爲第一昔漢
景帝爲太子召上左右飲衛綰獨稱疾不行及卽
位待綰有加周世宗鎮澶淵張美爲三司吏悉力
應奉及卽位薄其爲人不用今廣淵當仁宗之世
以文章私自結于陛下豈忠臣哉願黜之以厲天
下

二月五日論招軍

略云臣聞朝廷于在京及諸路廣招禁軍其災傷
處又招飢民以充廂軍竊唯西邊用兵之時廣加
招募之兵及千人特遷一官以此冗兵愈衆國力

愈貧見今府庫殫竭倉廩空虚不知何苦更復召
募是蓋只取虚數不論疲輭况飢民止因一時乏
食若刺以爲兵是使之終身失業也伏望罷詔據
所有斛斗救濟俟豐稔仍復舊業幸甚
三月蒙恩給假至陜州焚黄有感懷紀事詩蓋自皇
祐二年庚寅告歸至是十六年矣有十六載重歸
順塗歌式微之句又辭墳詩一首自序云嘉祐元
年通判并州因公事至絳私歸拜墳不敢至夏縣
而去于今十年有十年一展墓旬浹復東旋之句
遊三門開化寺有我來何所得聊此濯塵纓之句

十五日宿魏雲夫山莊

詩有云不惜煙霞地暫容韁鎖身明月空回首白雲應笑人

登平陸北山回瞰陝城有奉寄李八丈學士詩栢龍依仁域棠陰接故園懷歸聊露請予告辱推恩

陝城桃李零落已盡硤石山中今方盛開馬上口占一絕云西望飛花千樹暗東來芳蕊一番新行人不惜泥塗倦喜見年光兩處春

四月十九日論錢糧

略云臣今蒙恩給假至陝州焚黃竊見緣路諸州

倉庫空乏至官吏軍人料錢月糧並須逐旋支給其餘臣所不到處可知窘竭如此何以爲國伏望明諭中外文武臣僚有熟知天下錢糧利害者並許上書自言擇其材幹出羣者爲轉運使副判官及三司使副判官仍每至年終撮計天下錢穀盈縮以行升黜

與翰林學士王珪等上濮安懿王典禮議

時英宗已大祥初公知帝必將追隆所生嘗因奏事言漢宣爲孝昭後終不追尊衛太子史皇孫光武上繼元帝亦不追尊鉅鹿南頓君旣而韓琦等

言禮不忘本濮安懿王德盛位隆所宜尊禮請下
有司集議帝令須大祥後議之至是詔禮官與待
制以上議王珪等相視莫敢發公獨立議云爲人
後者爲之子不得顧私親若敬愛之心分于彼則
不得專于此秦漢以來帝王有自旁支入承大統
者或推尊父母以爲帝后皆見非當時取譏後世
況前代入繼者多宫車晏駕之後援立之策或出
臣下非如仁宗皇帝年齡未衰深維宗廟之重祗
承天地之意于宗室衆多之中簡拔聖明授以大
業陛下今日所以負扆端冕子子孫孫萬世相承

者皆先帝徳也臣等竊以爲濮王宜準先朝封贈期親尊屬故事高官大國極其尊榮譙國太夫人王氏襄國太夫人韓氏仙遊縣君任氏並改封大國太夫人考之古今實爲宜稱

珪郎命吏具以光手稾爲案議上中書奏珪等所議未見詳定濮王當稱何親名與不名珪等議濮王宜稱皇伯而不名參知政事歐陽修引喪服大記以爲爲人後者爲其父母降服爲期而不沒父母之名以見服可降而名不可沒也若本生之親改稱皇伯前世皆無典據進封大國則又禮無加爵

之道請下尚書集議
五月十二日論環慶路經略使孫長卿不宜加集賢
院學士充河東路都轉運使
略云長卿前在環慶不曉邊事熟户番部叛亡幾
盡宜加譴責豈宜更授以重任乞改前命于遠小
處責降
六月二十八日論北邊事宜
略云近聞契丹之民有捕魚界河伐柳白溝之南
者朝廷以知雄州李中祐爲不材選將代之竊以
國家當戎狄附順之時好與之計較末節爭競細

故及其桀驁又從而姑息之益使戎狄有輕中國之心近者西戎之禍生于高宜北狄之禍起于趙滋朝廷方賢此二人故邊臣皆以生事爲能今若選將代中祐則來者必以滋爲法而以中祐爲戒漸不可長宜敕邊吏疆埸細故徐以文檄往反使其官司自行禁約若輕以矢刃相加者坐之

七月初六日除龍圖閣直學士判流內銓改右諫議大夫

公辭狀略云臣准閤門告報已降敕命除臣龍圖閣直學士散官差遣並依舊者臣自嘉祐六年七

月初入諫院到今已涉五年國朝以來居此官未有如臣之久者與人立敵前後甚衆朝夕冀望解去不意更加獎擢授以美職仍居舊任既荷寵祿則猝無得去之期禍敗必不可免伏望聖慈憫其久在諫職使得息肩于外只以舊職知河中府或襄虢晉絳一州所除龍圖閣直學士敕告更不敢祗受

狀三上尋得旨免諫職餘依前降指揮

八月十一日上疏論三事時京師大水

略云近日水災之變耆耋之人皆言耳目所記未

嘗覩閭陛下安得不側身恐懼思其所以致此之

咎乎皇太后鞠育聖躬在于襁褓陛下有疾皇太

后于先帝梓宮之前叩頭祈請額爲之傷豈可謂

無慈愛之心于陛下不幸爲讒人離間遂介然有

隙傳曰大德滅小怨先帝擢陛下于衆人之中爲

天子唯以一后數公主屬于陛下而梓宮在殯已

失皇太后之歡心長公主數人皆屏居閒宮希曾

省視今設有閭里之民家有一妻數女及有數畝

之田十金之產老而無子養同宗之子以爲後其

人既沒其子得田產而有之遂疏母棄妹使之愁

憤怨歎則鄰里鄉黨之人謂其子爲何如人哉此陛下所以失人心之始也先帝厭倦萬幾遂以天下之事委之兩府陛下卽位益事謙遜凡有奏請不肯予奪知人之賢不能舉知人不肖不能去知事之非不能改知事之是不能從此天下所以重失望也國家置臺諫之官爲天子耳目防大臣壅蔽大臣裁定政事而臺諫或以異議干之陛下當自以聖意察其是非今乃復付之大臣彼安肯以己之所行爲非而以他人所言爲是是陛下獨取拒諫之名而大臣坐得專權之利以君相之重而

欲以賤臣校其勝負是以四方懷忠之士皆望風不進結舌沮氣此天下所以又失望也伏願于此三者皆留聖念行以至誠勿謂空言人心既悦天道自和百穀蕃昌嘉瑞並至豈不美哉

十四日乞節用上殿

略云公私窮窘固非一日今復遇大災非痛自節約無以應答天意節用之道必自近始伏望上自乘輿服御之物下至親王公主婚嫁之具悉加裁損出六宮冗食之人罷後苑文思苑所造淫巧服玩止諸處不急之役然後命有司考求在外凡百

浮費一切除去羣臣勿濫加賞賜將來南郊自非
犧牲玉帛供神之物其餘靑城儀仗亦令有司參
詳減省臣聞凶荒殺禮事天貴內誠而賤外物故
器用陶匏席用稿秸況于儀仗之類何爲不可減
乎此不可與庸俗之人執文泥例者謀之唯在聖
意斷之而已

十七日論濮安懿王典禮

略云向者詔羣臣議合行典禮王珪等二十餘人
皆以爲宜準先朝封贈期親尊屬故事而政府獨
欲尊濮王爲皇考巧飾辭說惑誤聖聽臣請爲陛

下別白言之政府言儀禮云爲人後者爲其父母

即出繼之子于所生稱父母之明證臣按禮法必

須指事立文使人曉解今欲言爲人後者爲其父

母之服若不謂之父母不知如何立文此乃政府

欺罔天下之人謂其皆不識文理也又言漢宣光

皆稱其父爲皇考夫宣帝以孫繼祖故尊其父爲

皇考而卒不敢尊其祖爲皇祖考至光武名雖中

興其實創業即自立七廟猶非太過況但稱皇考

其謙遜甚矣今陛下親爲仁宗之子以承大業而

復尊濮王爲皇考則置仁宗于何地乎設使仁宗

尚御天下濮王亦萬福當是之時命陛下爲皇子不知謂濮王爲父爲伯若先帝在則稱伯沒則稱父臣計陛下必不爲此行也以此言之濮王當稱皇伯又何疑矣

歐公言行錄公嘗自云修平生何嘗讀儀禮偶一日至子弟書院中几閒有之因取讀見爲人後者爲其父齊衰杖期云云其意與修合由是破諸異議自謂得之多矣據此歐公于禮經實鹵莽此語乃其從實供招而復云得之多則仍是護前如此大事豈容以護前取勝也

乞改郊禮

略云國朝之制三歲一郊仍于其間改用禮者甚衆非奉天之意有倦略事有不得已者也今暴雨爲災圜丘之側流潦尚深青城之材頗多散失加以寒冬將近諸營漂沒屋宇敗壞衣裼俱盡臣謂此時不可不小有變更若隨時損益于九月十月之間于大慶殿恭謝天地亦足昭寅畏之志減省大費無便于此

十月乞經筵訪問

略云臣備員勸講見陛下好學不倦然未嘗發言

有所詢問恐未能宣暢經旨乞自今或有臣等講解未盡之處乞賜詰問或慮一時記憶不能詳備者許令退歸討論次子引具劄子敷奏

十二月十七日乞令選人試經義

略云舊制資蔭出身人初授差遣者並令審官院流内銓試詩賦論或五經墨義十道近來多乞試詩就使詞采高妙施于治民亦無所用乞今後試孝經論語共三道仍面加詢問使之口説擇其義理精通者並與家便差遣庶使公卿子弟皆向學知道

司馬太師温國文正公年譜卷之三

司馬太師溫國文正公年譜卷之四

錫山顧棟高編輯

吳興劉承幹參校

治平三年丙午　公年四十八歲

公爲龍圖閣直學士

正月辛酉從兄太常少卿里卒于乾州官舍公作墓誌

十三日論追尊濮安懿王爲安懿皇

略云前世帝王以旁支入繼大統尊其父爲皇者

自漢哀帝始其後安桓靈繼之今陛下法漢之昏

主不足以爲榮仁宗德澤在人海内所以歸附陛下者以親受仁宗之命爲之子也今加尊號于濮王孰不解體不足以爲利孝子愛親則祭之以禮今以非禮之虚名加于濮王于濮王亦復何益此蓋政府欲文過遂非不顧于陛下之德有所虧損也又聞欲託皇太后手書及不稱考而稱親雖復巧飾百端豈能欺皇天上帝與天下之人乎

進通志表

略云臣少好史學病其煩冗常欲刪去其要爲編年一書力薄道悠久而未就伏遇皇帝陛下留意

藝文講求古訓臣有先述通志八卷起周威烈王二
十三年盡秦二世三年史記之外參以他書于七
國興亡之迹大略可見不敢自匿謹繕寫隨表上
進
三月八日論呂誨范純仁呂大防不宜出外
公以龍圖閣直學士奉敕修纂類篇
寶元二年十一月翰林學士丁度等奏今脩集韻
添字既多與顧野王玉篇不相參協欲乞委脩韻
官將新韻添入別爲類篇與集韻相副施行時修
韻官獨有史館檢討王洙在職詔洙脩纂久之洙

卒嘉祐三年九月以翰林學士胡宿代之三年四
月宿奏乞光祿卿直祕閣掌禹錫大理寺丞張次
立同加校正六年九月宿遷樞密副使又以翰林
學士范鎮代之治平三年二月范鎮出知陳州又
以龍圖閣直學士司馬光代之見類篇卷後記

三月二日論傅堯俞趙鼎趙瞻不宜出

時三人新使契丹還上疏乞與誨同貶

十二日乞與傅堯俞等同責降

略云臣于陛下即位之年四月二十七日已曾上
疏豫戒追尊之事及政府請議典禮陛下令候過

大祥臣與傅堯俞等六人卽白政府以爲人後者
不得顧私親之議及詔禮官詳定臣又獨手撰奏
章若治其罪臣當爲首今堯俞等皆已遣逐而臣
蒙恩除龍圖閣直學士同罪異罰有累公朝臣實
無顏尙居故位乞一例責降
夏四月辛丑詔編歷代君臣事迹
公奏曰紀傳之體文字繁多學者不能綜泯千人
主欲上自戰國下至五代凡關國家盛衰生民休
戚善可以爲法惡可以爲戒者依左氏傳體爲編
年一書名曰通志約戰國至秦二世爲八卷以進

英宗悅之命續其書置局祕閣公又薦翁源縣令
劉恕將作監主簿趙君錫有史學乞同修詔從之
後君錫以父喪不赴命太常博士劉攽代之
此據續通鑑所載案公作十國紀年序云英宗
命自擇館閣英才同修公對曰館閣文學之士
誠多至于耑精史學臣所知唯和川令劉恕一
人而已與此所稱翁源令稍異
公與劉道原書云近因修南北朝通鑑得細觀
李延壽書敘事簡徑比于南北朝正史無煩冗
蕪穢之詞竊謂可亞陳壽恨不作志使數代制

度沿革皆沒不見道原五代長編若不費功計
不日卽成若與沈約蕭子顯魏收三志依隋志
篇目刪次補葺別爲一書與南北史隋志並行
則雖正史遺逸不足患矣不知肯有意否其符
瑞等皆無用可刪後魏釋老志取其要用者附
于崔浩傳後官氏志中氏族附于宗室及代初
功臣傳後如此則南北史更無遺議矣

治平四年丁未　公年四十九歲

公任龍圖閣直學士

春正月八日英宗崩神宗卽位

二月公知貢舉

公率同列上言所考試合格進士許安世以下三百五八人分四等明經諸科二百十一人分三等詔進士第一第二第三等賜及第第四等賜同出身明經諸科第一第二等並賜及第第三等賜同出身敕下貢院放榜長編

宋初承唐五代每歲一行貢舉至眞宗天禧三年改爲四歲一行至仁宗嘉祐二年改爲閒歲一行至是始定三年一貢舉之制百世不改案稽古錄云是年十月丁亥詔自今三年一開舉場

參知政事歐陽修疏薦

略云臣伏見龍圖閣直學士司馬光德性淳正學術通明自列侍從久司諫諍讜言嘉話著在兩朝自仁宗至和服藥之後羣臣便以皇嗣爲言五六年間未有定議最後光敷陳激切感動主聽仁宗豁然開悟遂決不疑由是先帝選自宗藩入爲皇子曾未踰年仁宗奄棄萬國先帝入承大統蓋以人心先定故得天下帖然今以聖繼聖遂傳陛下由是言之光于國有功爲不淺矣而其識慮深遠性尤愼密光既不自言故人亦無知者今雖侍從

日承眷待而其忠國大節隱而未彰臣忝在政府
詳知其事不敢不奏
按公以濮議與歐公齟齬爲不少矣而歐之薦
公不遺餘力古大臣之用心如此未幾歐罷參
知政事而公遂駸駸大用
三月除翰林學士固辭不許有辭免翰林學士狀二劄子一
帝面諭公曰古之君子或學而不文或文而不學
唯董仲舒楊雄兼之卿有文學何辭爲公曰臣不
能爲四六上曰如兩漢制詔可也公曰本朝故事
不可上曰卿能舉進士取高等而曰不能四六何

也公趨出上遣內臣至閤門强公受告拜而不受趣公入謝曰上坐以待公公入至廷中以告置公懷中不得已乃受行狀

閏三月議祧遷

略云臣先于嘉祐八年仁宗祔廟時已曾上言僖祖當遷夾室當時議臣皆不以爲然朝廷遂從衆議臣謹按王制稱天子七廟三昭三穆與太祖之廟而七明太祖之外止有三昭三穆是以前代帝王于太祖未正東向之時大率所祀不過六世若僖祖于今日方議祧遷則是太祖之外更有四昭

三穆與太祖之廟而八不合先王典禮臣愚以爲
仁宗祔廟之時僖廟已當遷于夾室今大行皇帝
祔廟順祖當遷于夾室臣既承昭旨與議不敢不
盡所見以對
是年英宗升祔始遷僖祖于夾室後熙寧六年
王安石復用元絳之議謂若是則子孫得以功
德加其祖考乃復僖祖還太廟爲始祖王偁曰
甚矣禮之難言也宋興創業垂統實自太祖而
始祖之奉乃捨本統之所因而推追尊之所自
是豈合于禮哉元絳之言美則美矣而未盡善

也至今太祖東向之位猶未正云

按伊川謂畢竟介甫所見高于世俗之儒朱子因之遂力祖安石議而絀韓維孫固及公之説與汝愚爭辨夫程朱大儒豈後世所敢輕議然公此議畢竟允協後之議禮者自辨之

夏四月除御史中丞

初中丞王陶謀欲易置大臣自規重位因劾韓琦不押文德殿班爲跋扈琦閉門待罪吴奎以陶爲過言詔陶爲翰林學士而公爲御史中丞兩易其任奎又言陶排抑忠良不黜無以責大臣展布陶

遂言奎附宰相欺天子帝以陶過毀大臣出知陳州奎亦罷知青州公言宰相不押班綱故也陶言之誠過然自頭宰相權重今陶復以論宰相罷則中丞不可復爲臣願候宰相押班然後就職復言吳奎名望素重于陶今與陶並黜恐大臣皆不自安請且留奎政府以慰士大夫之望帝並從之

初除中丞上殿劄子

略曰臣蒙恩備位風憲天下細小之事皆未足言先以脩身治國之要爲陛下陳之此太平之原本也脩心之要有三曰仁曰明曰武治國之要有三

曰官人曰信賞曰必罰臣爲諫官時卽以此六言

獻之仁宗其後以獻英宗今以獻陛下平生學力

所得盡在是矣

五月十三日乞留韓維呂景

略曰二人爲陛下腹心耳目之臣于臣僚中最爲

難得一旦俱從外補臣竊爲陛下惜之必若不可

留乞于舊臺官呂大防郭源明馬默等數員內選

擇一人以補其闕所貴得質直之人克厭衆心

二十三日乞簡省御史條約

略曰伏見國家每選御史官拘定資序是以百僚

之中可舉者至少苟資序相值則又未必賢夫御史之職但當求忠亮方正之人區區資序何足比較乞自今減省條約庶幾取人路廣有可選擇

二十四日上聽斷書

略曰近來政府言職迭相攻毀分爲兩朋有如讎敵蓋由人臣各務逞其私志互爭勝負不顧已之是非人主不忍違逆人情兩加全護不肯判其得失是以紛紛日鬬而未有已也人君當以剛健爲德以重厚爲威乞自今後以大公至正之道決之若大臣所謀果是不必顧惜言者言者所陳果當

不必曲徇大臣位無高下言無先後唯是之從若其人固有爭執陛下更以理道往返與相詰難果有可取勿憚改爲若漢宣帝之于趙充國則萬事無不當矣必若是非顯然而其人彊很不已雖加罪黜天下豈以爲不可哉

乞不更責降王陶

初陶出知陳州謝章詆宰相不已執政議再貶陶公言陶誠可罪然陛下欲廣言路屈己受陶而宰相獨不能容乎乃已

略云竊聞政府以王陶謝上表語言狂率慈爲詆

毁欲乞重有责降臣伏见仁宗皇帝以来委政宰
辅宰辅之权诚为太重今若又以表文为诋毁重
加责降臣恐人主之权益去大臣之势遂成兴衰
之识于此乎在伏乞于宰臣进呈之际谕以躁人
之言不足深责前已斥外岂可更加贬责若其再
三执奏则正色语以王陶前作中丞讥切朕躬不
无过敌之语朕亦未尝加怒欲以开广言路岂可
触犯卿等必欲再三责降方为快意耶此非欲保
全王陶欲使臣僚知陛下英武他日大臣傥有欺
妄臣下敢言之耳

按公疏中曰不滿魏公豈非以其剌義勇事太固執耶然王陶謂魏公跋扈實出小人傾險覬居重位非如唐子方于文潞公之比但魏公似宜避嫌耳而吳奎謂宜加遠斥以保全大臣豈可謂之阿附哉乃公于王陶則曲爲寬假于魏公則責賢者備幸逢魏公大度于公始終無嫌間若判公當不免虎口矣

六月三日論王廣淵

略曰臣待罪憲府受任以來于今踰月而寂無所糾誠負大恩伏見直龍圖閣兼侍讀王廣淵傾巧

姦邪交結近侍乞盡奪去職名除一遠地監當已而以舊職出知齊州仍賜章服公言如此乃是賞之非斥之也乞依臣前奏并去比來章服

論郭昭選等不宜除閤門祗候

略曰國初草創天步尚艱故即位之始必以左右舊人爲腹心耳目近遂踵爲故事凡東宮僚吏一概超遷謂之隨龍夫閤門祗候在文臣爲館職豈可使厮役爲之又聞因昌王入言得此特旨此尤不可陛下之于昌王但當極其友愛至爵賞權柄當決之聖心昌王亦不當闗預陛下亦不當聽從

漢館陶公主爲子求郎明帝宜不許况爲他人求
官職乎
六月十一日論高居簡不宜仍句當御藥院乞加竄
逐
略曰祖宗以御藥之職最爲親密至内殿祟班即
令出外蓋以日月寖久官資稍高防其憑恃威靈
竊弄權柄慮至深遠伏見高居簡巧讒善佞久處
近職罪惡甚多宜亟行竄逐或聞陛下欲待居簡
自求引退此特以待國之大臣耆年有德者則可
爾豈所施于閹閣小臣彼自託宫禁譬如狐鼠依

憑城社豈肯離去伏望陛下送居簡付所司明治
其罪以彰至公之道章五上上爲盡罷寄資內臣
居簡亦補外
按宋之法制如此豈復有明季宦官之禍況宋
制內官極品不過云內殿崇班而明乃有司禮
秉筆之稱以絲綸之柄寄于閹寺之手紀綱安
得不倒置哉
六月十七日言振贍流民
略曰臣竊見朝廷差官支撥粳米給河北經過流
民大人一斗小人五升仍告諭在京難以住泊令

速往豐熟州軍存活者臣竊恐朝廷此舉有損無益何則民之去來視乎利害若京師可以住泊雖驅之亦不肯去若外州可以存活雖留之亦不肯止固非口舌所能告諭令京師差官散米恐河北饑民未流移者聞之亦且誘引入京京師之米有限而河北饑民無窮既而無米可給則不免聚而餓死一斗五升之米止可延數日之命豈能濟其饑饉之厄哉夫民非樂去其鄉直以豐稔之歲糶米狼戾公家既不肯收糴私家又不敢積蓄上下偷安莫爲久計一遇水旱則索然無以相救加之

監司守宰多不得人增無名之賦與不急之役民無以爲生遂不免有四方之志委其累世之業相攜就道若所詣之處復無所依進退失據彼老弱不轉死溝壑壯者不起爲盜賊將安歸乎以臣愚計莫若謹擇公正之人爲監司察守宰不勝任者易之然後多方那融斛斗先振土著農民若富室有蓄積者官給印歷聽其舉貸量出利息候豐熟之日官爲理索示以必信不可誑誘則將來百姓爭務蓄積而饑民知有可生之路自然不棄舊業浮游外鄉居者既安則行者思返縣縣皆然豈得

復有流民哉臣向謂王者以天下爲家不可使惻

隱之心止于目前者此也

按公此疏則貧民舉債富民取息官且代爲清

理是勸富民積蓄而使貧民有可生之路也荆

公乃惡其兼并而欲以青苗代之夫使民與民

交易雖兼并不至甚病而況又有官法以持之

若使官與民交易則有州縣之抑配吏胥之侵

尅里正之追呼官府之敲朴如以石壓卵其勢

立碎患不可同年語矣且官出印歷則富民不

敢重取利貧民亦不敢不思償又此止行于凶

歲非如青苗之法歲歲必欲取四分之息也其利害之相去不較然遠哉

本朝上蔡張沐爲內黄令歲饑勸民富出貸令俟豐熟日出息以償未幾富民爭出粟縣遂以濟張清恪公伯行救荒事宜亦云勸諭蓄積之家許行出利借貸與人候豐熟日償還如有姦猾之人不肯償還者官爲理索追比不令逋欠是近世名賢猶有舉行公之遺意者

七月二十七日論王中正不可句當御藥院

略曰伏見陛下盡罷寄資近臣高居簡等令補外

中外欣然尋聞復留陳承禮劉有方三人又以王
中正句當御藥院是去一居簡得一居簡也中正
素聞姦猾頗好招權又聞陛下好令內臣采訪外
事及羣臣能否夫陛下有腹心耳目股肱之臣天
下之事何患不知今乃深處九重之內采道聽塗
說之言納曲躬附耳之奏哉是讒邪得以逞其愛
憎而陛下爲之受其譏謗也聞中正差往陝西知
涇州劉渙等曲加諂奉鄜延路鈐轄吳舜臣違失
其意俄而渙等進擢舜臣降黜是中正弄權已有
明驗臣恐天下將輿金輦璧而奉之矣外議又言

山陵禮畢韓琦必求引退兩府當有遷補萬一有
無廉恥之人或陰結此屬以求進用此治亂安危
之本不可不察

論王中正第三劄子

略云伏奉手詔王中正等事得之何人臣蒙恩擢
御史中丞凡與賓客語言無不詢訪時事率皆奏
陳此事臣得之賓客前後非一人至事之有無唯
陛下知之若無臣不敢避妄言之罪萬一有之不
可不戒

八月八日英宗靈駕發引二十七日葬永厚陵公奏

敕充山陵儀仗使賜絹一百匹錢二百貫充盤纏

二十九日降中使賜餡金五十兩銀合重三十兩

三上章辭從之

九月八日論石椁

略曰永厚陵皇堂卷鞏石四重其二重並寄枋木之上陛下孝心深遠以爲枋木終歸朽腐儻異日石隕墜于梓宮非便發自聖謀欲爲石椁而修奉山陵都護宋守約鈐轄張若水乃敢百端沮難令石匠作頭供狀稱進入梓宮後連夜造作計二十四時辰方得了畢如別差人定奪能先得了當者

甘軍令不辭是致日期皆曾改移臣目覩内臣黃
懷信用夷狀澀狀等下梓宫數刻之間安厝已畢
乃知守約等欺罔挾詐乞嚴行責降遇赦不原黃
懷信宜優與酬奬
論衙前
略曰近下詔書以州郡差役之煩令民無敢力田
積穀求致厚產令中外臣僚詳定利害奏聞者臣
見國家以民間苦里正之役改置鄉戶衙前又以
鄉貧富不同乃立定衙前人數選物力最高者一
戶補充行之十年民困愈甚富者反不如貧貧者

不敢求富其故何也向差里正例有更番借使鄉有上等十户一户應役則九户休息可以蓄意營生今衙前乃一槪差遣其有力人户常充重役自非家計淪落則永無休息之期以爲抑强扶弱寬假平民殊不知富者旣盡則貧者亦必不免是使日削月朘磨滅消耗不至民窮而爲盜賊不止也又里正止管催稅人所願爲衙前所管官物乃有破壞家產者是民之所苦在衙前不在里正今廢里正而存衙前是廢其所樂而存其所苦也臣嘗行村落中見農民生具甚微問其故皆曰不敢爲

也今欲多種一桑多置一牛蓄二年之糧藏十匹
之帛鄰里已目爲富室指抉以爲衙前矣況敢益
田疇葺廬舍乎臣聞其言惄焉傷之安有聖帝在
上使民不敢爲久生之計伏望特下指揮令州縣
相度上件里正衙前與鄉戶衙前各具利害奏聞
隨其所便別立條法庶令百姓敢營生計

此荆公僱役之法所由始也其法分民之貧富
爲五等輸錢名免役錢若官戶女戶寺觀單丁
未成丁者亦等第輸錢名助役錢先是州縣雇
直多少隨戶等均取雇直又增取二分以備水

旱謂之免役寬賸錢

當時以衙前爲重役當之者無不破家竭產韓

絳爲江南東西路安撫使爲五則衙前奏行之

民以爲便及爲三司使首建議除鄉役及弓手

與蠲除外其餘並出錢品官不必充役而無業

之民得以應募判公領條例司深以爲然遂推

廣衙前之法以及他役上下皆以爲便范忠宣

獨憂之曰民力自此愈困矣或曰每歲差夫一

丁費萬錢今以七千免一丁又免百姓奔走執

役豈不便乎公曰每歲差夫雖曰萬錢然隨身

者不過三千又得一丁就食于官今免夫所出
七千盡歸于官矣民又坐食于家葢力者身之
所出錢者非民所有今捨所有而征所無民安
得不病此一事富民不親執役者以爲便窮民
有力而無錢者非所便也又況差夫必計其的
確合用之數縱使所差倍其所役則力愈衆民
愈不勞今若出錢免夫雖三分之二亦可取十
分免夫錢其弊無由致察又從來差夫不及五
百里外今免夫錢無遠不届若遇掊克之吏則
爲民之害無甚于此

九月二十四日論橫山

略曰臣聞有邊臣言趙諒祚部將輕泥𡁠側欲以橫山之衆攻取諒祚朝廷許令招納臣竊唯諒祚雖時有偃蹇然猶稱臣奉貢未敢顯然自絕今乃誘其叛臣以圖之恐邊事之興由此而始𡁠側自程戡在鄜延時已有聲聞云欲歸降迄今數年朝廷屢召邊臣與之謀議安有虜中全不覺悟寂無誅討者臣竊疑其內挾詐謀或者諒祚久懷逆計以朝廷待之恩禮優厚無因而發故遣其部將詐降以卜之若朝廷受之則將歸曲而責直得爲以

背叛之名或者使其部將詐言勢孤力弱不能獨
制諒祚乞朝廷遣將出師爲助而陰設伏兵以徼
大利此二者皆未可知若一有之則今日受之正
墮其計中矣縱使嚷側實有降心葢亦私有忿恨
或别負罪慝反側不安欲藉大國之威其所部之
民未必肯盡從也雖其自言權勢之强甲兵之盛
葢亦自誇以求售實未必然借令實能舉兵以敵
諒祚戰而勝之則是滅一諒祚生一諒祚也若其
不勝必引其餘衆南奔中國諒祚悉其境内之民
以追之怒氣直辭長驅入塞當是之時非口舌文

移所能解臣恐朝廷不唯失信于諒祚又將失信
于嚷側也若嚷側餘衆無幾猶可以縛而送之以
綏諒祚之兵然形迹已露諒祚必叛無疑也若嚷
側餘衆尚多還北不可入南不受窮無所歸必將
突據邊城以救其命更爲中國之患陛下不見侯
景之事乎今内郡無一年之蓄左藏無累月之財
民閒貧困十室九空小有水旱則化爲流殍戎事
不講將帥乏人士卒驕惰教閲稍頻則愠懟怨望
給賜小稽則揚言不遜被甲行數十里則喘汗不
進遇鄉邑小盜則望塵奔北國勢如此乃欲挑陸

粱之虜不亦殆乎爲今之計莫若且勤內治俟百職既舉庶政既修百姓既安倉庫既實將帥既選軍法既立士卒既練器械既精然後唯陛下之所欲爲今八者無一而輕信狂謀詭辭臣恐不止爲邊境之憂而已願陛下深留聖思毋貽後悔不聽

時朝廷遣將种諤發兵迎之取綏州得戶萬五千兵萬八費六十萬萬夏人誘殺知保安軍楊定西方用兵自此始

按行狀及綱目通鑑皆云西戎部將嵬名山此云輕泥嚷側小異

二十七日論不得言赦前事

略云伏覩手詔中外言事按察官司不得以赦前事舉劾臣唯按察之官以赦前事興起獄訟枉繫平民禁之誠爲大善至御史言事之臣恐難一例何則御史主于糾摘姦邪姦邪之狀非一日所爲國家數下赦令一歲或至再三若赦前舉不得言則可言者無幾矣萬一朝廷誤用姦邪之臣御史欲言則違今日之詔不言則陛下何從知之臣恐言者得以箝口偷安姦邪得以放心不懼非國家之利伏乞追改前詔除去言事兩字

論張方平不宜參知政事

略云伏見陛下用翰林學士承旨張方平參知政事方平姦邪貪猥眾所共知兩府係國安危苟非其人為害不細臣職在繩糾不敢塞默

復除翰林學士兼侍讀學士

初公論張方平不協物望難居政府帝不從故罷公中丞仍還經帷通進銀臺司呂公著封還除目曰光以舉職賜罷是為有言責者不得盡其言也詔以告直付閤門公著又言制命不由門下則封駮之職因臣而廢願理臣之罪帝曰所以徙光者

賴其勤學耳非以言事故也

是月王安石亦除翰林學士

按行狀不載論張方平事蓋方平素與蘇洵游

坡公爲之諱也

十月一日再論張方平

略曰臣近上言張方平事未蒙施行尋聞除臣翰林學士兼侍讀學士若臣所言果是則方平當罷政事若其非是則臣爲譖毀忠賢亦當遠貶今兩無所問而臣復加美職未曉所謂伏望察臣前言方平事爲是爲非早賜施行所有新命未敢祗受

方平尋以
父喪罷
溫公日錄云延和登對論張方平上作色曰朝廷
每有除拜衆言輒紛紛非朝廷好事光曰此乃
朝廷好事也知人帝堯所難況陛下新卽位萬
一用姦邪臺諫循默不言陛下何從知之此乃
非朝廷好事也
初二日乞免翰林學士不許
略曰臣奉聖旨令讀資治通鑑其書卷帙尚少須
日逐編修史籍繁多恐難應奉禁林文字乞免翰
林學士一職伏蒙宣諭但權免學士院文字臣退

自唯念若取學士之名以自榮而不供學士之職
素餐孰甚于此伏乞遂其私願只以侍讀學士岀
修資治通鑑材器稍宜職業無曠不勝幸甚

甲寅初赴經筵讀資治通鑑
帝預製序文面賜公令候書成寫入又賜潁邸舊
書二千四百二卷
溫公日錄云甲寅予初赴經筵上手書資治通
鑑序以授光光受讀降再拜讀三家爲諸侯論
上顧禹玉等稱美久之

壬申譔武陽縣君程氏墓誌銘東坡潁濵之母

十二月上類篇四十五卷

序云雖有天下甚多之物苟有以待之無不各獲其處夫字書之于天下可以爲多矣然而從其有聲也而待之以集韻凡字之以聲相從者無不得也從其有形也而待之以類篇凡字之以形相從者無不得也既盡之以其聲而又究之以其形而字書之變乃曲盡蓋景祐中諸儒始受詔爲集韻之書既而以爲有形存而聲亡者不可以得于集韻于是又詔爲類篇凡累年而後成以說文爲本而其例有九凡十四篇目錄一篇每分上中下總

四十五卷文三萬一千三百一十九重音二萬一千八百四十六

熙寧元年戊申　公年五十歲

公任翰林學士兼侍讀學士

言行錄呂晦叔曰昨使契丹北中接伴問副使狄諮曰司馬中丞今爲何官諮曰今爲翰林兼侍讀曰不爲中丞耶聞是人甚忠亮

二月丙午公登對乞一州上不許曰君子小人皆知卿方正呂公著使契丹亦問有司馬光者其人甚方正今爲何官名爲夷狄所知奈何出外初公罷

御史中丞契丹因問公著以公何不爲中丞公著歸告于上故上知之長編

公方登對時上問曰召還韓維如何公曰韓維陳薦忠厚方正者也呂誨與傅堯俞范純仁呂大防皆中正之臣也願陛下常識其名范忠宣言行拾遺

謝賜資治通鑑序

略云褒貶是非古人有所未至造端立意愚臣不能自言陛下一賜指陳渙然冰釋至于博而得其要簡而周于事典刑之總會冊牘之淵林臣實何人克堪斯語

三月二十一日辭免館伴

略曰人之材性各有能否臣講讀經史粗有可采而應對賓客實非所長向以名犯北朝諱元不曾接伴亦不曾奉使兩朝事體正如牆面加以稟性昏戇恐言語之際必有遺忘差錯或漏洩機事或抵觸使人恐貽朝廷之憂伏乞于兩制中別差人館伴貴無闕誤

議謀殺已傷案問欲舉而自首狀

知登州許遵奏婦人阿云于母服內與韋阿大定婚後嫌韋阿大夜間就田中用刀斫傷縣尉令弓

手句到問是你斫傷本夫實道來不打你阿云遂
從實招刑部大理寺皆作謀殺已傷當婦絞遵上
議準律因犯殺傷而自首者得免所因之罪婦當
減二等不當絞詔下公與王安石定奪安石以爲
遵議是後朝廷竟從安石議
公上議略云凡因犯他罪本無殺傷之意不得已
致有殺傷者佗罪雖得首原殺傷不在首例其直
犯殺傷更無他罪者唯未傷則可首但係已傷皆
不可首也豈可以謀與殺分爲兩事欲以謀爲所
因之罪得以首原乎況阿云嫌夫醜陋親執腰刀

就田野中因其睡寐斫近十刀斷其二指初不陳首直至官司執録將行拷打勢不獲已方肯招陳情理如此有何可憫遵更爲之伸理欲令今後有如此之類並作減二等斷遣竊恐賊殺横行良民受弊非法之善者也許遵所奏不可聽許臣與王安石各有所見難以同共定奪乞朝廷特賜裁酌施行

權知審官院

七月十七日請不受尊號

宰臣曾公亮等請上尊號公例當答詔上疏言尊

號起于唐武后中宗之世原非令典先帝治平二
年辭尊號不受天下莫不稱頌末年有諂臣建言
國家與契丹常有往來書彼有尊號而我獨無以
爲深恥于是羣臣復以非時上尊號昔文帝時單
于自稱天地所生日月所置匈奴大單于未聞文
帝復爲大名以加之也願陛下不允所請仍令更
不上表
上大悦手詔答公朕方以淫雨地震實憂彼此鴻
名有靦面目況在諒陰亦難當是盛典卿可善爲
答辭使中外知朕至誠非欺衆邀名者遂終身不

復受尊號

八月九日乞聽宰臣等辭免郊賜

時執政以河朔災傷國用不足乞今歲親郊兩府

不賜金帛送學士院取旨公言兩府所賜以匹兩

計止二萬未足以救災乞自文臣兩省武臣宗室

刺史以下皆減半

十一日邇英奏對

八月十一日進讀已上問河北災變何以救之公

對曰饑年難得者唯穀若降金帛令配賣以收糴

則重增煩擾且糴之亦無所得上曰已令漕五十

萬石矣對曰瀛州損百五十萬今所漕僅能補三分之一上曰然則奈何對曰水所不及州縣頗稔可糴又汴流未絕可多漕江淮之穀以濟之上又問諫官難得人誰可者對曰臣賤官何敢薦人上固問之對曰臣倉猝不能記容臣退而密奏上因論治道言州縣長吏多不得人對曰天下三百餘州擇之誠難但能擇十八路監司使各擇所部知州知州擇所部知縣則得人多矣不可但取資敘及酬獎爲之上又問兩府辭郊賚于事何如對曰臣已有奏狀乞更博訪近臣裁以聖意上曰誰不

同對曰臣獨有愚見他人皆不以爲然上曰朕意亦謂當聽其辭乃所以成其美非薄之也然減半無益不若盡聽之對曰求盡納者人臣之志賜其半者人主之恩也後數日公與王禹玉王介甫同進呈郊賚劄子于延和殿公言節用當自貴近始宜聽兩府辭賚介甫曰昔常衮辭賜饌時議以爲衮自知不能當辭位不當辭祿今郊賚所費無幾惜之徒傷國體且國用不足非當今之急務也公曰衮辭祿不猶賢于持祿而固位者乎國家自眞廟之末用度不足近歲尤甚何得言非急務介甫

曰不足由未得善理財之人故也公曰善理財者不過頭會箕斂以盡民財民窮爲盜豈國之利介甫曰不然善理財者不加賦而國用足公曰天下安有此理天地所生財貨百物止有此數不在民則在官此不過設法陰奪民利其害甚于加賦乃桑弘羊欺武帝之言司馬遷書之以譏武帝之不明耳豈可據以爲實介甫曰國初趙普等爲相賞賚或以萬數今郊賚不過三千豈足爲多公曰普等運籌帷幄以萬數不爲過今助祭不過奏中嚴外辦沃盥奉帨巾有何功而得比普等爭論久之

禹玉曰司馬光王安石各執一見言俱是唯陛下
裁擇上曰朕意亦與光同今且以不允答之是日
適會介甫當制遂引常袞事責兩府兩府亦不復
辭明日邇英講讀罷獨留介甫與語兩府不敢先
出以俟之至晡後乃出不數日介甫參知政事

是日舉諫官

十略曰臣今日面奉聖旨使采訪可爲諫官者臣退
策自思忖言事官以三事爲先第一不愛富貴次則
重惜名節次則曉知治體具此三者誠亦難得伏
見三司鹽鐵副使呂誨累居言職不畏彊禦再經

謫降執節不回侍御史呂景外貌和厚內守堅正見得知恥臨義不疑于臣所知此兩人似堪其選

兼史館修撰

十一月奉敕與張茂則同相視二股河及生隄利害

是年六月河溢恩州又決冀州北注瀛七月又溢瀛州樂壽埽都水監丞李立之請于恩冀深瀛等州創生隄三百六十七里以禦河而河北都轉運使言當用八萬三千餘人役一月成今方災傷願徐之迺詔公乘傳相度四州生隄回日兼視二股河利害宋史河渠志

甲午公入辭因請河陽晉絳上曰汲黯在朝淮南寢謀卿未可去也長編

司馬太師溫國文正公年譜卷之四

宋明理學家年譜續編

②

國家圖書館出版社

第二册目録

司馬太師溫國文正公年譜（卷五至卷末）

（清）顧棟高編　民國間刻本

司馬太師温國文正公年譜卷之五

錫山顧棟高編輯

吳興劉承幹參校

熙寧二年己酉　公年五十一歲

公任翰林學士兼侍讀學士權知審官院

春正月公入對請用都水監丞宋昌言策於二股之西置上約擗水令東俟東流漸深北流淤淺即塞北流放出御河胡盧河下流以紓恩冀深瀛以西之患宋史河渠志

初商胡決河入魏之北至恩冀乾寧入於海是謂

北流嘉祐八年河流决於魏之第六埽遂爲二股東至德滄入於海是謂東流時議者多不同李立之力主生隄帝不聽卒用昌言說置上約

三月公入奏治河當因地形水勢若强用人力横立隄防則逆激旁潰不唯無成仍敗舊績臣慮見東流已及四分急於見功遽塞北流而二股分流十里之内相去尚近况地勢復東高西下若河流并東一遇盛漲水勢西合入北流則東流遂絶或於滄德隄埽未成之處决溢横流雖除西路之患而害及東流非策也宜專護上約及二股隄岸若今

歲東流止添二分則此去河勢自東傒至八分以上河流衝刷已闊滄德隄埽已固自然北流日減可以閉塞兩路俱無害矣宋史河渠志

譔右班殿直傅君墓誌銘堯俞之祖

夏四月公復與張鞏李立之宋昌言呂大防程昉等行視上約

時北京留守韓琦上言今歲兵夫數少向日緣二股及嫩灘闊千二百步是以可容漲水今截去八百步有餘則將東大河於二百餘步之間下流既壅上流湍怒又無兵夫脩護隄岸其衝決必矣況

自德至滄皆二股下流既無隄防必侵民田設若河門束狹不能容納漲水上下約隨流而脫則二股與北流爲一其患愈大況恩深州所創生隄其東則大河西來其西則西山諸水東注腹背受敵兩難捍禦望速遣近臣至河所集議帝在經筵以琦疏諭公命同張茂則再往相視宋史河渠志

再使河北有詩云桑麥青青四月初皇華使者又脂車爲臣豈得辭王事只向金鑾坐讀書蓋此時正以翰林學士脩通鑑也

公入奏二股河上約並在灘上不礙河行但所進方

鋸牙已深致北流河門稍狹乞減折二十步令近

後仍作蛾眉埽裹護其滄德界有古遥隄當加葺

治所脩二股本欲疏導河水東去生隄本欲捍禦

河水西來相爲表裏未可偏廢帝謂二府曰韓琦

頗疑修二股王安石曰異議者皆不攷其事實故

耳（宋史河渠志）

五月譔右屯衛大將軍令邦墓誌銘

六月論召陝西邊臣

略曰臣任御史中丞日聞國家招納夏國降民曾

上章言其不可俄而种諤等起綏州之役楊定爲

夏虜所殺陝西騷然困於餽戍朝廷譎降諤等以
謝夏虜方能得其稱臣復奉舊約今使者尚未返
命聞陛下復召諤等引對不知陛下復何所興爲
夫四夷不守信義猶見輕於鄉黨況於王者臨撫
四夷前日种諤棄百年之信興兵掩其不備僅能
得不食之地百餘里饑虜萬餘人今地則歸之虜
庭民則逃散略盡其爲失策豈不昭然況目今瘡
痍未復憂患未弭虜疑忌中國警備已嚴怨毒之
心蓄而未發諤等乃欲復爲前日所爲臣恐其兵
連禍結不可救解非獨邊鄙之患也伏望陛下深

念

撰虞部郎中李君墓誌銘諱某公從母之夫

論風俗

略曰國之致治在於審官官之得人在於選士竊見近歲士大夫好爲高奇之論喜誦老莊之言流及後生口誦耳剽有讀易未識卦爻已謂十翼非孔子之言讀禮未知篇數已謂周官爲戰國之書讀詩未盡周南召南已謂毛鄭爲章句之學讀春秋未知十二公已謂三傳可束之高閣其科場舉人發口秉筆動言性命流入老莊縱虛無之談驍

荒唐之詞以此獵取科第祿利所在如水赴壑若不嚴加禁遏用此舉選臣恐向去任官之士皆何晏王衍之徒而正始永嘉之弊將復見於今矣伏望戒勵中外仍指揮禮部貢院先曉示進士若有僻經妄說言涉老莊者雖復文辭高妙亦行黜落庶不致疑誤後學敗亂風俗

按所謂好爲高奇喜誦老莊者則荊公其人也一出而已敗壞風俗若此所謂生於其心害於其政者歟

八月五日上體要疏

略曰臣聞爲政有體治事有要自古聖帝明王垂拱無爲而天下大治者因此道也竊見陛下踐祚以來孜孜求治於今三年不遑日昃繼之以夜雖古之聖王有不能及而功業未著者殆未得其體要故也祖宗設內外百司以相統御使上下有序尊卑有等今陛下好使大臣奪小臣之事小臣侵大臣之職是以大臣解體不肯竭忠小臣諉上不肯盡力而陛下方用爲致治之本此臣之所大惑也夫今之兩府皆古宰相之職若百官之長非其人刑賞大政失其宜陛下當責之兩府至於錢穀

條例此三司之事今乃使兩府大臣悉取三司條例別置一局聚文士數人與之謀議改更制置三司皆不與聞臣恐所改更者未必勝於其舊而徒紛亂祖宗成法考古則不合適今則非宜吏緣爲姦農商失業數年之後將不復振矣且兩府於天下之事無所不總若百官之職皆使兩府治之則在上者不勝其勞而在下者爲無所用矣又監牧使主養馬四園苑主課利今乃使監牧使不屬羣牧司四園苑不屬三司提舉使則在下者各得專權自恣而在上者不委其下在下者不禀其上能

爲治乎若此之類臣竊恐似未得其體也凡天下之事必委之本路將帥監司守宰使之自爲方略責以成效而施其刑賞然後事乃可集何則久於其任識其人情知其物宜賞罰之權足以休戚所部之人使之信服故也今朝廷好别遣使者銜命奔走旁午於道所至徒有煩擾未必有益何則事之利害吏之能否皆非使者所能素知不免臨時詢采若所詢者或遇公明忠信之人猶僅能得其一二或遇私闇姦險之人則是非爲之倒置矣非將帥監司守宰皆賢而使者皆愚也蓋歲之講求

與一朝之議論積久之采察與目前之毀譽精麤詳略其勢不同故也其有居官累歲而仍不知事之利害與人之能否或雖知利害而不能變更雖知能否而不能黜陟則更當擇賢者以代其任不當數遣使者擾亂其間使不得行其職業也又庸人之情苟策非己出則媢嫉沮壞唯恐其成借使使者規畫盡善當職之人必不肯協力以成其事返命之日必從而敗之曰竭力成功於我何有此所以不如毋遣之爲愈也況今之轉運使即古使者之任苟得其人而委之賢於暫遣使者遠矣若

其自爲姦慝貪縱或有所隱蔽欺妄然後别遣使

者案之若案得其實有罪則當刑不才則當廢未

必但遣使者往治其任而於當職之人無所利亦

無所廢是又使之拱手旁觀偷安竊祿而在外之

官舉無所用也若此之類臣恐似未得其體也今

朝廷之士皆曰陛下聰明剛斷威福在己臣竊以

爲未也夫帝王之道當務其遠者大者國之大事

當與公卿議之而不使小臣參之四方之事當委

牧伯察之而不當使左右覘之儻公卿牧伯尚不

能擇賢者而任之小臣左右獨能得賢者而使之

乎苟為不賢則險詖私謁無不至矣今陛下好於禁中出手詔指揮外事非公卿所薦舉牧伯所糾劾或非次而遷官或無故而廢罷外人疑駭不知所從自以為聰明剛斷威福在己臣竊以為過矣夫公卿所薦舉牧伯所糾劾其當與否皆有迹可見責有所歸故不敢大為欺罔若姦臣密白陛下使陛下自為聖意以行之則威福集於私門怨謗歸於陛下矣安得謂之威福在陛下耶況詔中所指揮者率非大事至於西禁美官邊藩將帥省府職任諸路監司或姦邪貪猥之人陛下向日所明

知而斥去者或更改官而升資或不久復進用然則威福之權果不在陛下而陛下偶未之思也陛下必欲威福在已莫若謹擇公卿大臣明正忠信者與之公議事之是非與人之賢否陛下清心平慮擇其是者而行之非者不得復奪也擇其賢者而用之不肖者不能復爭也如此則謀者舉者雖在公卿大臣而行之用之皆在陛下安得謂之威福不在己耶陛下此之不爲而顧彼之久行臣竊恐似未得其要也古人有言曰謀之在多斷之在獨漢世有大政令必下公卿大夫博士議郎議天

子稱制以決之曰丞相議是或曰廷尉當是羣臣厭然無有不服今陛下聽羣臣各盡其情此誠善矣然終不肯以聖志裁決遂使羣臣尚勝者以巧文相攻辯口相濟反覆再三無有限極非嘉事也夫人主務明先王之道而不習法令近者登州婦人阿云謀殺其夫重傷垂死中材之吏皆能立辨事已經審刑院大理寺刑部斷爲死罪而前知登州許遵文過飾非妄爲巧說朝廷命兩制定奪者再命兩府定奪者再爭論縱横至今未定夫以田舍一婦人委一法吏足矣今乃紛紜至此終於棄

百代之常典悖三綱之大義使良善無告姦凶得志豈非徇其枝葉而忘其本根之所致耶若此之類竊恐似未得其要也此皆眾人所私議竊歎而莫敢明言者臣以受恩深重不顧斧鉞言之唯聖明裁察

是年春二月王荆公參知政事創制置三司條例使議行新法荆公與宰相陳升之領其事遣八使察農田水利賦役於天下又定謀殺傷首原法故公言及之

復奏敕同張茂則及都水監官河北轉運使相度閉

[illegible]塞北流利害後公罷行獨遣茂則[illegible]

先是七月中三股河通快北流稍自閉戊子張鞏奏上約累經泛漲并下約俱已無虞東流勢漸順快宜塞北流除四州水患又使御河胡盧河下流各還故道則漕運無壅遏郵傳無滯留塘泊無淤淺復於邊防大計有利歲減費不可勝數唯是東流南北隄防未立閉口修隄工費宜預備望選習知河事者與臣等熟議以聞[illegible]

八月己亥公入辭言鞏等欲塞二股河北流臣恐勞費未易幸而可塞則東流淺狹隄防未全必致決

溢是移恩冀深瀛之患于滄德等州也宜俟三二年東流益深闊隄防稍固北流漸淺薪芻有備塞之便帝曰東流北流之患孰輕重公曰兩地皆王民無輕重然北流已殘破東流尚全唯當併力護上約則東流日增北流日減耳帝曰上約安可保公曰昨經大水而無虞來歲地腳已牢復何慮且上約居河之側聽河北流猶懼不保今欲橫絕使不行庸可保乎帝曰若河水常分二流何時當有成功公曰借使分爲二流於張鞏等不見成功于國家亦無所害何則水勢分則害小鞏等急欲

塞北流此皆自爲其身謀不顧國力與民患也帝曰防捍兩河何以供億公曰分二流則勞費減半減北流財力之半以備東流何不可帝曰卿等至彼視之時東流已及六分鞏等因欲閉斷北流帝意嚮之公以爲須及八分仍須待其自然不可施功安石曰光議事屢不合今令視河後必不從其議是重使不安職也庚子乃獨遣茂則能公行茂則奏二股河東流已及八分張鞏等亦奏丙午大河東徙北流淺小戊申北流閉賜詔獎諭公仍賜衣帶馬（集中有謝表）

按元年冬十一月相視二股河及是秋八月公入奏方略集中俱未載今據宋史河渠志補入公始則排眾議不創生隄專主上約後則謂不宜預塞北流宜待其自閉半年之間其言無不售者此因勢利導大禹所謂行所無事也一時異議者非懦則躁懦則未見成功撓於羣議躁則急欲集事僥倖受賞識不定持之不堅也魏公能任大事者而亦爲此言彼未嘗親歷不免爲羣言所惑耳

續文獻通考曰熙寧元年六月河決恩冀瀛州

二年浚二股河以導東流葢司馬光請用宋昌
言程昉之議也韓琦以爲不可惟光力主之七
月二股河通大河東流而商胡河北流稍塞葢
東流者自滑恩經德滄入海之路北流者商胡
乾寧入海之路
十一月論責降劉述等
初公與王安石爭許遵議踰年不決文彥博富弼
多主公說帝方嚮安石卒從之至是遂著爲令凡
謀殺已傷案問自首者減罪二等知雜御史兼判
刑部劉述封還其詔并率御史劉琦錢顗共劾安

石任偏見而立新議害天下大公願罷逐以慰天下詔述差官取勘琦顗降監酒稅中外駭愕

公上劄子略云謀殺己傷自首刑名天下皆知其非朝廷違衆議而行之又罪守官之人臣恐來者皆箝口側目以言爲諱威福移于臣下聰明有所壅蔽非國家之福伏望赦述等更不取勘劉琦等別除一差遣庶稍息羣議

撰仁和縣君潘氏墓誌銘皇從姪右武衛大將軍遂州刺史令超之夫人

九月壬辰王安石薦呂惠卿爲崇政殿說書公諫曰惠卿憸巧非佳士使安石負謗於中外者皆其所

爲也帝言安石不好官職自奉甚菲可謂賢者公曰安石誠賢但性不曉事而愎此其所短也又不當信任呂惠卿惠卿眞姦邪而爲安石謀主安石爲之力行故天下併指爲姦邪也近者進擢不次大不厭衆心帝曰惠卿進對明辨亦似美才公對曰惠卿誠文學辨慧然用心不正江充李訓若無才何以能動人主帝默然言行錄

十月陳升之同平章事帝問公曰近相升之外議云何公對曰陛下擢用宰相臣愚何敢與帝曰第言之公曰閩人狡險楚人輕易今二相皆閩人二參

政皆楚人必援引鄉黨之士充塞朝廷風俗何以更得淳厚帝曰升之有才智曉民政邊事公曰但不能臨大節而不可奪爾凡才智之士必得忠直之人從旁制之此明主用人之法也帝又問王安石何如對曰人言安石姦邪則毀之太過但不曉事又執拗耳帝又論臺諫天子耳目公對曰陛下當自擇人今言執政短長者皆斥逐之盡易以執政之黨臣恐聰明將有所蔽蒙也上曰諫官難得卿更為擇其人公退而舉陳薦蘇軾等四人上同

二相二參政考宰輔表熙寧二年曾公亮陳旭

同平章事曾公亮係泉州晉江人陳旭建州建陽人皆閩產也二參政謂王安石撫州臨川人唐介江陵人皆楚產也夫介甫之執拗與二公之不協物望誠不免于譏至唐子方之忠鯁與介甫議論不合至疽發背而死而公乃以二楚人並稱何也此未可解　按旭即升之

邇英進讀至蕭何曹參事帝曰漢常守蕭何之法不變可乎公對曰何獨漢也使三代之君守禹湯文武之法雖至今存可也漢武帝用張湯言取高帝法紛更之盜賊半天下元帝改宣帝之政而漢

始衰由此言之祖宗之法不可變也後數日呂惠卿進讀因言先王之法有一年而變者正月始和布法象魏是也有五年一變者巡狩考制度是也有三十年一變者刑罰世輕世重是也前日光言非是其意以諷朝廷且譏臣爲條例司官耳公曰布法象魏布舊法也何名爲變諸侯變禮易樂者王巡狩則誅之不自變也刑新國用輕典亂國用重典是爲世輕世重也非變也且治天下譬如居室敝則修之非大壞不更造也公卿侍從皆在此願陛下問之三司使掌天下財不才而黜之可也

不可使執政侵其事今爲制置三司條例司何也宰相以道德佐人主安用例苟用例則胥吏足矣今爲看詳中書條例司何也惠卿不能對則詆公曰光爲侍從何不言言而不從何不去公作而答曰是臣之罪也上曰相與論是非耳何至是講畢賜坐戸外帝命徙坐戸內左右皆避去帝曰朝廷每更一事舉朝訩訩何也公曰青苗出息平民爲之尚能蠶食下戸至飢寒流離況縣官法令之威乎惠卿曰青苗法願取則與之不願不强也公曰愚民知取債之利不知還債之害非獨縣官不强

富民亦不强也昔太宗征河東立和糴法時斗米十餘錢民樂與官爲市其後物貴而和糴不解遂爲河東世世患臣恐異日之青苗亦猶是也上曰陝西行之久矣民不以爲病公曰臣陝西人也見其病不見其利上曰坐倉糴米何如坐者皆起曰不便上已罷之幸甚帝曰未罷也公曰京師有七年之儲而錢常苦乏若坐倉糴米錢益乏米益陳奈何惠卿曰坐倉得米百萬斛則省東南百萬之漕以其錢供京師何患無錢公曰東南錢荒而米狼戾今不糴米而漕錢棄其有餘取其所無農末

皆病矣侍講吳申起曰光言至論也公曰此皆細事不足煩人主但當擇人而任之有功則賞有罪則罰此陛下職也帝曰然公趨出帝曰卿得毋以惠卿之言不樂乎公曰不敢行狀

司馬君實與吕吉甫在講筵因論變法事至於上前紛拏上曰相與論是非何至乃爾既罷講君實氣貌愈温粹而吉甫怒氣拂膺移時尚不能言人言一個陝西人一個福建子怎生厮合得著道山清話

七日再舉諫官

略曰昨日面奉聖旨令臣采訪可任諫官者伏見

龍閣直學士陳薦忠厚質直史館蘇軾曉達時
務勁直敢言職方員外郎王元規志操堅正居官
皆著風迹集賢校理趙彥若平居恂恂遇事剛勁
此四人者臣所素知竊謂可備諫職
八日乞優賞宋昌言
略曰臣去冬奉敕相度二股河及生隄利害當時
都水監丞宋昌言建議欲於二股河口兩岸置立
上約擗水令入東流候東流漸深北流淤淺即閉
塞斷北流放出御河胡盧河下流以除恩冀深瀛
四州以西水患臣等具此利害奏聞蒙朝廷聽許

同列以策非己出百端沮毁謂必不可成不如併力脩生隄賴聖明剛斷必使修置上約今秋拚攔水勢一併入東流其北流尋以閉斷雖頗漂損近東滄德等州然恩冀深瀛以西州軍蒙利亦爲不少昌言不可謂之無功矣今若與向稱二股河不可成者一例受賞臣恐無所沮勸設使向者修置上約不成或背了二股併入北流其同列豈肯分昌言之罪哉望與復舊官外更別加酬獎

十一月撰華陰侯仲連墓誌銘魏恭憲王元佐之曾孫

撰皇從姪右屯衞大將軍士虬墓記

熙寧三年庚戌　公年五十二歲

公任翰林學士兼侍讀學士差知審官院

正月公子康以明經登上第康時二十一歲

與王禹玉范景仁宋次道之子同時登科公有和景仁瓊林席上偶成詩

念昔瓊林賜宴歸緑衣絲綬正相宜將雛雖復慰心喜負米翻成觸目悲殿角花猶紅勝火樽前髮自白如絲桂林衰朽何須恨幸有新枝續舊枝

康釋褐試祕書省校書郎耀州富平縣主簿公奏留國子監聽讀

二月六日再乞資蔭人試經義

略云臣先曾起請資蔭人初授差遣者更不試詩只試孝經論語大義三道未蒙施行今復差知審官院竊見試詩一首實爲無益無論假手於人就得沈宋曹劉有何所用孝經論語雖不多而立身治國之道盡在其中卽未能踐履亦使知有周公孔子仁義禮樂豈可與一首律詩爲比哉

十一日乞不揀退軍置淮南

略曰臣聞朝廷欲揀禁軍年四十五以上減下請給并其妻拏徙置淮南就食臣唯禁軍皆生長京

師親婭聯布年四十五末爲衰老一旦别無罪負
徙置淮南恐人情惶惑大致愁怨意外之變不可
不防梁分魏博之兵致張彦之亂此近事之可鑒
者也況兵士本欲備禦邊陲今淮南非用武之地
虛設禁兵亦爲無用萬一邊陲復有警急必更求
益兵廣加招募是棄已經教閱經戰之兵而坐收
市井畎畝之人欲減兵而冗兵更多欲省費而大
費更廣非計之得者也伏願且依舊法禁軍減充
小分復不任者放充百姓聽使在京居止但勿使
老病尚占名籍人情既安於事爲便

河北安撫使韓琦請罷青苗法帝感悟下其章執政諭令罷法安石遂稱疾求去帝命公草答詔有云士夫沸騰黎民騷動乃欲委遠事任退處便安在卿私謀固爲無憾朕所屬望將以諉誰安石抗章自辨帝命呂惠卿諭旨復手札諭安石曰詔中二語失於詳閱今覽之甚媿安石固請罷上固留之獎慰亘久乃復出而持新法益堅

十二日除樞密副使固辭不拜

初上欲大用公訪諸安石安石曰是爲異論者立赤幟也及安石稱疾不出遂有是命

二十日上乞罷條例司常平使疏

略曰臣近蒙聖恩除樞密副使竊唯陛下所以用臣之意蓋察其狂直庶幾有補於國家若徒以祿位自榮而不能救生民之患則陛下亦安用之臣見今日建畫之臣設官則以冗增冗立法則以苛益苛臣先曾上疏言不當設制置三司條例司及不當別遣使者擾亂州縣又因經筵侍坐言散青苗錢不便自後朝廷更遣使者提舉諸色實尚散青苗錢臣竊自疑智識淺短不足以知天下變通之務又疑因臣之言激怒建畫之臣使行之益力

由是閉口不敢復言令行之纔數月中外言者鼎
沸然所言大率皆止論今日之害而臣所憂者乃
在十年之後非今日也夫民之富者常借貸貧民
以自饒貧者常假貸富民以自活雖苦樂不均猶
彼此相資以保其生今縣官乃自出息貸民富者
不願取貧者乃欲得之官以多散爲功故不問民
之貧富各隨戶等抑配復恐以逋欠爲累必使貧
富相保貧者督之急則散而之四方富者則獨償
數家所負春債未畢秋債復來歷年寖深債負益
重幸遇豐稔則併催積年所負之債是使百姓豐

凶常無休息之期也貧者旣盡富者亦貧臣恐十年之後富者無幾何矣若不幸國家有邊隅之警凡粟帛軍需之類將從誰取之且常平倉乃三代聖王之遺法也國家每遇凶年專賴此錢穀以振濟飢民今一旦盡作青苗錢則豐年將以何錢平糴凶年將以何穀賙贍臣聞先帝嘗出內藏庫錢一百萬緡助天下常平糴本今無故盡散之他日復欲收聚何時得及此數乎使庫物常如泉源無有窮竭則可矣若皆取百姓膏血以實之安可不加愛惜而用如糞土哉陛下若不肯變更以循舊

貫半年之後富室既盡常平既壞帑藏又空不幸有方二三十里之水旱餓殍滿野加以四夷侵犯戎車塞路轉餉不休當是之時民之羸者不轉死溝壑壯者不起而爲盜賊將何之矣此時雖有知者不能善其後今使者爭獻謀畫各矜智巧變更祖宗法度非一事也欲計畝率錢僱人充役決汴水種稻澆溉民田及欲洩三十六陂水募人耕佃道路之人共所非笑而條例司自以爲高奇之策書以援常平使者必欲行之天下大小遑遑不安其生苟不罷廢此局則生民永無休息之期矣陛

下誠能昭然覺悟罷制置三司條例司及追還諸路提舉常平廣惠倉使者則太平之業依然復故臣雖盡納官爵但得爲太平之民以終餘年其幸多矣

二十二日辭樞密副使劄子第五上

略云臣以受陛下非常之知不可全無報效是以乞罷條例司及常平使者若陛下果能行此勝於用臣爲兩府若言無可采臣獨何顏敢當重任

貼黃

近傳聖旨諭臣以樞密本兵之地官各有職不當

更引他事為辭臣今若已受敕告卽誠如聖旨今未受恩命則猶是侍從之臣於事無不可言者況三事並是向年已曾上言以其無效所以不敢當今日新命非為侵官乞聖明裁察

二十七日公與介甫書

略曰光自接侍以來十有餘年屢嘗同僚不可謂無一日之雅向者與介甫議論朝廷事數相違戾未知介甫之察不察然于光向慕之心未始變移也竊見介甫獨負天下大名三十餘年識高而學富難進而易退遠近之士識與不識咸謂介甫不

起則已起則太平可立致今從政始期年而士大夫在朝廷及自四方來者莫不非議介甫如出一口下至閭閻細民小吏走卒亦竊竊怨歎介甫亦嘗聞其言而思其故乎光不敢苟避譴怒請爲介甫一一陳之今天下詆毀介甫之甚者無所不至光獨知其不然介甫固大賢其失在用心太過自信太厚而已自古聖賢所以治國者不過使百姓各得其職委任而責成功養民者不過輕租税薄賦斂介甫以爲此皆腐儒之常談不足道于是財利不以委三司而自治之更立制置三司條例司

聚文章之士及曉財利之人使之講利孔子有言君子喻于義小人喻于利使彼誠君子耶則固不能言利誠小人耶則唯民是虐以飫上之欲又可從乎而又不次用人暴得美官于是言利之人攘臂環視衒鬻爭巧各出新意以就功名其為害固已甚矣又置提舉常平廣惠倉使者四十餘人使行新法雖皆選擇才俊其中亦有輕佻狂躁陵轢州縣騷擾百姓于是農商喪業謗議沸騰怨嗟行路迹其本原咸以此也夫侵官亂政也介甫更以為治術而先施之貸息錢鄙事也介甫更以為王

政而力行之徭役自古皆從民出介甫更欲斂民錢而使之此三者常人皆知其不可而介甫獨以爲可此光所謂用心太過者也自古聖人無過周公孔子然周公未嘗無過孔子未嘗無師今介甫以爲我之所見天下莫能及合則喜之不合則惡之賓客僚友謂見論事或所見小異微言新令之不便者介甫輒艴然加怒詬詈黜逐明主寬容如此而介甫拒諫乃爾無乃不足于恕乎介甫于天下之書無不觀一旦爲政矻矻焉窮日力繼之以夜徒使上自朝廷下及田野內起京師外周四海

士吏兵農工商僧道無一人得襲故而守常者紛紛擾擾莫安其居何介甫總角讀書白頭秉政乃盡棄其所學而從今世淺丈夫之謀也近者藩鎮大臣有言散青苗錢不便者天子出其議以示執政而介甫遽悻悻然不樂引疾臥家光被旨批答見士民方不安如此而介甫乃欲辭位而去非明主拔擢委任之意故直敘其事以義責介甫意欲介甫早出視事更新令之不便于民者以福天下辭雖樸拙然無一事不得其實者竊聞介甫頗相督過上書自辨至使天子手書遜謝又使呂學士

再三諭意然後乃出視事視事誠是也然當速改
前令之非者以慰安士民報天子之盛德今則更
加忿怒行之愈急是必欲力戰天下之人與之一
決勝負光竊爲介甫不取也光近蒙聖明過聽欲
使之副貳樞府光竊唯驟蒙大恩不可不報故輒
敢進當今之急務乞罷制置三司條例司及追還
諸路常平使者主上以介甫爲意未肯俯從光竊
念主上親重介甫動靜取舍唯介甫之爲信介甫
曰可罷則天下之人咸被其澤曰不可罷則天下
之人咸被其害方今生民之憂樂國家之安危唯

繫介甫之一言介甫何忍必遂已意而不恤乎夫人誰無過君子之過如日月之食介甫誠能進一言于主上則國家太平之業皆復其舊而介甫改過從善之美愈光大于目前于介甫何所虧喪而固不移哉光今所言正逆介甫之意明知其不合然敢一陳其志以終益友之義幸與忠信之士謀其可否不可以示諂諛之人必不肯以光言爲然也彼諂諛之人因緣改法以爲進身之資一旦罷局譬如魚之失水此所以必欲挽引介甫使不得由直道行介甫奈何徇此曹之所欲而不思國家

之大計哉夫忠信之士于介甫當路之時或齟齬可憎及失勢之後必徐得其力諂諛之士今日誠有順適之快一旦失勢將有賣介甫以自售者介甫將何擇焉

介甫復書

重蒙君實指教以爲侵官生事征利拒諫以致天下怨謗某則以爲受命于人主議法度而修之于朝廷以授之於有司不爲侵官舉先王之政以興利除弊不爲生事爲天下理財不爲征利闢邪說難壬人不爲拒諫至于怨誹之多則固前知其如

此也人習于苟且非一日士大夫多以不恤國事同俗自媚于衆爲善上乃欲變此而某不量敵之衆寡欲出力助上以抗之則衆何爲而不洶洶然盤庚之遷胥怨者民也盤庚不爲怨者故改其度以度義而動不見可悔故也如君實責我以在位久未能助上大有爲以膏澤斯民則某知罪矣如曰今日當一切不事事守前所爲而已則非某之所敢知

詞彊而辨然文章之妙則至矣

與介甫第三書

重辱示諭知不見棄外不勝感悚夫議法度以授有司此誠執政事也然當舉其大而略其細不當無大無小盡變舊法以爲新奇也且介甫誠能擇良有司而任之弊法自去苟有司非其人雖日授以善法無益也介甫所謂先王之政者豈非泉府賒貸之事乎竊觀其意似與今日小異且先王之善政多矣顧以此獨爲先務乎今之散青苗錢者無問民之貧富願與不願強抑與之歲收其什四之息謂之不征利光不信也至于闢邪說難壬人果能如是乃國家生民之福但恐介甫之座日

相與變法而講利者邪說壬人爲不少矣介甫偶未之察耳盤庚遷都而臣民有不從者不忍脅以威刑故勤勞曉解其卒皆化而從之非謂盡棄天下之言而獨行己志也光豈勸介甫以不恤國事而同俗自媚哉蓋謂天下異同之議亦當少垂意采察而已

辭樞密副使劄子第六上

略云臣近曾上疏乞罷三事未聞朝廷少賜采錄但聞條例司愈用事催散青苗錢愈急中外人情愈恟恟臣當此際獨以何心敢當高位伏望陛下

出臣所上疏宣示中外臣庶共決是非若臣言果非乞收還敕告治臣妄言及違慢之罪

公謁告之六日上復趣令入見公固辭乞早收還敕告上遣劉有方諭公以依舊供職公入對曰臣自知無力于朝廷朝廷所行皆與臣言相反上曰反者何事也公曰臣言條例司不當置又言不宜多遣使者外撓監司又言散青苗錢害民豈非相反上曰言者皆云法非不善但所遣非其人耳公曰以臣觀之法亦不善所遣亦非其人也上曰元敕不令抑勒公曰敕雖不令抑勒而所遣使者皆

諷令抑勒如開封府界十七縣唯陳留姜潛張穀
榜縣門及四門聽民自來請自給之卒無一人來
以此觀之十六縣恐皆不免于抑勒也上敦諭再
三公再拜固辭上曰當更思之會安石復起視事
乃下詔允光辭收還敕誥知通進銀臺司范鎮封
還詔書者再帝以詔直付光不由門下鎮曰由臣
不才使陛下廢法乞解職許之
帝嘗謂左丞蒲宗孟曰如光未論別事只辭樞
密一節朕自即位以來唯見光一人
韓魏公聞公初除樞副辭不受以書與潞公勉

之云主上倚重之厚庶幾行道道或不行然後去之可也似不須堅讓潞公以書呈公公曰自古被這般官爵引壞了名節爲不少矣魏公聞之云君實作事當求之古人

公既辭樞密副使名重天下韓魏公元臣舊德猶相歆慕在北門與公書云多病寖劇闕于修問但聞執事以宗社生靈爲意屢以直言正論開悟上聽懇辭樞弼必冀感動大忠大義充塞天地橫絕古今固與天下之人歎服歸仰之不暇非于紙筆一二可言也又書云音問罕逢闕

於致問但與天下之人欽企高誼同有執鞭忻慕之意未嘗少忘也又書云伏承被命再領西臺在于高識固有優游之樂其如蒼生之望何此中外之所以鬱鬱也馬氏戀曰三書見東萊詩話世所行魏公安陽集遺此故雖搢紳間亦罕有知者祈博雅君子搜訪全文刊入集中亦百世一快云

按公以濮議與歐公齟齬而歐力薦公以剛義勇與韓公爭辨而韓傾倒至此昔賢心事可想

三月二十八日擬學士院試李清臣等策問一首時王

介甫言于上以爲天變不足畏祖宗不足法流俗不足恤故因策目以此三事質于所試者范景仁後至曰流俗不足恤一事我已爲策目矣遂削之明日禁中以紙帖其上別出策目試淸臣等[illegible]

問先王之治盛矣其遺文餘事可見于今者詩書而已矣詩曰文王陟降在帝左右書曰面稽天若蓋言王者造次動靜未嘗不考察天心而嚴畏之也詩曰毋念爾祖聿修厥德書曰有典有則貽厥子孫蓋言嗣王未有不遵禹湯文武之法而能爲政者也詩曰先民有言詢于芻蕘書曰有廢有興出入自爾師虞庶言同則繹蓋言與衆同欲則令無不行功無不成也今之論者或曰天地與人了

不相關薄食震摇皆有常數不足畏忌祖宗之法不必盡善可革則革不足循守庸人之情喜因循而憚改爲可與樂成難與慮始紛紜之議不足聽采意者古今異時詩書陳迹不可盡信耶將聖人之言深微高遠非常人所敢知扺儒之解或未得其旨耶願聞所以辨之

通鑑帝論王安石曰聞三不足之說否安石曰不聞帝曰陳薦言外人云卿以爲天變不足畏人言不足恤祖宗之法不足守昨學士院試館職策問意指此三事安石默然

四月十六日請自擇臺諫官

略曰臣見近日言條例司害民及呂惠卿姦邪者率被責降或更加以惡名如呂公著告辭云乃誣方鎮有除惡之謀中外聞者無不駭愕竊唯執政之意止欲禁塞言者使不敢復言更擇背公死黨之人以居其位如此豈社稷之福今被逐者臣不敢留願陛下自擇公正剛直者布之言路勿爲羣臣所欺蔽則天下幸甚

邇英讀通鑑賈山上疏因言從諫之美拒諫之禍上曰舜堲讒說殄行若臺諫欺罔爲讒安得不黜

公曰進讀及之爾時事臣不敢論也及退帝留公謂曰呂公著言藩鎮欲興晉陽之甲豈非讒說殄行也公曰公著平日與儕輩言猶三思而發何故上前輕發乃爾外人多疑其不然上曰此所謂靜言庸違者也公曰公著誠有罪不在今日向朝廷委公著舉臺官公著乃盡舉條例司之人與條例互相表裏使熾張如此今乃復言其非此所以可罪也（言行錄）

安石未知名時以韓呂爲巨族藉之取重乃深與公著交及執政患臺諫多橫議薦爲御史中丞既

而公著言條例不便帝又使公著舉呂惠卿爲御
史公著曰惠卿誠有才然姦邪不可用安石積怒
會帝語執政呂公著常言韓琦將興晉陽之甲以
除君側之惡安石因用爲罪貶知潁州且命宋敏
求草制明著罪狀敏求不從但言敷陳失實安石
怒命陳升之改其語行之溫公日錄及通鑑
荆公與申公素相厚嘗曰呂十六不作相天下不
太平及薦申公爲中丞以謂有八元八凱之賢未
半年所論不同復謂有驩兜共工之姦荆公之喜
怒如此蓋孫覺莘老嘗爲上言今藩鎮大臣如此

論列而遭挫折若唐末五代之際必有興晉陽之甲以除君側之惡者矣此已忘其人但記美鬚誤以爲申公也見聞錄

申公居洛一日對康節長歎曰民不堪命矣康節曰介甫者遠人公與君實引薦至此尚何言公作曰公著之罪也仝上

五月二日論李定

初李定爲秀州判官孫覺薦之朝召至京師李常見之問曰君從南方來民謂青苗法如何定曰民便之常曰舉朝方共爭是事君勿爲此言定即往

白安石安石大喜立薦使入對由是言新法不便者帝皆不聽遂拜監察御史裏行知制誥宋敏求蘇頌李大臨封還制書詔諭數四頌等執奏不已並坐格詔命落職[illegible]

公疏言朝廷知大臨等累次封還詞頭今復草之則爲反覆必難奉詔因欲以違命之罪罪之使今後無敢立異者若果如此自非偷合苟容之人皆不得立于朝矣且陛下果知其賢何不且試之俟其功效顯著然後進用何必今日與臣下力爭勝負

三十一日作四言銘

六月上宗室襲封議

先是三年中書樞密院言祖宗受命百年皇族日以繁衍而親疏未有等殺請參酌典制聞奏議定宣祖太祖太宗之子皆擇其後一人爲宗世世封公補環衛官以奉祭祀不以服族盡故殺其恩禮其非祖免親不賜名授官許應進士明經十一月甲戌詔曰祖宗昭穆是宜世世之封王公子孫抑有親親之義若乃服族之既竭洎于才藝之並優在隨器以甄揚使當官而勉懋宜依中書樞密所奏祖宗之後世襲補外官非祖免親罷賜官授名

議曰臣等竊原聖人制禮必使嫡長世世承襲者所以重正統而絶爭端也古者諸侯生立世子死則襲爵無則立嫡孫無嫡孫則以次立嫡子同母弟此皆爲始薨之時應襲爵之人也國朝故事常封本宮最長者一人爲國公陛下以爲非古故去年十一月十一日降敕稱三祖之子皆擇其後一人爲宗又稱非祖免親更不賜名授官禮院參詳既言擇一人爲宗卽與自來事體不同合依禮令傳嫡明矣又閏十一月五日奉旨祖宗之子並令傳嫡襲封諸宮院已封公者見今且依舊將來更

不承襲臣等詳觀兩次詔旨皆欲以復古禮而襲
正統也今據禮院所定諸王後合襲封人內秦王
之後陳薦等欲立其庶曾孫克繼韓忠彥等欲立
其庶長孫承亮楚王之後陳薦等欲立其庶曾孫
世逸韓忠彥欲立其庶長孫從式魏王之後衆禮
官皆欲立其嫡孫同母弟宗惠臣等看詳三王見
今自有正統而承亮從式宗惠並係旁支若此三
人襲封則子子孫孫常居環衛與國無極其正統
子孫袒免以外更不賜名授官數世之後降爲皁
隸如此三人何幸而封正統何罪而絶不唯與禮

令乖違亦非聖詔所謂爲宗傳嫡者也所以然者
葢緣禮令據初甍之時定爲嗣之人今日于數世
之後定當爲後者事體有殊而耑執令文所以有
此紛紜也案忠彥等以爲令文與古稍異若無嫡
孫而有嫡曾孫則舍曾孫而立嫡子同母弟若無
母弟又立庶子不論旁支常以親近者爲先不知
令文所謂子孫承嫡者葢言嫡子嫡孫百世相繼
不絕唯不幸而絕則有立嫡子同母弟以下之事
非謂有嫡曾孫舍之不立而立嫡子之母弟也晉
庾純吳商王儆范宣諸儒所論並言嫡統不絕則

旁支無繼襲之道必若忠彥等所云但以行尊屬近者爲嗣則國家故事取本宮最長者一人封公已足遵行矣何必近日更有改作乎臣等謹依古禮及令文并去年兩次聖旨指揮重行定奪秦王之後合以克繼襲封楚王之後合以世逸襲封魏王之後合以仲舊襲封其餘並如衆禮官議所定

公自注云時在學士院朝廷以爲非是兩制議者各贖銅三十觔禮院各追一官 六月丁丑封宗室秦魯蔡魏燕陳越七王後爲公

九月辛丑乞差前知資州龍水縣事范祖禹同修資

治通鑑

按宋史九月戊子朔辛丑是月之十四日前已辟劉攽劉恕與祖禹共三人及公歸洛詔聽以書局自隨而三公在官所獨祖禹在洛公專以書局委之故是書祖禹致力尤多

公貽范夢得書云夢得今來所作叢目方是將實錄事目標出其實錄中事應移在前後者必已注于逐事下訖假如實錄貞觀二十三年李靖薨其下始有靖傳傳自鎖告變事須注在隋義寧元年唐公起兵時破蕭銑事須注在武德四年滅銑時斬輔公祏須注在七年平江東時擒頡利須注在貞觀四年破突厥時他皆倣此自舊唐書以下俱未曾附注

如何遽可作長編也請且將新舊唐書紀志傳及統紀補錄并諸家傳記小說以至諸人文集稍干時事者皆須依年月注所出篇卷于逐事之下實錄所無者亦須依年月日添附無日者附于其月之下稱是月無月者附于其年之下稱是歲無年者附于其事之首尾如左氏傳稱初鄭武公娶于申之類及爲某事張本起本者皆附事首者也如衞文公復國之初言季年乃三百乘因陳完奔齊而言完始生筮知入世之後成子得政因晉悼公即位而言其得官得人不失伯業因衞北宮文子聘于鄭而言禆諶草創子産潤色因吳亂而言吳夫槩王爲棠谿氏注云傳終言之之類皆附事尾者也有無事可附者則約其時之早晚附于一年之下如左傳子罕辭玉之

類必無的實年月也假如宰相有忠直姦邪事無處可附者則附于拜相時他官則附于到官時或免卒時其有處可附者不用此法但稍與其事相涉者卽注之過多不害假如唐公起兵諸列傳中有一兩句涉當時者但與注其姓名于事目之下至時雖別無事迹可取亦可以證異同考月日也嘗見道原云只此已是千餘卷書日看一兩卷亦須二三年功夫也俟如此附注俱畢然後請從高祖初起兵脩長編至哀帝禪位而止其起兵以前禪位已後事于今來所看書中見者亦請令書吏別用草紙錄出每一事中間空一行許素紙以備翦開黏綴故也隋以前者與貢父梁以後者與道原令各脩入長編中蓋緣二君更不看

此書若足下止修武德以後天祐以前則此等事盡成遺棄也二君所看書中有唐事亦當納足下處修入長編耳其修長編時請據事目下所該新舊紀志傳及雜史小説文集盡檢出一閱其中事同文異者則請擇一明白詳備者錄之彼此互有詳略則請左右采獲錯綜銓次自用文辭修正之一如左傳敘事之體也此並作大字寫若彼此年月事迹有相違戾不同者則請選擇一證據分明情理近于得實者修入正文餘者注于其下仍爲敘述所以取此舍彼之意先注所舍者云某書云云某書云云今按某書

證驗云或無證驗則以事理推之云云今從某書爲定若無以考其虛實是非者則云今兩存之其實錄正史未必皆可據雜史小說未必皆無憑在高鑒擇之凡年號皆以後來者爲定假如武德元年則從正月便爲唐高祖武德元年更不稱隋義寧二年玄宗先天元年正月便不稱景雲三年梁開平元年正月便不稱唐天祐四年也詩賦等若止爲文章詔誥若止爲除官及妖異止于怪誕詼諧止于取笑之類便請直刪不妨或詩賦有所譏諷如中宗時回波詞諠譁竊恐非宜肅宗時李泌誦黃臺瓜辭之類詔誥有所戒諭如德宗奉天罪己詔李德裕討澤潞諭河北三鎮詔之類及大政事號令四方或因功遷官以罪黜官其詔文雖非事實要知當時託以何功誣以何罪

亦須存之或文繁多節取要切者可也妖異有所警戒凡國家災異本紀所書者並存之其本志强附時事者不須也讖記如李淳風言武氏之類及因而致殺戮叛亂者並存之其妄有牽合如木入斗爲朱字之類不須也相貌符瑞或曰此爲人所忌或爲人所附或人主好之而諂者僞造或實有而可信者並存之其餘不須也妖怪或有儆戒如鬼書武三思門或因而生事如楊慎矜墓流血之類並存之其餘不須也詼諧有所補益如黃幡綽謂自己兒最可憐石野豬謂諸相非相之類存之其餘不須也並告存之大抵長編寧失于繁無失于略千萬切禱切禱今寄道原所修廣本兩卷去此即據長編錄出者其長編已寄還道原恐要見式樣故也

奏彈王安石表

熙寧三年御史中丞光等累次全臺上疏參知政

事王安石妄生姦詐熒惑聖聰及公亮等各務依違未曾辨正乞明其罪不蒙施行竊以易喻履霜書戒作福易書之義其知幾乎安石首倡邪術欲生亂階違法易常輕革朝典而又牽合衰世文飾姦言徒有嗇夫之辨談拒塞爭臣之議論加以朋黨親舊蟠據重任專制威福人心動揺天下驚駭苟陛下不遏其端其爲禍不小矣臣職居御史身爲諫官臣與安石猶冰炭之不可共器如寒暑之不可同時是以屢犯天顏甘蒙鈇鉞伏望誅逐亂臣延納正士上順皇太后之意下慰億兆人之心

則臣等就退誅戮無所復恨

按公以治平四年四月除御史中丞九月罷復還經幄自後以翰林學士兼侍讀學士至是年出知永興軍中閒凡四年皆供翰林之職邇英進講而此表猶書中丞職銜且云身爲諫官此豈其兼官耶又通鑑前列朝散大夫右諫議大夫權御史中丞荆公于是年亦有荅司馬諫議書則諫議中丞之官公固始終兼攝矣

癸丑罷翰林學士以端明殿學士出知永興軍永興軍宋京兆府今西安府

公入見求去帝曰王安石素與卿善何自疑公曰安石執政凡忤其意如公著輩者皆毀其素履中以危法臣不敢避削黜但欲苟全素履且臣善安石孰如呂公著安石初舉公著後亦毀之彼一人之身何前是而後非必有不信者矣求去益力帝乃許之

按宋史神宗本紀是年九月癸丑作東西府以居執政癸丑係月之二十六日荆公集有十月七日公與諸宰執俱遷入新府謝上表是時荆

公方得君銳意改更成法置將官行保甲募役

市易諸法明年遂同平章事公既奏彈安石故
不崇朝而即去也

十月辛酉撰贈比部郎中司馬君墓表公從兄諱某以天禧四年卒公生纔二年男京以天章公蔭入官至是年七月壬寅夫人福昌縣太君王氏卒十月辛酉祔葬于墓公爲之表

十二月二日朝辭進對乞免永興軍路青苗免役錢
略云臣竊見陝西百姓自城綏州供應諸般科配
近復有環慶事宜加以今年亢旱五稼不熟人戶
流移者已聞不少伏見先所散青苗錢貧破百姓
今又聞欲令州縣出免役錢若果行此其爲害必

又甚于青苗何則上等人戶自來更互充役有時休息今歲歲出錢是常無休息之期也下等人戶及單丁女戶等從來無役今盡使之出錢是孤貧鰥寡之人俱不免役也錢少則不足以僱人錢多則須重斂僱人不足則公家闕事重斂于民則眾心愁恐且受僱者皆浮浪之人使之主守官物則必侵盜使之幹集公事則必爲姦事發則挺身逃亡無有田宅宗族之累建議者亦自知其不可乃云若僱召人不足卽依例輪差支與逐處所定僱錢若僱錢可以了事則自當有人應募今既無人

應募必是錢少不足充役是徒有免役之名而役
猶不免但無故普增數倍之稅也以富庶之域猶
不能堪況當陝西彫敝之時乎伏乞特免永興軍
一路青苗免役錢以愛惜民力嵩奏邊費其餘則
繫自朝廷裁酌
乞不令陝西義勇戍邊及刺充正兵
略曰臣先任諫官日伏見國家揀刺陝西義勇臣
累曾論列以爲無益于用近聞環慶路用之與西
賊戰鬭望風奔潰致主將陷沒其不可用已顯然
臣竊聞議者猶欲教閱義勇以抗西賊若止令守

護鄉土猶于人情不至大擾若發以戍邊或如慶厤中刺充正兵則眾人覩環慶之敗譬如無罪往就死地國家既重賦斂以盡其財又逼之戰鬬以絕其命是驅良民使爲盜賊也彼爲官軍則惜生故望風退走彼爲盜賊則必死自可以一敵百臣恐今日教之挽射擊刺乃他日爲盜之資也廟堂萬一行此詔下之日臣恐論列不及今當遠離朝廷不得不先事言之

按宋史是年八月己卯夏人犯大順城環慶路鈐轄李信等敗績是月慶州巡檢姚兕敗夏人

于荔原堡鈐轄郭慶都監高敏死之九月癸丑
詔環慶陣亡義勇餘丁當刺者悉免則其餘正
丁仍不免刺矣公與魏公爭論者未及十年而
其言歷歷若左券

乞留諸州屯兵

略曰臣竊聞永興路所管十州屯駐禁軍至少皆
是沿邊就糧兵士常時分爲上下番一半在逐州
或遇邊上稍有警急則盡皆抽去逐州更無守把
兵士臣竊惟事必須思患預防萬一犬羊奔突間
諜內應或盜賊乘虛姦人竊發其本州官吏手下

無兵雖有智勇將安所施宜逐州各添兵一指揮永興爲關中根本宜添兩指揮若朝廷別無兵士可以差撥乞于沿邊就糧兵士內撥留在逐州屯駐邊上更不得句抽庶幾緩急有備十月日貼黃[illegible]

[illegible]按三疏俱于朝辭日奏請公未至永興而爲地[illegible]方熟計利害懇懇款款如此眞仁人之言哉[illegible]

知永興軍謝上表[illegible]

略曰荷恩至重任貴尤深唯此咸秦昔爲畿甸論其平時誠爲樂土在于今日適値凶年經夏亢陽苗青乾而不秀涉秋淫雨穗腐黑以無收羸老轉

溝壑之憂姦猾啟萑蒲之志正宜安靜不可動搖
譬諸烹魚勿煩擾則免于糜爛如彼種木任生殖
則自然蕃滋
十二月一日申宣撫權住製造乾糧𩟔飯狀
略曰準宣撫使節文州軍將床一斗變造乾糧五
斛如見在床數不多即一色變造𩟔飯光竊計義
勇戍守之時每人日給米二升半一月口食共七
斗五升若更加乾糧一秤并械器衣裝恐一人之
力難以勝任又須差配百姓不無騷擾竊見慶厤
年中議出兵討伐元昊亦嘗令陝西諸州製造後

所在堆積盡成朽腐今公私困竭而復造此無用
誠爲可惜且國家備邊止于戍守則沿邊自有倉
廪無用乾糧皴飯徒使遠近驚駭謂國家又欲出
兵不爲便穩光已指揮令停造更聽候宣撫衞指
揮
是月丁卯荆公加同平章事

司馬太師温國文正公年譜卷之五

司馬太師温國文正公年譜卷之六

錫山顧棟高編輯

吳興劉承幹參校

熙寧四年辛亥　公年五十三歲

公以端明殿學士爲永興軍安撫使

奏授子康守正字

正月一日上疏諫西征

略曰近見朝廷及宣撫司指揮欲分義勇作四番

于沿邊戍守選諸軍驍鋭及募閭里惡少爲奇兵

造乾糧䊏飯布囊力車以備饋運悉取嵗賜秉常

之物散給緣邊又竭內地府庫甲兵財物以助之
只如永興一路所發八馬甲八千副錢九萬貫銀
二萬三千兩銀盌六千枚迫以軍期急于星火民
吏驚駭皆云今春將大舉六師以討秉常之罪若
此言果實臣竊爲陛下危之豈惟無功必有後患
若朝廷初無出征之意則何爲坐散府庫之財疲
生民之力倘將來虜騎入寇將何以禦之臣先任
御史中丞日曾上言國家當先修舉八事然後可
言用兵今八者無一又關中十室九空盜賊紛起
乃欲輕舉大衆以挑猛敵豈不殆乎或又云未討

秉常先欲試兵誅一小族此尤不可捨有罪之强
寇誅無辜之小族勝之不武不勝爲笑將無以復
號令外蕃矣伏望悉令停罷明下詔諭曉以朝廷
不爲出征之計愛惜財力以修振救飢窮實唯國
家之福
三日罷修腹内城壁樓櫓及器械狀
略曰伏緣營造樓櫓須藉城基厚闊方可安置今
解號兩州城壁皆稱闊處只及四五尺須是先貼
築城基方可掛修非大段興功無以辦濟今廂軍
全闕差使官庫亦少見錢又去年饑饉人戶流移

若更如此必須煩擾況永興一路州軍盡在腹裏

去沿邊絕遠若蕃賊入寇亦未能便到城下其樓

櫓修下數年不用不免損壞伏乞特降指揮所有

腹內州軍城壁樓櫓並候將來豐熟修葺其器甲

且據不堪數目逐漸依程課脩所貴公私皆得辦

濟

尋得旨依奏自後永興一路獨得免

八日乞不添屯軍馬

略曰大凡添屯軍馬先須約度本處糧草可以贍

養與否今關中饑饉倉庫空虛贍養舊軍猶恐不

足更添新者何以支吾雖朝廷更發左藏庫內藏
庫添助支費亦不免令州縣配賣于百姓轉增貧
困況糧草是重滯之物不可從遠處輿販必須本
處土地所生今饑饉如此何由可得況卽今人戶
流移至二三月必轉更饑乏若國家坐視不救竊
恐死亡轉眾盜賊轉煩夫戎狄擾邊手足之疾百
姓離散乃腹心之憂豈可重外輕內逐末忘本哉
伏望更不添屯儻以邊鄙未寧不免量添卽乞分
散往諸州軍就糧委逐處兵官精加訓練不須聚
在永興軍邠州河中府三處

十九日奏乞本路兵官與趙瑜同訓練駐泊兵士

略曰伏準差莊宅使趙瑜充本路都鈐轄與臣專管句訓練臣所管永興軍一十三縣民事至多實無餘力同監教閱又不可耑委趙瑜獨行訓練又永興軍舊管兵士向來並係鈐轄劉斌都監李應之同共管句今新添兵士只令趙瑜與臣專管訓練所有舊兵士未知趙瑜管與不管若令通管之時其新來兵既在永興駐泊本路兵官豈可卻管轄不得竊慮向去新兵士不服舊兵官舊兵官不應副新兵士各分彼我則致生事乞令本路兵士

與趙瑜同共訓練所貴公共同心管句得便

是月奏乞所欠青苗錢許重疊倚閣狀

勘會準司農寺牒近準熙寧二年九月四日敕節文所借過青苗錢斛如遇災傷五分以上合隨夏稅納者展至秋稅合隨秋稅納者展至次年夏稅寺司看詳敕意若秋料內更遇災傷自合送納夏料錢斛了足不許再行倚閣疾速催納了足關報提刑轉運司準此施行臣竊詳朝廷散青苗錢斛本爲救接飢民非爲乘此艱食規求利息也今司農寺乃令不得將兩次災傷重疊倚閣竊恐此事

不合赦意葢一次災傷民間未至困窮青苗錢尚
許倚閣豈有連併兩次災傷舊來積蓄既盡新穀
又復不收卻令將何物可以輸納州縣見司農寺
有此指揮不問有無嚴行督促使貧民何以自存
爲民父母必不肯如此況災傷倚閣自稅賦并借
貸過斛斗並候豐熟日送納如更遇災傷亦權住
催理何故青苗錢獨不許重疊倚閣耶臣已指揮
本路災傷地分永興軍河中陝西同華耀乾解八
州軍未得依司農寺指揮更聽候朝旨是年鄧綰
判司農寺

次日乞判西京留臺不報[illegible]

奏爲乞不將米折青苗錢狀[illegible]

略曰朝廷元散青苗錢指揮取利不得過三分令提舉常平司乃依見今饑年貴價將本倉陳次斛斗紐作見錢支散與人每陳色白米一斗紐作見錢七十五文又豫定將來粟麥之價粟每斗三十五文足麥每斗四十文足則是貧民于正二月間請得陳色白米一石卻將來要納新好小麥一石八斗七升五合粟要納三石若送納見錢即又須賤糶以償官中本利于正耗之外更以巧拙取之

顯見所散青苗錢大為民害矣竊唯朝廷之意本以兼併之家放債取利侵漁細民故設此法今官中取利乃約近一倍使向去米價轉貴則取利轉多雖兼併之家不至如此伏望朝廷依先降指揮借貸與第四等以下人戶更不取利若不能如此即乞不以元糶價貴賤紐作見錢只據散出斛斗至將來成熟令出息二分每散得一斗米者納一斗二升細色如此民猶不至窮困官中取利雖薄亦不減二分原數如允所請伏乞早降指揮

按凶年折錢取息是于青苗本法之外又增一

[illegible]重刻剝矣公此二疏能于新法中去其尤毒民
[illegible]者堯夫先生所謂寛[illegible]一分則民受[illegible]一分之益也
詔移知許州辭不赴[illegible]
帝必欲用公召知許州令過闕上殿方示詔謂監
察御史程顥曰朕召司馬光卿度光來否顥對曰
陛下能用其言光必來不能用其言光必不來帝
曰未論用其言如光者常在左右人主自可無過
公果辭召命言行錄[illegible]
[illegible]按行狀云頃之移知許州不赴遂乞判西京留
[illegible]臺不書月當在是年判西京之前無疑

夏四月癸酉公判西京留司御史臺[illegible]

先是公在永興以言不用乞判留臺不報至是又上疏曰臣之不才最出羣臣之下先見不如呂誨公直不如范純仁程顥敢言不如蘇軾孔文仲勇決不如范鎮今陛下唯安石是信附之者謂之忠良攻之者謂之讒慝臣今日所言陛下之所謂讒慝者也若臣罪與范鎮同即乞依鎮例致仕若罪重于鎮或竄或誅所不敢逃久之乃得請

始卜居洛陽潛北劄記云公自熙寧四年辛亥四月罷歸洛至元豐八年三月入朝凡居洛十有五年

自是絕口不復論事公初到洛中書懷詩云三十餘年西復東勞生薄宦等飛蓬所存舊業唯清白不負明君有樸忠早避喧煩眞得策未逢危逐好正收功太平觸處農桑滿贏得閒閒鶴髮翁

范景仁嘗約居洛旣而卜居許下公和景仁卜居詩云壯齒相知約歲寒索居今日鬢俱斑拂衣已解虞卿印築室何須謝傅山許下田園雖有素洛中花卉足供閒他年決意歸何處便見交情厚薄閒

司門范郎中云叔父蜀郡公鎭近居許昌作高菴

以待司馬公累招未至菴極高在一臺基上司馬公居洛作地室壁而入以避暑熱故蜀郡作高菴以爲戲也北京留守王宣徽洛中園宅尤勝中堂七閒上起高樓更爲華侈司馬公在陋巷所居才能芘風雨又作地室常讀書于其中洛人戲云王家鑽天司馬家入地（龐元英文昌雜錄）

五月甲午右諫議大夫呂誨卒公作墓誌銘

獻可屬疾一日手書託公以墓誌銘公亟省之已瞑目矣公呼之曰更有以見屬乎獻可復張目曰天下事尚可爲君實勉之誌其墓未成河南監牧

使劉航仲通自請書石既見其文遲迴莫敢書其子安世曰成吾父之美可乎遂書之仲通又陰屬獻可諸子勿摹本恐非三家之福時小人蔡天申厚賂鐫士得本以獻安石安石得之挂壁間謂其門下士曰君實之文西漢之文也獻可忍死屬公以天下事後公入相再致元祐之盛獻可已不及見矣天下誦其言而悲之至公薨獻可之子由庚作挽詩云地下若逢中執法爲言今日再昇平記其先人之言也言行錄

八月有祭呂獻可文

中有云道不媿心名高天下壽夭不校餘復何言

知我之深見于臨歿今茲永訣文不逮情

王申譔禮部尚書張公墓誌銘諱存字誠之公夫人之父

有祭張尙書文

九月辛卯大饗明堂加公上柱國

熙寧五年壬子　　公年五十四歲

公以端明殿學士判西京留臺

子康監西京糧料院遷大理評事

正月譔殿中丞辥府君墓誌銘諱儀字式之

奏遷書局于洛陽

十三日答李大卿孝基書[illegible]

作投壺新格[illegible]

略曰君子學道從正勤勞罷倦必從容晏息以養志游神蕩而無度將以自敗故聖人制禮以爲之節因以合朋友之和飾賓主之歡且寓其教投壺與其一焉觀夫臨壺發矢之際性無麤密莫不聳然恭謹志存中正豈非治心之道歟一矢之失猶一行之虧也豈非修身之道歟兢兢業業愼終如始豈非爲國之道歟君子之爲之也確然不動其心儼然不改其容未得之而不懾既得之而不驕

小人則俯身引臂挾巧取奇苟得而無媿豈非觀人之道歟由是言之聖人取以爲禮宜矣余今更定新格爲圖列之左方并各釋其指意焉

八月二十九日作呂獻可章奏集序

邵氏後錄云獻可以追尊濮園事擊歐公如日首開邪議妄引經證以枉道悅人主以近利負先帝者凡十四章具載奏議中司馬文正作序乃首載歐公諫臣論以爲誠言文正之言以獻可能盡歐公所書諫臣之事使歐公無得以怨歟抑以歐公但能言之獻可實能行之也不然獻可排歐公爲

邪反以歐公之論序獻可之奏又以爲誠言可乎歐公晚著濮議一書耑與獻可辨獨歸過獻可爲甚矣

答呂由庚推官手書誨之子

略曰示諭史院所取文字光前此亦蒙取兩朝所上章疏光以身今尚存難將諫草納授史官但答云事多涉機密不敢錄上伏乞朝廷于禁中及中書密院檢尋如有可采乞下史院修纂若子孫之于祖父又似不同正當發揮前烈垂之不朽唯于慈壽乞增奉養一事恐當諱避其餘言時政闕失

彈奏大臣等事今日不錄申吏院則先公平生事
業遂汨沒矣
熙寧六年癸丑　公年五十五歲
公以端明殿學士兼翰林侍讀學士判西京留臺上
奏授子康檢閱資治通鑑文字
是年提舉西京嵩山崇福宫始闢獨樂園
公自言兩任留臺四任崇福未知崇福始于何
年按元豐五年九月二十六日謝提舉崇福宫
表云仍再領于祠庭遂十更夫歲籥蓋此時已
經十年追溯至前當以熙寧六年爲始又花菴

詩序云時任西京留臺廨舍東新開小園無亭榭乃構木插竹爲遊涉休息之所作詩有猶恨簪紳未離俗荷衣蕙帶始相宜之句蓋此時尙有職掌未得遊賞自如至是年提舉崇福始歸獨樂園故下序云迂叟讀書多處堂中則崇福決當爲是年無疑也

記云六年買田二十畝于尊賢坊北闕以爲園其中爲堂聚書五千卷命之曰讀書堂堂南有屋一區引水北流貫宇下中央爲沼方深各三尺疏水爲五派注沼中狀若虎爪自沼北伏流出北階懸

注庭下狀若象鼻自是分爲二渠繞庭四隅會于西北而出命之曰弄水軒堂北爲沼中央有島島上植竹圓周三丈狀若玉玦攬結其杪如漁人之廬命之曰釣魚菴沼北橫屋六楹厚其墉茨以禦烈日開戶東出南北列軒牖以延涼颸前後多植美竹爲清暑之所命之曰種竹齋沼東治地爲百有二十畦雜蒔草藥辨其名物而揭之畦北植竹方徑丈狀若棊局屈其杪交相掩以爲屋植竹于其前夾道如步廊皆以蔓藥覆之四周植木藥爲藩援命之曰采藥圃圃南爲六欄芍藥牡丹雜花

各居其二每種止植兩本識其名狀而已不求多

也欄北爲亭命之曰澆花亭洛城距山不遠而林

薄茂密常若不得見乃于園中築臺構屋其上以

望萬安轘轅至于太室命之曰見山臺迂叟平日

多處堂中讀書上師聖人下友羣賢窺仁義之原

探禮樂之緒自未始有形之前暨四達無窮之外

事物之理舉在目前所病者學之未至夫又何求

于人何待于外哉志倦體疲則投竿取魚執衽采

藥決渠灌花操斧剖竹濯熱盥手臨高縱目逍遥

徜徉唯意所適明月時至清風自來行無所牽止

無所泥耳目肺腸悉爲己有踽踽焉洋洋焉不知天壤之間復有何樂可以代此也因合而命之曰獨樂園

公居洛買園于尊賢坊以獨樂名之始與邵康節遊嘗曰光陝人先生衛人今同居洛卽鄉人也有如道學之尊當以年德爲貴官職不足道嘗一日著深衣自崇德寺書局散步洛水隄上因過康節天津之居謁曰程秀才既見乃温公也問其故曰司馬出程伯休父故曰程因留二絕其一曰拜罷歸來抵寺居解鞍縱馬免傳呼紫衣金帶盡脫去

便是林間一野夫其二曰草軟波清沙路微手攜

筇杖著深衣白鷗不信忘機久見我又穿岸柳飛

康節和云冠帶紛華塞九衢聲名相軋在前呼獨

君都不將爲事始信人間有丈夫又云風背河聲

近亦微斜陽淡泊隔雲衣一雙白鷺在煙外將下

沙頭卻背飛

程子曰熙寧中洛陽以清德爲朝廷尊禮者大臣

曰富韓公待從曰司馬温公呂申公士大夫位卿

監以清德早退者十餘人好學樂善有行義者幾

二十人康節隱居謝聘皆相從忠厚之風聞于天

下里中後生皆知畏廉恥欲行一事必曰無爲不

善恐司馬端明邵先生知程氏遺書

有諭衢州僧若訥文

熙寧七年甲寅　公年五十六歲

公以端明殿學士兼翰林侍讀學士提舉崇福宮

四月十八日應詔言朝政闕失狀

略曰伏讀三月三十日詔書喜極以泣未知中外

臣寮曾有以當今之急務生民之疾苦爲陛下別

白言之者臣父子受國厚恩備位侍從頃以衰疾

自求閒官不復預朝廷之議四年于兹而猶居位

食祿不敢避當塗怨怒塞默不言竊見執政獨任己意惡人攻難任所親愛為臺諫官又使詢訪四方利害驅迫州縣承其旨意皆言新法至便經久可行又更增條目務求新巧各事更張又令使者督責所在監司州縣競為苛刻奉行新法稍不盡力則謂沮壞立行停替誤有違犯皆不理赦與犯贓罪同又潛遣邏卒聽市道之人謗議者執而刑之又出牓立賞募人告捕誹謗朝政者臣不知自古聖帝明王之政果如是乎臣唯今日之闕政其大者有六一曰廣散青苗錢使民負債日重而縣

官實無所得二曰免上戶之役斂下戶之錢以養浮浪之人三曰置市易與細民爭利而實耗官物四曰中國未治而侵擾四夷得少失多五曰結保甲教習凶器以疲擾農民六曰信狂狡之人妄興水利勞民費財而六者之中青苗免役錢爲害尤大何則力者民所生而有穀帛民可耕桑而得至于錢則縣官之所鑄民不得私爲自古農民不過出力役税不過穀帛唐末兵興始有税錢者故白居易詩云私家無錢鑪平地無銅山言責民以所無也今有司立法唯錢是求民値豐歲賤糶其穀

以輸官至凶年無穀可糶吏責其錢不已欲賣田則家家賣田欲賣屋則家家賣屋欲賣牛則家家賣牛無田可售不免伐桑棗撤屋材賣其薪或殺牛賣其肉得錢以輸官一年如此明年將何以爲生乎故自行新法以來農民尤被其害者皆斂錢之咎也今天下北盡塞表東被海涯南踰江淮西及邛蜀連歲亢旱種穀不入民采木實草根以延朝夕之命州縣方督迫青苗免役錢鞭笞縲絏唯恐不逮婦子遑遑如在湯火呼天號泣無復生望臣恐烏窮則啄獸窮則攫起爲盜賊瀰漫山野州

縣不能禁官軍不能討當此時方議除去新法亦
何益哉事勢如此而廟堂方晏然自謂太平之業
八九已成此臣所謂痛心疾首忘寢與食者也今
陛下詔書已知前日之失而于新法無所變更是
猶臨鼎哀魚之爛而益其薪終何補乎伏望斥遠
阿諛收還威柄青苗錢勿復散其已散者分數年
催納不收利息盡除免役錢復差役如舊罷市易
務其所積貨物依元價出賣所欠官錢亦除利催
本罷拓土開境之兵息保甲教閱使服田力穡所
興修水利凡利少害多者悉罷之如此則中外懽

呼上下感悅雨必霑洽矣臣今年衰疾寖增恐一
旦溘先朝露是以冒死一爲陛下言之倘復不之
信則天也臣不敢復言矣
是年四月判公罷相以觀文殿大學士出知江
寧府
熙寧八年乙卯　公年五十七歲
公以端明殿學士兼翰林侍讀學士提舉崇福宮
命姪弘求范堯夫作詩序
序略云古之君子修身齊家然後刑于國與天下
蓋其言動有法出處有常子孫幼而視之長而習

之不爲外物所遷則皆當爲賢子弟猶齊人之子不能無齊言也端明殿學士司馬公以清德直道名天下其修身治家動有法度子弟習而化之葢亦不言之教矣又申之以詩章俾其諷誦警策則宜其子孫世有令聞苟尚不能自修而入于君子之塗者則其人可知矣弘予之子壻持公詩求序于余余樂道公之盛德又因以勉之熙寧八年月日高平范某序見范忠宣公集

是年春二月荆公復起爲同平章事

熙寧九年丙辰　公年五十八歲

公以端明殿學士兼翰林侍讀學士提舉崇福宫

二月譔駕部員外郎司馬府君墓誌銘諱某字周卿

是年冬十月荆公再罷相以使相判江寧府

熙寧十年丁巳　公年五十九歲

公以端明殿學士兼翰林侍讀學士提舉崇福宫

是年春與景仁同至河陽謁晦叔館于府之後園既去晦叔名其館曰禮賢夢得作詩以紀其事後一年公作詩繼和呂公具燕設口號有云玉堂金馬三朝侍從之臣清洛洪河千古圖書之奥東萊詩話

四月與吴丞相充書

按宋史充字沖卿蒲城人予安持安石壻也充心不善安石所爲數爲帝言政事不便帝察其中立無與欲相之及安石去遂代爲平章事充欲有所變更乞召還公及呂公著韓維蘇頌等公亦以充可告語乃與之書
略云自京師來者多云相公時齒及姓名或云亦嘗有所薦引光自居洛以來仕宦之心久已杜絕年垂六十精力衰耗豈容復冒榮于進但以從遊之久今日特蒙齒記知己之恩不敢不報竊見國家自行新法以來中外恂恂民困于煩苛迫于誅

斂愁怨煩苛轉死溝壑日夜引領冀朝廷覺悟一變弊法幾年于茲矣今日救天下之急苟不罷青苗免役保甲市易息征伐之謀而欲求成效猶惡湯之沸而益薪鼓橐也欲去此五者必先別利害以悟人主之心欲悟人主之心必先開言路今病雖已深猶未至膏肓失今不治遂爲痼疾雖有邴魏姚宋之佐將未如之何丈夫讀書行道合則利澤施四海不合則令名高千古事君如此亦可謂無負矣

九月作邵堯夫先生哀辭

慕德聞風久論交傾蓋新何須半面舊不待一言
親講道切磋直忘懷笑語眞重言蒙踈實佩服敢
書紳先生嘗以予爲
　腳踏實地之人
元豐元年戊午　　公年六十歲
公任端明殿學士兼翰林侍讀學士提舉崇福宮
有六十寄景仁絕句
和景仁七十一偶成絕句
　按景仁長公十一歲公薨于元祐元年丙寅年
六十八景仁以七十九誌其墓又二年至元祐
三年戊辰景仁薨年八十一

又元祐元年詔起蜀公天下望公與溫公同升
公辭表有云六十三而告老蓋不待年七十九
而復來豈云中禮是其年之證也

正月十六日答程伯淳書

略云昨承問及張子厚謚倉卒奉對以漢魏以來
此例甚多無不可者退而思之有所未盡竊唯子
厚平生用心欲率今世之人復三代之禮者也漢
魏以下蓋不足法郊特牲曰古者生無爵死無謚
爵謂大夫以上也檀弓記禮所由失以謂士之有
誄自縣賁父始子厚官比諸侯之大夫則宜謚矣

然曾子問曰賤不誄貴幼不誄長禮也唯天子稱
天以誄之諸侯相誄猶爲非禮況弟子而欲誄其
師乎孔子沒哀公誄之不聞弟子復爲之誄也今
諸君欲誄子厚而不合古禮非子厚之志與其以
陳文範陶靖節王文中孟貞曜爲比其尊之也曷
若以孔子爲比乎承關中諸君決疑于伯淳而伯
淳謙遜博謀及于淺一不敢不盡所聞以獻唯伯
淳裁擇而折衷之

附龜山先生跋

横渠先生既沒其門人欲謚爲明誠中子以謚議

質諸明道先生先生與温公參訂之故有是書其
辭義典奥而引據精密足以是正先儒之謬故寳
藏之以傳後學
按龜山集中有司馬温公與明道先生帖下注
云温公家集中不載故附見于此今按公傳家
集具載此書但無年月日可考而龜山所藏帖
末有云光再拜伯淳大丞座右正月十六日款
式詳備當是公之眞蹟而編集者脫去龜山去
温公時未遠猶當及見其手澤耳横渠卒于熙
寧十年丁巳十一月鄜去洛千餘里逮明道致

書而公裁答自當在明年正月則此書爲戊午

正月無疑

九月譔劉道原十國紀年序

略曰道原垂死口授其子羲仲爲書屬光使譔𪏆

銘及十國紀年序且曰始欲諸國各作百官及藩

鎮表未能就幸于序中言之光不爲人𪏆銘文已

累年所拒且數十家不獲承命悲媿尤深故序平

生所知道原之美附于其書以傳來世

元豐二年己未　公年六十一歲

公以端明殿學士兼翰林侍讀學士提舉崇福宫

十月坐蘇軾詩案罰銅

知湖州蘇軾以事不便民者不敢言以詩託諷庶有益于國中丞李定御史舒亶言軾侮慢自熙寧以來作爲文章怨謗君父逮軾赴臺獄詔定與知諫院張璪御史舒亶等雜治之且今多引名士欲置之死詩案引及公謂司馬光在西京葺一園名獨樂作詩寄之此詩言四海望光執政陶冶天下以譏見任執政不得其人也又言兒童走卒皆知其姓字終當進用緣光曾言新法不便終當用光改變此法也又言光卻瘖默不言意望光依前上

言擊新法因併以陷公也吳充申救甚力帝亦憐之軾遂得輕貶坐詩案黜罰者自公而下凡二十二人公坐罰銅宋鑑兼詩林長編

東坡嘗簡公曰軾以愚暗獲罪咎自己招無足言者但波及左右爲恨殊深雖高風偉度非細故所能塵垢然軾思之不翅芒背耳東坡尺牘

温公在西京葺獨樂園坡老作詩寄之云青山在屋上流水在屋下中有五畝園花竹秀而野花香襲杖屨竹色侵盞斝樽酒樂餘春棊局消長夏洛陽古多士風俗猶爾雅先生臥不出冠蓋傾洛社

雖云與衆樂中有獨樂者全才德不形所貴知我寡先生獨何事四海望陶冶兒童誦君實走卒知司馬持此欲安歸造物不我捨聲名逐吾輩此病天所赭撫掌笑先生年來效瘖啞胡仔漁隱叢話

按公闢獨樂園在熙寧六年癸丑坡公與之詩至是歷七年矣而姦黨猶以詩末句陷公是時金陵已食祠祿四年然小人奉金陵爲頭目凡指斥新法者皆目爲謗訕後來京卞諸姦皆託名紹述則欲不以金陵爲亡宋之罪人不可得矣

五月十七日作四言銘系述

十一月二十七日答孫長官察書諱之翰從子

略曰蒙貺書示以尊伯父行狀墓誌及所誌唐史記令光爲之碑以紀述遺烈光自幼接侍周旋今日得附以不朽何榮如之但伏自唯念凡刊琢金石必聲名足以服天下文章足以傳後世愚陋如光恐羞污人之祖考而殁其德善功烈遂止不敢爲至今六七年所辭拒者且數十家倘獨爲尊伯父爲之其取數十家子孫讐疾當何如哉雖然竊有愚意今世之人既使人爲銘納之壙中又使一

人爲銘植之隧外壙中者謂之誌隧外者謂之碑
必使二人爲之愚竊以爲惑今尊伯父既有歐陽
公爲之墓誌如公可謂聲名足以服天下文章足
以傳後世矣他人誰能加之伏願足下止刻歐陽
之銘植于隧外以爲碑則尊伯父之名自可光輝
于無窮又足以正世俗之惑爲來之法不亦美乎
十二月書孫之翰墓誌後
略曰歐陽公言自初任以美才淸德爲時所重在
諫院言宮禁事切直無所避在陜不飾廚傳凡當
官公論不私其所愛外和而內勁喜言唐事學者

終歲讀史不如一日聞公論此乃光親所覩聞可謂實錄而無媿矣公名高于世歐陽公以文雄天下固不待光言而後人信之然歲月滋久恐後人見歐陽公之文以爲如世俗但飾虛美以取悅其子孫故敢冒僭越之罪嗣書其末

書孫之翰唐史記後

略曰孫公昔著此書甚自重惜嘗別緘其藁于笥盥手然後啟之謂家人曰凡一有水火兵刃之急他貨財盡棄之此笥不可失也爲江東轉運使行部輒以自隨過亭傳休止輒取增損改易未嘗去

手會宣州有急變乘驛遽往不暇挈以俱既行金陵大火延及轉運廨舍弟子寮負親其笥避于沼中島上公聞之亟還入門問曰唐書在乎寮對曰在乃恱餘無所問自壯年至白首乃成亦未以示人文潞公嘗從公借觀公但録姚崇宋璟論與之况他人固不得見也元豐二年寮自陽翟來洛陽以其書授光曰伯父平生之志萃于是書朝廷先取之留禁中不出恐遂散逸不傳于今録以授子光得之驚喜顧無以爲報請受而藏之異日或廣布于天下使公之志業煒煌千古庶幾亦足以

少報乎

元豐三年庚申　公年六十二歲

公以端明殿學士兼翰林侍讀學士提舉崇福宮

三月十日作先公遺文記

畧曰玉藻曰父歿而不能讀父之書手澤存焉耳

楊子曰書心畫也今之人親歿則畫像事之畫像

外貌也豈若心畫手澤之爲深切哉

七月譔河東節度使守太尉開府儀同三司潞國公

文公先廟碑

是年元豐官制成帝謂執政曰官制將行欲取新舊

人兩用之又曰御史大夫非光不可王珪蔡確相顧失色珪憂甚不知所出確曰陛下久欲收靈武公能任其責則相位可保也珪喜謝確帝嘗欲召司馬光珪薦俞允帥慶使上平西夏策珪意以爲旣用兵深入必不召光雖召將不至已而光果不召永樂之敗死者十餘萬人皆珪啟之宋史王珪傳

八月與王樂道書

元豐四年辛酉　公年六十三歲

公任端明殿學士兼翰林侍讀學士提舉崇福宮

八月二十七日辛巳進所修百官公卿年表十卷宗

室世表三卷

序略曰國家臺省寺監衞率之官止以辨班列之崇卑制廩祿之厚薄多無職業其所謂官乃古之爵也所謂差遣乃古之官也所謂職者乃古之加官也自餘功臣檢校官散官階勳爵邑徒爲煩文人不復貴凡所以鼓舞羣倫緝熙庶績者曰官曰差遣曰職三者而已于三者之中復有名同實異交錯難知又遷徙去來常無虛日欲觀其大略故自建隆以來文官知雜御史以上武臣閤門使以上內臣押班以上遷除黜免刪其繁冗存其要實

以倫類相從先後相次爲百官公卿表
按稽古録内十七卷至二十共四卷自宋太祖建隆之元至英宗治平四年公自注云臣于神宗皇帝時所進百官公卿表大事記而不著年月日考宋史神宗本紀元豐四年八月辛巳公與趙彦若上所修百官公卿年表十卷是月爲乙卯朔由乙卯至辛巳爲二十七日無疑但宋史止稱公卿表無大事記之名又云十卷與録内四卷不合則史臣之脱誤耳案公乞寫稽古録表云臣于神宗皇帝時受詔修國朝百官公

卿表臣依司馬遷法自建隆元年至治平四年
各記大事于上方書成上之有詔附于國史元
豐四年八月所進即此書史臣特省文耳又宋
五朝事略共四卷止二十八葉亦無離爲十卷
之理當以稽古錄公所自注爲正

是年書儀成
按公書儀十卷無序文無跋語年月不可考但
據首卷表奏首行内云元豐四年十一月十二
日中書劄子擬詳定官制所修到公式令節文
則知公書儀成于是年無疑也

元豐五年壬戌　公年六十四歲

公任端明殿學士兼翰林侍讀學士提舉崇福宫

正月作洛陽耆英會有序

昔白樂天在洛與高年者八人遊時人慕之爲九老圖傳于世宋興洛中諸公繼而爲之者凡再矣皆圖形普明僧舍僧舍樂天之故第也元豐中潞國文公留守西都韓國富公納政在里第自餘士大夫以老自逸于洛者于時爲多一日潞公悉集士大夫老而賢者于韓公之第置酒相樂賓主凡十有一人尙齒不尙官既而圖形妙覺僧舍時人

謂之洛陽耆英會宣徽王公方留守北都聞之以
不得與坐席爲恨貽書潞公願寓名其間其爲諸
公嘉羨如此光未及七十用狄監盧尹故事亦與
于會潞公命光序其事不敢辭時五年正月壬辰

韓國公富弼字彥國年七十九

潞國公文彥博字寬夫年七十七

司封郎中致仕席汝言字君從年七十七

太常少卿致仕王尙宮字安之年七十六

太常少卿致仕趙丙字南正年七十五

祕書監致仕劉几字伯壽年七十五

衞州防禦使致仕馮行己字肅之年七十五

太中大夫充天章閣待制楚建中字正叔年七十三

司農少卿致仕王謹言字不疑年七十三

太中大夫張問字昌言年七十一

龍圖閣直學士通議大夫張燾字景元年七十

端明殿學士兼翰林侍讀學士大中大夫提舉崇福宮司馬光字君實年六十四

聞見錄元豐五年文潞公以太尉留守西都富韓公以司徒致仕集洛中公卿大夫年德高者爲耆

英會尙齒不尙官就資聖院建大厦曰耆英堂令

閩人鄭奐繪像堂中時諸公年皆七十餘宣徽使

王拱辰留守北京貽書潞公願與其會年七十一

獨温公年未七十潞公素重其人用唐九老狄兼

謩故事公辭以晩進不敢潞公令鄭奐自幕後傳

温公像又之北京傳王公像于是與會者凡十三

人公以地主攜妓樂就富公宅作第一會至富公

會送羊酒不出餘皆以次爲會洛陽多名園古刹

有水竹林亭之勝諸老鬚眉皓白衣冠甚偉每宴

集都人隨觀之潞公以爲同甲會司馬郎中旦程

太中珦席司封汝言皆丙午生也亦繪像于資勝院其後温公與潞公又爲眞率會有約酒不過五行食不過五味唯菜無限楚正議違約增飲食之數罰一會皆洛陽太平盛事也

潞公遊龍門光以室家病不獲參陪獻詩十六韻

二十七日始作疑孟

壬子晦夫人清河郡君張氏卒于洛陽

二月辛巳晦葬夫人于涑水先塋

公敘清河郡君略曰夫人卒年六十自十六適司馬氏上承舅姑旁接娣姒下撫甥姪莫不悅而安

之御婢妾寬而知其勞苦故其沒也自族姻至于厮養無親疏大小哭之極哀久而不衰近世墓皆有誌刻石摹其文以遺人余以爲婦人無外事有善不出閨門故止敘其事存于家

是年再與范景仁論樂

先是元豐三年神宗詔景仁與劉几楊傑定樂景仁曰定樂當先正律乃作律尺籥合升斗豆區鬴斛欲圖上之訪求真黍以定黄鍾而劉几即用李照樂用四清聲樂成詔罷局賜賚有加景仁謝曰此劉几樂也臣何與焉及提舉崇福宫欲造樂獻

之乃請大府銅爲之踰年乃成比李照下一律有
奇書中邀公至潁昌就觀當在是年也

與景仁書

略曰近于夢得處連得所賜兩書云周豳漢斛已
成欲令光至潁昌就觀之以家兄約非久入洛不
可捨去然竊有愚見願薦之左右周室既衰禮闕
樂弛典章亡軼疇人流散重以暴秦焚滅六籍自
漢以來諸儒取諸胸臆以億度古法牽于文義拘
于名數較竹管之短長計黍粒之多寡競于無形
之域訟于無證之庭迭相否臧紛然無已雖使后

夔復生亦不能決彼周鬴出于考工記事非經見是非固未得而知如漢斛者乃劉歆爲王莽爲之就使其眞器尚存亦不足法況景仁復改其制度恐徒役心力費銅炭耳

景仁復書

略曰周鬴漢斛其法具存魏晋以來其尺至有十五種蓋由横黍縱黍所爲而不稟于律是以卒不能作樂止用舊聲終唐世無變改者至周王朴始用魏晋所棄之法遂以仲呂爲黃鐘太祖皇帝患之特下一律仁宗皇帝留意數十年終無所得及

上仙太皇猶以李照胡瑗所置銅律置神御前然李照以縱黍累尺與今太府其律尺應古樂而鐘磬才中大簇是樂與律自相矛盾也胡瑗之樂君實已詳知之此不復云前歲議樂按太常鑄鐘皆有大小輕重非三代不能爲然最大者今爲林鍾而仲呂乃居黃鍾子位考之正差五律與前後言者相符雖經鐫鑿尙可補治若以大小次之必得其正又用李照之樂則不若仲呂之愈也何則太簇商聲宋子京所謂若實寄于臣管是也是大不可又況十二律皆有淸聲花日新撰譜與鄭衞無

異而以薦郊廟可乎考工記世以爲漢儒所爲漢
志載劉歆之說多所牽合某亦于二書深疑之近
因鬴斛考其制作無復疑矣又知大府之尺與權
衡皆古之真于律者唯量出于晋魏之貪政與律
不合須君實面言乃悉竊以爲論此者今世無如
吾二人講求難問之多而且久也得君實來協同
其說以破千餘年之惑則吾徒事業固亦不細矣
難兄若朝夕來不敢奉邀候歸陝歲首垂訪春中
卻同入洛幸也

六月丁丑謨楊雄太玄經序

漢五業主事宋衷始爲玄作解詁吳鬱林太守陸
績作釋失晉尚書郎范望作解贊唐門下侍郎平
章事王涯注經及首測宋興都官郎中直昭文館
宋維翰通爲之注秦州天水尉陳漸作演玄司封
員外郎吳祕作音義慶厤中光始太玄而讀玄自
是求訪此數書皆得之又作說玄疲精勞神三十
餘年訖不能造其藩籬以其用心之久棄之似可
惜乃依法言爲之集注誠不知量庶幾來者或有
取焉

按公生平不信孟子獨尊信楊雄是年作疑孟

而敘太玄眞不可解

秋作遺表自注云吾苦語澀疑爲中風之候恐朝夕

俟且死以授范堯夫范夢得使上之八年三月七

日宮車晏駕此表無用留以示子孫欲得知吾事

君區區

之心耳

略曰陛下天縱睿哲燭物精敏踐祚以來銳志求

治得一王安石任之不疑雖古周公管仲樂毅諸

葛孔明亦無以過而安石旣愚且愎足己自是肆

其胸臆變亂舊章興害除利捨是取非其尤病民

傷國者略舉四條其一曰青苗錢分命使者誘以

重賞强散息錢朘民求利取新償舊負債歲多官

守空簿實無所獲貨重物輕公私兩困其二曰免
役錢縱富强應役之人使家居自逸征貧弱不役
之戸使流離轉死使農家捨其穀帛與力而耑責
以錢錢非私家所鑄要須貿易外求豐歲穀賤不
得半價盡糶所收未能充數若值凶年則又無穀
可糶人人賣田無往可售遂使殺牛賣肉伐桑鬻
薪來年生計安敢復議用此僱浮浪之人以供百
役使緩則爲姦急則逃竄處事若此豈非倒置其
三曰保甲自唐募長征兵賦農民穀帛以養之今
穀帛稅如故又復使事戰陣是一身二任矣又罷

巡檢兵士及尉司弓手皆易以保甲半月一代彼
畎畝之人尚未能操弓挾矢已復代去用此擒盜
不亦難乎又奪其衣食使無以生是驅民爲盜也
使比屋習戰誘以官賞是教民爲盜也又撤去捕
盜之人是縱民爲盜也謀國如此果爲利乎其四
日市易遣吏坐列販賣與細民爭利下至菜果油
麪騾儈所得皆榷而奪之使道路怨嗟遠近羞笑
商旅不行酒税虧損奪彼與此得少失多又稱貸
于民恣其所取使無賴子弟得醉飽之資在家父
兄受督責之苦傾貲破產十有六七凡此四者皆

逆人情違物理安石乃以峻法驅之有違新法者不以赦降去官原免其所犯重于十惡盜賊又有种諤辯向王韶李憲王中正之徒行險傲倖輕動干戈輕慮淺謀發于造次深入自遺僅同兒戲使兵夫數十萬暴骸于曠野資仗巨億棄捐于異域失亡狠籍如此而建議行師之人晏然曾無媿畏更蒙寵任臣竊見十年以來天下以言爲諱大臣偷安於祿位小臣苟免於罪戾宗廟社稷危如累卵而陛下深居九重日聞諛臣之言以爲天下太平之功十有八九臣是以不勝憤懣爲陛下忍死

言之庶幾陛下覽其垂盡之辭察其願忠之志廓
然乾斷罷苗役廢保甲以寬民農除市易絕稱貸
以惠工商斥退聚斂之臣襃顯循良之吏禁約邊
將不得貪功而危國制抑近習不使握兵而兆亂
除苛察之法以隆易簡之政變刻薄之俗以復敦
朴之化使衆庶安農桑士卒保首領宗社永安傳
祚無窮則臣沒勝于存死榮于生矣
九月二十六日朝命敕提舉西京嵩山崇福宮候滿
三十箇月不候替人發來赴闕
謝提舉崇福宮表

略曰臣被遇三朝忝塵二禁紆天光之顧問侍經
席之從容亦嘗委總憲司訖無報稱擢陪樞府不
敢叨居剖竹雍都蔑聞于治効分臺洛邑幸養于
沈痾仍再領于祠庭遂十更夫歲籥頃自受命先
帝俾刊舊聞逮陛下之纘圖發德音而繼至而臣
以簡策之浩繁致歲時之淹久座縻廩禄久去班
行尚或無厭復求自便豈謂陛下大德包荒曲垂
開可恕顓愚之無狀容僥倖以滋多臣敢不深戒
晏安祇勤夙夜畢精撰述圖報生成
按公四任崇福此年當爲第四任矣逆溯至前

當以熙寧六年爲提舉第一任此後再滿三十
箇月至元豐八年二月此任方滿公前後提舉
崇福凡十二年有奇八年二月再乞西京留臺
未奉朝旨旋于三月七日遭神宗皇帝喪赴闕
入臨則是熙寧六年以前至四年四月當爲兩
任留臺也

十二月十三日書心經後贈紹鑒

司馬太師温國文正公年譜卷之七

錫山顧楝高編輯

吳興劉承幹參校

元豐六年癸亥　公年六十五歲

公任端明殿學士兼翰林侍讀學士提舉崇福宮

作子絶四論

略曰或問子絶四何以始于毋意迂叟曰吉凶晦吝未有不本于意者也是以聖人除其萌塞其源惡奚自而至哉或曰毋意于惡旣聞矣敢問聖人無意于善乎曰不然聖人之爲善豈有意乎聖人

執禮義以待事不爲善而善至矣或曰然則聖人之心其猶死灰乎曰不然聖人之心如宿火耳夫火宿之則晦發之則光引之則然鼓之則熾既而復掩之則乃晦矣深而不消久而不滅者其宿火乎治其心以待物物至而應事至而辨豈若死灰哉灰死則不復然矣所用

按朱子以意爲私意公竟謂聖人無意于善此孟子所謂由仁義行非行仁義孔子所謂從心所欲不踰矩也論最深微

作致知在格物論

略曰人情莫不好善而惡惡慕是而羞非然善且是者葢寡惡且非者實多何哉皆物誘之物迫之而旋至于莫之知富貴汩其智貧賤翳其心故也唯好學君子爲不然已之道誠善也是也雖茹之以藜藿如粱肉臨之以鼎鑊如茵席誠惡也非也雖位之以公相如塗泥賂之以萬金如糞土如此則視天下之是非善惡如數一二如辨黑白安有不知者哉所以然者物莫之蔽故也大學曰致知在格物格猶扞也禦也能扞禦外物然後能知至道矣鄭氏以格爲來或者猶未盡古人之意乎

按程朱訓格爲到爲窮至事物之理其説精矣

至矣然公之説亦自有不可磨滅處

與范景仁第八書

略曰來諭云以中和作樂未可置必是非有定乃

止此議上有先聖下有來哲是非必有所定若但

以筆舌相攻則光與景仁借令有老彭壽是非何

時而定耶是以置之昨在鄉里作子絕四及致知

在格物二論輒敢録呈有不合于理處更望景仁

攻難勿以前不受教遂棄之也

景仁復第八書

略曰皇祐中與君實官太常同議大樂阮天隱胡
先生深詆李照非是最後房庶來又言二八者亦
非是何則以尺而起律也又謂王朴之樂高五律
已而依庶之說今制尺律籥三種而律才下三格
與李照同是時朝廷特授庶一官罷歸庶亦自黜
其言之不中然君實初與胡阮同非李照者今復
主之豈未之思耶王朴樂某亦同房庶非之雖高
五律君臣民事物不相干今復欲用之何可得也
胡瑗所作比王朴下半律仲更嘗言之君實已悉
李照之樂聲雖發揚又下三律然君臣民事物皆

失其位不可不深念之

與范景仁第九書

略曰聞景仁欲奏所爲樂此大不可恐爲累非細光寧可爲景仁屈服景仁所論爲是光所論爲非不願景仁上此奏也且景仁所論果是但存文字傳于後世必有施行之時何必汲汲自薦于今日也切告切告不可不可

范蜀公東齋記事云君實與余莫逆交也唯議樂爲不合往在館閣時決于同舍不能決遂弈棊以決之君實不勝乃定其後二十年君實在西京爲

留臺予往候之不持他書唯持所撰樂論八篇示之爭論者數夕莫能決又投壺以決之予不勝君實懽曰大樂還魂矣凡半月卒不得要領而歸豈所見然耶將戲謔耶抑遂其所執不欲改之耶

按二十年疑當作三十年葢二公初官太常時論樂爲仁宗皇祐二年庚寅爭論未決至神宗元豐三年庚申復詔景仁與劉几定樂而劉几用李照四清聲樂成賜賚而景仁自以意更造請太府銅爲周鬴漢斛逾年乃成比李照下一律有奇邀温公就觀公更與辨論葢在辛酉壬

戍丙年上距皇祐庚寅葢已三十四年矣若云二十年則當爲熙寧三年庚戌公方在京師爲翰林學士未得云西京留臺也

按宋世論樂異同者有和胡阮李范馬劉楊八人而自元祐五年劉几定樂之後復詔蜀公詳定樂成二聖御延和殿召執政同觀賜詔嘉奬以樂下太常葢當元祐之三年溫公不及見矣夫樂之得失非後儒所敢輕議然蜀公謂前所奏樂以太蔟爲黃鍾宮商易位爲非是元祐以後係蜀公所定而是後姦邪執政君弱臣强馴

有靖康之禍豈樂與治不相應耶抑蜀公所定

未爲得耶後當有辨之者

是年作眞率會

伯康與君從七十八歲安之七十七歲正叔七十四歲不疑七十三歲叔達七十歲光六十五歲合五百一十五歲口號成詩七八五百有餘歲同醉花前今古稀走馬鬬雞非我事紵衣絲髮且相暉

范忠宣行狀云公判留臺時一時耆舊多在洛公與司馬公皆好客而家貧相約爲眞率會脫粟一飯酒數行過從不間一日洛中誇以爲盛事

作河南志序

略曰唐麗正殿直學士韋述爲兩京記近宋君敏求字次道演之爲河南長安志凡其廢興遷徙及宮室城郭坊市第舍縣鎮鄉里山川津梁亭驛廟寺陵墓之名數與古先之遺迹人物之俊秀守令之良能花卉之殊尤無不備載開編粲然如指諸掌其博物之書也太尉潞公留守西京其子慶曾顧因公刻印以廣之使後世聞今日洛都之盛者得之如身逢目覩潞公命光爲之序光于次道友人也不敢辭

作坐瞻堂記

略曰天子大饗明堂召河東節度使潞國文公自北都入覲京師以相祀事禮成復命公爲太尉留守西都于是公尹洛者凡三矣天子仍賜詩云西都舊士女白首坐瞻公洛人因相與搆堂于資聖佛祠肖公之像于其中名之曰坐瞻又二年河南進士某某等以書抵光請書其事于石光曰光僑居洛邑十有三年日聞士民之譽公者如出一口敢問公之治洛其規爲施置何如衆皆曰其簡而有節安而不擾乎光曰諸君知其一不知其二自

古爲人臣者或得于君而失于民或得于民而失于君若夫事君以忠養民以仁惻然至誠積于胸中夙夜不倦悠久不渝晦之而益光隱之而益彰彌千百年無幾人其唯公乎不然何天子之寵光便蕃而不厭下民之悅服悠久而不忘若是其備也衆皆曰然遂爲之記

十一月一日序賻禮

元豐七年甲子　公年六十六歲

公任端明殿學士兼翰林侍讀學士提舉崇福宮

著葬論

略曰昔者吾諸祖之葬也家甚貧不能具棺槨自
太尉公而下始有棺槨然金銀珠玉之物未嘗以
錙銖入于壙中將葬太尉公族人皆曰葬者家之
大事奈何不詢陰陽吾兄伯康無如之何乃曰詢
于陰陽則可矣安得良葬師而詢之族人曰近村
有張生者良師也數縣皆用之兄乃召張生許以
錢二萬張生野夫也世爲葬師爲野人葬所得不
過千錢聞之大喜兄曰汝能用吾言吾畀爾葬不
用吾言將求他師張生曰唯命是聽于是兄自以
己意處歲月日時及壙之淺深廣狹道路所從出

皆取便于事者使張生以葬書緣飾之曰大吉以
示族人族人皆悅無違異者今吾兄七十九以列
卿致仕吾年六十六忝備侍從宗族之從仕者二
十有三人視他人之謹用葬書未必勝吾家也前
年吾妻死棺成而斂裝辦而行壙成而葬未嘗以
一言詢陰陽家迄今無他故吾嘗病陰陽家立邪
說以惑衆爲世患于喪家尤甚頃爲諫官嘗奏乞
禁天下葬書當時執政莫以爲意今著兹論庶俾
後之子孫葬必以時欲知葬具之不必厚視吾祖
欲知葬書之不足信視吾家

答兩浙提舉趙宣德屼書抃之子

略曰承辱示先大資少保行狀欲令光作誌文光不爲人作碑誌已十餘年所辭拒者甚多前與孫令書敘不可爲之故頗詳去年富公初薨光往弔酹其孤朝奉在草土中號泣自擲必欲使光作墓誌光特以語孫令者告之竟辭不爲今若獨爲先公爲之則是有所輕重厚薄于其中也仰違尊命罪戾實多伏望大君子垂恕

作韓魏公祠堂記

十月三日作中和論

十二月戊辰進資治通鑑有序

略曰臣嘗患史冊文事繁多欲删削冗長舉撮機要取善可爲法惡可爲戒者爲編年一書私家力薄無由可成伏遇英宗皇帝睿智文明思歷覽古事爰詔下臣俾之編集仍命自選辟官屬于崇文院置局以内臣爲承受眷遇之榮近古莫及不幸先帝違棄羣臣陛下欽承先志寵以冠序錫之嘉名每開經筵常令進讀隕身喪元未足云報會差知永興軍以衰疾不任治劇乞就冗官陛下曲賜容養差判西京留司御史臺及提舉嵩山崇福宫

前後六任仍聽以書局自隨給之禄秩不責職業
臣既無他事得以研精極慮窮竭所有日力不足
繼之以夜徧閱舊史旁采小說抉擿幽隱校計毫
釐上起戰國下終五代凡一千三百六十二年修
成二百九十四卷又略舉事目年經國緯以備檢
尋爲目錄三十卷又參羣書評其同異俾歸一塗
爲考異三十卷合三百五十四卷自治平開局迄
今始成臣之精力盡于此書伏望陛下寬其妄作
之誅察其願忠之意以清閒之燕時賜省覽懋稽
古之盛德躋無前之至治俾四海羣生咸蒙其福

則臣雖委國九泉志願永畢矣

帝諭輔臣曰前代未嘗有此書過荀悅漢紀遠矣

詔以光爲資政殿學士降詔獎諭賜帶如二府品

數

薦范祖禹狀

略曰臣于熙寧三年奏范祖禹自前知資州龍水

縣事同修資治通鑑至今首尾十有五年由臣頑

固此書久而未成致祖禹淹回沈淪祖禹安恬靜

默如可以終身者臣誠孤陋所識至少誠見祖禹

智識明敏而性行温良如不能言好學能文而謙

晦不伐如無所有操守堅正而圭角不露如不勝
衣于士大夫中罕遇其比今所修書已成竊爲朝
廷惜此良寶伏望陛下或使之供職祕省觀其述
作或使之入侍經筵察其學行自餘進用繫自聖
衷
公子康公休告其友晁說之曰此書成蓋得三人
焉史記前後漢則劉貢父三國歷九朝而隋則劉
道原唐迄五代則范淳夫其在正史外楚漢事則
司馬彪荀悅袁宏南北則崔鴻十六國春秋李延
壽南北史太淸記亦采建康實錄以下無議焉柳

芳唐厤最可喜唐以來稗官野史暨百家譜錄正
集別集墓誌碑碣行狀別傳亦不敢忽
高氏緯略曰通鑑一事用三四處出處纂成正史
之外用雜史諸書凡二百二十二家
致堂胡氏寅曰公六任宂官皆以書局自隨歲月
既久又數應詔上書論新法之害小人欲中傷之
而公行義無可訾者乃倡爲浮言謂書之所以久
不成緣書局之人利尙方筆墨絹帛及御府果餌
金錢之賜耳既而承受中貴人陰行檢校乃知初
雖有此旨而未嘗請也公于是嚴課程省人事促

修成書其表有云日力不足繼之以夜簡牘盈積
浩于淵海其間牴牾不敢自保今讀其書蓋自唐
及五代采取微冗日月或差亘有由也公以議論
不合辭執政而不居舍大藩而不爲甘就冗散編
集舊史盡瘁忠之志而憸險細夫顧謂眷戀匪頒
之入孟子曰如使予欲富何辭十萬而受萬乎小
人以臆度君子類皆如是
張新叟言洛陽有資治通鑑草盈兩屋黃魯直閲
數百卷訖無一字草書此公所謂平生精力盡于
此書者如人之不能讀何公嘗謂吾此書惟王勝

之嘗讀一徧餘人不能數卷已倦睡矣公此書歷
英宗神宗二世凡十九年而書成見文獻通考
元豐八年乙丑　公年六十七歲
公任資政殿學士提舉崇福宫
正月十九日作無爲贊
學黄老者以心如死灰形如槁木爲無爲迂叟以
爲不然作無爲贊
治心以正保身以静進退有義得失有命守道在
己成功在天夫復何爲莫非自然
二月再乞西京留臺有狀

略曰臣先于元豐五年九月二十六日敕受提舉西京嵩山崇福宮候滿三十箇月不候替人發來赴闕至今月此任當滿今年六十有七耳耳目手足雖未全衰數年以來昏忘特甚臨繁處劇實所不堪但臣前後提舉已經四任坐享廩給全無所掌今復求句實自心媿竊見西京留司御史臺及國子監麤有職業伏望聖慈特于上件兩處差遣內除授一任

癸巳神宗疾甚三省樞密請立皇太子及皇太后權同聽政許之旦謂輔臣當以呂公著司馬光爲師

傳

二十九日答韓秉國中和書

三月七日神宗崩哲宗即位

十五日答韓秉國第二書

略曰光與秉國皆知中庸之爲至德而信之所未合者秉國以無形爲中光以無過無不及爲中此所謂同門而異户也夫喜怒哀樂之未發常設中于厥心豈有形于外哉荀卿太學所謂虚靜定者不以欲惡蔽其明不以怵迫亂其志不以得喪易其操豈得寂然無思慮哉光前書云願秉國動靜

語默飲食起居皆在于中久必自得之秉國亦嘗留意采其言乎

尹和靖曰温公平生用心甚苦每患無著心處明道伊川嘗歎其未止一日温公謂明道某近日有箇著心處甚安明道曰何謂也温公曰只有一箇中字著心于中甚覺安樂明道舉似伊川伊川曰司馬端明卻只是揀得一箇好字卻不知教他常把一串念珠卻似省力試說與時他必不受也又曰著心只那著的是何二程外書

十七日乙奔神宗皇帝喪

略曰臣前奏陳乞于留臺國子監內除授臣一任
未奉朝旨旋于今月七日忽奉遺制大行皇帝奄
棄天下臣哀荒擢絕無地自處即欲號泣奔走徑
詣京師展臣子萬分之一但念國朝故事未嘗有
近臣奔喪之例遲違未敢今已于十七日起離西
京赴闕隨百官班入臨聽候指揮
行狀公赴闕臨衞士見公入皆以手加額曰此司
馬相公也民遮道呼曰公無歸洛相天子活百姓
所在數千人聚觀之公懼會放辭謝遂徑歸洛太
皇太后聞之詰問主者遣使勞公問所當先者

二十二日太皇太后遣入内供奉官梁唯簡宣諭邦家不幸大行升遐嗣君沖幼同攝國政公歷事累朝忠亮顯著毋惜奏章贊予不逮

公謝宣諭表云臣懷先帝盛德奔赴闕庭止欲一望梓宮少展臣子之哀即退歸洛邑復就宂官不意陛下過有聽采特降中使曲加奬飾待以耆舊許之盡言臣本何人克堪厥任但冀天下由此識陛下之心嘉言嚮應正論日聞斯乃四海羣生之福豈伊微臣獨爲慶幸

三十日上乞開言路劄子

略曰近歲士大夫以言爲諱下情蔽而不上通上
恩壅而不下達閭閻愁苦于下而上不得知明主
憂勤于上而下無所訴此皆罪在羣臣而愚民無
知歸怨先帝今日所當先者莫若廣開言路不論
有官無官在京及在外州軍並委主判官晝時進
入不得强有抑退陛下乞賜省覽其狂愚鄙陋者
亦不加罪如此則嘉言日進羣情無隱陛下雖所
欲爲無不如志矣

四月十九日進修心治國之要劄子

略曰昔仁宗皇帝擢臣知諫院臣初上殿即言人

君之德三曰仁曰明曰武致治之道三曰任官曰信賞曰必罰英宗皇帝時臣曾進歷年圖復于後序言之大行皇帝擢臣爲御史中丞臣初上殿所言莫不本此三者今陛下新承大統太皇太后同聽萬幾臣復以修心治國之要爲獻蓋天下治亂興亡安危之道無易于此伏願陛下留神幸察

是月太皇太后有旨散遣修京城邏卒罷減皇城內覘者止御前工作出近侍之無狀者三十餘人戒飭中外無敢苛刻暴斂廢導洛司物貨場及民間戶馬寬保馬限皆從中出大臣不與

二十七日乞去新法病民傷國者疏

略云臣向在朝廷屢言新法非便觸忤權貴冒犯衆怒先帝憐其孤忠不以爲罪仍蒙寵擢置之樞廷臣以言未行力辭不受臣非惡富貴而好貧賤正欲感悟先帝知臣爲國不爲身庶幾采納狂瞽使百姓獲安基局永固而已既又自乞宂官退伏閭里雖身處于外區區之心何日不在先帝之左右所以不敢自赴闕廷如此之久者亦猶辭樞廷之志也熈寧七年歷時不雨先帝遇災而懼深自刻責誕布詔書廣開言路臣當是時極有開陳而

建議之臣知所立之法不合衆心天下之人必盡
指其非恐先帝覺悟而已受誤國之罪伏欺罔之
刑乃勸先帝繼下詔書言新法已行必不可動臣
之所言正爲新法若新法不動臣尚何言自是閉
口不敢復預朝廷議論十有一年矣然每覩生民
之愁苦憂社稷之阽危中夜之間未嘗不失聲撫
心也不意上天降禍先帝升遐臣之寸誠無由披
露鬱抑憤懣自謂終天及奔喪至京乃蒙太皇太
后陛下特降中使訪以得失是臣積年之志一朝
獲伸顧天下事務至多臣思慮未熟但乞下詔使

吏民皆得實封言事既而聞有旨罷修城役夫撤
詞邏之卒止御前造作及臣歸西京後繼聞斥退
近習之無狀戒飭有司奉法失當過爲煩擾者罷
物貨專場及民所養户馬又寬保甲年限凡臣所
欲言者陛下略已行之小臣稽慢罪當萬死然尚
有病民傷國有害無益者如保甲免役錢將官三
事皆當今蠹革所宜先臣今别具狀奏聞議者必
謂三年無改于父之道然此謂無損于民無害于
國者耳若病民傷國者改之當如救焚拯溺昔漢
文帝除肉刑斬右趾者棄市笞五百者多死景帝

元年卽改之笞者始得全武帝作鹽鐵榷酤均輸等法天下困弊昭帝用賢良文學之議而罷之後世稱明唐代宗縱宦官公求賂遺置客省拘滯四方之人德宗立未三月悉禁止罷遣之時人望致太平德宗晚年有宮市五坊小兒暴橫爲民患鹽鐵月進羨餘順宗卽位皆罷之中外大悅是皆改父之政而當者人誰非之哉況先帝之志本欲求治而羣下競爲紛更此乃羣臣之罪非先帝之過也況今太皇太后陛下以母改子非子改父何憚而不爲哉唯聖明裁察

乞罷保甲狀

略曰兵出民間雖云古法然古者八百家出車一乘閒民甚多不妨稼穡兩司馬以上皆選賢士大夫爲之無侵漁之患今籍鄉村之民三丁取一爲保甲授以弓弩教之戰陣特置使者專切提舉一丁教閱一丁供送名謂五日一教而保正保長以泥堋除草爲名日聚之教場得賂則縱是耕耘收穫稼穡之業幾盡廢也國家承平日久民不識兵革一旦畎畝之人皆戎服執兵奔驅滿野見者以爲不祥事既草創調發無法比戶騷擾不遺一家

又巡檢指使按行鄉村往來如織保正保長依倚
弄權坐索供給多責賂遺小不副意妄加鞭撻𧴌
民罄家所有無以供億使者徧行按閱所至犒設
賞賚糜費金帛以巨萬計臣不知設保甲于農民
之勞既如彼爲國家之費又如此終將何所用哉
若使之捕盜賊衞鄉里則何必如此之多若使之
戍邊境征戎狄則平日在教場之中坐作進退有
似嚴整若必使之與戎狄相遇塡然鼓之鳴鏑始
交其奔北潰敗可以前料當此時豈不誤國事哉
又保甲中往往有自爲盜者亦有乘保馬行劫者

然則設保甲保馬本欲除盜乃更資盜也自教閱保甲以來河東陝西京西盜賊至敢白晝公行入縣鎮殺官吏官軍追討終不能制三路未至大饑而盜賊已如此萬一遇數千里之蝗旱而失業飢寒武藝成就之人所在蜂起其爲患可勝言哉今雖罷戶馬寬保馬而保甲猶存者蓋未有以其利害之詳奏聞者也臣愚以爲宜悉罷保甲使歸農召提舉官還朝量逐縣每五十戶置一弓手但令捕賊給賞若獲賊數多及能獲强惡賊人者各隨功大小遷補職級務在優假使人踴躍然後募本

縣有勇力武藝者投充必多應募或武藝衰退者許他人指名與之比較若武藝勝于舊卽令充替一縣之中其壯勇者旣爲弓手其羸弱者雖使爲盜亦不能爲患其餘巡檢兵士縣尉弓手耆長壯丁逐捕盜賊並乞依祖宗舊法

乞罷將官狀

略曰臣竊見國朝以來置總管鈐轄都監監押爲將帥之官凡州縣有兵馬者其長吏未嘗不兼同管轄蓋知州卽一州之將知縣卽一縣之將故也

先帝欲征伐四夷患諸州兵官不精勤訓練于是

議者請分河北陝西等路諸軍若干人爲一將別置將官使之專功訓練其總管以下及知州知縣皆不得關預及有差使量留羸弱下軍及剩員以充本州官白直及諸般差使其餘禁軍皆制在將官臣愚以爲職事脩舉在于擇人苟得其人雖總管等皆能訓練不得其人雖將官亦何所爲此非徒無益兼復有害爲州縣及總管等官而于所部士卒不相統攝有如路人雖許差將下兵士而將官往往占護不肯差撥萬一有非常之變羣盜猝至何以責其竭節守義不棄城竄匿或以酒食迎

賊以甲兵獻賊斂民財以賂賊者乎況戎狄傾國大舉長驅而來者乎易曰安不忘危存不忘亡宜于沿邊腹內州軍量其大小緊慢大藩常留千餘人小州亦留數百人不得差發他往悉罷將官其逐州縣禁軍並委長吏與總管等官同共調舉教閱仍令逐縣各選有勇力武藝之人充弓手以守衛城邑討捕盜賊力足以守然後遇寇盜之至責其棄城等罪而誅之彼亦甘心矣

按通鑑熙寧三年十二月改諸路更戍法初太祖懲五代之弊用趙普策收四方勁兵列營京

畿以備徼衞分番屯戍以捍邊圉于時將帥之
臣入奉朝請獷暴之民收隸尺籍雖有桀驁恣
肆而無所施其間爲什長之法階級之辨使之
内外相維上下相制截然而不可犯其後定兵
制天子之衞兵以守京師更番戍邊者曰禁軍
諸州之鎮兵以分給役使者曰廂軍選于戸籍
或應募使之團結以爲所在防守者曰鄉軍具
籍塞下以爲藩籬者曰蕃軍大抵四者而已至
是議者以更戍法雖無難制之患而兵將不相
識緩急不可恃乃部分諸路將兵總隸禁旅使

兵知其將將練其兵平居知有訓厲而無番戍之勞尋置京畿河北京東西路二十七將陝西五路四十二將然禁旅盡屬將官飲食嬉遊養成驕惰又將官遂與州郡長吏爭衡每將各有部隊將訓練官等數十人而諸州舊有總管鈐轄都監監押設官重復虛破廩祿知兵者皆知其非卒不能奪也

乞開言路狀

略曰臣自到西京以來朝夕伏聽朝廷維新之政

今太府少卿宋彭年言在京不可不並置三衙管

軍臣僚水部員外郎王諤乞令依保馬原立條限均定逐年合買之數又乞令太學博士增置春秋博士使諸生肄業朝廷以非職而言各罰銅三十斤臣聞之悵然失望陛下臨政之初而二臣首以言事獲罪臣恐忠臣解體直士挫氣太平之功未可期也今二臣之罰既不可追伏望陛下如臣前奏論事無可取者寢而不問庶幾言者猶肯源源而來昨日進奏院遞到告身差臣知陳州今于一州之外言及他事亦爲越職然臣若不言則亦無所用于聖世矣

五月詔公起知陳州且令過闕入見

十五日謝御前劄子催赴闕狀

略云臣今月十五日平明接到御前劄子一道令臣早赴闕廷者臣狂瞽妄言宜從誅譴曲荷開納并以臣羸老過形矜恤螻蟻命微無階報謝臣專候陳州遠接兵士到即起發赴闕次臣無任瞻天望聖激切屏營之至

二十三日到京師乞改求諫詔書

時詔百官言朝廷闕失牓于朝堂而大臣有不悦者詔語中設六事以禁遏之曰若陰有所懷犯非其

分或扇摇機事之重或迎合已行之令上以觀望
朝廷之意以儌倖希進下以眩惑流俗之情以干
取虚譽若此者必罰無赦太后封詔草示公公曰
此非求諫乃拒諫也人臣唯不言言則入六事矣
略曰臣昨奉聖旨令入見于今月二十三日到京
蒙降中使以五月五日詔書賜臣看閲中間所云
六事臣以爲人臣唯不言言皆可以六事罪之其
所言或于羣臣有所褒貶則可謂之陰有所懷本
職之外微有所涉則可謂之犯非其分陳國家安
危大計則可謂之扇摇機事之重或與朝旨暗合

則可謂之迎合已行之令言新法之不便當改則可謂之觀望朝廷之意言民間之愁苦可憫則可謂之眩惑流俗之情然則天下之事無復可言者矣是詔書求諫而終于拒諫也伏望聖明刪去中間一節如臣三月三十日所奏頒布天下

二十七日詔除門下侍郎力辭不許元豐五年官制成改同中書門下平章事爲左右僕射參知政事爲門下中書侍郎尚書左右丞公所授蓋次相之職也

是日中使梁唯簡賜手詔云賜卿手詔深體予懷更不多免嗣君年德未高吾當同處萬務所賴方正之士贊佐邦家想宜知悉再宣諭前日所奏乞引

對上殿訖赴任其日已降指揮除卿門下侍郎切要與卿商量軍國政事早來所奏備悉卿意再降詔開言路俟卿供職施行辭第二劄子遂止不上初公被門下侍郎召固辭不拜兄旦引大義語之曰生平誦堯舜之道思致其君今時可而違非進退之正也公幡然就位方是時天下懼公之終不出及聞此皆欣然稱旦曰長者之言也宋史列傳時蘇軾自登州召還緣道人相聚號呼曰寄謝司馬相公毋去朝廷厚自愛以活百姓

二十八日請更張新法

略曰王安石不達政體變亂舊章陛下即政之初
變其一二歡呼之聲已洋溢四表則人情灼然可
知陛下何憚而不并其餘悉更張哉譬如有人誤
飲毒藥致成大病苟知其毒斯勿飲而已矣豈可
云姑少少減之俟積以歲月然後盡捨臣向曾上
言教閱保甲公私勞費而無所用斂免役錢寬富
而困貧以養浮浪之人使農民失業將官專制軍
政州縣無權無以備倉猝此皆所害者大所及者
衆先宜變更捨非取是去害就利計無急于此
六月四日乞以降拜先後立班

略曰臣于前月二十七日準告身授臣守門下侍郎二十八日三省樞密院同奉聖旨除知樞密院外門下中書侍郎左右丞同知樞密院事班次等並以除拜先後爲次今月四日延和殿進呈竊見張璪等奏乞推臣在上臣以不才誤蒙朝廷拔擢置之執政之末已爲忝竊況超越倫輩特出其右在臣愚何以克堪伏乞以新得聖旨以除拜先後爲序在安燾之下

十四日乞申明求諫詔書

略曰前詔書止牓朝堂所詢不廣見者甚少臣愚

欲望聖慈除去中間一節仍乞徧頒天下或慮奏狀繁多難以親覽卽乞降付三省委三省官看詳取其可取者用黃紙籤出再進入

與范堯夫經略龍圖書

略曰光昨在洛中及至京師兩于河中遞次得所賜書值光治裝赴陳州怱怱事多久不脩報明恕必察其非疏懈也向承就移慶帥旣踐世官復修舊治計堯夫必樂就職然士論所鬱鬱者猶多也今歲大暑異常邊地必稍愈更祈節慎不宣

七月一日看閱呂公著所陳利害劄子

略云臣今月一日夜蒙降到吕公著劄子一道付臣看閲臣自公著到京止于都堂衆中一見自後未嘗有簡帖往來今公著所陳與臣所欲言者無異唯有保甲一事欲就農隙教習臣愚以爲朝廷既知其爲害于民便當一切廢罷臣續奏聞與公著劄子同封上

時公著入自揚州爲尚書左丞舊日參知政事之任

三日乞罷保甲劄子

略曰讀登極詔書戒敕邊吏令不得侵擾外界務要静守疆場則此保甲保馬的實有何所用徒令

府界及五路農民不堪愁苦近者羣盜王冲乘保馬行劫又獲鹿縣保甲斫射毆傷提句孫文巡檢張宗師以下陵上大亂之源漸不可長有害無利較然明矣乞斷自聖志盡罷諸保甲使歸農依舊置耆長壯丁巡捕盜賊户長催督税賦保馬量給價錢分配兩騏驥院及諸軍其保甲中武藝已成之人收拾逐縣弓手內許蔭本户田二頃免其二税若本户田不足聽蔭親戚田務在優假使人勸募

是月罷保甲

十四日乞降臣民奏狀

八月六日乞降封事籤帖

乞不貸强盜白劄子

十四日乞不貸故鬭殺劄子

九月三日乞省覽農民封事

十五日與呂公著同舉程頤

略曰臣竊見河南處士程頤力學好古安貧守節言必忠信動遵禮義年踰五十不求仕進眞儒者之高蹈聖世之逸民伏望聖慈擢以不次足以矜式士類裨益風化

十月十七日乞裁斷政事劄子

略云皇帝陛下太皇太后陛下事無大小皆委執政垂拱仰成萬一羣臣有所見不同勢均力敵莫能相一者伏望陛下特留聖意審察是非唯是之從則羣臣莫敢不服不可使用人賞罰之權盡歸執政人主不得而專也

二十四日上議可劄子

十二月二日進孝經指解劄子

略云臣嘗撰古文孝經指解皇祐中獻于仁宗皇帝竊慮歲久遺失不存今繕寫爲一冊上進伏乞

少賜省覽

四日上革弊劄子

略云臣觀今日公私耗竭遠近疲弊其原大槪出于用兵神宗皇帝以幽薊雲朔淪于契丹靈夏河西專于拓跋交趾日南制于李氏深用爲耻慨然有征伐開拓之志于是邊鄙武夫自謂衛霍不死白面書生自謂良平更生聚斂之臣捃拾財利自謂研桑復出相與誘惑先帝于是制提舉官强配青苗多收免役以聚貨錢又驅畎畝之人爲保甲使捨耒耜習弓手又置都作院多造器甲又養保

馬使賣耕牛市駔駿而農民始愁苦矣部分諸軍無問邊州內地各置將官捨祖宗教閱舊制競爲新奇朝餔上場罕得休息而士卒始怨嗟矣置市易司坐列販賣增商税色件及菜果而商賈始貧困矣又立賒貸之法誘不肖子弟破其家又令民封狀增價以買坊場致其子孫鄰保籍没貲產不能賠償又增茶鹽之額賤買貴賣强以配民又設措置河北糴便司廣積糧穀于臨流州縣以備饋運教兵既久積財既多妄動深入曾未足威服戎狄而中國已重困幸遇皇帝陛下太皇太后陛下

首戒邊吏毋得妄出侵掠凡征伐開拓之議皆已休息則此紛紛之法皆爲虛設今吏民上封事者千有餘章未有不及此數事者而猶因循不知改轍議者謂革弊不可倉猝當徐徐有漸此何異使醫治疾而曰勿使遽愈且勿除其根源使盡也其爲醫者謀則善矣其爲疾者謀奚利哉

與范堯夫經略龍圖書

略云光閑居十五年本欲更求一任散官守候七十即如禮致仕以絕榮進之心分當委任田里凡朝廷之事未嘗掛慮況數年以來昏忘特甚讒不

意冒居此地蒙人主知待之厚特異于常義難力
辭黽勉就職故事多所遺忘新法固皆面牆朝中
士大夫百人中所識不過三四如一黃葉在烈風
中幾何其不危墜也又爲世俗妄被以虛名不知
其中實無所有上下責望不輕如何應副得及荷
堯夫知待久望深督以所不及聞其短拙隨時示
諭勿復形迹此獨敢望于堯夫不敢望于他人者
也

宋景濂題司馬公手帖後云右公與范忠宣書一
通藏楚郡龍雲從家雲從請題其後濂聞哲宗初

立崇慶太后同聽政起公知陳州過闕留爲門下侍郎忠宣亦從慶州召還爲右諫議大夫俄遷給事中此書正此時所遺其殆元豐乙丑之冬或元祐丙寅之春乎夫公自熙寧辛亥居洛再任留司御史臺四任提舉崇福宮至是始司政柄故書中有閒居十五年之言公年蓋已六十有七新法方盛行小人附和者衆公度不可止遂絕口不言事故又有更求一任散官守候七十即如禮致仕之言當是時章惇蔡確黃履邢恕等蛇蟠蚓結牢不可解公新自外至孑然獨立故又有如一黃葉在

烈風中幾何而不危墜之言公之志爲可悲矣然
公與忠宣素相知其居洛日忠宣方丐罷齊州之
政判西京留臺乃同爲眞率會則其志同道合固
非一日之故熙寧之法又皆共怒其爲害而其設
施或不同者忠宣則欲去其泰甚公則欲鋤劃而
絕其本根雖書有隨時示諭勿復形迹之請二賢
之見猝有未易合者豈天未欲平治天下故使之
然歟公遺此書後僅及數月且觀化冥冥之中忠
宣繼公爲左僕射務以博大開上心忠篤革士風
四海方翹首望治曾未幾何潁昌之命亦遂下矣

不亦重可悲夫閱此帖當知治亂之機所繫初不可以尋常簡牘視之也

十二日神宗祔廟禮畢遷公正議大夫

公自以不與顧命辭不敢當五上劄子辭謝詔不許

是年范堯夫爲左諫議大夫公以親嫌爲言章惇曰臺諫所以糾繩執政之不法故事執政初除親戚及所舉之人見爲臺諫官者皆徙他官今皇帝幼沖太皇太后同聽萬幾當動循故事不可違祖宗法公曰純仁祖禹作諫官誠協衆望不可以臣故

妨賢者進臣甯避位九朝遺略

按此乃章惇假託故事以阻撓正人之進耳使非宣仁獨斷曷由致元祐之盛哉

司馬太師溫國文正公年譜卷之七

司馬太師温國文正公年譜卷之八

錫山顧棟高編輯
吳興劉承幹參校

元祐元年丙寅　公年六十八歲

公任門下侍郎

是年公作徽言

序略云余少好讀書老而不厭然昏耄日甚不能復記暇日因讀傳子史集采其義與經合者録而存之苦于秉筆之勞或但撮其精要注所出于其下欲知其詳則取本書證之命曰徽言置諸左右

時取觀以自儆且詔子孫涑水迂叟時年六十八

陳氏曰司馬光手鈔諸子書題其末曰余此書類舉人鈔書然舉子所鈔獵其詞余所鈔覈其意舉人志科名余志道德迂叟年六十八葢公在相位時也方機務填委且將屬疾而好學不厭克勤小物如此所鈔自國語而下六書其目三百一十有二小楷端謹百世之下肅然起敬眞跡藏邵康節家其諸孫迺守漢嘉從邵氏借刻攜其板歸越今在其郡從姪遵古家

公始得疾

正月十四日癸卯詔公與尚書左丞呂公著朝會與執政異班特令兩拜起居免舞蹈

公謝表云臣猥以瑣才預聞機政去春以後疾疹屢生入冬以來飲食漸少迨茲歲序之首頓覺筋力之衰拜起絕艱朝請殆廢欲避位則爲罪益大欲就列則强力不前朝夕爲衆目所觀啟處無措躬之地敢謂陛下特虧著定之儀曲遂形骸之便欲辭則力所不支欲受則自知非分踧踖心悸戰兢汗流

二十一日庚戌請假將治

二十三日壬子朝廷差中使押醫官沈士安朱有章楊文蔚陳易簡等每日到公家診視公上劄子辭免

二十四日癸丑乞罷免役錢依舊差役

略云臣竊見免役之法其害有五上戶舊充役固有陪備而得番休今出錢比舊費特多年年無休息下戶舊不充役今例使出錢舊所差皆土著良民今皆浮浪之人恣為姦欺又農民出錢難于出力凶年則賣莊田牛具以錢納官又提舉司惟務多斂役錢積寬賸以為功此五害也今莫若直降

敕命委縣令佐揭簿定差其人不願身自供役許擇可任者僱代唯衙前一役最號重難今仍行差法陪備既少當不至破家若猶矜其力難獨任卽乞如舊于官戶寺觀單丁女戶有屋產莊田者隨貧富以差出助役錢倘慮役人利害四方不能齊同乞許監司守令審其可否可則亟行如未究盡縣五日具措畫上之州州一月上轉運司以聞朝廷委執政審定隨一路一州各爲之敕務要曲盡

初章惇取公所奏疏略未盡者駮奏之呂公著言惇專欲求勝不顧大體望選差近臣詳定于

是蘇軾言于公曰差役免役各有利害公曰于君何如軾曰三代之法兵農爲一至秦始分爲二唐中葉盡變府兵爲長征卒自是以來農出穀帛以養兵兵出性命以衛農雖聖人復起不能易今免役之法實大類此公欲驟罷免役而行差役正如罷長征而復民兵蓋未易也公不以爲然軾又陳于政事堂光色忿然軾曰昔韓魏公刺陝西義勇公爲諫官諍之甚力韓公不樂公亦不顧豈今日作相不許軾盡言耶公謝之范純仁謂公曰差役一事當熟講而緩行不

然滋爲民病可先行之一路以觀其究竟公持
之益堅純仁日是使人不得言爾若欲媚公以
爲容悅何如少年合安石以速富貴哉公又謝
之自是役人悉用見數爲額唯衙前用坊場河
渡錢僱募餘悉定差
初差役之復爲期五日同列病其太迫知開封
府蔡京獨如約悉改畿縣雇役詣政事堂白光
光喜曰使人人奉法如君何不可行之有綱目
時蘇子由爲右司諫乞罷章惇知樞密院狀云
惇與三省同議司馬光論差役事明知光所言

事節有疏略差誤而不推公心詳議雷同衆人
連書劄子一切依奏及既已行下然後論列可
否至紛爭殿上無復君臣之禮若使因此究窮
利害立成條約使推行更無疑阻猶或可原今
乃不候修完便乞再行指揮使諸路一依前件
劄子施行卻令被差人戸具利害實封聞奏此
不過欲使被差之人有所不便人人與司馬光
爲敵但得光言不效則朝廷利害更不復顧又
乞罷蔡京開封府狀云朝廷原限敕到五日内
具利害擘畫申本州本州限一年聞奏奏到各

隨宜修改並無限定日期差撥今開封輒敢差
人監勒于數日內蹙迫了當故意擾民以壞成
法倘賴百姓久苦役錢乍獲復舊更無詞說不
爾必致紛紜爲害不小又乞罷蔡京知眞定府
狀云京以臺諫劾奏乞請外任而宰相曲加庇
蔭除京知眞定府眞定天下重鎮是宰相上欺
朝廷下困臺諫云云此時宰相蓋指韓縝溫公
亦在內按章蔡用心本同欲因差役一事未便
致民情怨恣得有隙以破壞元祐之政耳特章
以權位相埒故敢忿爭蔡以官職尚卑惟事諂

媚而溫公不悟喜其順己此亦如介甫之喜惠卿陰墮其術中而不覺也祓子由一一指出此蘇氏智識過溫公處

言行錄役法差募二議俱有弊吳蜀之民以僱役爲便公與荆公皆早貴少歷州縣不能周知爾

按公不知僱役之利欲一切以差役代之誠不免如蘇范二公所譏然議者謂保甲僱役百世通行荆公之法未嘗有弊則非也保甲僱役今日誠爲善政而荆公所設則斷斷不可行何則今日之保甲蓋不過如古比閭族黨相保相任

譏查盜賊使不得容留匪類耳而荆公則使之披甲執兵教習戰陣在家有供億之苦前途有死亡之禍蓋與今日之爲保甲者萬萬不侔矣至吳中盛行僱役蓋亦聽民間之通融計置或其人自能充當則可不費一錢或本年安然無事雖惷愚亦可幸免未嘗預計一年之力役若干而一概斂錢且使貧弱下戶助之出錢也荆公之僱役蓋于兩稅之外删取庸錢耳豈可謂之無害哉

二十八日供奉官劉永年傳宣司馬光見患在家特

放正謝仍免赴景靈宮福寧殿謝恩

公上劄子辭云朝廷進以高位加之寵命榮動搢

紳澤流苗裔豈可卽安私室專養沈痾不造王庭

坐受圭組候臣患稍痊日止依十四十七日所降

指揮減拜入謝

二月三日壬戌上論西夏劄子

略云伏見神宗皇帝以夏國主趙秉常爲臣下所

囚興兵致討收其邊地建米脂等六寨皆孤僻單

外難于應援然中國得之雖無所利虜中失之爲

害頗多是以必欲得之前年嘗遣使者深自辨訴

請臣服如故其志止欲求復舊境于今爲計止有二策一者返其侵疆二者禁其私市何謂返其侵疆凡天子卽位蕩滌瑕穢小大無遺誠能于此踰年改元之際曠然推恩盡赦前罪元係夏國舊日之境並以還之豈得不鼓舞抃蹈世世臣服者乎何謂禁其私市西夏所產不過羊馬氈毯茶百貨皆出中國舊制官給客人公據方聽與西人交易近歲法禁疏闊私市日夕公行西人雖不獲歲賜而公私無乏所以得偃蹇自肆今責其累年之罪明敕邊吏嚴禁私市俟其公私困弊彼自屈服

然須權時別立重法犯者必死無赦此事全在邊
帥得人邊帥未盡得人此法恐未易可行不若前
策道大體正萬全無失也
乞不禁絕私市先赦西人
略云臣前上言西人未服中國不能無憂妄上二
策執政用臣下策上令禁私市又立法不嚴邊吏
獲一漏百私市滔滔如故此適足激怒西人萬一
徼犯邊境或表牒中形不遜語至時朝廷轉難處
置不若用臣上策早相彌縫時難得而易失不可
忽也若更遷延則赦之無名此安危所繫若俟執

攻論議僉同恐失機會

公論西戎大略以和戎爲便用兵爲非時異議者甚衆公持之益堅其後太師文彥博與公合衆不能奪議乃定行狀

乞罷提舉官劄子

略云臣竊見天聖中諸路各有轉運使一員亦無提點刑獄唯河北陝西置轉運使兩員當是時官少民安事無不舉景祐初始復置提點刑獄或時置轉運判官尋復廢罷自王安石執政以來欲力成新法諸路始置提舉常平廣惠農田水利官其

後每事各置提舉官事權一如監司依勢立威舉錯卒易天下籍籍皆由此來臣愚以爲宜盡罷凡本路錢穀財用事悉委轉運司刑獄平常兵甲盜賊事悉委提點刑獄管句仍選聰明公正之人爲之是去草者絕其本救水者回其原也

與呂晦叔簡 時公疾益甚而青苗免役將官之法猶在西夏之議未決公歎曰四害未除吾死不瞑目矣因折簡與晦叔

略云自晦叔入都及得其事每與寮寀行坐不相離未嘗得伸悃愊今不幸又在病告杳未有展覿之期其邑邑可知晦叔自結髮至仕學而行之端

方忠厚天下仰服垂老乃得秉政平生所藴不施
于今日將何俟乎比日以來物論頗譏晦叔愼默
太過若此際不諍國事蹉跌則入彼朋矣願愼旃
愼旃光自病以來悉以身付醫家事付康惟國事
未有所付今日囑于晦叔矣

論錢穀宜歸一劄子

略云祖宗之制天下錢穀自常平倉隸司農寺外
其餘皆總于三司一文一勺他司不敢擅取故能
知其大數量入爲出詳度利害指揮百司轉運使
諸州如臂使指故能倉庫充溢用度有餘自改官

制以來備置尚書省六曹二十四司及九等三監將舊日三司所掌事務散在六曹及諸寺監五曹及內外百官各具理財之法申奏施行戶部不得關預今之戶部尚書猶舊日三司使之任而左曹隸尚書右曹不隸尚書是天下之財分而爲二也譬如人家有財使數人主之互相侵奪人人得取而用財有增益者乎今縱未能大有更張且令尚書並領左右曹侍郎諸司支用錢物不見戶部符不得應付舊日三司所掌事務散在五曹及諸寺監者並乞收歸戶部如此則利權歸一天下之財

可得而理矣

隨乞宮觀表辭位不許

略云臣以病羸拜起及上下馬不得請假將治已及月餘日來大勢雖退飲食亦稍進然氣體疲乏自料筋力完復近亦數月遠則半年豈有執政大臣身據高位坐受厚俸既不趨朝又不供職養病于家之理乞除宮觀差遣一任以養衰殘伏望聖慈早賜開允

閏二月庚寅朔除守尚書左僕射兼門下侍郎舊日同平章事之任蓋首相也三日壬辰朝命呂公著爲門下侍郎

公以病未任入謝三上劄子辭不許

時荆公已病弟和甫以邸吏狀示公適報司馬公作相公悵然曰司馬十二作相矣（聞見錄）

遼人聞之敕其邊吏曰中國相司馬矣愼無生事開邊隙（神道碑）

公作相日親書牓稾揭于客位曰訪及諸君若覩朝政闕遺庶民疾苦欲進忠言者請以奏牘聞于朝廷光得與同僚商議可行者進呈取旨行之若但以私書寵諭終無所益若光身有過失欲賜規正即以通封書簡分付吏人令傳入光得內自省

訟佩服改行至于整會官職差遣理雪罪名凡干身計並請一面進狀光得與朝省衆官公議施行若在私第垂訪不許語及光再拜咨白容齋隨筆

追贈淸河郡君張氏爲潁川郡夫人

夫人爲禮部尚書存之女公登朝封淸河縣君及爲學士改郡君至是年除左僕射追贈潁川郡夫人

焚黃祭文云夫人冑自德門無祿早世久同困約不與顯榮朝推恩渥追錫嘉命魚軒翟茀燭耀重泉

是年改葬先令于洛陽

到墓祭文云闕塞之陽伊川之湄地形爽塏水脈厚深唯靈去故就新永寧茲宅不驚不圮保固億年

按公敘清河郡君云葬涑水先塋則公之祖父皆葬陝州夏縣令祭文云闕塞伊川則爲遷葬洛陽無疑後公與子康卒又俱歸葬陝州不從先人墓次則不可解矣

葬潁川郡夫人

啟殯祭文云旅宦飄飖家無常所櫝未瘞久寓

西郊逢時之良遷就窀穸撤攢云始取道有期撫事悵然益增感悼

按淸河郡君于元豐五年二月葬涑水而此云云意當時或是權厝耳

乞黃庭堅同校資治通鑑

略云臣于去年九月奉旨令范祖禹及臣男康將資治通鑑副本重行校定又奉旨送國子監鏤板竊緣上件文字稍多范祖禹近差充修實錄官恐日近校定不辨竊見祕書省校書郎黃庭堅好學有文望特差令同校定所貴早得了當

乞令校定資治通鑑所寫稽古錄

略云臣先于英宗皇帝時嘗采獵經史上自周威烈王二十三年下盡周世宗顯德六年略舉每年事編次爲圖年爲一行六十行爲一重五重爲一卷凡一千三百六十二年共成五卷謂之厤年圖上之以省煩文便觀覽臣又于神宗皇帝時受詔修國朝百官公卿表臣依司馬遷法自建隆元年至治平四年各記大事于上方書成上之有詔附于國史今更討論經史上自伏羲下至周威烈王二十二年略序大要以補二書之闕合爲二十卷

名曰稽古錄欲繕寫奏御而私家少筆吏恐日近不能了畢竊見先有旨令范祖禹等校定臣所修資治通鑑伏望并上件稽古錄送到本局繕寫校對以次進讀仍令侍讀官隨文解釋則前王軌轍皆可概見

進稽古錄二十卷

表文略云臣光言竊以九州四海一日萬幾將察知民物之性情蓋布在文武之方策雖歷年多而舉其大要則用力少而見夫全功恭以皇帝陛下富有春秋敉寧方夏念終始典于學於緝熙單厥

心延登耆成親近觀講發論語章句探經藝之同
歸誦寶訓丁寧憲祖宗之不易有本如是實惟濫
觴惟稽古堯舜之舊章惟信史春秋之成法高山
可仰覆轍在前載籍之編患乎太漫鑒觀之主日
不暇遑敢以芟夷略存體要由三晉開國迄于顯
德之末造臣既具之厤年圖自六合爲宋接乎熙
寧之始元臣又著之百官表乃若威烈丁丑而上
伏羲書契以來悉從論纂皆有憑依總而成書名
爲稽古錄二十卷因仍書局繕寫奏篇茲冒昧以
上陳助聰明之遠覽

此篇傳家集中不載見于稽古錄弁首後署銜云正議大夫守尚書左僕射兼門下侍郎上柱國河内郡開國公臣某上進則當公居首相時元祐元年閏二月後也又文獻通考所載陳氏說亦云元祐初所上今案錄内分三種十一卷下帙至十六卷則自周威烈二十三年至周顯德六年公自注云臣于英宗皇帝治平元年所進厤年圖十七卷至二十卷則自宋太祖建隆之元至英宗治平四年公自注云臣于神宗皇帝時所進百官公卿表大事記首卷至十一卷

之上帙則自伏羲至周威烈王二十二年公自
注云臣今所補總名爲稽古錄撮錄簡而明論
序雄深雅健上匹西漢朱子嘗刻于長沙欲面
奏取進充宮僚進講又曰温公之言如桑麻穀
粟其願忠君父之志更歷三朝然後成就又曰
小兒讀六經了畢即令接續讀去亦好

論振濟

略云臣竊惟百姓流移之後散米煮粥民徒更聚
而餓死官中所費多而民實無所濟伏覩近降朝
旨令速行振濟乞更令指揮縣令佐體量鄉村人

戶有闕食者一面申知上司及本州更不候回報直行振貸仍逐戶計口出給麻頭大人日給二升小人日給一升令各從民便或五日或十日或半月一次齎麻頭詣縣請領縣司亦置簿照會俟夏秋成熟日據簿厤上所貸過糧令隨稅送納一斗只納一斗更無利息其令佐若別有良法亦聽從便要在民不乏食不至流移而已

三月乙撫納西人

衞尉丞畢仲游予公書

略曰昔安石以興作之說動先帝而患在不足故

凡政之可得民財者無不用蓋散青苗置市易斂役錢變鹽法者是也而欲興作患不足者情也今但廢罷諸法凡號爲利而傷民者一切埽去則向來用事于新法者必操不足之情言不足之事以動上意雖石人猶將使動則向之廢罷者將復行矣爲今之策當大舉天下之計深明出入之數以諸路所積之錢粟一歸地官使經費可支二十年之用數年之閒又將十倍于今日使天子曉然知天下之餘于財也則不足之論不得陳于前然後所論新法者始可永罷矣昔安石之居位也中外

莫非其人故其法能行今欲救前日之弊而左右侍職司使者十有七八皆安石之徒雖起二三舊臣用六七君子然累百之中存其十數烏在其勢之可爲以此救前日之弊如人久病而少間其父子兄弟喜見顏色而未敢賀者以其病之猶在也

公得書聳然然迄不爲慮

四月六日癸巳王介甫卒于金陵

按宋史哲宗本紀荆公薨于四月癸巳是月戊子朔由戊子至癸巳爲四月六日

公與晦叔簡曰介甫過人處甚多但性不曉事而

喜遂非遂至敗壞百度以至于此今方矯其失革
其弊不幸介甫謝世反覆之徒必更詆毀百端光
意以爲宜優加厚禮以振起浮薄之風不識晦叔
以爲何如

十三日辭接續支俸

略云臣以假滿百日自四月以後不敢勘請俸給
聞近有聖旨特再給臣寬假將治其俸給等接續
支給臣自今年正月二十一日以病在朝假至今
不管本職公事已及一百一十餘日入覲之期未
能自定竊以百日停俸著在舊章況臣當表率百

僚豈敢廢格伏望住支候參假日依舊

按公以正月二十一日請假連閏計至四月十三日爲一百十二日

十五日壬寅朝命呂公著爲尚書右僕射兼中書侍郎公與同上合兩省爲一疏

略云臣等聞三王不相襲禮國家設官分職張立治具不媿漢唐何必循其陳迹而失當今之宜也

謹按西漢以丞相總百官而九卿分治天下之事光武中興身親庶務事歸臺閣尚書始重矣及魏武建魏國置祕書令典尚書奏事文帝改祕書爲

中書自是中書親近而尚書疏外矣東晉以後天子以侍中常在左右多與之議政事又有門下而中書權始分降及南北朝大抵皆循此制唐初始合中書門下之職故有同中書門下三品同中書門下平章事其後又置政事堂蓋以中書出詔令門下掌封駁日有爭論故使兩省先于政事堂議定然後奏聞沿至國朝莫之能改非不欲分也理勢不可復分也唐末以內臣領樞密使參預朝政五代改用士人其權重于宰相太祖受命以宰相專主文事參知政事佐之樞密使副掌武事副使

佐之自是百有餘年官司相承中外安帖文書簡
徑事無留滯神宗皇帝以唐官職繁冗欲革而正
之誠爲至當然但當據今日之事實刪去重復不
必依唐之六典分令中書取旨門下覆奏尚書施
行也凡寺監及州縣一切申尚書省尚書省送中
書取旨中書得旨送門下省覆奏畫可然後翻錄
下尚書省尚書省復下六曹方符下諸處以此文
字繁冗行遣迂回困于留滯又本置門下省欲以
封駮中書樞密院若令舉職須日有駮正執政大
臣在廷不協近日中書文字有急速者往往更不

送門下則門下一官殆爲虛設臣等衆共商量欲
依舊令中書門下通同職業每有政事差除及臺
諫官章奏三省通同商議同共進呈其政事有差
失封還詞頭又兩省諫官皆得論列則號令之出
亦不爲不審愼矣如此則政事歸一吏員不冗文
書不繁行遣徑直于事務時宜斯爲簡便
按哲宗本紀申公爲僕射在四月壬寅是月戊
子朔至壬寅爲十五日
言行錄云官制三省並建而中書獨爲取旨之
地門下尙書奉行而已公曰三省均輔臣自後

同進呈取旨而各行之非有故日聚為故事

乞令六曹長官專達

略云今尚書省事無大小皆決于僕射僕射自朝至暮省覽文書精力疲敝而于經國之大體不暇精思而熟慮非朝廷責宰相之意也竊以六曹長官古之六卿事之小者豈可不令專達臣等欲乞今後凡有詔令及臣民所上文字降付尚書省者侍郎籤過尚書判準應奏上者直奏上應行下者直行下即未得允當者委侍郎尚書改判事之可否皆決于本曹長官更不經由僕射左右丞或非

體稍大或理有可疑非六曹所能專決者聽詣僕射左右丞咨白或上殿取旨若本曹顯有不當即行糾劾所貴上下相承行遣簡徑事務易集

乞令三省諸司無條方用例

略云舊例只是前官所行豈足永爲後法近歲三省及百司多用例破條諸色人亦多攀援體例希求恩澤欲令今後凡有正條者並須依條無條方許用例前例若是所當遵行前例若非即宜釐革

進呈上官均奏乞尚書省事類分輕重某事關尚書某事關二丞某事關僕射白劄子 尋得依旨

略云尚書省事不至大者並委長官專決應奏上者奏上應行下者行下若事體大非六曹所能專決者郎中都省委僕射左右丞同商量或送中書取旨或直批判指揮所有常程文字並只委左右丞事體稍大及有所疑者方與僕射商量同批判

乞令六曹删減條貫

略云法貴簡要近歲法令繁多六曹條貫至有三千六百九十四冊寺監在外諸司敕令格式亦一千餘卷雖强力精敏者不能徧觀覽況于備記而必行之今欲特降指揮下尚書六曹委長貳郎官

看詳本曹條貫有全無義理防禁太繁難爲遵守
者盡令刪去唯取紀綱大體切近事情者作本司
條貫限兩月申奏施行

請科場仍用經義及設經明行修科

略曰隋唐設明經進士兩科而進士日隆明經日
替所以然者以明經專取記誦不詢義理有司務
離經析注多方以誤之是致舉人自幼至老腐脣
爛舌虛費勤勞至于賦詩論策取進士專擿其落
韻失平仄偏枯不對蜂腰鶴膝以爲進退是致舉
人專尚詞華不根道德其中或游處放蕩容止輕

儇言行醜惡者不能無之神宗皇帝深鑒其弊于
是悉罷賦詩及經學諸科專以經義論策試進士
此誠百世不易之法但王安石不當以一家私學
欲蓋掩先儒又黜春秋而進孟子廢六藝而尊百
家但考核文學不勵德行此其失也今國家大議
科場制度臣以爲莫若以先朝成法合明經進士
爲一科立易書詩周禮儀禮禮記春秋孝經論語
爲九經春秋止用左氏傳公穀陸淳等說並爲諸
家孟子止爲諸子更不試大義應舉者聽自占習
三經以上皆須習孝經論語又每歲委升朝文官

保舉經明行修各一人若所舉違犯名教必坐舉主無赦如此士皆慎擇不敢妄舉而士之居鄉居家唯懼玷缺外聞不待學官日訓月察立賞告訐而士行自美矣第一場先試孝經論語大義五道內孝經一道論語四道第二場試書詩周禮儀禮禮記春秋周易各五道各隨所習經書就試第三場試論二道一于儒家諸子書內出題一于歷代正史內出題第四場試策三道皆問時務考策之日方依解額定去留編排高下經明行修舉人別作一項其推恩注官及異時選擇清要比進士特加優異如此舉人皆尊尚經術旁覽子史而又能

有行義豈不賢于今日之所取乎今乞復詩賦者
皆向日老舉人不習經義故爲此說動搖科場至
明法一科若果能知道義自與法律冥合何必日
誦徒流斬絞之書令爲士之日已習成刻薄殆非
所以長育人材敦厚風俗也伏乞以臣所奏委他
執政詳定施行
按唐宋明經不過帖書墨義端臨馬氏云曾見
呂許公夷簡應舉試卷因知墨義之式蓋十餘
條有云作者七人矣請以其名對則對云七人
某某也謹對有云見有禮于其君者如孝子之

養父毋也請以下文對則對云下文曰見無禮
于其君者如鷹鸇之逐鳥雀也謹對有云請以
注疏對者則對云注疏曰云云謹對有不能記
憶者則只云對未審大概如兒童挑誦之狀故
自唐以來賤其科不肯就王荆公特令士子就
經文作大義蓋于其中發揮義理不嵩尙記誦
較詩賦則爲近本原較明經則更發揮有文采
卽今日八股所自始誠百世不易之法也荆公
温公俱同此見
又按温公不喜孟子故集中有疑孟此云孟子

止列諸子更不試大義蓋猶此志也范堯夫謂
溫公曰孟子恐不可輕黜亦猶六經之春秋矣
溫公從之
二十四日舉張舜民等充館閣
略云臣竊見奉議郎張舜民材氣秀異讀書能文
剛直敢言竭忠憂國通直郎孫準學問優博文辭
弘贍行義無缺久淹下僚河南府左軍巡判官劉
安世才而自晦愿而有立力學修己恬于進取其
人並堪充館閣之選如後不如所舉臣甘當同罪
公爲相每詢士大夫私計足否人怪而問之公曰

儻衣食不足安肯爲朝廷而輕去就耶　自警編

龔深之言公作相除李公擇爲戸部尚書門人問曰公擇文士恐于吏事非所長公曰天下謂朝廷急于利久矣舉此人爲戸部使天下知朝廷意且息貪吏聚斂掊刻之心　同上

公爲相欲知選事問吏部欲知財利問戸部凡事皆與衆人講求便者存之不便者去之此天下所以受其惠也　范祖禹上哲宗疏

五月二日戊午尚書省劄子光所患已安唯足瘡有妨拜跪不候假特放正謝仍權免赴前後殿起居

許乘轎三日一至都堂聚議或門下尚書省治事

按本紀是月丁巳朔

辭三日一至都堂劄子

略云臣伏覩今月二日聖旨聞命震恐無地自處竊念臣臟腑雖安飲食如故但兩足無力瘡口未合步履艱難拜起不得以此未果朝參至于數日一至政事堂乃唐世以來宿德元老高年有疾朝廷尊禮特降此命豈伊微臣所敢倫擬況臣自正月二十一日請朝假至今百三十餘日豈有未見君父輒赴省供職況臣于病中除左僕射雖累具

劄子辭免未蒙開允方俟覲天顏面陳至懇豈可遽治尚書省事伏望聖慈俟痊可日與諸執政一例供職

按公自正月二十一日請假連閏計至五月初二日爲一百三十二日

四日庚申又蒙聖旨依前降指揮不許辭免仍令閤門告示許肩輿至内東門外令男扶掖至小殿引對特免起居令引見前一日聞奏

辭入對小殿劄子

略云臣奉今月二日聖旨以恩禮太優不敢輒當

今于四日又奉聖旨許肩輿至內東門外令男扶
掖至小殿引對如此則禮數太重尤不敢當富弼
三世輔臣德高望重神宗皇帝故特制此禮豈臣
敢與爲比況親屈乘輿特御小殿以臣勤君其罪
至大決不敢受只候垂簾日于延和殿引見并乞
上殿然事有不得已者臣卽日上下馬不得及足
上有瘡深惡馬汗欲乞許權乘小轎子至常時下
馬處下轎子并令臣男康入殿遇拜時扶掖候痊
安日皆復舊規
三省同奉聖旨令乘轎子至崇政殿門外于延

和殿垂簾日引對餘並依前降指揮

十二日戊子于延和殿入見辭免左僕射之命不許

辭男康章服劄子

略曰臣以兩足無力拜起不得特許令臣男康上

殿扶掖臣既不得請臣男復賜章服父子忝竊誠

不自安所有臣男恩命乞賜寢罷

乞與諸位往來商量公事劄子

略曰臣近奉聖旨許乘轎子三日一次至都堂聚

議伏緣三省樞密院各有職事難以臣故必令三

日一聚議去歲曾有指揮遇假日有公事許于東

西府聚議其東西府近北舊有便門臣欲乞于近南更開一便門許乘小竹轎子往諸位商量其執政有欲商量公事者亦許來臣本位更不一一奏聞

京師職事官舊皆無公廨雖宰相執政亦僦舍以居每遇出省或有中批外奏急速文字則省吏徧持于私第呈押既稽緩又多漏洩元豐初始建東西二府于右掖門之前每府相對爲四位俗謂之八位裕陵幸尚書省回嘗特臨幸駐輦環視久之時張侍郎文裕以詩賀宰執元參政厚之和云黄

閣勢連雙鳳闕紫樞光直右銀臺蕊東府與西閤角相近西府正直右掖門也石林詩話

按宋史神宗本紀熙寧三年庚戌九月癸丑作東西府以居執政石林云元豐葢誤也詳在荆公年譜中中書居東府門下居西府是時呂申公爲中書侍郎而公爲門下侍郎故欲于兩府近南開一便門以通往來也厥後公薨于西府此時葢挈家移入荆公有遷入東府謝表云輟車府之旁搴載其帑重移饔官之烹割侑以鼓歌即此可見徽宗崇寧以後京卞執政宰相例

賜第京師兩府又成虛設矣

二十日乞不帖例貸配

略云伏見從來命官犯罪大理寺既依法定斷更令刑部檢例朝廷依而行之謂之特旨夫既稱特旨當臨時斷在朝廷若先令刑部帖例朝廷依此施行乃是輕重之權反在有司也欲今後命官犯罪大理寺定斷委刑部看詳具狀申中書省百姓犯大辟罪大理寺定斷委刑部看詳具狀申門下省俱不帖例委中書門下省官相度情理輕重同共商量臨時擬定或依法或貸命編配取特旨施

行

六月十二日乞進呈文字劄子

略云臣今月十八日合至都堂遇其日垂簾乞許

臣隨執政赴延和殿常起居及上殿進呈文字令

臣男康隨入遇拜時扶掖仍乞自今後準此

中使徐湜傳聖旨且令入都堂尚書門下省治

事所有入殿起居且頤養筋力直候秋凉引對

所有元上劄子今卻令封還并賜食一合

乞官劉恕一子

略云臣受敕編修資治通鑑首先舉恕同修恕博

聞强記尤精史學十國五代之際羣雄競逐九土分裂歲月交互事迹差舛非恕精博他人莫能整治自未死之前未嘗一日捨書不修今臣等皆蒙天恩獨恕一人不得霑預良可矜憫乞如劉攽等所奏除恕一子官使平生苦心竭力不爲虛設

乞罷保甲招置長名弓手

略云竊見府界及三路保甲雖罷團教猶冬教一月臣以爲不若盡罷之便何則鄉村無賴子弟乍入城市聞見紛華自恃身爲保丁坐索本家供給飲博遊蕩習以成性今雖罷團教不肯復歸南畝

旣家藏利兵又身挾武藝由是邀結黨友羣行攻
劫州縣不能制父兄不能禁所以數年來年不甚
饑而盜賊縱橫入縣鎮殺官吏儻不幸遇蟲蝗水
旱將若之何以臣愚見莫若盡罷保甲每若干戶
置長名弓手一名與免戶下租稅差徭務爲優假
使人欣慕多置節級及指揮使等名目以爲賞功
資級每捉殺到强盜一人卽以次遷一級如此則
本縣勇健之士見前出官之望應募必多勇健旣
充弓手其餘懦弱者雖爲盜亦不足患又凡爲强
盜者不肯于本管地分作過葢恐累及本地捕盜

人無所自容故也其本地捕盜人往往莫肯發舉其賊發地分捕盜人雖欲擒捕又莫知其處官中雖立三限科校終無所益由此共爲掩覆若變主懦弱則多方抑塞不令聲賊變主强梁則共賠所失之財勸和使休是致羣盜益無忌憚又告捕得賊多被賊人讎報焚燒莊舍屠害老小其賞錢豈宜留滯而往往爲州縣沮難使之解體欲乞今後捕盜官役更不立三限科校只以擒賊多少論其功賞若敢隱蔽從重治罪又每州各借官錢數十貫專充告捕賞錢每獲强盜當日支給卽移牒出

賊州縣捕盜人科以不覺察罪籍沒賊人及窩藏家財産償所支賞錢其尤强惡賊人朝廷特于常法外多立賞錢者不在此例若果行此法則既免教閱勞費之患無賴子弟又有所歸投勇健之士見前有仕進之望爭討賊立功不待教閱而弓手武藝自然不敢衰退不須點差而鄉兵自足賊發地分捕盜人不知賊處免虚受刑責出賊地分爲累及身不敢蔽匿被盜之家無人抑塞有所伸訴賊盜窮窘無所容身稍冀衰息矣

七月乞設十科舉士法

略云爲政得人則治然人之才或長于此而短于彼雖皋夔稷契各守一官況于中人安可求備若指瑕掩善則朝無可用之人苟隨器授任則世無可棄之士臣備位宰相職當選官若專引知識則嫌于挾私難服衆心若止循資序則官非其人何以致治乞設十科舉士一曰行義純固可爲師表科有官無官人皆可舉二曰節操正方可備獻納科舉有官人三曰智勇過人可備將帥科舉文武有官人此科亦許鈐轄以上武臣舉四曰公正聰明可備監司科舉知州以上資序五曰經術精通可備講讀科有官無官人皆可舉六曰學問該博可備

顧問科有官無官人皆可舉七曰文章典麗可備著術科有官無官人皆可舉八曰善聽獄訟盡公得實科舉有官人九曰善治財賦公私俱便科舉有官人十曰鍊習法令能斷請讞科舉有官人應侍從以上每歲于十科中舉三人中書置籍記之有事須才執政案籍視其所舉科隨事試之有勞又著之籍內外官闕取嘗試有効者隨科授職所賜告命仍具所舉官姓名其人任官無狀坐以謬舉之罪得旨施行

乞令監司州縣各舉案所部官吏

略云一路一州官吏衆多儻未指定令覺察事件

致寬則一切不問急則濫及無辜又不可但令覺察有罪不令舉薦賢才今欲立舉薦四條一曰仁惠二曰公直三曰明敏四曰廉謹按察四條一曰苛酷二曰狡佞三曰昏懦四曰貪縱凡監司州縣于所部內皆得以此八條舉按官吏

乞進呈文字第三劄子

略云臣于前月十二日參假以來兩具劄子奏乞隨執政于延和殿進呈文字皆蒙聖恩封回令候秋涼陛下矜愛微臣誠至深至厚然中心委細無由一一面陳實內自媿懼臣自體當近日以來病

勢亦似更減步履比向時稍輕欲乞于今月八日隨執政赴延和殿常起居及上殿進呈文字取進止

乞不拒絕西人請地劄子

略云臣近具劄子奏乞于今月八日隨執政于延和殿進呈文字復蒙聖慈封回然臣區區之心所以欲于八日入對者竊見夏國宥州有牒差人詣闕計會所侵疆土城寨竊慮其日進呈此邊鄙安危之機不可不察臣自今年二月累曾上言乞因新天子即位西人恭順之際赦其罪戾無何臣在

病假不得面論遷延至今虜已遣使直求侵地辭意寖慢前所議詔書已不可下然陛下爲天下𡍼牟爲百姓屈已少從所請以舒邊患不可激令憤怒致興兵端何則靈夏之役本由我起今既許其內附若靳而不與彼必謂恭順無益不若以武力取之小則上書悖慢大則攻陷新城當此不得已而與之其爲國家恥無乃甚于今日乎竊慮進呈之際羣臣猶見小忘大守近遺遠惜此不毛無用之地使兵連不解爲國家無窮之憂伏願决自聖心爲兆民計

是時文彦博意與公合會夏主秉常卒遣使來

告哀詔自元豐四年用兵所得城砦待歸我永

樂陷執民當盡以給還

八月六日辛卯詔常平倉依舊法罷青苗錢

略云常平倉法豐歲添價收糴凶歲減價出糶物

價常平公私兩利此三代良法也熙寧初執政盡

將糴本作青苗錢散與人戸令出息二分置提舉

官以督之坐此錢貨愈重穀直愈輕朝廷深知其

弊故罷提舉官令將累年蓄積盡作常平倉本依

舊法施行今欲特降指揮下諸路提點刑獄乘有

此糴本之時委豐熟州縣多添錢數廣行收糴其
南方卑溼地難以久貯者候價稍增即行出糶不
得令積壓損壞仍令州縣將十年以來斛斗價分
定三等若價及下等而不收糴價及上等而不出
糶及收貯不如法變轉不以時致有損壞并監官
不逐日入場致壅滯糶糴人戶並取勘施行如能
用心及時糶糴者量與酬奬所貴官吏各用心
州縣皆有儲蓄雖遇荐饑民無菜色又得官中所
積之錢稍稍散在民閒可使物皆流通
八日癸巳薦鄆州處士王大臨除太學錄

乞約束州縣不得抑配青苗錢

略云先朝初散青苗錢本爲利民後因提舉官速要見功務求多散名爲情願其實抑配或舉縣句集或排門鈔劄亦有無賴子弟謾昧尊長錢不入家亦有他人冒名詐僞請去莫知爲誰及至追催皆歸本戶朝廷深知其弊故悉罷提舉官不復立額考較天下莫不欣戴昨于四月二十六日有敕命令給常平錢穀限二月或正月竊慮州縣多不曉朝廷之意將謂卻欲廣散青苗錢多收利息嚴行督責一如未罷提舉官時今欲續降指揮下諸

路提點刑獄司今後州縣只將常平倉錢穀依舊
法趁時糶糴其青苗錢更不支俵所有舊欠二分
之息盡皆除放元支本錢隨見欠多少分作料次
令隨稅送納
所舉孫準有罪乞自劾
略云臣先舉孫準行義無缺堪充館閣之選近聞
準與妻家爭訟罰銅六斤臣奏乞連坐責降伏蒙
聖慈批還伏緣臣舉狀稱準行義無缺今準閨門
不睦妻妾交爭是行義有缺于臣爲貢舉非其人
臣近奏十科或有不如所舉其舉主從律科罪雖

見爲執政亦須降官示罰豈可身自立法而首先犯之乞如臣前所奏施行所貴率厲羣臣審慎所舉

八月二十一日丙午辭大禮使

略云臣先奉敕充明堂大禮使臣自去冬患脚膝無力至今正月下旬全妨拜起遂請朝假至今首尾八箇月幸蒙聖恩每次朝見許臣男扶掖將來饗明堂在上帝前不可使人扶掖又隨皇帝陟降拜伏必恐未能一一如禮伏望聖慈別賜差官充大禮使

按公以正月二十一日請假此云首尾八箇月
連閏計已到八月二十一日矣公薨在九月朔
日明堂禮成不賀則此時距其薨之丙辰僅十
日耳公可謂鞠躬盡瘁死而後已者歟

二十四日辭明堂宿衞

略云臣先奉聖旨明堂特與免侍祠攝事導駕及
稱賀陪位止令宿衞在于人臣恩禮優厚無以復
加然臣近日患左足掌底腫痛全然履地不得趾
步不能行未知痊愈之期將來明堂宿衞亦恐祗
赴不得伏望聖慈特賜矜免乞恩不已慙懼無地

辭提舉修實錄

略云臣自受命以來以衰羸多病罕曾到局供職

近又患左足腫痛不能履地日甚一日未有痊愈

之期所有修神宗皇帝實錄伏乞別賜差官提舉

九月丙辰朔公薨于西府

時兩宮虛己以聽公爲政公亦自見言聽計從欲

以身殉天下躬親庶務不舍晝夜賓客見其體羸

舉諸葛孔明食少事煩以爲戒公曰死生命也爲

之益力病革諄諄不復自覺如夢中語然皆朝廷

天下事也既歿其家得遺奏八紙上之皆手札論

當世要務太皇太后哭之慟與帝臨其喪輟視朝
三日京師人爲之罷市往弔及如陝葬送者如哭
私親嶺南封州父老亦相率具祭都中京師民畫
其像刻印鬻之家置一本飲食必祝焉四方爭遣
人購之京師畫工有致富者
公病亟猶肩輿見呂申公議改都省臨終牀簀蕭
然唯枕閒有役書一卷故申公爲輓詞云漏殘餘
一榻曾不爲黃金談圃
公忠信孝友恭儉正直出于天性自少及老語未
嘗妄其好學如飢之嗜食于財利紛華如惡惡臭

誠心自然天下信之退居于洛往來陝郊陝洛間
皆化其德師其學法其儉有不善曰君實得毋知
之乎博學無所不通音樂律厤天文書數皆極其
妙晚節尤好禮爲冠昏喪祭法適古今之宜不喜
釋老曰其微言不能出吾書其誕吾不信也不事
生產買第洛中僅庇風雨有田三頃喪其夫人質
田以葬惡衣菲食以終其身有文集八十卷資治
通鑑三百二十四卷考異三十卷厤年圖七卷通
厤八十卷稽古錄二十卷本朝百官公卿表六卷
翰林詞草三卷注古文孝經一卷易說三卷注繫

辭二卷注老子道德論二卷集注太玄經八卷大學中庸義一卷集注楊子十三卷文中子傳一卷河外諮目三卷書儀十卷家範四卷續詩話一卷遊山行記十二卷醫問七篇其文如金玉穀帛藥石也必有適于用無益之文未嘗一語及之公歷事四朝皆爲人主所敬然神宗知公最深公思有以報之常誦孟子之言曰責難于君謂之恭陳善閉邪謂之敬吾君不能謂之賊故雖議論違忤而神宗識其意待之愈厚及拜資政殿學士益有意復用公也公亦識其意故爲政之日自信而不疑

嗚呼若神宗可謂知人矣其知之也深若公可謂不負所知矣其報之也大行狀

公所服之衣衾隸書百有十字曰景仁惠者端明殿學士范公之所贈也曰堯夫銘者右僕射高平公所作也元豐中公在洛蜀公自許往訪之贈以是衾先是高平公作布衾銘以戒學者公愛其文義取而書其衾之首及寢疾西府治命斂以深衣而覆以是衾公于物澹無所好惟于德義若利欲其清如水而澄之不已其直如矢而端之不止故其居處必有法動作必有禮其被服如陋巷之士

一室蕭然圖書盈几終日靜坐泊如也又以圓木爲警枕小睡則枕轉而覺復起讀書蓋恭儉勤禮出于天性自以爲適不勉而爲與二范公爲心交以直道相與以忠告相益其誠心終始如一將歿而猶不忘祖禹觀公大節與其細行雖不可遽數然本于至誠無欲天下信之故能奮然有爲超絕古今居洛十五年若將終身焉一起而功被天下內之嬰童婦女外之蠻夷戎狄莫不敬其德服其名惟至誠故也范淳夫撰布衾記

黄文獻公撰白雲許先生墓誌曰其觀史有治忽

幾微若干卷起太皥氏迄宋元祐元年秋九月尚
書左僕射司馬光卒葢以爲光卒則宋之治不可
復興誠一代理亂之幾故附于續經而書孔子卒
之義以致其義也

司馬太師温國文正公年譜卷之八

司馬太師温國文正公年譜卷後

錫山顧棟高編輯
吳興劉承幹參校

元祐元年丙寅九月丙辰朔公薨于西府

太皇太后聞之慟上亦感泣不已時方躬祀明堂禮成不賀二聖皆臨其喪哭之哀甚輟視朝三日贈太師温國公襚以一品禮服賻銀三千兩絹四千匹賜龍腦水銀以斂賜謚文正見行狀

范忠宣公純仁祭文二十九日甲申見本集

烏虖天胙有邦畀之元龜篤生我公爲世父師夷

齊之清淵騫之德子產之惠叔向之直人有其一
足以成名公兼衆德乾乾不寧九流百家金匱石
室鉤索沉隱裁其失得根柢治亂經綸皇極作爲
文章有書秩秩寶圭大裘望之肅然冬陽夏冰赴
者爭先仁英兩朝煌煌厥聲國有正人折姦于萌
荏苒者木求直于繩我公盡規君心則寧赫赫神
考體貌有德公獻其可巖巖翼翼言有未用不敢
愛爵深衣幅巾歸休于洛公則休矣四方顒顒君
子野人泊于他邦聞風懷歸于父于兄天施不齊
或怨寒暑公獨何施四海一譽元豐之末國有大

事穆穆文母佑我聖嗣爰立作相媚于神人我公
在廷其重千鈞士賀于朝民歌于廛農慶于野兵
休于邊燠爾慓寒養其飢羸無痏于肌無莠于田
培其本根枝葉則茂豈曰我作憲章唯舊於赫聖
考左右上帝休公于家實遺聖子卷耳思賢夙夜
周京不惑不疑成此太平公之去來人之戚嬉非
人戚嬉帝之從違豈人事耶天實爲之某以不才
辱公知人人之相知貴相知心唯公我知洞達表
裏采其所長謂或可使申固義好丑山不移匪我
則然公實取之泚泚清洛獨樂之園嘉藥春敷脩

竹夏寒清酌脩然我招我從琅琅嘉言有銘在躬
朝聽過實備位樞機入與國論獲親風規六七年
間爲益不貲私祈白首從公以歸憂勞傷生公既
遘疾庶幾有瘳卒相王室國祠既誓公以喪聞我
心之悲不獲走門入哭于室公既大歛終天永違
不見一面人生有死如旦暮耳曾子將沒知免而
喜公身既修公志既畢既壽令終無一或失有如
公者古今萬一我每念此紓心之悲猶有鬼神實
聞我辭烏虖哀哉

蘇文忠公軾祭文見本集

烏虖百世一人千載一時唯時與人鮮偶常奇公
事仁宗百未一施獨發大議唯天我知厚陵之初
先事而規帝欲得民一尊無私毋子之間莫如孝
慈人所難言我則易之神宗知公敬如蓍龜專談
仁義輔以詩書枉尺直尋願公少卑公曰天子舜
禹之姿我若言利非天誰欺退居于洛四海是儀
化及豚魚名聞乳兒二聖見公曰予得師付以衡
石唯公所爲公亦何爲視民所宜有莠則鋤有疾
則醫問疾所生師老民疲和戎上策決用無疑此
計[illegible]定太平可基譬如農夫既畬既菑投種未粒

紹禮而吹賓客滿門公以疾辭不見廿日入哭其帷天爲雨泣路人垂淚畫像于家飲食必祠紹我眾僚左右疇咨共載一舟喪其楫維終天之訣寧復來思歌此奠章以侑一卮烏虖哀哉

哲宗再遣使詔其孤康又遣大臣諭指俾奪遺命從官葬命入內內侍省供奉官李永言乘驛至涑水相地卜宅此照錢牧齋初學集中所載當必有據而坡公行狀則云命戶部侍郎趙瞻入內內侍省押班馮宗道護其喪歸葬與此小異存參

十月甲午掘壙

發陝解蒲華四州卒穿土復上方百丈爲葬其復

命公從子富提舉之

十二月丙戌墓成

元祐二年丁卯正月辛酉葬公于陝西陝州之夏縣涑水鄉

元祐三年戊辰上敕翰林學士蘇軾撰神道碑文文繁不錄

上親爲篆字以表其首曰忠清粹德之碑

范蜀公鎭誌其墓文全載見名臣琬琰之集

公諱光字君實自兒童時凜然如成人至既沒其家得遺奏八紙上之皆手札當世要務已上墓誌全文悉取

蘇文忠公所撰司馬公行狀惟刪去行狀所載公論交趾貢異獸蘇轍舉直言及經略安撫使便宜

從事非永世法充媛董氏追贈非令典并言太皇
太后有所取用當如上所取西戎遣使致祭邊臣
生事及言用宮邸省直非平日法等六七事皆行
狀生文故不復載錄獨錄范公所序而銘之銘文
云

翰林學士蘇軾狀公如此蓋直記其事俱鎮所目
擊足以示後世者鎮與公出處交游四十餘年如
一日公之所以在家如在朝也事必稽古而行之
動容周旋無不在禮嘗自號爲迂叟而親隸書以
抵鎮曰迂叟之事親無以逾古人能不欺而已矣
事君亦然今觀公得志澤加于民天下所以期公
者豈止不欺而已哉且約鎮生而互爲之傳後當

作銘公則爲鎭傳矣鎭未及爲而公薨烏虖鎭老
矣不意爲公銘也銘曰
於穆安平有魏忠臣更六百年有其元孫元孫温
公前人是似卒其誠心以佐天子天子聖明四世
一心有從有違咸卒用公公之顯庸自我神考命
于西樞曰予耆老公言如經其或不然帝獨賢公
欲使並存公退如避歸居洛師帝徐思之既克知
之知而不以以遺聖子唯我聖子協帝神母人事
盡矣天命順矣如川之迴如水之開或蹈其機豈
人也哉公亦不知曰是唯天二聖臨我如山如淵

公亦相之亦何所爲唯天是因唯民是師事旣初定公亦不留龍衮蟬冠歸于其正公之在朝布衣脫粟唯其爲善唯日不足生旣不有死亦何失四方頌之豈唯茲石

初蜀公所作銘詩云

天生斯民乃作之君君不獨治爰畀之臣有忠有邪有正有傾天意若曰待時而生皇皇我宋盛器之重十年萬億海內一統而熙寧初姦小淫縱以朋以比以閉以壅乃于黎民誕爲愚弄人不聊生天下詾詾險詖倫猾唱和雷同謂天不足畏謂衆

不足從謂祖宗不足法而敢爲誕謾不恭赫赫神
宗洞察于中乃竄乃斥遠佞投凶誅鋤蠹毒方復
任公奄棄萬國末克厥終二聖繼承謀謨輔佐乃
曰斯時非公不可召公洛京虛心至誠公至京師
朝訪夕諮公既在位中外咸喜信在言前拭目可
覩日親萬幾勤勞百爲盡瘁憂國夢寐以之曾未
幾月援溺振渴事無巨細悉究本末利興害除賞
信罰必日賢不肖若別黑白著哲俊乂野迄無遺
元惡大憝去之不疑無有遠近風從響應載考載
稽名實相符天胡不仁喪吾良臣天實不恕喪吾

良輔烏虖公乎而不留乎山岳可泐也公之意氣堅不可奪也江海可竭也公之正論浚不可遏也烏虖公兮時既得矣道既行矣志亦伸矣而壽止于斯哀哉哀哉

此蜀公初所作銘也其辭峭峻公子康屬蘇軾書之軾曰軾不辭書懼非三家之福遂易今銘並見東坡集

按公薨日正當宣仁秉政羣賢彙進之時而坡公之言已如此蓋當創鉅痛深之後也然銘文之體自可不必

是年又命內侍省供奉官李永言起樓于墓之東南樓之大制基極相距凡四丈有五尺上爲四門門爲二牖下爲三門門爲六墉複閣周于碑迴廊環于閣繚垣四起爲之蔽衛凡七月而畢事土木金石朽墁丹雘之工總會一萬六千有奇而所損之數稱是

宋史本傳公立神道碑帝遣使賜白金二千兩康以費皆官給辭不受不聽遣家吏如京師納之乃止

元祐五年庚午六月丁酉公子康卒

康自居公喪居廬蔬食寢于地遂得腹疾至是不能朝謁賜優告疾且殆猶具疏所當言者以待曰得一見天子極言而死無恨使召醫學積于兗積老矣鄉民聞之往告曰百姓受司馬公恩深今其子病願速往也來者日夜不絕積遂行至則不可爲矣年四十二而卒見琬琰集范太史祖禹所撰墓誌

公在洛應用文字皆出范淳夫手一日謂公休曰此子弟職豈可不習公休辭不能淳夫曰請試爲之當爲改竄一再撰成已可用淳夫喜曰未有如此子好學也公事無大小必與淳夫議至于家事

公休亦不自專問于濬夫而後行公休之卒濬夫哭之慟挽詩云鮑叔深知我顔淵實喪予晁氏客語

十一月甲申葬陜州夏縣文正公墓次

朝廷特贈右諫議大夫遣將作監丞張濬督運木就護殯葬官給錢百萬遣中使弔問妻子賜錢五十萬文賻錢三十萬布帛有加既又遣內侍問行日賜白金五百兩助襄事

康卒子植幼宣仁后憫之呂大防謂康素以邵伯温爲西京教授以教植伯温既至官誨植曰温公之孫大諫之子賢愚在天下可畏也植聞之力學

不懈卒有立于世宋史邵伯温傳

紹聖元年甲戌夏四月以章惇爲尚書左僕射兼門下侍郎

惇之被召也陳了翁瓘時爲通判道謁之惇聞瓘名邀與同載詢以當世之務瓘因問曰天子待公爲政敢問何先惇曰司馬光姦邪所當先辨無急于此瓘曰公誤矣果爾將失天下望惇厲色曰光不纂紹先烈肆意大改成緒誤國如此非姦邪而何瓘曰元豐之政本異熙寧則先志固已改而行之温公不明先志而用母改子之説行之太遽所

以紛紛至于今日爲今之計唯當絕臣下之私情融祖宗之善意消朋黨持中道庶乎可以救弊若又以熙豐元祐爲説無以厭服公論恐紛紛未艾也辭辨淵源議論勁正㝷雖忤意亦頗驚異留瓘共飯而别見言行錄

張氏無垢曰司馬温公與王介甫清儉廉恥孝友文章爲天下學士大夫所宗仰然二公所趣則大有不同其一以正進其一以術進介甫所學者申韓而文之以六經温公所學者周孔亦文之以六經故介甫之門多小人而温公之門多君子温公

一傳而得劉器之再傳而得陳瑩中介甫一傳而得呂太尉再傳而得蔡新州三傳而得章丞相四傳而得蔡太師五傳而得王太傅云張無垢撰劉元城盡言集序

秋七月奪公及呂公著贈謚

時黃履張商英上官均來之邵等交章論司馬光等變更先朝之法畔道逆理詔光及公著各追所贈官并謚告及追所賜神道碑額仍下陝西鄭州各于逐官墳所拆去官修碑樓及倒碑磨毀奉敕所撰碑文訖奏

章惇蔡卞請發光公著冢斲棺戮尸帝問許將將對曰此非盛德事也帝乃止監察御史常安民上言張商英在元祐時上吕公著詩求進諛佞無恥近乃乞毁司馬光吕公著神道碑周秩爲博士親定光謚爲文正近乃乞斲棺鞭尸陛下察此輩之言果出于公論乎安民尋亦補外

紹聖四年丁丑二月追貶公爲清遠軍節度副使

三省言司馬光等倡爲姦邪詆毁先帝變易法度罪惡至深當時凶黨雖已死及告老亦宜薄示懲沮遂追貶

三月詔中書舍人蹇序辰等編類公等章疏

序辰上疏言朝廷前日正司馬光等姦惡明其罪罰以告中外唯變亂典刑改廢法度訕讟宗廟睥睨兩宮觀事考言實狀彰著其章疏案牘散在有司若不彙緝而藏之歲久必至淪棄願選官編類人爲一帙置之二府以示天下後世之戒章惇蔡卞請即命序辰等編類凡司馬光等一時施行文書攟拾附著纖悉不遺

譔昂林自乞毀資治通鑑板

太學博士陳瓘因策士題特引序文以明神考有

訓于是詠自駭曰此豈神考親製耶瓘曰誰言其非也自又曰亦神考少年之文爾瓘曰聖人之學得于天性有始有卒豈有少長之異自辭屈媿歎遽以告卞卞乃密令學士置板高閣不復敢議毀矣

四月又追貶公爲朱厓軍司戶參軍

元符三年春正月哲宗崩徽宗卽位

五月追復公等三十三人官

崇寧元年壬午復追貶公等四十四人官

從韓忠彥之言也

諫議大夫彭汝霖言諸人罪狀已經紹聖黜削案籍俱存但可據以行不必俟指名彈擊于是公等四十四人復貶奪有差

詔籍元祐元符黨人

公等二十一人子弟毋得官京師

九月立黨人碑于端禮門

時蔡京猶未愜意乃與其客强浚明葉夢得籍公及文彥博呂公著等凡百二十人等其罪狀謂之姦黨請御書刻石于端禮門

崇寧二年癸未九月令州縣立黨人碑

蔡京又自書姦黨爲大碑頒于郡縣令監司長吏廳皆刻石有長安石工安民當鐫字辭曰民愚人固不知立碑之意但如司馬相公者海内俱稱其正直今謂之姦邪民不忍刻也府官怒欲加之罪民泣曰被役不敢辭乞免鐫安民二字于石末恐得罪後世聞者媿之

崇寧五年丙戌正月毁黨人碑

帝以星變避殿損膳劉逵請碎元祐黨人碑寬上書邪籍之禁帝從之夜半遣黄門至朝堂毁石刻翌日蔡京見之厲聲曰石可毁名不可滅也

靖康元年丙午二月除黨籍學術之禁

復贈公爲太師還賜謚

建炎元年詔配饗哲宗廟庭詔罷觀文殿大學士贈太

師蔡確配享以公代之見文獻通考

紹興十五年秦檜當國

七月禁私史公曾孫司馬伋遂言涑水記聞非公論

著之書時李光家亦舉光所藏書萬卷焚之

理宗寶慶二年圖像于昭勳崇德閣

度宗咸淳元年從祀孔子廟廷宋鑑

皇統八年戊辰夏邑令王廷直建祠修復

廷直自記曰紹聖間仆温公墓碑而磨其文靖康復公官爵欲追立而未暇迄今五十餘年薶之深土毁滅朽漫不傳于世天眷有德乃生杏樹一枝于碑座龜趺之側蟉枝屈盤春花夏實廷直以皇統戊辰秋八月行令夏臺問諸守僧圓眞訪得舊本于公曾姪孫曰作曰通之家命工刊模碑面穴隙不可鑴磨碑陰碎裂間實以土葢初仆時自龜而上摧㩦使然也欲別選鉅石作豐碑則又無大葬時朝廷物力公族姪孫　曰不若横碑作小段而模立之則龜杏不損後之人知其異焉因斵碑

而爲四額一跋一共六石僧法洪率闔邑僧院咸
出貲助之圓眞又出私帑于墳院法堂之後設堂
以祀公置碑石爲號曰温公神道碑堂見通志
按皇統金熙宗年號八年戊辰正當宋高宗紹
興之十八年距紹聖仆碑時計五十有五年矣
元皇慶元年壬子平章政事察罕繪圖并修復之碑使
廣平程鉅夫爲序
序曰公之墓碑仆于羣憸之口而斷碑之隙有杏
生焉金皇統閒夏邑王令建祠修復老杏迄今二
百餘年矣白雲翁家與之鄰益封殖皇慶之元翁

爲平章政事出所繪圖及修復之碑使廣平程某序之鉅夫序所謂夏邑令王者壽春王廷直金皇統閒夏邑令也白雲翁者元平章察罕也見程鉅夫集老杏圖詩序

按皇慶元仁宗年號是年壬子距宋紹聖元年甲戌仆碑計共二百十九年

皇慶二年癸丑詔從祀孔子廟廷距公卒時元祐元年丙寅共二百二十八年

按公從祀于宋度宗咸淳元年是時宋方播遷元一統不遵宋制至此乃復從祀

明天啟二年壬戌錢謙益得公石碑于長安肆中有記

司馬文正公神道碑後

記曰天啟壬戌得司馬文正公神道碑刻于長安肆中紙黴墨渝深加寶重而又竊怪其不甚行于世也遂命良工裝潢屬友人程孟陽題而藏諸篋衍後三年乙丑被放歸田讀元人程鉅夫集溫公墓碑老杏圖詩序復于通志得金夏邑令壽春王廷直所自記云斷碑爲四額一跋一共六石余得此碑凡四紙縱長丈餘橫半之與斷碑爲四之說符合爲皇統時所修復無疑余所存者四石而已

其額與䟦皆不可考然而是碑也仆于宋復于金軀趺之僅存老杏之封殖鬼神護持而余乃幸而得之又豈易哉見牧齋初學集

司馬太師温國文正公年譜卷後

司馬太師温國文正公年譜遺事一卷

錫山顧棟高編輯
吳興劉承幹參校

公幼時與羣兒戲于庭一兒登甕足跌沒水中衆皆棄去公持石擊甕破之水迸兒得活其後京洛閒畫以爲圖宋史本傳

邇英進讀通鑑三葉畢上更命讀一葉半讀至蘇秦約六國從事上曰蘇秦張儀掉三寸舌乃能如是乎公曰臣所以存其事于書者欲見當時風俗專以辨說相高人君委國而聽之此所謂利口覆邦家者也上

曰卿進讀每存規諫公曰非敢然也欲陳著述之本意耳日錄下同

上謂晦叔曰司馬光方直其如迂闊何晦叔曰孔子上聖子路猶謂之迂孟軻大賢時人亦謂之迂闊況光豈免此名大抵慮事深遠則近于迂矣願陛下更察之

公嘗謂金陵曰介甫行新法乃引用一副當小人何也介甫曰方法行之初舊時人不肯向前因用一切有才力者候法已成卽當逐之耳公曰介甫誤矣君子難進易退小人反是若小人得路豈可去也必成讎

敵他日得毋悔之介甫默然後果有賣荆公者元城語録

潞公謂温公曰彦博留守北京遣人入大遼偵事回云見虜主大宴羣臣伶人劇戲作衣冠者見物必攫取懷之有從其後以鞭朴之其人反顧曰司馬端明耶君實清名在夷狄如此公媿謝聞見録

王荆公知制誥吳夫人爲買一妾公見之曰何物女子曰夫人令執事左右曰汝誰氏曰妾之夫爲軍大將部米運失舟家貲盡沒猶不足又賣妾以償公愀然曰夫人用錢幾何得汝曰九十萬公呼其夫令爲夫婦如初盡以錢賜之司馬温公從龐潁公辟爲太原

府通判尚未有子夫人爲買一妾公殊不顧夫人疑
有所忌也一日教其妾俟我出汝自飾至書院中冀
公一顧也妾如其言公訝曰院君出汝安得至此亟
遣之類公知之對僚屬咨其言二公不好聲色不愛
官職不殖貨利皆同平生相善至論新法不合始著
書絶交矣
按公通判并州起至和二年乙未至嘉祐二年六
月離并州凡二年半葢當公三十七至三十九歲
而子康生于元祐二年庚寅爲公年三十二歲此
云通判太原時尚未有子非也或更在庚寅以前

爾

公居洛嘗同范景仁登嵩頂由轘轅道至龍門涉伊水至香山憩石樓臨八節灘凡所經從多有詩什自作序曰遊山錄士大夫爭傳之公不喜肩輿山中亦乘馬路險策杖以行故嵩山題字云登山有道徐行則不困措足于平穩之地則不跌愼之哉

荊公主雇役温公主差役蘇内翰范忠宣温公門下士復以差役爲未便章子厚荊公門下士亦以雇役爲未盡三人雖賢否不同皆聰明曉吏治兼知南北風俗其所論甚公各不私于所主元祐初温公復差役

改雇役子厚議曰保甲保馬一日不罷有一日害如役法則熙寧初以雇役代差役議之不詳行之太速故後有弊今復以差役代雇役當詳議熟講庶幾可行而限止五日太速後必有弊公不以爲然子厚罪去蔡京者知開封府用五日限盡改畿縣雇役之法爲差役白温公公喜曰使人人如君何患法不行子厚入相復議以雇役改差役置司講論久不決蔡京兼提舉白子厚曰取熙寧元豐法施行之耳尙何講焉子厚信之雇役遂定京前後觀望反覆賢如温公暴如子厚皆足以欺之誠小人也

蘇子由上疏曰熙寧雇役之法三等人戸並出役錢上戸以家產高強出錢無藝下戸昔不充役亦遣出錢故此二等人戸不免咨怨至于中等昔旣已自差役今又出錢不多雇法之行最爲甚便罷行雇法上下二等忻躍可知唯是中等則反爲害且以畿縣中等例出役錢三貫若經十年爲錢三十貫而已今差法旣行諸縣手力最爲輕役農民在官日使百錢最爲輕費然一歲之用已爲三十六貫二年役滿爲費七十餘貫罷役而歸寬鄉得閒三年狹鄉不過一二歲以此較之則差役五年之費倍于雇役十年賦役所出

多在中等如此條目不便非一故天下皆思雇役而厭差役今五年矣則臣所謂宜因茲修法爲安民靖國之術者也然大臣終莫肯改潁濱遺老傳

熙寧二年介甫初參政時呂獻可任御史中丞將對于崇政殿而司馬公爲翰林學士侍講邇英閣亦將趨資善堂以俟宣召相遇于路並行而北溫公密問曰今日請對欲言何事獻可舉手曰袖中彈文乃新參也溫公慊然曰以介甫之文學行義命下之日衆皆喜于得人奈何論之獻可正色曰君實亦爲此言耶安石雖有時名上意所向然好執偏見不通物情輕

信難回喜人佞已聽其言則美施于用則疏若在侍從猶或可容置諸宰輔則天下必受其弊矣溫公曰與公素爲心交苟有所懷不敢不盡今日之論未見不善之迹似傷怱遽或別有章疏願先進呈姑留是事更竢籌慮可乎獻可曰上新嗣位富于春秋朝夕所與謀議者二三執政而已苟非其人將敗國事此乃腹心之疾治之唯恐不及顧可緩耶語未竟閤門吏抗聲退班乃趨而去溫公退自經筵默坐玉堂終日思之不得其說既而搢紳間寖有傳其章疏者往往竊議其太過未幾變更祖宗法專務聚斂百姓騷

然然後前日之議者始媿仰歎服以爲不可及温公
退居洛陽每論當世人物必曰呂獻可之先見范景
仁之勇決皆予所不及（劉諫議集）
韓子華（絳）入相繼王荆公之後政事有未便者賢士大
夫或置不用公將更易振舉之奏古者冢宰制國用
今天下財用出入宰相乃不預聞始置局中書稽考
天下財用之數量入以爲出援用司馬光上曰吾于
光豈有所愛顧光未肯來耳（韓子華行狀）
公既改新法或謂公曰元豐舊臣如章惇呂惠卿輩皆
小人他日有以父子之義間上則朋黨之禍作矣不

可不愼公曰天若祚宋必無此事遂改之不疑

公與兄伯康尤愛尤篤伯康年將八十公奉之如嚴父保之如嬰兒每食少頃則問曰得無飢乎天少冷則撫其背曰衣得無薄乎范太史集

晁無咎言温公有言吾無過人者但平生所爲未嘗有不可對人言者耳

伊川先生每與君實說話不曾放過如范堯夫十件事只爭得三四件便已先生曰君實只爲能受人盡言儘人忤逆更不怒便是好處程氏遺書

初温公議凡役人皆不許雇人以代然東南及西蜀諸

路民有高貲或子弟業儒皆當爲弓手執賤役既不許募代甚苦之呂公令一切聽募民情大悅呂申公家傳

公薦元城充館職曰知所以相薦否曰獲從公遊舊矣公曰非也光居閒足下時節問訊不絕光位政府足下獨無書此光之所以相薦也

容有言于公范淳甫在言路必能協濟公正色曰子謂淳甫見光有過不言乎殆不然也范太史遺事

公欲令進士召朝官保任然後應舉范忠宣公曰舉人難得朝士相知士族近京猶可寒遠之士尤不易矣徒令求舉未必有益公從之

公嘗謂人曰吾與景仁兄弟也但姓不同耳然至于論
鍾律則反覆相非終身不能相一公集中有和范景
仁緱氏别後見寄求決樂議詩云至樂存要渺失易
求之難昔從周道衰疇人曠其官聲律久無師文字
多缺漫仁皇憫崩壞廣庭集危冠紛紜鬭筆舌異論
誰能殫或欲徇陳迹竅厚潛鎪剜或欲立新意妄取
舊史刊古今互齟齬大抵皆欺謾景仁信其説墨守
不可干賤子欲面從誰與換膽肝此求必議決深谷
爲崇巒何如兩置之試就中和看又有和韓秉國招
范景仁飲景仁不至云方作書與光樂論詩云小桃

佳李實如拳西湖盡眼鋪芳蓮景仁不從鄉賢飲爲此論樂方窮研周衰官失疇人散鍾律要渺誰能傳近人欺衆出私意最可憫笑房生顛如光初不辨宫羽是非得失安敢耑每煩教諭累百紙頑如鐵石不可鐫王李阮胡相詆毀各出所學何妨偏景仁家居鑄龠斛欲除民瘼恐未然要須中和育萬物始見大學之功全又有景仁新鑄龠斛次韻寄呈云裁筩累黍久研精況復新修龠斛成豈校忽微爭口語本期湻古變人情既言樂律符今尺但恐簫韶似鄭聲若欲世人俱信服鳳皇再集潁川城

程子與侯仲良語及牛李事因言温公在朝欲盡去元豐間人程子曰作新人才難變化人才易今諸人之才皆可用且人豈肯甘爲小人在君相變化何如耳且宰相用之爲君子孰不爲君子此等教他們自做未必不勝如吾曹仲良曰若然則無紹聖間事也

在講筵時曾説與温公云更得范純夫在筵中尤好温公彼時一言亦失卻道他見修史自有門路某應之曰不問有無門路但筵中須得他温公問何故某曰自度少温潤之氣純夫色温而氣和尤可以開陳是非道人主之意後來遂除侍講

温公薨朝廷命伊川先生主其喪事是日也祀明堂禮
成而二蘇往哭温公道遇朱公掞問之公掞曰往哭
温公而二程先生以爲慶弔不同日二蘇悵然而反
曰鏖糟陂裏叔孫通也自是時時謔伊川他日國忌
禱于相國寺伊川令供素饌子瞻詰之曰正叔不好
佛胡爲食素正叔曰禮居喪不飲酒食肉忌日喪之
餘也子瞻令其肉食曰爲劉氏者左袒于是范純夫
輩食素秦黄輩食肉吕申公爲相凡事有疑必質于
伊川進退人才二蘇疑伊川有力故極口詆之云
司馬温公辭副樞密名冠一時天下無賢不才浩然歸

重呂申公亦以論新法不合罷歸熙寧末申公起知
河陽明道以詩送行復爲詩與温公蓋恐其以不出
爲高也及申公自河陽乞在京宮祠神宗大喜召登
樞府人以二公出處爲優劣先生曰呂公世臣不得
不歸見上司馬温公諍臣不得不退處先生有贈温
公詩云二龍閒臥洛波淸今日都門獨餞行願得賢
人均出處始知深意在蒼生
温公薨門人或欲遺表中入規諫語程子正叔云是公
平生未嘗欺人敢死後欺君乎
伊川與君實語終日無一句相合明道與語直是道得

下

程子曰君實之語自謂如人參甘草病未甚時可用也病甚則非所能及觀其自處必自有救之之術又曰某接人多矣不雜者三人張子厚邵堯夫司馬君實

司馬溫公修通鑑伊川一日問修至何代溫公曰唐初也伊川曰太宗肅宗端的如何溫公曰皆篡也伊川曰此復何疑伊川曰魏徵何如溫公曰管仲孔子與之某于魏徵亦然伊川曰管仲知非而反正忍死以成功業此聖人所取其反正也魏徵只是事讎何所取耶溫公竟如舊說

先生曰明道猶有謔語若伊川則全無問如何謔語曰
明道聞司馬溫公解中庸至人莫不飲食鮮能知味
有疑遂止笑曰我將謂從天命之謂性便疑了
伊川謂明道曰吾兄弟近日說話太多明道曰使見呂
晦叔則不得不少見司馬君實則不得不多已上二程遺書
熙寧之初吳興劉公位臺端以論事忤大臣謫知江州
一時無敢言者獨文正溫公抗章于廷諍之公將行
文正造門敘別又以手翰問行期有道勝名立之言
其相與之意厚矣夫天下之善士斯友天下之善士
二公始終一節不約而同其取友可知覽是遺墨三

復興歎乃附其說于後龜山文集

陳氏曰司馬光撰書儀前一卷爲表章書啟式餘則冠婚喪祭之禮詳焉又居家雜禮一卷司馬光撰四家禮範五卷張栻朱熹所集司馬程張呂氏諸書而建安劉珙刻于金陵

朱子語錄胡叔器問四先生禮晦庵先生曰二程與橫渠多是古禮溫公則大槪本儀禮而參以今之可行者溫公較穩其中與古不甚遠自七分好大抵古禮不可全用如古服古器今皆難用又曰溫公本諸儀禮最爲適古今之宜

馬廷鸞曰溫公此書專本儀禮其大者莫如婚喪婚禮婦見舅姑條下注若舅姑已歿則有三月廟見之禮此儀禮說也儀禮凡單言廟皆謂禰廟非祖廟也公謂婦入門拜先靈則三月廟見之禮可廢此于禮爲稍略而朱文公遂以爲惑于陳鍼子先配後祖之說故以婦入拜祖先爲未然此禮當考按鍼子所譏自謂鄭忽當迎婦時不先告廟注家引公子圍告莊共之廟而後行爲證郎非婦入門時事喪禮卒哭而祔亦儀禮說也儀禮三虞明日以其班祔公直用之此于禮爲太遠檀弓明言殷練而祔周卒哭而祔孔子善殷而云周已戚公於注文但略言而不詳述蓋練

而祔公所不取故耳大槩温公誠篤之學嘗答許奉世秀才書公自幼誦諸經讀注疏以求聖人之道直取其合人情物理目前可用者從之此其大指也已上

文獻通考

朱文公與鄭知院書曰熹鄉在長沙嘗得温公稽古錄正本別爲刊刻殊勝今越中本欲待成書奏御未竟而來又欲面奏行下取索則又未及而去每念此書温公所以願忠君父之志更歷三朝然後成就其論人君之德有三而才有五者尤爲懇切不可不使聖主聞之不知可以一言及之行下本縣取索投進否

然不必及纂姓名恐罪累之迹延及先賢反致忠言不得聞達也聞中司已兼讀官幸更與議之同君舉子壽諸公共白之也（朱子文集大全）

司馬温公屢言王廣淵章八九上留身乞誅之以謝天下聲震朝廷是時滕元發爲起居注侍立殿坳既歸廣淵來問元發早來司馬君實上殿聞乞斬某以謝天下不知聖語如何元發戲云我只聽得聖語云依卿所奏（元懷拊掌錄）

東坡公元祐時登禁林以高才狎侮諸公卿率有標目獨于司馬温公不敢有所重輕一日相與論免役差

役利害偶不合及歸舍方卸巾弛帶乃連呼曰司馬牛司馬牛蘇軾調謔編

公家一僕三十年止稱君實秀才蘇子瞻學士來謁聞而教之明日改稱大參相公公驚問以實告公曰好好一僕被東坡教壞了輟耕錄

金人入洛傳令軍中無得驚動司馬太師家黃氏日鈔

溫公不好佛謂其微言不出儒書而家法則云十月就寺齋僧誦經追薦祖先象山知荆門上元當設醮乃講洪範錫福章以代之俞文豹吹劍錄

溫公曰世俗信浮屠以初死七日至七七日百日小祥

大祥必作道場功德則滅罪生天否則入地獄受剉燒舂磨之苦夫死則形朽腐而神飄散雖剉舂磨燒又安得施唐李舟曰天堂無則已有則賢人生地獄無則已有則小人入今以父母死而禱佛是以其親爲小人爲罪人也同上

溫公之任崇福春夏多在洛秋冬在夏縣每日與本縣從學者十餘人講書用一大竹筒筒內貯竹籤上書學生姓名講後一日即黏籤令講講不通則公微數責之公每五日作一煖講一杯一飯一麪一肉一菜而已溫公先隴在鳴條山墳所有餘慶寺公一日省

墳止寺中有父老五六輩上謁云欲獻薄禮乃用瓦盆盛粟米飯瓦罐盛菜羹公享之如太牢既畢復前啟曰某等聞端明在縣日爲諸生講書村人不及往聽今幸略說公即取紙筆書庶人章講之既已復前白曰自天子章以下各有毛詩兩句此獨無有何也公默然少許謝曰某平生慮不及此當思其所以奉答村父笑而去每見人曰我講讀曾難倒司馬端明

公聞之不介意馬永卿嬾眞子錄

司馬溫公元豐末來京師都人奔走競觀即以相公目之左右擁塞馬至不能行及謁時相于私第市人登

樹騎屋窺之隸卒或止之曰吾非望而君願一識司馬公耳至于呵叱不退而屋瓦爲之碎樹枝爲之折及薨京之民罷市而往弔鬻衣以致奠巷哭以過車者葢以千萬數上命戶部侍郎趙瞻內侍省押班馮宗道護其喪歸葬瞻等還告民哭公哀甚如哭其私親四方來會葬者葢數萬人而嶺南封州父老相率致祭且作佛事以薦公者其詞尤哀注香于首頂以送公葬者九百餘人京師民畫其像刻印鬻之家置一本飲食必祝焉四方皆遣人購之京師時畫工有致富者蔡京南遷道中市飲食之類及知爲京皆不

肯售至于詬駡無所不道州縣護送吏卒驅逐之稍息人之賢不肖于人心得失一至于此兒童誦君實走卒知司馬温公葢千載一人而已張淏雲谷雜記

司馬君實洛中新第初遷日一日步行見牆外暗𧂭竹籔數十問之則曰此非人行之地將以防盜也公曰吾篋中所有幾何且盜亦人也豈可以此爲防命亟去之王暐道山清話

暐又記温公無子又無姬侍裴夫人亡後嘗忽忽不樂時至獨樂園于讀書堂危坐終日作小詩云暫來還似客歸去不成家按公子康以皇祐二年庚寅生

時公年三十二歲夫人係尚書張存之女亦非裴姓
公年六十四喪清河郡君六十七而復召明年九月
薨其鰥居在家之日甚少所記皆謬說也後世謂溫
公無子由此特筆于此以志其誤

溫公在永興一日行國忌香幕次中客將有事欲白公
誤觸燭臺倒在公身上公不動亦不問同上

司馬君實嘗言呂晦叔之信佛近夫佞歐陽永叔之不
信近夫躁皆不須如此信與不信纔有形迹便不是
同上

上一日在講筵既講罷賜茶甚從容因謂講筵官數日

前見司馬光作王昭君古風甚佳如宮門銅鐶雙獸面回首何時復來見自嗟不若住巫山布袖蒿簪嫁鄉縣讀之使人愴然時公病足在假已數日矣呂惠卿曰陛下深居九重之中何從而得此詩上曰亦偶然見之惠卿曰此詩不無深意上曰卿亦嘗見此詩耶惠卿曰未嘗見此詩適但聞陛下舉此四句爾上曰此四句有甚深意同上

張文潛言嘗問張安道司馬君實直言王介甫不曉事是如何安道云賢只消去看字說文潛云字說也只是二三分不合人意思處安道云若然則足下亦有

七八分不解事矣文潛大笑同上

余嘗謂近世鉅公歐陽文忠似韓退之司馬文正似蘧伯玉王荆公似王夷甫蘇文忠似司馬遷程棨三柳軒雜識

謚之美者極于文正司馬溫公嘗言之而身得之國朝以來有此謚者惟公與王沂公范希文而已若李司空昉王大尉旦皆謚文貞後以犯仁宗嫌名世遂呼爲文正其實非本謚也如張文節夏文莊始皆欲以文正易之而朝論迄不可費袞梁溪漫志

蜀公與溫公同遊嵩山各攜茶以行溫公以紙爲貼蜀公用小木合子盛之溫公見之驚曰景仁乃有茶器

也蜀公聞其言留合與寺僧而去後來士大夫茶器
精麗極世間之工巧而心猶未厭晁以道嘗以此語
客客曰使温公見今日茶器不知云如何也朱弁曲洧舊聞
元祐黨籍凡三等僕家舊有元祐姦黨碑其文曰皇帝
即位之五年旌別淑慝明信賞刑黜元祐害政之臣
靡有佚罰乃命有司夷列罪狀第其首惡與其附麗
者以聞得三百九人皇帝命書而刻之石置于文德
殿門之東壁永為萬世之臣戒又詔京書之將頒之
天下臣竊惟陛下聖神英武遵制揚功彰善癉惡以
紹先烈臣敢不對揚休命仰承陛下孝弟繼述之志

司空尚書左僕射兼門下侍郎臣蔡京謹書記

文臣曾任執政官二十七人

司馬光 呂大防 文彥博 劉摯 范純仁
韓宗彥 梁燾 曾布 王巖叟 蘇轍
王存 傅堯俞 鄭雍 趙瞻 韓維
孫固 范伯祿 胡宗愈 李清臣 劉奉世
范純禮 安燾 陸佃 呂公著俱元符
黃履 張商英 蔣之奇俱元祐

曾任待制官以上四十九人

蘇軾 劉安世 范祖禹 朱光庭 姚勔
趙君錫 馬默 孔武仲 孔文仲 吳安持
孫覺 錢勰 李之純 鮮于侁 趙彥若
趙卨 王欽臣 孫昇 李周 王汾
韓川 顧臨 賈易 呂希純 曾肇
王覿 范純粹 呂陶 王右 豐稷
張舜民 張問 楊畏 鄒浩 陳次升
謝文瓘俱元祐

餘官一百七十七八

秦觀 黃庭堅 晁補之 張耒 吳安詩
歐陽棐 劉唐老 王鞏 呂希哲 杜純
張保源 孔平仲 湯馘 司馬康 宋保國
黃隱 畢仲游 常安民 汪衍 余爽
鄭俠 常立 程頤 唐義問 余卞
李格非 陳瓘 任伯雨 張庭堅 馬涓
陳乳 陳光裔 蘇嘉 龔夬 王回
呂希績 吳儔 歐陽中立並元祐 尹材
葉伸 李茂直 吳處厚 李積中 商倚
陳祐 虞防 李祉 李深 李之儀
范正平 曾蓋 楊綝 蘇昞 葛茂宗
劉謂 柴衮 洪羽 趙天祖 李新
衛鈞 衮公適 馮伯藥 周證 孫琛
范彙中 鄧考甫 王察 趙珣 封覺民
胡端修 李傑 李貴 趙令時 張集
石芳 金極 高公應 安信之 張夙
黃策 吳公遜 高漸 周永徽 郭執中
鮮于綽 呂諒卿 朱紘 王貫 吳明

梁安國 王吉 檀固 蘇迴 何大受
王箴 鹿敏求 曾紆 汪公望 高士育
鄧忠臣 种師極 郁貺 韓治 秦希甫
錢景祥 錢希白 何大正 周紆 呂彥祖
梁寬 沈于 羅鼎臣 曹興宗 劉勃
王極 黃安期 于肇 陳師錫 黃遷
黃邦正 許克甫 胡良 楊朏 梅君俞
寇宗顏 張居 李修 逢純熙 高道格
黃才 曹興 侯顧道 周遵道 林膚
葛輝 宋壽巖 王公彥 王交 張甫
許安修 劉吉甫 胡潛 楊環寶 王陽
倪直孺 蔣津 王守 梁俊民 陳唐
董祥 鄧元中 陸表民 葉世英 謝潛
劉經國 張裕 扈充 張恕 陳并
洪芻 周諤 蕭形 趙越 滕友
江詢 方造 許端卿 李昭玘 向訓
陳察 鍾正甫 高茂華 楊彥璋 廖正一
李夷行 彭醇 梁士 並元符

曾任宰臣二人

王珪（元祐）
章惇（元符）

右令準尚書兵部符備降敕命指揮立石監帥廳崇寧四年二月日比兩浙常平司所立碑時天下監司郡守皆立之後因星變遂毀（馬純陶朱新錄）

按禹玉與蔡持正比欲沮温公作相致輿徐禧永樂之役殺數十萬人罪不容誅而章子厚尤首開紹述戕害善類今乃入元祐黨籍中此蓋京卞小人自相傾軋置之黨籍以禍之耳豈知適所以榮此二人而元祐諸公且避如糞穢羞同此席哉

吾州蒼梧先生胡德輝（珵）嘗對劉元城歎息張天覺之

亡元城無語蒼梧疑而問之元城云元祐黨人只是七十八人後來附益者不是又云今七十八人都不存惟某在耳元城為此言時實宣和六年十月六日也蓋紹聖初章蔡得志凡元祐司馬諸人皆籍為黨無非一時忠賢七十八人者可指數也其後世每得罪于諸人者駸駸附益入籍至崇寧間京悉舉不附己者籍為元祐姦黨至三百九人之多于是邪正混淆其非正人而入元祐黨者蓋十六七也建炎紹興間例加褒贈推恩其後議者謂其間多姦邪今日子孫又從而僥倖恩典遂有詔甄別之費袞梁谿漫志

以上皆文臣曾任執政官二十七人待制官以上四十九人餘官一百七十七人曾任宰臣二人通計四項凡二百五十五人合諸三百九人之數尚少四十五人乾隆五年三月二十四日余在江西德化縣于唐東賓案頭見宋搨黨人碑又有武臣一項但字多殘缺不可讀當求善本補足之

按元長以書法名世世所傳蘇黃米蔡蓋指京也後以其行穢惡易以蔡襄其實君謨之行輩高于蘇黃不宜反置蘇黃之後小人人品不端并其文藝亦不傳可爲至戒余所見宋搨黨人碑蓋元長

眞蹟也何時得善本讀之一則可補足三百九人之數二則可識蔡京手書眞本豈不猶欽寶籙哉

丁丑六月下浣一日又書

宋元祐黨籍碑成于蔡氏父子其意則王安石啟之也安石嘗作曹杜詩以寓意謂神姦變化自古難辨辨之而不疑者惟禹鼎爲魑魅合謀蓋非一日太丑之祉其亡也晚蓋以喻新法異意之人將爲宋室之禍也其後門生子壻相繼得政果鑄寶鼎列元祐諸賢司馬光而下姓名于其上以安石比禹稷而以司馬諸公爲魑魅呂惠卿載謝章曰九金聚粹鑄圖魑魅

之形自此黨論大興賢才消伏卒致戎馬南騖赤縣丘墟一言喪邦安石之謂也後金兵入汴見鑄鼎之像而歎曰宋之君臣用舍如此焉得久長遂怒而擊碎之

此碑自崇寧五年毀碎遂稀傳本今獲見之猶欽寶籙矣當毀碑時蔡京厲聲曰碑可毀名不可滅也嗟乎烏知後人之欲不毀之更甚于京乎諸賢自涑水眉山數十公外凡百二十人史無傳者不賴此碑何由知其姓氏哉故知擇福之道莫大乎與君子同禍小人之謀無往不福君子者也石工安民乞免著名今

彼此集諸賢位中赫然有安民在倪元璐題元祐黨人碑後

黃定者于紹聖間有以牛冤事質司馬溫公公因作冤牛問曰華州村往歲有耕田者日晡疲甚乃枕犂而臥乳虎翳林間怒髭搖尾張勢作威欲啖而食之屢前牛輒以身立其人之體上左右以角拉虎甚力虎不得食垂涎至地而去其人則熟寢未之知也虎行已遠牛具離其體人則覺而惡之意以爲妖因杖牛牛不能言而奔輒自逐之盡怒而得愈見怪焉歸而殺之解其體食其肉而不悔夫牛有功而見殺盡力于不見知之地死而不能以自明向使其人早覺而

悟虎之害己則牛知免而獲德矣惟牛出身捍虎于
其人未覺之前此所以功立而身斃也嗚呼觀此可
以見夫天下之大甚于捍虎忠臣之功力于一牛嫌
疑之情過于伏體不悟之心深于熟寢苟人主或察
焉則忠之限何所自別哉傳稱妾佯殭而棄酒上存
主父下存主母猶不免于笞固有忠臣獲罪亦猶此
夫客有因牛冤之事親過而弔焉余聞其語感而書
牛冤云又自跋曰是牛也能捍虎于其人未寤之前
而不全其功于虎行之後其見殺宜哉馬純陶朱新錄
按公以元祐元年丙寅薨至九年甲戌始改元紹

聖是時宣仁已上賓公之歿已久矣此蓋勢局大
變之後論者爲公不平假設爲公言以發其憤耳
其所謂冤牛者殆即以況公也歟
周益公云蘇子容聞人語故事必令人檢出處司馬温
公聞新事即便鈔錄且記所言之人故當時諺曰古
事莫告子容今事勿告君實吳郡皇甫庸近峰聞略
温公一日登崇德閣約康節久而不至乃作一約以候
之云淡日濃雲合復開碧伊清洛遠縈回林間高閣
望已久花外小車猶未來康節至和其韻云君家梁
上年時燕過社今年尚未迴爲罰誤君凝望久萬花

人豈非自見熙寧之事故也韓公眞難得廣大沈深

司馬公憂國之心至垂絕猶未忘道鄉亦然竊謂到此無可奈何亦只得休矣先生曰全不念卻如釋氏之忘若二公者又似太過問夫子曳杖負手逍遙而歌卻不然曰夫子猶言明王不興天下孰能宗予依舊是要做他底（同上）

與其得小人不若得愚人溫公晚年更歷之多爲此說（同上）

范蜀公作溫公墓誌乃是全用東坡行狀而後面所作銘多記當時姦黨事東坡令改之蜀公因令東坡自

自是從一刺謁但稱監南京岸而已傳者皆以爲笑

已上俱蔣仲舒堯山外紀

温公論碑誌謂古人有大勳德勒銘鐘鼎藏之宗廟其葬則有豐碑以下棺耳秦漢之間始命文士褒贊功德刻之于石亦謂之碑降及南朝復有銘誌藴之墓中使其人果大賢耶則名聞昭顯衆所稱頌豈待碑誌始爲人知若其不賢也雖以巧言麗辭强加采飾徒取譏笑其誰肯信碑猶立于墓道人得見之誌乃藏于壙中自非開發莫之覩也葢公剛方正直深嫉諛墓而云然予嘗思之藏誌于壙恐古人自有深意

韓魏公四代祖葬于趙州五代祖葬于博野子孫避地歷祀緜遠遂忘所在魏公既貴始物色得之而疑信相半乃命儀公祭而開壙各得銘誌然後韓氏翕然取信重加封植而嚴奉之葢墓道之碑易致移徙使當時不納誌于壙則終無自而知之矣故予古人作事必有深意藉誌以識墓則不可若止書其姓名官職鄉里系以卒葬歲月而納之壙觀韓公之事恐亦未可廢也

溫公論魏惠王有一商鞅而不能用使還爲國害喪地七百里竄身大梁予竊謂商鞅刻薄之術始能帝秦

卒能亡秦使用之于魏其術猶是也孟子不遠千里而來惠王猶不能聽其言其妄庸可知矣温公不足惠王以不聽孟子仁義之言而乃責其不用商鞅功利之説何耶公于此必有深意特予未之曉爾

司馬温公獨樂園之讀書堂文史萬餘卷而公晨夕所常閲者雖累數十年皆新若手未觸者嘗謂其子公休曰賈豎藏貨貝儒家惟此耳然當知寶惜吾每歲以上伏及重陽間視天氣晴明日設几案于當日所側羣書其上以曝其腦所以年月雖深終不損動至于啟卷必先視几案潔淨藉以茵褥然後端坐看之

深處小車來

熙寧閒荆公創行新法任用呂惠卿等溫公爭之不得賦春遊詩云人物競紛華驪駒逐鈿車此時松與柏不及道旁花

紹聖閒馬從一監南京排岸司適漕使至隨衆迎謁漕一見怒甚卽叱之曰聞汝不職來欲按汝何不亟去尙敢來見耶從一惶恐自陳湖湘人迎親竊祿求哀不已漕察其語南音也乃稍霽威云湖南亦有司馬氏乎從一答曰某姓馬監排岸司耳漕乃微笑曰然則勉力職事可也初葢誤認爲温公族人故欲害之

曹兄問諸先生皆以爲司馬公許多年居洛只成就得一部通鑑及到入朝卻做得許多不好爭曰道司馬公做得未善即是道司馬公之失卻不是當時哲廟若有漢昭之明便無許多事又曰不知有聖人出來天下事何如處置因舉易云井渫不食行惻也求王明受福也同上

溫公忠直而于事不甚通曉如爭役法七八年間直是爭此一事他只說不合令民出錢其實不知民自便之此是有甚大事卻如何捨命爭同上

溫公爲諫官與韓魏公不合其後作祠堂記極稱其爲

子細看過其有論此等去處盡拈出看少年被病翁監看他不許人看要人讀其有議論好處被他監讀煞喫工夫又云了翁集後面說禪更沒討頭處病翁笑曰這老子後來說話如此想是病心風同上

正獻爲溫公言佛家心法只取其簡要此呂氏之學也同上

問明道論元祐事須並用熙豐之黨曰明道只是欲與此數人者共變其法且誘他入腳來做問如此卻是任術曰處事亦有不能免者但明道是至誠爲之此數人者亦不相疑忌然須是明道方能了此後來元

作因皆出蜀公名其後郤無事若范所作恐不免被小人掘了（同上）

涑水記聞呂家子弟力辨以爲非温公書某嘗見范太史之孫某説親收得温公手書藳本安得謂非温公書某編八朝言行錄呂伯恭兄弟亦來辨爲子孫者只得分雪然必欲天下之人從己則不能也（同上）

温公省試作民受天地之中以生論以生爲活其説以爲民能受天地之中則能活也温公集中自有一段如此説也説得好郤説他人以生爲生育之生者不然拗論如此某舊時這般文字及了齋集之類盡用

或欲行看，卽承以方版，未嘗散空手捧之，非惟手汗漬及，亦慮觸動其腦。每至看竟一版，卽側右手大指面襯其沿，而覆以次指面撚而挾過，故得不至揉熟其紙。每見汝輩多以指爪撮起，甚非吾意。今浮屠老氏猶知尊敬其書，豈以吾儒反不如乎？當宜誌之。

温公可謂知仁勇，他那活國救世處，是甚次第！其規模稍大，又有學問。其人嚴而正。朱子語類

義剛曰：「温公力行處甚篤，只是見得淺。」曰：「是。」同上

子思所謂誠，包得温公所謂不妄語者，温公誠在子思誠裏。同上

祐諸公治得此黨太峻亦不待其服罪温公論役法
疏略悉爲章子厚所駁只一向罷逐不問所論是非
卻是太峻然當時如蔡確輩留得在朝廷豈不害事
同上

司馬氏家譜曰公子康生三子曰植曰威曰槙威無後
植生三子曰興老世孫俱早亡槙生二子曰佑曰伋
伋官禮部侍郎扈從至越子姓皆從之未幾卒于行
寓卜葬山陰之亭山因家焉吏部公贈開國伯實爲
山陰始遷之祖子孫弗克北還明錄其後百凡繇差
使不與編氓伍周程張邵司馬朱一也訪之夏縣無

人焉迺移文于浙有司遵守如故十二世孫竹上請立廟專祀薀始有瞻依矣伋數傳而以八音紀名至相則從太而八音始盡上距温公凡廿有五世即令見存食指在紹興及改遷廣右桂陽者不過百數計相字邦柱別號菲泉正德辛巳進士以刑部主事過夏展墓後終河南按察司簽事

元城先生父開府與公為同年契因遂從學于公熙寧六年舉進士不就選徑歸洛公曰何為不仕劉公以漆雕開斯未能信之語以對公說安世從公學與公休同業凡一四日一往以所習所疑質焉公忻然告

之無倦意久之問盡心行己之要可以終身行之者公曰其誠乎劉公問行之何先公曰自不妄語始自是拳拳勿失終身行之名臣言行錄

元城先生曰公于國子監之側得故營地創獨樂園自傷不得與衆同也以當時君子自比伊周孔孟公乃以種竹澆花事自比唐晉間人以救其弊也元城語錄

洛俗春月放園園子得茶湯錢與主人平分一日園子呂直納公十千公令持去再三欲留之公怒乃持去回顧曰只端明不要錢後十餘日呂直創一井亭問之乃用前日不受十千也黃氏日鈔

參寥如洛遊獨樂園有地高亢不因枯栟生芝二十餘本謂老圃盍潤澤之使長茂圃曰天生靈物不假人力寥歎曰眞温公之役也后山談叢

公在留臺每出前騶不過三節後宮相乘馬或不張蓋身持扇障日伊川程先生謂公曰公出無從騎有未便者公曰光惟求人之不識耳景仰撮書

公爲康節買宅富公爲買園康節所藏契約猶以二公爲戶故昔人詩有云温公宅子富公池倂入堯夫戶不知洛陽風俗之美可想

獨樂園有讀書堂釣魚庵采藥圃見山臺弄水軒種竹

齋澆花亭公賦七詠以紀之自擬于董仲舒嚴子陵韓伯休陶淵明杜牧之王子猷白樂天之列元城先生謂公自比唐晉閒人以救時弊蓋指此也傳家集

公依禮記作深衣冠簪幅巾紳帶每出朝服乘馬用皮匣貯深衣隨其後入獨樂園則衣之聞見錄

洛陽園記獨樂園卑小不可與他園班其曰讀書堂者數椽屋澆花亭者益小弄水種竹軒者尤小見山臺者高不過尋丈曰釣魚菴采藥圃者又特結竹梢蔓草爲之所以爲人欽慕者不在于園爾

夏縣西二十里坡底村有獨樂園故址蓋公別墅洄瀾

莊也名臣言行錄稱公居洛兒旦居夏縣皆有園池
勝槩然夏之園池卽此地耳舊有小祠祀公壁閒嵌
方石刻公子諫議君詩題曰康寒食上冢至洄瀾莊
追公祖烈感而爲詩其詩云祖學當年向此勤子孫
今日繼清芬賢能自過高陽里尊寵無慚萬石君花
滿一川紅蘂亂渠環千頃翠波分高門駟馬留餘慶
當見吾家世有聞公休集世失傳特記于此嘉靖十
年知縣鍾恕恢拓其祠刻石旣成然猶襲稱獨樂園
蓋未深考耳又縣東南五里地名赤峪入山一里許
有石洞深一丈五尺闊一丈俯瞰谿流清靜可愛石

巖鑿玉谿二字相傳公嘗讀書于此或云寓此修通
鑑

司馬太師温國文正公年譜遺事一卷

游定夫先生年譜

（清）游智開編　清同治六年刻本

游定夫先生集卷首

本傳墓誌年譜諸儒論述

宋史本傳

游酢字定夫建州建陽人初與兄醇俱以文行知名所交皆天下士程頤見之京師謂其資可以進道程顥興扶溝學招使肄業盡棄故所習而學焉第進士調蕭山尉近臣薦其賢召為太學錄遷博士以奉親不便求知河清縣范純仁守穎昌府辟府教授純仁入相復為博士簽書齊州泉州判官吹得監察御史歷知漢陽軍和舒濠三州而卒

宋嘉熙二年賜謚誥

皇帝聖旨國家制爲爵祿以御臣下生有華寵之命殁有褒崇之典始終之道備矣故朝散大夫知舒州軍州管勾神霄玉清萬壽宮管勾學事兼管內勸農事借紫金魚袋游酢言正而行端德閎而學粹躋禮樂之場超卓傳註之表羣經獨得其趣諸子莫遁其情羅網百家馳騁千古進德臺以萃俊屬推聖學以明大義士風疏議足以扶國本于當時註釋經書足以開來學于後世顧功德之兼全宜恩隆之特異茲循論濂道德博厚謂文言行端嚴謂肅可贈中奉

大夫謚曰文肅主者施行

楊公龜山御史游公墓誌銘

吾友定夫既沒之明年其子某自歷陽涉大江請予而告曰先君之友惟公爲最厚今既葬而幽堂之銘無辭以刻恐遂湮沒無傳焉願以是請予告之曰如先公之名德皎如日星雖奴隸之賤皆知之其流風餘韻足以師世範俗豈待予言而傳乎然嘗在元豐中俱受業於明道先生兄弟之門有友二人焉謝良佐顯道公其一也三年之間二公相繼淪亡存者獨予而已追念平生觸事無一不可悲者今吾子以銘

見屬舍子其奚之公諱酢定夫其字也建州建陽人初與其兄醇俱以文行知名於時所交皆天下豪英公雖少而一時老師宿儒咸推先之伊川先生以事至京師一見謂其資可與適道是時明道先生知扶溝縣事先生兄弟方以倡明道學爲己任設庠序聚邑人子弟教之召公來職學事公欣然往從之得其微言於是盡棄故所習而學焉其後得邑河淸予往見之伊川謂予曰游君德器粹然問學日進政事亦絕人遠甚其在師門見稱如此則所造可知矣公於元豐五年登進士第調越州蕭山尉近侍臣薦召爲

太學錄改宣德郎除博士公以食貧待次奉親不便就擬知河南府河淸縣忠宣范公判河南待以國士事有疑議必與之參訂移守潁昌辟公自隨爲府學教授未幾還朝復秉國政卽除公太學博士已而忠宣罷政公亦請外矣除齊州簽書判官廳公事用年勞改奉議郎丁太中公憂服除再調泉州簽判上皇卽位覃恩改承議郎賜緋衣銀魚袋還召爲監察御史磨勘轉朝奉郎出知和州歲餘管勾南京鴻慶宮居太平州兩乞再任以八寶恩轉朝散郎磨勘轉朝請郎知漢陽軍磨勘轉朝奉大夫以親老再乞宮祠

除提點成都府長生觀丁太碩人憂服除除知舒州移知濠州不數月會從官論守衛龍歸寓歷陽因家焉宣和五年五月乙亥以疾終於正寢享年七十有一是年十二月丙午與夫人合葬於和州含山縣昇城鄉車轅嶺之原用治命也公自幼不釐讀書一過目輒成誦比壯益自力心傳目到不為世儒之習誠於中形諸外儀容辭令燦然有文望之知其為成德君子也其事親無違交朋友有信涖官遇僚吏有恩意雖人樂於自盡而無敢慢其令者惡政在民蠲之如炙肉故去則見思愈久而不忘筮仕之初未更事

縣有疑獄十餘年不能決公攝邑事一問得其情而釋之精練如繇宦者人服其明比年以來編民困於征斂而脩奉祀館市材調夫無虛月所至騷然公歷守四郡處之裕如雖時有興造民初不知而事集此在公特其粃糠耳無足道者故不復纖載若其道學足以覺斯人餘潤足以澤天下遭時清明不及用而死此士論共惜之非予一己之私言也曾祖倚祖禮之不仕父潛贈大中大夫娶呂氏封宜人有賢行事舅姑以孝閨友娣姒睦姻族人無間言公繇貧不治生產夫人攻苦食淡能宜其家則內助多矣先公三

年卒官年六十有六子男七人撝文林郎洪州司兵曹事卒於官擬採握皆登世損迪功郎前授歸州司兵曹事㨿將仕郎拂未仕皆業儒世其家女一人歸時之子適孫男三人女五人有中庸義一卷易說一卷詩二南義一卷論語孟子雜解各一卷文集十卷藏於家銘曰嗚呼亞乎胡不慭遺方時清明哲人其萎道雖不行斯文未亾百世而下其傳有光

年譜

宋仁宗皇祐五年癸巳二月十五日午時公生於建寧府隋立建安郡未改泉州唐建州宋初隸江南又隸兩浙尋以隸福建陞建寧軍節度後陞今名

建陽之長平

至和元年甲午公二歲改元首年俱書

嘉祐元年丙申公四歲

五年庚子公八歲善屬文人稱神童

英宗治平元年甲辰公十二歲潛心孝經

神宗熙甯元年戊申公十六歲與兄質夫從族父執

中於家塾

三年庚戌公十八歲同葉畝禮施景明從江處中於

集公山

五年壬子公二十歲預鄉薦伊川先生見之京師謂

其資可與適道八月明道先生令扶溝召職學事

六年癸丑公二十一歲禮部試下第補太學生歸

八年乙卯公二十三歲預太學薦

元豐元年戊午公二十六歲

四年辛酉公二十九歲與楊中立謝顯道以師禮見

明道先生於潁昌錄有明道先生語

五年壬戌公三十歲登黃裳榜進士

六年癸亥公三十一歲調越州蕭山尉三月長子撝

生

七年甲子公三十二歲赴蕭山任

八年乙丑公三十三歲官蕭山用侍臣薦召爲太學
錄六月晦聞明道先生訃設位哭於寢門佗行狀
七月次子擬生
哲宗元祐元年丙寅公三十四歲官太學錄改宣德
郎除博士
二年丁卯公三十五歲官博士以倉貧待次奉親不
便就擬知河清縣
三年戊辰公三十六歲官河清四月三子拂生
四年己巳公三十七歲官河清是時忠宣范公判河
南待以國士有疑議與之參訂移守潁昌辟公自

隨爲府學教授
五年庚午公三十八歲任教授五月四子損生
六年辛未公三十九歲任教授
七年壬申公四十歲任教授范公未幾還朝復秉鈞
軸即除公太學博士七月五子撥生
八年癸酉公四十一歲官博士偕友中立離河清以
師禮見伊川先生於洛錄有伊川先生語
紹聖元年甲戌公四十二歲官博士六月六子捄生
二年乙亥公四十三歲官博士范公罷政公亦請外
除簽書齊州判官廳公事十二月女生及笄適中

立三子適
三年丙子公四十四歲官[illegible]齊州十月丁父憂解官居
制
四年丁丑公四十五歲在制葬太中升叔於寶應寺
山
元符元年戊寅公四十六歲在制築草堂於鳥山之
麓著論孟雜解中庸義
二年己卯公四十七歲正月服闋再調泉州簽判築
水雲寮於武夷之五曲為講論之所著易說詩二
南義

三年庚辰公四十八歲赴泉州任十一月上皇即位
召還爲監察御史
徽宗建中靖國元年辛巳公四十九歲官御史論士
風正月七子握生
崇寧元年壬午公五十歲官御史出知和州
二年癸未公五十一歲官和州
三年甲申公五十二歲官和州歲餘管勾南京鴻慶
宮
四年乙酉公五十三歲任鴻慶宮居太平州
五年丙戌公五十四歲仍居太平

大觀元年丁亥公五十五歲仍居太平
二年戊子公五十六歲仍居太平
三年己丑公五十七歲仍居太平
四年庚寅公五十八歲仍居太平
政和元年辛卯公五十九歲仍居太平兩乞再任知
漢陽軍
二年壬辰公六十歲官漢陽
三年癸巳公六十一歲官漢陽
四年甲午公六十二歲官漢陽以親老再乞宮祠除
提點成都府長生觀

五年乙未公六十三歲仍提點長生觀七月丁太碩

人憂解官居制

六年丙申公六十四歲在制

七年丁酉公六十五歲十月服闋除知舒州

重和元年戊戌公六十六歲官舒州

宣和元年己亥公六十七歲官舒州移知濠州

二年庚子公六十八歲官濠州不數月會從官謫守

衡罷歸寓歷陽因家焉

五年癸卯公七十一歲五月乙亥二十三日以疾終於正

寢十二月丙午用公治命與夫人呂氏合葬於和

州戰國屬楚秦歷陽縣晉歷陽郡後齊和州隋唐或歷陽郡或和州宋因之含山縣車

轅嶺之原遂改名察院嶺文靖楊公誌其墓

諸儒論述

程明道先生曰建州游酢非昔日之游酢也固是穎

然資質溫厚南劍州楊時雖不逮酢然煞穎悟

游酢於西銘讀之已能不逆於心言語之外別立得

這箇義理便道一作到中庸矣

新進游楊輩數人入太學不惟議論穎異且動作太

必有異故爲學中以異類待之又皆學春秋愈駭

俗矣

觀太學諸生數千人今日之學要之亦無有自信者

如游酢楊時等二三人游其間諸人遂爲之驚動

敬而遠之

游酢楊時是學得靈利高才也

謝上蔡曰吾在二先生門下伯淳最愛中立正叔最

愛定夫觀二人氣象亦相似

上蔡語錄云游子問謝子曰公於外物一切放得下

否謝子謂胡子曰可謂切問矣胡子曰何以答之

謝子曰實向他道就上面做工夫來胡子曰如何

做工夫謝子曰凡事須有根屋柱無根折卻便倒

樹木有根雖翦枝條相次又發如人要富貴要他做甚必須有用處尋討要用處病根滋來斬斷便沒事

楊龜山曰游酢曰能戒謹於不覩不聞之中則上天之載可循序而進矣乎曰是則然矣雖然其序如之何循之又如何也荀卿曰始乎爲士終也爲聖其言是也而曰性者惡也禮者僞也然則由士而聖人者彼夾不知其所循之序矣可不深思而謹擇乎

尹和靖云游定夫酢問伊川曰戒愼乎其所不睹恐懼乎其所不聞便可馴致於無聲無臭否伊川曰固是後謝顯道良佐問伊川如定夫之問伊川曰雖卽有此理然其間有多少般數講

日既云可馴致更有何般數伊川曰如荀子謂始乎爲士終乎爲聖人此語有何不可夫是馴致之道然他卻以性爲惡桀紂性也堯舜僞也謂此馴致便大錯了又云游定夫問伊川戒愼乎其所不睹恐懼乎其所不聞及其至也至於無聲無臭乎伊川曰馴此可以至矣後先生與胡恭叔以此語問伊川伊川曰然其間夫豈無事恭叔請問伊川曰如荀子云學者始乎爲士終乎聖人可以明之

語錄云定夫一日來訪中立曰適從何來定夫曰某在春風和氣中坐三月而來問其所之乃自明道處來也試涵泳春風和氣之言則仁義禮智之人其發達於聲容色理者如在目中矣

侯師聖曰朱公掞見明道於汝歸謂人曰光庭在春風中坐了一箇月游楊初見伊川伊川瞑目而坐

二子侍立既覺顧謂曰賢輩尚在此乎日既晚且休矣及出門門外之雪深一尺

游定夫忽自太學歸蔡過扶溝見伊川伊川問試有期何以歸也定夫曰某讀禮太學以是應試者多而鄉舉者實少伊川笑之定夫請問伊川曰是未知學也豈無義無命乎定夫即復歸太學是歲登第

胡康侯曰宋嘉祐中有河南二程先生得孟子不傳之學於遺經以倡天下而升堂覩奧號稱高弟在南方則廣平游定夫上蔡謝顯道龜山三人是也

嘗事定夫先生未嘗以言色相假

時紫芝曰朝廷議授游定夫以正言蘇右丞沮止毀

及伊川宰相蘇子容曰公未可如此頌觀過其門

者無不肅也

晁氏曰游定夫問伊川陰陽不測之謂神伊川曰賢

是疑了問是揀難底問

朱子曰游定夫德性甚好

游定夫徽廟初爲察院忽申本臺乞外如所請志完

駭之定夫云公何見之晚如公夫豈能久此

宣和之末人憂大厦之將顛或問游定夫以當今可

以濟世之人定夫曰陳了翁其人也一作醉曰四海人才不能周知以所識知陳了翁其人也

游楊諸公皆才高又博洽略去二程處參較所疑及病敗處各能自去求雖其說有疎略處然皆通明不似兼山輩立論可駭也

真西山曰昔游先生見西銘即渙然不逆於心曰此中庸之理也明道先生稱其能求之語言之外近世學者或未喻其旨愚謂中庸綱領在性道教三言而終篇之義無非教人以全天命之性西銘綱領亦只在其體其性之二言而終篇反復推明亦

欲人不失乾父坤母之所賦予者爲天地克肖之子而已故游先生以爲卽中庸之理也豈不信哉

魏鶴山曰周子奮自南服超然獨得以上承孔孟氏垂絕之緒河南二程子神交心契相與疏瀹闡明而聖道復著曰誠曰仁曰太極曰性命曰陰陽曰鬼神曰義利綱條彪列分限曉然學者始有所準的於是知身之貴果可以位天地育萬物果可以爲堯舜爲周公仲尼而其求端用力又不出乎暗室屋漏之隱躬行日用之近亦非若異端之虛寂百氏之支離也相與翕然宗之張楊游呂侯謝尹

張諸儒口傳面授至近世朱呂推而大之蓋自道
湮厄幾千有五六百年而後得所師承嗚呼幸哉

陳了翁年譜

（元）陳宣子編　民國二十五年抄本

序

了齋先生吾國故也魯有孔鄒有孟國人知之天下知之千萬世而下皆知之先生之忠肝義膽輝燭青史然亦猶是先生有文集行于世吾郡甫脫兵火煨燼無存邑庠舊有責沈不刻時亦散失其稾仍松澗君諱宣子字達觀悉心殫力四出搜訪零碎收拾匯為完璧今家塾有焉前數年我自富沙得尊堯集歸語松澗遂亟取以錄亦不敢吝去年春間訪得了齋文集於他郡手自謄寫畧無惰容每得一見亦不忍置今年夏適會其姪君詔家爛且謂前輩文集各有年譜冠其首吾祖文集獨闕是近已編緝畢嘗見之忽一日出示此編曰年譜畢矣於此乎益信先生之後有人而益敬其後人之有志表章先生之郡徵松澗十有五年間道不早幸而所見畧同而所值之時又同其在

陳了翁年譜序

了翁先生意其才似范萊公而學術過之不然徐師川范堯夫游定夫劉器之諸君子何獨許其當天下之重責沈尊堯諸作傳人誦夫誰不知有先生獨其家法相傳之要不讀先生年譜無以知之事親以孝事君以忠爲吏以廉立身以學非惟可爲家法直可爲天下後世法而默堂請益龜山伊尹之所覺周公之所思孔子之所貫顔子之所樂是四者聖賢所以立乎其身者也立身爲體孝也忠也廉也其用陳氏學術過范遠矣蕃兆公爲閩縣時廉訪使者怒曰汝何恃而敢然耶公曰孤寒小官無可恃所恃者惟潔己自守而已此其家法之一而可用爲法焉者故及之泰定丁卯中元前六日承直郎延平路總管府推官三山林興祖敬書

鄉黨學校間多不見棄大抵受命也介偶未免為強項人所厭則學了翁決不能如洵仁洵武輩先生有云氣質之用較道學之力大的哉斯言吾黨不敢不勉了齋先生實生於嘉祐丁酉之四月今其孫松磵生於嘉熙丁酉之四月是編之作又見於大德之年丁酉之四月其亦偶然耶其亦豈偶然耶後學樊夫百拜盥手書于譜後

序

了齋文凡五十餘卷親手抄錄卒歲全書暇日因修家譜自公之曾祖祖父而下至於公生循州之日又由公登第入仕之始至卒于貶所之年凡四十六年之事跡隨其歲月編為年譜雖略有倫序但中間書簡之往還詩詞之寄送其歲月不能詳考舉其大而遺其細撮其要而約其繁固不敢方前賢年譜之萬一但欲紀其大槩以示本族方來之子孫于以見吾祖一點之精忠義槩一世之跋涉間關後有仕於朝者亦當體吾祖之立心勿墜家聲以期無忝可也是編始於大德丁酉四月之既望而畢工於六月之中澣中間或有先後之訛外後之人儻改而訂正之亦所深望也時大德元年歲在丁酉六月二十有一日

七世孫宣子百拜謹書于了翁書院

序

了齋忠肅公著述不一有文集四十卷有易說有尊堯集有責沈碑文有年譜龜山梅庵南軒諸先生為之序我松磵翁嘗刊于祠下俾子孫世守其家訓至正庚子春不幸毀於兵火焚燎迨盡澤嘗以為憂憲韶至邑詣祠拜謁尋訪是書不完申命諸朝表章祠祀事因詢貢川族人得年譜一本敬取抄録復鋟梓于祠俾諸不朽告于族長文繕曰宜至正甲辰秋七月朔十世孫陳澤百拜謹識

陳了翁年譜

公諱瓘字瑩中南劍州沙縣人曾祖文餘贈駕部尚書未

梁正明三年丁丑生祖諱世卿周太祖廣順三年癸丑生

三十三歲值宋太宗雍熙二年丙戌狀元梁灝榜中進士

第二甲第十九名官至知廣州政績告滿未離任而歿享

年六十有四累贈吏部尚書父諱偁祖世卿第五子真宗

大中祥符八年乙卯六月生仁宗明道元年壬申二月十

八日蒙恩補太廟齋郎官至知洪州元祐元年四月致仕

七月卒年七十有二累贈特進

仁宗嘉祐二年四月生於循州官舍

神宗元豐元年秋領太學魁薦元豐二年三月上親試舉人狀

元時彥榜中進士甲科第三名初任柏慶軍掌書記湖州州

學教授神宗顧考官問家世陳公襄對曰循吏陳偁之子上
嘆曰循吏宜有此子

元豐七年第二任改宣義郎濠州定遠宰

元豐八年為禮部貢院點檢官適與校書郎范公淳夫同舍范
公嘗論顏子之不遷不貳唯伯醇有之公問范曰伯醇誰也
范嘿然久之曰不知有程伯醇耶公謝曰生長東南實未知
也時公年二十有九自是以來常以寡陋自愧得其傳者如
楊中立先生亦未之識也

元祐五年除太學博士不就蔡京薦之

元祐六年十一月二十七日作順昌濟川橋記

元祐七年

元祐八年

元祐九年四月改紹聖元年四月二十日跋朱表臣所藏歐陽
六一居士帖　五月復除太學博士紹聖初章申公以宰相
召過山陽公適相遇隨衆謁之章素聞公名獨請登舟共
載而行訪以當世之務公曰請以所乘舟爲諭偏重其可行
乎移左置右其偏一也明此則可行章默然未答公復曰上
方虛心以待公公必有以副上意者敢問將欲施行之叙以
何事爲先以何事爲後何事當緩何事當急誰爲君子誰爲
小人諒有素定之論願聞其畧章復竚思良久曰司馬光奸
邪所當先辯無急於此公曰相公誤矣此猶欲平舟勢而移
左置右也果然將失天下之望矣章厲色視公曰光輔母后
獨宰政柄不務纂紹先烈肆意大改成緒誤國如此非奸邪
而何公曰不察其心而疑其迹則不爲無罪若遂以爲奸邪

而欲大改其已行則誤國益甚矣乃為之極論熙豐元祐之事以為元豐之政多異熙寧則先志固已變而行之溫公不明先志而用母改子之說行之太遽所以紛紛至於今日為今之計唯當絕臣下之私情融祖宗之善意消朋黨持中道庶乎可以救弊若又以熙豐元祐為說無以厭服公論恐紛紛未艾也辭辯淵源議論勁正章雖忤意亦頗驚異遂有無取元祐之語留公具飯而別章到闕召公為太學博士公聞其與蔡卞方合知必害於正論遂以婚嫁為辭久乃赴官於是三年不遷公為太學博士薛昂林自之徒為正錄皆蔡卞之黨也競推尊荊公而擠排元祐禁戒士人不得習元祐學術卞方議毀資治通鑑板公聞之因策士題特引序文以明神考有訓於是林自駭異而謂公曰此豈神考親製耶公曰誰

言其非也自又曰亦神考少年之文爾公曰聖人之學得於天性有始有卒豈有少長之異耶自辭屈愧歉遽以告卞卞乃密令學中置板高閣不復議毀吳紹聖大臣嫉元祐更改王荊公已行之法乃用繼述之說以為形迹先朝追貶司馬溫公等加以不孝之名上誣宣仁事傷國體公時為太學博士被旨賜對其奏劄曰道常然而不渝事有弊則必變故堯舜禹皆以若稽古為訓若者順而行之稽則考其當否或若或稽必使合於民情所以成帝王之治也逵滕之言遂明繼述之義且論天子之孝與士大夫不同泰陵書所未聞皮覆詰問語遂移時退於進膳公乃引退上意感悟夠公再見有變更時事之意執政聞而恨之遂黜公于外泰陵聖顏英睿臣下奏對往往懾於天威少或契合公始召見遽以人所難

言遂意開陳辭達義明使人主豁然感悟由是縉紳士夫因不歆服蘇黃門聞撫几歎曰吾兄東坡最善論事然亦不知出此遂以書抵公歎譽甚至紹聖初用章惇薦爲太學博士先是惇之妻嘗勸惇無修怨惇作相專務報復首起朋黨之禍惇妻死惇悼念不堪以見惇客甚衆謂惇曰公與其無益悲傷曷若念夫人平生之言蓋譏惇報怨也惇以爲忤不復用公爲別試所主文林自謂蔡卞曰聞陳瓘欲盡取史學而黜通經之士意欲沮壞國是而動搖荆公之學卞既積怒謀將因此害公而遂禁絶史學計畫已定唯候公所取士求疵立說行之必預料其如此乃於前五名悉取談經及純用王氏之學者下無以發然五名以下往往皆博洽稽古之士公嘗曰當時若無矯揉則勢必相激史學往往遂廢矣故隨時

所以救時不必取快目前也　言行錄

紹聖二年

紹聖三年除祕書省校書郎執政聞之不悅

紹聖四年四月公謁章惇求外補因謂章惇主上篤於繼述熙

今日廟堂述神考手述判公手惇默然出公以宣德郎借緋

通判滄州因聞太學博士林自用蔡卞之意唱言於太學曰

神考知王安石不盡尚不及滕文公之知孟子也士大夫皆

駭其說公具其說以告惇大怒召自罵之章蔡由是不咸以

是忤執政故有是命　五月十二日作大相國寺智海禪院

記　十月七日跋徐仲車有客詩

元符元年除著作佐郎樞密院編修官辭

元符二年公前此自館職請外補得倅滄州秩滿至是移守衛

州中間數有薦章而被旨除皆辭不就
徽宗元符三年三月徽宗即位召拜左正言曾布韓忠彥所薦也布曰瓘等久當進爲惇等所抑下無定見人不附己者便惡之上曰所謂妬賢嫉能也皇太后亦諭忠彥等甚以瓘若除爲得人徽宗即位召公爲言事官於是即日就道論章蔡繼述平日之志畧行公赴召命至闕聞有中旨令三省繳進前後臣僚章疏之降出者公謂宰屬謝聖藻曰此必姦人圖蓋己愆而爲此謀者若盡進入則異時是非變亂省官何以自明因舉蔡京上疏請滅劉摯等家族乃妄言攜緻入內欲斬王珪等數事謝驚悚即白時宰錄副本於省中其後京黨欺誣蓋抹之說不能盡行由有此跡不可泯也徽宗初政欲革紹聖之弊以靖國於是大開言路衆議皆以瑤華復位司

馬溫公等敘官為所當先公時在諫省獨以為幽廢母后追貶故相彼皆立名以行非細故也今欲正復當先辯明誣罔昭雪非辜誅責造意之人然後發為詔令以禮行之庶幾可以無後患不宜欲速致悔也朝廷以公論久鬱且欲快悅人情遽施行之至崇寧間蔡京用事悉改建中之政人乃服公遠慮

四月公言陛下欲開言路首逐鄒浩臣其有既往之善可謂得已試之才允合人心無可正救而開御史中丞安惇（詩錄注事論浩罪狀欲痕也成之命自明前舉未嘗不言安惇）奏浩是先朝所棄不當復用國是所係不可輕改且竊惟是非之心人皆有之古先王以百姓之心為心故朝廷之所謂是非者乃天下之公是非也是以國是之說其文不載於二典其事不出於三代惟楚莊王之所以問孫叔敖者乃戰國一時之事非堯舜之法然其言曰夏桀商紂不定國是而

合其取舍者為是不合其取舍者為非則是孫叔敖之意亦不敢以取舍之私而害天下之公是非也若是非取舍簡擇一以私意合我者是異我者非此楚莊王所以不敢也豈聖時所宜用哉因錄國是故事上之人言鄒浩盡忠之言以覺君憂國為心先帝一時之怒無終絕言者之意惇居風憲理當助浩黜而坐視愧責已多況如前日之所為者乎極天下公議非所以為國是極人臣不改之孝以為善述者以誤朝廷今以非上原情定罪安可已乎伏望檢會前奏早賜施行惇聞公章已出亦自請去是日罷安惇出知潭州

五月公言紹聖大臣以繼述神考為說以騁毀宣仁為心而瑤華乃宣仁所厚又於先帝本無間隙萬一瑤華有豫政之時則元祐之事必復是以過為之慮若刈草而去其根則孟氏安得

不廢朝廷赦宥為罪人而設掖庭秘獄治世所無今若以為過而切之赦宥以是廢興動靜與衆同科慢而不嚴於禮未順且瑤華前日得罪外議藉藉皆以為先帝有悔悟之言審如此則是帝下一語書明白其事陛下付外庭使議典禮縱令遂非之人自護其短安敢以先帝之言為不然乎不報既而瑤華廢后用犢車還宮中太后遣人以冠服易去道衣乃入中外聞者歡呼公又言尚書右丞蔡卞過惡章惇前日所為皆卞教之卞以繼述神宗為名以纂紹安石為言立私門之所好以為國是奪宗廟大美以歸私史又言惇迹易明卞心難見春秋責意則難見之罪安所逃乎上曰只說與章惇則卞自知矣惇令吳伯舉諭旨於卞卞乃請去遂罷卞出知江寧　六月言新知荆南邢恕傾司馬光劉摯梁燾等幾至

滅族公議不容久矣定其罪是月貶邢恕均州居住　七月
熒惑犯房心以上言咸平元年二月孛出營室北真宗謂宰
臣曰其祥安在呂端等奏曰變在齊魯之分真宗曰朕以天
下為憂豈獨一方耶其年十月遂用李沆為相王旦參政此
二人天下所謂賢也舉天下之賢而用之則可以解天下之
憂真宗銷變之道如此而已願陛下大正厥事所用所棄皆
合人心則合天心矣漢元之時蕭望之周堪張猛與石顯許
史之徒議論交戰邪正未決當此之時有夏寒日青之變而
許史之徒以為堪猛用事之咎於是勢孤者危有力者勝臣
嘗以謂天下大器也譬如一舟舟平則安舟偏則危自紹聖
以來宰舟之人實右而虛左舟勢不平幾於傾覆觀者膽落
亦已久矣陛下即位以來好平惡偏損諸右而還諸左十損

一二舟勢尚偏且顧陛下察同偏同濟之人採旁觀瞻落之
語廣諏博訪而審其所以然也且星文之變昭示天下已數
日矣惟京師陰而見之最晚則是遠方之所知而陛下有所
未知也況房心為宋之分野大星乃天房之位前星乃太子
之位今幸未凌犯願陛下預思所以銷復之公言鍾正甫頃
為廣東運判親往新州追攝本州羈管人前諫官鄒浩就獄
根勘賓客往來饋遺等事偶會大赦釋免竊惟浩以言事得
罪於親戚故舊往來賙恤之義朝廷未嘗有旨禁絕而新州
所劾與御史臺羅織之獄萬里相應欲致浩於必死其為忍
酷不亦甚乎然義者以為違意為虐者非正甫也欲望今正
甫供承所承受御史臺如何指揮本路如何供承但考兩處
行遣次第則違意為虐者入得其人矣詔安惇落待制依舊

七一

知潭州正甫與御史左膚石豫並送吏部與合入差遣八月作景靈西宮初景靈神宗未有館御而居英宗之後殿及哲宗崩又無以處之蔡京言若謂宮東廹民居難展宜即其西對御遵尊西宮首奉神宗館御而哲宗次之右僕射韓忠彥以下亦請立西宮以奉神宗詔恭依且命户部尚書李南公總其役公在左正言言其不可者五蓋國之神位左宗廟故神宗建原廟于左今乃在西不合禮經一也唐徐嶠言大理寺殺氣盛而鳥雀不敢棲今即其基則非吉地二也雖移官舍不動民居而大理寺與軍器監及元豐庫儀鸞司皆遷於他處則彼亦有民居不知遷幾家而後可就三也神宗以祖宗神御散在寺觀故合於一宮今乃析為兩處則鑾輿酌獻分詣禮繁四也矣孝貴寧神自安奉於顯慶殿既安且久

不宜輕動五也章累上且論京之矯誣卒不能易　九月上
幸潛邸龍德宮觀芝公言伏聞車駕將幸蔡王外第都下之
人老幼相傳歡呼鼓舞顒聽天表人心所歸於此可見然聞
欲因幸龍德宮而傳者以為欲觀芝草竊惟陛下即位以來
天下豐稔慶瑞已多芝草雖異臣知不足以動聖意也況自
祖宗以來乘輿所出必正其名若非為民祈禱即因謁見宗
廟今乘輿之出固有名矣因幸潛宮何為不可然而觀芝之
議亦不可不恤也此而不恤則流傳浸廣天下之人將有不
遠萬里而獻芝者矣不報　又言章惇獨相八年迷國誤朝
罪不可掩奉使失職事干泰陵遂命以特進出知越州　是
月公除右司諫上言方皇太后不待祔廟果於還政事光前
古名垂後世陛下所以宜報皇太后者宜如何哉臣恐假借

外家不足爲報也又言向宗良兄弟依倚國恩憑藉慈蔭所與游者連及侍從希寵之士願出其門裴彦臣無甚幹才但能交通内外漏泄機密遂使物議藉藉以爲萬機之事黜陟差除皇太后至今與也良由中外關通未有禁戒故好事之人得其益傳耳上批陳瓘累言太后尚與國是言多虛誕不根可送吏部與合入差遣三省請以公爲郡上不可添差監揚州糧料院公初不知被責復求見上閤門不許公即具以劄子繳進其一再論景靈西宫其二論章惇罷相制所稱國是其三其四皆指陳蔡京罪惡其言京云國之大事無過宗廟可傳萬世無過信史今京以矯誣之言唱西宫之事妄謂先訓以惑上下自改日錄以實其説朝廷遂信其語欲遷神考於西宫豈非朝廷大政委曲遷就爲一京之地乎京在紹

聖親入文字請滅劉摯等家族其言所以不行者哲宗之大惠也今哲宗之大惠不聞於天下而京復自謂有究治平反之功欲使天下皆謂哲宗有濫誅之意而京有及物之仁始則為國生事以復私讎今則歸過先朝自圖身利爾言既效今計亦行豈非朝廷大政委曲遷就為一京之地乎陛下善述神宗欽承哲宗至德美意達于天下而京乃矯誣兩朝上累聖政如此二事未免委曲遷就以為京地況其他乎前日緘口之人今欲有言於陛下京在朝廷則莫不以言為戒矣前日阻隔之士今欲有望於陛下京在朝廷則莫不以進為懼矣以言為戒則依舊箝默以進為懼則甘於沉廢天下公議與親政之初漸不侔矣京之計策漸行人之背向漸一為京之羽翼者漸多為陛下之耳目者漸阻朝廷之威自此而

漸弛紊蔽之患自此而漸成安危治亂漸可卜矣又言昔唐明皇欲用牛仙客爲尚書張九齡以爲不可明皇曰但加實封可乎九齡又亦以爲不可明皇變色曰事皆由卿耶李林甫曰仙客宰相才也何有尚書九齡書生不達大體由是明皇悅林甫之言卒相仙客而九齡自此寖疎終見黜罷今忠彥及布無九齡之望而京之氣焰過於仙客因勢覬望而爲林甫之言者不知幾何人崔群謂唐之治亂在林甫九齡進退之時今京輕欺先帝與卞無異而又歸過於先烈賣禍於惇卞曲爲自安之計而陛下果留之也今既可以復留後亦可以大用天下治亂之勢係於一京崔羣之言可不念耶臣恐後之視今亦猶今之視昔治亂之機不可以不早辯也望日復有旨除公知無爲軍公即露章辭免云蔡京關通交結

其勢益牢廣布腹心羽翼成就愚弄朝廷有如兒戲陛下若不早悟漸成孤立後雖悔之亦無及矣陛下若以臣言為是則當如臣所請按京之罪明正典刑然後改臣差遣以示聽納若以臣言為非則是臣事發更為其罪益大重加貶竄乃得先當詔不許辭免上嘗諭宰執曰瓘言事極不可得暫貶亦不久前日遣人送黃金百兩瓘受賜泣下布曰陛下待遇如此宜其感泣也初公因朝會見蔡京視日久而不瞬嘗以語人曰京之精神如此他日必貴然矜其禀賦敢敵太陽吾恐此人得志擅私逞欲無君自肆矣尋居諫省遂攻其惡京聞公言因所親以自解且致情懇而以甘言啖公公使答之曰杜詩所謂射人先射馬擒賊須擒王不得自已也於是攻之愈力未幾翰林學士曾肇亦上書其畧云臣近曾論貶逐

諫官陳瓘及太后特下手詔留瓘舊職未蒙聽納臣竊以為瓘言雖狂其意則忠何則瓘以疏遠小臣妄言宮闈之事披寫腹心無所顧忌此臣所謂狂也太后援立聖明不世之大功有而期歸政過人之盛德退安房闥不與外事然後人無間言本末相稱萬一或有纖毫可以指議則於清躬不能無累故瓘以愛君之誠陳豫防之戒欲以開悟聖心保全盛美妄身為國臣子所難此臣所謂忠也內外之分不可相干家國之事各有攸主詩書所戒非不叮嚀秦漢以來得失可鑒伏望留神省覽先是曾布嘗獨密啓東朝今與政否上曰外間差除自不與惟禁中及內臣事必須關白凡章疏亦須呈單子來取看稍不如意煎迫極甚已而陳瓘論裴彥臣等交通內外太后怒至與泣不食上再拜乞貶瓘而怒猶不解左

右近習或請擢蔡京執政庶可解太后之怒者羣臣皆莫敢
言肇既先上書與王詵俱入對初留身而上遽及之且曰卿
文字但救陳瓘無補於事當更論東朝事乃有補耳　十月
罷蔡京出知永興軍長安闕帥上欲遣京韓忠彥以為當遣
曾布曰京之出天下所同欲自差河東太后不勝其怒臣自
此不敢復啓口聖意如此何幸如之上曰昨只是太后怒朕
元不主張近日陳瓘有言因詢其交通近習之狀却有爾與
裴彥臣云且煩於太后前主張保全朕昨遂馮說亦只為京
布曰聞王詵嘗向人說既去却馮說如元長何今聞聖諭則
此言不虛矣京立朝如此以理言之何可使之善去但以形
迹東朝且令補外可也罷章惇知越州公論其責輕於是中
書省檢會公并臣僚上言云惇編類章疏看詳訴理受禍千

十二

餘家凡士民暗昧言語加以刀梧釘手足剝皮膚斬頸拔舌之刑責授武昌節度副使潭州安置責詞畧曰先皇天資仁孝勤儉愛人每形德音具見惻怛及爾輔政日肆誕謾凡陳開道之言無非殺害之事陰挾仇怨妄肆中傷或稱圖危上躬或託謗訕宗廟擯除禁近視若狐豚排斥縉紳棄如斷梗投之荒裔肯使生還存者悉為囚徒死者不得歸葬援引茲黨布滿要路造作語言更相倡和有司觀望慘刻成風殺戮無辜遍路以自乖氣致異上天降凶水旱連年民靡寧止國有常典宜即嚴誅尚示寬恩俾之遠竄中書舍人徐勣實為之

建中靖國元年七月重修神宗實錄初公言王安石日錄七十餘卷具載熙寧奏對議論之語紹聖再修神宗實錄史官請

以此書付史院專據此書追議刑賞遂使裕陵之美皆爲私史所據所有實錄願詔史臣別行删修　八月復名除著作郎兼實錄院檢討官辭除右司員外郎兼權給事中公奏言臣嘗乞別修神宗實錄以成一代之典而不聞施行蓋紹聖史臣今爲宰相故也不報時何執中爲禮部侍郎一日以簡與公曰今早見貴人（即曾布也）公即真與公即呼正彙示之曰吾與丞相議事多不合所聞乃爾是欲以官爵相餌也若受其薦而復有異同則公議私恩兩無愧矣吾有一書將投之以決去就汝爲我書之又曰郊祀不遠倘不相亮則失汝恩澤能不介意乎正彙再拜願得書公乃大書明日持以入局未及問丞相約公相見逮俯僂從公留使者少俟已而同舍朱世英來公拉之同詣政事堂朱不知所以丞相見公有同行

者有不豫之色公不候坐定遽出書為獻丞相大怒辯論移時公指事敘言辭色不撓堂吏比肩聳觀未以皇恐失指丞相怒甚翹足肆坐語浸驕慢公雍容起白曰璀之所論者國事是非當付之公議相公未可失待士之禮也丞相整儀無語公遂起竟不聞所以相語者何言其書畧曰尊私史而壓宗廟緣邊費而壞先政此二者閣下之過也某所撰日錄辯所謂尊私史而壓宗廟者可見矣又以一年之內連下五勅而諸路三十年之蓄皆運於西邊因述國用須知所謂沿邊費而壞先政者可見矣遂以副本納布布謂公所論為元祐單見淺聞之說又曰雖有十書布亦不動公遂申三省乞劾妄言之罪早行竄黜宰相將上布言璀責臣尊私史壓宗廟沿邊費壞先政皆非是上令責璀韓忠彥陸佃曰璀言誠過

曾布當能容信宿隨有海陵之命遂自右司員外郎出知泰
州　公所奏五勅帖黃云朝廷應副邊事處內事外非一日
也故五勅之所取雖有别用之處然前後相因以致匱乏至
於今日遂耗天下根本之財者初緣邊費也一元符三年九
月勅府界諸路見管坊場錢留出本路一年合支外將剩數
留半年准備支用餘一半特令起發上京一其年十一月勅
起發見管常平免役錢如前勅一建中靖國元年二月勅諸
路提舉司將見在抵當息錢並起發上京一其年三月勅起
發諸路量添酒依抵當指揮一其年三月又勅諸路助役錢
內撥一半充常平糴本餘一半計置起發上京兑那往三路
添助常平糴本又曰自元豐七年以常平等積剩錢補助邊
費歲取二百萬緡為額只以三年為期蓋不欲多費天下民

財以資邊用神考愛民之慮可謂深矣豈宜取三十年間根本蓄藏之物一旦大違故憲而偏用於一方乎西邊財賫竭則必取諸東南東南積剩之物今於無事之時既巧取而偏用之矣或東南有意外之患又將取之何地乎又曰五勅之後其年五月又降一勅以廣西錢一百萬貫和預買紬絹其文曰人戶願請價錢若於年例外支散可以接濟其實則人戶不願也且以無為軍言之民間買絹一疋須用一貫四五百文足人戶請常年錢一貫文省今年例外劄添支之數此乃聚斂之術且恐自此一勅之後相繼無已又況侵削十路百姓只得絹一百萬匹未足以充陝西三兩月之費此豈神考接濟之法乎得太學生蔡蕤長書

崇寧元年五月籍黨人陳瓘任伯雨等凡五十人並令三省籍

記不得與在京差遣尋責監建州武夷觀　六月曹布欲傾惇而未能乃詭情薦陳瓘張庭堅輩及蔡京用而布得罪矣　閏六月初劉后為賢妃生子時宮中虛位后因是得立然纔三月而薨謚獻愍太子后之立也鄒浩三疏諫隨削其藁尋得罪貶之上初即位召浩還朝首及諫立后事褒歎再三詢諫藁安在對曰焚之矣退告公公曰禍其在此乎異時姦人妄出一緘下可辯矣及是蔡京用事素忌浩乃使其黨為偽疏謂本宮人卓姬生子后殺其母而取其子其辭云殺卓氏而奪其子欺人可也詎可欺天乎詔暴其事安置永州明年移昭州作青詞告上帝有追省當時奏御之三章初無殺母取子之一字蓋為是云　九月奉御寶批應元祐謫籍并元符末叙復過當之人各具元籍定姓名人數進入仍常切覺

察不得與在京差遣文臣曾任待制以上官辭官陳瓘等凡
一百一十九人御書黨籍刻石端禮門　十月貶韓忠彥陳
瓘二十八有差公坐黨籍除名勒停送袁州編管
崇寧二年以言者論詆誣罪貶竄任伯雨十四人公移送廉州編
管作福州大中寺雲會堂記作賈誼治安策論　三月親試
舉人時李階為禮部進士第一深之子乃公之甥也特奏名
安枕對策云使黨人之子階魁南宮多士無以示天下遂奪
階出身而賜枕第枕惇弟也著合浦尊堯集
崇寧三年三月五日令浦作了齋記　四月作心畫銘寄正由
十七日跋李氏所藏神宗奎畫　十月丙午作廣中樞廳
鑑寄正彙作易説
崇寧四年四月十五日跋司馬溫公送李孟之侍郎歸廬山詩

後　三月五日在合浦作瘞木杖銘作真贊　十月二十日
作祭李德祖錫文又作祭李叔平提舉文
崇寧五年正月彗星出西方其長竟天大赦毀黨碑公以星赦
量移郴州得自便作杜鵑詞尋居明州作伯瑜墓誌銘（陳伯瑜墓誌銘在政和年間作）和陶淵明歸去來辭九日跋蔡君謨帖　九月二
十八日跋東坡詩書作四明尊堯集
大觀元年八月一日作明州延慶寺淨土院記
大觀二年二月八日作湖州開元寺觀音記　十一月二十日
跋楊中立撰陳居士傳
大觀三年初公自嶺外歸居明州嘗令正彙幹蠱錢塘偶聞承
議郎蔡宗説誑稱太師蔡京福厚陰有搖動中宮之迹不
敢隱默亟詣杭州告京有反狀知杭州蔡薿方與京叙宗盟

十五

結死黨遂執正彙送京師而飛書告京俾為計事下開封制
獄上命中丞吳執中鞫之獄辭果不右正彙詔獄下明州捕
公甚急士民哭送之公不為動入獄見其子被縶笑曰不肖
子煩吾耶蔡京用酷吏權尹李孝壽治其事孝壽使吏脅
公證正彙之妄又誘公承教正彙妄訴公曰正彙聞京將不
利於社稷傳於道路遽自陳告瓘豈與知若瓘以所知忘父
子之恩而指其為妄則情所不忍挾私情以符合其說又義
所不為況不欺不資平昔所以事君教子豈於利害之際有
所貪畏自違其言乎蔡京姦邪必為國禍瓘固嘗論於諫省
亦不待今日語言間也一日孝壽坐廳事簾中列五木于庭
引公問之公從容曰蔡京之罪瓘實知之不肖子不知也願
多得筆札悉以聞孝壽慴不敢與時內侍黃經臣監勘聞公

所對失聲歎息謂公曰主上正欲得實右司但依此供狀
大觀四年二月獄具竄公安置通州正彙流沙門島一月放
自便公上通州自便謝表公在通州張無盡入相欲引公自
助時置政典局乃自局中奉旨取公所著尊堯集蓋將施行
所論而由史局用公也公料其不能成事辭以修寫未成繼
日承政典局牒坐聖旨俾州郡從便公於六月初五日乃用
奏狀進表以黃帕封緘繳申政典局乞於御前開拆或謂公
當逕申局中而通書廟堂公曰恨不得直達乙覽豈復可與
書郎彼為宰相有所施為不於三省公行乃置局建官若自
私者人將懷疑而去忌正恐尊堯集至而彼已動搖矣遠甚
迹猶恐不免況以書郎繼而悉如公言
政和元年四月張商英罷九月公亦有勒停台州之命責詞謂

十六

私與張商英意欲行用於是眾人服公之遠慮而惟何執中為相鄧洵仁執政為輩敢欺罔上下也初王安石嘗著日錄八十卷初公謂安石詆書詆訕宗廟誣薄神考蓋著撰在退居鍾山懟工熱中之時譏其書論其事不考其時可乎及公貶康州乃著合浦尊堯集以日錄詆誣之罪歸于蔡卞其後北歸謂劉世安曰昨在諫省嘗以王荆公比伊尹伊尹未嘗誣湯胡可比也又嘗以為神考之師神考用荆公九載何嘗終以其人為是乎某之前言可謂過矣於是復著四明尊堯集痛絕王氏以發揚熙寧用舍宰臣本末之緒而自明區區改過之心尊堯所以立名者蓋以神考為堯以主上為舜而助舜尊堯也書成藏之于家及是奏御商英已罷何執中等乃請治尊堯詆誣之罪勒停台州羈管十九日申通州十一月初十日

已時到台州上台州羈管謝表　七月二十八日致司馬温
公簡後公謫台州朝旨下司行移峻急所過州郡皆令兵甲
防送不得稽留至台久之莫敢以居室借僦者暫館僧舍而
郡守以十日之法每遣廂巡起遣故十日必為之遷一寺公
處澹然不以介意及到台數月朝廷起遷人石悈知州事且
令赴闕之官士論訩訩咸謂將有處分于公也悈至果揚言
怖公視事次日即遣兵官突來約束不得令出入取責鄰人
防守狀又置邏卒數鋪前後巡察抄錄賓客書問之往還者
雖親家書追至隔絕未幾復令兵官突來所居搜檢行李攝
公至郡郡庭無簾如制獄大陳獄具蓋朝旨取索尊堯集副
本而悈為此以相脅迫且公知其意遂發問曰今日之事豈
被旨耶悈非所料失措而應曰有尚書劄子捲簾出示公劄

子所行蓋取尊堯集副本以爲係詆訕之書合繳申毁棄也公曰然則朝廷旨禪取尊堯集耳追某至此復欲何爲因問之曰君知尊堯所以立名乎蓋以神考爲堯而以主上爲舜也助舜尊堯何爲詆誣時相學術淺短名分之義未甚講求故爲人所祛使請治尊堯之罪將以結黨固寵也君所得於彼者幾何乃亦不畏公議干犯名分乎請具申擢此語擢將顯就誅戮不必刑獄相恐也悈不待公言畢屏揖公尋詔人曰不敢引其說尚自如此良可畏也繼又邀公僧舍使小吏監守對榻坐卧詈辱百端人情憂怖慮有不測公安之不以爲撓悈亦終不能爲害公謫台州於法合進表謝台州不爲發遞表未得達而石悈之來聲勢甚畏公料其必受蔡薿風旨意在得其元海陵所投書必將搜索及行李於是爲封事

繳謝表封緘於匱題以臣名誠至果如所料而以緘題之故不敢輒開遂以奏御薿與執中皆怒未幾罷之或問公何以審其如此公於薿初無他薿懷遺書之愧而其黨未知納忠相据實有為計今顯其迹則法使之術不行矣公雖緣蔡氏得罪而前論私史力排王氏王蔡之黨如薛昂蹇序辰何執中鄧洵仁鄧洵武蔡薿之徒皆當時協力排陷欲殺公者亦不獨蔡京兄弟而已蔡薿與公初不相識公上宰相書謫居海陵薿為太學生以長書遺公論天下事皆合天下公議遣人致於海陵謂公諫疏婉而有理似陸宣公剛而不橈似狄梁公文章淵源發明正道則韓文公其人也至次年薿以封策為大魁所陳時務與前書頓異於是愧悔而欲殺公以滅口寄積京黨出力尤甚正彙三山之竄石悈呂州紛紛皆其

所爲也
政和二年二月二日跋張氏遷葬劄子後　八月九日作責沈
文貽知黜姪
政和三年十月十九日跋江左司勸發菩提心文
政和四年四月八日跋張承老所藏孫元忠司諫簡後　五月
二日書孫元忠上劉莘老甘賦後
政和五年三月二十八日跋黄尚書送左經臣序後
政和六年公在台州屢該赦當自便而刑部不敢檢舉既而上
旨令叙官於是乃因郊霈霑恩然初以宣德郎被讁而叙官
乃得承事郎實降歸也故命之後忽得州牒備坐省劄云奉
御批叙復數内陳瓘未當合於見在官外叙一官仍取旨差
遣台州告示本官知委公既供知委狀陳乞差遣人皆賀公

以為起廢有漸也公曰此廟堂欺君玩世之術爾若與差遣豈應見問上聞吾叙官不當而見於御批諸公不敢但已為此還進之說以要上旨家狀雖可供而差遣甚可乞邪彼謂吾不堪流落而困藉見憐爾乃教公家狀昨因削籍毀棄無憑供具事畢不行後叙宣教郎主管江州太平觀公因叙官自便遷通州時開封府尹盛章與后城以私詔爭章密取旨送城獄以罪編置通州因揚言為公報怨公聞而嘆曰此豈盛世所宜有耶因謀徙居以避之時縣宰與公姻家而於城亦沾親城屬宰求館舍宰以為疑公謂宰曰親戚患難宜相州從置此恤彼乃為義事無足嫌也宰於是與之盡力城聞而愧遣其子來致謝公曰吾為宰盡親戚忠告之義爾非欲以德報怨卻之不見自餘遂挈家為江上之遊公泛江至江

十九

州愛其江州之勝因卜居于城外杜門不出謁來者不拒士大夫經由江上者往往不之公府而必到公家延接無間每為燕豆之歡踰年歡適忽有朝旨不許出城月申存在又吏易守臣日降下司文移以俟新守之到外間叵測無不震懼交遊中有來索與公往復書簡者有碎公所書碑刻碑額者公亦自期以死揭遺俟命而已閱數日乃令移南康居住蓋緣蔡氏之黨必欲殺公以快意時王寀得罪疾公者乘此時以怖公也劉待制器之聞之以書抵公曰此乃鶴相恐脅漢上之衆伎止此耳公謫居江州讒者以為公來寀居之鄉郡因危言陷公賴徽宗聖察止令移居南康七月朔作福州鳳池報慈院華嚴閣記　十一月晦作常州新修薦福寺記

政和七年

重和元年
宣和元年八月十五日作鄧南夫文
宣和二年
宣和三年春因方寇竊聚京黨又造飛語言公之謂爲方寇所
叔取欲以相中傷復令移楚州公所論京下皆抉摘其用心
而發露其潛慝蔡氏最所嫉忌故得禍比同時諸公爲最猶
以徽宗保全不至死也公從括山陽經由江都時淮帥毛友
達或疑其蔡氏腹心勸公晦迹而過公曰吾無私憾於蔡氏
蔡氏之人豈無是非之公乎乃先遣書遺之毛報書加禮有
公立朝行己之道願望見而不可得之語即出郊候公語愜
輸誠公亦待之無間後聞春方寇事不爲欺隱以書譽之於
親舊曰歲適江淮沮遏賊勢斯人有助也蓋公與人爲善不

分彼此大率如此晚進後輩因公激發點化而為善者不可一二舉也　十月張商英卒於京南時公在山陽方與寮舊會食見邸報有張天覺所工遺表遽止酒而起歎傷異常客有以為疑者公曰張固非粹德且侵才疎然時人歸向之今其云亡人望絕矣近觀天時人事有變革正恐雖有盛德者未必學工下之聽殆難濟也未幾公亦感疾睢陽劉安世器之因公病使人勉公以醫藥自輔云天下將有賴於公當力加保養以待時用時徐師川以才氣自負小肯降志於人常言吾於曾直為舅氏然不免有所竊議至於了翁心誠服之每見公或經旬日必設拜禮忠宣范公純仁晚年益以天下自任尤留意人才或問其所儲蓄人才可為今日用者答曰陳瓘又問其次曰陳瓘自好也蓋言公可以獨當天下之重

也至是人憂大廈之將顛或問遊酢定夫察院以當今可濟世之人定夫曰四海人才不能周知以所知識陳了翁其人也

宣和四年

宣和五年

宣和六年二月公卒于楚州勅葬廣陵

宣和七年

靖康元年　贈諫議大夫

紹興二十六年八月三十日賜謚忠肅

陳忠肅公年譜

（明）陳載興編

民國間抄本

宋陳忠肅公年譜

明進士陳大濩校正

裔孫載興編輯

裔孫紹泉重刊

公諱瓘字瑩中號了齋謚忠肅南劍州沙縣人高祖諱昂大唐文學曾祖文餘贈駕部尚書朱梁正明三年丁丑生祖諱世卿周太祖廣順三年癸丑生贈吏部尚書父諱偁真宗大中祥符八年乙卯六月生朝議大夫累贈特進世以循吏稱之

宋仁宗嘉祐二年丁酉公於是歲四月生循州官舍

英宗治平元年甲辰公年八歲

神宗熙寧元年戊申公年十二

元豐元年戊午公年二十二秋領太學魁薦邑人羅師服嘗夢羽衣道人授以詩云吾聞仙桂出叢紫陌先登歷幾春昨夜月娥親付與黃金榜上第三名師服自念諸子不足當此乃擇里人之秀異者悉錄獻焉鄉之先達皆曰惟陳瓘可以當之公時方待官濡館至明年登上第果符其數見遯齋閑覽考

元豐二年己未公年二十三三月上親試舉人狀元時彥榜中進士甲科第三名神宗顧考官問家世陳公襄對曰循吏陳偁之子上嘆曰循吏宜有此子初任招慶軍掌書記湖州州學教授見家譜考

元豐七年甲子公年二十八第二任改宣義郎滁州定遠宰

元豐八年乙丑公年二十九為禮部貢院點檢官適與校書郎范

公湻夫同舍范公嘗論顏子不遷不貳唯伯湻有之公問范曰伯湻
誰也范默然久之曰公不知有程伯湻耶公荅曰生長東南實未
知也自是以來嘗以寡陋自愧公之子正由云自是每得明道之
文必冠帶而後讀之後因作責沈文以遺知默姪見伊洛淵源考增

哲宗元祐年丙寅公年三十七月丁父憂

元祐四年己巳公年三十三簽判鎮東軍越州公為越州簽判
蔡京為帥待公甚厚每以公學識卓異待遇加禮而公已得
其心術常斂跡遠之屢引疾尋醫章不得上會明倅闕蔡俾
公權攝以時當得職田意公方貧必喜於少紓公至明遂伸尋
醫之請將所得圭租遜前官明州以法當公得公以義不當受

卒不取而歸之宮廪見自警編考增

初卞壼為公語張懷素道術通神雖飛禽走獸能呼遣之至言孔子誅少正卯彼當諫以為太蚤漢初成皋相持彼屢登高觀戰不知其歲數殆非世間人也公每竊笑之及將往四明而懷素且來會稽卞留公少俟公不為止曰子不語怪力亂神以不可訓也斯近怪矣州牧既甚信重士大夫又相諂合下民視之從風而靡使真有道者固所願見不然不識之未為不幸也後二十年懷素敗多引名士或欲因是染公竟以尋求無迹而止非公素論守正則不免於羅織矣見名臣錄及自警編考增

元祐五年庚午公年三十四除太學博士不就蔡京薦之

元祐六年辛未公年三十五十一月二十七日作順昌濟川橋

記

元祐九年四月改紹聖元年甲戌公年三十八四月二十日

跋来表臣所藏歐陽六一居士帖五月復除太學博士紹

聖初章申公以宰相召道過山陽公適相遇隨衆謁之

章素聞公名獨請登舟共載而行訪以當世之務公曰請

以所乘舟爲[illegible]偏重其可行乎移左置右其偏一也明此則

可行矣章默然未荅公復曰上方虛心以待公公必有以副

上意者敢問將欲施行之序以何事爲先以何事爲後何

事當急何事當緩誰為君子誰為小人諒有素定之論願聞其略章復迎思良久曰司馬光奸邪所當先辯勢無急於此公曰相公悞矣此猶欲平舟勢而移左置右也果然將失天下之望矣章厲色視公曰光輔母后獨宰政柄不務纂紹先烈肆意大改成緒悞國如此非奸邪而何公曰不察其心而疑其迹則不為無罪若遂以為奸邪而欲大改其已行則悞國益甚矣乃為之極論熙豐元祐之事以為元豐之政多異熙寧則先志固已變而行之温公不明先志而用母改子之說行之太遽所以紛紛至於今日唯今之計唯當絕臣下之私情融祖宗之善意消朋黨持中道庶乎可以救弊若

又以熙豐元祐爲説無以壓服公論恐紛紛未艾也辭辯淵源議論勁正章雖忤意亦頗驚異遂有兼收元祐之語留公共飯而别章到闕召公爲太學博士公聞其與蔡卞方合知必害於正論遂以婚嫁爲辭久乃赴官於是三年不遷見名臣録紹聖大臣嫉元祐更改王荆公已行之法乃用繼述之説以爲形迹先朝追貶司馬光等加以不孝之名上諤宣仁事傷國體公時爲太學博士被旨賜對其奏劄曰道常然而不渝事有弊則必變故堯舜禹皆以若稽古爲訓若者順而行之稽則考其當否或若或稽必使合於民情所以成帝王之治也造膝之言遂明繼述之義且論天子之孝與

士大夫不同泰陵喜所未聞反覆究問語遂移時迫於進
膳公乃退上意感悟約公再入見有變時事之意執政聞而
恨之遂黜公於外
泰陵聖顏英睿臣下奏對往往懾於天威步或契合公始召
見遂以人所難言逆意開陳辭達表明使人主豁然感悟由是
縉紳士大夫罔不欽服蘇黃門聞之撫几歎曰吾觀東坡最善
論事然亦不知出此遂以書抵公歎譽甚至綱目下同
紹聖初用章惇薦為太學博士先是惇之妻常勸惇無修
怨及惇作相專務報復首起朋黨之禍惇妻死惇悼念不堪
公見惇容甚慼謂惇曰公與其無益悲傷曷若念夫人平生

之言耶蓋譏愔報怨也愔以爲忤不復用

紹聖三年丙子公年四十除秘書省校書郎執政聞之不悦

紹聖四年丁丑公年四十一四月謁章淯求外補因謁章愔

主上篤於繼述然今日廟堂述神考乎述荆公乎愔默然出

公以宣德郎借緋通判滄洲因聞太學博士林自用蔡卞之意

唱言於太學曰神考知安石不盡尚不若滕文公之知孟子也

士大夫皆駭其説公具其説以告愔大怒召自罵之章蔡由是

不悦公以是忤執政故有是命五月十二日作大相國寺智海

禪院記十月七日跋徐仲車有客詩

元符元年戊寅公年四十二除著作佐郎樞密院編修官

辭

元符二年己卯公年四十三公前次自館職請外補得倅滄洲秩滿至是移守衛州中間數有薦章兩被內除皆辭不就

元符三年庚辰公年四十四三月徽宗即位召拜左正言曾布韓忠彥所薦也布曰瓘等久當進用為卞等所抑卞無他見人不附己者便惡之上曰所謂妬賢嫉能也皇太后亦諭忠彥等甚以瓘差除為得人徽宗即位召公為言事官於是即日就道論章蔡繼述平日之志畧行公赴召命至闕聞有中旨令省官繳進前後臣僚章疏之降出者公謂宰屬

謝藻曰此必奸人圖盡已懲而為此媒者若盡進入則異時是
非變亂省官何以自明因舉蔡京上疏請滅劉摯等家屬
乃妄言攜劍入內欲軒王珪等數事謝驚悚即白時宰録副
本於省中其後京黨欺誣盡抹之說不能盡行由有此迹
不可泯也

徽宗初政欲革紹聖之弊以靖國於是大開言路衆議皆以瑤
華復位司馬温公等叙官為所當先公時在諫省獨以為幽
廢母后追貶故相彼皆立名以行非細故也今欲正復當先辨
明誣罔昭雪非辜誅責造意之人然後發為詔令以禮行之
庶幾可以無後患不宜欲速致悔也朝廷以公論久鬱且欲快

說人情遽施行之至崇寧間蔡京用事悉改建中之政人乃
服公遠慮 名臣錄

四月公言陛下欲開言路首還鄒浩取其有既往之善可謂得已
試之才允合人心無可正敘而開御史中丞安惇尚緣往事論
浩罪惡欲寢已成之命自明前舉之當又言安惇奏浩是先
朝所棄不當復用國是所繫不可輕改因錄國是故事上聞
又言鄒浩盡忠之言以愛君憂國為心先帝一時之怒無終
絕言者之意惇居風憲理當助浩默而坐視愧責已多況超
前日之所為者乎極天下公議所非以為國是極人臣不改之
孝以為善述昔以誤朝廷今以惑上聽原情定罪安可已乎伏

望檢會前奏蚕賜施行帖聞公章已出亦自請去是月罷
安湻出知潭州
五月公言紹聖大臣以繼述神考為說以讎毀宣仁為心而瑤
華乃宣仁所厚又於先帝本無間隙萬一瑤華有豫政之事
則元祐之事必復是以過為之慮若刈草而去其根則孟氏安
得不廢朝廷故宥為罪人而設掖庭秘獄治世所無今若以為
過而均之赦宥以是廢興動靜與衆同科慢而不嚴於體未順且
瑤華前日得罪外議籍籍皆以為先帝有悔悟之言審 如此則
皇帝下一詔書[illegible]其事陛下付外庭使議與禮縱令遂非之人自
蔽其短安敢以先帝之言為不然乎不報既而瑤華廢后用積卑

還宮中太后遣人以冠服易去道衣乃入中外聞者歡呼
公又言尚書左丞蔡卞過惡章惇前日所為皆卞教之卞以繼
述神宗為名以蔡紹安石為主立私門之所好以為國是奪
宗廟之大美以歸私史
公又言惇迹易明卞心難見春秋責意則難見之罪安所逃乎
上曰只說與章惇則卞自知矣惇令吳伯舉諭旨於卞卞乃
請去遂罷卞出知江寧
六月言新知荊南邢恕傾陷司馬光劉摯梁燾等幾至滅族
公議不容久矣宜定其罪是月貶邢恕均州居住
七月熒惑犯房心公上言咸平元年二月彗出營室北真宗謂

宰臣曰其祥安在呂端等奏曰變在齊魯之分真宗曰朕以天下為憂豈獨一方耶其年十月遂用李沆為相王旦參政此二人天下所謂賢也舉天下之賢而用之則可以解天下之憂真宗銷變之道如此而已願陛下大正厥事所用所棄皆合人心則合天心矣漢元之時蕭望之周堪張猛與石顯許史之徒議論交戰邪正未決當此之事有夏寒日青之變而許史之徒以為堪猛用事之咎於是勢孤者危有力者勝臣嘗以為天下大器也譬如一舟舟平則安舟偏則危自紹聖以來宰舟之人實右而虛左舟勢不平幾於傾覆觀者膽落亦已久矣陛下即位以來好平惡偏損諸右而還諸左十損一二舟勢尚偏臣願陛下

察用偏同濟之人採傍觀謄落之語廣諏博訪而審其所以然也且星文之變昭示天下已數日矣惟京師陰雨見之最晚則是遠方之所知而陛下有所未知也況房心為宋之分野大星乃天房之位前星乃太子之位今幸未凌犯願陛下預思所以銷復之

公言鍾正甫頃為廣東運判親往新州追攝奉州羈管人前諫官鄒浩就獄根勘賓客往來饋遺等事偶會大赦釋免竊惟浩以言事得罪於親戚故舊往來賙恤之義朝廷未嘗有旨禁絕而新州所劾與御史臺羅織之罪萬里相應欲致浩於必死其為忍酷不亦甚乎然議者以為造意為虐者非

正甫也欲望令正甫供承所承受御史臺如何指揮本路如何
供承但考兩處行遣次第則造意爲虐者必得其人矣詔安
惇落待制依舊知潭州正甫與御史左膚右豫並吏部與合
人差遣
八月作景靈西宫初神宗未有館御而居英宗之後殿及哲宗崩
又無以處之蔡京言若謂宫東迫民居難展宜即其西對御道
立西宫首奉神宗館御而哲宗次之右僕射韓宗彦以下亦請
立西宫以奉神宗詔恭依且命户部尚書李南公總其役公
在左正言言其不可者五蓋國之神位左宗廟故神宗建原廟
於左今乃在西不合禮經一也唐徐嶠言大理寺殺氣盛而烏雀

不敢棲今即其基則非吉地二也雖移官舍不動民居而大理寺與軍器監及元豐庫儀鸞司皆遷於他處則彼亦有民居不知遷幾家而後可就三也神宗以祖宗神御散在寺觀故合於一宮乃析為兩處則鑾輿酌獻分詣禮繁四也夫孝貴盡神自安奉於顯慶殿既安且久不宜輕動五也章累上且論京之矯誣卒不能易

九月上幸潛邸龍德宮觀芝公言伏聞車駕將幸蔡京外第都下之人老幼相傳歡呼鼓舞願瞻天表人心所歸於此可見然聞欲因幸龍德宮而傳者以為欲觀芝草竊惟陛下即位以來天下豐稔慶瑞已多芝草雖異臣知不足以動聖意也況自祖宗以

來乘輿所出必正其名若非為民祈禱即因謁見宗廟今乘輿之
出固有名矣因幸潛宮何為不可然而觀芝之嫌亦不可不恤也
此而不恤則流傳寖廣天下之人將有不遠萬里而獻芝者矣不
報
又言章惇獨相八年迷國誤朝罪不可掩奉使失職事干泰陵遂
命以特進出知越州是月公除右司諫上言云皇太后不特祔
廟果於還政事光前古名垂後世陛下所以宜報皇太后者宜
如何哉臣恐假借外家不足為報也
又言向宗良兄弟依倚國恩憑籍慈蔭所與遊者連及侍從希
寵之士願出其門裴彥臣無甚幹才但能交通內外漏洩機

密遂使物議藉藉以為萬機之事黜陟差除皇太后至今與
也良田中外閧通未有禁戒故好事之人得以妄傳耳上批
陳瓘累言太后尚與國事言多虛誕不根可送吏部與合入
差遣三省請以公為郡上不可添差監楊州糧料院公初不
知被責復求見上閤門不許公即具以劄子繳進其一再論
景靈西宮其二論章惇罷相制所稱國是其三其四皆指陳
蔡京罪惡其言京云國之大事無過宗廟可傳萬世無過信
史今京以矯誣之言唱西宮之事妄謂先訓以惑上下自改
日錄以實其說朝廷遂信其語欲遷神考於西宮豈非朝廷
大政委曲遷就為一京之地乎京在紹聖親入文字請滅劉

摯等家族其言所以不行者哲宗之大惠不聞於天下而京復自謂有究治平反之功欲使天下皆謂哲宗有濫誅之意而京有及物之仁始則為國生事以復私讎今則歸過先朝自圖身利前言既效今計亦行豈非朝廷大政委曲遷就為一京之地乎陛下善述神宗欽承哲宗至德盡意達於天下而京乃矯誣兩朝上累聖政如此二事未免委曲遷就以為京地況其他乎前日緘口之人今欲有言於陛下京在朝廷則莫不以言為戒矣前日阻隔之士今欲有望於陛下京在朝廷則莫不以進為懼矣以言為戒則依舊箝默以進為懼則耳於沈廢下公議與親政之初漸不侔矣京之計策一行

人之背向漸一為京之羽翼者漸多為陛下之耳目漸阻

朝廷之威自此而漸弛蒙蔽之患自此而漸成安危治亂

漸可卜矣

又言昔唐明皇欲用牛仙客為尚書張九齡以為不可明皇

曰但加實封可予九齡又以為不可明皇變色曰事皆由卿

耶李林甫曰仙客宰相才也何有尚書九齡書生不達大體

由是明皇悅林甫之言卒相仙客而九齡自此寖疏終見黜

罷今忠彥及布無九齡之望而京之氣燄過於仙客因勢觀

望而為林甫之言者不知幾何人崔羣謂唐之治亂在林甫

九齡進退之時今京輕欺先帝與卞無異而又歸過於先烈

賣禍於愔下曲為自安之計而陛下果留之也今既可以復
留後亦可以大用天下治亂之勢繫於一京崔羣之言可不
念耶臣恐後之視今亦猶今之視昔治亂之機不可以不早
辨也　翌日復有旨除公知無為軍公即露章辭免云蔡京
關通交結其勢益牢廣布腹心羽翼成就愚弄朝廷有如兒
戲陛下若不早悟漸成孤立後雖悔之亦無及矣陛下若以
臣言為是則當如臣所請按京之罪明正典刑然後改臣差
遣以示聽納若以臣言為非則是臣事發吏為其罪益大重
加貶竄乃得允當詔不許辭免
上嘗諭宰臣曰瓘言事極不可得暫貶亦不可久前日遣人

送黃金百兩。璀受賜泣下，布曰：陛下待遇如此，宜感泣也。
未幾，翰林學士曹肇亦上書，其畧云：臣近曾論敢逐諫官陳
璀，乞太后特下手詔，留璀舊職，未蒙聽納。臣竊以為璀言雖
狂，其意則忠。何則？璀以疏遠小臣妄言宮闈之事，披寫腹心，
無所顧忌，此臣所謂狂也。太后援立明聖，有不世之大功，前
期歸政，有過人之盛德，退安房闥，不與外事，然後人無間言，
本末相稱，萬一或有纖毫可以指議，則於清躬不能無累，故
璀以愛君之誠，陳豫防之戒，欲以開悟聖心，保全盛美，忘身
為國，臣子所難，此臣所謂忠也。以臣愚計，皇帝以璀所言狂
率而逐之，皇太后以天地之量，隱忍包容，特下手書而留之，

天下之人必曰皇帝恭事母儀不容小臣妄議其孝如彼皇太后功德巍巍而能含洪光大雖有狂言不以爲罪其仁如此兩誼俱得豈不美哉自警編

先是曹布嘗獨密啓東朝令與政否外間差除自不與惟禁中及内臣事必須關白凡章疏亦須呈單子來取看稍不如意煎迫極甚已而陳瓘論裴彦臣等交通内外太后怒至哭泣不食上再拜乞貶瓘而怒猶不解左右近習或請擢蔡京執政庶可解太后之怒者羣臣皆莫敢言肇既上書與王詵俱入對初留身而上遽及之且曰卿文字但救陳瓘無補於事當更論東朝事乃有補耳

十月罷蔡京出知永興軍長安闕帥上欲遣京韓忠彥以為
當遣曾布曰京之出天下所同欲自差河東太后不勝其怒
臣自此不敢復啟口聖意如此何幸如之上曰昨只是太后
怒朕元不主張近日陳瓘有言因詢其交通近習之狀却有
簡與裴彥臣云且煩於太后前主張保全朕昨逐馮說亦只
為京布曰聞王說嘗向人說既去却馮說如元長何今聞聖
諭則此言不虛矣京立朝如此以理言之何可使之善去但
以形迹東朝且令補外可也罷章惇知越州公論其責輕於
是中書省檢會公并臣僚上言云惇編類章疏看詳訴理受
禍千餘家凡士民暗昧言語加以刀棓釘手足剝皮膚斬頸

拔舌之刑責授武昌節度副使潭州安置責詞畧曰先皇天
資仁孝勤儉愛人每形德音見惻怛及爾輔政日肆譏讟允
陳閑道之言無非殺害之事陰挾仇怨妄肆中傷或稱圖邑
上躬或托謗訕宗廟擯除禁近視若狐豚排斥縉紳棄如斷
梗投之荒裔肯使生還存者悉為囚徒死者不得歸塟援引
姦黨布滿要路造作語言更相倡和有司觀望慘刻成風殺
戮無辜道路以目乖氣致異上天降凶水旱連年民靡寧止
國有常典宜即嚴誅尚示寬恩俾之遠竄中書舍人徐勣實
為之
徽宗建中靖國元年辛巳公年四十五七月重修神宗實錄

初公言王安石日錄七十餘卷具載熙寧奏對議論之語紹聖再修神宗實錄史官請以此書付史院專據此書追議刑賞遂使裕陵之美皆為私史所壞所有實錄願詔史臣別行刪修八月復召除著作郎兼實錄院檢討官辭除右司員外郎兼權給事中公奏云臣嘗乞即修神宗實錄以成一代之典而不聞施行蓋紹聖史臣今為宰相故也不報時何執中為禮部侍郎一旦以簡與公曰今晉見貴人即曾布也公即真矣公即呼正彙示之曰吾與丞相議事多不合所聞乃爾是以官爵相餌也若受其薦而復有異同則公議私恩兩有愧矣吾有一書將投之以決去就汝為我書之又曰郊祀不遠彼

不相容則失汝愚澤能不介意乎正彙再拜願得書公乃大喜明日持以入局未及問丞相約公相見連价催促公留使者少俟已而同舍朱世英來公拉之同詣政事堂朱不知所以丞相見公有同行者有不豫之色公不俟坐定遽出書以獻丞相大怒辯論移時公指事敘言辭色不撓堂吏比肩聳觀朱以皇恐失措丞相怒甚翹足肆坐語浸黷慢公雍容起白曰瓘之所論者國事是非當付之公議相公未可失待士之禮也丞相整儀無語公遂起竟不聞所以相招者何言其書略曰尊私史而壓宗廟緣邊費而壞先政此二者閤下之過也其所撰日錄辯所謂尊私史而壓宗廟者可見矣又以

一年之内連下五勅而諸路三十年之蓄皆運於西邊因述
國用須知所謂緣邊費而壞先政者可見矣遂以副本納布
布謂公所論為元祐單見淺聞之說又曰雖有十書布亦不
動公遂申三省乞劾妄言之罪早行竄黜宰相將上布云瓘
責臣尊私史壓宗廟緣邊費壞先政皆非是上令責瓘韓忠
彥陸佃曰瓘言誠過曾布當能容信宿遂有海陵之命遂自
右司員外郎出知泰州
公所奏五勅帖黃云朝廷應副邊事處內事外非一日之故
五勅之所取雖有別用之處然前後相因以致匱乏至於今
日遂耗天下根本之財者初緣邊費也

一元符三年九月敕府界諸路見管坊場錢留出本路一年

合支外將剩數留半耳准備支用餘一半特令起發上京

一其年十一月敕起發見管常平免役錢如前敕

一建中靖國元年十一月敕諸路提舉司將見在抵當息錢

並起發上京

一其年三月敕起發諸路量添酒權依抵當指揮

一其年三月又敕諸路助役錢内撥一半充常平糴本餘一半

計置起發上京兑那往三路添助常平糴本又曰自元豐七

年以常平等積剩錢補助邊費歲取二百萬緡為額只以三

年為期蓋不多費天下民財以資邊用神考愛民之慮可謂

深矣豈宜取三十年間根本蓄藏之物一旦大違成憲而偏用於一方乎西邊財匱竭則必取諸東南東南積剩之物今於無事之時既巧取而偏用之矣或東南有意外之患又將取之何地乎又曰五勅之後其年五月又降一勅以廣西歲一百萬貫和預買紬絹其文曰人户願請錢若於年例外支走散可以接濟其實則人户不願也且以無為軍言之民間買絹一疋須用一貫四五百文足人户請常年錢一貫文省今年例外創添支之數此乃聚斂之術臣恐自此一勅之後相繼無已又况侵削十路百姓只得絹一百萬疋未足以充陝西三兩月之費此豈神考接濟之法乎　得太學生蔡薿

長書

崇寍元年壬午公年四十六五月籍黨人陳瓘任伯雨等九五十人並令三省籍記不得與在京差遣尋責監建州武夷觀 六月曾布欲傾惜而未能乃詭情薦陳瓘張庭堅 及蔡京用而布得罪矣 閏六月初劉后為賢妃生子時宮中虛位后因是得立然纔三月而薨謚獻愍太子后之立也鄒浩三疏諫隨削其藁尋得罪貶上初即位召浩還朝首及諫立后事褒歎再三詢諫稿安在對曰焚之矣退告公公曰禍其在此乎異時姦人妄出一緘不可辯矣及是蔡京用事素忌浩乃使其黨偽為浩疏謂本宮人卓姬生子后殺其母而

取其子其辭云殺卓氏而奪其子人可欺也詎可欺天乎帝
詔暴其事安置永州明年移昭州作青詞告上帝有追省當
時奏御之三章初無殺母取子之一字盡為是云綱目
九月奉御寶批應元祐謫籍并元符末啟復當過之人各具
元籍定姓名人數進入仍常切覺察不得與在京差遣文臣
曾任待制以上官餘官陳瓘等凡一百一十九人御書黨籍
刻石端禮門
十月貶韓忠彥陳瓘二十人有差　公生黨籍除名勒停送
袁州編管
崇寧二年癸未公年四十七正月論詆誣罪貶竄任伯雨等

十四人公移送廉州編管　作福州大中寺雲會堂記　作

賈誼治安策論

三月親試舉人時禮階爲禮部進士第一深之子乃公之甥

也特奏名安忱對策使黨人之子階魁南宮多士無以示天

下遂奪階出身而賜忱第忱惜弟也著合浦尊堯集

崇寧三年甲申公年四十八三月五日合浦作了齋記

四月作心畫銘寄子正由　十七日跋李氏所藏神宗御札

十月丙午作廣中樞龜鑑寄正彙

崇寧四年乙酉公年四十九四月十五日跋司馬溫公送益

之侍郎歸廬山詩後　三月五日在合浦作癸木杖銘　十

月二十日作祭李德祖甥文　又作李叔平提舉文　又作
易說
崇寧五年丙戌公年五十正月彗星出西方其長竟天大赦
毀黨碑公以星赦量移郴州得自便　作杜鵑詞寄居明州
作伯瑜墓誌銘　陳伯瑜墓誌銘在政和間作　和淵明歸去來
辭　九月跋蔡君謨帖　九月二十八日跋東坡詩曲　作
四明尊堯集
大觀元年丁亥公年五十一八月一日作明州延慶寺淨土
院記
大觀二年戊子公年五十二二月八日作湖州開元寺觀音

記　十一月二十日跋楊中立撰陳居士傳

大觀三年己丑公年五十三公初至嶺外歸居明州嘗令正彙幹蠱錢塘偶聞承議郎蔡宗誆說盛稱太師蔡京福厚陰有搖動中宮之迹不敢隱默亟詣杭州告京有叛狀知杭蔡嶷方與京叙宗盟結死黨遂執正彙送京師而飛書告京俾為計事下開封制獄上命中丞吳執中鞫之獄辭果不右正彙詔獄下明州捕公甚急士民哭送之公不為動入獄見其子被繫笑曰不肖子煩吾一行蔡京用酷吏權尹李孝壽治其事孝壽使吏脅公証正彙妄（妄又誘公承證正彙）訴公曰正彙聞京將不利於社稷傳於道路遽自陳告璀豈得與知若璀以所不知忘父

子之恩而指其為妄則情所不忍挾私情以符合其說又義所不為況不欺不貳乎昔所以事君教子豈於利害之際有所貪畏自違其言乎蔡京姦邪必為國禍璀固嘗論於諫省亦不待今日語言間也一日孝壽坐廳事簾中列五木於庭引公問之公從容曰蔡京之罪璀實知之不肖子不知也顧多得筆札悉以聞孝壽懼不敢與時內侍黃經臣監勘聞公所對失聲嘆息謂公曰主上正欲得實右司但依此供狀

大觀四年庚寅公年五十四二月獄具竄公安置通州正稾流沙門島十一月放自便公上通州自便謝表見文獻通考

公在通州張無盡入相欲引公自助時置政典局乃自局中

奉旨取公所著尊堯集蓋將施行所論而由史局用公也公料其不能成事辭以修寫未成繼日承政典局牒坐聖旨俾州郡催促公於六月初五日乃用奏狀進表以黃帕封緘繳申政典局乞於御前開拆或謂公當徑申局中而通書廟堂公曰恨不得直達一覽豈復可與書耶彼為宰相有所施為不於三省公行乃置局建官若自私者人將懷疑而生忌正恐尊堯集至而彼已動搖矣遠其迹猶恐不免況以書耶繼而悉如公言

政和元年辛卯公年五十五四月張商英罷九月公亦有勒停台州之命責詞謂私與張商英罷九月公亦有勒停台州

之命責詞謂私與張商英意要行於是衆人服公之遠慮而恠何執中爲相鄧詢仁爲執政輩敢欺罔上下也 自警編

初王安石嘗著日録八十卷初公謂安石此書詆訕宗廟誣薄神考著撰在退居鍾山慧上熱中之時讀其書論其事不考其時可乎及公貶康州乃著合浦尊堯集以日録詆誣之罪歸於蔡卞其後北歸謂劉安世曰非在諫省嘗以王荆公比伊尹伊尹未嘗詆湯胡可比也又嘗以爲神考之師神考用荆公九載何嘗終以其人爲是乎某之前言可謂過矣於是復著四明尊堯集痛絶王氏以發揚熙寧用舍宰臣本末之緒而自明區區改過之心尊堯所以立名者蓋以神考爲

堯以主上為舜而助舜尊堯也書成藏之於家及是奏御商
英已罷何執中等乃請治尊堯詆誣之罪勒停台州羈管十
九日申通州十一月初十日巳時到台州上台州羈管謝表
七月二十八日跋司馬温公簡後
公謫台州朝旨下司行移峻急所過州郡皆令兵甲防送不
得稽留至台久之莫敢以居屋借賃者公乃暫館僧舍而郡
守以十日之法每遣廂巡起遣故十日必為之遷一寺公處
澹然不以介意及到台數月朝廷起遷人石㦸知州事且令
赴闕之官士論訩訩咸謂將有處分於公也㦸至果揚言怪
公視事次日遣兵官突來約束不得令出入取責鄰人防守

狀又置邏卒數鋪前後巡察抄錄賓客書問之往還者雖親戚家書追至隔絕未幾復令兵官突來所居搜檢行李攜公至郡郡庭垂簾如制獄大陳獄具蓋朝旨取索尊堯集副本而械為此以相迫脅且公知其意遂發問曰今日之事豈被旨耶械非所料失措而應曰有尚書劄子捲簾出示公劄子所行蓋取尊堯集副本以為係詆誣之書合繳申毀棄也公曰然則朝廷指揮取尊堯集耳追攝至此復欲何為因問之曰君知尊堯所以立名乎蓋以　神考為堯而以主上為舜也助舜尊堯何為詆誣時相學術淺短名分之義未甚講求故為人所詿本一作愚字使請治尊堯之罪將以結黨固寵

也君所得於彼者幾何乃亦不畏公議干名犯分乎請具申璀此語璀將顯就誅戮不必刑獄相恐也械不待公言畢屢揖公退尋語人曰不敢引其說尚是如此良可畏也繼又幽公僧舍使小吏監守對榻坐卧窘辱百端人情憂駭慮有不測公安之不以為撓械亦終不能為害 自警編

公謫台州於法合進謝表台州不為發遞未得達而石械之來聲勢甚異公料其必受蔡薿風旨意在得其元在海陵所投書必將搜索及行李於是為封事繳謝表封緘於匾題以臣名械至果如所料而以緘題之故不敢輒開遂以奏御薿與執中皆恐未幾罷之或問公何以審其如此公於薿初無

他蘖懷遺書之愧而其黨未知納忠相糜實自爲計今顯其迹則祛使之術不行矣

公雖緣蔡氏得罪而首論私史力排王氏王蔡之黨如薛昂蹇序辰何執中鄧詢仁鄧詢武蔡薿之徒皆當時協力排陷欲殺公者亦不獨蔡京兄弟而已蔡薿與公初不相識公上宰相書謫居海陵薿爲太學生以長書遺公論天下事皆合天下公議遣人致於海陵謂公諫疏婉而有理似陸宣公剛而不撓似狄梁公文章淵源發明正道則韓文公其人也至次年薿以對策爲大魁所陳事務與前書頓異於是愧悔而欲殺公以滅口密賛京黨出力尤甚正彙三山之竄石城台

州紛紛皆具所為也自鶩編

政和二年壬辰公年五十六二月二日跋張氏遺事劄子後

八月九日作責沈文貽知默姪

政和三年癸巳公年五十七十月十九日跋江左司勸發菩

提心文

政和四年甲午公年五十八四月八日跋張承老所藏孫元

忠司諫簡後

五月二日書孫元忠上劉莘老甘賦後

政和五年乙未公年五十九三月二十八日跋黄尚書送左

經臣序後

政和六年丙申公年六十公在台州屢該赦當自便而刑部不敢檢舉既而上旨令敘官放還乃因郊祀霈恩然初以宣德郎被責而敘官乃得承事郎實降鐫也被命之後忽得州牒備坐省劄云奉御批敘數內陳瓘未當合於見在官外敘一官仍取旨差遣台州告示本官知委公既供知委狀陳乞差遣人皆賀公以為起廢有漸也公曰此廟堂欺君玩世之術而若與差遣豈應見問上聞吾敘官不當而見於御批諸公不敢但已為此遷延之說以塞上旨家狀雖可供而差遣其可乞耶彼謂吾不堪流落而因茲見憐爾乃報云家狀昨因削籍毀棄無憑供具事果不行復敘宣教郎主管江州太

平觀

公因敘官自便還通州時開封府尹盛章與石悈以私詒爭章密取旨送悈獄以罪編置通州因揚言為公報怨公聞而嘆曰此豈盛世所宜有耶因謀徙居以避之時縣宰與公姻家而於悈亦沾親悈屬宰求館舍宰以為疑公謂宰曰親戚患難宜相周旋置此恤彼乃為義事無足嫌也宰於是與之盡力悈聞而愧遣其子來致謝公曰吾為宰盡親戚忠告之蓋爾非欲以德報怨也郤之不見月餘遂挈家為江上之遊

自警編

公泛江至江州愛其江山之勝因卜居於城外杜門不出謁

來者不拒士大夫經由江上者往往不之公府而必到公家延接無間每為燕豆之款踰年歡適忽有朝旨不許出城月申存在又更易守臣日降下司文移以俟新守之到外間叵測無不震懼交遊中有來索與公往復書簡者有碎公所書碑刻碑額者公亦自期以死惕息俟命而已閱數日乃令移南康居住蓋緣蔡氏之黨必欲殺公以快意時王寀得罪疾公者乘此時以怖公也劉侍制器之聞之以書抵公曰此乃鶴相恐脇撲上之策使止此耳　公適居江州讒者以為公來寀居之鄉郡因危言陷公賴徽宗聖察止令移居南康七月朔作福州鳳池報慈院華嚴閣記十一月晦作常州修薦

福寺記

宣和元年己亥公年六十三八月十五日作鄧南夫人文

宣和三年辛丑公年六十五春因方寇嘯聚京黨又造飛語言公之壻為方寇所刼取欲以相中傷復令移楚州　公所論　京卞皆披謫其用心而發露其潛慝蔡氏最所嫉忌故得禍比同時諸公為最猶以徽宗保全不至死也　公徙居山陽經由江都時淮帥毛友達或疑其蔡氏腹心勸公晦迹而過公曰吾無私憾於蔡氏蔡氏之人豈無是非之公乎乃先遣書遺之報書加禮有公立朝行己之道願望見而不可得之語即出郊候公語頗款誠公亦待之無間後聞奏方用

事不為欺隱以書譽之於親舊曰蔽遮江淮斯人有助也蓋
公與人為善不分彼此獎進後輩因公激發歎化而為善者
不可一二舉也
十月張商英卒於京南時公在山陽方　見邸報有
張天覺所上遺表遽止酒而　有以為疑者公曰張
固非粹德且復才踈然時人歸向之今其云亡人望絕矣近
觀天時人事有變革正恐雖有盛德者未必孚上下之聽殆
難濟也未幾公亦感疾
宣和四年壬寅二月公年六十六卒於楚州勅葬廣陵已上俱
舊譜

欽宗靖康元年丙午贈諫議大夫仍與四子恩澤

高宗建炎四年庚戌邑之父老及士大夫請祠奉祀當許之

卜地於縣治西一里許建立祠堂以奉公祠自是每歲春秋

二仲有司以牲帛醴齊祭於祠下龜山楊文靖公撰記考㬪

下同

紹興三年癸丑延平太守周綰建諫議了齋祠于府學之西

歲時從祀龜山楊文靖公撰記

紹興四年甲寅男正同刋公之尊堯集于家

紹興二十六年丙子賜謚忠肅

寧宗嘉定三年庚辰延平太守余嵘建了齋書院

理宗嘉熙三年己亥沙縣主簿兼簽廳黃商楫詣於郡守馬

天驥奏許有司每歲春秋二仲丁奉祀復蒙頒降春秋祝文

見八卷末

元大德元年丁酉七世孫宣子編輯公之年譜

後至元五年己卯九世孫文綱重刊尊堯集於祠下

明洪武三十三十三年庚辰沙縣知縣累陞工部都給事中

錫山倪峻重建書院

天順七年癸未十二世孫紀重刊尊堯集於臨川

成化九年癸巳沙縣知縣累陞戶部尚書嶺南張森重建祠

堂

嘉靖十二年癸巳延平府添註推官累陞禮部尚書東閣大
學士華亭少湖公徐階捐俸重建祠堂
嘉靖十三年甲午　欽差提督學校福建按察司提學副使
累陞吏部侍郎婺源潘潢降春秋祭祀儀節
嘉靖二十六年丁未十五世裔孫載興編輯公之言行錄
國朝康熙十八年己未二十三世裔孫孔頊重刻公之四明
尊堯集
雍正三年乙巳二十五世裔孫象濂嘉言等重刊尊堯集
光緒十年甲申二十七世孫紹泉重刊公之四明尊堯集
光緒十四年戊子二十七世裔孫紹泉重刊公之言行錄

尹和靖先生年譜

（宋）佚名编　清抄本

尹和靖先生文集卷之一

年譜

神宗皇帝熙寧四年辛亥

是歲七月辛未日戊戌時先生生於河南府河南縣嘉善坊之第祖河內先生諱源字子漸外祖河南先生諱洙字師魯皆有文集行于世考虞部員外郎諱林妣陳氏潤上陳公廙字叔易之女

五年壬子　六年癸丑

七年甲寅　八年乙卯

九年丙辰　十年丁巳

元豐元年戊午

先生年八歲丁虞部憂

二年己未

三年庚申

四年辛酉

五年壬戌

六年癸亥

七年甲子

八年乙丑

哲宗皇帝元祐元年丙寅

先生年十六

二年丁卯

先生年十七爲擧子時敎授蘇昞李明一見大奇之謂

先生曰子以狀元及第即學乎唯濩科舉之外更有所謂學乎先生疑一旦蘇因會茶舉盞以示曰此豈不是舉先生遂往見伊川先生

三年戊辰

伊川先生授先生以大學西銘又令看敬字

四年己巳

五年庚午

先生年十九應進士舉策問誅元祐黨籍先生嘆曰以此策士吾尚可以干祿乎不對而出告于伊川曰焞不濩應進士舉矣伊川曰汝有母何以爲養先生歸白陳夫人曰焞昨應舉策問如此焞不忍答而出焞將不濩

應舉矣恐無以為養夫人曰汝以仕可為善耶汝以學
可為善耶先生曰皆為善爾夫人曰吾但知汝以善養
不知以祿養先生出告伊川伊川曰賢哉母也
六年辛未
先生學易于伊川
七年壬申
先生年二十二娶張氏
八年癸酉
紹聖元年甲戌四月十二日改元
二年乙亥
三年丙子

四年丁丑

伊川先生謫涪州

天符元年戊寅六月一日改元

二年己卯

三年庚辰

徽宗皇帝建中靖國元年辛巳

先生年三十一

崇寧元年壬午

二年癸未

三年甲申

四年乙酉

五年丙戌

伊川先生以易得授先生

大觀元年丁亥

先生年三十七新學日興諫官范致虛上言曰程頤倡為異端尹焞張繹為之羽翼

二年戊子

三年己丑

四年庚寅

政和元年辛卯

二年壬辰

三年癸巳

四年甲午

五年乙未

六年丙申

七年丁酉

八年戊戌

重和元年己亥

二年庚子

二年壬寅

三年癸卯

四年甲辰

先生年五十四

欽宗皇帝靖康元年乙巳

是歲九月鎮洮軍節度使同知樞密院事京畿河北東路宣撫使种師道上表薦先生乞召寘經筵劄子云臣竊惟陛下自臨御以來德政更新中外人才凡為公論所與者無不收用況于尚德之選苟有其人理不可遺伏見河南府布衣尹焞故尹源之孫尹洙之姪孫學專師古行足勵俗潛心乃蹈踐三十年西郊學者皆稱仰之未嘗應書不求仕進若蒙召致俾預講説必有禆益臣非識有事素所深知冒昧薦聞冀不勝惶懼之至取進止

旨召赴闕令河南府以禮津遣先生辭曰欲寡過而未
能安足以上副比遣河南府守臣王襃引孔子不俟駕
之語促行先生曰焞草萊之臣不敢當君命不俟駕此
孔子當位時事君不在其位則不然也王襃曰先生辭
矣再有旨促召先生不得已至闕又辭不敢朝上知不
能留也十月詔賜和靖處士放還山告詞云敕西京布衣尹焞慶曆間有
賢臣高朕不見也每覽國史高其節槩爾能力學操行
以世其家甘貧守約不競榮利是亦可嘉矣用賜美名
式勸頹俗爾其以行義教鄉里俾有裕式爲則于惟爾
嘉可特賜和靖處士靖康元年九月日中書舍人劉正
行戶部尚書梅公執禮兵部尚書孫公傅御史中丞呂
公好問戶部侍郎邵公溥中書舍人胡公安國諫議大

夫徐公秉哲又同奏乞特加職擢奏曰臣等伏見河南布衣尹焞德備中和學窮根本言動惟時皆可師法蘊蓄宏遠可以任大臣等淺陋不足以盡知然近來招延之士無出其右者昨蒙朝廷特召河南府津遣赴闕伏聞命之處士以歸使焞韜藏固蘊不為時用未副朝廷及帝求賢之意伏望聖慈特加職擢以慰天下士大夫之望謹錄奏聞伏候勅旨

二年丙午金人陷洛陽

先生合門遇害張夫人與子均俱死于賊先生死而復甦門人潛載以逃尋訪尹氏遺族遇先生之弟武功府君焴及武功夫人全氏携姪塽逃匿民舍時亂兵間尹氏僅存者先生與焴塽三人耳塽時甫八歲後以先生郊恩補將仕郎終于通判金州先生傷亶不能行家人與舁匿山谷間

高宗皇帝建炎元年丁未

先生年五十七在長水山中

二年戊申

先生在長水山中長安陷劉豫僭號使其偽師趙斌卑詞厚禮儀從甚盛以兵劫先生于山中先生抗罵不屈夜徒步渡渭攜婦及邢氏女潛匿蜀水谷中

三年己酉

先生在蜀水

四年庚戌

先生自秦中至永興年黃貫谷

紹興元年辛亥

先生年六十一

二年壬子

先生隨楊彥中入蜀至閬州時張公浚宣撫川陝門人呂稽中為計議官延請館先生于閬中遂至遂寧渡往瀘南子婿邢純官所又過戎激七月二十五日有題伊川易傳後語

三年癸丑

先生往來至巴中廣安軍弟燭武功府君卒于廣安

四年甲寅

七月二十三日邢純監涪陵酒稅便迎侍先生以往先生寓館于涪州千福院十二月望日門人馮忠恕冬有題馮聖先墓銘跋語

五年乙卯

先生寓涪扁一室曰六有齋名所居曰青堂六月十五日左朝奉大夫充徽猷閣待制提舉建隆觀兼史館脩撰兼侍講兼資善堂翊善范冲舉先生以代有旨尹焞召赴行在仍令川陝宣撫司以禮津遣九月十二日左朝奉大夫充徽猷閣待制提舉建隆觀兼史館脩撰兼侍講兼資善堂翊善范冲再奏蜀道雖通然行旅艱難

自非州郡委曲津遣無緣起發十三日三省同奉聖旨
令川陝宣撫司差撥人船優給路費以禮敦遣前來赴
行在所十月初三日宣司發省劄至涪州時涪守李瞻
脩禮至于福院津遣先生申宣司辭免二十八日宣司
再牒涪州脩坐聖旨指揮差撥人船以津遣先生再申
宣司乞脩錄奏免時上謂侍臣曰昔召程頤蓋自布衣
除崇政殿說書十一月六日遂降旨尹焞特授左宣教
郎除崇政殿說書仍令川陝宣撫司依累降指揮加禮
津遣赴行在所十一月二十七日宣司准入內內侍省
御前金字牌并御前實封劄子付下左宣教郎說書告

并差幹辦官蒋世雄來涪州尋訪先生居處催促起發涪守李瞻申尹處士獨處一室嘉遯養浩志尚高潔邦人莫因而見非有司文移可致

六年丙辰

正月宣司差官委夔路運副韓固運判王肇知涪州李瞻諭先生之廬俗禮再三勸勉起發十三日先生以告繳納涪州軍資庫再申宣司辭免三月六日又降旨促召四月六日又准省劄催促五月十七日宣司再淂旨催促及又差使臣史誠等賫袍笏等來先生不受仍以繳納涪州軍資庫八月十八日有跋謁聖先墓銘後序

自五月以來宣司所差官日夕候門不敢去至九月十七日先生迫不得已登舟啟行又申制司以病不敢受誥乞于前路聽候指揮先是伊川先生有祠在涪之北巖九月二十五日先生以文告于伊川之祠而行其文有云補于世則未也不啓其門則有之云云先生既行蜀人又于北巖立先生之祠焉十月至夔十二月二十六日朝廷又降劄促令疾速兼程前來仍不許再有辭免

七年丁巳

正月十三日先生至荆南朝廷再降劄促召二十一日至鄂州二十三日又准尚書省及御前實封劄子促召

先生又以疾乞自便將理二月十九日至江州二十五日及三月十七日又連准省劄催促二十一日又申江州乞具奏辭免四月四日至五月五日凡三劄催促五月二十日左僕射同中書門下平章事兼樞密使都督諸路軍馬張浚又上疏力薦乞更加禮津遣五月二十日三省同奉聖旨依奏五月二十九日巳時御前金字牌備張公浚劄子又加促召先生又繳申江州乞自便尋醫六月二十四日又准省劄促召先生又以疾辭八月又得旨令江州守臣以禮津遣九月先生至建康府界先是左司諫陳公輔上言請禁伊川學至是先生因

併引以辭涪州所差隨行軍員何仲以本州所繳崇政殿說書告乞袍笏等繳納行在激賞庫何仲狀云見附集九月十一日朝廷又以官告袍笏等劄下責付先生家屬交領又辭上曰尹焞可謂恬退矣辭免之奏十數上而未止候疾痊安即召對又降旨遣宰相趙鼎及參知政事秦檜出國門存問慰勞仍先賜御府金帛藥餌等先生再力以疾辭官九月十三日又降旨體劄下事理疾速祗受告命仍具知委文狀申尚書省先生又列前後所上二十狀繳連乞收還恩命十月八日又劄下令候痊安日令閤門引見上殿先生以病未敢受告閏十月一

日又劄下訪聞本官今已痊安所有告命即疾速祇受
閏月初八日奉聖旨尹焞除秘書郎兼崇政殿說書先
生又辭十一日奉聖旨不允令先次朝見赴講筵供職
十二月 日先生始入見力辭于上前上曰朕渴卿久
矣知卿從程頤學俟卿以講學不敢以有他先生遜謝
辭不獲命遂供職講筵承續講衛靈公之末章稱旨遂
給筆札解論語以進時先生又力辭秘書之命十五日
奉聖旨不允先生既再辭不允又乞致仕左僕射趙公
鼎奏曰尹焞有山林之志不樂留此願以禮留之上遂
再加錫賚

八年戊午

二月車駕還錢塘先生以病從百司先行二十七日除秘書少監仍兼崇政殿說書先生又凡五辭三月病少愈力疾赴講筵先生每當赴講之日前一夕必沐浴更衣以所講書置案上朝服再拜齋于燕室學者問之先生曰必欲以所言感悟君父安得不敬人君其尊如天必須盡己之誠意吾言得入則天下蒙其利不能入則反之又安得不敬十三日詔促解論語四月九日乞免史館并修日曆職事從之十四日再乞歸田里十七日入于經筵留身求去且曰士大夫不理命進退安用所

學上曰待與卿在内宮觀先生力辭翌日上以諭參知政事劉公大中曰尹焞學問淵源足爲後學矜式班列中得老成人爲之領袖亦足以見朝廷氣象十八日除徽猷閣主管萬壽觀依舊兼崇政殿說書凡三辭不允又乞致仕又不允二十日進呈所解論語五月四日詔賜緋衣銀魚復被旨解孟子上曰楊時物故胡安國失震又亡同學之人今無存者朕甚痛惜之趙鼎曰尹焞學問淵源可以繼震上曰震亦薦焞八月十三日詔先生講尚書冬講筵初開講好之者不如樂之者先生曰此安而有之上語中書舍人呂本中曰昔尹焞受用處

二十三日除試太常少卿兼權如故先生力辭不允十一月十六日先生以疾在告十九日除左通直郎權禮部侍郎時先生再三乞宮觀不允二十一日又除兼侍講凡十辭皆不允是時秦檜獨相力主和議金虜遣張通古為詔諭江南使通古在館浹旬朝議未定人情洶洶先生在病中力疾上疏極諫以為不可墮虜計陛下此膝一屈不可復伸反覆千餘言又以書切責秦檜檜大怒書疏並見文集

九年己未

正月除徽猷閣待制提舉萬壽觀仍兼侍讀先生曰病

不朕朝而能祿日至雖主上賢哉大臣安吾我何功德以當之上表力陳當去之義有五擠見而益銜之乃見上具言尹焞負天下重望凡所奏陳乞付中書詳酌行之先生又力辭乞歸田里遂差提舉江州大平觀待制如故十五日先生既得祠即離國門仍乞追還待制職名不允二十日至平江寓居虎丘西庵扁上方所居之室曰三畏齋時門人呂稽中呂堅中祁寬蔡仍蔡迨黄循聖徐正夫侍十月十七日有書伊川脩禊帖跋語

十年庚申

先生年七十正月十七日有題蘭亭禊軸後語先生曰

吾無功而爲從臣吾去而不能決辭七十而老尚矣遂
上章乞致仕二十二日得旨還一官依所乞致仕時先
生子婿程暐爲桐廬令九月十五日先生自平江往桐
廬館于縣齋二十五日有題桐廬縣齋詩十月初十日
有題雜文後語十二月子婿祁純爲浙東撫屬遂迎侍
先生往會稽時門人呂稽中堅中虞仲琳祁寬從行

十一年辛酉

先生寓居會稽

十二年壬戌

三月晦日有題溫公莊子節帖六月二十六日有答謝

同休書十月先生病十一月初四日先生病革初五日先生卒年七十三上聞而悼惜之命特贈四官自奉議郎贈朝清郎徽猷閣待制依條與致仕遺表恩澤賜銀絹三百疋兩給葬事仍遣中使護其喪葬于會稽縣五雲鄉龍瑞宮山之原

尹和靖先生文集卷之一終

延平李先生年譜

（清）毛念恃編　清乾隆十年刻本

此入聖之基

宋史李延平先生傳

李侗字愿中南劍州劍浦人年二十四聞郡人羅從彥得河洛之學遂以書謁之從之累年授春秋中庸語孟之說從彥好靜坐侗退入室中亦靜坐從彥令靜中看喜怒哀樂未發前氣象而求所謂中者久之而於天下之理該攝洞貫以次融釋各有條序從彥極稱許焉既而退居山田謝絕世故餘四十年飲食或不充而怡然自適事親孝謹仲兄性剛多忤侗事之得其歡心閨門內外夷愉肅穆若無人聲而衆事

此不爲隱怪之異正中庸之道也

自理親戚有貧不能婚嫁者則爲經理賑助之與鄉人處飲食言笑終日油油如也其接後學荅問不倦雖隨人淺深施教而必自反身自得始故其言曰學問之道不在多言但默坐澄心體認天理若是雖一

大本原在此

毫情欲之私亦退聽矣又曰學者之病在於未有灑然氷解凍釋處如孔門諸子羣居終日交相切磨又得夫子爲之依歸日用之間觀感而化者多矣恐於融釋而脫落處非言說所及也又曰讀書者當知其所言莫非吾事而即吾身以求之則凡聖賢所至而

切中後世末學之弊

吾所未至者皆可勉而進矣若直求之文字以資誦說其不爲玩物喪志者幾希又曰講學切在深潛縝密然後氣味深長蹊徑不差若槩以理一而不察其分之殊此學者所以流於疑似亂眞之說而不自知也嘗以黃庭堅之稱濂溪周茂叔胸中灑落如光風霽月爲善形容有道者氣象嘗諷誦之而顧謂學者存此於胸中庶幾遇事廓然而義理少進矣其語中庸曰聖門之傳是書其所以開悟後學無遺策矣然所謂喜怒哀樂未發謂之中者又一篇之要指也若

評春秋此數之已盡

徒記誦而已則亦奚以爲哉必也體之於身實見是理若顏子之歎卓然若有所見而不違乎心目之間然後擴充而往無所不通則庶乎其可以言中庸矣其語春秋曰春秋一事各是發明一例如觀山水徒步而形勢不同不可拘以一法然所以難言者蓋以常人之言推測聖人未到聖人灑然處豈能無失邪倜既閒居若無意當世而傷時憂國論事感激動人嘗曰今日三綱不振義利不分三綱不振故人心邪僻不任所用是致上下之氣間隔而中國日衰義利

君臣之義根於天性

有道氣象

不分故自王安石用事陷溺人心至今不自知覺人趨利而不知義賊主勢日孤人主當於此留意不然則是所謂雖有粟吾得而食諸也是時吏部員外郎朱松與侗爲同門友推重侗遣子熹從學熹卒得其傳沙縣鄧廸嘗謂松曰愿中如氷壺秋月瑩徹無瑕非吾曹所及松以爲知言熹亦稱侗姿禀勁特氣節豪邁而充養完粹無復圭角精純之氣達於面目色溫言厲神定氣和語默動靜端詳閑泰自然之中若有成法平日恂恂於事若無甚可否及其酬酢事變

斷以義理則有截然不可犯者。又謂自從侗學。辭去復來。則所聞益超絕。其上達不已如此。侗子友直。信甫。皆舉進士。試吏傍郡。更請迎養。歸道武夷。會閩帥汪應辰以書幣來迎。侗往見之。至之日。疾作。遂卒。年七十有一。信甫仕至監察御史。出知衢州。擢廣東江東憲。以特立不容於朝云。

先生行狀。出於朱夫子之手。誌銘爲汪學士應辰作。言皆有道。宋史因之而成文。故簡潔精粹。可以起人景仰之思。錄此一篇而不及行狀者。以朱夫

子序先生之家世。而謙不自侈其授受之大。今使
於學者取法。則茲傳亦善形容有道矣。

延平李先生年譜

宋哲宗元祐八年癸酉。先生生於南劍州之劍浦縣。

紹聖元年甲戌。先生二歲。

元符元年戊寅。先生六歲。

徽宗建中靖國元年辛巳。先生九歲。

崇寧元年壬午。先生十歲。

大觀元年丁亥。先生十五歲。

政和元年辛卯。先生十九歲。

按先生行實云。先生幼警悟。既冠。遊鄉校有聲。雖不誌其歲約在政和初年也。

六年丙申先生二十四歲受學於羅豫章先生之門有初見羅先生書刻集中羅先生致書於陳默堂云近有後生李愿中者向道甚銳曾以書求教趨向大抵近正錄其書呈左右朱紫陽行實云羅公清介絕俗雖聖人鮮克知之見先生從遊受業或頗非笑先生若不聞從之累年受春秋中庸語孟之說從容潛玩有會於心盡得其所傳之奧羅公少然可亟深許焉○甚矣學道之不易也羅先生

之學得之於龜山傳伊洛之正而當年習俗之謬不知羅先生者多及先生從之受學猶相與非笑之使非先生毅然見道其不惑於世俗之見者幾希矣故學貴乎立志不同於流俗也

先生於是退而屏居山田結茅水竹之間謝絶世故

誌云於是不事科舉

按先生生於簪纓之冑以常情言之祿利之溺人久矣乃年甫逾冠而志於絶學不復縈心世故眞非常人可及

重和元年戊戌先生二十六歲

宣和元年己亥先生二十七歲

欽宗靖康元年丙午先生三十四歲

高宗建炎元年丁未先生三十五歲

紹興元年辛亥先生三十九歲

二十三年癸酉先生六十一歲朱文公來受業於先生之門文公云先生經學純明涵養精粹延平人士甚尊事之請以爲郡學正雖不復應舉而温謙慤厚人與之處久而不見其涯鬱然君子人也先

此檢身法

幾於動容周旋中禮

予與之遊數年道誼之契甚篤又曰先生終日危坐而神彩精明畧無隤墮之氣又曰李延平初間也是豪邁底人到後來也是琢磨之功在鄉若不異於常人鄉曲以上底只道他止是善人他畧不與人說待問了方與說又曰李先生少年夜醉馳馬數里而歸後來養成徐緩雖行一二里路常委蛇緩步如從容室中嘗隨至人家才相見便都看了壁上碑文先生俟茶罷起向壁立看了一壁碑文後步向次壁看看畢就坐其所持專一詳緩如

此初性甚急後來養成至是也

按先生陶鑄朱夫子自有一段黙識心融兩人獨喻處然即朱夫子所記之語觀之其有道之容千載如見矣

二十七年丁丑先生六十五歲子信甫及友直同登王十朋榜進士

是年有六月二十六日荅朱夫子書言涵養存養之事

二十八年戊寅先生六十六歲朱夫子來見先生於

延平有七月十七日與朱夫子書春秋論語荅問
七條有冬至前二日與朱夫子書春秋論語荅問
十一條有十一月十三日與朱夫子書荅孟子放
心夜氣之說
二十九年己卯先生六十七歲
是年有六月二十二日長至後三日與朱夫子兩
書
三十年庚辰先生六十八歲朱夫子又見先生於延
平朱夫子曰先生居處有常不作費力事所居狹

可以養心

隘屋宇卑小及子弟漸長逐間接起又接起廳屋亦有小書室然甚齊整瀟灑安物皆有常處其制行不異於人亦嘗爲任希純教授延入學作職事居常無甚異同頹如也眞得龜山法門是年有五月八日與朱夫子書三則七月後與朱夫子書八則

三十一年辛巳先生六十九歲

是年有上元日與朱夫子書二月二十四日與朱夫子書荅問五條五月二十六日與朱夫子書荅

問二條中元後一日書八月七日書答問五條十
月十日書共三則
三十二年壬午先生七十歲春朱夫子迎謁先生於
建安遂與俱歸延平
有四月二十二日六月十一日七月二十一日八
月九日十月朔日與朱夫子書共十一則是年孝
宗即位文公以封事質正於先生先生荅曰今日
所以不振立志不定事功不成者正坐此以和議
爲名爾書中論之甚善見前此赦文中有和議處

一條又有事廼許便宜從事之語葢皆持兩端使人心疑也要之斷然不可和自振頓綱紀以大義斷之以示天下向背立爲國是可爾此處更可引此又許便宜從事處更下數語以曉之如何某不能文不能下筆也封事中有少疑處已用紙貼出矣更詳之明道語云治道在於修己責任求賢封事中此意皆有之矣甚善甚善吾儕雖在山野憂世之心但無所伸爾亦可早發去爲佳

按先生卽不問世故而紫陽師之其荅問理義精

微處。紫陽所編。自言拱璧。而茲與癸未荅文公
應召之言。皆當世大務。似非儒者所及。乃文公詢
之。先生荅之。其忠義之意。見於文字之中。無非血
忱。知先生之學。該內外。兼體用也。
孝宗隆興元年癸未。先生七十一歲。以二子更請迎
養。自建安如鉛山。訪外家兄弟於昭武。
是年有五月二十三日。六月十四日。七月十三日。
與朱夫子書。時文公將趨召。問所宜言者於先生。
先生荅以三綱不振。義利不分。王安石用事以來。

人只趨利而不顧義。故主勢孤。有七月十七日書。

朱子首用其說以對。

按王安石之執拗。今日人人知之矣。當日先生言之。則正學術。定國是之大義也。

是年十月十五日。先生卒於福州。

按誌先生遊武夷而歸。福唐守敷文閣學士汪應辰以書禮來迎。求質所疑。十月公應聘至福唐方三日。疾作。卒於府治之館舍。其孫護喪以歸。門人朱紫陽爲狀。福守汪應辰爲誌。至理宗淳祐六年提刑楊棟爲請謚於朝。七年。賜謚文靖。去先生歿時。二十有五年矣。

元至正二十二年八月以江浙行省申據胡瑜牒請咨中書省奏准。禮部定擬爵號贈太師追封越國公

明萬曆四十二年甲寅從閩學臣熊尚文之請從祀文廟

大清康熙四十五年丙戌允學臣沈涵疏

賜御書祠額曰靜中氣象

延平先生年譜終

屏山先生年譜

詹繼良編

民國十一年鉛印本

屏山志略卷一之下

同里後學詹繼良纂輯
游藝圃謄錄
詹起南校字
建安道立甲種森林學校學生捐印

年譜

學者尙友古人莫不欲詳其人之出處與其人之始末藉資印證奉爲楷模曹道振爲羅豫章編年譜毛念恃爲李延平訂年譜皆此意也兹編乃搜取羣籍摭拾舊聞分年論次其事以便檢考敢曰知人論世耶輯年譜

宋徽宗皇帝建中靖國元年

辛巳三月初七日公生於五夫里潭溪一歲

崇甯元年

壬午公二歲

大觀元年

丁亥公七歲

大觀二年

戊子公八歲

祖贈太保民先卒於里第

大觀三年

己丑公九歲

太保葬建陽西廓原
政和元年
辛卯公十一歲
政和五年　完顏阿骨打稱帝國號金
乙未公十五歲
重和元年
戊戌公十八歲
宣和元年
己亥公十九歲
宣和二年　遣使於金約夾擊遼後二年金滅遼

宣和七年
乙巳公二十五歲
娶陸氏
欽宗皇帝靖康元年　金陷汴京徽欽二帝北狩河北全土沒於金
丙午公二十六歲有靖康改元四十韻
靖康二年是年一歲兩係五月以前爲欽宗靖康二年五月以後爲高宗建炎元年
建炎元年
丁未公二十七歲
父贈太保諱自經於金營（按太師正月死節凡八十日乃就斂顏色如生）
高宗皇帝建炎二年
戊申公二十八歲

葬太師於拱辰山自此哭墓三年

建炎四年

庚戌公三十歲

通判興化軍有到任與張守啓

紹興元年　金寇宋吳玠及其弟璘大敗之

辛亥公三十一歲

孺人陸氏卒

乞祠主管武夷冲佑觀自此優遊祠官之職十有七年

紹興二年

壬子公三十二歲

葬陸孺人於拱辰山與忠定夫人同丘　公撰墓表
紹興十年　金侵宋岳飛劉琦等大破之
庚申公四十歲
紹興十一年　殺岳飛稱臣於金納歲貢
辛酉公四十一歲
紹興十二年
壬戌公四十二歲
及門從子劉珙登陳誠之榜與劉如愚同擢進士公題有吾家
亦有傳臚喜叔姪聯名賜第歸之句　珙少從公學教之不懈
使務其遠大者是年二十一歲珙卒有立

紹興十三年

癸亥公四十三歲

朱熹奉父命及門受業

紹興十四年

甲子公四十四歲

仲兄大中大夫子翼卒

紹興十六年

丙寅公四十六歲

長兄贈少傅子羽卒公撰行狀

紹興十七年

丁卯公四十七歲十二月初八日卒葬拱辰山至理宗朝追謚文靖

朱熹侍疾公告以易之不遠復爲三字符疾將革出故篋得平日省躬自勵之言命熹與黃銖筆之復手自更定篇名遺訓

按屏山先生集未載年譜家乘載生卒脫落其他之年歲惟讀先生送張守序曰庚戌張侯來守莆田余佐郡事後兩月至乃知先生倅莆之日卽建炎四年也又考武夷志載紹興元年辭興化通判主管沖佑觀紹興紀元於辛亥先生捐館於丁卯適符儒林傳辭歸武夷十七年之語而送張守序有言壬子春寇平天子召侯爲郎余亦及瓜焉者論年則辛亥壬子異其歲論事則既有辭之

一字必辭於秩滿之先瓜代在後遐想紹興元年辭通判而丐祠即得冲佑命其去莆在壬子春夏之交讀張奉常謚議優游祠官之職十有七年武夷志非無據也至若朱子學年家乘莫載考朱子生於建炎庚戌以十四歲童子來學其年即紹興癸亥也先生之娶室喪偶家乘亦無所考而先生撰立墓表載孺人享年二十四既卒於紹興己酉之明年當生於大觀戊子之歲自戊子至乙巳迢迢十八寒暄即知十八歲作殯之期蓋宣和紀元七年於茲矣又若先生祖父死葬之年昆姪哀榮之日則各從本傳求之其附載之也從孔子年譜家屬門人並書之例又附載國家大事以劉氏世忠於國關係特切之故亦孔子年譜書及國君時事之例

然先生道承東魯學啓南閩者也其年譜必須有道能文者爲之
良何人斯豈敢冒昧執筆但幸生於先生之鄉夙慕之深故欲知之
詳聞之久斯欲載之亟且觀先生事實本末凡無操行學業之人
皆不可立於兩間矣用敬輯之以自勵云

陳文節公年譜

（清）孫鏘鳴編　民國間鉛印本

陳文節公年譜

孫鏘鳴纂

高宗紹興七年丁巳十一月二十四日壬子公生

行狀蔡幼學撰公諱傅良字君舉姓陳氏其先自閩徙溫州瑞安縣之帆遊鄉至公八世矣曾祖靖祖邦皆有隱德考彬深於易學潔行自晦鄉里稱爲長者以公貴累贈朝請大夫妣徐氏贈令人

神道碑樓鑰撰其先自閩徙溫州瑞安縣帆游鄉湗村里至公八世矣曾祖靖祖邦父彬皆不仕父以公貴累贈朝請大夫妣徐氏贈令人朝請邃於易教授鄉里以篤行稱

文集族叔祖元綴壙志維陳氏自福之長溪縣勸儒鄉擢秀里徙溫州瑞安縣帆游鄉固義里

按長溪今爲福甯府福安縣宋屬福州尙村在今邑三都尙仍舊名

按行狀神道碑墓志（葉適撰）俱不載公生月日惟神道碑云鑰與公同生於丁巳少我九日攻媿集二送陳君舉舍人東歸詩與君幸齊年先後才九日攻媿以丁巳九月十五日生見攻媿集百十一北行日錄（日錄云十一月十五日丁卯晴生朝作湯餅會時乾道九年也）後攻媿九日則二十四日也宋史高宗紀紹興七年十一十二兩月皆不書朔日八年書正月戊子朔逆推而上七年十二月當是戊午朔十一月當是己丑朔二十四日則壬子也公己未生朝謝莘叟兄送梅詩壬子恰同身墮地庚申還値國開基宋史寧宗紀慶元五年己未十一月己丑朔二十四日亦値壬子故公詩有壬子恰同

身墮地語庚申還值國開基蓋謂太祖開國以庚申己未之明年又在庚申也余姪詒讓曰張世南遊宦紀聞一欲知每歲逐月旦日是何甲子但取一九年前次月望日即是後九年前一月旦日毫髮不差考建炎四年正月甲辰朔（宋史本紀）望戊午推得後九年紹興七年十二月爲戊午朔上距十一月己丑朔（史不載据李心傳建炎以來繫年要錄）得二十九日下距八年正月戊子朔（本紀）得三十日此世南紹定間人此就其時所行曆法言之符以錢少詹宋遼金元四史朔閏表所列南渡初月朔甲子驗之一一不爽亦一奇也

按錢辛楣疑年錄謂公生紹興十一年辛酉卒開禧三年丁卯皆大誤又云史無卒年据葉適撰墓志不知葉志並不誤錢氏精考證之學而有此乖舛不可解也

十五年乙丑九歲朝請公徐令人相繼卒公幼孤能讀書夜達旦

按文集承事郎徐公墓志吾友之同第進士者獨余不幸

早孤不逮事父母又乞祠祿展墓焚黄狀伏念臣九歲而

□□□貧賤養生送死皆有永恨前此幸值郊霈始得贈

父□□□又云萬一溘先朝露即兩親竟不霑□□□澤

据墓志僅言早孤乞祠祿狀有九歲之文而其下字佚不

存然以上下文義考之前兩缺處皆當連言父母故後有

兩親語則朝請公徐令人皆是年相繼卒也

又按文集族叔祖元成墓志傳良嘗聞之祖妣吳舊廬蓋

周顯德間所作云族居二百年或舍而改作府君遂得有

其西偏與先君共一礎傳良幼也孤能讀書夜達旦府君

故見愛一日挈傳良手至所謂西廳者問焉曰而欲存此

否乎傳良不能仰視但泣下府君歎曰吾固期汝之有志

也當卒以歸汝舊廬之全府君之賜也据此則公幼時尚

逮事祖母吳而公之孤苦勤學亦見於此
又按文集跋爾雅疏余憶爲兒時入鄉校有以爾雅命題
者余用能辨鼠豹不識蟛蜞爲對其事至淺諸老先生往
往驚歎以爲博也又跋胡文定公帖余記爲兒時從鄉先
生學同舍數十兒兒各授程易胡春秋范唐鑑一本是時
三書所在未鋟板往往多手鈔誦也以上二條公自記幼
學時事不詳何年姑系於此
三十二年壬午二十六歲是年六月高宗內禪孝宗即位
按神道碑興化劉復之朔以南省第一人來爲司戶參軍
攝學官得公程文以爲絕出公之年甚少而名已高劉之
識公不詳何年考福建通志及水心集十六著作正字二
劉公墓志朔紹興三十年試禮部第一廷試擢甲科調溫

州司户時朔兄夙爲臨安教授會朔迎母游夫人於永嘉
夙因乞與溫州教授莫沖易任便親從之孝宗即位召夙
試館職是復之來爲司户當在紹興末其攝學官即其兄
夙召試館職時也

孝宗隆興元年癸未二十七歲授徒於城南茶院從者數百人

墓志初講城南茶院時諸老先生傳科舉舊學摩盪鼓舞受
教者無異辭公未三十心思挺出陳編宿說披剝潰敗奇意
芽甲新詞楙長士蘇醒起立駭未曾有皆相號召雷動從之
雖縻他師亦籍名陳氏由是其文擅於當世又文集曹叔遠
序云執經户外方屨闐集片言落筆傳誦震響場屋相師而
紹興之文丕變則肇於隆興之癸未
吳子良林下偶談四止齋年近三十聚徒於城南茶院其徒

數百人又文集林安之壙志余在城南時羣居累數百
康熙溫州府志南湖塾在府城茶院寺東毛宗延陳止齋講
學蔡尚書葉水心陳潛室繼之今廢
乾道二年丙戌三十歲薛公季宣來過城南書社
文集薛公季宣行狀傅良丙戌丁亥間授徒城南公間來教
督之
三年丁亥三十一歲
按水心集卷十六林正仲墓志余爲兒嬉同縣林元章家時
邑俗質儉屋宇財足而元章新造廣宅東望海西挹三港
諸山曲樓重坐門牖洞達表以梧柳檻以芍藥行者咸流
睇延頸元章能斂喜散鄉黨樂附諸子自刻琢聘請陳君
舉爲師一州文士畢至又文集林懿仲墓志云懿仲自城

南書社從余又云間嘗慮所居東偏江月樓之下集其疇人以待余卒業元章即正仲懿仲之父所謂新造廣宅以銘祠望江之宅考之蓋在邑城西南隅望江橋側今尚有前明林氏祠是公初授徒茶院其後邑人林元章又延致於家皆此數年中事

四年戊子三十二歲屏居仙巖僧舍師事鄭先生伯熊薛先生季宣潛心易論語二書求古聖賢所以窮理盡性之要

行狀宗正少卿鄭公伯熊大理正薛公季宣皆以經學行義聞於天下公每見二公必孜孜求益脩弟子之禮一日與薛公語恍然若有所失乃獨潛心易論語二書求古聖賢所以窮理盡性之要近思深探弗造其極致弗措也又文集薛公季宣行狀傳良丙戌丁亥間授徒城南公間來教督之明年

謝徒束書山間屏居公又過之問治何業竭己所已得對公曰吾懼吾子之累於得也即詔曰宜若是神道碑薛寺正士龍見公問所安公曰毋不敬士龍曰比參倚如何公釋然增進歸心薛氏又文集祭薛常州文我昔自喜壁立倚天見兄梅潭忽若墜淵梅潭謂何其要日損自易論語餘勿挂眼

按龍圖爲景元之兄景元生建炎四年長公七歲則龍圖當不過十年以長耳艮齋生紹興四年長公僅三歲浪語集六送鄭景元赴秀州判官詩序云走歸自武昌始獲交於景望景元二鄭兄弟居數年景望召爲國子丞又兩踰時景元赴由拳從事末注乾道三年四月二十七日据此艮齋自武昌令歸正在此數年間而龍圖赴召則當爲二年冬公之請見求益或在未召之前歟

按文集曹序云屏居梅潭危坐覃思超詣絶軼學成道尊
則邃於乾道之丁亥今以公自撰薛公行狀考之則屏居
梅潭乃丁亥之明年曹序丁亥當爲戊子之誤

五年己丑三十三歲游新昌寓石氏藏書房又館黄文叔家是
冬薛公季宣差知平江府常熟縣往從卒學

文集林安之壙志越數年寓會稽之石氏藏書房又脩職郎
呂公墓志越新昌之姓石呂黄爲大余嘗館黄度文叔家得
與石呂二氏游其子弟多從予學

按文集與林安之書云比來新昌亦欲漸與人踈稍囘鞭
策自警督視家居良爲未便然每念呂后劉歆輩視張子
房揚子雲眞自苦者要之兩翁意未易與兒女道故雖未
便樂也据此公之屏居仙巖又去而客游新昌皆謝絶奮

習覃思絕詣之意故新昌詠歸詩有囘頭三十二年非木
落霜空水見涯萬事自憐多譽早半生猶幸一官遲語
行狀薛公客晉陵公往從之薛公與公語合喜甚益相與考
論三代秦漢以還興亡否泰之故與禮樂政刑損益同異之
際蓋於書無所不窺亦無所不講經年而後别去文集薛公
季宣行狀歲己丑冬遂往依公具區滆上卒學茅茨一間聚
書千餘卷日考古沓今其中
六年庚寅三十四歲東還過都城與廣漢張公栻東萊呂公祖
謙友善秋入太學國子祭酒芮公曄將命爲學諭以非故事辭
遂謁告去從容天台雁宕間益究其學
宋史本傳及入太學與廣漢張栻東萊呂祖謙友善祖謙爲
言本朝文獻相承條序而主敬集義之功得於栻爲多神道

碑乾道六年始入太學士無賢不肖斂衽下風行狀還過都城始識侍講張公栻著作郎呂公祖謙數請間扣以爲學大指互相發明二公亦喜得友之晚是歲乾道六年也其秋入太學國子祭酒芮公曄雅聞公名親訪公於所隸齋見其二子且以公爲學諭俾爲諸生講說經義公以非故事固辭芮公不可公遂謁告去從容天台雁宕間益究其學又文集洪居士墓志余初入太學芮公祭酒挾二子下交於齋序余懼弗堪走天台之國清寺西庵者數月

林下偶談四止齋初赴補試纔抵浙江亭未脫草屨方外士及太學諸生迓而求見者如雲吳琚貴公子也（按琚字居父憲聖太后猶子）冠帶執刺候見於旅邸已昏夜矣又云淳熙間永嘉英俊如陳君舉陳蕃叟蔡行之陳益之六七輩同時並起皆赴太

學補試芮國器爲祭酒呂東萊爲學官東萊告芮公曰永嘉新俊不可不收拾君舉訪東萊東萊語以一春秋題且言破意就試果出此題君舉徑用此破且以語蕃叟蕃叟其從弟也遂皆中榜蓋以譽望取士猶有唐人之意似私而實公也

按陳呂二公慕名相悅理則有之漏示試題必無其事此蓋當日被黜者妄爲臆測誹謗之辭耳曾謂東萊之賢肯以是示私於公而英邁如公又必藉此以進身乎偶談載此無識甚矣

七年辛卯三十五歲樓公鑰來爲溫州教授與公游是歲張氏令人來歸

攻媿集五十六遺老堂記乾道辛卯客授來東嘉五十一止齊春秋後傳左氏章指序鑰自客授之初即從止齋游

文集令人張氏壙志令人姓張氏諱幼昭字景惠永嘉人草堂先生小學錄煇之孫主管禮兵部架閣文字孝愷之子揚州泰興縣主簿東野之姊蓋登進士第三世矣以乾道七年歸於我

八年壬辰三十六歲登進士第授迪功郎泰州州學教授未赴

神道碑八年公之高弟蔡公幼學爲省元公次之徐公誼又次之薛公叔似鮑君瀟劉君春胡君時等皆鄉郡人非公之友則其徒也尤爲一時之盛既登甲科朝野想望風采授泰州教授以歸行狀孝宗銳志事功慨然慕唐太宗之爲人於是臨軒以太宗事策新進士公對言陛下有無我之量而累於自喜有知人之明而累於自恃是以十有一年於兹而治績未進於古下情猶鬱公論猶沮士大夫猶有懷不敢盡且

以太宗求諫崇儒等事反覆規諷其言深婉切至有司奇之將請眞第一或議不合猶在甲科當是時公名震天下其文流入夷貊授迪功郎泰州州學教授未赴文集曹序博交徧驗洞凝融鋻對策初第懇盡獨到則盛於乾道之壬辰

南宋館閣續錄七陳傅良乾道八年黃定榜進士及第治詩賦

葉紹翁四朝聞見錄甲止齋早以春秋應舉與門人蔡幼學行之游太學以蔡治春秋浸出己右遂用詞賦取科第詞賦與進士詩爲中興冠

孫奕示兒編陳舍人君舉未第作省題詩極一時之妙

林下偶談四其時止齋有待遇集板行人爭誦之既登第後盡焚其舊槀獨從鄭景望講義理之學從薛常州講經濟之

學其後止齋文學日進大與曩時異
九年癸巳三十七歲江西運判龔公茂良以書幣招不赴是歲
七月薛公季宣卒公爲經營葬事
神道碑參政龔公茂良帥江西以書幣招之願與定交公曰
此古人羔雁之禮不行於世有年矣善辭之未赴
按文集祭薛常州文雲川之招豈不欲往有婦方娠瑣瑣
羈鞅會兄來歸我棲旁舍當暑之衶相期秋夜我嗟我命
爲此契闊矧今爲虐復我中奪据此常州守湖時復招公
往不及赴而常州先歸未幾遂卒也公爲料理葬地幷爲
其子沄求志墓書丹碑額事見東萊集與陳同甫周子充
書中
淳熙元年甲午三十八歲十一月訪東萊呂公於金華

按東萊集四與周子充書前月末偶陳君舉來相聚山中數日殊不落寞又集五與陳同甫書君舉相聚數日近方回永嘉也東萊與子充書有比聞趣召之命竊想徒御既次近道語考周益公年譜淳熙元年十二月召赴行在二年正月公離吉則公與東萊相聚當在元年冬也

二年乙未三十九歲

三年丙申四十歲以參知政事龔公茂良薦除太學錄

神道碑會太學錄闕求之者衆龔公實行宰相事奏孝宗曰待次不改闕初官不堂除陛下良法也太學錄一闕而睥睨者衆臣欲擇取名儒爲士林所推者越拘攣而用之則人自服矣上問爲誰以公對上曰是朕所素知者除命一下果無異辭

按墓志云其錄太學也議科舉敝法頗檃括之而已然而拘於常而習於故者以爲異矣据此公爲太學錄時必有科舉議而今亡矣然集中答林宗簡書及策問諸篇猶可考知其說也

四年丁酉四十一歲二月乙亥上幸太學改承奉郎

宋史孝宗紀淳熙四年二月乙亥上幸太學監學官進秩一等神道碑就職幾月車駕幸學改承奉郎

五年戊戌四十二歲龔公茂良既罷政力求外補時呂公祖謙在三館欲留公不可十月添差通判福州

神道碑龔公既罷政按孝紀四年六月龔茂良罷七月責授寧遠軍節度使英州安置亦浸有相嫉者添差通判福州行狀居歲餘力求外補呂公祖謙方在三館謂公曰盍少留墓志云使告公將以爲編脩官公曰出處之義不

敢不諱其始也添差通判福州

按文集選德殿記代周子充內翰撰進蓋即是歲所作周益公年譜云淳熙五年得旨撰選德殿記閏六月撰進記文又攻媿集九十四周益公神道碑云得旨撰選德殿記[illegible]又命書之後內直宣對別令中使引至碑下傳旨記文詞[illegible]采贍蔚召卿觀覽既見上又有博美之稱

六年己亥四十三歲丞相梁公克家領帥事得公喜甚以政委公

七年庚子四十四歲右正言黃洽以專擅劾公罷之歸瑞安

神道碑帥相梁公克家得公喜甚以政委之公亦悉心裨贊不事形迹卒以專擅論罷時淳熙七年也行狀丞相梁公克家領帥事委成於公公爲之畫凡一路若郡所嘗興廢及訟

獄之曲直一裁以義無所回屈彊禦者不得售其私始忌且怨州人有方在諫省者論公罷之墓志通判福州右正言黃洽引王安石事劾公罷

林下偶談四止齋倅福州聰明果決梁丞相一委聽之有富人訴僕竊盜僕詞連其主之女止齋必欲逮其女以問諸寓公營救不獲於是有傳臭之謗傳臭二字不可解木鐸叢鈔作得銀未幾論去後止齋爲郡守部使者死之日囊橐枵然僅餘白金數十兩以斂其子貧困謁先友黃文叔於建康頗周之止齋得謗如此至今猶有未盡知者可歎也

八年辛丑四十五歲呂公祖謙卒於金華公至明招寺往哭其墓

按文集有哭呂大著至明招寺簡潘叔度詩明招山在武

義爲呂氏祖塋東萊盧墓讀書之地卒卽葬焉故公祭東萊文有望新阡而長號語又公詩有哭呂伯恭舟行寄諸友云去年上溪船落日建安旐今年上溪船濡露金華草建安當謂龍圖鄭公龍圖卒於建寧官所据此公於去年罷倅後必由泉往哭或并護其喪以歸也然則公於師友之誼篤矣

九年壬寅四十六歲主管台州崇道觀

行狀居二年主管台州崇道觀

十年癸卯四十七歲

十一年甲辰四十八歲差知桂陽軍未赴日覃思於六經將有所述以開後學

行狀又二年差知桂陽軍又三年乃之官居間既久日覃思

於六經將有所述以開後學一室蕭然與士友終日濟然也

十二年乙巳四十九歲

三月有重脩石岡斗門記

十三年丙午五十歲

十月有重脩瑞安縣學記

按文集有病餘久不趨郡且遷仙巖書院於屋西有懷同志詩當在乙巳丙午之間公集詩雖分體各自依年編次題中亦間有書年者皆可按先後而得其大略也又答賈端老書云懿仲諸友已決謀遷書院於先人壠下以爲來歲過從之地入春便下手春暮當奉約矣又云近諸友爲遷仙巖書塾於屋西偏今未就工後月足以奉盍簪之歡又桂陽與林懿仲書云某凡八十餘日始達官下一冬雨雪艱阻萬狀回憶閒居士友團聚之樂

不可得已据此則公自閩歸後從游益衆必復有講學城
南仙巖之事
十四年丁未五十一歲冬始赴桂陽軍
三月有溫州重脩南塘記
文集曹序官太學倅閩府詆劾却埽勤十寒暑紬繹文獻宏
綱具舉則備於淳熙之丁未
按是歲六月公將赴桂陽擬奏事劄子四一言比者士大
夫以恢復爲諱論說定則習俗成習俗成則人心不起人
心不起則刑賞不足以勸懲二言恢復之計非論邊事以
希戎功之謂而結人心以祈天命之謂三言重斂養兵之
害四言天下之勢日趨於偏頗言勝而事不待其成糾察
苛而官不盡其力丞相王淮取旨免奏事

十五年戊申五十二歲是夏小旱力講荒政民無饑者

行狀治桂陽首爲教條戒其吏以徙善遠罪諭其民以孝弟睦婣人感公德意不嚴而化錮民宿負及縣月輸之未入者凡廩藏受輸以例取羸者悉裁之明條目簡文移縣得達情於郡而吏無所容姦郡計自裕歲小旱預出錢糴於旁郡置數場以糶糶已復糴循環不乏又聽民以薪易官粟或就役於官食其力民無飢者連帥潘公時以緡錢五千助糴公益以郡錢立式貸之約歲登償及期不復索

是歲作潭州重修嶽麓書院記

十六年己酉五十三歲二月孝宗內禪稱壽皇居重華宮光宗即位除公提舉荆湖南路常平茶鹽事就遷轉運判官奏減衡永道三州月樁補糴諸郡常平米減潭州櫧州酒課錢時率諸

生與同僚之好學者講道嶽麓

文集跋張魏公南軒四益箴余守桂陽是歲孝宗內禪故事桂陽守臣貢白金三千兩吏率取諸民以應令余懼非聖朝所以惠遠民之意具以質言上擅減三分之二且乞不推賞是時周益公當國疑不能決但批狀送版曹會定叟爲尚書奏桂陽壤地褊小守臣陳某請不妄得旨可其奏而賞典視它郡

行狀光宗受禪除提舉湖南常平茶鹽去郡老稚遮送不絕明年就除轉運判官按公辭免浙西提刑乞祠申省狀云自守軍壘就除本路監司之任一歲而遷將漕又一歲而遷按刑据此則將漕之命必先一年公辭免提刑以紹熙元年十月二十九日三省同奉聖旨不允是遷提刑當在元年之秋其遷將漕必在十六年秋冬矣蓋監司與將漕同是一歲事耳此云明年恐誤湖湘民無子孫者率以異姓爲後吏利其貲輒沒入之公曰使人絕祀

非政也況養遺棄固有法存其後者幾二千家潭州常平粟
且四十萬而全永道等州數絕少無以備歉歲公曰移多益
寡使者職也既掌漕猶攝庾事乃令諸州各留歲運粟以益
常平以潭之常平代其輸郡告乏者減其送漕司之錢民輸
折苗錢重爲損其直潭州櫧州市酒課歲嘗至緡錢二十萬
遂以配於民爲額公攝州事按舊額頓減之民得所紓
劉宰漫塘集廿八故兵部吳郎中墓志故中書舍人陳公傳
良將漕時率諸生與同僚之好學者講道嶽麓一日扣公所
學以毋自欺對陳公歎曰公所謂非苟知之亦允蹈之吾得
友矣光宗御極有旨裁湖南月樁之太重者陳以咨公公以
爲封樁誠不可不減亦不可概減不減無以寬民力概減無
以贍軍賦厥今惟衡永道三州自來未經蠲賦而諸縣之版

帳尤重耑以爲先陳公喜起執公手曰便煩以此草奏公即爲條上凡三州月椿之當減者計一萬四千五百緡報下如章民以大寬咸刻石紀上德陳不俟公請薦之朝按吳名淏英字長卿江陰人

是歲長子師轍以進賀太上皇帝登位表補迪功郎福州羅源縣主簿

文集令人張氏壙志令人初得女以余兄子師轍爲己子

光宗紹熙元年庚戌五十四歲刺舉列郡太守治狀薦湖廣遺材吳獵蔣𤡚楊炤宋文仲秋改兩浙提點刑獄辭免乞祠不允

文集湖南提舉刺列郡太守狀末注紹熙元年十月二十七日有旨趙謐王公弼各減二年磨勘施廣文與宮觀又薦士狀有旨吳獵蔣𤡚楊炤宋文仲並赴都堂審察辭免浙西提

刑乞祠申省狀十月二十九日三省同奉聖旨不允依已降指揮疾速赴行在奏事訖之任

文集曹序起守桂監持節湖南疏滌摲摩民信有古百年之思鬱乎湘山則驗於紹熙之庚戌

二年辛亥五十五歲以奏事赴闕留爲吏部員外郎朱子書來論學

神道碑至是以奏事再入脩門鬚髮如雪丞相留公正一見歎曰幾年陳君舉尚可使外補耶奏留爲吏部員外郎

墓志公去朝十四年至是而歸鬚髮無黑者都人聚觀嗟歎號曰老陳郎中按宋史本傳作去朝四十年蓋即採用此志而誤倒其文也

按公至行在年月宋史及文集均無可考然以去朝十四年推之公自淳熙五年戊戌由太學錄外補至本年辛亥

恰得十四年也國朝畢沅續資治通鑑一百五十二書於

紹熙元年三月誤矣

按王懋竑（康熙進士官翰林院編修）朱子年譜紹熙二年與陳君舉論學引洪譜云先生往聞君舉嘗有詩說以書問之至是遣書報云來徵詩說年來或與士友言之未嘗落筆愚見欲以雅頌之音簫勺（今集作消鑠）羣慝訓詁章句付之諸生又謂二十年間聞見異同無從就正間欲以書扣之念長者前有長樂之爭後有臨川之辨至如永康往還動數千言更相切磋未見其益先生答書以爲某之自信已篤向來之辨雖至於遺譏取辱然至於今日此心耿耿猶恨其言之未盡不足以暢彼此之懷合異同之趣而不敢以爲悔又引與君舉第二書云前書所扣未蒙開示考異以爲君舉

蓋未之答考葉紹翁四朝聞見錄云考亭注毛詩盡去序
文止齋有所未安獨藏其說不爲考亭辨且自言未嘗注
詩蓋不欲佐陸陳之辨也又文集與朱子書有必須請見
究此衷曲不數月還浙可圖即償此願之語是公之遺書
在庚戌未離湖湘時而朱之答書則在此年也
三年壬子五十六歲便殿賜對上問所著書以周禮說進六月
以吏部郎中兼實錄院檢討官旋除秘書省少監辭免不允
神道碑初對上曰卿去國幾何時朕欲見卿久矣知卿學問
深醇有所著書進來時上臨朝淵默罕有聖語公敬謝而退
以周禮說進擢秘書少監訓詞曰朕日御便殿延見郎吏有
郎白首色夷而氣溫儹者贊其名則汝傅良也朝列傳誦實
黃公裳之詞也

宋史本傳傅良爲學自三代秦漢以下靡不研究一事一物必稽於極而後已而於太祖開創本原尤爲潛心及是因輪對言曰太祖皇帝垂裕後人以愛惜民力爲本熙寧以來用事者始取太祖約束一切紛更之諸路上供歲額增於祥符者一倍崇寧重修上供格頒之天下率增至十數倍其它雜斂則熙寧以常平寬剩禁軍闕額之類別項封樁而無額上供起於元豐經制起於宣和總制月樁起於紹興皆迄今爲額折帛和買之類又不與焉茶引盡歸於都茶場鹽鈔盡歸於榷貨務秋苗斗斛十八九歸於綱運皆不在州縣州縣無以供則豪奪於民於是取之斛面折變科敷抑配臟罰而民困極矣方今之患何但四夷蓋天命之永不永在民力之寬不寬耳陛下宜以救民窮爲己任推行太祖未泯之澤以爲

萬世無疆之休且言今天下之力竭於養兵而莫甚於江上之軍都統司謂之御前軍馬雖朝廷不得知總領所謂之大軍錢粮雖版曹不得與於是中外之勢分而事權不一施行不專雖欲寬民力其道無由誠使都統司之兵與向者在制置司時無異總領所之財與向者在轉運司時無異則內外爲一體內外一體則寬民力可得而議矣帝從容嘉納

文集吏部員外郎初對劄子第三末注云是日上殿方奏臣不肖蒙恩爲郎幸得賜對上云卿去國幾年朕欲見卿久矣讀劄子至寬民力上曰莫急於此只爲處置難奏云臣第三劄子是處置大略容款曲敷奏天顏甚喜讀劄子畢褒嘉再三奏容下殿謝恩上云且說話聞卿在永嘉從學常數百人奏臣無所長只與士子課習舉業過蒙淸問不勝悚懼上云

知卿學問深醇著書甚多朕欲一見可盡進來奏臣豈敢著書不過講說舉子所習經義何足仰塵乙覽上云經說更好但隨所有進來奏臣自遠來乍對清光已踰平生之望又蒙睿慈曲垂褒諭令進所習經說顧臣何人遭逢如此然臣委是目下未有成槀以應明詔容臣守官之暇收拾編錄候成次第奏乞投進欲望聖慈特賜寬假上云看撰得幾卷即逐旋進來不妨又奏在廷儒臣多是前進臣一旦入奏便敢僭越投進文字以此終是踧踖未安上連聲云不妨不妨按行狀公進周禮說在遷秘書少監後玉海亦云紹熙三年進

按賜對年月文集亦無明文考是年十一月封事云陛下過聽不以臣爲不肖歸以幾節留之郎舍賜對便殿初無建明而天顔開懌玉音溫厚曾不數日擢貳冊府又未幾

用爲皇子嘉王府贊讀据此則秘書少監之除郎在便殿賜對之後故辭免秘監狀有乃因賜對有此超擢語是公在郎舍幾逾一年而後賜對也惟館閣續錄公以吏部郎中除秘書少監其由員外郎遷郎中則無從考其年月矣

選兼皇子嘉王府贊讀八月王生辰上始生詩七章纂次建隆以來行事爲王講誦

行狀選兼皇子嘉王府贊讀公以爲王者之學經世爲要祖宗成憲尤當先知乃纂次建隆以來行事之要爲王講誦大指每至立國規模必歷敘累朝因革損益附見其下本末粲然如示諸掌

攻媿集六十九恭題賜陳傅良宸翰臣仰惟皇帝陛下龍潛嘉邸毓德進學一時宮寮皆出遴選嘗逢誕辰咸獻詩頌既

而置酒高宴初酌黄裳次酌陳傅良各授文書一通致謝再三其一曰上呈翊善其一曰上呈贊讀御名謹封因請問所以謙賜之由陛下爲言二公之詩雖因爲壽而作皆寓警誨之意輒依所惠親書一本復以爲贈以示不忘裳與傅良跽謝而退

南宋館閣續錄九陳傅良三年六月以吏部郎中兼實錄院檢討官是月爲秘書少監十二月爲起居舍人（綏寇治通鑑是年正月即以起居舍人繫銜亦誤）

十一月丙戌日南至上不朝重華宮公上封事辛卯上朝重華宮

宋史本傳初光宗之妃黄氏有寵李皇后妒而殺之光宗既聞之而復因郊祀大風雨遂震懼得心疾自是視章疏不時

於是傅良奏曰一國之勢猶身也壅底則致疾今日遷延某事明日阻節某人即有姦憸乘時爲利則內外之情不接威福之柄下移其極至於天變不告邊警不聞禍且不測矣帝悟會疾亦稍平過重華宮

按本傳所載以文集考之乃除起居舍人後直前劄子也（有臣待罪右史語）先一月長至駕不出公上封事末自記云是時壽皇聖政書成已降指揮十一月十四日進呈忽長至日駕不出宰執以下不勝憂懼是日却付出聖政序內翰李巘獻之所撰也翌日丞相進呈上云可別令人撰入（水心集題跋中書孝廟聖政序藁云光宗更自命公）旣進入宸翰遂出於是過宮

十二月癸卯壽皇聖政書成詣重華宮進讀命轉一官旋除起居舍人又辭免不允。

攻媿集三十五起居舍人陳傅良經進壽皇聖政轉一官勅
具官某朕惟壽皇在御務行聖人之政二十有八年傳祥非
躬懼弗克堪既已申飭史臣謹以事繫日之書又撥其大端
可以爲法於後世者別爲一經追儷二典眞我家之盛事也
爾以一代名儒晚登郎省親擢道山付以史事奏篇來上奉
之慈極從容進讀冠佩儼然茲焉論賞盍先於衆命增一秩
以示儒者之榮尙惟欽哉

按文集寄僧嗣湍詩序云晚爲秘書少監聖政書成被旨
詣重華宮進讀首篇壽皇色甚康顧視良久以宋史及館
閣續錄二考之在是歲十二月四日癸卯公除起居舍人
當在十二月下旬以辭免申省狀二十四日三省同奉聖
旨不允也

四年癸丑五十七歲正月兼權中書舍人辭免不允九月甲申上將朝重華宮皇后止帝公引裾力諫不聽十二月遷起居郎復辭免不允是歲兩乞補外又乞祠祿歸展墓焚黃皆不允

宋史本傳明年重明節復以疾不往丞相以下至於太學諸生皆力諫不聽而方召內侍陳源爲內侍省押班傅良不草詞且上疏曰陛下之不過宮者特誤有所疑而積憂成疾以至爾臣嘗即陛下之心反覆論之自謂深切陛下亦旣許之矣未幾中變以誤爲實而開無端之釁以疑爲眞而成不療之疾是陛下自貽禍也書奏帝將從之百官班立以俟帝出至御屏皇后挽帝囘傅良遂趨上引裾后叱之傅良哭於庭后益怒傅良下殿徑行（按下殿徑行乃明年五月反覆極諫不聽後事史蓋終言之也）

宋史二百四十三光宗慈懿李皇后傳是日百官班列俟帝

出至御屏后挽留帝入曰天寒官家且飲酒百僚侍衛相顧莫敢言中書舍人陳傅良趨進引帝裾請毋入因至屏後后叱曰此何地秀才欲斫頭耶傅良下殿慟哭后使人問曰此何理也傅良曰子諫父不聽則號泣而隨之后益怒遂傳旨罷還宮按此事互見葉紹翁四朝聞見錄及周密齊東野語

行狀給事中兼嘉王府翊善黃公裳以封還除目改兵部侍郎公言給舍封駁是謂官守若以爲是則當聽從若以爲非則當罷黜今陰廢其言而陽遷其官是非不明賞罰倒置不謂淸時有此過舉乞令裳依舊供職以釋在廷之疑五月初四日奏入劄中池州副都統制李逢原就除都統制公言逢原專橫掊尅士伍咸怨淮西總領鄭湜姑按其偏將以警之逢原懼而自劾方詔放罪不應信宿之間遂有遷擢詔依已降指揮公

復繳論之（十二月二十六日奏）陳源除入內內侍省押班給事中駁之
不可已書讀矣公言源僭侈專橫得罪高宗投竄遠方籍入
家產及許逐便以來間有恩命則臣僚相繼論奏悉蒙開納
今瑣闈迫於天威黽勉書讀臣必不敢奉詔草詞（七月二十五日奏入）
（不報）內批張子仁除節度使公言留正輔相初政於今五年待
罪郊外而去留未決趙雄以前宰相起帥江西抱病告終而
恤典不及西陲擁兵十萬吳挺物故擇將不可不謹恤終不
可不至而屏去申奏以爲失實當此時也乃遂加恩於勳舊
之家輕重不倫先後失序臣竊爲聖明惜之詔子仁係勛臣
子可與書行公又言報答勳勞孰與輔初政者之爲親矜憐
後裔孰與專帥閫者之爲重陛下儻下察末議少霽威嚴天
意豁然羣疑冰釋事關廊廟則立賜施行憂在疆場則亟須

處道庶幾國家尊榮朝野欣豫八月十三日奏入留中奏雖不報然陳

源竟不命詞張子仁亦不果授鉞按公爲舍人遇事不可輒封還詞頭反覆論奏殆無虛月此數事尤其犖犖大者

攻媿集三十八起居舍人陳傅良起居郎勑具官某言動之

屬史官固有左右之異朝廷之用賢士豈以日月爲功試之

加詳旨則有在爾窮百氏之學發六經之文身方在於布衣

名已傳於海內外肅既訖衆望愈歸比再入於修門寖擢居

於清貫叩其著述之業登之記注之司螭陛直前善歸明於

朕意鳳池共　能震耀於王言執義不回秉心無競稍遷厥

職以重此官庶幾朝宁之間猶見儀刑之舊載纂高皇之典

仍陪元子之遊益啓乃心毋忘忠告

文集曹序召對光宗驟遷獎用侍立代言贊翊儲邸次第蘊

晝庶將發揮則著於紹熙之癸丑
五年甲寅五十八歲正月壽皇不豫四月丁巳請以親王執政
或近上宗戚一人充重華使不允按公再乞致仕狀云自今三春四次請對頗竭愚忠
上章乞守本官致仕不允五月四日復反覆極諫卽面納休致
劄子繳上告勅出城待罪
神道碑紹熙末年龍樓問寢不以時自大臣而下更進讜言
從班多連名騰奏或同班叩請公自以受不世之遇必欲身
任其責請對直前幾無虛月剴切痛憤指陳利害無所不用
其至蓋嘗贊嘉邸爲中宮言之又嘗奏疏謂臣等在王邸於
古今父子君臣之際人之大倫天地之正義以開導賢王而
會慶闕上觴之禮長至虧稱賀之儀區區口耳之感必不能
勝躬行之化紙上之習必不如家傳之法今既上失三宮之

歉則臣等講讀皆爲容言矣其餘骨鯁之言有敵己以下所不能堪者上終不加譴而言亦不用一日奏云陛下屢許臣以出又令傳旨於廟堂而復不然臣貪戀厚恩未忍決去容臣退思補過更圖入奏若不垂聽則有致爲臣而去耳又從而草奏曲盡事節犯顔極論度上意不回遂上挂冠之奏上雖不受玉音賜可公即申省致仕宰輔留之不可

文集奏事乞休致劄子末自注云五月四日讀前奏事劄子畢即面納休致劄子得旨云甚好甚好當日解官繳納告劄五件申尚書省樞密院

文集跋皇子嘉王賜贐金劄子竊審抗章得請暫爾閒佚啓行有期輒以白金百星聊充贐儀輕浼爲愧指留幸甚乍遠倍加保愛至祝右紹熙甲寅五月四日潛邸所賜也臣是歲

嘗數對上皇論事不合乞休致再不允於是又請對庶幾感悟是日午鼓趨待漏院會從官趙彥逾以下亦同班奏事閤門來約臣令隨衆班俄有旨獨令臣上殿敷奏反復久之天意弗順遂再乞休致忽發玉音甚好甚好留下文字臣就榻前謝且辭下殿再拜退出國門具以聖語申尚書省諫院御史臺及奏知潛邸且請不獲稟達之罪上賜贐金恩出意外

攻媿集二送陳君舉舍人東歸詩皇天生人物千載非偶然沖和兼萬人始得一美賢夫君乃其人人一己百千飛黃欲追風况復勤著鞭文陣早奔放氣欲摩青天短褐東海濱名貫斗牛躔聞道更獨早自言若墜淵出登龍虎榜徑上鵷鷺聯中間幾流落清湘窮泝沿白首始爲郎一見意已傳登瀛上麟臺授簡游兔園擢爲柱下史遂居紫微垣去天眞尺五

朝綱賴扶顛龍樓闕問𥨊萬口爭進言惟君最勇決螭頭屢直前危言破人膽三進加勸拳天高聽亦高歸袂何翩翩高風激頹波同列空慚顏君雖未必去一去勝九遷我欲留孔戣有懷不得專況我自欲去何心挽歸船嗟我生何爲與君幸齊年先後才九日相與同氣然幾年若契闊班心忽差肩判花同代庖君思若涌泉上房草數制下房時一篇一篇輒高妙隗始愧余先春秋隱公傳國史建隆編周官授大旨所得俱未全聚散不可料餞別滄江邊君將處於陵我耕綿上田君行無疾驅中途恐傳宣不然遂成別孤帆渺風煙夢魂不可制隨君墮中川

既行詔改秘閣修撰仍兼嘉王府贊讀不受

攻媿集三十九起居郎陳傅良祕閣修撰嘉王府贊讀敕具

官某漢四皓起商山羽翼之功千古稱之朕則歎爲使高帝能以卑詞厚禮聘之以輔其子則善矣爾以一世名儒羽儀於朝抗議不回引去甚亟爾與吾兒游舊矣爾旣厭直承明之廬予亦閔勞以侍從之事寵之以秘撰之寓職來爲朱邸之賓僚尙遄其行肅副虛佇

按秘閣修撰之除在五月二十八日公已先一月歸矣省劄遞到溫州公辭免劄子有人心不同則匹夫之操不可奪時事難濟則書生之才不足用語

六月壽皇崩光宗不能執喪禪位嘉王是爲寧宗七月除起居郎兼權中書舍人旋除中書舍人俱再辭不允

攻媿集四十新除起居郎陳傅良中書舍人勑朕嗣膺大統收攬羣才朱邸賢僚豈容居外紫垣老手宜俾爲眞具官某

學探聖原文追作者論議多先儒之未發行藏惟古人之與稽相從兩載之餘信爲三益之友謂左氏眞得春秋之旨謂周官實爲太平之書推祖宗之本心明政事之要道昔信其說將行其言首畀故官洊加新渥矧是纂承之始尤資播告之修大老之居海濱是將焉往舊學之遯荒野其遂來歸式遄爾驅以副朕望

又見任侍從該覃恩轉官制朕嗣膺鴻祚祗遹燕謀九五正位之尊何德以稱二百餘年之業得人乃興眷惟禁路之英皆我慈皇之舊爰因覃霈首示優恩具官陳傅良學貫九流名滿四海橫經朱邸遂依日月之光掌制西垣期鼓風雷之號

八月命兼侍講十月赴闕供職

攻媿集四十六侍講陳傅良宣赴經筵供職曲謝宣答詞有
制朕務明政體首闢經帷嘉舊學之來歸喜耆儒之同集其
思忠告以副疇咨
又初講畢案前致詞降殿曲謝有制首頒召命渴想忠猷聳
聞講貫之詳怳若從游之舊克諧朕志益啓乃心
行狀今上受內禪三日詔公歸班又四日除中書舍人公三
辭而後受未至命兼侍講時方博延名德之士進諸朝廷知
潭州朱公熹召爲煥章閣待制侍經筵與公同日造朝班行
相慶公入見首言陛下嗣守丕圖宜上稽孝宗明斷總攬之
政兼體上皇隆寬不自用之美參酌兩朝治體擇其爲天下
後世便者兼行之詔知閤門事謝淵係皇太后親弟特給全
俸令同知樞密院事樓公鑰時爲給事中封還錄黃公言樓

鑰所駁允當望追寢前命臣失於論奏乞正鹵莽之罪因言
陛下臨御未久每事當遵守法度近因臣下妄有陳乞往往
直降內批或與差遣或添請給人從深恐自此浸開倖門願
陛下念付託之重加兢懼之誠凡宮禁請求斷勿垂聽
閏月孝宗將祔廟上僖祖太祖廟議兼直學士院辭免不允朱
公熹以內批除宮觀任便居住封還錄黃請留熹以慰人望
神道碑藝祖東嚮宗廟大典集議至再始正百年之禮而臺
諫有異論鑰極論之丞相趙公宣旨鑰又執不可公從旁力
贊其決而事遂定
行狀兼直學士院會有詔朱熹與在外宮觀公請對將陳其
不可詔俟別日宣引公連疏言朱熹三朝故老難進易退欣
慕聖明幡然一出天下相賀以爲得人則進退之間豈宜容

易內批之下舉朝失色臣不敢書行後四日詔朱熹進寳文
閣待制與郡

十一月兼實録除同修撰薦朱公熹葉公適自代不允
行狀未幾以公兼實録院同修撰公以史事宜有專官再辭
不許阜陵復土上始自重華宮入居大內公首請增置諫員
收用恬退之士詔問民間疾苦上雅敬公每對必虛己以聽
始上在潛邸寮寀誕日以詩爲壽公與翊善黃公詩皆以開
導德性冀有所規益上感二公意各親書其詩謝之於是上
屢趣公爲跋語刋石同進者以上眷公厚始多忌之

十二月提舉江州太平興國宮遂歸瑞安
宋史本傳御史中丞謝深甫論傅良言不顧行出提舉興國
宮

行狀知閤門事韓侂胄浸竊威福倚言路以排斥忠正有上章詆公者詔提舉江州太平興國宮

按公泊釣臺灘下詩今歲纔餘今夜月此舟三泊此江沂蓋十二月望日也公是年五月去國十月赴闕至是又歸凡三過釣臺於是歸瑞安不復出矣

是歲次子師朴以大饗恩補承務郎

寧宗慶元元年乙卯五十九歲六月以潛邸講堂官轉朝散大夫八月丙子令人張氏卒

水心集十四張令人墓志夫人諱幼昭字景惠溫州永嘉人父兄皆儒先生自幼陶染詩禮間事絕異於他女其夫有學行文詞經世之業遠近宗從登門請業通日夜歷寒暑室內常無坐處夫人獨挾一婢治爨貧甚糴米市薪行飯分茗皆

令得潔饌有無未嘗使夫聞之新有田五畝夫之伯氏鬻也將繼室而不得具禮夫人曰鬻此田耳後夫宦頗遂不至乏稍經營兄姊及他親友或一日直取數十百萬錢夫人喜曰士方窮時欲有施與云云爲大言耳今而得酬豈非幸耶過洞庭管押者忽告曰某所行李有盜家人皇駭夫人笑曰即如是所失不過財物若貧即不失矣夫仕上皇屢諫不聽乞致其仕下殿即行新天子嗣統急召使至俄復罷往來業業數月夫人率男女歡笑相隨曰以爲高則余不安以爲罪當遂則宜爾不信方術不崇釋老不畏巫鬼凡其夫所欲向意行不曲折倣古不循俗夫人一切順承曰不如是是吾不能從其夫然而每曰以子之疏且易欲以求知於天者使人亦知之乎宜謗之衆也與夫閱士久士之品儔高下皆能言之

夫所與游夫人則亦與其偶相視遇如娣姒憂樂皆同焉夫
人愛其弟特甚弟死久諱不告過時而後哭之慟絶遂得疾
慶元元年八月二十二日且午曰伯伯何在吾今死不可不
與別薄暮伯氏至夫人曰新婦歸矣夫撫之曰得無記疇昔
所得於論語孟子乎頷之再三而瞑年五十某年月日葬夫
以書來曰吾夢景惠盛服出布帷問焉往曰往見子謝意屬
子銘也又曰常日有不樂未嘗破聲色其女問何以能忍曰
我豈無氣性者耶但寫上墓志不得故不爲爾然則夫人之
期於後遠矣

按是年八月癸丑朔丙子爲二十四日也

二年丙辰六十歲夏降三官罷宮觀屏居杜門榜所居室曰止
齋

行狀慶元二年夏言者復交章詆公詔降三官罷宮觀公屏居杜門一意韜晦榜所居室曰止齋日徜徉其間賓至則相與講論經史亹亹不厭故舊之在朝者或因人問起居公皇恐遜謝而已

神道碑言者指其學術不正罷爲提舉江州太平興國宮慶元二年復劾其在太上朝奏對狂率降三官罷祠

四朝聞見錄止齋實爲寧皇舊學上嘗思之語韓侂胄曰陳某今何在却是好人侂胄對曰臺諫曾論其心術不正恐不是好人上曰心術不正便不是好人耶遂不復召止齋立朝大節俱無愧於師友先皇以疾缺北宮禮其諫諍有古風嘉王之立止齋以舊學有贊策功而阨於韓氏遂不得大拜云

三年丁巳六十一歲籍僞學趙公汝愚朱公熹等五十九人公

與焉
續資治通鑑百五十四慶元三年十二月知綿州王沇上疏乞置僞學之籍從之宰執則有趙汝愚留正周必大王藺四人待制以上則有朱熹徐誼彭龜年陳傅良薛叔似章穎鄭湜樓鑰林大中黃由黃黼何異孫逢吉十三人餘官則有劉光祖呂祖儉葉適楊方項安世李𡌴沈有開曾三聘游仲鴻吳獵李祥楊簡趙汝謙趙汝談陳峴范仲黼汪逵孫元卿袁燮陳武田澹黃度詹體仁蔡幼學黃灝周南吳柔勝王厚之孟浩趙鞏白炎震等三十一人武臣則有皇甫斌范仲壬張致遠三人士人則有楊宏中周端朝張道林仲麟蔣傳徐範蔡元定呂祖泰八人共五十九人
四年戊午六十二歲

按文集戊午壽國舉兄詩云一母分身四白頭從今家事
付兒流据此則公之同産凡四人至是皆無恙而國舉但
知其字餘名字均無可考水心張令人志有經營兄姊語
公殆有兩姊耶
五年己未六十三歲
文集有己未生朝謝莘叟兄送梅等詩
六年庚申六十四歲
文集有庚申上巳等詩
嘉泰元年辛酉六十五歲
二年壬戌六十六歲弛僞學禁復元官提舉太平興國宫閏十
二月有旨與郡辭免不允
三年癸亥六十七歲三月差知泉州以疾力辭授集英殿脩撰

疾益侵請謝事授寶謨閣待制

神道碑嘉泰（今本作定誤）三年集英殿脩撰陳公告老於朝天子歎曰此吾舊學且書命之臣也除寶謨閣待制

四朝聞見錄乙寧皇每飲不過三爵宮中動卻呵殿黃衣至不之避自以補革爲浣紬衣爲便左右至以語激之則應以毋作聰明亂舊章蓋舊學於永嘉陳傅良嘗導上以此故終身不忘

十一月十二日丙子公卒遺奏聞贈通議大夫

行狀以其年十有一月丙子卒於家屬纊酌酒與兄訣凝然而逝年止六十有七積階至朝議大夫爵永嘉縣男訃聞贈通議大夫

神道碑十一月十有二日終於里第享年六十有七積官至

朝議大夫爵永嘉縣開國男食邑三百戶又云遺奏聞贈四官錄其後所以飾其終者如故典門弟子哭之失聲里人聚而相弔四方士夫聞之無不盡傷者

文集曹序宛轉極諫徬徨乞身龍飛急召十旬乃罷爰抒舊志著於訓傳疾㾊漸臻梁木竟殞則終於嘉泰之癸亥

開禧元年三月庚申按正德本神道碑作庚申與攻媿集同行狀及墓志作庚寅今杭本並改作庚寅攷宋史寧宗紀開禧元年三月不書朔以四月戊子朔推之三月無庚寅則正德本神道碑與攻媿集作庚申是也今從之公子師轍等奉喪合葬於所居前山令人之兆

行狀子男二人師轍承務郎新監臨安府鹽官縣買納鹽場師朴承務郎神道碑作迪功郎安豐軍壽春縣主簿女七人長適迪功郎新光化軍司理參軍潘子順神道碑作監鎮江府婈口茶庫次適從政郎福州連江縣丞薛師雍次適迪功郎處州儒學教授林子熙一作燕次

適迪功郎新福州連江縣尉徐冲次適進士張紹次適進士張嶹次未行孫女一人按潘子順知信州上饒縣事雷煥省之子辟師雍戶部侍郎叔似象先子林子燕直龍圖閣林季仲懿成之族廉夫子徐冲工部侍郎徐誼子宜子見文集令人張氏壙志

行狀卒之日室無餘貲田不過二頃其葬也資友朋之賻以集事

攻媿集二十六乞錄用陳傅良之後疏故中書舍人陳傅良以一世名儒爲嘉邸直講最蒙恩遇陛下踐阼之初置之從列爾後困於排抵幾至危殆起知泉州不及赴而卒其家索然次子巳夭長子師轍窮賤孤獨曾經一任改奏京秩年過五十栖遲逆旅所向不偶誠爲可憫臣與傅良爲布衣交後又同朝俱掌內外制情義至厚眞是畏友其學問文章過臣遠甚實不忍其後之不振竊見紹熙中陛下生辰傅良獻詩

大蒙嘉賞親御翰墨寫其詩篇反以賜之臣嘗再拜而爲之
跋奎墨既已刋之樂石敢以墨本及臣跋語同以上進伏望
聖慈俯賜睿覽與念簪履之遺特降恩旨録其嗣子上以見
聖主甘盤遯野之思下以慰傅良沈泉之痛
黄宗羲南雷文定前集七陳定生先生墓志銘陳氏爲止齋
之後由永嘉遷宜興遂爲望族
余兄勤西甌海軼聞云今我邑澍村陳氏鮮有聞者或言
止齋無後讀定生墓志則止齋之後實徙宜興明時遂爲
望族天啓時左都御史贈少保於庭與楊左諸公皆入黨
籍少保子爲定生先生貞慧定生子爲檢討維崧然則君
子之澤遠矣
公所著書見於行狀者有毛氏詩解詁二十卷

按文集曹序作詩訓義以爲未脫虆宋史本傳作詩解詁以爲行於世四朝聞見錄作詩傳亦云方行於世建安袁申儒序其傳末明連江陳氏世善堂書目尚載有止齋詩解抄本本朝朱氏經義考一百七亦作毛詩解詁注曰佚然則公詩說確有成書曹殆未之見歟明世尚有傳抄今則不可復得而其數見於他書所引及文集所及說詩大旨尚可窺其涯略茲皆附錄於後

四朝聞見錄甲止齋陳氏考亭視爲畏友考亭晚注毛詩盡去序文以彤管爲淫奔之具以城闕爲偷期之所止齋得其說而病之謂以千七百年女史之彤管與三代之學校以爲淫奔之具偷期之所私竊有所未安獨藏其說不與考亭辨考亭微知其然嘗移書求其詩說止齋以公近與陸子靜互

辨無極又與陳同父爭論王霸矣且某未嘗注詩所以說詩者不過與門人爲舉子講義今皆毁棄之矣蓋不欲滋陸陳之辨也今止齋詩傳方行於世云建安袁氏申儒爲公門人序其傳末

陳埴木鍾集六止齋謂檜亡爲東周之始曹亡爲春秋之終乃以爲聖人係曹檜之詩於國風之末卽其思周道思治之語爲傷無王無伯之驗愚謂周之東遷豈專關於一檜之亡而春秋之終豈專係於一曹之亡止齋之言是歟非歟案以上問詩序出於漢人不可憑據春秋傷無伯之說亦是說者之談聖人作春秋決不解主張伯道以詩序證春秋自是船上繫船但止齋之言意謂無王無伯之時惟小國滅亡最先故小國思患最切是以聖人繫詩作春秋每於小國觀世變非謂

由此二國致禍也

困學紀聞三止齋曰國風作而二南之正變矣邶鄘曹檜特微國也而國風以之終始蓋邶鄘自別於衛而諸侯浸無統紀及其厭亂思治追懷先王先公之世有如曹檜然君子以爲是二南之可復世無周公誰能正之是故以幽終 按紀聞所引見文集答黄文叔書

文集與朱元晦書二 來徵詩說甚荷 包所見何藥豈向時聚徒所爲講義之類則削槀久矣年來時時諷誦偶有興發或與士友言之未嘗落筆誠有之當於長者有隱耶區區愚見但以雅頌之音簫勺羣慝訓詁章句付之諸生尊意以爲何如

又與張端士書三 毛氏詩傳汨沒有年久欲爲發明之因附

己見其下且以補呂埶之缺自今夏落筆近緣過客廢矣未期其成就也有暇見過略觀綱目爲佳

又書四詩說盡幽風雅頌亦未落筆此書又看天命何如耳

答趙南紀節推書三百篇往往爲訓詁家解駁類　淺迫人意有遠矣謝逌遙嘗說三百篇非易其心而後語者不能此義足可三復公餘但於南雅索之聖賢貴寡怨詩至於可以怨必有道也

又文章策昔者嘗疑夫子於詩之三百篇斷之一辭則曰思無邪夫易也書也春秋禮樂也皆有無邪思也而聖人獨及夫詩蓋思而得之聖人謂是以爲天下之文也出於數人之手非一人也出於數十國之風非一國也出於數百載之間非一世也或出小夫賤隸非止於學士大夫也或出於暴政

虐世非止於寬時暇日也而其辭其義粹焉一軌上之化深下之化厚固如此也

又收民心策昔嘗怪宣王咎己之急辭罪歲之觖望夫咎己之急辭生於自治之不足罪歲之觖望則又窮焉而尤天也而中興之雅實先是詩序詩者顧以爲中興之根本何也彼其心未有係天下之心也宣王之機所藏者甚微而澤之及人者尙自淺也藏乎中甚微非力久則未易以著而澤之所及猶淺則亦難乎遽乎雲漢之旱宣王之惻怛忠愛一旦而大彰彰焉天下以是爲文武成康之心也車攻未作復古之業就矣不然遇災而懼漢唐人主如此者總總也彼其令下而民玩而此則速中興之功未可以言語及也人皆曰雲漢之旱中興之福也無雲漢宣王之仁不加損有雲漢宣王之

仁亦不加益而中興之機也是詩也故嘗爲之說曰啇非興於解網而實興於解網周非興於扇暍而實興於扇暍宣王非興於遇災而實興於遇災聖人之仁不外假以收天下而天下之歸心則嘗有俟也

朱子語類八十一問器遠君舉所說謂關雎如何曰謂后妃自謙不敢當君子謂如此之淑女方可爲君子之仇匹這便是后妃之德

又君舉詩言汝墳是已被文王之化者江漢是聞文王之化而未被其澤者却有意思（按此條欽定詩經傳說彙纂採入）

欽定詩經傳說彙纂引說葛覃詩云知稼穡之勤者飲食則念農功知絲麻之勤者衣服則思女功親執其勞所以心誠愛而不忍棄也

又說釆蘩詩云釆蘩其家人之六二乎无攸遂在中饋言婦人無遂事惟飲食薦享而已釆蘩于沼澗而用之於祭祀其未事則夙夜以致吾力其既事則舒遲以言歸而已

又說雄雉詩不忮不求云忮心生於忿怒求心生於貪慕故人之恥貧賤患難者能不忮則或入於求能不求則或入於忮故忮者常至於嫉人求者常至於枉己

又說泉水載馳竹竿三詩云皆衛女思歸也泉水竹竿作於無事之時故其辭緩以婉載馳賦於故國已亡之日故其辭切以怨

又說淇澳詩善戲謔兮不爲虐兮云謔而善已是中節特言不爲虐以足之耳古人張不廢弛屏不廢逞肅肅不廢雝雝僮僮不廢祁祁有所拘者必有所縱也

又說召旻詩云周南係於周公召南係於召公豈非化之盛者必有待於二公也至於風之終係以豳雅之終係以召旻豈非化之衰者必有思乎二公也

又說三頌云別以尊卑之禮故魯頌以諸侯而後於周間以親疏之義故商頌以先代而後於魯按以上彙纂所引共八條不知採自何書呂氏讀詩記所引永嘉陳氏說則陳氏少南詩解也

周禮說三卷神道碑作周禮進說國史經籍志作十三卷

按文集有進周禮說自序

趙希弁讀書附志上周禮說三卷右朝奉郎祕書少監陳傅良所進也舊刋於止齋集中曹叔遠別爲一書而刻之且爲之說

直齋書錄解題二周禮說三卷中書舍人永嘉陳傅良君舉

撰曰格君心正朝綱均國勢各四篇

文獻通考一百八十一陳君舉周禮說三卷中興藝文志稱傅良之言曰周官之綱領三養君德正朝綱均國勢也鄭注之誤三王制漢儒之言今以釋周禮司馬法兵制今以證田制漢官制皆襲秦今以比周官徐筠學於傅良記所口授而爲書曰微言傅良爲說十二篇專論綱領按徐筠字孟堅滑江人周禮微言凡十卷見玉海三十九

水心集十二黃文叔周禮序同時永嘉陳君舉亦著周禮說十二篇蓋嘗獻之紹興天子爲科舉家宗尚君舉素善文叔論議頗相出入所以異者君舉以後準前由本朝至漢遡而通之文叔以前準後由春秋戰國至本朝沿而別之

王與之周禮訂義序目編類姓氏世次永嘉陳氏傅良字君

舉其說有一集及經進四篇

邱葵周禮全書治周禮姓氏陳氏傳良字君舉永嘉人有講義集說

按周禮說今亦未見然王與之訂義所引獨多及見於朱子語類黃氏日抄者皆可考其大略惟訂義序目謂其說有一集在經進四篇之外殆卽邱氏所謂講義集說歟余姪詒讓曰案中興藝文志謂周禮說十二篇專論綱領今以訂義所引核之其說於名物度數瑣屑繁碎者亦多考覈似不止論綱領如釋考工記車制綜貫羣經釋名辨物最爲詳審而於原目所謂格君心正朝綱均國勢者則無可附麗其爲別有一集殆無疑義

春秋後傳十五卷左氏章指三十卷 按春秋後傳今刻入納蘭成德通志堂經解中章指

未見

樓鑰序曰春秋後傳左氏章指二書故中書舍人陳公傅良之所著也春秋之學不明久矣啖趙之後至於本朝而後有泰山孫先生復尊王之説彌彰公是劉先生敞權衡意林等書考證尤詳伊川程先生頤雖無全書而一序所該聖人之大法備矣自王荆公安石之説盛行此道幾廢建炎紹興之初高宗皇帝復振斯文胡文定公安國承伊洛之餘推明斯道勸講經筵然後其學復傳學者以爲標準可謂大全矣東萊呂公祖謙又有集解行於世春秋之義殆無餘藴止齋生於東嘉天資絶人誦書屬文一旦迥出諸老先生上斂然布衣聲名四出六經之説流行萬里之外而其學尤深於春秋綸非深於此者嘗涉獵諸公之書非不明白然亦不過隨文

辨釋間有前後相爲發明者亦不見體統所在鑰自客授之初卽從止齋游雖不得執經其門嘗深叩之同在西掖時始以隱公後傳數篇相示因爲道春秋之所以作左氏之所以有功於經者其說卓然且曰自余之有得於此而欲著書於諸生中擇其能誦三傳者首得蔡君幼學蔡既壯又得二人焉曰胡宗曰周勉游宦必以一人自隨遇有所問其應如響而此書未易成也未幾去國而鑰亦歸雖若相忘於江湖而朋友之來必以此書爲問雖親炙之者跪以請則曰此某身後之書也既不幸卒於嘉泰三年而此書始出於笥中其壻林子燕最得其傳又四年而後長子師轍與其徒汪龍友以二書來鑰老矣如獲希世之珍屏去他書窮晝夜讀之始盡得其大意嗚呼盛哉蓋未有此書也先儒以例言春秋者切

切然以爲一言不差有不同者則曰變例竊以爲不安公之書不然深究經旨詳閱世變蓋有所謂隱桓莊閔之春秋有所謂僖文宣成之春秋有所謂襄昭定哀之春秋始焉猶知有天子之命王室猶甚威重自霸者之令行諸侯不復知有王矣桓公之後齊不競而晉霸文公既亡晉不競而楚霸悼公再霸而又衰楚興而復微吳出而盟諸夏於越入吳而春秋終矣自杜征南以來謂平王東周之始王隱公遜國之賢君其說甚詳而公以爲不爲平王亦不爲隱公而爲威王其說爲有據依又其大節目如諸侯改元前所未有齊魯諸大國比數世間有世而無年至記厲王奔彘始有紀年古者諸侯無私史乘與檮杌春秋皆東遷之史也書齊鄭盟於石門以志諸侯之合書盟於鹹以志諸侯之散是春秋之終始也

隱桓莊之際惟鄭多特筆襄昭定哀之際惟齊多特筆諸侯
專征而後千乘之國有弑其君者矣大夫專將而後百乘之
家有弑其君者矣宋魯衛陳蔡爲一黨齊鄭爲一黨公會齊
鄭於中邱而後諸侯之師衡行於天下罪莫甚於鄭莊宋魯
齊衛次之而父子兄弟之禍亦莫甚於五國是可爲不臣者
之戒矣齊桓公卒鄭遂朝楚夏之變夷鄭爲亂階侵蔡遂伐
楚以志齊桓之霸侵陳遂侵宋以志楚莊之霸足以見夷夏
之盛衰矣書公孫茲帥師書公孫敖帥師書公子季友卒皆
見三家之所從始首止之盟鄭伯逃歸不盟則書以其背夏
盟也厲之役鄭伯逃歸不書蓋逃楚也夷夏之辨嚴矣自隱
而下春秋治在諸侯自文而下治在大夫有天下之辭有一
國之辭有一人之辭於干戈無不貶於玉帛之使則從其爵

勸懲著矣文十年而狄秦又三十年而狄鄭又五十餘年而狄晉狄鄭猶可也狄晉甚矣旣不於甚則於事端餘實錄而已矣此皆先儒所未發至僖之三十一年四卜郊不從乃免牲猶三望極言魯之用天子禮樂以明堂位之言爲不然惠公始乞郊而不常用僖公始作頌而以郊爲夸引祝鮀之言爲證此尤前所未聞也若左氏或以爲非爲經而作惟公以爲著其不書以見春秋之所書者皆左氏之力章指一書首尾專發此意昔人以杜征南爲左氏忠臣然多曲從其說非忠也公之章指謂君子曰者蓋博採善言禮也者蓋据史舊文非必皆合於春秋或曰後人增益之或曰後人依倣之或以凡例義淺而不取或以例非左氏之意蓋愛而知其惡者乃所以爲忠也又言莊公元年至七年及十九年以後訖終

篇多無傳疑有佚墜公之求於傳者詳矣嗚呼與止齋游前後三十年不得卒業於其門既與殄瘁之悲而後得二書其間尚有欲質疑而不可得此所以撫卷三歎而不能自已也開禧三年冬至日四明樓鑰序

周勉春秋後傳跋曰先生爲後傳將脫藁而病期歲而病革學者有欲速得其書俾傭書傳寫其已削者或留其帖於編增入是正者或揭出弗存也勉官江陵還始得朋友訂正之然已削者可刊帖於編而增入是正者不可復求惜哉勉從先生於桂陽於衡於潭日受經焉及後傳且就先生每語友朋將面授勉使盡質所疑而後出已而暌隔函丈不果質今訂正猶先生之志云嘉定元年七月朔日門人周勉謹書

直齋書錄解題三止齋春秋後傳十二卷左氏章指三十卷

陳傅良撰樓參政大防爲之序大略謂左氏存其所不書以實其所書公羊穀梁以其所書推見其所不書而左氏實錄矣此章指之所以作也若其他發明多新說序文略見之

四庫全書總目二十七春秋後傳十二卷（兩江總督採進本）宋陳傅良撰傅良字君舉號止齋溫州瑞安人乾道八年進士官至中書舍人寶謨閣待制謚文節事蹟見宋史本傳是編有其門人周勉跋稱傅良爲此書將脫藁而病學者欲速得其書俾傭書傳寫其已削者或留其帖於編增入是正者或揭去弗存是今所傳已非傅良完本矣趙汸春秋集傳自序於宋人說春秋最推傅良稱其以公穀之說參之左氏以其所不書實其所書以其所書推見其所不書得學春秋之要在三傳後卓然名家而惜其誤以左氏所錄爲魯史舊文而不知

策書有體夫子所據以加筆削者左氏亦未之見左氏書首所載不書之例皆史法也非筆削之旨公羊穀梁每難疑以不書發義實與左氏異師陳氏合而求之殊失其本故於左氏所錄而經不書者皆以爲夫子所筆削則其不合於聖人者亦多云云考左氏爲春秋作傳非爲策書作傳其所云某故不書者不得經意或有之必以爲別發史例似非事實况不修春秋二條公羊傳尙有傳聞不應左氏反不見恐均不足爲傳良病惟以公穀合左傳爲切中其失耳自王弼廢象數而談易者日增自啖助廢三傳而談春秋者日盛故解五經者惟易與春秋二家著錄獨多空言易騁玆亦明效大驗矣傳良於臆說蠭起之日獨能根据舊文硏求聖人之微旨樓鑰序稱其於諸生中擇能熟誦三傳者三人曰蔡幼學曰

胡宗曰周勉游宦必以一人自隨遇有所問其應如響其考究可謂至詳又其書多出新意而每傳之下必注曰此據某說此據某文其徵引亦爲至博以是立制世之枵腹而談褒貶者庶有豸乎傅良別有左氏章旨三十卷樓鑰所序蓋兼二書言之朱彝尊經義考注曰未見今永樂大典中尚存梗概然已殘闕不能成帙故不復裒錄焉

文集與張端士第二書某病軀日衰弱漸漸了得春秋一書及未啓手足之前更加删潤則自有春秋來未有此書可藉手見古人無怍又第四書某近復苦泄瀉今幸稍愈以年例論之如此浸久是結裹之證也萬事已置勿論惟春秋後傳垂成尚欠删潤不免就病中勉強

讀書譜一卷（神道碑作二卷）

直齋書錄解題四讀書譜一卷陳傅良撰自伏羲迄春秋終以易書詩春秋諸經考世代而附著之共和以下始有年數文集答丁子齊書下問讀書譜近方脫稿自畫易至獲麟聖賢調度盡在此卷若從頭迺推得到分數則異時出處定不草草以此益要團欒如來諭也書譜又辱爲之敍文意俱盛前發藝祖以來諸賢又及邵氏經世書前輩未曾提撥中間一二處未穩更刪定方可

建隆編一卷 一名開基事要一名藝祖通鑑節略讀書附志及玉海皆作十卷

按文集有嘉邸進讀藝祖通鑑節略自序卽此書也

趙希弁讀書附志上開基事要十卷右朝奉郎秘書少監皇子嘉王府贊讀陳傅良所進也自建隆之初迄開寶之末亦曰建隆編曹叔遠序而刻之

直齋書錄解題四建隆編一卷陳傅良撰蓋長編太祖一朝節略也隨事考訂併及累朝始末慶元初在經筵所上按文集自序有嘉邸進讀字則非慶元初所上也書錄所云蓋誤

宋史藝文志二陳傅良建隆編一卷一名開基事要

玉海四十七建隆編陳傅良摭太祖政事起建隆迄開寶書其綱要又考累朝沿革得失疏於下凡以表見立國之初意以建隆命編蓋繫之始年又四十九陳傅良有開基事要十卷亦曰建隆編

制誥集五卷文集三十卷曹序作止齋集五十一卷文獻通攷宋史藝文志並作五十二卷直齋書錄作五十三卷宋三山木五十卷今未見明宏治間王瓚本五十二卷與曹序編次合王序言從秘閣錄出今尚有傳本同時又有坊刻小字安正堂本併爲二十八卷國朝乾隆林上梓本又分爲詩集五卷文集十九卷道光陳石士少宗伯取刊於杭州卷數悉照林本

按文集曹序云凡爲歌辭古律詩內外制奏狀劄子表啓書簡序記雜著祭文墓誌行狀總五十一卷卽先生燕坐之齋以名集今正德本尙存曹編之舊詩九卷（一至九）內外制九卷（十至十八）奏狀劄子九卷（十九至二十七）講筵故事一卷（二十八）壬辰廷對策一卷（二十九）表二卷（三十三十一）啓三卷（三十二至三十四）書簡四卷（三十五至三十八）記一卷（三十九）序一卷（四十）跋二卷（四十一四十二）策問一卷（四十三）雜著一卷（四十四）祭文二卷（四十五四十六）誌銘四卷（四十七至五十）行狀一卷（五十一）此云制誥集五卷文集三十卷蓋尙未定之初本與

見於文集曹序者又有周漢以來兵制（宋史藝文志作漢兵制）皇朝大事記皇朝百官公卿拜罷表皇朝財賦兵防秩官志未脫槀

按歷代兵制今尙有傳本錢氏刻入守山閣叢書餘俱佚

四庫全書總目八十二歷代兵制八卷天一閣藏本宋陳傅良撰
傅良有春秋後傳已著錄是書上溯成周鄉遂之法及春秋秦漢唐以來歷代兵制之得失於宋代言之尤詳如太祖躬定軍制親衛殿禁戍守更迭京師府畿內外相維發兵轉餉捕盜之制皆能撮舉其大旨其總論之中謂祖宗時兵雖少而至精逮咸平後邊境之兵增至六十萬皇祐初兵已一百四十一萬謂之兵而不知戰給漕輓服工役繕河防供寢廟養國馬者皆兵也疲老而坐食前世之兵未有猥多如今日者總戶口歲入之數而以百萬之兵計之無慮十戶而資一廂兵十萬而給一散卒其兵職衛士之給又浮費數倍何得而不大蹙云云其言至爲深切蓋傅良當南渡之時目睹主弱兵驕之害故著爲是書追言致弊之本可謂切於時務者

矣

見於宋史藝文志者又有西漢史鈔十七卷今佚

見於玉海者又有周官制度精華二十卷經義考一百二十三注曰未見

玉海三十九陳傅良徐元德撰

朱子語類八十六於邱子服處見陳徐二先生周禮制度精華下半册徐元德作上半册即陳君舉所進周官說

見於明高儒百川書志者有論孟古義一卷府縣志並作經書古義

百川書志二十論孟古義一卷或曰止齋著又曰王從之著未詳孰是按從之爲金若虛字欒城人金史文藝傳下有傳

陳獻章白沙集七復鄧御史公輔寄新刻陳君舉論孟古義詩云兩漢非三代人才逐世低市朝成畫虎文字笑醯鷄古義昭昭對終篇短短題不因歐六一爭得見昌黎

見於直齋書錄者又有長樂志四十卷

書錄解題八長樂志四十卷府帥清源梁克家叔子撰淳熙九年序時永嘉陳傅良君舉通判州事大略皆出其手按書錄五長樂財賦志下云往在鄞縣訪同官薛師雍子然几案間有書一編大略述三山財計而累朝詔令申明沿革甚詳問所從得辟曰外舅陳止齋修圖經時欲以為財賦一門後緣卷帙多不果入然則此志編輯之力多出公手益信

見於明焦竑國史經籍志者又有書鈔

經義考八十一注曰未見

見於元程端禮春秋本義卷首者又有春秋類說

按程端禮春秋本義卷首春秋傳名氏永嘉陳氏下載有章旨類說後傳三書章旨後傳前已著錄類說別無所見不知程氏何所據也此外尚有講筵孟子講義見經義攷二百三十四蓋卽慶元初以中書舍人兼侍講時所上已

入文集二十八又伊洛遺禮見雍正浙江通志二百四十四伊洛禮書補亡見續文獻通考一百七十四均非公書陳龍川集伊洛禮書補亡序中有述及公語遂致誤收又備邊十策見續通考一百七十九蓋因宋史藝文志著錄偶與漢兵制一卷相連而失其撰人名氏遂以爲一人之書高士送終禮見續通考一百七十六更不可信說並詳余姪詒讓溫州經籍志辨誤

按公少作尚有待遇集見林下偶談四城南集見文集卷末曹叔遠跋俱佚今世所傳尚有論祖五卷見四庫全書總目一百七十四浙江鮑士恭家藏本奥論八卷見千頃堂書目二十九又永嘉先生八面鋒相傳以爲公作並有明時刊本要皆當時舉業程試之用文獻所謂或混幼作

或雜眞贋詭題叢帙誕彌遐陬者此類是也無關大賢述作之旨公登第後輒深自悔而盡焚其舊藁文肅編集嚴加釐別用熄淆亂今姑附見其目於此

文集曹序先生稟抱天穎研盡學力據六經奧會執九經百家之彎俾環嚮以趨於一披剔文義躪藉衆糾究明帝王經世宏模而放於秦漢以下治亂興衰之故獨揭源要不牽多歧由是彰往考來默察當世不平之機深抱大業運於化裁推行不動聲色使人回心而嚮道者其綱領條目靡不該具蓋嘗忘寢廢食審玩熟復庶幾對越天地百世以俟後聖而不惑也雖言論未孚幾進輒汎而志念回皇與物委蛇左推右挽旁接廣誘其任重道遠終老未嘗一日敢忘於斯焉嗚呼盛矣鄒魯之統緒河洛之承續千載以來不知其能幾見

也

行狀公剛毅洞達寬博樂易其爲學先於致知充以涵養默識自得不可企及而篤於躬行周於人情事物兼博約貫精粗不倚於一偏與同志論學必以兢業爲先蓋其所自用功處也事兄恭謹終老不懈自奉淸約閨門肅然其接人委曲周盡人人得其歡心汲引後進如恐不及小善曲藝奬予無倦士多不遠數千里樂從公游公隨其所長誘掖磨琢以成其材

墓志公之從鄭薛也以克己兢畏爲主敬德集義於張公盡心焉至古人經制三代治法又與薛公反覆論之而呂公爲言本朝文獻相承所以垂世立國者然後學之本末內外備矣公猶不已年經月緯晝驗夜索詢世舊繙吏牘蒐斷簡采

異聞一事一物必稽其極而後止千載之上珠貫而絲組之若目見而身折旋其間呂公以爲其長不獨在文字也公既實究治體故常本原祖宗德意欲減重征捐末利還之於民省兵薄刑期於富厚而稍脩取士法養其義理廉恥爲人才地以待上用其於君德內治則欲內朝外廷爲人主一體羣臣庶民並詢迭諫而無壅塞不通之情凡成周之所以爲盛皆可以行於今世視昔人之致其君非止以氣力負荷之華藻潤色之而已也按以上三條皆總論公學行志業大略謹附錄譜末

附載止齋弟子

蔡幼學行之瑞安　曹叔遠器遠瑞安　陳說習之永嘉　章用中端叟平陽

陳端己子益平陽　林頤叔懿仲瑞安　林淵叔懿仲弟瑞安　沈昌叔阜瑞安

朱黼文昭平陽　胡時伯正樂清　林子燕申甫樂清　沈體仁仲一瑞安

錢文子 白石樂清　陳　巖 仲石平陽　林大備 百順平陽　林居實 安之瑞安

林　載 瑞安　胡　宗 太初　周　勉 明叔　王　綽 成叟

呂聲之 大亨新昌　呂沖之 聲之從弟新昌　洪　霖 天台　高　松 國祖福光

倪千里 起萬東陽　徐　筠 孟堅清江　黃　章 觀復新昌　袁申儒 建陽

吳漢英 長卿江陰　吳　琚 居父　胡大時 季隨崇安　沈有開 應先無錫

水心集二十二有墓誌　薛仲庚 子長　貫端老　張端士

滕　璘 德粹婺源　木天駿 德遠瑞安宋元學案曰止齋再傳弟子

補

湯　建 字達可樂清人少爲陳止齋所知篤意就省深造理窟學者尊爲蓺堂先生見萬歷志則亦止齋弟子也

徐邦憲 字文子義烏人宋史四百四徐邦憲傳少穎悟從陳傅良究名物義理以通史傳百家之書紹熙四年試禮部第一人登進士第官至寶謨閣待制謚文肅

趙希錧 字君錫舊名希喆登慶元二年進士第改賜今名宋史四百十三本傳學於陳傅良徐誼官至安德

軍節度封
信安郡公

陳文節公年譜卷終

陳文節公年譜一卷瑞安孫蕖田先生著初余友楊君志林得一寫本見詒藏之十數年今春校印叢書第二輯此寫本先付印告成矣秋九月孫君公達來滬過余談先生之孫也言行篋中有此書家藏寫稿余喜甚輒以印本求覆校公達所攜稿乃先生晚年定稿精贍過于志林所得者遠甚余因悉棄去先所印成者而公達亦樂以其藏稿假余重印卽此卷是也先生生清之中葉同治間官至侍讀學士與其兄太僕琴西先生皆篤志宋永嘉諸儒之學以啓迪後進嘗彙刻鄉先哲遺籍爲永嘉叢書極爲精審生平嗜學至老不倦所著尙有止庵讀書記呂氏春秋高注補正東甌大事記[illegible]付沚年譜海日樓詩文集等書凡若干卷藏於家民國十八年十一月黃羣記

宋明理學家年譜續編

③

國家圖書館出版社

第三册目録

朱子實紀

（明）戴銑輯　明正德八年刻本

刻朱子實紀序

朱子實紀一十二卷，婺源戴氏所編，而刻於歙。熊椎氏予在白鹿洞書院，感朱子生實之事，會續實紀而

覽惻愴俛仰於是該然而
悲焉按實紀末子年二十
一仕七十致仕中間五十
年更事四朝然之官召遇待
制在外者九考之朝則四

十日而已白鹿洞建書院
也時年五十矣猶知南康
軍事於戲何其遇不易至
學哉官不必論孝宗者非
宗子矣明君哉亦不為不

叙以三十年間詔對要撰
啟者一通和啟者三而已
豈所謂易退而寒之者乎
鄉世常言用舍有命為閱
運數故以文章之所而使

賈誼李廣沒於下位有武
帝之好文而董仲舒不能
安諸其朝夫寧之南也斯
則何時而可以漢之二帝
諉耶故知賢而不好是曰

不知好而不閑是曰不好
閑而不專猶不閑也若孝
宗者於公爲閑耶好耶知
耶於戲難之哉當是時大
臣知公者陳俊卿輩數人

年亦寡矣學者已數者繼
引者厄擠者力黃民狀公
行四百年論定必有知愚
言者予讀之未嘗不泫然
而悲也以既沒於是大人

君子宗其學達官顯夫種
其獻言臣文士頌其業門
人發明其授受見者悵其
儀刑闡者敘其緒理譜海
内外遵誦其書於是謚贈

議於上祖廟建於下孫錄
及其子孫蓋論不俟百年
而遂已定何則中平則鑑
物故賢者沮抑於生時而
論無定於身後者以平也

然於宋則何補矣人曰仲尼之不遇春秋之不幸萬世之幸如是則以之遇不遇吾又奚悲戴氏名銑字寶之爲給事中章有告曰

德愈者戴錫也以實紀視
雄々先世名元康者嵩復
朱子祠田也文載實紀中
三人者誠朱子鄉人云
閩正德八年冬十一月朔

賜進士出身中順大夫江
西按察司副使奉
勅提學北郡李夢陽撰并
書

朱子實紀序

朱子實紀紀朱子之始末與夫今昔尊崇之實也舊名年譜今更曰實紀何也謂之年譜則紹乎前彰乎後者不足以該必曰實紀然後并包而無遺亦猶史家有世表年表總謂之實錄也或曰堯舜始末孔子紀于典孔子始末馬遷紀于世家濂溪伊川始末朱子紀于事狀年譜是編亦擬孔朱而作歟銑避席而對曰不然此果齋李氏之書屢經鋟補頗涉渚舛加以事蹟逸于時文寔增于後未有粹其全者銑於朱子受罔極之恩且為鄉後輩

與有曠墜之責過不自揆竊因其舊而脩之釐爲十有二卷以致景行之私非敢妄作也夫堯舜周程之事固賴孔朱以傳乃若孔子雖無世家而六經之昭于萬世者自若朱子雖無實紀亦奚病其書之昭于萬世哉書昭于萬世即道之昭于萬世何賴乎此編也抑朱子嘗言伊川年譜不能保無謬誤此固夫子自道亦足以見紀述之難大賢且然矧區區小子乎同志君子幸原其僭而加訂之使讀之者有以觀朱子德業之全而興起焉得有所據以爲希賢希聖之階則其爲助似當不小爾

正德丙寅歲十月朔旦後學婺源戴銑謹書

朱文公先生年譜序

天生斯民必有出乎其類者為之君師以任先覺之責然而非一人所能自為也必並生錯出交修互發然後道章而化成是故有堯舜則有禹皋陶有湯文則有伊尹萊朱太公望散宜生各當其世觀其會通以盡其所當為之分然後天衷以位人極以立萬世之標準以定雖氣數詘信之不齊而天之愛人闕千古如一日也自比閭節授之法壞射飲讀法之禮無所於行君師之務移於孔子則又有冉閔顏曾群弟子左右羽翼之微言大義天開日揭萬物咸覩自孔

子沒則諸子已有不能盡得其傳者於是子思孟子又為之闡幽明微著嫌辨似而後孔氏之道歷萬世而亡斁嗚呼是不曰天之所命而誰實為之秦漢以来諸儒生於籍去書焚師異指殊之後不惟孔道晦蝕孟氏之說亦鮮知之千數百年間何可謂無人則徃徃孤立寡儔倡焉莫之和也絶焉莫之續也乃至國朝之盛南自湖湘北至河洛西極關輔地之相去何翅千有餘里而大儒輩出聲應氣求若合符節曰極曰誠曰仁曰道曰中曰恕曰性命曰氣質曰天理曰人欲曰陰陽鬼神若此等類凡皆聖門講學之樞

要而千數百年習浮踵陋莫知其說者至是脫然如
沈痾之間大寐之醒至于呂謝游楊尹張侯胡諸儒
切磋究之分別白之亦幾無餘蘊矣然而絕之久而
復之難傳者寡而咻者衆也朱文公先生始以彊志
博見凌高厲空自受學延平李子退然如將弗勝於
是斂華就實反博歸約迨其蓄久而思渾資深而行
熟則貫精粗合外內群獻之精蘊百家之異指毫分
縷析如視諸掌張宣公呂成公同心協力以闡先聖
之道而僅及中身論述靡竟惟先生巋然獨存中更
學禁自信益篤蓋自易詩中庸大學論語孟子悉爲

之徒明演繹以至三禮孝經下逮屈韓之文周程群
張之書司馬氏之史先正之言行亦各為之論著然
後帝王經世之規聖賢新民之學粲然中興學者習
其讀惟其義則知三才一本道器一致幽探乎無極
太極之妙而實不離乎匹夫匹婦之所知大至於位
天地育萬物而實不外乎暗室屋漏之無愧蓋至近
而遠至顯而微非若棄倫絕學者之慕乎高而諱世
取寵者之安於卑也猗其盛歟吾友李公晦方子嘗
輯先生之言行今高安洪史君友成為之鋟木以壽
其傳高安之弟天成屬予識其卷首嗚呼帝王不作

而洙泗之教興微孟子吾不知大道之與異端孰
爲勝負也聖賢既熄而關洛之學興微朱子亦未知
聖傳之與俗學果孰爲顯晦也韓子謂孟子之功不
在禹下予謂朱子之功不在孟子下予生也後雖不
及事先生而與公晦及輔漢卿廣昔者嘗共學焉故
不敢以固陋辭　　年　　月　　日臨邛魏
了翁序

文公先生年譜序

洪武二十七年甲戌秋我文公闕里掌祠事朱境以
書告曰年譜誤鋟諸梓邑賢令佐斯文朋友願就徽

猷敢以序文為請嗚呼大賢君子一動一靜一語一默無非教也況吾文公之年譜乎哉刋以傳示於人固其宜也然在當時年譜與行狀二文並傳故年譜所載求師取友注述本末出處進退居官蒞政前後次第悉詳年月書之而行狀則惟以發明求端用力之精義微旨造道成德之淵奧要歸所以承先聖道統之傳信有在也昔伊川撰明道行狀而伊川之年譜行述則有待於文公嗚呼大賢君子盛德形容良不易易也此康節墓誌所以惟屬之明道而濂溪之行述亦待吾文公而後方為撰述蓋惟聖賢能知聖

賢故也中庸稱仲尼祖述堯舜憲章文武均之爲聖人也達而在上則立君道以正萬方窮而在下則立師道以教萬世堯舜禹湯文武周公達而在上之聖人也立君道以正萬方者也仲尼窮而在下之聖人也立師道以教萬世者也師道之立君道所由以立也先儒有言孔子集羣聖之大成而朱子則集諸儒之大成是亦所謂立師道以教萬世者與今文公之學溥海内外凡有血氣者莫不尊親家有其書人誦其言然經燹之餘此文或不能盡見也以平日仰慕之心誠得此而寓目焉則其感發興起若時雨之霑

溉自有不能已者詩曰高山仰止景行行止其是之謂與若邑令依倡率刋行而前廣西讃衛知事李文徵辭疾家居集議暨工力就厥緒均知崇尚斯文以隆治化咸可尚也故不敢辭以復命于掌祠云是歲之九月三日庚子後學汪仰魯謹序

文公先生年譜重刋序

五星聚奎而機發於先紫氣出井而瑞徵於後天生豪傑斯文在茲則我朱夫子之生也有自來矣其資也至明其質也至粹其氣也至大至剛故其學窮天地之理盡人物之性博極群書折衷羣論直以濟洙

泗之源疏濂洛之流會而通之止於至當之歸孔子曰天之未喪斯文千五百年於此矣其書傳之天下後世徧華流夷讀之者尊之信之於往聖所作先賢所述咸得其指歸而不爲他岐之惑其有功於道學自孔孟而下至周程數子孰有加於此哉新安發源乃朱夫子父母之邦其先世丘墓舊居宅里咸在此啓闕里廟祀攸宜栝蒼葉公公回來爲邑丞既新厥廟復以年譜舊刊本板文字磨滅漫不可辨訛欲重刊爰得舊本君行狀瘞典記文附於年譜之後有與邑之儒士孫对拱悉加校讎補其遺闕正其訛繆命

工鋟梓徵序於予嗚呼文運之興固繫於天道統之傳實在於人我朱夫子自少至老注意經傳銳情治教以斯道為己任積歲累月竟無虛日天地之心生民之命於焉以立木鐸再鳴不可誣也今賢佐復能刋正是編嘉惠後學使得於觀感者如親見先師於平生言是為則行是為法動是為道以為萬世法程甚盛心也故不自揆僭序其畧以表為政者知治化之本云宣德六年冬十二月既望德興後學孫原貞謹序

太師徽國文公像

右像乃朱氏家廟所藏文公六十一歲時所寫真也茲謹模寫卷端使學者得以想見大賢道德之氣象云

朱子實紀凡例

一是書首列道統源派見朱子之學上有所承列世系源派見篤生大賢遠有所自而子孫世次附焉

一果齋李氏著紫陽年譜三卷原本不存久矣宣德間發源刻本頗有踈脫今取朱子語類大全集行狀本傳道命錄李心傳編年譜節略都璘編等書參互考訂訛者正之畧者詳之其論著關繫之大舊或未載而歲月可考者增入逐年之下間有引證及附錄見一二皆稱按以别之

一年譜舊本附錄勉齋黃氏所撰行狀今增以宋史本傳

一朱子故鄉及宦寓之處廟宅祠院在在有之今據一統志徽州志建寧志等書所載以類編入

一朱子門人甚衆今據語錄姓氏（黎靖德編）考亭淵源錄（宋端儀編）等書畧節編載其號稱高第有著述者居先錄有問答及見稱許者次之或姓字爵邑僅存者寘于后惟西山真氏私淑而得正傳配享祠堂故亦入高第之列

一年譜舊本附錄朱子授官誥詞今增以謚識封

誥優崇公移及銘贊祭告諸文

一讃述紀題諸文其作者必稱名尊朱子也名下著其字號爵邑朝代各隨所稱未有所考者闕之

一舊載并新增古今名公詩文凡為朱子而作者其序次惟以廟宅祠院等類為别不以人之先後主於備事亦不敢有所去取

朱子實紀目錄

目錄丞

朱子實紀卷之一

道統源流　世系源流

道統源流

周靈王二十一年庚戌冬十月庚子孔子生名丘字仲尼魯昌平鄉陬邑人仕魯為大司寇攝相事卒魯哀公誄之曰尼父西漢元始元年追謚褒成宣尼公東漢永元四年封褒尊侯後魏太和十六年改謚文聖尼父後周大象二年進封鄒國公隋贈先師尼父唐貞觀二年升為先聖十一年尊為宣父乾封元年贈太師天授元年封隆道公開元二十七年追謚文宣王宋大中祥符元年加謚玄聖文宣王五年改為至聖文宣王元大德十一年加封大成至聖文宣王國朝洪武二年詔封爵仍舊實傳堯舜禹湯文武周公之道為萬世道德之宗主

孔子傳之顏子名回字子淵魯人唐貞觀二年詔配享先聖總章元年贈太子少師開元二十七年加贈兖國公元至順二年加贈復聖公

曾子名參字子輿南武城人唐總章元年贈太子少師太極元年加贈太子太保開元二十七年贈郕伯宋咸淳三年封郕國公配享先聖元至順二年加贈宗聖公

曾子傳之子思子名伋字子思孔子之孫仕衛宋崇寧元年封沂水侯咸淳三年封沂國公配享先聖元至順二年加贈述聖公

子思子傳之孟子名軻字子輿鄒人嘗為齊卿宋元豐六年封鄒國公七年詔配享先聖位次顏子元至順二年加贈亞聖公

至宋濂溪先生周子名惇頤字茂叔號濂溪道州營道縣人仕宋任尚書虞部郎中分司南京贈宣奉大夫謚元淳祐元年追封汝南伯從祀孔子元至順六年加封道國公……

得孟氏不傳之統

周子傳之明道先生程子名顥字伯淳號明道河南洛陽人宋嘉祐二年進士任左丞議郎宗正寺丞謚純淳祐元年追封河南伯從祀孔子元至順六年加封豫國公

伊川先生程子名頤字正叔號伊川明道先生之弟仕宋任左通直郎崇政殿說書贈朝請大夫直龍圖閣謚正淳祐元年追封伊陽伯從祀孔子元至順六年加封洛國公

二程子傳之龜山楊先生名時字中立號龜山劍川將樂縣人宋熙寧九年進士歷官工部侍郎龍圖閣直學士謚文靖　國朝弘治間追封將樂伯從祀孔子

楊先生傳之豫章羅先生名從彥字仲素劍州羅源縣人學者稱豫章先生宋紹興二年以特科授博羅縣主簿謚文質

羅先生傳之延平李先生名侗字愿中劍州劍浦人學者稱延平先生謚

文靖

李先生傳之晦庵先生朱子名熹字仲晦號晦庵徽州婺源縣人宋紹興十八年進士歷官煥章閣待制朝奉大夫謚文累贈通議大夫寶慶三年贈太師追封信國公紹定三年改封徽國公淳祐元年詔從祀孔子元至正二十二年改封齊國公入國朝封謚從祀悉仍宋舊詳見實紀實集諸儒之大成

世系源流

世	名	記
一世	環	朱氏其先吳郡人中徙歙之黃墩唐天祐中瓌為陶雅偏將一云諱古僚以兵三千戍婺源因家焉官制置茶院是為茶院朱氏始祖卒葬邑之連同生子廷儁
二世	廷儁	字文和按朱子作茶院朱氏世譜序云茶院生三子仕南唐補常侍承旨之號云今族譜亦不見然則廷儁固有兄弟矣生子昭元
三世	昭元	字致堯生子惟甫
四世	惟甫	字全美舊稱歙溪府君生子振
五世	振	字文舉舊稱蘆村府君卒葬邑之三公塢配程氏卒葬邑之官坑即世所傳地記當出一賢人聰明如孔子者也按韋齋錄曾祖父作詩後序歙溪生三男注云曾祖蘆村府君其季子也生子絢

六世	絢	字義夫即王橋府君生子森
七世	森	字良材隨子松官閩卒贈承事郎葬政和縣護國寺側生子三松檉槔 ○已上世居婺源
八世	松	字喬年號韋齋政和八年同上舍出身授迪功郎建州政和縣尉調南劍州尤溪縣尉監泉州石井鎮召試館職除秘書省正字循左從政郎召對改左宣教郎除秘書省秘書郎遷著作佐郎尚書度支員外郎
九世	熹	即朱子事實詳見年譜及行狀本傳生子三塾埜在
十世	塾	字受之以蔭補將仕郎卒贈中散大夫葬建陽縣崇政里荼塢文公記其壙陳同父爲墓銘生子二鑑恩 老

縣史館校勘歷司勳吏部兩浙轉奏議郎又轉承議郎出知饒州未上請祠主管台州崇道觀卒葬崇安縣上梅里寂歷山中峯之原贈通議大夫元至正間追謚獻靖有素齋集十二卷生子三伯仲俱夭季熹已下世居建寧

埜

字文之以蔭補迪功郎差監湖州德清新市鎮戶部激賞酒庫卒贈朝奉郎葬建陽縣三衢里龍隱庵生子四
鉅
銓
鋌
鉞

在

字敍之以蔭補承務郎積閏令遷將作監主簿累遷大理寺正知南康軍改知衡州湖州俱不赴奉祠起知信州除提舉浙西常平參議公事加右曹郎兼知嘉興府召為司農少卿充樞密副都承旨出為兩浙運副寶慶二年權工部侍

槔

字逢年號玉瀾
有玉瀾集一卷

檉

部丞除右付
郎丐外除
謨閣待制知
平江府遷煥
章閣待制知
袁州本桐封
建安郡侯卒
贈銀青光祿
大夫襲建寧
府城東光祿
坊永安寺後生
三子欽鑄欽

十一世

鑑　字　仕宋官至奉直大夫湖廣總領睢季父在還居建安之紫霞洲生子浚

十二世

浚　字滐源仕宋官至朝散大夫右文殿脩撰兩浙轉運使燕吏部侍郎廣王丙子元兵至福安州浚不屈死之葬建安縣登僊里之小溪生子二林彬

十三世

林　字公茂仕元任廿洧儒學提舉卒葬建安縣泰溪外里生子五炣熠烇熢耿

十四世

炣　延平府照磨生子三堅堊墉

熠　任將仕郎武平縣主簿卒葬建寧府北門源生子二崟瑩

十五世

堅　生子鎔

堊　生子餘

墉

堂　生子六鑾鐵鍍銅銀錫

崟　府崇浣山長生子五[illegible]

烇 生子垣

熢 柳童生子坪 坪

耿

邵武路照磨

生子五 墪 堡 壇 堈 塲

彬

兩浙儒學提舉濟寧路同知

爍 生子四 烽 煥 爗 圭

子二 墳 墠

熉

煒

垣

坪 生子二 鈍 鈺

龍 生子二 鐸 鍋

堡

壇

堈

塲

墳 生子三 鉞 鍈 鉦

墠

塡 生子鏞

恩老、

鉅 字子大任宜教郎順昌縣令生子二淵濟一本云生子七

淵 生子攡

濟 迪功郎生子三植梁椿

權 生子烱

植 生子二炫烈

煥 生子墱

燿 生子三里仕至

燦 生子逵

烱 生子基

炫 生子堅

墱

里

仕 生子鐵

至 生子鐃

逵

基 生子鉦

堅 生子銘

烈 生子堪

堪 生子鏞

崇

椿 字國壽號友運考亭書院山長生子勲

勲 字文德至元戊寅領鄉薦婚楊子孫回婺源掌祠生子三坤域境一本云生子五

坤 字汝厚居建安生子二鎮鈞

域 字汝壽卒建安生子鏡

銓
知登聞鼓院

鐸
生子沂

沂
生子棠

棠
生子炯

炯
生子三 屋坊坦

境
字汝達
居發源莘祠
生子錮

屋
生子鍪

坊
生子欽

坦

銍

生子[illegible]

鉉

官通直郎两浙轉運判官生子二涇源

涇

生子二楫岩

楫

生子照

照

岩

源

楮

煇

生子楮

生子煇燾

燾

垌

生子二垌埏

埏

鑄

灝

生子四灝沆漆濔									
沆	生子四樺桂栻桉								
樺	生子炘	桂	栻	生子二焞熾	桉	生子三燦熒光			
炘	生子圻		焞	熾	燦	生子二墧張	熒	生子塜	光
圻	生子鍇				墧	張	塜		垾

世								
十六世					欽	生子澤	鎔	生子泮
十七世			溱	生子榕	澤	生子釆	泮	
十八世			榕		釆			
十九世	生子三崖增圭							
二十世	增	圭						

鍨

鑾 生子淞

鐵 生子濬

淞 生子梴

濬 生子三朴枰材

梴 字孟齡國朝景泰壬申詔錄朱子後授梴翰林院五經博士子孫世襲以奉祀事生子燉

朴 生子燿

枰

材

燉 蔭襲翰林院五經博士生子二墾陞

燿

墾

陞

銳

銅

生子二淵泗

淵 生子二機懋

泗 字文魯國朝永樂間領鄉薦歷任壽徐二州判官嘗建議以宋儒黃榦蔡沈劉爚真德秀配享朱子祠生子五楨捋栩楠梱

機

懋

楨 生子二燁炳

捋 生子綸

栩 生子熊

楠

燁

炳 生子堄

綸 生子淦

熊

堄

淦

裀

銀
淳

生子二淳湞
湞

錫
淦
杬
爅

生子淦
生子杬
生子六爅𪸩
爁熅焯炅
𪸩

爁

熅

焯

炅

鐩
汢

生子二注澧	錦	生子溥							
澧	溥	生子三桓桀	擴						
	桓	生子三烝煦熄						桀	生子三燧熾熚
	烝	生子奎	煦	生子掄	熄	生子三堚塒垠		燧	生子三壁墐量
	奎		掄		堚	塒	垠	壁	墇

量
爊 璧
生子二壁璧 壂
燡
櫎 𤑕
生子二熩焜 焜
鎦
鎖
錀
鉋 浪

生子五淥顯海	潑瀾 居邵武				鈺	鐸	鎬	生子六滄湘洪	諱涼油 字文公基
灝	生子檜	海	潑	顯			滄	生子二柃果	湘
檜							柃	果	槐

鉞 生子二澄沅

生子摠 洪 生子榴 潼 涼 池 澄 生子五檳楅櫻梼棡

榴 檳 楅 生子二熠烜

熠 生子墣 烜

墣 埩

	生子三濟濱渭	鉦	鍈						
濵	生子二橒檠	清							
梁	檠	橒		橺	生子焴	擣	生子炌	攖	
						焴		炌	生子埣

			鏞	鏺	鏡	生子浪	鉦	生子淳	鈆
生子二梁槩	渭	生子棐			浪	生子二棟操	淳	生子撌	㳂
槩	棐				棟	操	撌	生子二殍杰	檻
							殍	杰	

生子滐	鏞	生子濱	鎭	生子三汶洲沏					
生子二[illegible]檻	濱	生子二楨椅	汶	生子榿	洲	生子三桐枪椓			
檻	楨	椅	榿	生子二煙爤	桐	枪	生子四炳燃炬煋		
			煙	爤		炳	燃	炬	煋

栐
生子四灼煌燧熯
灼

煌

燧

熯

潮

鈞
潞
栢
蒸

生子二潞洞
生子二栢楠
生子蒸

楠

洞
柰

生子柰

鋭 字子照恭父柩與母回婺源掌桐生子湛

湛 字宗源掌桐封承德郎南京戶部四川司主事生子四 㯖 梂 梁 楨

㯖 字伯承領景泰癸酉鄉薦天順丁丑進士授承德郎南京戶部四川司主事歷陞本司郎中福建都轉運使司運使改兩浙復除福建卒于官生子熜

熜 字孔南掌桐

梂 援宣聖子孫例入監授永年縣丞生子熛

熛

鈿 字子疇生子淥

淥 字宗寧生子二樞栗 梲

樞 生子烱

栗 生子二堅爝

梁 生子煇

楨 字伯幹貢入太學以先賢後奏乞便奉祠授本縣儒學訓導生子二燔炥

煇

燔

炥

烱 生子垣

堅

爝

垣

梘
生子二灴熵
灴
熵
字孔光援例入監授瑞州府知事
鍪
生子澍
澍
生子二榮桂
榮
桂
欽
生子洵
洵
生子二橘格
橘
格
錞
生子游
游

鐯

朱子實紀卷之一

朱子實紀卷之二

年譜

宋高宗建炎四年庚戌九月甲寅朱子生于延平尤溪之寓舍朱子先世居歙州之黄墩唐天祐中遠祖瓌以刺史陶雅命領兵三千戍婺源因家邑之萬安鄉松巖里七傳至韋齋先生松當宣和末尉建之政和丁外艱時方臘亂睦道梗且貧不能歸遂葬其親于政和護國寺之側自後往來僑寓建劍二州是歲館于鄭氏而朱子生焉○按甲寅乃是月十五日相傳朱子生時婺源故宅井中有紫氣見

紹興元年辛亥朱子二歲

二年壬子朱子三歲

三年癸丑朱子四歲○嘗指日問於韋齋曰日何所附曰附於天又問天何所附韋齋奇

之○按行狀云能言韋齋指示曰此天也問曰天之上何物韋齋異之與此所記不同然當是一事其曰能言必三四歲時也

四年甲寅朱子五歲始入小學韋齋與內弟程復亨書云息婦生男名五二今五歲上學矣○按朱子小名沈郎小字季延此云五二蓋以行稱耳

五年乙卯朱子六歲

六年丙辰朱子七歲

七年丁巳朱子八歲通孝經大義書八字於其上曰若不如此便不成人○閒從羣兒嬉遊獨以沙列八卦端坐默視

八年戊午朱子九歲

九年己未朱子十歲自知力學聞長者言輒不忘按語錄云

十數歲時讀孟子至聖人與我同類者喜不可言以為聖人亦易做

十年庚申朱子十一歲　春韋齋出知饒州旋請祠朱子傳學於家庭　初韋齋師豫章羅仲素先生與延平李先生為同門友聞龜山楊文靖公所傳河洛之學獨得古先聖賢不傳之遺意於是益自刻厲痛刮浮華以趨本實日誦大學中庸之書以用力於致知誠意之地自謂卞急害道因取古人佩韋之義名其齋以自警飭朱子之學固有自來矣

十一年辛酉朱子十二歲

十二年壬戌朱子十三歲

十三年癸亥朱子十四歲　三月辛亥丁韋齋憂　韋齋卒于建之水南亭年四十七　稟學于胡籍溪劉草堂劉屏山三君子

之門先是韋齋疾革手自爲書以家事屬少傅劉公子羽而訣于籍溪胡憲原仲、白水劉勉之致中、少傅之弟子翬彥冲、且顧謂朱子曰此三人者吾友其學皆有淵源吾所敬畏吾即死汝往父事之而惟其言之聽韋齋殁少傅爲築室於其里第之傍朱子遂奉母夫人遷而居焉乃遵遺訓稟學于三君子之門三君子撫教如子白水劉公以其息女妻焉然不數年二劉公相繼而下世獨事籍溪胡公最久○朱子作屏山墓表有云先生病時某以童子侍疾一日請問平昔入道次第先生欣然告曰吾於易得入德之門焉所謂不遠復者乃吾之三字符也汝尚勉之又命字祝詞有云木晦於根春容曄敷人晦於身神明内腴又云子德不日新則時予之恥言而思毖動而思躓凛乎惴惴惟顏曾是畏其期望之意如此朱子晚歲猶書門符曰佩韋遵考訓晦木謹師傳蓋識父師之誨也草堂墓表有云初在太學訪伊洛程氏之傳得其書而抄誦之聞涪陵譙天授嘗從程子遊兼邃易學即往扣焉盡得其學之本末遂熹錄牒而歸過南部見元城劉公過毗陵見龜山楊公皆請業焉先生拜受其言精思力行踐履日以莊篤籍溪行狀有云先生從胡文定公學始聞河南程氏之說又嘗受學于譙公其言曰心為物潰故不能有見惟學乃可明耳於是謂然嘆曰所謂學者非克己功夫也耶由是一意下學不求人知一旦謂諸生歸故山文定稱其有隱君子之操朱子所得於三君子者大略如此

十四年甲子 朱子十五歲

葬韋齋于西塔山在崇安縣五夫里其後改葬于武夷鄉上梅里寂歷山中峰之原○按朱子皇考遷墓記云乾道六年七月遷之白水鵝子峯下行狀又云慶元某年某月遷于寂歷山豈韋齋之墓嘗再遷歟然行狀成於慶元五年止云初葬地勢卑濕不著白水之遷又不載寂歷的遷年月者竊意當乾道間墓記雖成不果于遷其後朱子卜遷寂歷但明年庚申朱子沒矣不知寂歷之遷果在何歲也

十五年乙丑 朱子十六歲○按語錄云某年十五六時見呂與叔雖愚必明雖柔必強

一段解得痛快讀之未嘗不竦然警厲奮發

十六年丙寅 朱子十七歲○按語錄云某年十六七時喫了多少辛苦讀書

十七年丁卯 朱子十八歲 秋請建州鄉舉 考官蔡茲謂人曰吾取中一後生三篇策皆欲為朝廷措置大事他日必非常人○按語錄云某年十七八讀中庸大學每早起須誦十遍

十八年戊辰 朱子十九歲 春登進士第 王佐榜第五甲第九十人○按語錄云某少年時做得十五六篇義後來只如此發舉及第人但不可不會作文字及其得也只是如此或問先生省試報罷時如何曰某是時已自斷定若不過省定不復應舉矣又云某年十五六亦嘗留心于禪一日在劉病翁所會一僧與之語見他說得也煞好及去赴試時便用他意思去胡說試官為某說動了遂得舉 夏准勅賜同進士出身

十九年己巳朱子二十歲○按語錄云某十七八歲讀孟子至二十歲只逐句理會更不通透二十歲後方知只恁地熟讀自見得意思又云自十五六至二十歲史書都不要看但覺得沒要緊不難理會又云二十歲前得上蔡語錄觀之初用朱筆畫出合處再觀用粉筆三觀用墨筆數過之後全與元看時不同矣又云二十歲前已看得書大意如此又跋曾南豐帖云某年二十許時便喜讀南豐先生之文而竊慕效之

二十年庚午朱子二十一歲春始歸婺源省丘墓宗族按虞學士集作復田記略云韋齋之仕于閩嘗質其先田百畝以為資同邑張敦頤教授于婺請為贖之韋齋沒敦頤以書歸朱子於喪次而歸田焉至是朱子省墓婺源以租入充祭祀省掃之用○時董琦侍朱子於鄉人之坐酒酣坐客以次歌誦朱子獨歌離騷經一章吐音鴻暢坐客竦然○有帖與內弟程洵論詩且曰學者所急亦不在此學者之要務反求諸己而已語孟二書精之熟之求所以

見聖賢用意處佩服而力持之可也○按語錄云縣有五通廟最靈怪衆初還或勸謁之不往是夜會飲灰酒遂動臟腑次日又偶有蛇在階旁衆以為不謁廟之故因告以某幸歸此去祖墓甚近若能為禍福請即葬某於祖墓之旁甚便其特立之操亦可見矣

二十一年辛未朱子二十二歲春銓試中等○夏告授左迪功郎泉州同安縣主簿

二十二年壬申朱子二十三歲

二十三年癸酉朱子二十四歲夏始受學于延平李先生之門李先生愿中受學于羅公仲素龜山倡道東南從遊甚衆語其潛思力行任重詣極者羅公一人而已李先生實得其傳同門皆以為不及然樂道不仕人罕知之沙縣鄧迪天啓嘗曰愿中如冰壺秋月瑩徹無瑕韋齋深以為知言朱子少耳熟焉至是將赴同安故往見之○初朱子學靡

常師出入於經傳泛濫於釋老者亦既有年及見延平洞明道要頓悟異端之非盡能掊擊其失由是專精致誠剖微窮深晝夜不懈至忘寢食而道統之傳始有所歸矣〇朱子嘗言初師屏山籍溪卽見於道未有所得乃見延平又云自見李先生為學始就平實乃知向日從事於釋老之說皆非又云初見李先生說得無限道理李先生曰公恁地懸空理會得許多道理而面前事却理會不下道亦無他玄妙只在日用間着實做工夫處便自見得其後來方曉得他說故今日不至於無理會耳又云赴同安任時年二十四始見李先生告之學禪李先生但曰不是再三質問則曰且看聖賢言語某遂將所謂禪權倚閣起取聖賢書讀之讀來讀去日復一日覺得聖賢言語漸漸有味却回頭看釋氏之說漸漸破綻罅漏百出又云李先生令去聖經中求義理其後刻意經學推見實理始信前日諸人之誤又云沈元用問尹和靖伊川易傳何處是切要尹云體用一原顯微無間此是最切要處舉以問李先生李先生曰尹說固好然須是看得六十四卦三百八十四爻都有下落方始

說得此語若學未嘗予細理會便與他如此說豈不誤他其間之悚然始知前日空言無實全不濟事自此讀書益加詳細○延平與其友羅博文宗禮書曰元晦進學甚力樂善畏義吾黨鮮有又云此人極穎悟力行可畏講學極造其微處渠所論難處皆是操戈入室須從原頭體認來所以好說話其昔於羅先生得入處後無朋友幾放倒了得渠如此極有益渠初從謙開善處下工夫來故皆就裏面體認今既論難見儒者路脈極能指其差誤之處自見羅先生來未見有如此者又云此子別無他事一味潛心於此初講學時頗為道理所縛今漸能融釋於日用處一意下工夫若於此理熟則體用合矣此道理全在日用處熟若靜處有而動處無則非矣○按已上數條蓋非一時語以其歲月無考因聯書之

秋七月壬寅之同安任丁酉子塾生

蒞職勤敏纖悉必親郡縣長吏事倚以決苟利於民雖勞無憚廨有燕坐之室更名曰高士軒而以令甲光薄所當為者大書揭之楣間職兼學事身率諸生規矩甚嚴厲以誠敬開以義理初士子尚

俗故態，食已則去。朱子爲文勸諭之，以爲學如不及，猶恐失之，此君子所以孳孳焉，愛日不倦而競尺寸之陰也。今或聞諸生晨起入學，未及日中而各已散去，豈愛日之意哉？蓋今日之學者舍科舉之業則無爲也，故苟足以應有司之求，則至於惰遊而不知反，使古人之學止於如此，則可以得志於科舉斯已矣。所以孳孳焉愛日不倦以至乎死而後已者，果何爲而然哉？諸君苟思於科舉之外而知所以爲學，則將有欲已而不能者。因選邑之秀民充弟子員，得許生升而愛敬之，有柯翰者家居教授，常百餘人，行峻不爲苟合，遂請爲學職，衆皆有所嚴憚，不敢爲非，又以爲區區防之於法制之末，而理義不足以悅其心，則亦無以使之知所趣而興於行，乃增修講問之法，使職事諸生相與漸摩理義，有以博其心，規矩有以約其外，學者翕然從之，以至學舍講坐齋舍悉加整葺云。○按七月下先紀壬寅，次丁酉，則壬寅二字必有一字誤。

二十四年甲戌　朱子十五歲　七月子埜生

二十五年乙亥朱子二十六歲正月請于帥府盡模府中所有書以歸建經史
閣以藏之而為之守視出內暴涼之禁又料簡
故匱治平中所藏書得尚可讀者二百餘卷悉上
于閣學者得以覽觀焉○立故丞相蘇公頌祠以
學術名節為可師也○縣學釋奠舊例止以人吏行
事朱子至求政和五禮新儀印本於縣無之乃取
周禮儀禮唐開元禮紹興祀令更相參考畫成禮
圖訓釋辨明纖悉畢備執事學生得以日夕觀覽
臨事無舛○朱子常病州縣之間士大夫庶民之
家行禮為難因考釋奠儀著論以為宜取政和禮
凡州縣官民所應用者別加纂錄號曰禮略刊印
而頒之州縣刊印而頒之民間擇士之篤學
好禮者誦其說習其容州縣各為若干人庠之於
學使行禮者有攷焉其祭器祭服皆給一為式使
州縣倣而備之禮書之未備則更加攷正而皆為
之圖與書並頒而藏之其奉於禮如此○按語
錄云在同安夜聞鐘聲聽其一聲未絕而此心已
自走作因此警懼乃知
為學須是專心致志

二十六年丙子朱子二十七歲七月考滿代者不至按語錄云同安簿滿到泉州候批書客邸借得孟子一冊子細讀方曉得本意冬奉檄走旁郡因送老幼東歸

二十七年丁丑朱子二十八歲春返同安館于陳氏○六月作畏壘庵記

冬十月代者卒不至以四考滿罷歸其去也士思其教民懷其惠相與立祠于學

二十八年戊寅朱子二十九歲正月見李先生于延平○

十一月以養親請祠十二月差監潭州南嶽廟歸自同安彌樂道其於仕進泊如也

二十九年己卯朱子三十歲○三月作謝上蔡語錄後序八月召赴行

在辭用執政陳俊卿薦也十一月省劄趣行辭朱子方控辭會言路有託抑奔競以沮之者以故不就○是歲籍溪胡公由司直改正字將就職朱子送行有詩曰執我仇仇詎我知謾將行止驗天機猿驚鶴怨渾閑事只恐先生袖手歸其後又寄詩曰先生去上芸香閣閣老新峩豸角冠留取幽人臥空谷一川風月要人看甕牖前頭翠作屏晚來相對靜儀刑浮雲一任閑舒卷萬古青山只麽青詳味此詩則朱子任道自重之意亦可畧見五峯胡氏曰此詩有體而無用因賡之曰幽人偏愛青山好為是青山青不老山中雲出雨太虛一洗塵埃山更好似為籍溪解嘲以其皆是歲事足以互相發明故附焉

三十年庚辰朱子三十一歲冬見李先生于延平退寓舍傍西林院閱月而後去○按是歲延平與朱子書云聞召命不置復有指揮今來亦執前說辭之甚佳蓋守之已定自應如此

三十一年辛巳朱子三十二歲○冬有與黃樞密論恢復書

三十二年壬午朱子三十三歲春迎謁李先生于建安遂與俱歸延平復寓西林者幾月○汪端明應辰嘗稱朱子師事延平久益不懈每一去而復來則所聞必益超絕蓋其上達不已日新如此夏五月祠滿復請六月

孝宗即位詔求直言八月應詔上封事是月得祠其略曰帝王之學必將格物致知以極夫事物之變使夫事物之過乎前者義理所存纖微畢照則自然意誠心正而所以應天下之務者得矣至於記誦華藻非所以探淵源而出治道虛無寂滅非所以貫本末而立大中也又曰今日之計要在脩政事攘夷狄而已然其計所以不時定者講和之說疏之也又以陛下前日所號召者皆天下所謂忠臣賢士也誠與之共圖天下之事使疏而賢者雖遠不遺親而否者雖邇必棄毋主先入以致偏聽獨任之譏毋篤私恩以犯示人不廣之戒進退

取舍惟公論是從則朝廷正而內外遠邇莫不於正矣不報○十月作論語纂訓序

孝宗隆興元年癸未朱子三十四歲三月再召辭七月丁酉行十月至行在辛巳入對垂拱殿其略曰大學之道本於格物格物者窮理之謂也謂之理則無形而難知謂之物則有迹而易覩必因物求理使瞭然無毫髮之差則應事自然無毫髮之謬是以意誠心正而身脩家齊國治而天下平勸講之臣所以聞於陛下者不過記誦詞章之習而陛下又不過求之老子釋氏之說是以雖有生知之性高世之行而未嘗隨事以觀理故天下之理多所未察未嘗即理以應事故天下之事多所未明是以舉措之間動涉疑貳聽納之際未免蔽欺由不講乎大學之道而溺心於淺近虛無之過也願博訪真儒知此道者講而明之則今日之務所當為者不得不為所不當為者不得不止上為之動容次論今之論國計者三曰戰曰守曰和此三說者是非相攻可否相奪談者各飾其私聽者不勝其惑由不折衷於義理

之根本而馳騖於利害之末流故也君父之讐不共戴天者乃天之所覆地之所載凡有君臣父子之性者發於至痛不能自已之同情而非專出於一己之私也國家之與北虜其不可與共戴天明矣今日所當為者非戰無以復讐非守無以制勝此皆天理之自然非人欲之私忿也三論先王制御夷狄之道其本不在威强而在乎德其備不在邊境而在朝廷其具不在兵食而在乎紀綱須開納諫諍黜遠邪佞杜塞倖門安固邦本四者為急先之務庶幾形勢向强而恢復可冀矣時朝廷遣王之望使虜約和未還宰臣湯思退等皆主和議而近習曾覿龍大淵招權故奏及之三劄所陳不出封事之意而加剴切焉○先是朱子將趍召命問李先生所宜言以為今日三綱不立義利不分故中國之道衰而夷狄盛人皆趍利而不顧義而主勢孤朱子首用其說以對○按朱子與魏元履帖云初讀第一奏論致知格物之道天顏溫粹酬酢如響次讀第二奏論復讐之義第三奏論言路壅塞佞幸鴟張則不復聞聖語矣

十一月戊辰除武學博士待成

資闕拜命遂歸是歲論語要義成有目錄序論語訓蒙口義成

既序次論語要義又以其訓詁畧而義理詳殆非啓蒙之要因為刪錄以成此編按此書當是成於

元年二年之間○正月答陳漕書論鹽法六月答汪尚書書論龜山語錄其後又屢論之

二年甲申朱子三十五歲正月之延平哭李先生比葬又往會○

先是閩帥汪應辰延請李先生至帥治坐語未終而卒困學恐聞編成朱子嘗以

用學名其燕坐之室因目其雜記之編曰困學恐聞按此書當是成於此年及次年春

乾道元年乙酉朱子三十六歲四月請祠先是省劄趣就職既至而執政錢端

禮等復主和論不合請祠歸五月差監南嶽廟拜命六月作戊午讜議序

云戊午之讜發言盈庭其曰虜世讎不可和者尚書張公闡左史胡公銓而止耳自餘亦有謂不可

和者而其說不出於利害之間又其餘則忘其讎背之言或告之則曰處士之大言耳因讀魏元

發所序次戊午讜議為之流涕

二年丙戌朱子三十七歲

三年丁亥朱子三十八歲八月如長沙訪南軒張公道經

昭武謁黃端明端明名中孚通老朱子以其齒德俱尊故先之以書請納再拜之禮而見之○九月抵長沙留止兩閱月而行○按朱子與曹晉叔書云此月八日抵長沙今半月矣荷敬夫愛予甚篤相與講明其所未聞日有問學之益敬夫學問愈高所見卓然議論出人意表近讀其語說不覺胸中灑然誠可歎服又南軒贈行詩曰遺經得紬繹心事兩綢繆超然會太極眼底無全牛朱子答詩曰昔我抱冰炭從君識乾坤始知太極蘊要妙難名論謂有寧有迹謂無復何存惟茲酬酢處特達見本根萬化從此流千聖同茲源曠然遠莫禦惕若初不煩又中和舊說序云予蚤從延平李先生學受中庸之書求喜怒哀樂未發之旨未達而先生歿聞張欽夫得衡山胡氏學則

往從而問焉是時范念德侍行嘗言二先生論中庸之義三日夜而不能合其後朱子卒更定其說以此觀之則二先生晤聚講論而深相契者大畧可見而未發之旨蓋終有未合也十一月

庚午偕南軒登衡嶽至潭州而別有南嶽唱酬集已丑除樞密院編脩用執政陳俊卿劉珙薦也越二日拜命十二月至自長沙與南軒別後遂偕范伯崇林擇之東歸掇拾道中所作詩得二百餘篇名東歸亂槀

四年戊子朱子三十九歲四月崇安饑朱子貸粟于府以賑之時盜發浦城崇安人情大震朱子請于府貸粟六百斛籍户口散給之民以不饑是冬有年民願償粟於官知府事王淮俾留里中而上其籍於官社倉之法始此編次程氏遺書成初二程子之門人各有所錄雜出並行間頗為後人竄易至是序次有倫去取精審學者始有定從而程子之道復明于世○凡載書成皆以序文歲月為定五月兩被省劄

趣就職（七月中省乞嶽祠劄差遣）七月大水奉府檄行視水災

省劄再趣就職又辭（時國子學錄魏掞之以論曾覿去國朱子遂力辭辭見次）

年夏秋與陳丞相汪尚書諸書

五年己丑（朱子四十歲）正月戊午子在生（○六月作大極通書後序）

九月戊午丁母孺人祝氏憂（八月省劄復趣行會丁祝孺人憂歙處士確之女後贈碩人追封粵國夫人○按朱子於父母墳墓所託之鄉人必加禮敬已以上則拜之）

六年庚寅（朱子四十一歲）正月癸酉葬祝孺人于後山天湖之陽（在建陽縣崇泰里名曰寒泉塢先生自作壙記）家禮成（朱子居喪盡禮既葬日居墓側旦望則歸奠几筵蓋自始死至祥禫參酌古今咸盡其變因成喪祭禮又推之於冠婚共

為一編命曰家禮既成為一童行竊去至易簀後其書始出其間有與先生晚歲之論不合者黃榦云所輯家禮世多用之然其後亦多損益未暇更定○七月作皇考朱府君遷墓記十二月

召赴行在以喪制未終辭侍郎胡銓以詩人薦與王庭珪同召

七年辛卯朱子四十二歲三月省劄候服闋依已降指揮

〇八月五夫三里刱立社倉朱子所居之鄉每歲春夏之交豪户閉糴牟利細民發廩強奪動相賊殺易至挺變遂因前所貸米刱立社倉為倉三亭一門墻守舍皆備其規畫條約見社倉須知及社倉記又延和奏劄云臣等措置每石量收息米二斗自後逐年依此斂散或遇小歉即蠲其息之半大饑即盡蠲之至今十有四年支息米造成倉廒三間收貯已將元米六百石納還本府其見管三千一百石並係累年人户納到息米已申本府照會將來依前斂散更不收息每石只收耗米三升係臣與本鄉土居官及士人數人同共掌管遇斂散時即申府差縣官

一則監視出納以此之故一鄉四五十里之間雖遇凶年人不闕食十二月趣行以祿不及養辭省劄檢會服制已是從吉令依已降指揮疾速起發○按大全集此月省劄趣行至次年正月建寧府遞到二月始謝恩具辭則前此未嘗辭也以祿不及養辭六字疑衍

八年壬辰朱子四十三歲正月編次論孟精義成初學者讀二書未知折衷至是書出始知道之有統學之有宗因而興起者甚衆○是書初名要義改今名最後更名曰集義二月以祿不及養辭○四月再趣行有旨林析朱熹依已降指揮疾速起發赴行在資治通鑑綱目成初司馬公既編成通鑑又著目錄又著舉要曆胡文定公又著舉要補遺朱子因二公四書別為義例表歲以首年而因年以著統大書以提要而分註以備言大畧綱倣春秋而兼採羣史之長目倣左氏而稽合諸儒之粹自有通鑑以來未有此書其後再加更定未畢然大經大法則已粲然矣六月省劄趣行

辭以遺期親服辭十月西銘解義成自二程子皆推西銘為擴前聖所未發遊其門者必令看大學西銘而未有發明其義者朱子首為之解十二月省劉再趣行辭○八朝名臣言行錄成按此書之成歲月無考然觀大全集此書序列于綱目序後當在是年或次年成耳

九年癸巳朱子四十四歲三月省劉再趣行又辭且乞差監嶽廟

四月太極圖傳通書解成其序畧曰周子之學其妙具於太極一圖通書之言皆發此圖之蘊而程子兄弟語及性命之際亦未嘗不因其說然周子既手以授二程而程本因附書後傳者見其如此遂誤以圖為書之卒章不復釐正使立象盡意之微旨晦而不明而驟讀通書者亦不復知有所統概矣○序尹和靖言行錄五月有旨特與改秩宮觀辭朱子既累辭召命宰相梁克家因奏朱某累兩召不起宜蒙褒錄上曰朱某安貧守道廉退

可嘉特與改合入官主管台州崇道觀任便居住六月編次程氏外書成遺書外取諸集錄參伍相除得十有二篇名曰外書而二程子之遺言備矣○九月序中和集解

十一月省劄檢會依已降指揮行下

淳熙元年甲午朱子四十五歲二月辭○三月省劄檢會不許辭免指揮行下又辭○五月省劄再檢會依已降指揮六月拜命初朱子以為改官賦祿蓋朝廷進賢賞功優老報勤之典乃使小臣終年安坐一日無故而驟得之求退得進義所不安故三具辭免遜避適年上意愈堅始拜命

二年乙未朱子四十六歲五月東萊呂公來訪講學于寒泉精舍編次近思錄成呂公自東陽來會留止旬日相與掇周子程子張子

書關大體而切日用者彙次成十四篇號近思錄朱子嘗語學者曰四子六經之階梯近思錄四子之階梯蓋言為學當自此而入也○其後守臨漳日添入數條刊之于學

錢東萊至鵝湖陸子壽子靜來會東萊歸朱子送之至信之鵝湖寺江西陸九齡子壽弟九淵子靜及清江劉清之子澄皆來會相與講其所聞二陸俱執己見不合而罷○鵝湖辯論今無所考子壽詩云孩提知愛長知欽古聖相傳只此心大抵有基方築室未聞無址忽成岑留情傳註翻榛塞着意精微轉陸沉珍重友朋勤琢切須知至樂在如今子靜和云墟墓興哀宗廟欽斯人千古不磨心涓流積至滄溟水拳石崇成泰華岑易簡工夫終久大支離事業竟浮沉欲知自下升高處真偽先須辨只今朱子和云德業風流夙所欽別離三載更關心偶扶藜杖出寒谷又枉籃輿度遠岑舊學商量加邃密新知培養轉深沉却愁說到無言處不信人間有古今以詩觀之則學之同異可略見矣其後子壽頗悔其非而子靜終身守其說不變○後東萊與朱子書云子靜留幾日鵝湖

氣象已全轉否君只說一節一目上受人琢磨其益終不大也朱子答書云子靜舊日規模終在其論爲學之病多說如此即只是意見如此即只是議論如此即只是定本其因與說既是思索即不容無意見既是講學即不容無議論統論為學規模亦豈容無定本但隨人材質病痛而救藥之即不可有定本耳渠卻云正為多是邪意見閑議論故為學者之病某云如此即是自家呵叱亦過分了須着邪字閑字方始分明不教人作禪會耳又教人恐須先立定本卻就上面整頓方始說得無定本底道理今如此一槩揮斥其不為禪學者幾希矣渠雖唯唯然終亦未窮竟也又答書云子壽雖已轉步而未曾移身然其勢久之亦必自轉回思鵝湖講論時是甚氣勢今何止什去七八邪又云子靜之病恐未必是看人不看理自是渠合下有些禪底意思又答趙子欽書云子靜後來得書愈甚於前大抵其學於心地功夫不為無所見但便欲恃此陵跨古今更不下窮理細密功夫卒并與其所得者而失之人欲橫流不自知覺而高談大論以為天理盡在是也則其所謂心地功夫者又

安在哉

七月作晦庵於蘆峰之雲谷有雲谷記○跋袁機仲通鑑紀事本末

三年丙申朱子四十七歲二月歸婺源省先墓有歸新安祭墓及祭告遠祖墓文時邑令張漢率諸生請講書于學辭復請撰藏書閣記許之而以程氏遺書外書文集經說司馬氏書儀高氏送終禮呂氏鄉約鄉儀等書留學中口與鄉人子弟講學于汪氏之敬齋隨其資稟循誘不倦至六月初旬乃去○按朱子答東萊書云取道浦城以往自常山開化趨婺源又云李通旦夕或同過婺源然後入浙又云某十二日早達婺源作到一番人事冗擾更一兩日徧走山間墳墓歸亦不能久留也又作茶院朱氏譜序云唐天祐中陶雅為歙州刺史初克婺源乃命吾祖領兵三千戍之是為制置茶院府君卒葬連同子孫因家焉先吏部於茶院為八世孫宣和中始官建之政和而葬承事府君於其邑遂為建人淳熙丙申熹還故里將展連同之墓則與方夫人十

五公、馮六人之墓皆已失之因至詢訪得其[illegible]同光域所在乃率族人言於有司而後得之[illegible]而三墓者則遂不可復見至於廬村府君其墓在遠居故里者尤當以時相率展省更力訪求三墓而表識之以塋子孫之貴而熹之曾大父王播府君無他子其墓在故里者特有薄田於其下得以奉守不廢當質諸有司以為祭田使後之子孫毋得鬻云又按程學士敏政送朱子裔孫琳序云聞之長老淳熙中文公歸展祖墓既然思返其故廬因狀西山蔡元定與俱蔡氏雖精于堪輿之說而貴則闕產力勸文公還闕則先生平日惓惓于新安之山水可知已○已上數條有關省墓特事故附焉

六月、除祕書省祕書郎、辭、云○七月凡答汪尚書書熹猶介之性矯揉萬方而終不回迂疎之學用力既深而自信愈篤以此自知決不能與時俛仰以就功名故二十年來甘自退藏以求己志所願欲者不過脩身道以終餘年因其暇日諷誦遺經參考舊聞以求聖賢立言本意之所在既以自樂間亦筆之於書以與學者共之且以待後世之君子而已此外實

無毫髮餘念也。八月，不允再辭，仍舊宮觀。時上諭大臣欲奬用恬退之士，參政龔茂良以朱子操行耿介屢召不起為言，遂有此除。朱子以改官之命正以嘉其恬退之節，今乃冒進擢之寵，是左右望而罔市利，乃歸。會有言虛名之士不可用者，以故再辭，遂差主管武夷山沖佑觀。十一月，令人劉氏卒。次年二月葬於建陽縣之唐石大林谷，名其亭曰寧如，而規壽藏於其側，名其庵曰順寧。

四年丁酉，朱子四十八歲。六月，論孟集註或問成。朱子既編次論孟集義，又作詳說，既而約其精粹妙得本旨者為集註，又疏其所以去取之意為或問。然恐學者轉而趨薄，故或問之書未嘗出以示人。時書肆有竊刊行者，亟請諸縣官追索其板，故惟學者私傳錄之。其後集註刪改日益精密，而或問則不復釐正，故其去取間有不同者。然辨析毫釐，互有發明，亦學者所當熟味也。詳說即訓蒙口義。○十月，周易本義、詩集傳成。詩自毛鄭以以介皆以小序為主其與經文外序則穿鑿為說以通之前後諸儒莫能釐正朱子獨以經文為主而訂其序之是非復為一編附寘經後以還其舊又答東萊書云讀易之法竊疑卦爻之詞本為卜筮者斷吉凶而因以訓戒至彖象文言之作始因其吉凶訓戒之意而推說其義理以明之後人但見孔子所說之義理而不復推本文王周公之本意因鄙卜筮為不足言而其所以言易者遂遠於日用之實類皆牽合委曲偏主一事無復包含該貫曲暢旁通之妙若但如此則聖人當時自可別作一書明言義理以詔後世何用假託卦象為此艱深隱晦之辭乎○十一月跋麻衣易說

五年戊戌朱子四十九歲八月差知南康軍辭不允令疾速之任候任滿前來奏事宰相史浩必欲起朱子或言宜以外郡處之差權發遣南康軍事兼管內勸農事仍借緋十月丐祠東萊累書勉行南軒亦謂須一出為善雖去就出處素有定論然更須斟酌消息勿至已甚苟一向固拒則上之人謂賢者不肯為用於

大體却有害也朱子於是始有出意十一月省劉檢會已降指揮十

二月又趣之任

朱子實紀卷之二

朱子實紀卷之三

年譜

六年己亥朱子五十歲 正月復乞祠未報啓行至信州鉛山俟命寓止崇壽僧舍陸子壽來訪○跋婺源縣中庸集解周子通書板本 二月在道乞祠省劄趣行○三月再趣行是月晦到任首下教三條一以郡土瘠民稀役煩稅重求所以寬卹之方俾士人父老僧道軍民有能知利病之源者悉具以陳二俾管下士民鄉鄰父老歲時集會教戒子弟使循孝悌忠信之行入以事其父兄出以事其長上篤厚親族和睦鄉鄰有無相通患難相恤以成風俗之美三俾鄉黨父老各推擇其子弟之有志於學者遣入學當以暇時與學官同共講說一經以誘掖之庶長材秀民為時而出○每五日一詣學首為諸生講說大學終篇則令學官授以論語覆試未通則為敷暢其旨亹亹不倦郡之有賢德

者禮之以為學職士風翕然丕變〇立濂溪周先生祠于學宮〇以二
程先生配〇別立五賢堂以祠陶靖節劉西澗父子李公擇陳了齋先是移文于
教授司戶以為蒙恩假守界付民社固將使之宣明教化篤厲風俗非徒責以簿書期會之最而已
其為訪尋陶威公佩謝文端公安陶靖節先生濟前朝孝子司馬暠熊仁贍義門洪氏等遺跡與夫潛
白鹿洞學館之廢址濂溪先生周公西澗先生劉公了齋先生陳公祠宇之有無並覈其實以告至
是施行〇按三先生祠張南軒為記五賢祠尤延之為記〇五月序西定太極通書六月奏
乞蠲減星子縣稅錢事下戶部戶部下漕司責以對補會有言庶僚不當用劄
子奏事者引以自劾〇禁別籍異財已犯者復合之〇六月記濂溪先生事實八月
跋濂溪拙賦愛蓮說跋伊川先生易傳板本〇十月〇復建白鹿洞書院〇以雨
不時髙仰之田告病行視陂塘並廬山而東得樵者指示白鹿洞書院故基荒卉四面山水清邃環

令其羣居講學遊迹蒼素之所遂命教官及堂子令即其故址復建書院具言於朝得賜敕額及賜御書石經監本九經又捐俸買書以益之置田以贍來學者數月告成率郡僚寓公過客學徒釋菜于先聖先師以落之呂東萊為記每休沐輒一至諸生質疑問難誨誘不倦退則相與倘佯泉石間竟日乃返又與時宰書乞復洞主廢官使得備員與學徒講道其間倣之稍廪略如祠官之入不報○初欲訪唐開元禮尸為虛殿遇釋奠釋菜旋立主行事後守錢子言不可遂塑像設如今州縣學制云○約聖賢教人為學之大端條列以示學者為說以勉之而去學規不用規模廣大工夫切密足為萬世學者定式又嘗為賦以紀復建本末卒章云曰明誠其兩進抑揚義其指立允莘摯之所懷譏巷顏之攸執彼青紫之勢榮亦何心乎侃拾明誠敬義四字具示學者尤切○按語錄云大學中庸語孟諸文字皆是五十歲以前做了十二月申請陶威公廟額

七年庚子朱子五十一歲正月丙祠未報○二月南軒張

公訃至罷宴哭之時南軒卒于江陵府治朱子為文祭之畧曰蓋有我之所是而兄以為非亦有兄之所然而我之所議又有始所共向而終悟其偏亦有早所同擠而晚得其味蓋繽紛往反者幾十有餘年末乃同歸而一致又曰兄喬木之故家我衡茅之賤士兄高明而宏傳我猶狹而过滯故我嘗謂兄宜以是而行之當時兄亦謂我盡以是而傳之來裔蓋雖隱顯之或殊實則交須而共濟不惟相知之甚密抑亦自情而無愧觀此則二先生志同道合與所以相期任者可見矣又與呂東萊書云欽夫云見其諸經說乃知閑中得就此業殆天意也因此畧述向來講學與所以相期之意而嘆吾道之孤且窮非欽夫則不能有所發明也○朱子作南軒墓誌云常言學莫先於義利之辨而義也者本心之所當為而不能自已非有所為而為之者也一有所為則皆人欲而非天理矣斯乃擴前聖之所未發而與性善養氣之論同功因附見焉○按大全集朱子與南軒書辯論太極仁語孟中庸諸說甚詳三月復丐祠不允○脩學中省乙以

泗水侯孔鯉從祀先聖中部乞檢會政和五禮新儀內州縣臣民合行禮制鏤板行下諸路州軍共
壇壝器服制度亦乞詳畫圖本頒下以憑遵守後又中省以禮部符下政和五禮祭祀儀式頗未詳
備乞討論成書行下以成全書四月申減三縣科紬木炭錢歲減錢二千緡
應詔上封事時詔監司郡守條具民間利病遂上疏言天下之大務莫大於恤民恤民
之本又在人君正心術以立紀綱今日民間特以税重為苦正緣二税之入以朝廷盡取以供軍而州
縣無復贏餘則不免於二税之外別作名色巧取於民今民貧賦重若不討理軍實去其浮冗則民
力決不可寬惟有選將吏蒐兵籍可以節軍費開廣屯田可以實軍儲練習民兵可以益邊備今日
將帥之選率皆膏粱子弟廝役兆流所得差遣為貲已是不貲到軍之日惟望裒斂剝剝以償債負
總餉之任者亦皆倚負幽陰交通貨賂其所驅催東南數十州之脂膏骨髓名為供軍而輦載以
輸權倖之門者不可以數計是以比年以来生民日益困苦無復聊賴有識之士私議竊歎以為莫

大之禍必至之憂近在朝夕顧陛下未之知耳為今之計欲討軍實以紓民力則必盡反前之所為然後乃可冀也所謂其本在於正心術以立紀綱者蓋天下之紀綱不能以自立必人主之心術公平正大無偏黨反側之私然後紀綱有所繫而立君心不能以自正必親賢臣遠小人講明義理之歸閉塞私邪之路然後乃可得而正今宰相臺省師傅賓友諫諍之臣皆失其職而陛下所與親密謀議者不過一二近習之臣此一二小人者上則蠱惑陛下之心志使陛下不信先王之大道而說於功利之卑說不樂莊士之讜言而安於私褻之鄙態下則招集天下士大夫之嗜利無恥者文武彙分各入其門所喜則陰為引援擢寘清顯所惡則密行訾毀公肆擠排交通貨賂則所盜者皆陛下之財命卿置將則所竊者皆陛下之柄陛下所謂宰相師傅賓友諫諍之臣或反出入其門牆承望其風旨其幸能自立者亦不過齟齬自守而未嘗敢一言以斥之其甚畏公論者乃畧能驚逐其徒黨之一二既不能深有所傷而終亦不敢明言以搗其囊橐窟穴之所在勢成威立中外靡然向

之使陛下之號令黜陟不復出於朝廷而出於此一二人之門名為陛下之獨斷而實此一二人者陰執其柄蓋其所壞非獨壞陛下之紀綱乃併與陛下所以立紀綱者而壞之則民又安可得而恤財又安可得而理軍政何自而修土宇何自而復宗廟之讐恥又何自而可雪耶疏入上讀之大怒命朱子分析宰相趙雄詭辭救解乃已秋旱甚竭力為荒政備先是大旱、盛暑中禱祠山川却蓋暴露蔬食踰月恐懼憂勞無頃刻暇兩以人户逃移自劾不報至是約苗失收什八已上乃竭力措置為荒政備首諭民毋流移以待賑恤使主户各存濟其客户富民無增穀價以救鄉閭令飢民毋得強糴而勸種蕎麥以接食隱度常平義倉為數甚少乃勸富室分認米數會詔江東帥守恤民隱決滯獄以銷旱災且須勸分賞格因即二事推廣為奏乞除特旨減前所中星子縣稅及三年赦文已蠲官租禁州郡勿得催理若因緊淹延則在特詔大臣一員專督理宜嚴立程限排日結絕行下乃可遂以賞格諭先已認米之富室合得二萬石使椿留以待復奏請截留綱運乞轉運常平兩司錢米充軍糧備賑濟中嚴鄰路斷港遏糴之禁而通誘客舟選官吏授以方畧俾視境內具知荒歉分數户口多寡蓄積虛實既覈飢民之數乃造曆頭御面置簿曆印付三縣俾散給之○郡濱大江舟艤岸若遇大風輒淪溺至是募民築堤捍舟莫稍瀕業飢者亦患息預戒三縣每邑市鄉村四十里則置一場以待賑糶合為三十五場其闕食甚者先賙濟焉○八月與東萊書論憂旱致疾

冬以旱傷分數告于朝乞蠲閣稅租本軍苗米四萬六千五百餘在檢放三萬七千四百餘石有旨三等以下人户夏稅畸零並與倚閣放數既寬民以故無流徙○按語錄云在南康時才見旱便劄例官錢物庫中得三萬貫准擬糴米添支官兵却去上供錢內借三萬貫糴米賑糶早時糴得却糶錢還官中解發是以不闕事

十一月作卧龍庵祠諸葛武侯庵在廬山之陽五老峯下朱子自為記越數百步面龍潭作亭為民禱賽之所命之曰起以為歲適大侵龍之淵則若可以起而天行矣皆捐俸資

而藝而隱者崔嘉彥並其役官氏咸無預焉者諸葛武侯像於堂中後書武侯制表中語宏毅忠壯忘身憂國鞠躬盡力死而後已一十六字於亭之楣間其微意以有識之者矣○跋語孟要義

八年辛丑朱子五十二歲

正月開場濟糶初既分場選任寄居指使添差監押酒稅監廟等大小使臣三十五員各認一場以轄糶濟而分委縣官巡察之以戢殘魁乞覓之弊至是人户赴場就糶其鰥寡孤獨之人則用常平米依令賑濟既又慮農事將起民間乏錢則凡合糶者皆濟半月大人一斗五升小兒七升五合皆一頓與之都昌縣米則自郡運而往千里之内莫不周浹闔三月望以二麥秀茂食新不遠糶濟結局凡活饑民大人一十二萬七千六百七口小兒九萬二千有七十六口其施設次第人爭傳以為法時孝宗臨御久悉意恤民凡所奏請無不録盡可至撥借上供錢物糴米賑糶復求早餘苗米亦盡得之以故得行其志民無流離捐瘠之患

二月陸子靜來謁子靜來請書其兄教授墓誌銘朱子率僚友諸生與俱至白鹿

洞書院請升講席子静以君子小人喻義利章發論大畧謂科舉之士日從事聖賢之書而志之所向專在乎利必於利欲之習怛然為之痛心疾首專志乎義而日勉焉博學審問謹思明辨而篤行之斯謂君子朱子以為切中學者隱微深錮之病請書于簡以詒同志○按朱子荅東萊書云子静近日講論比前亦不同然終有未盡合處幸其却好商量亦彼此有益也又荅劉子澄書云子静一味是禪却無許多功利術數目下收拾得學者身心不為無力然其下梢無所据依恐亦未免害事也

三月除提舉江西常平茶鹽

初到南康有任滿奏事之旨將滿廟堂議遣使蜀上意不欲其遠去遂除此職然猶待欲朱子愛君之誠深願見上以啓平生之蘊既不獲前乃奏本職四事一請勿拘對補之說特旨蠲減星子縣稅二請照賞格補授諸出粟人使民間早獲為善之利三以為救荒之政蠲除賑貸固當汲汲於此始而撫摩存養尤當講之於非終請凡被災之郡盡今年毋得理積年舊欠而去年倚閣夏秋悉與蠲放上二等戶亦有出粟減價賑糶而

不及貲格名亦請許其多作料數罪補去年夏稅殘欠如此則無一夫一婦不被堯舜之澤矣其四則中言白鹿賜救額及監本九經多施行者

閏三月合符解綬東歸朱子治郡視民如傷至豪家侵桀細民撓法害政擇其一尤者繩治不少貸尤以學人倫美教化為急傷風俗丕變文學行義之士彬彬出焉

四月過九江拜濂溪先生書堂遺像劉子澄来謁請為諸生說太極圖義濂溪曾孫玄孫設食于光風霽月亭朱子題名以誌之渡湖口以是月十九日至家

七月除直祕閣以脩舉荒政民無祿辭除朱子以前所勸出粟人未推恩不拜告下復辭不允

東萊呂公訃至為位哭之朱子以東萊與南軒相繼下世深痛斯文之不幸既為位而哭復遣奠於其家○呂公定周易為十一篇以復古經之舊朱子深喜而從之又謂大事記一書自成一家之言有補學者故祭文有事記將誰使續之語蓋嘆其難繼也又與呂公帖云昨扣此日諸授次第聞只令諸生讀左氏及諸賢奏

踈至於諸經論孟則恐學者徒務空言而不以告也此恐未安蓋為學之序為己而後可以及人遠理而後可以制事故推子教人先讀論孟次及諸經然後考史其序不可亂也若恐其徒務空言但當就論孟經書中教以躬行之意庶不相遠至於左氏奏疏之言則皆時事利害而非學者切身之急務也其為空言亦益甚矣而欲使之從事其間而得躬行之實不亦背馳之甚乎二先生切磨之意此可槩見

八月、改除提舉浙東常平茶鹽。時浙東荐饑上軫宸慮遂拜命不敢辭即日單車上道辭前所授職名仍乞奏事十月堂帖報南康出粟人已推恩乃受職名○九月、跋劉子澄所編曾子

十一月、己亥、奏事延和殿。朱子去國二十年一得見上極陳災異之由與夫脩德任人之說凡兩劄大略謂陛下臨御二十年間水旱盜賊畧無寧歲意者德之崇未至於天歟業之廣未及於地歟政之大者有未舉而小者無所繫歟刑之遠者或不當而近者或幸免歟君子有未用而小人有未去歟大臣失其職而賤者竊其柄歟直

諫之言罕聞而諂諛者衆歟德義之風未著而刑戮者既歟貨賂或上流而恩澤不下究歟責人或已詳而反躬有未至歟夫必有是數者而後足以召災而致異又言陛下即政之初蓋嘗選建豪英任以政事不幸其間不能盡得其人是以不復廣求賢哲而姑取軟熟易制之人以充其位於是左右私褻使令之賤始得以奉燕閒備驅使而宰相之權日輕又應其勢有所偏而因重以壅己也則時聽外廷之論將以陰察此輩之負犯而操切之陛下既未能循天理公聖心以正朝廷之大體則固已失其本矣而又欲無聽士大夫之公言以為駕御之術則士大夫之進見有時而近習之從容無間士大夫之禮貌既莊而難親其議論又苦而難入近習便辟側媚之態既足以蠱心志其胥史狡猾之術又足以眩聰明此其生熟甘苦既有所分恐陛下未及施其駕馭之術而已墮其數中矣是以雖欲微抑此輩而此輩之勢日重雖欲兼采公論而士大夫之勢日輕重者既挾其重以竊陛下之權其輕而好者又借力於所重以為竊位固寵之計中外相應更濟其私日往月來浸淫耗蝕

使陛下之德業日隳綱紀日壞邪佞充塞貨賂公行兵愁民怨盜賊間作災異數見饑饉荐臻群小相與人人皆得滿其所欲惟有陛下了無所得而國家顧乃獨受其弊上為動容諫聽因條陳救荒之策首劄畫為七條其一以為救荒之務早行檢放從實蠲減其二勸分之數量與增減使得其平其三上戶蓄米不多特許減半推賞使應募者衆其四乞撥豐儲倉米三十萬碩以備糶糴其五民間官物並與住催其戶部措定支遣之數且於內庫支借紹興丁錢宜與行蠲放其六受命之初即當印榜招海商販廣米至浙東許以不收力勝及雜稅錢到則依價出糶更不裁減其七乞申嚴行下官吏奉行不虔者奏劾老病昏愚者汰遣憫怛愛民才力可仗者許不拘文法時暫差權謂如治獄捕盜官不許差出之類仍依富弼趙抃例通差得替待闕官闕待服官時暫管幹次復陳二說乞著令自今水旱約及三分以上第五等戶並免檢踏具帳先與全戶蠲放如及五分以上則第四等戶亦如之及推行崇安社倉法於天下次言紹興和買均敷之弊請並其科

十二月視

事于西興朱子既至司則前所募商米舟已標接矣曰與僚屬寓公鈞訪民隱覩畫纖悉晝夜不倦至廢寢食分晝既定則親出按歷始於僚指諸縣次及七郡鉛山長谷雖所不到州問存恤不遺餘力然每出皆乘輕車辟徒御一身所需皆自齋以行秋毫不及州縣以故所歷雖廢而部內不知官吏憚其風采夙夜戒飭常若使者壓其境至有自引去者發有朱縣尉不伏賑難及紹牒屬吏賈祐之等不恤荒政皆按劾其罪大抵措盡類南康時而用心尤苦所活不可勝計○有短先生者謂其陳於為政上謂宰相王淮曰朱某政事却有可觀

九年壬寅朱子五十三歲正月條奏巡歷諸郡救荒事宜凡乞借撥官會給降度牒推賞獻助人又請將山陰等縣下戶夏稅秋苗丁錢並行住催夏詔

捕蝗復奏疏言事畧云為今之計獨有斷自聖心沛然發號責躬求言然後君臣相戒痛自省改其次惟有盡出內庫之錢以供大禮之賞為收糴之本詔戶部無得催理舊欠詔諸

路漕臣遵依條限檢放稅租詔宰臣沙汰被災路分州軍監司守臣之無狀者薦選賢能責以荒政庶幾猶足以下結人心消其乘時作亂之意不然臣恐所憂者不止於饑殍而在於盜賊蒙其害者不止於官吏而上及於國家也復上時宰書略云朝廷愛民之心不如惜費之甚是以不肯為極力愛民之事明公憂國之念不如愛身之切是以但務為阿諛順旨之計然民之與財孰輕孰重身之與國孰大孰小財散猶可聚民心一失則不可復收身危猶可安國勢一傾則不可復正至於民散國危而措身無所則其所聚有不為大盜積者耶

得旨頒行社倉之法其法頒下台婺有應時為之者

條奏紹興和買之弊與帥守同上其說欲乞痛減歲額然後用貫頭均紐仍用高下等第均數而免下戶出錢使得相乘除以優之

奏免台州丁絹本州丁絹錢有抑納陪輸之患奏乞每丁納半錢半絹

條奏義役之法條具差役利害凡數千言上之義役之法請令民均出義田罷去役首免排役次官以保正副長輪

收義田仍令上户兼充户長奏立沿海四州鹽法乞倣福建下四州產鹽法

行之奏改諸郡酒坊倣處州萬户酒法○救荒之餘凡可以便民者憂深慮遠莫不規為經久之計劾奏前知台州唐仲友不法七月巡所部將趨溫州涉台州境民許太守新除江西提刑唐仲友不法者紛紛急趨台城列訴者益衆至不可勝窮因盡得其促限催税違法擾民貪汙淫虐蓄養亡命偷盜官錢偽造官會等事次劾之仍送紹興勒賓丞相王淮與同里閈為姻家匿不以聞仲友亦自辨且乞送浙西無職官體究未幾仲友罷新任初王相營救甚至而紹興獄具情得按章至十上丞相度其勢益熾乃取首章語未甚深者及仲友自辨跡同上曲訛開陳故他無鐫削止罷新任台州久旱雨遂大洽是歲穀重熟毀秦檜祠永嘉學有秦檜祠移文毀之八月除直徽猷閣以賑濟有勞進職二等改除江西提點刑獄辭詔去冬已經奏事不候受告疾速之任蓋奪仲友新任也

詔與江東提刑梁總兩易其任再辭九月進職命下朱子辭以徒費大農數十萬緡之積而無以全活一道饑饉流殍之民躐等躋榮懼非所以示勸懲况近按唐仲友反為所訴雖已罷其新任而根究指揮尚未結絕方藉藁以俟斧誅豈敢遽竊恩榮以忝賞刑之與新命至即日解職還家亟具辭免大畧以為所除官乃填唐仲友闕蹊田奪牛之譏雖三尺童子知其不可臣愚何敢自安須得歸耕故壟畢志舊聞詔與江東梁總兩易加辭且言祖鄉隸江東墳墓田產合該迴避詔特免迴避復辭以為今來所除仍司按察若復奉公守法則恐如前所為或至重傷朝廷事體若但觀勢徇私又恐下負風上孤眷使乞特與祠使得卒其舊業又退避仇怨時辭職不允之命同下又辭以為前按唐仲友既不差官體究恐臣所按有不公不實之罪雖以例沾恩賞詔並不許

十一月受職名力辭新任乞祠極言昨來所按贓吏黨與眾多棊布星羅並當要路自其事發以來大者宰制斡旋於上小者馳騖經營於下所以蔽日

月之明而指雷霆之威者臣不敢若其加害於陀不遺餘力則遠至於師友淵源之所自亦復無故攅肆觝排向非聖明洞見底蘊則不惟不肖之身反為魚肉而其變亂白黑詿誤聖朝又有不可務言者時吏部尚書鄭丙監察御史陳賈奉時相意上疏毀程氏之學以陰詆朱子故奏及之

十年癸卯朱子五十四歲正月詔與宮觀上覽奏知不可遂起詔求累乞祠可之帝台州崇道觀二月拜命初朱子起守南康使浙東始有以身徇國之意所立卓然可紀及是知道之難行退而奉祠杜門不出海內學者尊信益衆然憂世之意未嘗忘也有感春賦

四月武夷精舍成正月經始至是落成始居之四方士友來者甚衆有精舍雜詠并序

十一年甲辰朱子五十五歲力辨浙學之非朱子還自浙東見其士習馳騖於外每語學者且觀孟子道性善及求放心兩章務收斂凝定以致克己求仁之功而深斥其

所學之誤以為舍六經語孟而尊史遷舍窮理盡性而談世變舍治心脩身而喜事功大為學者心術之害極力為呂祖儉潘思徐孫應時諸言之○答呂祖儉書云大抵此學以尊德性求放心為本而講以聖賢親切之訓以開明之若通古今考事變則亦隨力所至推廣增益以為補助耳不當以彼為重而反輕凝定收斂之實少聖賢親切之訓也若如此說則是學問之道不在於己而在於書不在於經而在於史為子思孟子則孤陋狹劣而不足觀必為司馬遷班固范曄陳壽之徒然後可以造於高明正大簡易明白之域也夫學者既學聖人則當以聖人之教為主今六經語孟中庸大學之書具在彼以了悟為高者既病其卑厭而以為不可讀此以記覽為重者又病其狹小而不足觀如此則是聖人所以立言垂訓者徒足以誤人而不足以開人孔子不賢於堯舜而遷固賢於仲尼矣無乃悖之甚耶答潘恭叔書云示喻漢唐初事以兩家論優劣則然然以三代之天夫言之則其本領恐不但如此若子房孔明之流惡勉亦正是求大綱處吾輩正當以聖賢為師取其是

而鑒其非，不當以彼為非則也。今只為不見天理本原，而有汲汲以就功名之心，以議論見識往往卑陋，多遷就下梢頭，只是成就一箇私意，更有甚好事。又曰：六國表議論乃是衰世一種卑陋之說。吾輩平日講論聖賢，何為却取此等議論以為標的？恐是日前於根本上不曾大段用功，而便於討論世變著力太深，所以不免此弊。又與劉子澄書云：伯恭無恙時，愛說史學，身後為後生輩糊塗說出一般議論，賤王尊霸，謀利計功，更不可聽。子約立脚不住，亦曰吾兄蓋嘗言之云爾。中間不免極力排之，今幸少定，然其疆不可令，若猶未肯豎降幡也。○是年春，讀東萊桑中詩說，著論辨之。十二月，序資治通鑑舉要曆。

十二年乙巳，朱子五十六歲。二月，崇道秩滿，復丐祠。○四月，拜華州雲臺之命。○八月，有記孫靚事。

十三年丙午，朱子五十七歲。三月，易學啓蒙成。易經自文王以前皆為卜筮至夫子作十翼專用義理發揮經言而未行於世遭秦煨燼易以卜筮故獨得全迄于漢魏流為讖緯之學王弼始刊落象數釋以清談諸儒因之至伊川程子始發明孔氏之微言而卦爻之本則未及焉康節邵子傳伏羲先天圖蓋得其本而亦未及於卜筮也朱子既推羲文之意作周易本義又懼學者未明厥旨乃作啓蒙四篇以為言易不本象數既支離散漫而無所根著其本象數者又不知法象之自然未免牽合附會故其篇目以本圖書原卦畫明蓍策考變占為次凡掛揲及變爻又皆盡破古今諸儒之失而易經始還其舊

八月，孝經刊誤成。○與劉子澄書云諸書今歲都偹得一過讀儋易條暢

十四年丁未，朱子五十八歲正月，至莆中哭陳福公。以三紀遊從晚歲知己且為中興輔故千里赴弔為文祭之○序律呂新書三月，編次小學書成。朱子既發揮大學以開悟學者又懼其失序無本而不逮以有進也乃輯[illegible]書以訓蒙士

使培其根以達其支內篇四曰立教曰明倫曰敬身曰稽古外篇二曰嘉言曰善行若已進乎大學者亦得以兼補之於後脩身之事此略備焉差主管南京鴻慶宮四月拜命○五月荅陸子靜書七月除江西提點刑獄辭不允時上論宰執楊萬里封事薦朱某又聞可與監司周必大議除轉運副使或謂金穀非所長故有是命○九月記周子通書後十一月拜命按大全集辭免狀劄俱無拜命之文十月拜命四字疑衍○十一月跋程董二先生學則

十五年戊申朱子五十九歲正月趣奏事之任以疾辭不允○二月題太極西銘解後三月遂行在路兩丐祠○五月復趣對○六月壬申奏事延和殿會宰臣王淮罷政乃以其月入國門丞相周必大令人諭意云上問朱某到已數日何不請對遂詣閤門進牓子有旨初七日後殿班引

及對上迎謂之曰久不見卿卿亦老矣自陳作任浙東提舉日荷聖恩保全上曰卿浙東救荒煞究心又言蒙除江西提刑衰朽多疾不任使令上曰知卿剛正令留在此待與清要差遣不復勞卿州縣獎諭甚渥再三辭謝方出奏劄上曰正所須聞其一言皋陶作士明刑以弼五教三代之制亦曰凡聽五刑之訟必原父子之親立君臣之義以推之後世論刑不知出此其陋於申商刻薄者既無足論至於鄙儒姑息之論異端報應之說俗吏便文自營之計則又一以輕刑爲事然刑愈輕而愈不足以厚民之俗往往反以長其悖逆作亂之心則不講乎先王之法之過也伏見近年以來涉於人倫風化之本者有司議刑卒從流宥之法伏須深詔中外典獄之官凡有獄訟必先論其尊卑上下長幼親疏之分而後聽其曲直之辭凡以下犯上以卑凌尊者雖直不右其不直者罪加凡人之坐其有不幸至於殺傷者雖有疑慮可憫而至於奏讞亦不許輒用擬貸之例上曰似如此人只貸命有傷風教不可不理會其二言今天下之獄死刑當決者皆自條而達之州自州而達之使者其有疑

者又自州而上之朝廷自朝廷而下之棘寺棘寺讞議而後致辟焉其維持防閑可謂周且密矣然而憲臺之所詳覆棘寺之所讞議者不過受成州縣之具獄使其文案粗備情節稍圓則雖顛倒是非出入生死有不得而察者也是故欲清庶獄之源者莫若遴選州縣治獄之官竊見縣獄止是縣獨員推鞫一或不得其人則拆換款詞變亂情節無所不至欲望明降指揮令縣丞同行推訊無丞處即册主簿仍遇大囚到獄即限兩日內具入門款先次飛申本州及提刑司照會庶幾粗革舊弊其三言經總制錢其四言諸州科罰上曰聞乡是羅織富民其五乃言陛下即位二十有七年而因循苟無尺寸之効可以仰酬聖志嘗反覆而思之無乃燕間褻瀆之中虛明應物之地天理有未純人欲有未盡蠲天理未純是以為善不能充其量人欲未盡是以除惡不能去其根一念之頃公私邪正是非得失之機朋分角立交戰於其中故體貌大臣非不尊而便嬖側媚得以深被腹心之寄寤寐豪英非不切而邪庸繆得以久竊廊廟之權非不樂聞公議正論而有時不容非不聖識

十三

訛殄行而未免誤聽非不欲報復陵廟讐恥而不
免畏怯苟安非不欲愛養生靈財力而未免黷息
愁怨凡若此類不一而足願陛下自今以往一念
之頃則必謹而察之此為天理耶為人欲耶果天
理也則敬以擴之而不使其少有壅閼果人欲也
則敬以克之而不使其少有凝滯推而至於言語
動作之間用人處事之際無不以是裁之則聖心
洞然中外融徹無一毫之私欲得以介乎其間而
天下之事將惟陛下之所欲為無不如志矣又言
置將之權旁出閹寺上曰這箇事却不然盡是採
之公論如何由他對曰彼雖不敢公薦然皆託於
士大夫之公論而實出於此曹之私意且如監司
守臣薦屬吏蓋有受宰相臺諫風旨況此曹奸偽
百出何所不可臣往蒙賜對亦嘗以此為說聖諭
謂為不然臣恐疏遠所聞不審退而得之士大夫
與夫防夫走卒莫不謂然獨陛下未之知耳至去
者未遠而復還謂甘昇問上曰陛下知此人否上
曰固是但漏泄文書乃是他子弟之罪對曰豈有
子弟有過而父兄無罪然此特一事耳此人挾勢
為奸所以為盛德之累者多矣上曰高宗以其才

薦過來對曰小人無才尚可有才不鮮不為惡至當言責者懷其私以緘默奏曰陛下以曾任知縣人為六院察官闕則取以充之雖曰親擢然其途轍一定宰相得以先布私恩於合入之人及當其言責往往懷其私恩豈肯言其過失上曰然近日之弊可見矣至其知其為賢而用之則用之惟恐其不速聚之唯恐其不多知其為不肖而退之則退之唯恐其不畀去之唯恐其不盡奏曰豈有惡君子大多須留幾箇小人在裏面軍政不循士卒愁怨曰主將刻剝士卒以為苞苴陞轉階級皆有成價上曰却不聞此果有時豈可不理會卿可子細採探來說來後辭云照對江西係是盜賊刑獄浩繁去處久闕正官臣今適遞前去之任不知有何處分上曰卿自詳練不在多囑○是行也有要之於路以正心誠意上所厭聞戒以勿言者朱子曰吾平生所得惟此四字豈可回互而欺吾君及奏上未嘗不稱善

除兵部郎官以足疾丐祠乙亥依舊職名江西提點刑獄仍給還改官後不曾陳乞磨勘當中免謝辭○前數日兵部侍郎林栗

與朱子論易及西銘不合、栗怒、至是遣吏抱印來迫以供職、時朱子以足疾甚在告、中部乞候疾愈不聽、習口栗疏其狀、援請行罷逐故事、無以侍郎劾本部郎、若滿朝皆駭笑之、於是朱子請祠、併進呈上、上曰林栗似過當、丞相周必大奏熹上殿之日足疾未瘳、勉強登對、上曰朕亦見其跛曳、時上意方嚮朱子、欲易他部、丞相請授以前江西之命、仍舊職名、七月、在道辭免新任

○八月、以足疾丐祠、除直寶文閣、主管西京崇福宮、辭磨勘及職名、皆不許、轉朝奉郎、先是朱子行且辭曰論者謂臣事君無禮、為人臣子有此名罪、當誅戮、豈可復任外臺耳目之寄、上覽之、喻宰執曰、林栗章初未降出、何得外見、當撤或對以栗在滿舍宣言章疏、人人知之、上不悅、太常博士葉適上疏、極言栗以私意劾熹、所言不實、侍御史胡晉臣、論栗狠愎自用、黨同伐異之論、乃起於論思獻納之臣、無事而指學者為黨、最人之所畏聞、所謂天下本無事、庸人擾之耳、栗遂罷去、始朱求力疾入對、奏劄皆

諭新任職事、朕諒其誠、復從所請、可疾速之任、固辭、足疾不任起發、復丐祠、除直寶文閣主管西京嵩山崇福宮、時廟堂知上眷厚、悍朱子復入、故為兩罷之策焉、九月、復召、辭、初朱子之去、上悟其故、至是復召之、朱子以為還官進職、皆為許其閑退、方竊難進易退之義、復為彈冠結綬之計、則其為世觀笑、不但往來屑屑之譏、十月、受職名、〇十一月、趨入對、再辭、上封事、初朱子入奏事、迫於疾作、嘗面奏、以為口陳之說有所未盡、乞具封事以聞、至是再辭、遂併具封事投匭以進、其畧曰、今天下大勢如人有重病、內自心腹、外達四肢、無一毫一髮不受病者、臣敢以天下之大本與今日之急務為陛下言之、蓋大本者陛下之心、急務則輔翼太子、選任大臣、振舉綱維、變化風俗、愛養民力、脩明軍政六者是也、古先聖王兢兢業業、持守此心、雖在紛華波動之中、幽獨得肆之地、而所以精之一之、克之復之、如對神明、如臨淵谷、猶恐隱微之間或有差失而不自知、是以建師保之官、列諫諍之職、凡飲食酒漿衣服次舍器用財賄與宦官宮妾之政無一不領於冢宰使左右前後一動一靜無不制以有司之法而無纖芥之隙瞬息之頃得以聽其毫髮之私陛下之所以精一克復而持守其心果有如此之功乎所以脩身齊家而正其左右果有如此之效乎宮省事禁臣固不得而知然賞爵之濫貨賂之流閭巷竊言久已不勝其籍籍則陛下所以脩之家者恐其未有以及古之聖王也至於左右便嬖之私恩遇過當此輩但當使之守門傳命供掃除之役不當假借崇長使得逞妖媚作淫巧於內以蕩上心立門庭招權勢於外以累聖政陛下不悟反寵暱之以是為我之私人至使宰相不得議其制置之得失給舍不得論其除授之是非則陛下所以正其左右未能及古聖王又明矣至於輔翼太子則自王十朋陳良翰之後宮僚之選號為得人而能稱其職者蓋已鮮矣而又時使邪佞儇薄闒冗庸妄之輩或得參錯於其間所謂講讀亦姑以應文備數而未聞其有箴規之效至於從容朝夕陪侍遊燕者又不過使臣宦者數輩而已夫立太子而不置師傅賓客則無以發其隆師親友尊德樂義之心獨使春坊使

已得特召右則無不以其賤佞嬖狎奇褻進之
害宜討論前典置所以責容之實罷去春坊使臣
而使虞吏庶人各復其職至於選任大臣則以陛
下之聰明豈不知天下之事必得剛明公正之人
而後可正哉其所以常不得如此之人而反容鄙
夫之竊位者直以一念之間未能撤其私邪之蔽
而燕私之好便嬖之流不能盡由於法度故也至
於振肅紀綱變化風俗則今日宮省之間禁密之
地而天下不公之道不正之人顧乃得以窺穴盤
據於其間以及其作姦犯法則陛下又未能深割私
愛而付諸外廷之議論正以有司之法是以紀綱
不能無所撓敗紀綱不正於上是以風俗頹弊於
下蓋其為患之日久矣而浙中為尤甚大率習為
軟美之態依阿之言以不分是非不辨曲直為得
計一有剛毅正直守道循理之士出乎其間則群
議眾排指為道學而加以矯激之罪十數年來以
此二字禁錮天下之賢人君子復如崇宣之間所
謂元祐學術者排擯詆辱必使無所容其身而後
已嗚呼此豈治世之事而尚復忍言之哉至於愛
養民力修明軍政則自虞允文之為相也盡取版

曹歲入窠名之必可指擬者號為歲終羨餘之數而輸之內帑顧以其有名無實積累掛欠空載簿籍不可催理者擬還版曹以為內帑之積將以備他日用兵進取不時之須然自是以來二十餘年內帑歲入不知幾何而認為私貯典以私人宰相不得以式貢均節其出入版曹不得以簿書勾考其在亡其日銷月耗以奉燕私之費者蓋不知幾何矣而曷嘗聞其能用此錢以易敵人之首如太祖皇帝之言哉徒使版曹經費闕乏日甚一日督趣日峻以至廢去祖宗以來破分良法而必以十分登足為限以為未足則又造為比較監司郡守殿最之法以誘脅之於是中外承風競為苛急此民力之所以重困也諸將之求進也必先掊克士卒以殖私財然後以此自結於陛下之私人而祈以姓名達於陛下之貴將貴將得其姓名即以付之軍中使自什伍以上節次保明稱其材武堪任將帥然後具為奏牘而言之陛下之前陛下但見其等級推先案牘具備則誠以為公薦而可以得人矣而豈知其諧價輸錢已若晚唐之債帥哉如此而望其修明軍政激勸士卒以強國勢豈不誤耶凡此

此六事皆不可緩而本在於陛下之一心一心正則六事無不正一有人心私欲介乎其間則雖欲憊精勞力以求正乎六事亦將徒為文具而天下之事愈至於不可為矣疏入夜漏下七刻上已就寢亟起秉燭讀之終篇○楊復曰先生嘗考宗初政褒封陛對皆陳復讐之義力辨和議之非其後延遲而不論何哉竊觀戊申封事有曰此事之失已在隆興之初不合遽然罷兵講和遂使宴安酖毒之志日滋日長坐薪嘗膽之志日遠日忘是以數年以來綱維解弛釁蘖萌生區區東南事猶有不勝慮者何暇復之可圖乎此所以拳拳獨以天下之大本天下之急務為言也又曰大本誠正急務誠脩而治效不進國勢不強中原不復仇虜不滅臣請伏鈇鉞之誅以此言觀之先生曷嘗忘復讐之義哉但以事不可以幸成政必先於自治能如此則復中原滅仇虜之規模已在其中矣

翼日除主管西太一宮兼崇政殿說書辭時上已有倦勤之意蓋將以為燕翼之謀朱子因密草奏疏言講學以正心脩身以齊家遠便嬖以近忠直抑私恩以抗

公道明義理以絶神姦擇師傅以輔皇儲精選任以明體統振綱紀以厲風俗節財用以固邦本備
政事以攘夷狄凡十事欲以為新政之助會執政有指道學為邪氣者力辭新命遂不果上○朱子
當孝宗朝陛對者三上封事者三其初固以講學窮理為出治之大原其後則直指天理人欲之分
精一克復之義其初固以當世急務一二為言其後則直指心術宫禁時政風俗披肝瀝膽極其忠
懇蓋所望於君父愈深而其言愈切孝宗亦開懷容納武博編摩秘省郎曹之除蓋將引以自近守
南康持浙東江西之節又知其不可強留而授之至是復有經帷之命朱子之盡心孝宗之受盡言
亦未為不遇也然朱子進言皆痛詆大臣近習孝宗之眷愈隆而疾者愈深是以一日不能安其身
於朝廷之上而孝宗內禪矣始出太極通書西銘二書解義以
授學者初陸象山之兄九韶子美嘗有書與朱子言太極圖說非正而加扶掖終為病根意
謂不當於太極上更加無極二字朱子答書云不言無極則太極同於一物而不足以為萬化根本

不言太極則無極淪於空寂而不能為萬化根本又曰無極只是無形太極只是有理子美不以為然而詆濂溪不已是夏家山自謂其學少進因為之中其號以詆濂溪第一書有曰易之大傳曰形而上者謂之道又曰一陰一陽之謂道一陰一陽已是形而上者況太極乎極者中也言無極則是言無中也豈宜以無極字加於太極之上無極二字出於老子聖人之書所無有也朱子答書有云大傳既曰形而上者謂之道矣而又曰一陰一陽之謂道此豈真以陰陽為形而上者哉正所以見一陰一陽雖屬形器然其所以一陰而一陽者是乃道體之所為也故語道體之至極則謂之太極語太極之流行則謂之道雖名二物實無兩體周子所以謂之無極者正以其無方所無形狀以為在無物之前而未嘗不立於有物之後以為在陰陽之外而未嘗不行乎陰陽之中以為通貫全體無乎不在則又初無聲臭影響之可言也今乃深詆無極之不然則是直以太極為有形狀有方所矣直以陰陽為形而上者則又昧於道器之分矣又於形而上者之上復有況太極乎之語則是又

以道上別有一物為太極矣如老子復歸於無極無極乃無窮之義非若周子所言之意也象山第二書有曰老氏以無為天地之始以有為萬物之母以常無觀妙以常有觀徼直將無字搭在上面正是老氏之學豈可諱也朱子答書有曰詳老氏之言有無以有無為二周子之言有無以有無為一正如南北水火之相反更請子細着眼未可容易譏評也如曰未然則我日斯邁而月斯征各尊所聞各行所知無復可望於必同也以是歲事故附之

十六年己酉朱子六十歲正月除秘閣脩撰仍舊宮祠○二月光宗即位拜祠命辭職名不允甲子序大學章句○三月戊申序中庸章句二書之成久矣猶改不輟至是以穩愜於心而始序之二書又各有或問及中庸輯畧○序通鑑綱目語四月再辭職名○五月從所請仍舊直寶文閣令學士院降詔

奬諭詔詞云云以為寵卿以爵秩不若全卿名節之為尤美也乃上表謝閏五月覃

恩轉朝散郎賜緋魚○八月除江東轉運副使再

辭詔疾速之任任滿前來奏事朱子以祖鄉田産辭辭詔免迴避又以江東漕置司建康奄蹔守行宮衜習與監司帥守迭為賓主故不敢受十一月改知漳州再辭不允以光宗初政再被除命乃不敢辭

朱子實紀卷之三

朱子實紀卷之四

年譜

光宗紹熙元年庚戌朱子六十一歲四月到任首下教令數條臨漳素號道院比作風俗寢薄朱子以民未知禮至有居父母喪而不服衰絰者首下教述古今禮律以開喻之又採古喪葬嫁娶之儀揭以示之命父老解說以訓子弟釋氏之教南方為盛男女聚僧廬為傳經會女不嫁者私為庵舍以居悉禁之俗為大變時即學挍諭誘諸生如南康牒其至郡齋請業問難者接之不倦又擇士之有行義知廉恥者使列學職為諸生倡學舊有東溪先生高登祠登以政言忤秦檜貶死容州朱子既為祠記至是奏乞褒贈以旌其節○按語錄云先生初到時教習諸軍弓射分作三番每月輪番入教場挽弓及等者有賞不及者留射及等則止終不及者罷之兩月之間翕然都會射又熟聞知錄趙師虡之為人試之政事又得其實遂首擧之聞者無

不心服。

奏蠲減本州諸色上供及經總制無額等錢

四千七百餘緡

奏經界利害

初朱子為同安簿已知經界不行之害及改命臨漳會臣僚有奏請行於閩中者詔監司條具利害以聞監司下其事於州朱子既至適與初意合即加訪問講求纖悉畢究以至弓量算造之法盡得其說乃奏經界行否與詳畧之利害各一所必可行之術三將不得行之慮一蓋謂田稅均則為公私之利否則為害行之詳則足為一定之法行之畧則適滋他日之弊故必盡行差官置局打量步畝攢造圖帳三說而後可三者又各為條晝其便宜使之無擾而辨但此法之行貧民下戶雖所深喜而豪民猾吏皆所不樂喜之者皆單弱困苦無能之人故雖有懇誠而不能以言自達不樂者皆財力辯智有餘之人故其所懷雖實私意而善為說詞以惑羣聽恐動上下務以必濟其私而搢士大夫之喜安靜厭紛擾者又或不能深察其情而望風沮怯例為不可行之說以助其勢此則誠不能無將不得行之慮也疏入既久之未報又與政府劄子

云經界充利害之大者退而講究㠯細本末不敢不盡覶縷措畫蓋已十八九成矣鄙意無他蓋以本州田税不均隱漏官物動以萬計公私田土皆為豪家宗大姓詭名冒占而細民産去税存或更受俵寄之租困苦狼狽無所從出州縣既失經常之入則遂多方擘劃取其所不應取之財以足歲計如諸縣之科罰州郡之賣鹽是也上下不法莫能相正窮民受害有使人不忍聞者某自到官蓋嘗反覆討論欲救其弊而隱度郡計入不支出乃知若不經界實無措手之地所以前此申奏欲得及此秋冬之交早賜行下○嘗於州治射堂之後圃畫為井字九區中區石甃為高壇後區為茅庵庵三牕左牕櫺為泰卦右為否卦後為復卦前為剝卦庵前接為小屋前區為小茅亭左右三區各列植桃李而間以梅九區之外圍繞植竹嘗笑謂諸生曰上有九疇八卦之象下有九丘八陣之法按此條未詳何年月以與經界事析類故附焉○五月跋陳符經界說

十月以地震及足疾不能赴錫宴自劾仍丐祠不允○郡刊四經

四子書成

壬辰春以告于先聖其文畧曰恭惟六經大訓炳若日星不幸前遭秦火煨燼之厄後遭漢儒穿鑿之謬不惟微詞奥旨莫得其傳至於篇帙之次亦復殽亂云云又各為說繫于其後以曉世之學者易取古文分經傳為十二篇其說曰易經本為卜筮而作皆因吉凶以示訓戒故其言雖約而所包甚廣夫子作傳亦畧舉其一端以見凡例而已然自諸儒分經合傳之後學者便文取義往往未及玩心全經而遽執傳之一端以為定說於一卦一爻僅為一事而易之為用反有所局而無以通乎天下之故若是者某蓋病之詩書皆取序合為一篇寘諸經後其論書曰漢儒以伏生之書為今文而謂安國之書為古文以今考之則今文多艱澁而古文反平易或者以為今文自伏生女子口授晁錯時失之則先秦古書所引之文皆已如此或者以為記錄之實語難工而潤色之雅詞易好則暗誦者不應偏得所難而考文者反專得其所易是皆有不可知者至諸序之文或頗與經不合而安國之序又絕不類西京文字亦皆可疑讀者姑務沈潛反覆乎其所易而不必

穿鑿傅會於其難可也春秋則出於左氏經文別為一書以踰三經之後四子則謂程子之教人必先使之用力於大學論語孟子中庸之書然後及乎六經蓋其難易遠近大小之序固如此而不可亂也然讀者不先於孟子而遽及中庸則亦非所以為入道之漸○按語錄云某如今方見得聖人一言一字不吾欺只今六十一歲方理會得恁地又曰某覺得今年方無疑又曰某當初講學也豈意到這裏幸而天假之年許多道理在這裏今年頗覺勝似去年去年勝似前年列上釋奠禮儀數事、先是守南康日嘗言之朝乞取政和新儀鋟版頒下而本書多牴牾、復以告焉則莫之省、至是列上釋奠數事、且移書禮官督趣乃得頗為討究則淳熙所鋟之板已不復存、百計求之然後得諸老吏之家又以議論不一越再歲乃能定議條奏、得請施行而主其事者適徙他官因格不下冬有旨本州先行經界、朱子以閩南春早事已無及請益講究俟嗣歲行之先是條畫經界當行之事鉅細畢備、徧榜州縣貧民下户莫不深喜、而寓公豪右兼併侵

漁者所不便既為異論以撓之州人有居要路者幸其有是請亟啓從之後遂有言經界不便者詔寢其事而三州經界竟不行如所料云

二年辛亥（朱子六十二歲）**春復陳君舉書**（朱子往歲聞陳傅良君舉嘗著詩說以書問之至是書來報云來徵詩說年來或與士友言之未嘗落筆愚見頗以雅頌之音簫勺羣慝訓詁章句付之諸生又謂二十年間開見異同無從就正間欲以書扣之又念長者前有長樂之爭後有臨川之辯他如永康往還動數千言更相切磋未見其益而學者轉相夸眺浸失本旨蓋刻畫太精頗傷簡易矜持已甚反涉吝驕以此益覺書不能宣要須請見究此衆曲耳朱子答書云嘗謂人之為學若從平實地上循序加功則其目前雖未見日計之益而積累工夫漸見端緒自然不假用意裝點不待用力支撐而聖賢之心義理之實必皆有以見其確然而不可易者至於講論之際心即是口口即是心豈容別生較計依違遷就以為譎詐自便之計耶今人為學既已過高而傷

巧是以其說常至於依違遷就而無所分別蓋其胸中未能無纖芥之疑有以致然非獨以避外之故而後詭於辭也若其之慝自信已篤向來之術雖至於遺譏取辱然至於今日此心耿耿猶恨其言之未盡不足以暢彼此之懷合異同之趣而不敢以為悔也不識高明何以教之惟盡言無隱使得反復其說千萬幸甚老病幽憂死亡無日念此大事非一人私說一朝淺計而終無而焉之期是以書致愚悃鄉風引領不勝馳情後無聞焉○二月與趙帥書論招州軍蔡江浅

三月、復除秘閣修撰宮觀

正月長子塾卒于婺州報至即以繼體服斬衰乞祠歸治喪葬遂除秘撰主管南京鴻慶宮任便居住

四月、拜祠命、辭職名、解組而歸

朱子去郡即辭免職名蓋上初政當中是命朱子力辭已降褒詔從其請難以復受辭至于再是月與留丞相書云論譔華貲所不當得然亦且得去此只俟受命一面控辭而於前路聽從欲之報也又蒙垂諭深以士大夫之朋黨為患甚竊謂朋黨之禍止於縉紳而古之惡朋黨而欲去之者

往往至於亡人之國蓋不察其賢否忠邪而惟黨之務去則彼小人之巧於自謀者必將有以自蓋其術而君子恃其公心直道無所回互往往反為所擠而目以為黨漢唐紹聖之已事蓋未遠也夫杜門介行孤立無朋潔此一介之行也延納賢能黜退姦險合天下之人以濟天下之事者宰相之職也須丞相先以分別忠邪賢否為己任其果賢且忠耶則顯然進之惟恐其黨之不衆而無與共國天下之事也其果姦且邪耶則顯然黜之惟恐其去之不盡而有以害吾用賢之功也不惟不疾君子之為黨而不憚以身為之黨不惟不憚以身為之黨是又將引其君以為黨而不憚也如此則天下之事其庶幾乎○朱子治漳僅及一朞以崇教化正風俗為先務南陬僻陋獲聞正大之論始而驚中而疑越半歲乃翕然以定僚屬厲志節而不敢恣所欲仕族奉繩檢而不敢干以私胥徒易慮而不敢行奸豪猾斂跡而不敢冒法平時習浮屠為傳經禮塔朝嶽之會者在在為之屏息平時附鬼為妖迎遊於街衢而抄掠於閭巷者亦皆相視斂戢不敢輙舉良家子女從空門若各閉精廬

或從人爲之崇四境徇偷之氏亦望風許道改從生業化成而去漳民久思之○嘗病本州濫鹽重

爲民害者甚衆詔十有一鋪其餘諸鋪欲俟經界正賦税均乃悉除之人以不及行爲恨○所立社

稷風雨雷師壇壝之制皆稽合古典可爲世法五月歸次建陽寓同由橋

○七月再辭職名詔論撰之職以寵名儒乃不敢

辭○九月除湖南轉運副使辭不允再辭仍以漳

州經界不行自劾○秋冬累書與晋丞相論出處

三年壬子朱子六十三歲二月乞補滿宮觀從之先是詔漳州經

界議行已久湖南使節來不相關可預求之任遂有是請始築室于建陽之考

亭先是先生嘗過而愛之書日記曰考亭溪山清邃可居故遷焉六月落成而居之○歸自臨漳

學徒益盛始議建精舍于所居之旁以待來學者

○跋越在閣忠節録四月跋方季申所校韓文

一五一

陳同甫來訪同甫名亮永康人以文雄浙間自負王霸之略而任俠豪舉朱子往歲嘗與書箴其義利雙行王霸並用且謂漢唐行事非三綱五常之正以風切之同甫有書辨難朱子累答書極力開諭同甫雖不能改未嘗不心服每遇朱子生朝雖在千里外必遣人問遺歲以為常至是來訪○朱子嘗曰浙間學術之弊不過兩說江西頓悟永康事功若不極力爭辨此道無由得明

十二月除知靜江府廣西經略辭○孟子要略成按行狀不載此書大全集亦無序跋俟更考

四年癸丑朱子六十四歲正月有旨不許辭免疾速之任再辭○二月仍舊宮觀○七月序詩集傳十二月差知潭州湖南安撫辭或傳是冬使人自虜中回虜問南朝朱先生安在答以見擢用歸白廟堂遂有是除以辭遠就近不為無嫌乃辭

五年甲寅朱子六十五歲正月有旨不允再辭○二月詔疾之任詔長沙巨屏得賢爲重往祗成命毋執謙辭可依已降指揮疾速之任○會洞獠侵擾屬郡恐其滋熾遂拜命四月啓行五月至鎮在途拆伏老稚攜扶來觀夾道塡擁幾不可行長沙士子夙知向學及鄰郡數百里聞學子雲集朱子誨誘不倦坐席至不能容溢于戶外士俗懽動遣諭洞獠降之猺人蒲來矢出省地作過或薦軍校田昇可用召問之以爲可招期以某日不俟以來將斬汝昇即以問數十輩馳往取文書粗若告身者數通自隨諭以禍福來矢喜聽命遂并其妻子俘以至官給衣冠引赦不誅更建嶽麓書院書院本振客劉公南軒先生舊規久浸廢墜擇士之淳實者往整復之別置員額以待不由課試而入者其廩給與郡庠等後復更建於爽塏之地規模一新焉○朱子窮日之力治郡事甚勞夜則與諸生講論隨問而答略無倦色每訓以切己務實毋厭卑近而慕高遠懇惻至到聞者感動奏

撥飛虎軍隸本路節制從之，以本路別無軍馬，唯賴飛虎軍以壯聲勢。而乃遂隸襄陽，不便，遂有是請。六月，申省乞歸田里，不允。時孝宗陞遐，朱子哀慟不能自勝，又聞光宗以疾不能執喪，中外洶洶，益憂懼，遂申省乞歸田里，言天下國家所以長久安寧，唯賴朝廷三綱五常之教有以建立修明於上，然後守藩述職之臣有以稟承宣布於下，所以內外相維，小大順序，雖有強猾奸宄，無所逞志。不然，以一介書生置諸數千里軍民之上，亦何所憑恃而能服其衆哉。又草封事，極言父子天性不應以小嫌廢過宮禮，言頗切直。後以寧宗即位，不果上。七月，寧宗即位，召赴行在奏事，辭。上在藩邸，聞朱子名德，每恨不得為本宮講官，至是首加召用。○先是，蜀人黃裳為翊善，講說開導，上學頻進。一日，光宗宣諭曰：嘉王進學，皆卿之功。裳謝，因進曰：若欲進德修業，追蹤古先哲王，則須尋天下第一等人乃可。光宗問為誰，對曰：朱熹。裳或言長沙之命亦頗由此。彭龜年繼為宮寮，因講讀會莊公不能制其母云姆不可制，當制其侍御僕從。上問此誰之說，對曰朱某之說。自後每講必問朱某之說云何。蓋顧心已久，故屢位之初，首加迅召，皆出上意也。○跋東萊辨志錄

考正太常所下釋奠申明指揮，付學官遵行。先是漳州任內所請施行所列上釋奠禮儀，既去官，復格不下。至是前太常博士詹體仁還為少卿，乃復取往年所被敕命下之本郡。然吏文重複繁冗，幾不可讀，且曰屬有大典禮，未遑徧下諸州也。既而朱子召還奏事，行有日矣，適苦目眚，乃力疾躬為鈎校，刪剔猥穰，定為數條，以附州案，仍移學官，符屬縣，且關帥司，并下巡內諸州，僅取而行。則聞詹卿補外，而奉常來不復下其書他川矣。

錄故死節五人，為之立廟

東晉王敦之亂，湘州刺史譙閔王司馬承起兵討賊，不克而死。紹興初，金賊犯順，通判潭州事孟彥卿、趙民彥督兵迎戰，臨陣遇害。城陷之日，將軍劉玠、兵官趙聿之巷戰，罵賊不屈而死。五人皆以忠節致於王事，而從前未有廟貌。乃牒本州於城隍廟內創立祠堂，象五人及考譙王本傳，并象其參

佐數人侍左右各立位版記其官職姓名奉祀如法後又請于朝賜廟額曰忠節八月除煥章閣待制兼侍講辭不允力辭奏事之命兩向不報遂求歸道中被除命以為超躐不次之除不免冒昧之譏乞仍舊奉祠行至信州有旨不允○跋南軒三家禮範九月再辭有旨依已降指揮不允疾速供職行且辭至而且云陛下嗣位之初方將一新庶政所宜愛惜名器若使倖門一開其弊豈可復塞至於博延儒臣專意講學蓋將求所以深得親懽者為建極導民之本思所以大振朝綱者為防微慮遠之圖願問之臣實憤制發用人或謬所繫非輕蓋朱子在道間南內朝禮尚闕近習已有用事者故預有是言是月晦次闕外先是朱子行至上饒聞以內批逐首相有憂色學者問其故曰大臣進退亦當存其體貌豈宜如此或謂此蓋廟堂之意曰何不諷其請去而後許之上新立豈可道之使輕逐大臣耶及至六和塔永嘉諸賢俱集各陳所欲施行之策紛紛不決朱子曰彼方為几

我方爲內何服誦及此哉噫異時近習用事御筆拓拂𣏌已有端故朱子憂之十月朔乙

且帶舊職奏事己丑入國門辛卯奏事行宮便殿

其略曰天運艱難國有大變所謂天下之大變而不可以常理處也太皇太后躬定大策皇帝陛下寅紹丕圖所謂處之以權而庶幾不失其正者亦曰陛下之心前日未嘗有求位之計今日未嘗忘思親之懷耳充吾未嘗求位之心則可以盡吾負罪引慝之誠充吾未嘗忘親之心則可以致吾溫凊定省之禮始終不越乎此而大倫可正大本可立矣陛下之誠能動心忍性深自抑損所以自處常如前日未嘗有位之時內自宮掖燕私之奉服食器用之須不敢一旦而全享乎萬乘之尊卑務積其誠意切以格夫親心然後發德音痛自克責嚴飭羽衛益勤問安視膳之行俯伏寢門怨慕號泣雖勞且辱有所不憚然而親心猶未底豫慈愛猶未復初則臣不信也次言爲學之道莫先於窮理而窮理之要必在於讀書讀書之法莫貴於循序而致精而致精之本則又在於居敬而持志此

不易之理也夫自君臣父子夫婦兄弟朋友以至於出入起居應事接物之際莫不各有理焉有以窮之則知其所以然與其所當然而無纖芥之疑善則從之惡則去之而無毫髮之累此為學所以莫先於窮理也至論天下之理則其粲然之跡必然之效蓋莫不具於經訓史冊之中欲窮天下之理而不即是以求之則是正墻面而立耳此窮理所以必在於讀書也若夫讀書則其好之者不究夫貪多而務廣誠能心潛於一久而不移自然漸漬浹洽心與理會而善之為勸者深惡之為戒者切矣此循序致精所以為讀書之法也若夫致精之本則在於心而心之為物至虛至靈神妙不測常為一身之主以提萬事之綱而不可有頃刻之不存者也誠能嚴恭寅畏不為物欲之所侵亂則以之讀書以之觀理將無所往而不通以之應事以之接物將無所施而不當矣此居敬持志所以又為讀書之本也此數語者皆愚臣平生為學艱難辛苦已試之效竊意聖賢復生所以教人不過如此其三劄皆言湖南事宜○初朱子行至宜春門人廬陵劉黻遮見請曰先生是行上虛心以待

敢問其道何先曰今日之事非大改更不足以悅
天意服人心必有惡衣服菲飲食卑宮室之志而
後敢以天子之位為樂然後庶幾積誠盡孝默通
潛格天人和同方可有為其事大其體重以言乎
輔贊之功則非吾之所任以言乎啟沃之道則非
吾之敢當然天下無不可為之時人主無不可進
之善以天子之命召藩臣當不俟駕而往吾
知竭吾誠盡吾力耶外此非吾所能預計也辭待
制侍講不允壬辰辭待制職名乞改說書差遣奏事
後向納劄子辭職名有旨依已降指揮不允日下
供職乃受講筵職事又申省以為未得進說而先
受俸恩萬一異時未效涓埃而疾病不支遂竊待
從職名而去則臣死有餘罪上手劄卿經術淵源
正資勸講次對之職勿復牢辭
以副朕崇儒重道之意乃拜命上孝宗山陵議狀
趙彥逾按視謂土肉淺薄掘深五尺下有水石旅
改新穴視舊僅高尺餘孫逢吉覆按亦乞少寬日
月別求吉兆有旨集議臺史憚之議遂中輟朱子
竟上議狀言壽皇聖德神功宜得吉土以奉衣冠

之歲當廣求術士博訪名山不宜偏信臺史因上誤國之言罔執紹興坐南向北之說委之水泉砂
礫之中殘破浮淺之地不報
辛丑受詔進講大學庚子內引辛丑進講○故
事講筵每遇隻日早晚進講及至當日或值假故即行權罷又大寒大暑亦繁罷講月分乃奏乞除
朔望旬休及過宮日外不以寒暑雙隻月日諸色假故並令逐日早晚進講從之○朱子每講務積
誠意以感悟上心以平日所論著敷陳開析坦然明白可舉而行講罷有可以開益聖德者罄竭
無隱上亦虛心嘉納
差兼實錄院同脩撰辭不允再辭不許遂拜命
覃恩授朝請郎甲辰例賜紫金魚袋乙巳晚講乞
令後省看詳封事時以雷雨之異下詔求言因奏登極之初獻言者衆乞令後省
官看詳擇其議者條上取旨施行庶聞者知勸直言日聞詔差沈有開劉光祖看詳限十日奏聞
乞三年內賀禮並免瑞慶聖節前一日晚關報來日百官稱賀朱子欲不出不

可乃降劄子明日立班投進有旨却賀表不受未復請三年內賀禮並免節序進名奉慰

庚戌

講筵留身奏四事

時有旨修葺東宮三數百間而諫臣黃度將論近習遂以特批逐之朱子不勝憂慮乃具奏四事其畧曰上帝震怒災異數出畿甸百姓饑餓流離太上皇帝未有進見之期而壽皇在殯因山未卜几筵之奉不容少弛太皇太后皇太后皆以尊老之年煢然憂苦晨昏之養尤不可闕不宜大興土木以適安便又壽康定省之禮所宜下詔自責頻日繼往顧乃逶迤舒緩無異尋常之然而往泛然而歸太上皇帝問之必以為此徒備禮而來實無必求見我之意非深閑固拒而不肯見固亦宜矣至於朝廷紀綱尤所當嚴上自人主以下至於百執事各有職業不可相侵今進退宰執移易臺諫皆出於陛下之獨斷而大臣不與謀給舍不及議正使實出於陛下之獨斷而非事恐當於理亦非為治之體況中外傳聞皆謂左右或竊其柄而其所行又未能盡允於公議乎至於殯宮之卜偏聽臺史謬妄之言墮其交結眩惑之計但欲於祐思諸陵之旁趲那

遷就苟且了當既不爲壽皇體魄安寧之慶又不
爲宗社血食久遠之圖臣願陛下首罷修葺東宮
之役而以其工料回就慈福重華之間草創寢殿
一二十間使粗可居如是則上有以感格太上皇
帝之心而速南内進見之期又有以致壽皇几筵
之奉而盡兩宮晨昏之禮此一事也若夫過宮之
計則臣又願陛下入宮之後暫變服色如唐肅宗
之改服紫袍執鞚馬前者預詔近屬尊行之賢使
之先入肯白太上皇后然後隨之而入望見太上
皇帝即當流涕伏地抱膝號咷以伸負罪引慝之
誠而太上皇后宗戚貴臣左右環擁更進譬喻解
釋之詞則太上皇帝雖有忿怒之情亦且霍然雲
消霧散而懽意浹洽矣此二事也若夫朝廷之紀
綱則臣又願陛下深詔左右勿預朝政而凡號令
之弛張人材之進退則一委之二三大臣使之較
量勿徇己見此三事也若夫山陵之卜亦望先寬
七月之期沈默臺史之說別求草澤以營新宮使
壽皇之遺體得安於内則宗社生靈皆蒙福於外
矣此四事也皆今日最急之務切乞留神反
復思慮斷而行之上爲感動然亦無所施行閏月

戊午朔晚講是日講至盤銘日新因論成湯有盤銘武王有丹書皆人主儆勤警戒之意○講及數次復綸次成帙取旨進入上且令點句以來他日請問上曰宫中常讀之其要在求放心耳朱子頓首謝因復奏疏勉上進德畧言願陛下日用之間語默動靜必求放心以為之本而於玩經觀史已用力處益用力焉數召大臣切劘治道仰陳今日要務畧如仁祖開天章閣故事至於羣臣進對亦賜温顏反復詢訪以求政事之得失民情之休戚而又因以察其人材之邪正短長庶於天下之事各得具理所以推廣上意焉○朱子謂門人曰上可與為善願常得賢者輔導天下有望矣

庚申早講辛酉晚講奏禮律嫡孫承重斬衰三年禮經教令子為父嫡孫承重為祖父皆斬衰年蓋嫡子當為父後以承大宗之重而不能襲位以執喪則嫡孫繼統以代之執喪義當然也漢文短喪之後歷代因之天子遂無三年之喪為父且然則嫡孫承重從可知已人紀廢壞三綱不明千有餘年莫能釐正及我壽皇聖帝至性自

天孝誠內發，易月之外，猶執通喪，朝衣朝冠皆以大布，超越千古拘攣牽制之弊，革去百王衰陋卑薄之風，甚盛德也，所宜著在方冊，為世法程，子孫守之，永永無斁。而間者遺詔初頒，太上皇帝偶違康豫，不能躬就喪次，陛下實以世嫡之重，仰承大統，則所謂承重之服，著在禮律，所宜一遵壽皇已行之法。易月之外，且以布衣布冠視朝聽政，以代太上皇帝躬執三年之喪，而一時倉卒不及詳議，遂用漆紗淺黃之服，不惟上違禮律，無以風示天下，且將使壽皇已革之弊去而復留，已行之禮舉而復墜，臣竊痛之。然既往之失不及追改，惟有將來啟殯發引，禮當復用初喪之服，則其變除之節尚有可議，欲望陛下仰體壽皇聖孝成法，明詔禮官稽攷禮律，預行指定。詔禮官討論，後不果行。○又書奏稿後云：準五服年月格，斬衰三年，嫡孫為祖謂承重者，法意甚明，而禮經無文，但傳云父沒而為祖後者服斬，然而不見本經，未詳何據。但小記云祖父沒而為祖母後者三年，可以旁照。至為祖後者條下疏中所引鄭志，乃有諸侯父有廢疾不任國政、不任喪事之問，而鄭答以天子諸侯之服皆斬之文方見父在而承國於祖之服向來入此文字時無文字可檢歸來稽攷始見此說方得無疑乃知學之不講其害如此而禮經之文誠有闕略不無待於後人向使無鄭康成則此事終未有決斷不可直謂古經定制一字不可增損也

奏疏論廟祧

孝宗將祔廟禮官初請祧宣祖而祔孝宗繼復有請併祧僖宣二祖而正太祖祫享東向之位乞議祧主所歸者宰相趙汝愚素主此說給舍樓鑰陳傅良皆附和之癸亥嘗集議朱子度難以口舌爭乃辭疾不赴而入議狀以為不祧僖祖則百事皆順一祧僖祖則百事皆外非三年一祫太祖不得享時暫東向之禮而可以遂其尊祖之心所謂祖以孫尊孫以祖詘者也又訪得故大儒程頤之說或謂僖祖無功德頤謂今日天下基本蓋出於此豈可謂無功德併其說上之宰相不聽復奏疏論之臺諫因乞且依禮官初議樓鑰獨乞主併祧之說丙寅得旨來日內引丁卯入對賜食上問外事人才雖請宣引之旨上於榻後取文書一卷曰此卿所奏廟議也可細陳其說初朱子既被旨恐上必問及乃取所論畫為圖本貼

說詳盡至是出以奏陳久之上再三稱善且曰僖祖乃國家始祖高宗時不曾祧孝宗時亦不曾祧太上皇帝時又不曾祧今日豈可容易可於榻前撰數語俟御批出施行朱子方懲內批之弊因乞降出劄子而令臣僚集議上亦然之既退即以上意諭廟堂則聞已毀四祖廟而祔之別廟矣時相既以王安石之論為非異議之徒忌其軋己藉以求勝事竟不行天下恨之○又與汝愚書云祧廟之議上意已自開納而丞相持之不下便將太廟毀拆及臺諫有言不知只作如何處分致後省復有云云據其所言亦未敢深以熹說為非但云未見本議欲乞降出而丞相又不肯降出便從其請以此而觀其罪不在樓陳而丞相實任之也然丞相以宗枝入輔王室而無故輕納鄙人之妄議毀撤祖宗之廟以快其私其不祥亦甚矣欲望神靈降歆永國祚於無窮其可得乎

甲子在告乙丑直日准告封發源縣開國男食邑三百戶

戊辰入史院朱子以實錄院眾無統紀修撰官三員檢討官四員各欲著撰不相統攝

所修前後刑名不相照應當與衆議欲以事目分之管之六部吏部專編差除禮部專編典禮刑部專編刑法須依次序編排各具首末然後類聚為書方有條理又如一事而記載不同者須置簿抄出與衆會議然後去取庶幾有得總底在及置六房吏若周官史幾人各掌其事時檢討官不從〇有既上政府劄子

除宮觀尋除寶文閣待制知江陵府湖北安撫辭

戊午而對乙亥直日丙戌晚講留身中言前疏乞賜施行既退即降御批朕憫卿耆艾方此隆冬恐難立講已除卿宮觀可知悉宰相趙汝愚留御劄因諫內侍王德謙徑遣付下即附奏以謝仍中省照會遂行給事中樓鑰封還錄黃、中書舍人鄧驛繳對奏留之上許除京祠已而不上起居郎劉光祖又言之中書舍人陳傅良亦封還錄黃有旨依已降指揮工部侍郎黃艾因對問所以逐朱某之驟上曰始除熹經筵爾今乃事事欲與聞吏部侍郎孫逢吉亦上疏留又因講權輿之詩反復以諷上曰朱某所言多不可用十一月差知江陵府詔不候受告疾速之任〇初上之立也趙相求能通意於長信宮若知閤門事韓侂胄自詭於太皇太后親舊也請効力遣入白不許出遇內侍關禮于門告之故禮請獨入泣涕因請太皇太后許之乃命復府侂胄入使喻意廟堂其論遂定侂胄自謂有定策功且依托肺腑出入宮掖居中用事朱子離長沙已聞之即惕然以為憂因免牘上微窺其意及進對再三面陳之又約吏部侍郎彭龜年請對白發其奸龜年出護使客侂胄益得志時丞相方收召四方知名之士聚於本朝海內引領以觀新政而事已多從中出朱子既憂言於上又數以手書遣生徒密白丞相當以厚賞酬其勞勿使得預朝政且有分界限立紀綱防微杜漸謹不可忽之意丞相方謂其易制所倚以為腹心謀事之人又皆持祿苟安無復遠慮朱子獨懷忠憤因講畢奏疏極言之侂胄大怒陰與其黨謀先去其為首者則其餘去之易耳乃於禁中為優戲以熒惑上聽會朱子急於致君知無不言言無不切頗見厭憚而一時爭名之流亦潜有惎間之意由是侂胄之計遂行及講筵留身而乞施行前疏則內批徑下朱子除大國彭龜年遂攻侂胄

因奏曰改緣陛下近日逐得朱某太驟故亦欲陛下亟去此小人既而省劄直批龜年與郡侂胄山北齋熹益張羣憸附和并疑丞相視正士如深仇衣冠之禍蓋始此云○戊戌行至玉山邑宰司馬邁請為諸生講說辭不獲乃就縣庠賓位因學者所請問而發明道要聞者興起邁刻講義一篇以傳于世此乃朱子晚年教人親切之訓讀者其深味之丁未還家辛未復辭前命、仍乞追還新舊職名、援伊川辭朝官例也十二月詔依舊煥章閣待制、提舉南京鴻慶宮○竹林精舍成後更名滄洲○朱子既歸學者甚衆至是精舍成率諸生行釋菜之禮以告成事其文曰後學朱熹敢昭告于先聖至聖文宣王恭惟道統遠自羲軒集厥大成允屬元聖述古垂訓萬世作程三千其徒化若時雨維顏曾氏傳得其宗逮思及孟益以光大自時厥後口耳失真千有餘年乃曰有繼周程授受萬理一原曰邵曰張爰及司馬學雖殊轍道則同歸俾我後人如夜復旦熹以凡陋少蒙義方中靡常師晚親有道、載鑽載仰、雖未有聞、賴天之靈、幸無失墜、逮茲退老、同好鼎来、落此一丘、群居伊始、探原推本、敢昧厥初、奠以告虔、庶其昭格、陟降庭止、惠我光明、傳之方来、永永無斁、今以吉日恭修釋菜之禮、以先師兖國公顔氏、郕侯曾氏、沂水侯孔氏、鄒國公孟氏、濂溪周先生、明道程先生、伊川程先生、康節邵先生、横渠張先生、温國司馬文正公、延平李先生從祀。○文精舍規約整肅、置堂長以司之、且書其門符云、道迷前聖統、朋誤遠方来、

寧宗慶元元年、乙卯、朱子六十六歲、正月、復乞追還舊職名、不允。○二月、答曾致虛書、論從祀畫像、三月、再辭、不允、以議僖祖祧不合、自劾并累中省、有旨次對之職、除受已久、與廟議初不相關、依已降指揮、不得再有陳請。○先是吏部取會磨勘、至是轉朝奉大夫、五月、乞致仕、不允、初侂胄即欲并逐趙丞相而難其辭、及是誣以不軌、竄永州、中外震駭、大權一歸侂胄矣、侂胄本武人、志在招權納賄、上大夫皆刊

無恥或素爲清議所指者乃教以附去異己者然後可以肆志而莫予違陰疏姓名授之俾以次斥逐或更道學之名曰僞學蓋謂貪黷放肆乃人真情其廉潔好修者皆僞也於是群小附和以攻僞于進者蠭起而大府寺丞呂祖儉以論救丞相編韶州朱子自以蒙累朝知遇之恩且尚帶從臣職名義不容嘿乃草封事數萬言極陳姦邪蔽主之禍因以明丞相之冤子弟諸生更進迭諫以爲必且賈禍朱子不聽蔡元定入諫請以蓍決之遇遯之同人朱子嘿然退取奏藁焚之更號遯翁遂以疾乞休致仕

七月復辭職名并乞休致詔辭職謝事非朕優賢之意不得再有陳請

九月乞鐫職名以當言議山陵自劾待罪乞鐫職名詔無罪可待餘依已降指揮

十一月再辭職名又言已罷諸官不敢復帶侍從職名詔從之

十二月詔依舊充祕閣修撰宮觀制詞有大遯加授小遯如僞等語中書舍人傅伯壽所行也初侂冑猶未敢有加罪朱子之意遯讀而上皆有棄詞痾堂寄發云朝

廷欲以此别真偽，望體此意，勿因辭。朱子辭益力，廟堂不樂。伯壽嘗執弟子禮，恨不薦已，因行詞以逢迎之。是後小人始敢肯詆朱子矣。

是歲，楚辭集註成。又有辯證及後語。○楊揖跋云：慶元乙卯，揖侍先生于考亭精舍，時朝廷治黨人方急，丞相趙公謫死于永，先生憂時之意屢形於色。忽一日出示學者以所釋楚辭一篇，其退而思之，先生平居教學者，首以大學、語、孟、中庸四書，次而六經，又次而史傳，至於秦漢以後詞章，特餘論及之耳，乃獨為楚辭解釋其義，何也？然先生終不言，揖亦不敢竊有請焉，俟之言婉而深，故錄之。

二年丙辰，朱子六十七歲。二月，申省乞改正已受從臣恩數。言昨來辭封錫服、封贈蔭補、磨勘轉官恩數，皆當改正，不許。十二月，褫職罷祠。先是臺臣擊偽學，既榜朝堂，未幾張貴模指論太極圖說之非，省闈知貢舉葉翥、倪思、劉德秀奏論文弊，復言偽學之魁，以匹夫竊人主之柄，鼓動天下，故文風未能丕變，乞將語錄之類並行除毀是科取士稍涉義理者悉見黜落六經語孟中庸大學之書為世大禁士子避時所忌文氣日卑臺諫洶洶爭欲以朱子為奇貨門入揚道夫開鄉曲射利者多撰造事跡以投合言者之意亟以書告朱子報曰死生禍福久已置之度外不煩過慮然久之相顧不敢發獨胡紘草疏將上會遷去不果沈繼祖以追論伊川得為察官紘以藁授之繼祖銳於進取意謂立可致富貴遂奏乞褫職罷祠從之。○蔡元定隱居不仕亦特編置道州善類重足以立。○黃銖曰偽學之說蓋拾劉德秀鄭丙陳賈之緒餘始猶未敢訴言姓名是猶有羞惡之心也至是沈章無所忌憚則幾於無是非之心矣然先生之學之行卓然在世果何傷於日月乎。○作皇極辨後記

是歲始修禮書名曰儀禮經傳通解其書大要以儀禮為本分章附疏而以小戴諸義各綴其後其見於他篇及他書可相發明者或附於經或附於義其外如弟子職保傅傳之屬又自別為篇以附其類其目有家禮鄉禮學禮邦國禮王朝禮喪禮祭禮大傳外傳其大體已具者蓋十七八。○先是草奏欲乞修三禮曰

遭秦滅學禮樂先壞漢晉以來諸儒補緝竟無全書其頗存者三禮而已周官一書固為禮之綱領至其儀法度數則儀禮乃其本經而禮記郊特牲冠義等篇乃其義說耳前此猶有三禮通禮學究諸科禮雖不行而士猶得以通習而知其說熙寧以來王安石變亂舊制廢罷儀禮而獨存禮記之科棄經任傳遺本宗末其失已甚而博士諸生又不過誦其虛文以供應舉至於其間亦有因儀法度數之實而立文者則咸幽冥而莫知其源一有大議率用耳學臆斷而已若乃樂之為教則又絕無師授律尺短長聲音清濁學士大夫莫有知其說者而不知其為闕也故臣頃在山林嘗與一二學者考訂其說欲以儀禮為經而取禮記及諸經史雜書所載有及於禮者皆以附於本經之下具列注疏諸儒之說畧有端緒而私家無書檢閱無人抄寫久之未成會蒙除用學徒分散遂不能就而鍾律之制則士友間亦有得其遺意者竊欲更加參考別為一書以補六藝之闕而亦未能具也欲望聖明特詔有司許臣就祕書省關借禮樂諸書自行招致舊日學徒十餘人踏逐空閑官屋數

閒與之居處令其編類可以興起發憤垂之永久使士知實學異時可為聖朝制作之助則斯文幸
甚會去國
不及上

三年丁巳朱子六十八歲正月按是月朔旦朱子書於藏書閣下東楹曰周敬王四十一年壬戌孔子卒至宋慶元三年丁巳一千六百七十六年此其憂傷微意可見矣○跋河圖洛書

拜命表謝畧云雖補過以修身無及桑榆之暮景然在家而憂國未忘葵藿之初心○前數日之夕朱子方與諸生講論有以小報來者畧起視之復坐講論如初翌日諸生乃知有指揮後竟無告命蓋被垣不敢秉筆公論焉可誣也

別蔡元定於寒泉周易參同契考異成郡縣逮捕元定甚急元定色不為動既行朱子與嘗所游百餘人會別淨安寺坐方丈寒暄外無嗟勞語坐客感嘆有泣下者朱子微視元定不異平時因曰朋友相愛之情季通不挫之志可謂兩得之矣明日獨與元定會宿寒泉相與訂正參同契終夕不寐次年元

定卒於舂陵朱子為之哀慟元定從游最久精識博聞同輩皆不能及義理大原固已心通意解凡長於天文地理樂律曆數兵陣之說凡古書盤錯肯綮學者讀之不能以句元定爬梳剖析細入秋毫莫不暢達朱子論易推本河圖洛書邵氏皇極經世書先天圖往往多因與元定往復而有發焉故其歿也恨無與晤語者其沒也祭之以為精詣之識卓絕之才不可屈之志不可窮之辯不復可見並游之好同志之樂已矣已矣熹深致其哀焉○八月跋袁機仲所校參同契○時黨禁益譏稍稱善類作遂無遺至薦舉考校皆為厲禁朱子方與同志講道於竹林精舍不為輟或勸以謝絕生徒儉德避禍者朱子曰禍福之來命也或又微諷先生有天生德於予底意思卻無微服過宋之意曰某不曾上書自辨又不曾作詩謗訕只與朋友講習古書說道理更不教做卻做何事又與留丞相書云某自少鄙拙凡事不能及人獨聞古人為己之學而心竊好之又以為是乃人之所當為而力所可勉遂委己從事焉庶幾粗以塞其受中以生之責初不敢為異以求名也既而閭里後生有

相問者相問以所聞告之而流傳之誤乃有自遠至者其才之高下質之厚薄雖為不同然皆以是心至其不得拒也不謂其之無狀偶自獲罪於世而註誤連染上累斯道下及衆賢例得詭偽之名誣以不道之法至有初不相識而横罹其禍者杜門循習私竊負愧雖欲悔之而厥路無繇矣顧其繼而来者又未忍卻然每對之未嘗不笑其愚而又憐彼之愚甚於熹也今幸旬月以来各以事歸計亦聞知外間風色自不敢復來矣 是歲韓文考異成

四年戊午 朱子六十九歲 集書傳 按大全集止載二典禹謨金縢召誥洛誥武成諸說又蔡九峯書傳序云慶元己未冬先生令沈作書集傳又云二典禹謨先生蓋嘗是正而此乃云集書傳俟更考 十二月乞致仕 以年及七十申建寧府乞保明申奏致仕○記外祖祝公遺事○是歲答李季章書云親舊凋零如蔡季通呂子約皆死貶所令人痛心益無生意所以惜此餘日正為所編禮傳已畧見端緒而未能就若更得年餘間未死且與了卻亦可瞑目矣

五年己未朱子七十歲四月詔從所請朱子初擬名在謫籍不敢陳請繼以尚帶階官義當納祿有旨依所乞守朝奉大夫致仕有致仕謝表始用野服見客榜署云滎陽呂公嘗言京洛致仕官與人相接皆以閑居野服爲禮而嘆外郡或不能然其誚深矣又謂上衣下裳大帶方履比之涼衫自不爲簡其所便者但取束帶足以爲禮解帶足以燕居而已且使窮鄉下邑得見祖宗盛時京都舊俗其美如此亦補助風教之一端也○十二月作皇考朱公行狀

六年庚申朱子七十一歲正月作聚星亭贊考亭陳氏故有離榭名曰聚星亭至是作新之朱子爲本原荀陳事迹畫著屏上而爲之贊末云或乃附曹群亦忘漢嗣守之難古今共嘆又曰高山景行好德所同課忠責孝獨槩予衷百爾窺臨鏡考毋怠死國承家永奉明戒其意蓋有在矣三月辛酉改大學誠意章戊午歲嘗與廖德明帖云

大學又修得一番簡易平實次第可以縫罅是日改誠意章令刻疾甚不能興心以是已未夜爲諸生說太極圖夜中復說西銘甚詳且言爲學之要惟事事審求其是決去其非積集久之心與理一自然所發皆無私曲聖人應萬事天地生萬物直而已矣

甲子以疾終于正寢

前夕分亥精舍諸生入問疾告之曰誤諸君遠來然道理亦止是如此但相倡率下堅苦工夫牢固著足方有進步處諸生退乃作三書一與子在令早歸收拾遺文一與黃幹令更加勉力且云吾道之託在此吾無憾矣及令收禮書底本踵而成之其書界行開具遂項合修條目且封一卷付爲式一與范念德托寫禮書甲子即命移寢中堂黎明諸生復入問疾因請曰先生之疾革矣萬一不諱當用書儀乎朱子搖首然則當用儀禮乎亦搖首然則以儀禮書儀參用之乎乃頷之就枕誤觸巾目門人使正之揮婦人無得近諸生揖而退良久恬然而逝午初刻也享年七十有一送終諸事皆用遺訓焉是歲大風拔木洪流崩岸哲人之萎豈小變哉○朱子平居惓惓無一念不在於國

聞時政之闕失則戚戚然有不豫之色語及國勢之未振則感慨以至泣下然自少即以興起斯文為己任慨焉孜孜不知老之將至若不屑於斯世者及其出而事君則竭忠盡誠不顧其身推以臨民則除其疾苦而正其風俗未嘗不欲其道之行也雖遇知於人主而不容於邪枉故自登仕以至爵纔五十年間歷事四朝仕於外者僅九考立於朝者四十日而已豈非天將以斯人紹往聖之統覺來世之迷故啬之於彼而厚之於此歟○初居崇安五夫榜其讀書之室曰紫陽書堂以新安有紫陽山識鄉關常在目也後得地於建陽蘆峰之巔曰雲谷因創草堂扁以晦庵自題雲谷老人亦曰晦翁既又得武夷五曲之地結廬其間曰武夷精舍晚卜築于考亭又曰滄洲精舍時號滄洲病叟最後揲蓍遇遯之同人因更號遯翁○按語錄云先生每日早起升影堂啓于家廟以次列拜炷香又拜而退登閣拜先聖像方坐書院受早揖飲湯少坐月朔影堂薦酒果望日則薦茶有時物薦新而後食又俟吳壽昌云先生每觀一水一石一草一木稍清陰處大醉則趺坐高拱經史子集之餘雖

記錄雜說舉輒成誦微醺則吟哦古文氣調清壯某所聞見則先生每愛誦屈原楚騷孔明出師表淵明歸去來辭并杜子美數詩而已此二條歲月無考故附于末

十一月壬申葬于建陽縣唐石里之大林谷送者幾千人○言者誤以為歸葬婺源奏乞約束會葬

嘉泰二年壬戌十月除華文閣待制與致仕恩澤先是時論欲稍示更張以就平遂有此除郡不中發故以生存出命

嘉定元年戊辰十月詔賜謚與遺表恩澤謚曰文○自佐胄伏誅天下稱快朱子忠誠先見始得暴白于世

三年庚午五月贈中大夫寶謨閣直學士後以明堂恩累贈通議大夫

理宗寶慶三年丁亥正月贈太師追封信國公御筆指揮見後第九卷

紹定三年庚寅九月改追封徽國公用鄒兗例制詞見後第九卷

淳祐元年辛丑正月詔學宮列之從祀三省同奉御筆指揮見後第九卷

元至正二十二年壬寅二月改追封齊國公制詞見後第九卷。按今制兩京國子監天下府州縣廟學及徽建祠祀俱稱徽國文公而齊國之號未聞並於何時嘗考汪春坊仲魯文公家廟記作於洪武丙辰之歲則稱徽國唐山長仲紫陽書院記作於洪武己未之歲則稱齊國盖當時未有定制故稱謂不同如此然其後卒仍徽國之舊信兼意

聖□□九蔭例記繼興邦有勝國封詔而天下諸司循襲已久

□之戒從日以徽為文公父的作以之封國於□我賁協而改月日齊姝無意謂故邪其實封齊

其號未之有革觀仲所備叫是矢紹識之以俟知者正焉

朱子實紀卷之四

朱子實紀卷之五

行狀

宋故朝奉大夫華文閣待制贈寶謨閣直學士通議大夫謚文朱先生行狀

曾祖絢故不仕　妣汪氏

祖森故贈承事郎　妣程氏贈孺人

父松故任左承議郎守尚書吏部員外郎兼史館校勘累贈通議大夫

妣孺人祝氏贈碩人

本貫徽州婺源縣萬年鄉松巖里

先生姓朱氏諱熹字仲晦父朱氏為婺源著姓以儒
名家世有偉人吏部公甫冠擢進士第入館尚書郎
兼史事以不附和議去國文章行義為學者師號韋
齋先生有文集行於世吏部公因仕入閩至先生始
寓建之崇安五夫里今居建陽之考亭先生以建炎
四年九月十五日午時生南劍尤溪之寓舍幼穎悟
莊重能言韋齋指示曰此天也問曰天之上何物韋
齋異之就傅授以孝經一閱封之題其上曰不若是
非人也嘗從群兒戲沙上獨端坐以指畫沙視之八
卦也少長厲志聖賢之學於舉子業初不經意年十

八貢于鄉中紹興十八年進士第以左迪功郎主泉州同安簿蒞職勤敏纖悉必親郡縣長吏事倚以決苟利於民雖勞無憚職兼學事選邑之秀民充弟子員訪求名士以為表率日與講說聖賢修己治人之道年方踰冠聞其風者已知學之有師而尊慕之歷四考罷歸以奉親講學為急二十八年請奉祠監潭州南嶽廟明年召赴行在言路有托抑奔競以沮之者遂以疾辭三十二年祠秩滿再請孝宗即位復因其任會有詔求直言因上封事其略言聖躬雖未有闕失而帝王之學不可以不熟講朝政雖未有闕遺

而脩攘之計不可以不早定利害休戚雖不可偏以
跡舉然本原之地不可以不加意陛下繇德之初親
御簡策不過諷誦文辭吟詠情性比年以來欲求大
道之要又頗留意於老子釋氏之書記誦詞藻非所
以探淵源而出治道虛無寂滅非所以貫本末而立
大中帝王之學必先格物致知以極夫事物之變使
義理所存纖悉畢照則自然意誠心正而可以應天
下之務次言今日之計不過脩政事攘夷狄然計不
時定者講和之說疑之也今虜於我有不共戴天之
讎則不可和也義理明矣知義理之不可為而猶為

之以有利而無害也以臣策之所謂和者有百害而無一利何苦而必為之顧疇咨大臣總攬群策鑑失之之由求應之之術斷以義理之公參以利害之實閉關絶約任賢使能立紀綱厲風俗使吾脩政攘夷之外了然無一毫可恃為遷延中已之資而不敢懷頃刻自安之意然後將相軍民無不曉然知陛下之志更相激厲以圖事功數年之外志定氣飽國富兵強視吾力之強弱觀彼釁之淺深徐起而圖之中原故地不為吾有而將焉往次言四海利病係斯民之休戚斯民休戚係守令之賢否監司者守令之綱朝

廷者監司之本欲斯民之得其所本原之地亦在朝廷而已今之監司姦贓狼籍肆虐以病民者莫非宰執臺諫之親舊賓客其已失勢者既按見其交私之狀而斥去之尚在勢者豈無其人顧陛下無自而知之耳明年改元隆興復召辭不許即入對其一言大學之道在乎格物以致其知蓋有是物必有是理然理無形而難知物有迹而易覩故因是物以求之使是理瞭然於心目之間而無毫髮之差則應乎事者自無毫髮之繆陛下雖有生知之性高世之行而未嘗隨事以觀理故天下之事多所未察未嘗即理以

應事故天下之事多所未明是以舉措之間動涉疑貳聽納之際未免蔽欺平治之效所以未著由不講乎大學之道而溺心於淺近虛無之過其二言君父之讎不與共戴天乃天之所覆地之所載凡有君臣父子之性者發於至痛不能自已之同情而非專出於一己之私然則今日所當爲者非戰無以復讎非守無以制勝是皆天理之同然非人欲之私忿也末言古先聖王制御夷狄之道其本不在乎威强而在乎德業其任不在乎邊境而在乎朝廷其具不在乎兵食而在乎紀綱今日諫諍之塗尚壅佞幸之勢方

張爵賞易致而威罰不行民力已殫而國用未節則
德業未可謂脩朝廷未可謂正紀綱未可謂立凡古
先聖王所以強本折衝威制夷狄之道皆未可謂備
三劄所陳不出封事之意而加剴切焉先生以為制
治之原莫急於講學經世之務莫大於復讎至於德
業成敗則決於君子小人之用舍故於奏對復申言
之蓋學有定見事有定趨而措之於言者如此除武
學博士待次乾道改元促就職既至以時相方主和
議請監南嶽廟以歸三年差充樞密院編脩官待次
五年三促就職會魏掞之以布衣召為國子錄因論

曾覩而去遂力辭先生嘗兩進絕和議抑佞幸之戒言既不行雖擢用狎至不敢就出處之義凜然有不可易者尋丁內艱六年復召以未終喪辭七年既免喪復召以祿不及養辭四年之間辭者六九年有旨安貧守道廉退可嘉特改合入官主管台州崇道觀先生以改秩畀祠皆進賢賞功優老報勤之典今無故驟得之求退得進於義未安再辭淳熙元年又再辭上意愈堅始拜命改宣教郎奉祠二年除祕書郎先生以改官之命正以嘉其廉退今乃冒進擢之寵是左右望而罔市利力辭時上諭大臣欲奬用廉退

執政以先生為言故有是命會有言虛名之士不可用者以故再辭即從其請主管武夷山冲佑觀五年差發遣南康軍事辭者四始之任先生自同安歸奉祠家居幾二十年間關貧困不以屬心涵養充積理明義精見之行事者益深矣至郡懇惻愛民如己隱憂興利除害惟恐不及屬邑星子土瘠稅重乞從蠲減章凡五六上歲值不雨講求荒政凡請於朝言無不盡官物之檢放倚閣蠲減除豁帶納如秋苗夏稅木炭月樁經總制錢之屬各視其色目為之條奏或至三四不得請不已并奏請截留綱運乞轉運常

平兩司撥錢米充軍粮備賑濟申嚴鄰路斷港遏糴
之禁選官吏授以方畧俾視境内具知荒歉分數户
口多寡蓄積虛實通商勸分多所全活其施設次第
人争傳録以為法訖事奏乞依格推賞納粟人者凡
數四郡濵大江舟艤岸者遇大風輙淪溺因募飢民
築堤捍舟民脫於飢舟患亦息先生視民如傷至姦
豪侵擾細民撓法害政者懲之不少貸由是豪强歛
戢里閭安靖數詣郡學引進士子與之講論訪白鹿
洞書院遺址奏復其舊又奏乞賜書院敕額及高宗
御書石經板本九經注疏等書者至再每休沐輙一

至諸生質疑問難誨誘不倦退則相與徜徉泉石間
竟日乃反又求栗里陶靖節之居西澗劉屯田之墓
孝子熊仁瞻之閭旌顯之猶以不得悉行其志為恨
明年詔監司郡守條具民間利病遂上疏言天下之
大務莫大於恤民恤民之本又在人君正心術以立
紀綱今日民間特以稅重為苦正緣二稅之入朝廷
盡取以供軍而州縣無復贏餘則不免於二稅之外
別作名色巧取於民今民貧賦重若不討理軍實去
其浮冗則民力決不可寬惟有選將吏覈兵籍可以
節軍資開廣屯田可以實軍儲練習民兵可以益邊

術今日將帥之選率皆膏粱子弟厮役凡濫府得差遣爲費已是不貲到軍之日惟望裒斂刻剥以償債負總魄餉之任者亦皆倚負幽陰交通貨賂其所驅催東南數十州之脂膏骨髓名爲供軍而輦載以輸權倖之門者不可以數計然則欲討軍實以紓民力必盡反前之所爲然後乃可冀也授將印委利權一出於朝廷之公議則可以絶苞苴請託之私而刻剥之風可革務求忠勇沉毅實經行陣之人則可以革輕授非才之弊而軍士畏愛蒐閱以時冗名冗食者不得容於其間又擇老成忠實通曉兵農之務者使

領屯田之事付以重權責以久任則可以漸省列屯坐食之兵稍損州郡供軍之數軍籍既敷屯田既成兵民既練州縣事力既紓然後可以禁其苛斂責其寬恤庶幾窮困之民得保生業無復流移漂蕩之患矣所謂其本在於正心術以立紀綱者蓋天下之紀綱不能以自立必人主之心術公平正大無偏黨反側之私然後紀綱有所繫而立君心不能以自正必親賢臣遠小人講明義理之歸閉塞私邪之路然後乃可得而正今宰相臺省師傅賓友諫諍之臣皆失其職而陛下所與親密謀議者不過一二近習之臣

此一二小人者上則蠱惑陛下之心志使陛下不信先王之大道而説於功利之卑説不樂莊士之讜言而安於私暬之鄙態下則招集士大夫之嗜利無耻者文武羣分各入其門所喜則陰爲引援擢寘清顯所惡則密行訾毁公肆擠排交通貨賂則所盜者皆陛下之財命卿置將則所竊者皆陛下之柄陛下所謂宰相師傅賓友諫諍之臣或反出入其門墻承望其風旨其幸能自立者亦不過齪齪自守而未嘗敢一言以斥之其甚畏公論者乃略能警逐其徒黨之一二既不能深有所傷而終亦不敢明言以擣其囊

橐窟穴之所在勢成威立中外靡然向之使陛下之號令黜陟不復出於朝廷而出於此一二人之門名為陛下之獨斷而實此一二人者陰執其柄蓋其所壞非獨壞陛下之紀綱乃併與陛下所以立紀綱者而壞之則民又安可得而恤財又安可得而理軍政何自而脩土宇何自而復宗廟之讎耻又何時而可雪耶先生在任嘗用劄子奏事後因臺諫言用劄子非舊制遂奏乞罷黜又以致人户逃移自劾者再以疾請奉祠者五將滿除江西提舉常平茶鹽事待次初廟堂議遣先生使蜀上意不欲其遠去故有是命

詔以脩舉荒政民無流殍除直秘閣凡三辭皆以前
所奏納粟人未推賞難以先被恩命會浙東大饑易
提舉浙東常平茶鹽事時民已艱食即日單車就道
復以南康納粟人未推賞辭職名且乞奏事之任納
粟賞行遂受職名入對其一言陛下臨御二十年間
水旱盜賊略無寧歲意者德之崇未至於天與業之
廣未及於地與政之大者有未舉而小者無所繫與
刑之遠者或不當而近者或幸免與君子有未用而
小人有未去與大臣失其職而賤者竊其柄與直諒
之言罕聞而諂諛者衆與德義之風未著而汙賤者

騁與貨賂或上流而恩澤不下究與責人或已詳而反射有未至與夫必有是數者然後足以召災而致異其二言陛下即政之初蓋嘗選建英豪任以政事不幸其間不能盡得其人是以不復廣求賢哲而姑取軟熟易制之人以充其位於是左右私褻使令之賤始得以奉燕閑備驅使而宰相之權日輕又慮其勢有所偏而因重以壅己也則時聽外廷之論將以陰察此輩之負犯而操切之陛下既未能循天理公聖心以正朝廷之大體則固已失其本矣而又欲兼聽士大夫之公言以為駕馭之術則士大夫之進見

有時而近習之從容無間士大夫之禮貌既莊而難
親其議論又苦而難入近習便嬖側媚之態既足以
蠱心志其胥吏狡獪之術又足以眩聰明此其生熟
甘苦既有所分恐陛下未及施其駕馭之術而先墮
其數中矣是以雖欲微抑此輩而此輩之勢日重雖
欲兼采公論而士大夫之勢日輕重者既挾其重以
竊陛下之權輕者又借力於所重以為竊位固寵之
計中外相應更濟其私日往月來浸淫耗蝕使陛下
之德業日隳綱紀日壞邪佞充塞貨賂公行兵愁民
怨盜賊間作災異數見飢饉荐臻群小相挺人人皆

得滿其所欲惟有陛下了無所得而國家顧乃獨受其弊其三言救荒利害如州縣旱傷早行檢放從實蠲減勸諭人戶賑糶務得其平納粟之人早行推賞所納米數仍減其半乞撥豐儲倉米三十餘萬石以備濟糶州縣新舊官物並且住催紹興丁身等錢預行蠲放及免米商力勝稅錢量立賞格官吏違慢若奏劾昏病者別與差遣仍差選得替待闕宮廟持服官員時暫管幹其四言水旱三分以上第五等戶免檢並放五分以上第四等戶依此施行乞行著令及請頒行社倉條約於諸路其五言紹興和買乞議革

其弊其六言南康嘗乞蠲減星子租稅有司根以對
補各細鄙狹不達大體其七言白鹿書院請賜書額
先生所對奏劄凡七其一二皆自書以防宣洩又以
南康所上封事繕寫成冊用袋重封於閤門投進後
五劄亦有非一時救荒之急者當倥偬不暇給之際
而憂深慮遠從容整暇蓋急於救民謦欬忠悃不敢
有所隱也先生所居之鄉每歲春夏之交豪戶閉糶
牟利細民發廩強奪動相賊殺幾至挺變先生嘗帥
鄉人置社倉以賑貸之米價不登人得安業至是乞
推行之白鹿書院事本不暇及前期執政使人諭以

且宜勿言先生因念主上未必有鄙濂儒生之意而大臣先為此言不可及對卒言之上委曲訪問悉從其請先生初拜命即移書他郡募米商蠲其征及至客舟之米已輻輳復以入奏荒政數事推廣條上情詞懇惻條目詳密日與僚屬寓公鉤訪民隱至廢寢食分畫既定按行所部窮山長谷靡所不到拊問存恤所活不可勝計每出皆乘單車屏徒從所歷雖廣而人不知郡縣官吏憚其風采蒼黄驚懼常若使者壓其境至有自引去者由是所部肅然而尤以戢盜捕蝗興水利為急大抵措畫悉如南康時而用心尤

昔初奏紹興和買之弊至是乞先與痛減歲額然後
用貫頭科敷惟恐貧下户受其弊則請參用高下等
第均敷及減免下户丁錢以優之又乞免台州丁錢
至於差役利害亦嘗條具數十言申省義役之法則
乞令均出義田罷去役首免排役次官差保正副長
輪收義田仍令上户兼充户長又乞取會福建下四
州見行產鹽法行於本路沿海四州又乞依處州見
行之法改諸郡酒坊為萬户於救荒之餘猶悉及他
事以為經久之計先生猶以徒費大農數十萬緡無
以全活一道飢民自劾又以前後奏請多見抑却幸

而從者又率稽緩後時無益於事蝗旱相仍不勝憂
憤復奏言為今之計獨有斷自聖心沛然發號責躬
求言然後君臣相戒痛自省改其次惟有盡出內庫
之錢以供大禮之費為收糴之本詔户部無得催理
舊欠詔諸路漕臣遵依條限檢放稅租詔宰臣沙汰
被災路分州軍監司守臣之無狀者遴選賢能責以
荒政庶幾猶足以下結人心消其乘時作亂之意不
然臣恐所憂者不止於餓殍而在於盜賊蒙其害者
不止於官吏而上及於國家也復上時宰書云朝廷
愛民之心不如惜費之甚是以不肯為極力救民之

聊明公亙愛國之念不如愛身之切是以但務為阿諛
順指之計然民之與財孰輕孰重身之與國孰大孰
小財散猶可復聚民心壹失則不可復收身危猶可
復安國勢一傾則不可復正至於民散國危而措身
無所則其所聚有不為大盜積者耶九年以賑濟有
勞進直徽猷閣辭知台州唐仲友與時相王淮同里
為姻家遷江西提刑未行先生行部訟者紛然得其
姦贓偽造楮幣等事劾之時久旱而雨奏上淮匿不
以聞仲友亦自辯且言弟婦王氏驚悸病篤論愈力
章至十上事下紹興府鞫之獄具情得乃奪其新命

侵先生、先生以為是蹊田、而奪之牛、辭不拜、遂歸尋
令兩易江東、辭及辭職名、且言唐仲友雖寢新命、已
具之獄、竟釋不治、則是所按不實、難以復沾恩賞、並
不許受職名、再辭新任、且乞奉祠、言所劾贓吏黨與
衆多、並當要路、大者宰制斡旋於上、小者驅鶩經營
於下、若其加害於臣、不遺餘力、則遠至師友淵源之
所自、亦復無故横肆觝排、為臣之計、惟有乞身就閑
或可少紓患害、時從臣有乘時相意、上疏毀程氏之
學、以陰詆先生者、故有是言、十年、差主管台州崇道
觀、先生守南康、使浙東、始得行其所學、已試之効卓

然而卒不果用退而奉崇道雲臺鴻慶之祠數畫年
自是海内學者尊信益衆十四年除提點江西刑獄
公事待次以疾辭不許遂拜命十五年促奏事又以
疾辭不許遂行又以疾請奉祠者再淮罷相遂力疾
入奏首言近年以來刑獄不當輕重失宜甚至涉於
人倫風化之重者有司議刑亦從流宥之法則天理
民彝幾何不至於泯滅又言州郡獄官乞注有舉主
關陞及任滿銓試第二等以上人常調關陞及省部
胥吏並不得注擬若縣獄則專委之令或不得人則
無所不至亦望令縣丞或主簿同行推訊又言提刑

司管催經總制錢起於宣和末年倉卒用兵權宜措
畫其始亦但計其出納之實數而隨以取之及紹興
經界民間投印違限契約所入倍於常歲自後遂以
是年為額而立為比較之說甚至災傷檢放倚閣錢
米已無所入而經總制錢獨不豁除州縣之煎熬何
日而少紓斯民之愁嘆何時而少息又言江西諸州
科罰之弊至其末篇乃言陛下即位二十有七年而
因循荏苒無尺寸之效可以仰酬聖志嘗反覆而思
之無乃燕閒蠖濩之中虛明應物之地天理有未純
人欲有未盡歟天理未純是以為善不能充其量人

欲未盡是以除惡不能去其根一念之頃公私邪正
是非得失之機朋分角立交戰於其中故體貌大臣
非不厚而便嬖側媚得以深被腹心之寄寤寐豪英
非不切而柔邪庸繆得以久竊廊廟之權非不樂聞
公議正論而有時不容非不堲讒說殄行而未免誤
聽非不欲報復陵廟讎恥而不免畏怯苟安非不欲
愛養生靈財力而未免歎息愁怨凡若此類不一而
足顧陛下自今以往一念之頃則必謹而察之此為
天理耶為人欲耶果天理也則敬以充之而不使其
少有壅閼果人欲也則敬以克之而不使其少有凝

滯。惟而至於言語動作之間。用人處事之際。無不以是裁之。則聖心洞然。中外融澈。無一毫之私欲得以介乎其間。而天下之事。將爲陛下之所欲爲。無不如志矣。是行也。有要之於路。以正心誠意爲上所厭聞。戒以勿言者。先生曰。吾平生所學。只有此四字。豈可回互而欺吾君乎。及奏。上未嘗不稱善。曰。久不見卿。浙東之事。朕自知之。今當處卿清要。不復勞卿州縣。除兵部郎。以足疾丐祠。未供職。本部侍郎林栗。前數日與先生論易西銘不合。至是遣部吏抱印迫以供職。先生以疾告。遂跡先生欺慢。時上意方鄉先生。欲易以他部郎時相覔請授以前江西之命仍舊職名又令吏部給還改官以後不曾陳乞磨勘蓋先生改秩既出特恩其後累任祠官無績可考以故不曾陳乞磨勘者十有四年先生行且辭曰論者謂臣事君無禮為人臣子有此名罪當誅戮豈可復任外臺耳目之寄章再上除直寶文閣主管西京嵩山崇福宮衆亦罷辭磨勘及職名不許轉朝奉郎未逾月再召時廟堂知上眷厚憚先生復入故為兩罷之策上悟復召先生受職名辭召命以為遷官進職皆為許其閑退方竊難進易退之褒復為彈冠結綬之計則其

為世觀笑不但往來屑屑之譏又促召初先生入奏事迫於疾作嘗面奏以為口陳之說有所未盡乞具封事以聞至是再辭遂併具封事投匭以進其畧曰今天下大勢如人有重病內自心腹外達四支無一毫一髮不受病者臣不暇言且以天下之大本與今日之急務為陛下言之蓋大本者陛下之心急務則輔翼太子選任大臣振舉綱維變化風俗愛養民力脩明軍政六者是也古先聖王兢兢業業持守此心雖在紛華波動之中幽獨得肆之地而所以精之一之克之復之如對神明如臨淵谷猶恐隱微之間或

有差失而不自知是以建師保之官列諫諍之職凡
飲食酒漿衣服次舍器用財賄與夫宦官宮妾之政
無一不領於冢宰使其左右前後一動一靜無不制
以有司之法而無纖芥之隙瞬息之頃得以隱其毫
髮之私陛下之所以精一克復而持守其心果有如
此之功乎所以脩身齊家而正其左右果有如此之
効乎宮省事禁臣固不得而知然爵賞之濫貨賂之
流閭巷竊言久已不勝其籍籍則陛下所以脩之家
者恐其未有以及古之聖王也至於左右便嬖之私
恩遇過當往者淵覿說抃之徒勢焰熏灼傾動一時

今已無可言矣獨有前日臣所面陳者雖蒙聖慈委
曲開釋然臣之愚竊以為此輩但當使之守門傳命
供掃除之役不當假借崇長使得逞邪媚作淫巧於
內以蕩上心立門庭招權勢於外以累聖政臣竊聞
之道路自王忭既逐之後諸將差除多出此人之手
陛下竭生靈膏血以奉軍旅而軍士顧乃未嘗得一
溫飽是皆將帥巧為名色奪取其糧肆行貨賂於近
習以圖進用出入禁闥腹心之臣外交將帥共為欺
蔽以至於此而陛下不悟反寵暱之以是為我之私
人至使宰相不得議其制置之得失給諫不得論其

除授之是非則陛下所以正其左右者未能及古之
聖王又明矣至於輔翼太子則自王十朋陳良翰之
後宮寮之選號爲得人而能稱其職者蓋已鮮矣而
又時使邪佞儇薄闒冗庸妄之輩或得參錯於其間
所謂講讀亦姑以應文備數而未聞其有箴規之效
至於從容朝夕陪侍遊燕者又不過使臣宦者數輩
而已唐之六典東宮之官師傅賓客既職輔導而詹
事府兩春坊實擬天子之三省故以詹事庶子領之
今則師傅賓客既不復置而詹事庶子有名無實其
左右春坊遂直以使臣掌之何其輕且褻之甚耶夫

立太子而不置師傅賓客則無以發其隆師親友尊德樂義之心獨使春坊使臣得侍左右則無以防其戲慢媟狎奇衺雜進之害宜討論前典置師傅賓客之官罷去春坊使臣而使詹事庶子各復其職至於選任大臣則以陛下之聰明豈不知天下之事必得剛明公正之人而後可任哉其所以常不得如此之人而反容鄙夫之竊位者直以一念之間未能撤其私邪之蔽而燕私之好便嬖之流不能盡由於法度若用剛明公正之人以為輔相則恐有以妨吾之事害吾之人而不得肆是以選掄之際常先排擯此等

寘之度外而後取凡疲懦軟熟平日不敢直言正色之人而揣摩之又於其中得其至庸極陋決可保其不至於有所妨者然後舉而加之於位是以除書未出而物色先定姓名未顯而中外已逆知其決非天下之第一流矣至於振肅紀綱變化風俗則今日宮省之間禁密之地而天下不公之道不正之人顧乃得以窟穴盤據於其間而陛下目見耳聞無非不公不正之事則其所以熏蒸銷鑠使陛下好善之心不著疾惡之意不深其害已有不可勝言者矣及其作姦犯法則陛下又未能深割私愛而付諸外廷之議

論以有司之法是以紀綱不能無所撓敗紀綱不正於上是以風俗頹弊於下蓋其為患之日久矣而浙中為尤甚大率習為軟美之態依阿之言以不分是非不辨曲直為得計下之事上固不敢少忤其意上之御下亦不敢稍拂其情惟其私意之所在則千塗萬轍經營計較必得而後已甚者以金珠為脯醢以契券為詩文宰相可啗則啗宰相近習可通則通近習惟得之求無復廉耻一有剛毅正直守道循理之士出乎其間則群譏衆排指為道學而加以矯激之罪十數年來以此二字禁錮在下之賢人君子復如

崇宣之間所謂元祐學術者排擯詆辱必使無所容其身而後已嗚呼此豈治世之事而尚復忍言之哉至於愛養民力脩明軍政則自虞允文之為相也盡取版曹歲入窠名之必可指擬者號為歲終羨餘之數而輸之內帑顧以其有名無實積累掛欠空載簿籍不可催理者撥還版曹以為內帑之積將以備他日用兵進取不時之須然自是以來二十餘年內帑歲入不知幾何而認為私貯典以私人宰相不得以式貢均節其出入版曹不得以簿書鉤考其在亡其日銷月耗以奉燕私之費者蓋不知其幾何矣而曷

嘗聞其能用此錢以易胡人之首如太祖皇帝之言哉徒使版曹經費闕乏日甚督趣日峻以至廢去祖宗以來破分良法而必以十分登足為限以為未足則又造為比較監司郡守殿最之法以誘脅之於是中外承風競為苛急此民力之所以重困也諸將之求進也必先掊尅士卒以殖私財然後以此自結於陛下之私人而祈以姓名達於陛下之貴將貴將得其姓名即以付之軍中使自什伍以上節次保明稱其材武堪任將帥然後具奏為牘而言之陛下之前陛下但見其等級推先案牘具備則誠以為公薦而

可以得人矣而豈知其諧價輸錢已若晚屬之債帥哉夫將者三軍之司命而其選置之方乖剌如此則彼智勇材畧之人孰肯抑心下首於宦官宫妾之門而陛下之所得以為將帥者皆庸夫走卒而猶望其脩明軍政激勸士卒以強國勢豈不誤哉凡此六事皆不可緩而本在於陛下之一心一心正則六事無不正一有人心私欲以介乎其間則雖欲憊精勞力以求正夫六事者亦將徒為文具而天下之事愈至於不可為矣疏入夜漏下七刻上已就寢亟起秉燭讀之終篇明日除主管太乙宫兼崇政殿說書時上已有

惓勤之意蓋將以為燕翼之謀先生嘗草奏疏言講學以正心脩身以齊家遠便嬖以近忠直抑私恩以抗公道明義理以絶神姦擇師傅以輔皇儲精選任以明體統振綱紀以厲風俗節財用以固邦本脩政事以攘夷狄凡十事欲以為新政之助會執政有指道學為邪氣者力辭新命除秘閣脩撰仍奉外祠遂不果上先生當孝宗朝陛對者三上封事者三其初固以講學窮理為出治之大原其後則直指天理人欲之分精一克復之義其初固以當世急務一二為言其後封事之上則心術宮禁時政風俗披肝瀝膽極

其忠鯁蓋所望於君父愈深焉其言愈切故於封事之末有曰日月逾邁如川之流一往而不復不唯臣之蒼顏白髮已迫遲暮而竊仰天顏亦覺非昔時矣忠誠懇惻至今讀者猶為之涕下先生進疏雖切孝宗亦開懷容納武博編摩秘省郎曹之除蓋將引以自近守南康持浙東江西之節又知其不可强留而授之至是復有經帷之命先生之盡忠孝宗之受盡言亦未為不遇也然先生進言皆痛詆大臣近習孝宗之眷愈厚而嫉者愈深是以不能一日安其身於朝廷之上而孝宗內禪矣光宗即位再辭職名仍舊

直寳文閣降詔奬諭除江東轉運副使以疾辭者再
章恩轉朝散郎賜緋衣銀魚陞知漳州又再以疾辭
不許時光宗初政再被除命遂以紹熙元年之任奏
除屬縣無名之賦七百萬減經總制錢四百萬加
意學校教誘諸生如南康時又以習俗未知禮採古
喪葬嫁娶之儀揭以示之命父老解說以教子弟釋
氏之教南方為盛男女聚僧廬為傳經會女不嫁者
私為庵舍以居悉為之禁俗大變郡有故迪功郎高
登忤秦檜貶死為奏請昭雪獲其直會朝論欲行泉
漳汀三州經界先生初仕同安已知經界不行之害

至是訪事宜擇人物以至丈量之法洞見本末遂疏其事上之且言必可行之説三將必至於不能行之説一蓋為經界法行息爭止訟大為民利而占田隱税侵漁貧弱者所不便及具宣德意榜之通衢則邦民鼓舞而寓公豪右果為異議以沮之遂因地震及是疾不赴錫宴自劾其冬有旨先行漳州經界南方春旱事已無及明年屬有嗣子之喪再請奉祠除秘閣脩撰主管南京鴻慶宫先生以當上初政嘗辭前件職名已降褒詔從其請難以復受辭者再詔論撰之職以寵名儒乃拜命除荆湖南路轉運副使再辭

漳州經界竟報罷遂以前言經界可行自劾三年再以病辭乞補滿宮觀從之又數月差知静江府廣南西路經略安撫辭四年又辭主管南京鴻慶宫未幾差知潭州荆湖南路安撫以辭遠就近不為無嫌力辭五年再辭有旨長沙巨屏得賢為重會洞獠擾屬郡遂拜命赴鎮至則遣人諭以禍福皆降之申敕令嚴武備戢姦吏抑豪民先生所至必興學校明教化湖湘士子素知學日伺公退則請質所疑先生為之講説不倦四方之學者畢至又以南康漳州所申改正釋奠儀式為請録故死節五人為之立廟孝宗升

避先生哀慟不能自勝又聞上以疾不能執喪中外
洶洶益憂懼遂申省乞歸田里言天下國家所以長
久安寧惟賴朝廷三綱五常之教建立脩明於上然
後守藩述職之臣有以稟承宣布於下所以內外相
維小大順序雖有強猾姦宄無所逞志不然以一介
書生置諸數千里軍民之上亦何所憑恃而能服其
衆哉又草封事極言父子天性不應以小嫌廢彝倫
言頗切直會今上即位不果上上在潛邸聞先生名
每恨不得先生爲本宮講官至是首召奏事先生行
且辭除煥章閣待制侍講辭不許又再辭且言陛下

嗣位之初方將一新庶政所宜愛惜名器若使倖門
一開其弊豈可復塞至於博延儒臣專意講學將求
所以深得親懽者為建極導民之本思所以大振朝
綱者為防微慮遠之圖顧問之臣實資輔養用人或
繆所繫非輕蓋先生在道聞南內朝禮尚闕近習已
有用事者故預有是言又不許遂奏乞且依元降指
揮帶元官職奏事者再及入對首言乃者天運艱難
國有大咎所謂天下之大變而不可以常理處者太
皇太后躬定大策陛下寅紹丕圖可謂處之以權而
庶幾不失其正矣然自頃至今亦既三月或反不能

無疑於逆順名實之際禍亂之本又已伏於冥冥之中竊為陛下憂之尚猶有可諉者亦曰陛下之心前日未嘗有求位之計今日未嘗忘思親之懷此則道心微妙之全體天理發用之本然所以行權而不失其正之根本也誠即是心而充之則所謂求仁得仁而無怨終身訢然樂而忘天下者臣有以知陛下之不難矣借曰天命神器不可無傳宗廟社稷不可無奉則轉禍為福易危為安亦豈可舍此而他求哉充吾未嘗求位之心則可以盡吾負罪引慝之誠充吾未嘗忘親之心則可以致吾溫凊定省之禮始終不

越乎此而大倫正大本立矣次言為學莫先於窮理窮理必在於讀書讀書之法莫貴於循序而致精致精之本又在於居敬而持志又三劄言湖南歲計入少出多不可支吾乞裁減差到諸班換授歸正雜色補官員數郡州邊防全無措畫以致猺人侵犯乞移置寨栅增撥戍兵潭州城壁乞行計度脩葺既對面辭待制侍講不許翌日又辭待制職名乞改作說書差遣以為未得進說而先受厚恩萬一異時未効涓埃而疾病不支遂竊侍從職名而去則臣死有餘罪上手札御經術淵源正資勸講次對之職勿復牢辭

以副朕崇儒重道之意遂拜命會趙彥逾按視孝宗山陵以爲土肉淺薄掘深五尺下有水石旋改新穴比舊僅高尺餘孫逢吉覆按亦乞少寬月日別求吉兆有旨集議臺史憚之議遂中寢先生竟上議狀言壽皇聖德神功宜得吉土以奉衣冠之藏當廣求術士博訪名山不宜偏信臺史因上誤國之言固執紹興坐南向北之說委之水泉砂礫之中殘破浮淺之地不報覃恩轉朝請郎賜紫章服兼實錄院同脩撰再辭不許拜命受詔進講大學先生以平日論著敷陳開析務積誠意以感上心遂奏乞除朔望旬休及過

宮日分不以寒暑雙隻月日諸假故並令發曉進講又乞置局看詳四方封事瑞慶節免稱賀皆從之復因有旨脩葺舊東宮為屋三數百間遂具四事奏言當上帝震怒災異數出畿甸百姓飢餓流離太上皇帝未獲進見壽皇因山未卜太皇太后皇太后皆以尊老之年煢然憂苦不宜大興土木以就安便壽康定省之禮所宜下詔自責頻日繼往顧乃遠適舒緩無異尋常太上皇帝必以為此特備禮而來其深閉固拒而不得見亦宜矣朝廷綱紀尤所當嚴上自人主下至百執各有職業不可相侵今進退宰執移易

臺諫皆出陛下之獨斷大臣不與謀給舍不及議正
使其事悉當於理亦非為治之體況中外傳聞皆謂
左右或竊其柄而其所行又未能盡允於公議乎此
弊不革臣恐名為獨斷而主威未免於下移欲以求
治而返不免於致亂末復申言鼓宮之下不宜偏聽
臺史膠固繆妄之言墮其交結眩惑之計皆不報先
生進講每及數次復以前所講者編次成帙以進上
亦開懷容納且面諭以求放心之說甚善所進冊子
宮中常讀之今後更為點來先生知上有意於學遂
以劄子勉上進德其畧言願陛下日用之間語默動

靜必求放心以為之本而於玩經觀史親近儒學已
用力處益用力焉數召大臣切劘治道俾陳今日要
務畧如仁祖開天章閣故事至於群臣進對亦賜温
顏反覆詢訪以求政事之得失民情之休戚而又因
以察其人才之邪正短長庶於天下之事各得其理
又奏禮經敕令子為父嫡孫承重為祖父皆斬衰三
年嫡子當為父後不能襲位執喪則嫡孫繼統而代
之執喪自漢文短喪歷代因之天子遂無三年之喪
為父且然則嫡孫承重可知人紀廢壞三綱不明千
有餘年莫能釐正壽皇聖帝至性自天孝誠內發易

月之外猶執通喪朝衣朝冠皆以大布所宜著在方冊爲世法程閒者遺詔初頒太上皇帝偶違康豫不能躬就喪次陛下以世嫡承大統則承重之服著在禮律所宜遵壽皇已行之法一時倉卒不及詳議遂用漆紗淺黃之服不惟上違禮律且使壽皇已行之禮舉而復墜臣竊痛之然既往之失不及追改唯有將來啓殯發引禮當復用初喪之服則其變除之節尚有可議欲望明詔禮官稽考禮律預行指定會孝宗祔廟議宗廟迭毀之次有請并祧僖宣二祖奉太祖居第一室祫祭則正東向之位者有旨集議僖順

翼宣四祖祧主宜有所歸自太祖皇帝首尊四祖之
廟以僖祖爲四祖之首治平間議者以世數寖遠請
遷僖祖於夾室未及數年王安石等奏僖祖有廟與
稷契無異請復其舊詔從之時相雜不以熙寧復祀
僖祖爲是先生度難以口舌爭遂移疾上議狀條其
不可者四以爲藏之夾室則是以祖宗之主下藏於
子孫之夾室至於祫祭設幄於夾室之前則亦不得
謂之祫欲別立一廟則喪事即遠有毀無立欲藏之
天興殿則宗廟原廟不可相雜議者皆知其不安特
以其心急欲尊奉太祖三年一祫時暫東向之故不

知其實無益於太祖之尊而徒使僖祖太祖兩廟威
靈相與爭校強弱於冥冥之中并使四祖之神疑於
受擯彷徨躑躅不知所歸令人傷痛不能自已今但
以太祖當日追尊帝號之心而默推之則知太祖今
日在天之靈於此必有所不忍又況僖祖祧主遷於
治平不過數年神宗皇帝復奉以為始祖以為得禮
之正而合於人心所謂有其舉之而莫敢廢者乎又
擬為廟制以辯議者一旦併遷僖宣二祖析太祖太
宗為二之失復引元祐大儒程頤之說以為物豈有
無本而生者今日天下基本蓋出僖祖安得為無功

業議狀既上廟堂恃之不以聞即毀撤僖宣廟室更
創別廟以奉四祖宰相既有所偏主樓鑰陳傅良又
復牽合裝綴以附其說先生所議頗達上聽忽有旨
召赴内殿奏事因節略狀文及爲劄子畫圖以進上
然之且曰僖祖國家始祖高宗孝宗太上皇帝不曾
遷今日豈敢輕議狀令先生於榻前撰數語以御批
直罷其事先生方懲内批之弊因言乞降出劄子再
令臣寮集議既退復以上意諭廟堂而事竟不行經
生學士知禮者皆是先生一時異議之徒忌其亂已
權姦遂從而乘之上之立也丞相趙汝愚寄與知閣

門事韓侂胄謀之侂胄於太皇太后為親屬因得通
中外之言侂胄自謂有定策功居中用事先生自長
沙辭免待制侍講已微窺其意及進對復嘗再三面
言又約吏部侍郎彭龜年共攻之龜年出護使客侂
胄益得志先生又於所奏四事疏中斥言左右竊柄
之失後因講筵留身復申言前疏乞賜施行既退即
降御批云憫卿耆艾方此隆冬恐難立講已除卿宮
觀宰相執奏不行明日徑以御批付下臺諫給舍亦
爭留不可除寶文閣待制與州郡差遣力辭尋除知
江陵府又力辭仍乞追還新舊職名詔依舊煥章閣

待制提舉南京鴻慶宫慶元元年又乞追還舊職不許趙丞相亦罷誣以不軌謫永州丞相既當大任收召四方知名之士中外引領以觀新政先生獨惕然以侂胄用事為慮既屢為上言又數以手書遺生徒密白丞相當以厚賞酬其勞勿使得預朝政且有分界限立紀綱防微杜漸謹不可忽之意丞相方謂其易制所倚以為腹心謀事之人又皆持祿苟安無復遠慮丞相既逐而朝廷大權悉歸侂胄先生自念身雖閑退尚帶侍從職名不敢自嘿遂草書萬言極言姦邪蔽主之禍因以明其冤詞旨痛切諸生更諫以

筮決之遇遯之同人先生默然退取諫藁焚之自號
遯翁以廟議不合乞收還職名又以疾乞休致不許
先是吏部取會磨勘至是轉朝奉大夫又辭職名乞
休致又以嘗妄議山陵自劾又言已罷講官不敢復
帶侍從職名詔依舊秘閣脩撰二年又言昨來蹤封
錫服封贈蔭補磨勘轉官皆為已受從官恩數乞致
正沈繼祖為監察御史上章誣詆落職罷祠四年十
二月以來歲年及七十申乞致仕五年依所請六年
三月甲子終于正寢十一月壬申葬建陽縣唐石里
之大林谷嘉泰二年除華文閣待制與致仕恩澤傳

伯壽故家子嘗執弟子禮恨不薦己先生辭次對除脩撰也伯壽行詞有慢僞等語及先生沒伯壽守建寧又不以聞故復職之命猶生存也自先生去國侂胄勢益張鄙夫憸人迎合其意以學爲僞謂貪黷放肆乃人真情潔廉好禮者皆僞也科舉取士稍涉經訓者悉見排黜文章議論根於理義者並行除毀六經語孟悉爲世之大禁猾胥賤隸頑鈍無恥之徒往往引用以至卿相繩趨尺步稍以儒名者無所容其身從遊之士特立不顧者屏伏丘壑依阿巽懦者更名他師過門不入甚至變易衣冠狎遊市肆以自別

其非黨先生日與諸生講學竹林精舍有勸以謝遣生徒者笑而不荅先生既没善類悉已排擯羣小之勢已成侂胄志氣驕溢遂至擅開邊釁幾危宗社而生靈塗炭矣開禧三年侂胄伏誅凶徒憸黨根株斥戮嘉定元年詔賜謚與遺表恩澤明年賜謚曰文又明年贈中大夫特贈寶謨閣直學士後以明堂恩累贈通議大夫先生平居惓惓無一念不在於國聞時政之闕失則戚然有不豫之色語及國勢之未振則感慨以至泣下然謹難進之禮則一官之拜必抗章而力辭厲易退之節則一理不合必奉身而亟去其

事君也不貶道以求售其愛民也不徇俗以苟安故其與世動輒齟齬自筮仕以至屬纊五十年間歷事四朝仕於外者僅九考立於朝者四十日道之難行也如此然紹道統立人極為萬世宗師則不以用舍為加損也自韋齋先生得中原文獻之傳聞河洛之學推明聖賢遺意日誦大學中庸以用力於致知誠意之地先生蚤歲已知其說而心好之韋齋病且亟屬曰籍溪胡原仲白水劉致中屏山劉彥沖三人吾友也學有淵源吾所敬畏吾即死汝往事之而惟其言之聽則吾死不恨矣先生既孤則奉以告三君子而

兼學焉時年十有四慨然有求道之志博求之經傳徧交當世有識之士雖釋老之學亦必究其歸趣訂其是非延平李先生學於豫章羅先生羅先生學於龜山楊先生延平於韋齋爲同門友先生歸自同安不遠數百里徒步往從之延平稱之曰樂善好義鮮與倫比又曰頴悟絕人力行可畏其所論難體認切至自是從遊累年精思實體而學之所造者益深矣其爲學也窮理以致其知反躬以踐其實居敬者所以成始成終也謂致知不以敬則昏惑紛擾無以察義理之歸躬行不以敬則怠惰放肆無以致義理之

實持敬之方莫先主一既為之箴以自警又筆之書以為小學大學皆本於此終日儼然端坐一室討論典訓未嘗少輟自吾一心一身以至萬事萬物莫不有理存此心於齋莊靜一之中窮此理於學問思辨之際皆有以見其所當然而不容已與其所以然而不可易然充其知而見於行者未嘗不及之於身也不睹不聞之前所以戒懼者愈嚴愈敬隱微幽獨之際所以省察者愈精愈密思慮未萌而知覺不昧事物既接而品節不差無所容乎人欲之私而有以全乎天理之正不安於偏見不急於小成而道之正統

在是矣其爲道也有太極而陰陽分有陰陽而五行具焉陰陽五行之氣以生則太極之理各具於其中天所賦爲命人所受爲性感於物爲情統性情爲心根於性則爲仁義禮智之德發於情則爲惻隱羞惡辭遜是非之端形於身則爲手足耳目口鼻之用見於事則爲君臣父子夫婦兄弟朋友之常求諸人則人之理不異於己參諸物則物之理不異於人貫徹古今充塞宇宙無一息之間斷無一毫之空闕莫不析之極其精而不亂然後合之盡其大而無餘先生之於道可謂建諸天地而不悖質諸聖賢而無疑矣故

其得於已而爲德也以一心而窮造化之原盡情性之妙達聖賢之蘊以一身而體天地之運備事物之理任綱常之責明足以察其微剛足以任其重弘足以致其廣毅足以極其常其存之也虛而靜其發之也果而確其用之也應事接物而不窮其守之也歷變履險而不易本末精粗不見其或遺表裏初終不見其或異至其養深積厚矜持者純熟嚴厲者和平心不待操而存義不待索而精猶以爲義理無窮歲月有限常慊然有不足之意蓋有日新又新不能自已者而非後學之所可擬議也其可見之行則脩諸

身者其色莊其言厲其行舒而恭其坐端而直其閒
居也未明而起深衣幅巾方履拜於家廟以及先聖退
坐書室几案必正書籍器用必整其飲食也羹食行
列有定位匕箸舉措有定所倦而休也瞑目端坐休
而起也整步徐行中夜而寢既寢而寤則擁衾而坐
或至達旦威儀容止之則自少至老祁寒盛暑造次
顛沛未嘗有須臾之離也行於家者奉親極其孝撫
下極其慈閨庭之閒內外斬斬恩義之篤怡怡如也
其祭祀也事無纖鉅必誠必敬小不如儀則終日不
樂已祭無違禮則油然而喜死喪之儀哀戚備至飲

食衰経各稱其情賓客往来無不延遇稱家有無常盡其歡於親故雖踈遠必致其愛於鄉閭雖微賤必致其恭吉凶慶吊禮無所遺賙卹問遺恩無所闕其自奉則衣取蔽體食取充腹居止取足以障風雨入不能堪而處之裕如也若其措諸事業則州縣之設施立朝之言論経綸規畫正大宏偉亦可槩見雖達而行道不能施之一時然退而明道足以傳之萬代謂聖賢道統之傳散在方冊聖経之旨不明則道統之傳始晦於是竭其精力以研窮聖賢之経訓於大學中庸則補其闕遺別其次第綱領條目粲然復明

於論語孟子則深原當時答問之意使讀而味之者如親見聖賢而面命之於易與詩則求其本義攻其末失深得古人遺意於數千載之上凡數經者見之傳注其關於天命之微人心之奥入德之門造道之閫者既已極深研幾探賾索隱發其旨趣而無所遺矣至於一字未安一詞未備亦必沉潛反復或達旦不寐或累日不倦必求至當而後已故章旨字義至微至細莫不理明詞順易知易行於書則疑今文之艱澁反不若古文之平易於春秋則疑聖心之正大決不類傳注之穿鑿於禮則病王安石廢罷儀禮而

傳記獨存於樂則惘惘後世律尺既亡而清濁無據是數經者亦嘗討論本末雖未能著為成書然其大旨固已獨得之矣若歷代史記則又考論西周以來至於五代取司馬公編年之書繩以春秋紀事之法綱舉而不繁目張而不紊國家之理亂君臣之得失如指諸掌周程張邵之書所以繼孔孟道統之傳歷時未久微言大義鬱而不彰先生為之裒集發明而後得以盛行於世太極先天二圖精微廣博不可涯涘為之解剝條畫而後天地本原聖賢藴奥不至於泯没程張門人祖述其學所得有深淺所見有疏密先

生既為之區別以悉取其所長至或識見小偏流於
異端者亦必研窮剖析而不沒其所短南軒張公東
萊呂公同出其時先生以其志同道合樂與之友至
或識見少異亦必講磨辨難以一其歸至若求道而
過者病傳註誦習之煩以為不立文字可以識心見
性不假脩為可以造道入德守虛靈之識而昧天理
之真借儒者之言以文老佛之說學者利其簡便詆
訾聖賢捐棄經典猖狂叫呶側僻固陋自以為悟立
論愈下者則又崇獎漢唐比附三代以便其計功謀
利之私二說並立高者陷於空無下者溺於卑陋其

害豈淺淺哉先生力排之俾不至亂吾道以惑天下
於是學者靡然向之先生教人以大學語孟中庸為
入道之序而後及諸經以為不先乎大學則無以提
綱挈領而盡語孟之精微不參之以論孟則無以融
會貫通而極中庸之旨趣然不會其極於中庸則又
何以建立大本經綸大經而讀天下之書論天下之
事哉其於讀書也必使之辨其音釋正其章句玩其
辭求其義研精覃思以究其所難知平心易氣以聽
其所自得然為己務實辨别義利毋自欺謹其獨之
戒未嘗不三致意焉蓋亦欲學者窮理反身而持之

以敬也從遊之士迭誦所習以質其疑意有未諭則委曲告之而未嘗倦問有未切則反復戒之而未嘗隱務學篤則喜見於言進道難則憂形于色講論經典商畧古今率至夜半雖疾病支離至諸生問辨則脫然沉痾之去體一日不講學則惕然常以為憂摳衣而來遠自川蜀文詞之傳流及海外至於夷虜亦知慕其道竊問其起居窮鄉晚出家蓄其書私淑諸人者不可勝數先生既沒學者傳其書信其道者益衆亦足以見義理之感於人者深矣繼往聖將微之緒啓前賢未發之機辨諸儒之得失闢異端之訛

謬明天理正人心事業之大又孰有加於此者至若天文地志律曆兵機亦皆洞究淵微文詞字畫驗人才士疲精竭神常病其難至先生未嘗用意而亦皆動中規繩可為世法是非資禀之異學行之篤安能事事物物各當其理各造其極哉學脩而道立德成而行尊見之事業者又如此秦漢以來迂儒曲學既皆不足以望其藩墻而近代諸儒有志乎孔孟周程之學者亦豈能以造其閫域哉嗚呼是殆天所以相斯文篤生哲人以大斯道之傳也先生疾且革手為書囑其子在與門人范念德黃榦尨拳拳以勉學及

脩正遺書爲言翌旦門人侍疾者請教先生曰堅苦
問温公喪禮曰疎畧問儀禮領之已而正坐整冠衣
就枕而逝門人治喪者既一以儀禮從事而訃告所
至從遊之士與夫聞風慕義者莫不相與爲位而聚
哭焉禁錮雖嚴有所不避也嗚呼天又胡不慭遺以
永斯道之傳而遽使後學失所依歸哉先生所著書
有易本義啓蒙著卦考誤詩集傳大學中庸章句或
問論語孟子集註太極圖通書西銘解楚詞集註辨
證韓文考異所編次有語孟集義孟子指要中庸集
畧孝經刊誤小學書通鑑綱目本朝名臣言行錄古

今家祭禮近思錄河南程氏遺書伊洛淵源錄皆行於世先生著述雖多於語孟中庸大學尤所加意若大學論語則更定數四以至垂沒大學誠意一章乃其絕筆也其明道垂教拳拳深切如此楚詞集註亦晚年所作其愛君憂國雖老不忘通鑑綱目僅能成編每以未及脩補為恨又嘗編次禮書用工尤苦竟亦未能脫藁所輯家禮世多用之然其後亦多損益未暇更定平生為文則季子在類次之矣生徒問荅則後學李道傳嘗裒輯鋟版未備也娶劉氏追封碩人白水草堂先生之女草堂即韋齋所囑以授學者

也其卒以乾道丁酉其壟以祔穴子三人長塾先十年卒次埜迪功郎監湖州德清縣戶部新市犒賞酒庫後十年亦卒季在承議郎提舉兩浙西路常平茶鹽公事女五人壻儒林郎靜江府臨桂縣令劉學古奉議郎主管亳州明道宮黃榦進士范元裕仲季二人亦早卒孫男七人鑑鉅銓鐸鉦鉉鑄鉅從政郎新差監行在雜買務雜賣場門銓從事郎融州司法參軍鑑迪功郎新辟差充廣西經略安撫司準備差遣餘業進士女九人壻承議郎主管華州雲臺觀趙師夏進士葉韜甫周巽亨鄭宗亮黃輅從政郎紹興府

會稽縣丞趙師鄴黄慶臣李公玉曾孫男六人淵洽
潛濟濬澄女七人先生沒有年矣狀其行者未有所
屬筆在以幹從學日久俾任其責先生既不假是而
著幹之識見淺陋言語卑弱又不足模倣萬一追思
平日步趨聲欬則悲愴哽咽不忍書亦不忍忘也竊
聞道之正統待人而後傳自周以來任傳道之責得
統之正者不過數人而能使斯道章章較著者一二
人而止耳由孔子而後曾子子思繼其微至孟子而
始著由孟子而後周程張子繼其絶至先生而始著
蓋千有餘年之間孔孟之徒所以推明是道者既已

煨燼殘闕離析穿鑿而微言幾絶矣周程張子崛起於斯文湮塞之餘人心蠹壞之後扶持植立厥功偉然未及百年踳駁尤甚先生出而自周以來聖賢相傳之道一旦豁然如大明中天昭晰呈露則摭其言行又可略歟輙採同志之議敬述世系爵里出處言論與夫學問道德行業人之所共知者而又私竊以道統之著者終之以俟知德者考焉謹狀

嘉定十四年正月　日門人奉議郎主管亳州明道宫黄榦狀

行狀之作非得已也懼先生之道不明而後世傳

者之訛也追思平日之間見叅以叙述莫詳之文定為草藁以諗同志反復詰難一言之善不敢不從然亦有參之鄙意而不敢盡從者不可以無辨也有謂言貴含蓄不可太露文貴簡古不可太繁者夫工於為文者固能使之隱而顯簡而明是非愚陋所能及也顧恐名曰含蓄而未免於晦昧名曰簡古而未免於艱澁反不若詳書其事之為明白也又有謂年月不必盡記辭受不必盡書者先生之用舍去就實關世道之隆替後學之楷式年月必記所以著世變辭受必書所以明世教肰先生

之行又豈可以常人比常體論哉又有謂告上之語失之太直記人之過失之太訐者責難陳善事君之大義人主能容於前而臣子反欲隱於後先生敢陳於當世而學者反欲諱於將來乎人之有過或具之獄案或見之章奏天下後世所共知而欲沒之可乎又有謂奏疏之文紀述太繁申請之事細微必錄似非行狀之體者古之得君行道有事實可紀則奏疏可以不述先生進不得用於世其所可見者特其言論之間乃其規模之素則言與行豈有異耶事雖微細處得其道則人受其利

一失其道則人受其害先生理明義精故雖細故區處條畫無不當於人心者則鉅與細亦豈有異耶其可辨者如此則其尤淺陋者不必辨也至於流俗之論則又以為前輩不必深抑異學不必力排稱述之辭似失之過者孔門諸賢至謂孔子賢於堯舜豈以抑堯舜為嫌乎孟子闢楊墨而比之禽獸衛道豈可以不嚴乎夫子嘗曰莫我知也夫又曰知德者鮮矣甚矣聖賢之難知也知不知不足為先生損益然使聖賢之道不明異端之說滋熾是則愚之所懼而不容於不辨也故嘗太息而

為一言曰是未易以口舌爭百年論定然後知愚

言之爲可信遂書其語以俟後之君子幹謹書

朱子實紀卷之五

朱子實紀卷之六

宋史道學本傳

朱熹字元晦一字仲晦徽州婺源人父松字喬年中進士第胡世將謝克家薦之除秘書省正字趙鼎都督川陜荊襄軍馬招松為屬辭再相除校書郎遷著作以御史中丞常同薦除度支員外郎史館校勘歷司勳吏部郎秦檜決策議和松與同列上章極言其不可檜怒風御史論松懷異自賢出知饒州未上卒熹幼穎悟甫能言父指天示之曰天也熹問曰天之上何物松異之就傅授以孝經一閱題其上曰不

若是非人也嘗從群兒戲沙上獨端坐以指畫沙視
之八卦也年十八貢于鄉中紹興十八年進士第主
泉州同安簿選邑秀民充弟子員日與講說聖賢脩
己治人之道禁女婦之為僧道者罷歸請祠監潭州
南嶽廟明年以輔臣薦與徐度呂廣問韓元吉同召
以疾辭孝宗即位詔求直言熹上封事言聖躬雖未
有過失而帝王之學不可以不熟講朝政雖未有闕
遺而脩攘之計不可以不早定利害休戚雖不可徧
舉而本原之地不可以不加意陛下毓德之初親御
簡策不過諷誦文辭吟詠情性又頗留意於老子釋

氏之書夫記誦詞藻非所以探淵源而出治道虛無
寂滅非所以貫本末而立大中帝王之學必先格物
致知以極夫事物之變使義理所存纖悉畢照則自
然意誠心正而可以應天下之務次言脩攘之計不
時定者講和之說誤之也夫金人於我有不共戴天
之讎則不可和也明矣須斷以義理之公閉關絕約
任賢使能立紀綱厲風俗數年之後國富兵強視吾
力之強弱觀彼釁之淺深徐起而圖之次言四海利
病係斯民之休戚斯民休戚係守令之賢否監司者
守令之綱朝廷者監司之本也欲斯民之得其所本

原之地亦在朝廷而已今之監司姦贓狼藉肆虐以病民者莫非宰執臺諫之親舊賓客其已失勢者既被見其交私之狀而斥去之尚在勢者豈無其人顧陛下無自而知之耳隆興元年復召入對其一言大學之道在乎格物以致其知陛下雖有生知之性高世之行而未嘗隨事以觀理即理以應事是以舉措之閒動涉疑貳聽納之際未免蔽欺平治之效所以未著其二言君父之讎不與共戴天今日所當為者非戰無以復讎非守無以制勝且陳古先聖王所以強本折衝威制遠人之道時相湯思退方倡和議除

熹武學博士待次乾道元年促就職既至而洪适爲
相復主和論不合歸三年陳俊卿劉珙薦爲樞密院
編脩官待次五年丁内艱六年工部侍郎胡銓以詩
人薦與王庭珪同召以未終喪辭七年既免喪復召
以祿不及養辭九年梁克家相申前命又辭克家奏
熹屢召不起宜蒙褒錄執政俱稱之上曰熹安貧守
道廉退可嘉特改合入官主管台州崇道觀熹以求
退得進於義未安再辭淳熙元年始拜命二年上欲
奬用廉退以勵風俗龔茂良行丞相以熹名進除秘
書郎力辭且以手書遺茂良言一時權倖群小乘間

讒毀乃因熹再辭即從其請主管武夷山冲佑觀五年史浩再相除知南康軍降旨便道之官熹再辭不許至郡興利除害值歲不雨講求荒政多所全活訖事奏乞依格推賞納粟人間詣郡學引進士子與之講論訪白鹿洞書院遺址奏復其舊為學規俾守之明年夏大旱詔監司郡守條具民間利病遂上疏言天下之務莫大於恤民而恤民之本在人君正心術以立紀綱蓋天下之紀綱不能以自立必人主之心術公平正大無偏黨反側之私然後有所繫而立君心不能以自正必親賢臣遠小人講明義理之歸閉

塞私邪之路然後乃可得而正今宰相臺省師傅賓友諫諍之臣皆失其職而陛下所與親密謀議者不過一二近習之臣上以蠱惑陛下之心志使陛下不信先王之大道而說於功利之卑說不樂莊士之讜言而安於私褻之鄙態下則招集天下士大夫之嗜利無恥者文武彙分各入其門所喜則陰爲引援擢寘清顯所惡則密行訾毁公肆擠排交通貨賂所盜者皆陛下之財命卿置將所竊者皆陛下之柄陛下所謂宰相師傅賓友諫諍之臣或反出入其門牆承望其風旨其幸能自立者亦不過齪齪自守而未嘗

敢一言以斥之其甚畏公論者乃能略驚逐其徒黨
之一二既不能深有所傷而終亦不敢正言以擣其
囊橐窟穴之所在勢成威立中外靡然向之使陛下
之號令黜陟不復出於朝廷而出於一二人之門名
為陛下獨斷而實此一二人者陰執其柄且云莫大
之禍必至之憂近在朝夕而陛下獨未之知上讀之
大怒曰是以我為亡也熹以疾請祠不報陳俊卿以
舊相守金陵過闕入見薦熹甚力宰相趙雄言於上
曰士之好名陛下疾之愈甚則人之譽之愈衆無乃
適所以高之不若因其長而用之彼漸當事任能否

自見矣上以為然乃除熹提舉江西常平茶鹽公事
旋錄救荒之勞除直秘閣以前所奏納粟人未推賞
辭會浙東大飢宰相王淮改熹提舉浙東常平茶鹽
公事即日單車就道復以納粟人未推賞辭職名納
粟賞行遂受職名入對首陳災異之由與脩德任人
之說次言陛下即政之初蓋嘗選建英豪任以政事
不幸其間不能盡得其人是以不復廣求賢哲而姑
取軟熟易制之人以充其位於是左右私褻使令之
賤始得以奉燕閒備驅使而宰相之權日輕又慮其
勢有所偏而因重以壅己也則時聽外廷之論將以

陰察此輩之負犯而操切之陛下既未能循天理公
聖心以正朝廷之大體則固已失其本矣而又欲兼
聽士大夫之言以為駕馭之術則士大夫之進見有
時而近習之從容無間士大夫之禮貌既莊而難親
其議論又苦而難入近習便嬖側媚之態既足以蠱
心志其胥史狡獪之術又足以眩聰明是以雖欲微
抑此輩而此輩之勢日重雖欲兼聽公論而士大夫
之勢日輕重者既挾其重以竊陛下之權輕者又借
力於所重以為竊位固寵之計日往月來浸淫耗蝕
使陛下之德業日隳綱紀日壞邪佞充塞貨賂公行

兵愁民怨盜賊間作災異數見饑饉荐臻群小相挻
人人皆得滿其所欲惟有陛下了無所得而顧乃獨
受其弊上爲動容所奏凡七事其一二事手書以防
宣洩焉始拜命即移書他郡募米商蠲其征及至則
客舟之米已輻輳焉日鉤訪民隱按行境內單車屏
徒從所至人不及知郡縣官吏懾其風采至自引去
所部肅然凡丁錢和買役法榷酤之政有不便於民
者悉罄而革之於救荒之餘隨事處畫必爲經久之
計有短熹者謂其疏於爲政上謂王淮曰朱熹政事
却有可觀熹以前後奏請多所見抑幸而從者率稍

緩後時蝗旱相仍不勝憂憤復奏言爲今之計獨有斷自聖心沛然發號責躬求言然後君臣相戒痛自省改其次惟有盡出内庫之錢以供大禮之費爲收糴之本詔户部免徵舊負詔漕臣依條檢放租税詔宰臣沙汰被災路分州軍監司守臣之無狀者遴選賢能責以荒政庶幾猶足下結人心消其乘時作亂之意不然臣恐所憂者不止於飢殍而將在於盜賊蒙其害者不止於官吏而上及於國家也知台州唐仲友與王淮同里爲姻家吏部尚書鄭丙侍御史張大經交薦之遷江西提刑未行熹行部至台訟仲友

若紛然據得其實章三上淮匿不以聞熹論愈力仲友亦自辨淮乃以熹章進呈上令宰屬看詳都司陳庸等乞令浙西提刑委清強官究實仍令熹速往旱傷州郡相視熹時留台未行既奉詔疏上章論前後六上淮不得已奪仲友江西新命以授熹辭不拜遂歸且乞奉祠時鄭丙上疏詆程氏之學且以沮熹淮又擢太府寺丞陳賈為監察御史賈面對首論近日搢紳有所謂道學者大率假名以濟偽願考察其人擯棄勿用蓋指熹也十年詔以熹累乞奉祠可差主管台州崇道觀既而連奉雲臺鴻慶之祠者五年十四

年周必大相除熹提點江西刑獄公事以疾辭不許
遂行十五年淮罷相遂入奏首言近年刑獄失當獄
官當擇其人次言經總制錢之病民及江西諸州科
罰之弊而其末言陛下即位二十七年因循荏苒無
尺寸之效可以仰酬聖志當反覆思之無乃燕閒蠖
濩之中虛明應物之地天理有所未純人欲有所未
盡是以為善不能充其量除惡不能去其根一念之
頃公私邪正是非得失之機交戰於其中故體貌大
臣非不厚而便嬖側媚得以深被腹心之寄寤寐英
豪非不切而柔邪庸繆得以久竊廊廟之權非不樂

開公議正論而有時不容非不堲讒說殄行而未免誤聽非不欲報復陵廟讎耻而未免畏怯苟安非不愛養生靈財力而未免歎息愁怨願陛下自今以往一念之頃必謹而察之此為天理耶人欲耶果天理也則敬以充之而不使其少有壅閼果人欲也則敬以克之而不使其少有凝滯推而至於言語動作之間用人處事之際無不以是裁之則聖心洞然中外融徹無一毫之私欲得以介乎其間而天下之事將惟陛下所欲為無不如志矣是行也有要之於路以為正心誠意之論上所厭聞戒勿以為言熹曰吾平

生所學惟此四字豈可隱默以欺吾君乎及奏上曰
久不見卿浙東之事朕自知之今當處卿清要不復
以州縣為煩也時曾覿已死王抃亦逐獨內侍甘昪
尚在熹力以為言上曰昪乃德壽所薦為其有才耳
熹曰小人無才安能動人主翌日除兵部郎官以足
疾丐祠本部侍郎林栗嘗與熹論易西銘不合劾熹
本無學術徒竊張載程頤緒餘謂之道學所至輒携
門生數十人妄希孔孟歷聘之風邀索高價不肯供
職其偽不可掩上曰林栗言似過周必大言熹上殿
之日足疾未瘳勉強登對上曰朕亦見其跛曳左補

闕薛叔似亦奏後熹乃令依舊職江西提刑太常博士葉適上疏與栗辨謂其言無一實者謂之道學一語無實尤甚往日王淮表裏臺諫陰廢正人蓋用此術詔熹昨入對所論皆新任職事朕亦諒其誠復從所請可疾速之任會胡晉臣除侍御史首論栗執拗不通喜同惡異無事而指學者為黨乃黜栗知泉州熹再辭免除直寶文閣主管西京嵩山崇福宮未踰月再召熹又辭始熹常以為口陳之說有所未盡乞具封事以聞至是投匭進封事曰今天下大勢如人有重病内自心腹外達四支無一毛一髮不受病者

且以天下之大本與今日之急務爲陛下言之大本者陛下之心急務則輔翼太子選任大臣振舉綱紀變化風俗愛養民力脩明軍政六者是也古先聖王兢兢業業持守此心是以建師保之官列諫諍之職凡飲食酒漿衣服次舍器用財賄與夫宦官宮妾之政無一不領於冢宰使其左右前後一動一靜無不制以有司之法而無纖芥之隙瞬息之頃得以隱其毫髮之私陛下所以精一克復而持守其心果有如此之功乎所以脩身齊家而正其左右果有如此之效乎宮省事禁臣固不得而知然爵賞之濫貨賂之

流聞巷竊言久已不勝其籍籍則陛下所以储之家者恐其未有以及古之聖王也至於左右便嬖之私恩遇過當往者淵覿說抃之徒勢焰熏灼傾動一時今已無可言矣獨有前日臣所面陳者雖蒙聖慈委曲開譬然臣之愚竊以為此輩但當使之守門傳命供掃除之役不當假借崇長使得逞邪媚作淫巧於內以蕩上心立門庭招權勢於外以累聖政臣聞之道路自王抃既逐之後諸將差除多出此人之手陛下竭生靈膏血以奉軍旅顧乃未嘗得一溫飽是皆將帥巧為名色奪取其糧賜行貨賂於近習以圖進

用出入禁闥腹心之臣外交將帥共為欺蔽以至於此而陛下不悟反寵暱之以是為我之私人至使宰相不得議其制置之得失給諫不得論其除授之是非則陛下所以正其左右者未能及古之聖王又明矣至於輔翼太子則自王十朋陳良翰之後宮僚之選號為得人而能稱其職者蓋已鮮矣而又時使邪佞儇薄闒冗庸妄之輩或得參錯於其間所謂講讀亦姑以應文備數而未聞其有箴規之效至於從容朝夕陪侍遊燕者又不過使臣宦者數輩而已師傅賓客既不復置而詹事庶子有名無實其左右春坊

遂直以使臣掌之既無以發其隆師親友尊德樂義之心又無以防其戲慢媟狎奇衺雜進之害宜討論前典置師傅賓客之官罷去春坊使臣而使詹事庶子各復其職至於選任大臣則以陛下之聰明豈不知夫天下之事必得剛明公正之人而後可以任哉其所以常不得如此之人而反容鄙夫之竊位者直以一念之間未能徹其私邪之蔽而燕私之好便嬖之流不能盡由於法度若用剛明公正之人以為輔相則恐其有以妨吾之事害吾之人而不得肆是以選擇之際常先排擯此等而後取凡疲懦軟熟平日不

敢直言正色之人而揣摩之又於其中得其至庸極
陋決可保其不至於有所妨者然後加之於位是以
除書未出而物色先定姓名未顯而中外已逆知其
決非天下第一流矣至於振肅紀綱變化風俗則今
日宫省之間禁密之地而天下不公之道不正之人
顧乃得以窟穴盤據於其間而陛下目見耳聞無非
不公不正之事則其所以薰烝銷鑠使陛下好善之
心不著疾惡之意不深其害已有所不可勝言者矣
及其作姦犯法則陛下又未能深割私愛而付諸外
廷之議論以有司之法是以紀綱不正於上風俗頹

斯於下其為患之日久矣而浙中為尤甚大率流為
軟美之態依阿之言以不分是非不辨曲直為得計
甚者以金珠為脯醢以契券為詩文宰相可啗則啗
宰相近習可通則通近習惟得之求無復廉恥一有
剛毅正直守道循理之士出乎其間則群議衆排指
為道學而加以矯激之罪十數年來以此二字禁錮
天下之賢人君子復如昔時所謂元祐學術者排擯
詆辱必使無所容其身而後已此豈治世之事哉至
於愛養民力修明軍政則自虞允文之為相也盡取
版曹歲入窠名之必可指擬者號為歲終羨餘之數

而輸之内帑顧以其有名無實積累掛欠空載簿籍不可催理者撥還版曹以為内帑之積將以備他日用兵進取不時之須然自是以來二十餘年内帑歲入不知幾何而認為私貯典以私人宰相不得以式貢均節其出入版曹不得以簿書勾考其在亡日銷月耗以奉燕私之費者蓋不知其幾何矣而曷嘗聞其能用此錢以易敵人之首如太祖之言哉徒使版曹經費闕乏日甚督促日峻以至廢去祖宗以來破分良法而必以十分登足為限以為未足則又造為比較監司郡守殿最之法以誘脅之於是中外承風

競為苛急此民力之所以重困也諸將之求進也必先掊尅士卒以殖私利然後以此自結於陛下之私人而歡以姓名達於陛下之貴將貴將得其姓名即以付之軍中使自什伍以上節次保明稱其材武堪任將帥然後具奏牘而言之陛下之前陛下但見等級推先案牘具備則誠以為公薦而可以得人矣而豈知其論價輸錢已若曉唐之債帥哉夫將者三軍之司命而其選置之方乖剌如此則彼智勇材略之人孰肯抑心下首於宦官宮妾之門而陛下之所得以為將帥者皆庸夫走卒而猶望其修明軍政激勸

士卒以彊國勢豈不誤哉凡此六事皆不可緩而本在於陛下之一心一心正則六事無不正一有人心私欲以介乎其間則雖欲憊精勞力以求正夫六者亦將徒為文具而天下之事愈至於不可為矣疏入夜漏下七刻上已就寢亟起秉燭讀之終篇明日除主管太一宮兼崇政殿說書熹力辭除秘閣脩撰奉外祠光宗即位再辭職名仍舊直寶文閣降詔獎諭居數月除江東轉運副使以疾辭改知漳州奏除屬縣無名之賦七百萬減經總制錢四百萬以習俗未知禮采古喪葬嫁娶之儀揭以示之命父老解說

以教子弟土俗崇信釋氏男女聚僧廬為傳經會女不嫁者為庵舍以居熹悉禁之常病經界不行之害會朝論欲行泉汀漳三州經界熹乃訪事宜擇人物及方量之法上之而土居豪右侵漁貧弱者以為不便沮之宰相留正泉人也其里黨亦多以為不可行布衣吳禹圭上書訟其擾人詔且需後有旨先行漳州經界明年以子喪請祠時史浩入見請收天下人望乃除熹秘閣修撰主管南京鴻慶宮熹再辭詔論撰之職以寵名儒乃拜命除荊湖南路轉運副使辭漳州經界竟報罷以言不用自劾除知靜江府辭主

管南京鴻慶宫未幾差知潭州力辭黄裳為嘉王府翊善自以學不及熹乞召為宫僚王府直講彭龜年亦為大臣言之留正曰正非不知熹但其性剛恐到此不合反為累耳熹方再辭有旨長沙巨屏得賢為重遂拜命會洞獠擾屬郡熹遣人諭以禍福皆降之申敕令嚴武備戢姦吏抑豪民所至興學校明教化四方學者畢至寧宗即位趙汝愚首薦熹及陳傅良有旨赴行在奏事熹行且辭除煥章閣待制侍講辭不許入對首言乃者太皇太后躬定大策陛下寅紹丕圖可謂處之以權而庶幾不失其正自頃至今三

月矣或反不能無疑於逆順名實之際竊為陛下憂之猶有可諉者亦曰陛下之心前日未嘗有求位之計今日未嘗忘思親之懷此則所以行權而不失其正之根本也况未嘗求位之心以盡負罪引慝之誠况未嘗忘親之心以致溫凊定省之禮而大倫正大本立矣復面辭待制侍講上手劄卿經術淵源正資勸講次對之職勿復牢辭以副朕崇儒重道之意遂拜命會趙彥逾按視孝宗山陵以為土肉淺薄下有水石孫逢吉覆按乞別求吉兆有旨集議臺史憚之議中輟熹竟上議狀言壽皇聖德衣冠之藏當博訪

名山不宜偏信臺史妄之水泉沙礫之中不報時論
者以為上未還大內則名體不正而疑議生金使且
來或有窺伺有旨脩葺舊東宮為屋三數百間欲徙
居之意奏疏言此必左右近習倡為此說以誤陛下而
欲因以遂其姦心臣恐不惟上帝震怒災異數出正
當恐懼脩省之時不當興此大役以咈譴告警動之
意亦恐畿甸百姓飢餓流離阽於死亡之際或能怨
望忿切以生他變不惟無以感格太上皇帝之心以
致未有進見之期亦恐壽皇在殯因山未卜几筵之
奉不容少弛太皇太后皇太后皆以尊老之年煢然

在憂苦之中晨昏之養尤不可闕而四方之人但見
陛下亟欲大治宮室速得成就一旦翩然而去之
以就安便六軍萬民之心將有扼腕不平者矣前鑑
未遠甚可懼也又聞太上皇后懼忤太上皇帝聖意
不欲其聞太上之稱又不欲其聞內禪之說此又慮
之過者殊不知若但如此而不爲宛轉方便則父子
之間上怨怒而下憂恐將何時而已父子大倫三綱
所繫久而不圖亦將有借其名以造謗生事者此又
臣之所大懼也願陛下明詔大臣首罷脩葺東宮之
役而以其工料回就慈福重華之間草創寢殿一二

十閒使粗可居若夫過宮之計則臣又願陛下下詔
自責減省輿衛入宮之後暫變服色如唐肅宗之改
服紫袍執控馬前者以伸負罪引慝之誠則太上皇
帝雖有忿怒之情亦且霍然消散而懽意浹洽矣至
若朝廷之紀綱則臣又願陛下深詔左右勿預朝政
其實有勳庸而所得褒賞未愜衆論者亦詔大臣公
議其事稽考令典厚報其勞而凡號令之弛張人才
之進退則一委之二三大臣使之反復較量勿循己
見酌取公論奏而行之有不當者繳駁論難擇其善
者稱制臨決則不惟近習不得干預朝權大臣不得

專任己私而陛下亦得以益明習天下之事而無所疑於得失之算矣若夫山陵之下則願黜臺史之說別求草澤以營新宮使壽皇之遺體得安於內而宗社生靈皆蒙福於外矣疏入不報然上亦未有怒其意也每以所講編次成帙以進上亦開懷容納焉又奏勉上進德云願陛下日用之間以求放心爲之本而於玩經觀史親近儒學益用力焉數召大臣切劘治道群臣進對亦賜溫顏反覆詢訪以求政事之得失民情之休戚而又因以察其人才之邪正短長庶於天下之事各得其理焉奏禮經敕令子爲父嫡孫

承重爲祖父皆斬衰三年嫡子當爲其父後不能襲
位執喪則嫡孫繼統而代之執喪自漢文短喪歷代
因之天子遂無三年之喪爲父且然則嫡孫承重可
知人紀廢壞三綱不明千有餘年莫能釐正壽皇聖
帝至性自天易月之外猶執通喪朝衣朝冠皆用大
布所宜著在方册爲萬世法程間者遺詔初頒太上
皇帝偶違康豫不能躬就喪次陛下以世嫡承大統
則承重之服著在禮律所宜遵壽皇已行之法一時
倉卒不及詳議遂用漆紗淺黄之服不惟上違禮律
且使壽皇已行之禮舉而復墜臣竊痛之然既往之

失不及追改有將來啓殯發引禮當復用初喪之服
會孝宗祔廟議宗廟迭毀之制孫逢吉曾三復首請
併祧僖宣二祖奉太祖居第一室祫祭則正東向之
位有旨集議僖順翼宣四祖祧主宜有所歸自太祖
皇帝首尊四祖之廟治平間議者以世數寖遠請遷
禧祖於夾室後王安石等奏僖祖有廟與稷契無異
請復其舊時相趙汝愚雅不以復祀僖祖為然侍從
多從其說吏部尚書鄭僑欲且祧宣祖而祔孝宗熹
以為藏之夾室則是以祖之主下藏於子孫之夾室
神宗復奉以為始祖已為得禮之正而合於人心所

謂有舉之而莫敢廢者乎又擬為廟制以辨以為物
豈有無本而生者廟堂不以闢即毀撤僖宣廟室更
創別廟以奉四祖始寧宗之立韓侂冑自謂有定策
功居中用事熹憂其害政數以為言且約吏部侍郎
彭龜年共論之會龜年出護使客熹乃上疏斥言左
右竊柄之失在講筵復申言之御批云憫卿耆艾恐
難立講已除卿宮觀汝懇祠御筆還上且諫且拜内
侍王德謙徑以御筆付熹臺諫爭留不可樓鑰陳傅
良旋封還錄黄脩注官劉光祖鄧驛封章交上熹行
被命除寳文閣待制與州郡差遣辭尋除知江陵府

辭仍乞追還新舊職名詔依舊煥章閣待制提舉南京鴻慶宮慶元元年初趙汝愚既相收召四方知名之士中外引領望治熹獨惕然以侂胄用事爲慮既屢爲上言及數以手書啓汝愚當用厚賞酬其勞勿使得預朝政有防微杜漸謹不可忽之語汝愚方謂其易制不以爲意及是汝愚亦以誣逐而朝廷大權悉歸侂胄矣熹始以廟議自劾不許以疾再乞休致詔辭職謝事非朕優賢之意依舊祕閣修撰二年沈繼祖爲監察御史誣熹十罪詔落職罷祠門人蔡元定亦送道州編管四年熹以年近七十申乞致仕五年

依所請明年卒年七十一疾且革手書屬其子在及門人范念德黃榦拳拳以勉學及脩正遺書為言翌日正坐整衣冠就枕而逝熹登第五十年仕於外者僅九考立朝纔四十日家故貧少依父友劉子羽寓建之崇安後徙建陽之考亭簞瓢屢空晏如也諸生之自遠而至者豆飯藜羹率與之共往往稱貸於人以給用而非其道義則一介不取也自熹去國侂胄勢益張何澹為中司首論專門之學文詐沽名乞辨真偽劉德秀仕長沙不為張栻之徒所禮及為諫官首論留正引偽學之罪偽學之稱蓋自此始太常少

卿胡紘言比年偽學猖獗圖爲不軌望宣諭大臣權
住進擬遂召陳賈爲兵部侍郎未幾熹有奪職之命
劉三傑以前御史論熹汝愚劉光祖徐誼之徒前日
之偽黨至此又變而爲逆黨即日除三傑右正言右
諫議大夫姚愈論道學權臣結爲死黨窺伺神器乃
命直學士院高文虎草詔諭天下於是攻偽學日急
選人余嚞至上書乞斬熹方是時士之繩趍尺步稍
以儒名者無所容其身從游之士特立不顧者屏伏
丘壑依阿巽儒者更名他師過門不入甚至變易衣
冠狎遊市肆以自别其非黨而熹日與諸生講學不

休戚勸其謝遣生徒者笑而不答有籍田令陳景思
者故相康伯之孫也與侂胄有姻連勸侂胄勿為已
甚侂胄意亦漸悔熹既沒將葬言者謂四方偽徒期
會送偽師之葬會聚之間非妄談時人短長則謬議
時政得失望令守臣約束從之嘉泰初學禁稍弛二
年詔熹已致仕除華文閣待制與致仕恩澤後侂胄
死詔賜熹遺表恩澤謚曰文尋贈中大夫特贈寳謨
閣直學士理宗寳慶三年贈太師追封信國公改徽
國始熹少時慨然有求道之志父松病亟嘗屬熹曰
籍溪胡原仲白水劉致中屏山劉彥沖三人學有淵

源吾所敬畏吾即死汝往事之而惟其言之聽三人謂胡憲劉勉之劉子翬也故熹之學既博求之經傳復徧交當世有識之士延平李侗老矣嘗學於羅從彥熹歸自同安不遠數百里徒步往從之其為學大抵窮理以致其知反躬以踐其實而以居敬為主嘗謂聖賢道統之傳散在方冊聖經之旨不明而道統之傳始晦於是竭其精力以研窮聖賢之經訓所著書有易本義啓蒙蓍卦考誤詩集傳大學中庸章句或問論語孟子集註太極圖通書西銘解楚辭集註辨證韓文考異所編次有論孟集義孟子指要中庸

輯畧卷刊誤小學書通鑑綱目宋名臣言行錄家
禮近思錄河南程氏遺書伊洛淵源錄皆行於世熹
沒朝廷以其大學語孟中庸訓說立於學官又有儀
禮經傳通解未脫藁亦在學官平生為文凡一百卷
生徒問答凡八十卷別錄十卷理宗紹定末秘書郎
李心傳乞以司馬光周敦頤邵雍張載程顥程頤朱
熹七人列于從祀不報淳祐元年正月　視學手詔
以周張二程及熹從祀孔子廟黃榦曰道之正統待
人而後傳自周以來任傳道之責者不過數人而能
使斯道章章較著者一二人而止耳由孔子而後曾

子思繼其微至孟子而始著由孟子而後周程張
子繼其絶至熹而始著識者以為知言熹子在紹定
中為吏部侍郎

朱子實紀卷之六

廟宅　祠　書院　墓　坊　亭附

廟宅

婺源縣朱子廟宅

在縣治南前臨街左有韋齋井其坊曰明道宋理宗賜額曰文公闕里後其地漸為居鄰所侵僅存四步元延祐中五世從孫光訴於浙省閫憲者久之而後知州干文傳鞫得其情邑士汪鎬以已地易所侵地始復其舊文傳又請于朝用顏孟故宅立廟例得立徽國朱文公廟鎬助其費復捐田三十畝以供祀事文傳又移檄建郡取朱子五世孫勳歸婺掌祠實後至元乙亥也待制楊剛中為記初韋齋起政和尉時質其祖田百畝以為資後欲歸鄉以無田可食友人張敦頤為贖其田而韋齋歿矣紹興庚午朱子歸省祖墓以田所入供祭掃之費其後族人竊售之光又以為言同知李祁召田主與議悉歸其田而償其價

三分之二然價無從出歙士鮑元康因其父志以私財償之而田始歸朱氏學士虞集為記至正壬辰廟宅悉燬戊戌歲以廟基之半築城丁未增闢舊址　國初知縣程斗南唐廷禮相繼創葺待制王褘司直郎汪仲魯為記宣德辛亥縣丞葉公回重脩進士汪敬為記正統庚申燬九世孫湛言于提學御史彭勗檄知縣陳斌重建殿堂門廡共若干楹彭御史自記弘治庚戌又燬知縣喬恕聶瑄相繼謀建未就辛酉冬給事中戴銑建言　詔給官帑重建壬戌畢工廟宅一新設門子二名守視

崇安縣朱子故宅在內五夫里潭溪之上屏山之對初韋齋疾革以家事屬少傅劉子羽韋齋歿少傅為築室里旁朱子奉母夫人居焉後扁其廳事曰紫陽書堂以新安有紫陽山識鄉關常在目也寢堂曰韋齋皆以父意命名別室曰晦堂曰敬齋曰義齋晚年移居考亭故址猶存焉

建陽縣朱子故宅在縣西三桂里考亭書院之右初韋齋尉尤溪時嘗來遊考亭愛其溪山清邃欲卜居之不果紹興壬子朱子承父志築室於此後建守吳某書其扁曰文公故居元季傾圮 國朝洪武壬申知縣陳敏重脩

祠

徽州府

朱子祠 一在府學講堂之北今明倫堂之西初朱子既歿徽士即州學繪而祠之其後郡守趙師端建祠於今所勉齋黃榦為記歷元及 國朝累祀累葺永樂壬寅燬成化乙亥教授陳文率諸生白于提學御史婁謙徽知府王裕重建得請于 朝以每歲三月九日朱子忌辰有司致祭禮部尚書周洪謨暨山東按察僉事滿禎為記

一在婺源縣學講堂宋德安知府邑人胡瑍率士友重建汪應辰為記後遷于學之東偏咸淳戊辰知縣洪松龍仍祠于講堂今廢

一在婺源縣治之東二里朱塘昔朱子嘗與諸生滕璘輩遊其地曰予疇昔夢至一所今來此恍如所夢因命作亭其上書草堂二字後璘之子鉦創祠以祀朱子而以父叔配食邑人許月卿為記

一在祁門縣學西廡宋咸淳二年知縣潘子昌建元至正壬辰燬

一舊在績溪縣學文廟西廡下國初丁未歲移建於縣東儒學故址中塑朱子像以黄幹蔡元定配後圯有碑尚存弘治間教諭顔槃等白于提學御史陳琳撒府縣重建陝西布政使胡富為記

一在休寧縣學里人朱震雷建今廢

建寧府朱子祠

一在府城内紫霞洲宋寶慶三年季子在孫鑑建於今祠之左歲久傾頽國朝永樂十三年給事中陶偉御史蔣彦[illegible]以使事至率都指揮師祐知府劉敬等捐俸重脩景泰中詔春秋致祭嫡孫一人世襲翰林院五經博士以奉祀事祠旁隙地舊為武臣所侵九世孫梴等白於巡按御史莊欽復之知府劉鉞即其址遷建今祠為堂五間中祀朱子以黄幹劉爚蔡沉真德秀配享左右為兩廡前為重門後建聚奎閣庖庫俱備設庠子四名

守
祠
一在建陽縣學宋寶慶三年知
縣劉克莊建學士真德秀為記
一在建陽縣鼇峰書院道源堂之左名曰道義
之祠宋劉珙書額 國朝成化六年按察副使
何喬新
重建
一在浦城縣東隅舊資福尼寺址天順二年御
官胡緝建歲久祠圮弘治五年同知周時中重
脩中祀朱子以蔡沈黃榦真
德秀劉爚配御史滕祐為記

泉州府朱子祠

一在晉江縣學禮殿後洪武二十
一年御史鍾道玄命教諭王敬建
奉講堂舊像祀之御史陳仲述為記宣德五年
教諭王啓脩正統十年僉事陳祚知府首弘重
脩
一在泉州府學宮宋校官陳汲建陳宓為記
一在南安縣學明倫堂之左元元統
二年知縣劉昇火兒建扁曰尊道堂

一在同安縣學宋嘉定間知縣毛當時建葉適為記 國朝洪武二年知縣呂復重建宣德六年重脩

漳州府朱子祠一在龍溪縣學大成殿之東以鄉賢陳淳王遇配

一在臨漳臺舊龍江書院講堂之東宋淳祐六年郡守方來建以祀朱子而以陳淳黃榦配扁曰道源堂通判徐明叔記宋季書院燬惟堂獨存國朝成化四年按察僉事周謨倡知府王文等重建副使何喬新為記

汀州府朱子祠一在府學宋嘉定間郡守趙崇榜建以祀朱子及其門人郡人楊方

一在連城縣學之右知縣何衍建今廢

僊遊縣朱子祠在儒學內宋平湖陳堯道為記

書院

白鹿洞書院 在南康府北二十里廬山五老峯下唐李渤與兄涉隱居此洞嘗養白鹿以自娛故名南唐昇元中立學館置田以給諸生宋太平興國二年因守臣周述奏詔國子監給印本九經傳送之學廢淳熙六年朱子來為郡守親訪白鹿洞遺址復建書院東萊呂祖謙為記歷宋及元書院遂廢 國朝正統元年知府翟溥福倡僚屬重建祭酒胡儼為記成化元年提學僉事李齡檄知府何濬重脩大學士彭時李賢為記

武夷書院 在崇安縣武夷山五曲之大隱屏下宋淳熙十年朱子建精舍於此韓元吉為記子在孫鑑相繼葺而廣之部使者游友文彭方撥公田以贍學者知縣陳樵子重建王遂為記景定間設山長以教邑士元因之後改山長為教授至正二十五年書院燬 國朝正統間八世孫洵澍復建丘錫為記

考亭書院在建陽縣三桂里唐侍御史黃子稜構亭於此以望先隴名望考亭韋齋嘗欲卜居其地未果紹興三年朱子因先志築室居之五年以四方來學者衆復築室於所居之東以處之扁曰竹林精舍後因舍前有洲環遶更名曰滄洲精舍寶慶元年縣令劉克莊始闢祠以祀朱子淳祐四年詔立為書院御書考亭書院四大字扁額十一年漕使史季溫增建燕居廟元至元二十五年郡判方逢辰縣令鄭瑛重建復相與規畫增田五百餘畝供祀之餘以為師生廩餼名曰義學邑人熊禾為記至正元年通守劉伯顏重脩學士虞集為記國朝永樂一十四年圮於水宣德七年縣丞何景春重脩天順六年巡按御史劉釪顧嚴命推官胡緝改創中為祠堂前為明倫堂堂之左為尊齋祠堂之前為書院仍揭理宗御書於上移燕居廟於祠堂之後俱翼以廊廡庖湢具備知府劉鉞運而成之少保彭時為記弘治間知縣張泮余以能相繼買田充入以供祀事

紫陽書院在徽州府城南門外倚山臨溪宋淳祐丙午郡守韓補建以祀朱子旁為風泉雲壑軒橫入左右齋廡中為明明德堂前為書樓後為宸奎閣又其上為披雲閣閣後為大成殿理宗賜額曰紫陽書院教授諸葛泰為記按朱子名堂室記云紫陽山在徽州城南五里先君子故家婺源少而學於郡學因往遊而樂之既來閩中思之獨不置故嘗以紫陽書堂者刻其印章蓋其意未嘗一日而忘歸也既而卒不能歸將歿始命其孤熹來居潭溪之上今三十年矣貧病苟活既不能返其鄉又不能以大其閭閻以奉先祀然不敢忘先君子之志敬以印章所刻榜其所居之廳事故後之學者稱朱子為紫陽夫子此書院之所以名也寶祐甲寅郡守臨卭魏克愚相繼脩建元至元十三年冬郡檄遷於南門內江東道院實古郡學遺址至元十五年按察副使興屯希魯謀諸總府以書院地與古郡學地兩易以溪山偉觀為明明德堂山長江一龍曾淵等協力興創郡人方回為記延祐乙卯山長張炳以其地卑濕白于總府復遷

南門外舊基左側接烏聊山脉正對紫陽山右為一郡山水勝處合新舊屋凡百楹至正壬辰燬國朝洪武中以故址踐于城濠移建於縣學之右舊西向改南向與紫陽山為正廳中為堂肖朱子像以黃榦蔡元定配前為兩廡重門後為學舍以樓講學之上山長唐仲為記成化庚子知府王勤同知張英重脩禮部尚書周洪謨為記歙耆民汪貴奏行有司以每年九月十五日朱子生辰致祭弘治十四年知府彭澤重脩○正德六年知府熊桂移建於縣學之後吏部右侍郎羅玘為記

晦庵書院 婺源縣學舊有朱子祠元至元丁亥江東憲使盧摯行部檄知州汪元圭改創書院於文廟之側且衍田以養士申省請以文公書院為名符下名曰晦庵書院延祐甲寅火元圭之子良垕復買北關汪氏園宅為新祠後至元間復建于縣學之東北至正壬辰燬

建安書院 在建寧府治北宋嘉熙二年郡守王埜建以祀朱子而以真德秀配理宗賜名建安書院國朝洪武十九年知縣余子恭移建于府學內以書院故址為知府廨舍

同文書院在建陽縣崇化里書坊宋乾道間朱子建以貯書籍後燬元大德五年泉州總管府推官張光祖重建歲久傾圮 國朝洪武二十七年禮部侍郎張智重建復圮正統三年提學僉事高超脩葺之典史廖榮又建前堂東廳令藏諸官書版刻於其中

雲谷書院在建陽縣崇泰里蘆峯之巔宋淳熙二年朱子作晦庵於此而命其谷曰雲谷自為記元季傾圮 國朝成化十七年按察僉事談俊捐俸令朱子九世孫格重建

湛盧書院在松溪縣治而南莫詳創建之始亦為祀朱子設也元至正十六年行省參政阮德柔拓而新之揭汯記 國朝洪武初重建正統十二年燬於兵惟像獨存景泰六年巡按御史張淶檄知縣張紳重建中為講堂堂後為朱子祠南為泮池架以石梁又南為門張諫為記

星溪書院在政和縣治之南正拜山下韋齋作尉時建元至正間邑人因為祠以祀韋齋

及朱子後燬於兵　國朝成化十四年訓導吳憲白於提學僉事周孟中即舊址重建知縣沈倫建閣於其後扁曰天光雲影邑諸生楊曉菲其捐貲重塑二像而以黃榦蔡元定劉爚真德秀配郎中林雍為記

大同書院 在同安縣城隍廟之左即舊大成殿址元至正十年知縣孔公俊建以祀朱子請額　賜今名仍給租以贍士林泉生為記後燬于寇　國朝成化十二年知縣張遜移建今所殿中為正堂堂後為方庭北作艮齋庖門廳廚湢俱備繚以周垣

泉山書院 在晉江縣即今縣學址也宋咸淳三年權守趙宗正建前為禮殿後為朱子祠傍列四齋曰志道據德依仁游藝

石井書院 在泉州府城西南石井鎮舊名鼇頭精舍宋紹興初韋齋嘗監此鎮後朱子為同安簿間至鎮與耆老訪父時事嘉定四年鎮官游絳因士民之請於鎮而建書院繪二先生

像而祀之歲久傾圮國朝成化十二年知府徐源推官柯漢重建

龍江書院舊在漳州府治西北臨漳臺初朱子守漳時欲於此築室講學未果後守危稹創書院以成其志宋季燬于兵元泰定間郡儒黄元淵別建書院於城外東北隅仍扁曰龍江書院學士虞集為記

鄴江書院在漳州府城東北二十里國朝洪武三十三年知府錢古訓建中塑朱子像以陳淳黄榦劉宗道配

泰亨書院在長泰縣南登科山國朝洪武末教諭章泰建中為堂祀朱子以東溪先生高登北溪先生陳淳配前為齋舍以便訓蒙成化十八年知縣劉鐸重建

南溪書院在尤溪縣治南初韋齋為縣尉時館于鄭氏此即鄭氏故居也嘉熙元年縣令李脩建以祀韋齋及朱子中為祠堂翼以兩齋曰景行曰傳心縣令施濆增創講堂咸淳四年

縣令黄巖孫創四齋又於祠堂之右建夫子燕
居堂前爲櫺星門後爲講堂德祐元年敕賜南
溪書院額元至正四年閩憲僉事趙承禧分立
二祠改創四齋曰明德復禮持志率性國朝
永樂十二年知縣汪誠雷放相繼脩葺正統十
三年寇燬惟存敕賜門額景泰二年監察御史
許仕達命通判楊季琦
重創祠堂扁以舊額

宗晦書院在樂清縣治東宋建以祀朱子舊名藝
堂書院咸淳中改名宗晦取宗晦庵之
義也

石門書院在青田縣西七十里石門洞宋淳熙九
年朱子提舉浙東循行至此有詩上之
興元至正中廉訪使王
俁始即謝客堂故址建

獨峯書院在縉雲縣東二十三里朱子至此愛其
山水絕似武夷有碧澗脩篁似故山之
句嘉定中郡
人葉嗣昌建

美化書院在紹興縣東六十里朱子嘗講道於此嘉熙中縣尉陳寔建

稽山書院在紹興府城內卧龍山之陽宋淳熙中馬天驥以朱子嘗提舉浙東建祠祀之其後吳革請以祠為書院元吳衍為記

鄮山書院在寧波府城西五里元邑人趙儒建以祀朱子後設山長王之袁桷為記

文公書院初在奉化州龍津之左名龍津書院元至元十八年改今名尋廢江浙提舉陳友龍徽知州李炳移建于州之寶鹿山山長任士林為記

嶽麓書院在長沙縣嶽麓山宋郡守朱洞建樞密使劉珙重建張栻為記紹熙五年朱子守潭州重脩與諸生講學其間

東山書院在餘干縣冠山之左宋趙汝靚建朱子嘗講道於此謝枋得記

鵝湖書院在鉛山縣鵝湖山下朱子與陸九淵九齡講道於此

墓

韋齋朱獻靖公墓 在崇安縣上梅里寺峯院北建寧府志云按朱子年譜紹興十四年葬韋齋於西塔山其後改葬寂歷山中峯之原及考朱子皇考遷墓記有曰府君將殆欲葬崇安之五夫卒之明年遂定其里靈梵院側既懼體魄之不獲其安乃以乾道六年遷於白水之鵝子峯下又朱子慶元五年撰韋齋行狀云公卒之明年葬于建寧府崇安縣之五夫然公所藏地勢卑濕懼非久計乃卜以慶元其年奉而遷於武夷鄉上梅里寂歷山中峯僧舍之北蓋公之詩有鄉關落日蒼茫外樽酒寒花寂歷中之句故也以此考之當是三遷而後葬此

○按府志所載與銑前第二卷葬韋齋於西塔山條下所疑頗同故著之

粵國夫人祝氏墓 在建陽縣西崇泰里天湖之陽乾道六年正月朱子葬母夫人於此旁構精舍扁曰寒泉元季傾圮 國朝正統十年八世孫澍以舊基卑濕移建今所中為

祠堂前門旁廡仍建小屋以為祭祀齋宿之所

太師徽國文公朱子墓在建陽嘉禾里唐石之大林谷九頻峯下按其地又名龍歸後塘乃朱子與蔡元定所卜風吹羅帶形初朱子嘗夢神人報云龍歸後塘既得此地果後塘也慶元六年十一月葬今人劉氏葬同處今七世孫鑄一房築室墓傍在彼居守

坊

文公闕里坊一在婺源縣治南今廟宅之前宋咸淳五年賜額曰文公闕里繡使竣峯方逢辰書後燬 國朝洪武初駙馬都尉王克恭重立牌坊邑人中書舍人詹希原書額後屢脩葺弘治間燬今重立

一在建陽縣三桂里宋咸淳九年立後圮 國朝永樂十一年主簿陳政復立○按闕里乃孔子所居里名非指宫闕也事見東家雜記

道學淵源坊在建陽縣西三桂里文公闕里之前宋季立圮於水 國朝正統十二年叅政彭森重立

泰山喬嶽坊在建陽縣西三桂里文公闕里之前○正德元年按察使汪奕民檄有司更前二坊額為尊德性道問學

源頭活水坊在建陽縣西三佳里考亭　國朝正統十三年八世孫洵澍重立

亭

虹井亭一名韋齋井在婺源縣治南朱子故居之左今廟宅之西韋齋作井銘云道寓斯人如水在地汲之益深有味外味朱子嘗曰聞先君子太史公生此地時井中有氣如白虹經日不絕又相傳朱子生時井中有紫氣見後故居為鄰所侵井亦湮塞元知州干文傳嘗濬之國朝正統中八世孫梴言于知縣陳斌作亭其上扁以虹井舊額進士汪敬為記弘治間燬主簿謝綉重建

晦庵亭在婺源縣治東一里朱塘宋滕溪齋之子銑沿文公作夢之語所建有諸名公題詠

天光雲影亭在建陽縣考亭書院燕居廟之前舊址久廢國朝天順間知府劉鉞重建

光風霽月亭在政和縣治之南星溪書院內國朝成化間知縣沈倫建

方塘半畝亭在尤溪縣治之南南溪書院內宋嘉禧間縣令李脩建

朱子實紀卷之七

朱子實紀卷之八

朱子門人

蔡元定字季通建州建陽人學者稱西山先生朱子扣其學大驚曰此吾老友不當在弟子列又嘗輯其問答之辭曰翁季錄蓋引以自匹也卒贈迪功郎謚文節所著有大衍詳說律呂新書燕樂原辯皇極經世太玄潛虛指要洪範解八陣圖說陰符經解運氣節畧脉書及雜說若干卷

黄榦字直卿號勉齋福州閩縣人朱子之婿以蔭補歷官知漢陽安慶和州授承議郎朱子病革以深衣及所著書授榦曰吾道之託在此吾無憾矣卒贈朝奉郎謚文肅所著有儀禮經傳續解文集若干卷

蔡沉字仲默元定次子學者稱九峯先生朱子嘗令作書集傳卒謚文正 國朝正統元年詔

從祀孔子成化三
年追封崇安伯

劉爚字晦伯號雲莊建陽人乾道八年進士歷官
擢工部尚書卒贈光祿大夫謚文簡所著有
奏議史藁雲莊外藁續藁經筵故事講堂故事
東宮詩解禮記解四書集成文集遺錄等書

真德秀字景元一字希元浦城人慶元五年進士
中博學宏詞科其學一以朱子為宗歷官
參知政事資政殿學士謚文忠所著有西山讀
書記甲乙藁對越甲乙集經筵講義端平廟議
翰林詞草及編集文章正宗諸書　國朝正
統元年詔從祀孔子成化三年追封浦城伯

張洽字元德臨江之清江人嘉定元年中第歷官
著作佐郎直祕閣朱子嘉其篤志謂其幹曰
所望以永斯道之傳如二三君者不數人也卒
後除直寶章閣所著有春秋集傳左氏蒙求續
通鑑長編事畧歷代郡
邑地理沿革表文集

陳淳字安卿漳州龍溪人嘉定十年以特奏恩授
迪功郎安溪縣主簿學者稱北溪先生朱子

嘗曰安卿看得道理儘密諸生未有及之者所著有語孟大學中庸口義字義詳講禮詩女學等書門人錄其語號筠谷瀨口金山所聞

李燔字敬子號弘齋南康建昌人紹熙元年進士歷官潭州通判直祕閣朱子嘗稱之曰南康得敬子便覺得此箇氣脈未至斷絶將來有可望者卒贈直文華閣謚文定

輔廣字漢卿號潛庵慶源府人居崇德學者稱傳貽先生朱子嘗曰漢卿身在都城聲利場中而能閉門自守金華同門之士鮮有其比所著有五經註釋四書問答詩童子問通鑑集義日新錄師訓編

葉味道初名賀孫以字行括蒼人居永嘉嘉定十三年進士歷官祕書省著作佐郎謚文脩所著有四書說大學講義祭法宗廟郊社外傳經筵口奏故事講義及所錄朱子問答○按一統志溫州有葉味道處州有葉賀孫皆朱子門人而事實微有不同蓋本一人誤析為二

也

李方子字公晦號果齋邵武光澤人嘉定七年進士歷官辰州通判朝奉郎朱子嘗謂之曰觀公爲人自足寡過所著有禹貢解傳心精語紫陽年譜

陳埴字器之永嘉人擢第授通直郎學者稱潛室先生所著有禹貢辯洪範解王制章句木鍾集

李季札字季子婺源人所著有明齋蛙見錄膚說仁說近思續錄字訓續編會遇集家塾記問諸書及錄丙申乙卯問答

陳宓字師復號復齋守之第以蔭補歷官提點廣東刑獄直秘閣陞直龍圖閣所著有論語註義問答春秋三傳抄讀通鑑綱目唐史贊據纂

彭龜年字子壽臨江軍清江人乾道五年進士歷官吏部侍郎煥章閣待制知江陵府湖北

安撫使以僞學追三官停勒再起除集英殿修撰卒贈寶謨閣直學士加贈龍圖閣學士謚忠肅所著有經解祭議五致錄奏議外制

馮椅字奇之號厚齋南康都昌人紹熙四年進士歷官江西轉運司幹官所著有易書詩論孟太極圖西銘輯說孝經章句喪禮小學孔子弟子傳讀史記及詩文志錄合二百餘卷

潘柄字謙之號瓜山植之弟所著有四書講說易解尚書解及錄癸卯以後問答

趙師淵字幾道號訥齋黃巖人朱子嘗令脩校通鑑綱目

楊復字志仁號信齋福寧州長溪人所著有祭禮圖十四卷儀禮圖解十七卷家禮雜說附註二卷

黃灝字商伯南康都昌人隆興間進士歷官廣東提點刑獄朱子稱之曰商伯講論精密誠可嘉尚卒謚文簡所著有西坡集

廖德明字子晦劍州順昌人乾道中進士歷官吏部左選郎朱子稱之曰德明學有根據所著有春秋會要槎溪集及錄癸巳以後問荅

鄭可學字子上號持齋莆田人歷官忠州文學朱子嘗謂之曰斯道不絕如綫惟冀勉勵以副所望所著有春秋博議三朝北盟舉要師說詩數百篇

童伯羽字蜚卿甌寧人朱子為扁其樓曰醉經堂曰敬義鄉稱敬義先生四書諸經皆有訓解及錄庚戌問荅

徐僑字崇父號毅齋婺州義烏人淳熙十一年進士歷官權工部侍郎寶謨閣待制謚文清朱子稱其剛直所著有讀易記讀詩紀詠雜說文集

鄭性之字信之初名自誠改今名福州侯官人嘉定四年進士第一歷官知樞密院事兼參知政事加觀文殿學士所著有端平奏議宋編年備要

王遇字子正號東淵龍溪人乾道五年進士歷官
宗正丞右司郎中朱子稱其篤信嗜學所著
有論孟講義兩
漢博議及文集

滕璘字德粹號溪齋婺源人淳熙八年進士歷官
廣西浙江福建帥司參議官朝奉大夫所著有尊
所聞等書及
溪齋類藁

鄭文遹字成叔號庸齋福州閩縣人嘉泰甲子貢
士朱子嘗令編次喪禮所著有易學啓蒙
或問春秋集解喪禮
長編庸齋集等書

程先字傳之休寧人
所著有東隱集

祝穆字和父歙人居建安朱子內姪所
編輯有事文類聚方輿勝覽諸書

胡泳字伯量南康建昌人朱子稱其堅苦又曰伯
量凡弟孝友所著有四書衍說南康胡氏鄉
約及編次喪
禮戊午問荅

何鎬字叔京邵武人潭州善化令學者稱臺溪先
生所著有易論語說及錄乙未以前問答

江默字德功崇安人乾道五年進士建寧縣令朱
子嘗曰吾鄉士大夫如德功者一意讀書亦
不多得所著有國朝綱
集易訓解四書訓詁

陳孔碩字膚仲號北山侯官縣人淳熙二年進士歷
官中大夫祕閣脩撰所著有庸學講義北
山集

傅伯成字景初泉州晉江人隆興元年進士歷官
龍圖閣學士光祿大夫贈開府儀同三司
謚忠簡所著有
文集若干卷

程端蒙字正思號蒙齋饒州德興人朱子為表其
墓稱其任道勇而用志專所著有小學字
訓及錄己亥
以後問答

黄士毅字子洪號壺山莆田人徙居吳嘗譔次朱
子書說七卷文集一百五十卷語類一百

三十八卷類註儀禮未成書

陳駿字敏仲號仁齋寧德人登進士所著有語孟筆義詩箋義未脱稿

林用中字擇之古田人朱子目為畏友嘗曰擇之見趣操持愈見精密偕訪張南軒于長沙有南嶽唱酬集

林夔孫字子武古田人以特奏名任縣尉所著有書本義中庸章句蒙谷集及録丁巳以後問答

陳易字後之泉州永春人慶元丙辰進士授懷安丞朱子嘗曰後之持守見識不易得所著有論孟解義

程洵字允夫號克庵婺源人朱子内弟以特科思任吉州録事參軍朱子稱其好學而敏於文所著有尊德性齋集

楊楫字通老號悅堂福寧州長溪人淳熙五年進士歷官吏部郎江西運判朱子稱其溫厚質實信道甚篤所著有奏議悅堂集

度正字周卿合州人紹興元年進士歷官禮部侍郎兼侍右郎官兼同修國史實錄院修撰朱子稱其志趣不凡所著有性善堂集

周端朝字子靜號西麓永嘉人嘉定中進士歷官權刑部侍郎太中大夫贈宣奉大夫謚文忠所著有西麓文章藁

吳昶字叔夏號友堂休寧人所著有易論書說史評詩文若干卷

鄭昭先字景紹閩縣人淳熙十四年進士歷官知樞密院事兼參知政事謚文靖所著有日湖遺藁

程永奇字次卿號格齋先之子所著有六經四書疑義朱子語粹中和考格齋藁

潘友恭字恭叔友端之弟任從事郎明州司理叅軍朱子嘗令編次禮書又除從官舉友恭自代狀畧云居家孝友持已廉靜其於世務亦所該通

林允中字擴之用中之弟朱子稱其專志苦學所著有草堂集

王力行字近思泉州同安人嘗著朱氏傳授支派圖及錄辛亥問答

高禾字穎叔晋江人淳熙辛丑進士歷官兵部郎中所著有愛閒集

方士繇字伯謨莆田人寓居建安朱子稱其詩温潤可觀所著有遠庵錄

徐寓字居父永嘉人朱子稱其務學求師志尚堅確所著有中庸說及錄庚戌以後問答

曾興宗字光祖號唯庵寧都人肇慶府節度推官朱子稱其純茂篤實用功正當所著有唯庵集藁

黃義勇字去私臨川人白鹿書院堂長所著有屯田議

鄭師孟字齊卿號存齋寧德人朱子稱其志趣堅苦所著有洪範講義

劉砥字履之號存庵長樂人朱子嘗曰砥及其弟礪更歷變故志尚愈堅察其居家孝友臨事謹畏所錄有朱子庚戌問答及編王朝禮語孟註解未脫藳

余偶字占之號克齋古田人朱子稱其警敏有克齋集

林學蒙字正卿福州永福人道南書院堂長所著有梅塢集及錄甲寅以後問答

汪莘字叔耕號方壺休寧人所著有柳塘集

龔鄭字雲伯號南峯寧德人有詩文雜著數卷

曾逢震字誠叟閩縣人所著有月林醜鏡

林湜字正甫福州長溪人晚居平陽紹興庚辰進士歷官直寶謨閣淛江運副進龍圖閣所著有槃隱類藁

黃榦字子耕豫章人舉進士歷官知袁州所著有復齋集及錄戊申問答

趙詠道師淵之弟朱子嘗令編禮書

李閎祖字守約號綱齋光澤人嘉定辛未進士歷官廣西經畧安撫司幹官朱子答書有曰所論克己工夫甚簡潔史論亦甚正所錄有戊申以後問答

李相祖字時可閎祖之弟嘉定辛未進士所編有書說三十餘卷

吳必大字伯豐興國軍人以蔭補吉水丞朱子稱其警敏過人守官治事皆有方所錄有戊申己酉問答

陳文蔚字才卿號克齋信州上饒人端平中詔補迪功郎朱子稱其功夫精進所錄有戊申以後問答

楊道夫字仲思浦城人所錄有己酉以後問答于若海亦有所錄

楊驤字子昂道夫族兄所錄有己酉甲寅問答

楊與立字道夫從兄所編次有朱子語畧及壬子問答

潘植字立之福州懷安人所錄有癸丑問答

襲蓋卿字夢錫衡州常寧人登弟歷官右正言所錄有甲寅以後問答

劉礪字用之號在軒砥之弟中童子科所錄有己未問答

甘節字吉甫臨川人所錄有癸丑以後問答

潘子善字時舉天台人所錄有癸丑以後問答

晏淵字亞夫號蓮蕩涪陵人所錄有癸丑以後問答

黃義剛字毅然臨川人所錄有癸丑以後問答

竇從周字文卿丹陽人所錄有丙午以後問答

林學履字安卿學蒙之弟所錄有己未問答

萬正淳字人傑號止齋興國軍人朱子稱其氣質甚美所錄有庚子以後問答

楊至字至之晋江人朱子稱之曰至之講論儘精細所錄有癸丑甲寅問答

徐容字仁父寓之弟朱子稱其志趣正所錄有辛亥問答

余大雅字正叔劍州順昌人朱子深與其進所錄有庚戌問答

鄭南升字文振潮州人朱子稱其資質好所錄有癸丑問答

金去偽字敬直饒州樂平人所錄有乙未問答

林恪字叔恭天台人所錄有癸丑問答

李儒用字仲秉岳州岳陽人所錄有己未問答

廖謙字益仲衡陽人所錄有甲寅問答

孫自脩字敬父宣州宣城人所錄有甲寅問答

王過字幼觀鄱陽人所錄有甲寅以後問答

陳芝字庭秀所錄有壬子問答

蔡懇錄字行夫平陽人所錄有壬子問答

鄭逍遥有所錄問答

林賜字聞一所錄有乙卯以後問答

嚴世文字時亨臨江新喻人所著有疑義問答

吳英字茂實邵武人紹興三十年進士所著有論語問答畧

魏椿字元壽建陽人所錄有戊申五夫問答

游倪字和之建寧人所錄有癸丑問答

周明作字元興建陽人所錄有壬子以後問答

吳雉字和中建陽人有所錄問答

湯泳字叔永丹陽人所錄有乙卯問答

鍾震字春伯潭州人所錄有甲寅問答

黃卓字先之有所錄問答

吳振有所錄問答

吳琮字仲方臨川人所錄有甲寅問答

劉子寰字圻父建陽人號篁㟴所著有詩集及錄己未問答

楊方字子直長汀人隆興初登第歷官廣西漕使直寶謨閣兼度事朱子稱其篤學不易得所錄有庚寅問答

楊長孺字伯子廬陵人歷官直敷文閣屯田郎中所錄有甲寅問答

潘履孫字坦翁友恭之子寓居紹興歷官奉議郎通判江陵府所錄有甲寅問答

曾祖道字擇之所錄有丁巳問答

周謨字舜弼南康建昌人朱子稱其講學持守不懈益勤所錄有己亥以後問答

錢木之字子升晉陵人寓永嘉所錄有丁巳問答

石洪慶字子餘臨漳人朱子稱其強毅方正所錄有癸丑問答

李煇字晦叔南康建昌人撰燔之兄有所錄問答

李孝述字繼善燔之從子有所錄問答一卷朱子答書有云所示疑義甚精到

林武字景文號尚綱永嘉人以恩科授河池縣尉所集有朱子語錄

劉剛中字近仁光澤人嘉定四年進士調蘭溪丞所悟有師友問答而漢奇語

吳壽昌字大年邵武人所錄有丙午問答

梁瑑字文叔邵武人所輯有朱子語錄濟臺石刻考證

呂燾字德昭號月坡南康建昌人所錄有己未問答

沈僴字莊仲永嘉人所錄有戊午以後問答

陳枅字自脩福州長樂人朱子稱其切問近思有所錄問答

汪德輔字長孺鄱陽人所錄有壬子問答

包揚字顯道南康建昌人所錄有癸卯以後問答

郭友仁字德元山陽人寓臨安所錄有戊午問答

李杞字良仲平江人所錄有甲寅問答

蕭佐所錄有甲寅問答

舒高所錄有甲寅問答

黄升卿所錄有辛亥問答

丘玨字玉父邵武人所錄有主敬問答

林子蒙湖南人有所錄問答

李文子字公謹方子之弟紹熙四年登第知潼州有所錄問答

劉炎字潛夫邵武人所錄有己酉以後問答

董拱壽字仁叔鄱陽人所錄有甲寅問答

歐陽謙之字晞遜吉州廬陵人所錄有癸丑問答

范念德字伯崇建安人歷官朝奉郎江東帥機朱子嘗曰伯崇學大進未可量臨發囑其脩正禮書

劉炳字韶仲爚之弟淳熙戊戌進士歷官朝請大夫朱子稱之曰韶仲不苟如此不易得其兄晦伯亦甚好他日皆未可量

林大春字熙之號慥齋朱子有詩送之

林師魯號芸谷古田人朱子稱之曰師魯問學行誼克世其家

余範字彝孫古田人朱子稱其淳靜

陳齊仲同安人朱子答書有曰詩解用意甚深

許升字順之號存齋同安人朱子為作字序齋記稱其學專用心於內及卒為文祭之

許景陽字子春同安人朱子稱其意趣儘好

楊履正字子順朱子稱其細密

包定之永嘉人朱子稱其用意精密

余大猷字方叔大雅之弟朱子稱其看道理穩實

徐子融鉛山人朱子稱其志趣操守非他人所及

詹體仁字元善浦城人隆興元年進士歷官直龍圖閣知靜江府朱子稱其才儁行馴好學不倦

任希夷字伯起邵武人淳熙三年進士歷官端明殿學士簽書樞密院事兼權參知政事贈少師謚宣獻朱子嘗曰伯起開濟士也

王玩字南卿江川人隆興元年進士歷官知撫州朱子稱其才氣術畧過人

陳定字師德守之弟以蔭補授右承事郎朱子銘其墓

潘友端字端叔金華人朱子稱其有志操

傅君定婺州人朱子稱其刻苦

李唐咨字堯卿朱子稱其持循雅飭

方誼字賓王朱子稱其為學親切的當近日朋友講習未有能及之者

滕珙字德章號蒙齋璘之弟淳熙十四年進士合肥令朱子銘其父墓有曰二子皆能自立有聲川縣問又稱珙廷對甚佳

劉孟容字公度隆興府人第進士歷守長沙南康朱子稱其謹愨自好學問有方

葉寅字直翁邵武人朱子稱其謹愿詳審

馮允中字作肅邵武人朱子名其居曰見齋

彭蠡字師範號梅坡南康都昌人朱子稱其疑辯甚精

呂煥字德遠燾之弟朱子嘗曰二呂講論粗有條理

李宗思字伯諫建安人朱子稱其為斬教尊以古人為己之學教人

吳居仁 字溫父建陽人融州節度推官朱子稱其貞廉

傅備 字子期豫章進賢人朱子稱其孝

林憲卿 字公度號存齋福州懷安人朱子稱其忠信

姜大中 字叔權朱子稱其天姿慈詳

丁堯 字復之崇安人朱子誌其墓稱其篤厚慈良有志爲己之學

包詳道 建昌人朱子稱其篤實

方耒 字耕道莆田人乾道中登第任宣教郎連江縣令朱子稱其明敏果決

方壬 字若水莆田人淳熙丁未登第任從事郎寧鄉縣令朱子守漳辟壬主學事

游開 字子蒙建安人朱子稱其議論文學皆有餘

趙蕃 字昌父號章泉官至秘閣朱子稱其志操文詞非流輩所及

宋之源字深之婺源人弟之淵之江朱子稱其昆仲皆學而有文

黃幹字尚質長溪人官至直學士院著述甚富

陳址字廉夫莆田人以恩補調監南安縣鹽稅朱子誌其墳稱其學重明敏

汪清卿字湛仲婺源人朱子嘗寓其家與鄉人講學為作敬齋箴

汪端雄字季英婺源人嘗建東山九曲亭與朱子講道其間

劉炯字季銘瀹之弟慶元己未進士岡始縣令

李壯祖字處謙閎祖之弟嘉定辛未進士調閩清尉

董銖字叔重饒州德興人登進士授金華縣尉轉從事郎

呂勝己字季克號渭川居士邵武人歷官朝請大夫知沅州

陳孔夙字仁仲孔碩之兄寓平江慶元五年進士

王介 字元石婺州金華人紹熙元年進士歷官集英殿脩撰知慶元府兼沿海制置使贈中大夫寶章閣待制謚忠簡

曹彥約 字簡甫號昌谷都昌人淳熙八年進士歷官兵部尚書改寶章閣學士知常德府轉華文閣學士通議大夫贈宣奉大夫謚文簡

郭磊卿 字子奇台州僊居人嘉定七年進士除起居舍人謚正肅

葉武子 字成之邵武人嘉定甲戌進士歷官直龍圖閣加秘閣脩撰

陳守 字師中莆田人以蔭補歷官奉直大夫提舉荊湖南路常平公事遷將作監

陳宇 字允初莆田人以蔭補歷官太常少卿奉議大夫

楊仕訓 字尹叔淳祐人擢進士第歷官監郴州揔料院

傅誠 字至叔號雪湖莆田人淳熙中登第歷官太常博士

潘友文字文叔金華人福建提舉

陳範字朝卿崇安人嘉定七年進士調崇仁丞

戴蒙字養伯永嘉人紹興庚戌中第調紹興府石堰鳴鶴運鹽官

李東字子賢邵武人紹熙中進士萬安縣令

饒幹字廷老邵武人淳熙二年進士歷官知懷安軍

趙師端知徽州凡弟皆師朱子

趙師恕字季仁餘杭縣令

余元一字景思興化軍僊遊人淳熙五年進士池州通判

俞聞中字夢達邵武人淳熙八年登第知黎川

張揚卿字清叟瑞安人登第任南康軍教授

祝汝玉信安人休寧縣令

趙善佐字佐卿宋宗室居邵武歷官知贛州所録有易疑問答

葉文炳浦城人僊遊縣令

上官謐字安國邵武人四會縣令

歐陽光祖字慶嗣崇安人乾道八年登第江西運管朱子嘗令三子師之

王瀚字伯海金華人武當軍節推朝奉郎子栢受學勉齋門人何基號魯齋

王漢字季海瀚之弟仁和縣尉

謝璡字公玉祁門人以特奏名授龔川助教

許文蔚字衡甫號環山休寧人紹興庚戌擢第歷兵部郎官著作郎

汪楚材字太初休寧人紹熙元年進士歷承直郎廣東運司幹官朱子稱其德業之盛

呂道一 朱子稱其天資明敏

呂祖儉 字子約號大愚金華人仕至太常寺丞謚忠朱子稱其篤學力行

趙彥肅 字子欽朱子稱其禮圖甚精

楊簡 與楊楫楊方俱師事朱子號稱三楊

鄧邦老 將樂人道南書院堂長

余宋傑 字國秀南康建昌人

黃顯子 字敬之永嘉人

蔡念成 字元思九江人

鍾唐傑 袁州萍鄉人

胡安之 字叔器袁州宜春人

黃謙字德柄光澤人

趙希漢字南紀岳陽人

李如圭字寶之廬陵人

鄧絅字衛老將樂人有近思錄問答

黃東字仁卿幹之兄

葉任道味道之弟

郭叔雲字子從潮陽人

趙師䢼字恭甫天台人

劉巖廬陵人

林補字退思永嘉人

林譽字丕顯福州連江人

彭鳳字子儀宜春人

陳祖永字慶長會稽人

王春卿建安人

陳士直字彥忠閩清人

張彥先字致遠臨淮人

傅公弼字夢良莆田人

林仁實永福人

杜斿字叔高金華人

杜旝字幼高斿之弟

杜燁字良仲號南湖黃巖人

杜知仁字仁仲號方山燁之弟

許儉字幼度閩清人

程深父古田人

程若中字寶石號槃澗古田人有槃澗集

馮去疾知南康軍

蔣康國字彥禮號門山古田人朱子楚辭集解凡楚集皆贊之

趙子明開封人

魏恪字元作朱子之甥

劉學古朱子之婿臨桂縣令

祝癸穆之弟

劉子禮建州人

翁易字粹翁崇安人授徒竹林精舍

劉叔通建州人

黃仲本邵武人

趙師雍字然道疑師淵之弟

程實之字士華號尊己翁歙人遷德興

程秐之字文伯號翠林婺源人洵之從子所輯有先賢格言

滕玶字德玉璘之從弟

陳利用字光卿同安縣學司書熹奉祠嘗編大同集

周介字公謹初姓葉

林亢之　余正父　閭丘次孟　黎季成

周伯壽　曾可幾　李德之　鄭仲履

康淵字叔臨

連嵩　劉季文　邵浩

林揆字一之

符叙字舜功

周僴　劉純叟

劉礪字正之建陽人

劉賓之礪之弟

李克宗字子能泉州南安人

方大壯字發之號飛齋莆田人

陳勝私南康軍人

黄謙南安人

郭植廬陵人

饒克明邵武人

劉鏡字叔光惠安人號稱高第

曹彦純彦約之兄

輔萬廣之弟

黄孝恭字令裕邵武人

吳唐卿南康人

林巒泉州人

曹晉叔建安人

魏應仲建陽人

朱魯叔僊遊人

劉賁字炳文南康建昌人

薛洪字持中永嘉人

蔡元思江東人勉齋稱之

王仲傑字之才縉雲人

彭樸字子應宜春人

葉永卿 周得之 江孚先

俞子壽 李秉文

將初字復仲

俞潔己字孝清

詹觀字尚賓

丁仲澄

王翰

周順

劉子晉

劉定夫

吴南字宜之

張顯父字敬之有孟子問答

曾極字景建

龔仲至

朱子實紀卷之八

朱子實紀卷之九

褒典

除提點江西刑獄公事誥

勅宣教郎直徽猷閣主管南京鴻慶宫朱熹爾好古道據正不回利物愛人用志彌篤擁州麾分使節先德後刑民從其化而救荒之政所全活者尤衆久從家食念之不忘江右特平往哉惟允行爾盡心之學廣我好生之仁可依前官差提點江南西路刑獄公事

淳熙十四年七月　日　陳居仁行詞

除直寶文閣主管西京嵩山崇福宮誥

朕惟廉節不立風俗未淳思得難進易退之士表而用之庶幾翕然變其舊習爾之學術遠有淵源其爲操行養之久矣志在憂世曾未得一日立於朝比以郡刺史入奏便殿朕嘉其讜論留寘郎曹蓋將進諸清要之地遽以疾諗祈反初服既勉從於素志復更請於眞祠夫招麾何意於去來仕止不形於喜愠此古之清達之士也朕察爾於是陞職二等聽食優閒之祿身雖在外亦有補於風化云

淳熙十五年八月　日　中書舍人鄭僑行詞

除知潭州湖南安撫誥

敕具位十國爲連師帥是寄矧長沙據湖湘上游賜履甚廣視邦選侯尤難其人以爾學古粹深風節峻特可以爲世之師仁心仁聞威惠孚洽可以爲時之帥兼是二者往臨藩方聲望所加列城聳服儒先相望士氣方振爾其爲朕敷教之楚俗雖安尚有凋瘵爾其爲朕撫之典刑所存奚事多訓可

紹熙四年十二月　日　中書舍人樓鑰行詞

除煥章閣待制侍講誥

朕初承大統未暇他圖首闢經帷詳延學士眷儒宗

之在外須召節以趣歸徑登從班以重吾道具位朱熹發六經之蘊窮百氏之源其在兩朝未為不用至今四海猶謂多奇擢之次對之班屢以邇英之列若程頤之在元祐若尹焞之於紹興副吾尊德樂義之誠究爾正心誠意之說豈惟慰滿于士論直將增益于朕躬非不知政化方行師垣有賴試望之于馮翊不如實之本朝召賈傅于長沙自當接以前席慰茲渴想望爾遄驅可

紹熙五年八月　日　黃由行詞

畢恩授朝散郎誥

敕具位學先王之道而明於當世之務三仕三已最不苟合天下高之蓋累朝之所嘉嘆而不忘也長沙諜帥強為時起肆予初政式遄其歸予以勸講朕將虛己聽焉爰因大賚序進厥秩雖曰舊章亦冀樂告

可

紹熙五年十月　日　中書舍人陳傅良行詞

轉朝奉大夫誥

敕登崇俊良固欲特於衆望丕視功載自難廢於彝章雖吾法從之英亦用叙遷之典具位受才宏遠造道精醇舉明至於三代之隆夙懷此志以六經為諸

儒之倡務淑斯人爵每見於辭榮節素高於難進載稽吏考爰陟文階積久以致宗恐未免如昔人之譏舉賢不待次當有以徇天下之公其體朕心勿忘猷

告可

慶元元年三月　日　中書舍人鄧馴行詞

罷待制仍舊宮觀誥

敕具位朱熹徑欲若聖人之仁尚謙若君子之行眷我執經之老辭夫次對之榮既諒忱誠其頒茂命以爾心耽墳典性樂丘樊被累朝之特招稱疾屢奏於十連而趣召肯起翻然既陪衆學之遊兼侍西清之

邃見卿幾賾方善極榮之說書高論未聞遽若責生之懷土仍夫華職秩以真祠益彰優老之風且示隆儒之意逮茲累歲始復有陳前受之是今受之非誰能無惑大遜如慢小遜如僞夫豈其然顧而務徇於名高在我詎輕於爵馭俾解禁嚴之直復居論著之聯雖雅志之勉從在至懷而良咈噫厭承明勞侍從既違持橐之班歸鄉里校生徒紬究專門之業其祗予訓用蹈于中可依舊秘閣脩撰宮觀差遣

慶元元年十二月　日　中書舍人傳伯壽行詞

賜謚指揮

勘會嘉泰二年十月二十四日已降指揮朱熹已致
仕可除華文閣待制依條與致仕合得恩澤十月十
八日三省同奉
聖旨特與賜謚令有司議定申奏仍依條與遺表恩
澤一名　右劄付禮部太常寺嘉定元年十月二十九日

謚議

議曰三才定位非道無與立也儒者之學所以講明
大道正人事之綱常而參天地之化育故世之治亂
常視道之隆汚若饑者之食必以穀粟寒者之衣必
資桑麻不可易也自周衰正學不明道術分裂急功

利者昧本原其流爲申韓尚清虛者忘實用其弊爲莊老孔孟生乎其時躬履是道既與其徒辨問講究又著而爲書使後世有傳焉然轍環天下詆毀困阨至老而不獲用身死而後其道始明是何不能取信於當時而乃獲伸於後世邪蓋真僞之相奪固不容以口舌勝而枉己直入者又聖賢之所不爲也百年之後愛憎泯而是非定則謗毀熄而公議行矣至漢之揚雄隋之王通唐之韓愈學孔孟者也其出處通塞大抵皆然故侍制侍講朱公自少有志斯道既仕志愈篤累辭召請益得以涵養所學其後不獲命亦

屢位于朝分符持節于外而類多齟齬不合主上龍
飛擢侍經筵未幾力排權臣而逐去尋以論者詆為
僞學奪職而公亦繼以下世矣權臣既誅聖化日新
乃還舊職特命賜謚以公之學曾不究用於平生而
僅研白於身後宜其儒者之道固不能以苟合而亦
不可以終泯蓋異時而同符也謹按謚法道德博聞
曰文廉公方正曰忠惟公躬履純誠潛心問學近承
伊洛遠接洙泗自格物致知閑邪存誠以為踐履之
實用功於不睹不聞之際加省於日用常行之間及
行著而習察德新而理明然後明聖賢蘊奧之旨救

清談功利之偏訓釋諸經平實坦明使後學有所依據居鄉則信於朋友而有講切之功居官則信於吏民而以教化為務非道德博聞之謂乎勤恤民隱如恐傷之奏減橫賦備舉荒政為民有請不避煩瀆必使實惠下究任部使則糾發吏姦不撓於權勢雖忤時必得其職乃已至於立朝則從容奏對極言無隱剴切論駁發於至誠方權臣初得志竊弄威福知其漸不可長禍且及天下抗章極論繼於講筵密奏雖知取禍弗顧也非廉方公正之謂乎彼詞章制作無備衆體雄深雅健追並古作亦可以為文矣而未足

爲道德博聞之文也彼盡心獻納隨事規拂或抗直以揚名或削藁而歸美亦可以爲忠矣而未必皆應方公正之忠也曰文與忠惟公足以當之而無愧合是二者以定公行傳之天下與來世庶乎久而益信

謹議 嘉定二年太學博士章徠上

覆謚議

議曰謚古也複謚非古也謚法曰謚生於行者也苟當於其行一字足矣奚複哉故侍講朱公没於爵未得謚上以公道德可謚下有司議所以謚謹獻議曰六經聖人載道之文也孔氏没子思孟軻更述其遺

言以待斯世文章未墜漢末諸儒采擷以資文墨鄭司農王輔嗣輩又老死訓詁謂聖人之心真在句讀而已隋唐間河汾講學已不涉聖賢閫奥韓愈氏復出特其文近道爾蓋孔氏之道賴子思孟軻而明子思孟軻之死明者復晦由漢而下闇如也及本朝而又明濂溪横渠剖其幽二程子宿其光程氏之徒嗟其焰至公聖道粲然矣公之學以誠待中敬待外其於書捨六籍則諸子曲説不得干其思其於道不敢深索也恐入乎幽不敢過求也恐汨其統讀書初貫穿百氏終也縮以聖人之格言自近而入微由博而

歸約原心於眇忽析理於錙銖采衆說之精而遺其粗集諸儒之粹而去其駁嗚呼醇矣哉孟氏以來不多有也公中科第猶少也薄游徑隱閉門潛思朝廷每以好官召公莫能屈不得已而出惟恐去之不早自官薄書考者九而閑居者四十餘年山林之日長問學之功深也平居與其徒磨切講貫皆道德性命之言忠敬孝愛之事由公學者必行己莊與人信居則安貧而樂道仕則尊君而愛民重名節而愛出處合於古而背於時若此者真公之學也嗚呼師友道喪人各自是公力扶聖緒本末宏闊而弄筆墨小技

者以爲迂濶於山澤與世無競而汨沒朝市者以爲矯自童至耄動以禮法而跡弛於繩墨者姍以爲誕世嘗以是病孔孟矣公何恨焉初太常議以文忠謚公按公在朝之日淺正主庇民之學鬱而不施而著書立言之功大暢于後合文與忠謚公以美而非也有功於斯文而謂之文簡矣而實也本朝歐蘇不得謚文而得若乃楊大年王介甫介甫經學非醇也其事業亦有可恨楊公正復文士爾文乎文乎豈是之謂乎世多訐韓愈爲文而非也原道謂軻之死不得其傳斯言也程子與之公晚爲韓文立考異一書豈

其心亦有合歟請以韓子之謚謚公謹議尚書吏部員外郎熊

考功郎官劉彌正上奏聖旨依

贈官封爵指揮

朕每觀朱熹所著論語中庸大學孟子注解發揮聖賢之蘊羽翼斯文有補治道朕方勵志講學緬懷典刑深用嘆慕可加贈太師追封信國公謚如故

寶慶三年正月　日　翰林學士程珌行詞

贈太師追封信國公制

敕天之未喪斯文以方冊之具在書者所以載道歷古今而罕明惟我宋之化成有二程之傑出繼博極

群經而窮理必提挈要指以示人故於論語大學之
傳與夫子思孟軻之作常誨人而不倦俾學者之易
知沿襲既訛本真浸失嗣興道統允屬儒先華文閣
待制贈寶謨閣直學士謚文朱熹極高明而道中庸
多聞見而守卓約凡六籍悉為之論述於四書尤致
於精詳紛然衆説之殊折以聖人之正朕自親學問
灼見淵源常三復於遺編知有補於治道載惟一節
歷事四朝早錫郡符晚登臺從始終之際待遇弗渝
然而學士隆名博聞美謚備舉當時之茂典未充列
聖之盛心是用析圭五等之尊定位三公之冠申加

禮贈式究前猷噫身没言存所恨丘原之難起逝源深
澤遠實同義理之無窮尚其不忘歆此嘉命可
寳慶三年正月　日　王暨行詞

郊禮推封制

肇祀南郊已訖泰壇之禮推恩遍列爰申禰廟之褒
式重典刑用昭懋錫具位某心潛列聖德配前脩家
有成書發千古不傳之秘户多滿屨爲四方來學之
宗聽白首於禁塗嗷孤忠於講席雖用之不盡莫紓
經濟之懷然仰之愈尊游厚推崇之典兹錄令子克
相精禋適當竣事之初宜舉因心之教維垣極品已

增松檟之春賡信稱公不改封疆之舊諒惟英識克
對殊休
寶慶三年正月　日　陳卓行詞

改追封徽國公制

敕饗明堂而霈澤具有彝章謂故國以移封式尊儒
道昔屢舉褒揚之典茲而疏追遂之恩眷我宗工若
時明訓具位朱某傳孔孟之學抱伊傅之才講道以
致知格物為先歷萬世而無弊著書以抑邪與正為
本關百聖而不惑阜陵知之而有廉靜之褒寧廟用
之而賴論思之益非漢唐諸子所可擬議於伊洛二

老尤能發揮肆于訪落一作客止之初深有不同時之恨每閱四書之奧旨允為庶政之良規雖已加禮贈之崇然未盡寵章之善適逢禋歲載錫嘉名爵之父母之邦位以公師之品豈專踵故式表教忠啻指書社而封斯道遂明於今日即桐鄉而祀厥光賁異於前聞有赫其靈尚淑爾後可依前贈太師改封徽國公諡如故

紹定三年九月　日鍾震行制

濂溪明道伊川横渠晦庵五先生從祀指揮

朕惟孔子之道自孟軻後不得其傳至我朝周惇頤

程顥程頤張載真見力踐深探聖域千載絶學始有指歸中興以來又得朱熹精思明辯析衷會融使中庸大學論孟之書本末洞徹孔子之道益以大明于世朕每觀五臣論著啓沃良多今視學有日宜令學宫列諸從祀以副朕崇奬儒先之意

淳祐元年正月十五日

改追封齊國公制

上天眷命皇帝聖旨蓋聞聖賢之藴載諸經義理實明於先正風節之厲秉諸世褒崇豈間於興時不有鉅儒孰膺寵數故宋華文閣待制累贈寳謨閣直學

士太師追封徽國公謚文朱熹挺生異質登擢科名試用於郡縣而善政孔多廻翔於館閣而直言無隱權姦屢抑志慮不回著書立言嘉乃簡編之富愛君憂國負其經濟之長正學久達於中原渙號申行於
仁廟詢諸僉議宜易故封國啓營丘爰錫太公之境土壤鄰洙泗尚覲尼父之宮墻緬想英風載欽新命可追封齊國公餘並如故

至正二十二年二月　日　危素行詞

追謚韋齋獻靖公制

考德而論時灼見風標之峻觀子而知父追聞詩禮

之傳久闕幽堂丕昭公論故宋左承議郎守尚書吏
部員外郎兼史館校勘累贈通議大夫朱松仕不躁
進德合中行遡鄒魯之淵源式開來學闡圖書之緼
與妙契玄機奏對每忤於權姦嗣續篤生於賢哲化
民成俗著書滿家既繼志述事之光前何節惠易名
之孔後才高弗展嘆沉滯於下僚道大莫容竟昌明
於永世神靈不昧休命其承可謚獻靖公
至正二十一年十二月　日

累朝優崇事畧

宋理宗嘉熙二年建寧守臣王埜創朱子祠御書建

安書院額扁賜之

淳祐四年詔改滄洲精舍爲考亭書院御書額扁賜之

淳祐六年徽州守臣韓補從朱子祠于江東道院舊基御書紫陽書院額扁賜之（詳見補謝表及自爲御書跋識）

咸淳元年九月壬子命宰執訪司馬光蘇軾朱熹後人賢者能者各上其名錄用

咸淳五年詔賜文公闕里于婺源縉使方逢辰書額

元至元元年三月婺源知州干文傳請于朝得旨立

徽國文公之廟

至正間遣京學危素奏制加封朱子齊國公并頒

上醖少牢致祭

國朝正統四年奉禮部勘合據順天府推官徐郁奏

准行令該縣每年於均徭户内僉點二户看守

朱子祠廟

景泰六年詔以朱子建安九世孫梴世襲翰林院

五經博士婺源九世孫楸送國子監讀書

景泰七年奉禮部勘合内一件崇祀事該傳奉

聖旨顔子孟子程明道程伊川朱文公俱禮部行所

在有司與他整理祠堂如原有的脩理無的盖

造務要時常脩飾不許損壞春秋猪羊致祭按此

詔則朱子祠堂在婺源縣者當時該部宜行本縣修理致祭惜其知不及此也

景泰七年欽降建安致祭朱子祝文文見後第十卷

成化十二年婺源申增朱子祠春祭直隸徽州府婺源縣為乞

恩增崇祀典事近奉本府帖文據本縣申准文公九世孫朱貞呈前事切照顯祖文公接洙泗之源為道學之宗功存著述後世永賴然婺源實乃故宅丘墓所在有宋即故居為家廟闕里

聖朝命有司為置守立廟且倣建陽縣一取祖鏡四發春祀尊崇之典極云至矣然祭祀一節止於九月十五日生辰奉本縣慶壽一祭其他雖節奉上司官使牲米祭與春秋殊無常祀如蒙准呈乞賜體念特達顯祖著述之功照依五顯祠例增設一祭及將生辰祭祀並以春秋二仲月

次丁日行事庶不負
聖朝崇重之意所文幸甚據此參照祭祀所以報
本文公上承道統下開來學掃異說扶名教集
群賢之大成其有功吾道初非五顯之比今五
顯得享春秋之祭文公無之則是異端重吾道
輕祀典不修報本安在查得先奉本府定派本
縣都圖辦祭除祭先師孔子及山川社稷五顯
無祀并文公壽誕之外仍剩三里半合無准呈
將餘剩空閑里圖分責令備辦羊一豕一帛一
酒米少隙於文公添設春祭將壽誕移作秋祭
各於二仲月次丁日行事庶乎祀典修吾道重
報本之道亦可以少盡萬分之一矣緣係崇重
先賢修明祀典事理未敢擅便擬合備申為此
縣司合行申乞照詳示下施行等因據申到府
參照前事緣係崇重先賢報本修明祀典事理
合准所申為此除備由申禀
欽差巡撫南直
隸都察院左副都御史牟 外合仰本縣着落
當該官吏遵照帖文內事理將本府原定派該
縣辦祭都圖除供應各壇外仍剩三里半於每
年春祭責令買辦羊豕幣帛果酒宜從中定日

功以禮行事俱毋違錯不便奉此案查先爲前
事已經備由去後今奉前因擬合就行爲此除
外合行帖仰本祠知會施行
成化十二年月 日帖

成化十八年奏行歙縣紫陽書院致祭劄付 直隸徽州
府歙縣儒學爲申明祀典事奉禮部貴字四百
四十號勘合劄付內一件申明祀典等事祠祭
清吏司案呈奉本部送禮科抄出直隸徽州府
歙縣北關二圖耆民汪肯奏臣惟聖賢者道統
所關儒先者教化所繫此古昔帝王之治
天下未始不尊聖道而重儒教也洪惟我
太祖高皇帝統馭乾坤維新海宇既設殿廡以奉聖
賢復建祠宇以祀儒先或官其後裔或祿其家加
隆於兩京之胄監通尊於天下之學宮
其崇德報功之典可謂至矣盡矣仰惟
皇上嗣登寶位以來上體
祖宗之心尤隆尊崇之典乃者復 詔天下文廟春
秋之祭器加籩豆樂舞增干羽此誠懷古所無之
盛典允爲萬世不易之宏規也臣切緣宋儒朱

熹亦真儒也集諸儒之大成闡群經之奧旨道
學醇正孔子之後一人而已然其祖居歙縣黃
墩遷於婺源其父朱松因任福建尤溪縣尉遂
生朱子而歙縣實其祖居故當時朱子立書院
講學於本縣學宮之西紫陽山下教化及人愈
久愈盛其在宋朝郡守韓補遂即其地塑像立
祠理宗乃緣其請大書紫陽書院四字分刻兩
石置之中門遺至于今人心景仰猶一日也迺
儒耆老歲逢九月十五日朱子生辰合具菲儀
恭伸祭享積有年矣後於成化三年間蒙
欽
差提調學校監察御史陳選按臨本郡以為祭
禮菲薄誠為褻慢遂令有司增具牲帛仍率生
儒耆民致祭鄉上人心無不樂從但念未經奏
請
欽降定例恐後歲久或至廢墜如蒙
准
奏乞勅禮部定議或於春秋二丁之後賜
以特祭惟復於其生辰賜以一祭仍乞頒降祝
文定派品物行下該司處恭致祭
如此則眞儒功德益著於後而
朝
廷崇報之典永垂於千萬世之下
而無疆矣具奏
奉天門奏

聖旨禮部知道欽此欽遵抄出送司案呈到
部參看得朱子講明道學有功於萬世
聖朝將朱子從祀孔子廟庭其禮不為不厚令着
民汪貴又奏稱要令有司於紫陽書院祭祀一
節是亦崇儒重道之意合行本府着落該縣於
每年九月十五日生辰隨宜祭祀一次務在潔
敬不許虛文褻慢等因奉此備行到學除遵依
勘合內事理一體依文施行所有勘合緣由合
行抄謄刊石
以垂不朽

弘治十五年奏行婺源修理朱子祠廟并致祭直隸

徽州府為優崇儒先祠祀事准本府別卷
付准勘合科付奉禮部貴字六百四號勘合劄
付內一件前事祠祭清吏司案呈奉本部連送
該本司案呈奉本部送禮科抄出兵科給事中
戴銑題為優崇儒先祠祀事臣竊惟三代而上
聖人疊出至孔子刪述六經遺言緒論載於論
語孝經諸書而後斯道大明于世三代而下儒
賢疊出至文公朱熹注釋群經及語孟學庸子

火等書而後孔子之道既明而晦者復大明于
世孔子大聖朱子大賢道德雖有不待事功則
不但達自古聖賢皆莫能及崇報之典誠不可
以不學也故歷代之於孔子尊之以王號祀之
以帝陞既使其嫡長子孫世爵上公又擇族之
賢者授以縣令學錄之職崇報之厚無以加矣
乃若朱子當宋元之季國嘗加贈公
爵列之通祀間亦錄其子孫至我
朝景泰間特以建安嫡孫世襲翰林院五經博士
恩致優渥前代所無但朱子乃徽之婺源人其
父松官遊閩劍是實生熹南渡兵阻不克歸鄉
里因寓家焉宗戚墳墓故在婺源無恙也圭池
自書新安殁也追贈徽國宋表其故居為闕里
元即其故宅以立祠源本所在慎重如此前今
祠祀丁火營葺未完春秋致祭皆有司私遊木
哉今甲子孫繁衆苟無祿仕往往貧不聊生標
然泰學循名求實
大弗克稱仰惟
皇上天縱聖明興道崇儒振古罕儔於凡任使之
際寸長片善悉見甄收有功如毫髮必報況

大發源之闕里端在茲矣伏望
特
敕該部會同翰林并多官議處乞將朱氏發[illegible]
祠嗣兒照建安壹體優崇祠宇行令修完春秋
定與二祭官為措買祭田若干畝給以供祀及
特長房子孫照准孔氏學錄之例量授一官世
襲奉祀兼教族人其應襲者先送本縣儒學讀
書肄禮候伊成材方許送襲加此則崇報儒先
之禮益以優厚而朱氏子孫皆蒙恩澤化成俗
美流聲聞於無疆矣臣昔居庠序日遊嘯典無
用興懷今幸待罪言官遺過
聖明正修舉禮文之日輒敢瀝陳上瀆
天聽末議迂談萬一可采乞賜允俞斯文幸甚伏候
敕旨弘治十四年十二月初四日題初五日奉
聖旨禮部知道欽此欽遵抄出送司除將子孫量授一
官世襲奉祀移咨吏部另行外今該前因案呈
到部看得給事中戴銑題稱朱熹乃徽之婺源
人朱既表其故居為闕里至元又於故宅以立
廟近厄於火未克興復今迺乞將婺源祠宇俯
完每歲春秋祭祀一節誠景慕先賢而知報本
者也況婺源乃朱子父母之邦宗族聚於斯正

壠在於斷先朝四祠而祀之今遺失厄合無乞
其所請行移該府轉行該縣照舊將發源祠宇
如法修完給休院撥文亦歲春秋該縣備
辦祭物致祭有以表先儒衛道之大功見
皇上重道之盛舉緣係優崇儒先祠嗣及奉
欽依禮部知道事理未敢擅便本年四月十三日本
部尚書張昇等於奉天門具題次日奉
聖旨是欽此欽遵合就連送仰付該司類行直隸徽
州府轉屬着落當該官吏照依題奉欽依內
事理欽遵施行等因奉此依奉擬合就行為此
帖仰本縣着落當該官吏照依帖備勘合開欵
內事理壹體欽遵依期致祭施行毋得違錯不
便先其不違　依准中來○一祭文　文見後第十
卷○一品物　猪一口　羊一羫　魚鱠　肉
醢五品　菹菜共五品　香一炷　燭一對　菜麵食共五品　帛一段　時果　酒一瓶
○右帖下發源縣准此
弘治十五年七月十三日
初鋭不殺迂愚竊謂朱子闡明道學之功如
是其大而發源子孫幾於不振雖量授祠官

俾世奉祀以不為過流上薦紳先生多疑其議而嘗肆若互相排陵遂使

聖朝崇儒重道之盛意推行不盡豈非惜哉然朱子之德之功固不以是為加損也

朱子實紀卷之九

朱子實紀卷之十

讚述　　像詞　銘贊　事實
　　　　識跋　祭文

字朱元晦祝詞　劉屏山 子翬字彥沖崇安人宋興化軍通判

冠而欽名粵惟古制朱氏子熹幼而騰異交朋尚焉請祝以字字以元晦表名之義木晦於根春容曄敷人晦於身神明內腴昔者曾子稱其友曰有若無實若虛不斥厥名而傳于書雖百世之遠也揣其氣象知顏氏如愚迹參並遊英馳俊驅豈無他人夫誰敢居自諸子言志回欲無伐一宣於聲終身弗越陋巷闇然其光烈烈從事於斯惟參也無慚貫道雖一省

身則三爽輔孔門翱翔兩驂學的欲正吾知斯之為指南惟先吏部文儒之粹彪炳育珍又華其繼來茲講磨融融意意真聰廓開如源之方駛望洋渺瀰若我縮氣古人不云乎純亦不已悵友道之衰變切切而唯唯子德不日新則時予之恥勿謂此耳克之益充借曰合矣宜養於家言而思毖動而思蹟凛乎惴惴惟曾顏是畏（其後以元亨為四德之首不敢當遂更曰仲晦）

寫照銘　朱子

乾道九年歲在癸巳予年四十有四而容髮凋悴遽已如此然亦將脩身以俟此生而已無他念也福唐

元為子寫照因銘其上以自戒云

端爾躬肅爾容檢於外一其中力於始遂其終操有要保無窮

書畫像自警　朱子

從容乎禮法之塲沈潛乎仁義之府是子蓋將有意焉而力莫能與也佩先師之格言奉前烈之遺矩惟闇然而日脩或庶幾乎斯語

朱晦菴像贊　陳亮字同甫號龍川永康人宋進士第一

體備陽剛之純氣合喜怒之正睟面盎背吾不知其何樂端居深念吾不知其何病置之釣臺捺不住寫

之雲臺擬不定天下之生久矣以聽上帝之正令

朱子贊有序　陳淳門人

自孟子沒聖人之道不傳更千四百餘年得濂溪周子河南二程子者出然後不傳之緒始續然濂溪方闡其源甚簡閒質而未易喻明道又不及爲書伊川雖稍著書大槩方提綱發微未暇及乎詳密而斯文之未整者猶爲多矣故百年之內見知聞知亦不乏人而斯道復傳之緒若顯若晦聖人殘編斷簡竟未有能正訂以爲後學之定準而百氏爭衡於世者亦紛乎未決求其識之極而得之粹體之全而養之熟真

可以嗣周程之志而接孟子以承先聖者惟吾先生一人超然獨與心契凡向之精義已確而不能易者今表而出之宏綱方舉而未張者今闡而大之旨有隱而未瑩者光明而灑落之辭有樸而未澤者磨刮而潤色之訛者正之闕者補之偏者救之繁者約之上以達乎群聖之心而下以貫穿乎百氏之說寸長片得兼蒐並輯著定爲成書以扶翼聖訓其爲言大中至正精粗具舉而本末不遺命理切盡而達意周到金精而玉潤日光而月潔渾圓而至粲踈暢而甚續豐不餘一言約不欠一字合百家而一統總衆論

而同歸集諸儒之大醇洗千載之積誤使聖人精蘊瞭然在目而異端曲學無復容喙高明有志者得以省研索之半功而雍容於聖門之人蒙稚新學者亦有以識趨向之正途而不迷於文義之歸故周程所以得先聖不傳之傳者至是始彰信於天下而先聖所以爲萬世法程者至是又益定而且尊其於斯文之功可謂大矣蓋先生禀氣純陽清明剛健卓絶世表聞道甚早而力行有成其爲學大綱一主程氏而節目加詳所以獨知自得而契乎先聖尤多其功力之到又無所不盡自志學至於不踰矩其等級無不

有以至其極自明德至於平天下其規模無不有以備其全其文之博也天下之書無一之不讀而邪正純駁必有以究極其歸趣天下事物無一之不格而幽明巨細必有以洞灼其表裏千古人才論而友之賢愚淑慝亦無一不探索其衷曲其知之至也瑩萬理於胸中炳千古於目前是極其所真是而不可移非極其所真非而不容易善極其本之所由來而無不徹惡極其幾之所從起而無所遁其大經大法停當乎上下者固昭如大明之中天而其至纖至悉自本而之末自末而緣本或出或入或分或合至於千

變萬化紛綸錯綜縱橫顛倒亦無不粲然有條如衡
別鑑照無星毫之紊其自信之篤也雖前哲之所已
言而吾心不安則不敢輒為之徇雖前哲之所未言而
吾心所安則卓然特立而不顧其自守之確也終始
屹然不以衆論而搖不以利害生死而動好善如好
好色而咨賞采訪不以微而廢惡惡如惡惡臭而無
或少為之隱忍回互果於從義如洪瀾赴壑而不可
禦嚴於克己如一劍斷蛇而不復續至其體道為一
身即書心即理無一言之不實踐無一行之不素充
粹然規矩準繩之內貌莊而體胖神全而志定視聽

坐立不拘拘於持敬而自有成法舉動周旋不勉勉於中禮而悉有常度望之儼然而可畏即之溫然而可親其接人也終日怡悅薰然春風之和而可挹事有所不可則其斷之也雷霆之威又厲然而不可犯胸懷磊落明決而所以主於中則縝密而無滲漏節操壁立萬仞而所以處於中則坦夷而無峻迫智之圓足以周流不窮而制行則直方膺之大足以勇為不懼而小心則兢畏視其表則泰山巖巖而不可動測其藴則滄溟浩浩而不可竭剛大之氣有以配義與道而無餒弘毅之質可以任重致遠而無虞處義

無決裂之病行恕無姑息之弊道愈高而心愈下德愈盛而禮愈恭公天下之見而不自是大天下之量而不自足其見於著述凡片文隻字以往不過即其身心之所素[redacted]著而寫之爾其見於設施為教為政亦無非大用流行而成己之餘也其見於講論亦不過自大原中流出如取物諸囊直探而示之叩者辭未竟而答之已縷縷不待思慮而從容已出無非妙道至義曲當人情而深盡物理令人渙然有省於言下忻懌不能止也先生明睿上達日新而不已所著之書每有温則有改每改益覺超越又所未前聞者

先生行健不息終日乾乾篤於好學雖老病後觀書不怠切於育人材晝夜無倦色雖抱病支離必引至卧内力坐而共講日用酬酢與事周流雖病困亦未嘗厭斁而於繁劇之[redacted]常優閑而有餘交錯之地常泰定而不亂先生教人循循有序其始必從事於小學洒掃應對之節以立其本然後循進於大學明德新民之道以成其功大學然後論孟論孟然後中庸中庸然後及六經諸書而其所以為教之目則父子君臣夫婦長幼朋友其所以為學之法則博學審問謹思明辨篤行而行之自脩身至于處事接物又各

有其要其終始涵養必以主敬為務而致知之功視
力行為加多必極根源之洞徹毋徒影象之髣髴真
能知則真能行矣去冬淳侍教又謂當大作下學之
功毋遽求上達之見當如曾子專從事於所貫毋遽
求曾子之所一當如顏子專從事於博約毋遽求顏
子之卓爾凡所講道一本乎實盡性至命不越乎人
心日用之近窮神知化不出乎人倫事物之常論天
命之性無極之真其所自來雖極微妙而其實即人
心之中所當為者而已但推其本則出於人心而非
人力之所能為故曰天命雖萬事萬化皆自此中流

出而實無形象之可指故曰無極非謂日用之間别有一物光輝流轉而所以為此事則惟在擇善固執中正仁義而已又非别有一段根源之功在講學應事之外者是乃學問徹上徹下緊密之處也其開端示人大要類此故當四方英俊來往之會隨所至之深淺而引接之如群飲於河莫不各充其量而歸當天下言論交湊之衝隨所執之是非而為之剖決不出數語而定其或自植一家不肯回心向道者彼固不得其門而入不見宗廟之美為可慕然至誦其書談其行則亦未有不為之仰服而陰自怯縮也先生

盛德充實光輝見之者起敬事之者革心過其門者無不肅親其謦欬者放心邪氣不復萌于中其極盛至於威名四達充塞海内遐陬行旅賤隸皆能稱道之守臨漳云云 先生進退行藏以道而不輕辭受取予以義而不苟不枉尺而直尋寧範我馳驅而終日不獲一有經世濟物之圖不見是而無悶有制禮作樂之具不求見知而不悔雖當毀怨咆哮人所危慄之際而綽然不以爲憂雖當禁令苛急人所拘忌之中而泰然不以爲病方且考遺經述舊典徜徉於林泉之下悠然不知身世之不足也嗚呼若先生者真王

佐之全材亞聖人而具體備之全曾子所謂託孤寄命臨大節而不可奪之君子孟子所謂居廣居立正位行大道富貴不能淫貧賤不能移威武不能屈之大丈夫在先生素為有餘而子思子所謂[illegible]知利行造於知之成功之一則在先生已全盡無愧而進乎純熟矣其正詩之允矣君子展也大成與夫以知是之才豈易再得而進焉不獲大施所蘊以覺斯民同吾道之歸退焉又不及大備斯文以惠來學為無窮之用今其已矣蓋天下之同痛悼豈但諸生而已哉先生道德昭昭在人心耳目者固不容諸生之私謚

而其口無擇言身無擇行則又未易以盡形容至於仰之彌高鑽之彌堅抑又有不可得而形容者況淳從遊未久又非密邇莫能深詳據所見以伸其哀慕之情云耳不自知其為贊且僭也又約而為之贊云

德稟純陽清明剛健篤學真知全體實踐集儒之粹會聖之精金聲玉振紹古作程

又贊　陳宓門人

貌温而嚴德剛而粹春融秋肅淵澄岳峙道光二程識高百氏生遇明時進難退易天假之門斯文大備偉哉夫子教垂萬世

又贊　趙汝騰字茂實宋宗室居古田歷官終部尚書端明殿學士諡忠靖

理明義精德盛仁熟折衷群言如射中鵠絶學梯航

斯文萩乘在慶元初中行獨復

又贊　林興祖字宗起羅源人號木軒元鉛山州知州

自甲子来凡幾庚戌不有二庚戌安有今日前庚作

後庚續日月行天照人心目

又贊　吳澄字幼清號草廬崇仁人元翰林院學士諡文正

義理精微蠶絲牛毛心胸恢廓海濶天高豪傑之才

聖賢之學景星卿雲泰山喬嶽

又贊　王栢字仲會金華人號魯齋元賜諡文憲

龍門遺韻，氷壺的源。理一分殊，折衷群言。潮吞百川，雷開萬戶。灑落荷珠，霈然教雨。

又贊　丘濬字仲深，號深庵，瓊州人。國朝大學士，贈太保，諡文莊

全體大用之學，繼往開來之儒。析之極其精而不亂，合之盡其大而無餘。

朱子事實　李方子門人

先生之道之至，原其所以臻斯域者，無他焉，亦曰主敬以立其本，窮理以致其知，反躬以踐其實，而敬者又貫通乎三者之間，所以成始而成終者也。故其主敬也，一其內以制乎外，齊其外以養其內，內則無二

無適寂然不動以爲酬酢萬變之主外則儼然肅然
終日若對神明而有以保固其中心之所存及其久
也靜虛動直中一外融而人不見其持守之力則篤
敬之驗也其窮理也虛其心平其氣字求其訓句索
其旨未得乎前則不敢求乎後未通乎此則不敢志
乎彼使之意定理明而無躁易夌躐之患心專慮一
而無貪多欲速之弊始以熟讀使其言皆若出於吾
之口繼以精思使其意皆若出於吾之心自表而究
裏自流而遡源索其精微若別黑白辯其節目若數
一二而又反復以涵泳之切已以體察之必若先儒

所謂沛然若河海之浸膏澤之潤渙然氷釋怡然理順而後爲有得焉若乃立論以驅率聖言鑿説以妄求新意或援引以相糾紛或假借以相混惑粗心浮氣意象匆匆常若有所追逐而未嘗徘徊顧戀如不忍去以待其浹洽貫通之功深以爲學者之大病不痛絶乎此則終無入德之期蓋自孔孟以降千五百年之間讀書者衆矣未有窮理若此其精者也其反躬也不覩不聞之前所以戒懼者愈嚴愈敬隱微幽獨之際所以省察者愈精愈密思慮未萌而知覺不昧事物既接而品節不差視聽言動非禮不爲意必

固我與迹俱泯無所容乎人欲之私而有以全乎天理之正蓋語默云爲之際周旋出入之頃無往而非斯道之流行矣合是三者而一以貫之其惟敬乎先生天資英邁視世之所屑者不啻如草芥脩然獨與道俱卓然獨與道立固已逈出庶物之表及夫理明義精養深積盛充而爲德行發而爲事業人之視之但見其渾灝磅礴不可涯涘而莫知爲之者雖門人弟子親炙之久固亦莫得而形容也姑以蠡測管窺者言之則脩諸身者其色莊其言厲其行舒而恭其坐端而直其閑居也未明而起幅巾深衣大帶方履

拜於家廟以及先聖退坐几案必正書籍器用必整
其飲食也羹食行列有定位匕箸舉措有定所倦而
休也瞑目端坐休而起也整步徐行中夜而寢既寢
而寤則擁衾而坐或至達旦威儀容止之則自少至
老祁寒盛暑造次顛沛未嘗有須臾之離也行於家
者奉親極其孝撫下極其慈閨庭之間內外斬斬恩
義之篤怡怡如也其祭祀也事無纖鉅必誠必敬小
不如儀則終日不樂巳祭無違禮則油然而安死喪
之際哀戚備至飲食衰絰各稱其情賓客往來無不
延遇稱家有無常盡其歡於親故雖疎遠必致其愛

於鄉閭雖微賤必致其恭吉凶慶弔禮無所遺賙卹問遺恩無所闕其自奉則衣取蔽體食取充腹居止取足以障風雨人不能堪而處之裕如也至於入以事君則必思堯舜其君出以治民則必欲堯舜其民言論風旨之所傳政教條令之所布固皆可為世法而其考諸先聖而不繆建諸天地而不悖百世以俟聖人而不惑者則以訂正群書立為準則使學者有所據依循守以入於堯舜之道此其勳烈之尤彰明盛大者語孟二書世所誦習為之說者亦多而析理未精釋言未備大學中庸自程子始表章之然大學

次序不倫闕遺未補中庸雖爲完篇而章句渾淪讀
者亦莫知其條理之粲然也先生蒐輯先儒之說而
斷以己意彙別區分文從字順妙得聖人之本旨昭
示斯道之標的又使學者先讀大學以立其規模次
及語孟以盡其蘊奥而後會其歸於中庸尺度權衡
之既定由是以窮諸經訂羣史以及百氏之書則將
無理之不可精無事之不可處矣又嘗集小學書使
學者得以先正其操履僃近思録使學者得以先識
其門庭羽翼四子以相左右蓋此六書者學者之飲
食裘葛準繩規矩不可以須臾離也聖人復起不易

斯言矣其於易也推卦畫之本體辨二聖之旨歸尊
主筮占而實該萬變以還潔靜精微之舊其於詩也
深玩辭氣而得詩人之本意盡削小序以破後儒之
臆說妄言美刺悉就芟夷以復溫柔敦厚之教其於
禮也則以儀禮爲經而取禮記及諸經史書所載有
及於禮者皆以附於本經之下具列註疏諸儒之說
補其闕遺而析其疑晦雖書不克就而宏綱大要固
已舉矣謂書之出於口授者多艱澁得於壁藏者反
平易學者當沈潛反復於其易而不必穿鑿附會於
其難謂春秋正義明道尊王賤霸尊君抑臣內夏外

夷乃其大義而以爵氏名字日月土地為褒貶之例若法家之深刻乃傳者之鑿說謂周官偏布周密公運用天理熟爛之書學者既通四子又讀一經而遂學焉則所以治國平天下者思過半矣謂通鑑編年之體近古因就繩以策牘之法以綱提其要以目紀其詳綱倣春秋而兼採群史之長目倣左氏而稽合諸儒之粹褒貶大義凜乎烈日秋霜而繁簡相發又足為史家之矩範謂諸子百家其言多詭於聖人獨韓子論性專指五常最為得之因為之考訂其集之同異以傳于世而屈原忠憤千古莫白亦頗為發

明其旨樂律久亡清濁無據亦嘗討論本末探測幽
眇雖未及著爲成書而其大旨固已獨得之矣若夫
析世學之繆辨異教之非搗其巢穴而破其隱微使
學者由於大中至正之則而不躓於荊棘榛穽之塗
推陷廓清之功固非近世諸儒所能髣髴其萬一也
自夫子設教洙泗以博文約禮授學者顔曾思孟相
與守之未嘗失墜其後正學失傳士各以意爲學其
驁於該洽者既以聞見積累自矜而流於泛濫駁雜
之歸其溺於徑約者又謂不立文字可以識心見性
而陷於曠蕩空虛之域學者則知所傳矣亦或恍於

持敬之約而慱於觀理之煩先聖身任道統而廣覽
載籍先秦古書既加考索歷代史記國朝典章以及
古今儒生學士之作靡不徧觀取其所同而削其不
合稽其實用而翦其煩蕪參伍辨證以扶經訓而詰
其舛差秋毫不得遁焉數千年間世道學術議論文
詞之變皆若身親歷於其間而耳接目覩焉者大本
大根固已上達直遂柯葉散殊亦皆隨其所至究其
所窮條分派別經緯萬端本末巨細包羅囊括無所
遺漏故所釋諸書悉有依據不爲臆度料想之說外
逮文章字畫亦皆高絕一世蓋其包涵停蓄溥博淵

泉故其出之者自若是其無窮也學者據經辨疑質問隨析固皆極其精要假而辨難古今其應如響愈扣愈深疊疊不絕及詳味而細察之則亦融貫於一理而已矣嘗有言曰學者望道未見固必即書以窮理苟有見焉亦當博考諸書有所證驗而後實有所裨助而後安不然則德孤而與枯槁寂滅者無以異矣潛心大業何有哉矧自周衰教失禮樂養德之具一切盡廢所以維持此心者惟有書耳詎可輟繹傳遷惜為糟粕而不觀乎要在以心體之以身踐之而勿以空言視之而已矣以是存心以是克己仁當

遠乎哉至於晚歲德尊言立猶以義理無窮歲月有限慊然有不足之意洙泗以還博文約禮兩極其至者先生一人而已先生教人規模廣大而科級甚嚴循循有序不容躐等凌節而進至於切己務實辨別義利毋自欺謹其獨之戒未嘗不丁寧懇到提耳而極言之每誦南軒張公無所為而然之語必三歎焉學者即其所誦而質其疑意有未諭則委曲告之而未嘗倦問有未切則反覆戒之而未嘗隱務學篤則喜見于言進道難則憂形于色講論商畧率至夜半雖疾病支離至諸生問辨則脫然沉痾之去體一日

不講學則惕然常以為憂脫見學者繳繞於文義之間深慮斯道之無傳始頗指示本體使深思而自得之其望於學者益切矣嗚呼道之在天下未嘗亡也而統之相傳苟非其人則不得而與自孟子沒千有餘年而後周程張子出焉歷時未久寖失其真及先生出而後合濂洛之正傳紹鄒魯之墜緒前聖後賢之道該徧全備其亦可謂盛矣蓋昔者易更三古而混於八索詩書煩亂禮樂散亡而莫克正也夫子從而贊之定之刪之正之又作春秋六經始備以為萬世道德之宗主秦火之餘六經既已爛脫諸儒各以

已見妄穿鑿為說未嘗有知道者也周程張子其道
明矣然於經言未暇釐正一時從遊之士或昧其旨
遁而入於異端者有矣先生於是考訂訛謬探索深
微總裁大典勒成一家之言仰包粹古之載籍下採
近世之文獻集其大成以定萬世之法然後斯道大
明如日中天有目者皆可睹也夫子之經得先生而
正夫子之道得先生而明起斯文於將墜覺來裔於
無窮雖與天壤俱弊可也

朱子易簀私識　祝穆門人

穆觀近歲所編文公朱先生年譜其書易簀時事頗

不兼誤恐不容無辨蓋先生以建炎庚戌生以慶元庚申三月薨於考亭所居之正寢是歲春先生故宅之前其山絶頂有數百年合抱之木一株勢干雲霄一旦忽為巨風所拔夏六月溪流大漲素所未有宅前之岸為洪濤捲去數百尺則所謂木稼山頽大賢之厄其關於造化盛衰之運固如此今年譜所書則謂是日大風拔木洪流崩岸二異併見於易簀一日之間則其事近恠能無駭聽竊謂不若改是日為是歲則可紀實矣至於先生疾革則惟仲子監酒公侍而季子侍郎公時方調官中都先生首索紙筆作季子

書與之訣別次作勉齋黄公書（先生之壻）又其次欲作退守范公書（先生姪婿）則手弱不能運筆亟命子代書尚力疾塗竄一二字且舉舉皆以編輯禮書爲屬纔扶就枕奄然而逝今年譜所書乃謂先作黄范二書而後作季子書則其事失倫何以垂範昔第伍倫視兄子及己子豈不能無別曾謂先生治命而顛倒其親疎之序乎切謂行狀所紀先後已得其實固不當復爲異同也愚以幼孤先生念其外家子數育于家塾方易簀時實與童子執燭之列追念當時所見恍然如昨日事謂宜刊正而年譜舉板乃建安書院掌之僭

嘗以此二疑白之富沙知郡質齋王公許以更定而未果輒私識之庶幾吾黨之士尚有考焉

朱子繫年錄跋　王栢

朱子繫年錄者錄朱子之遺事而繫之以年也先生舊有年譜門人各以意裒葺往往詳其出處或略於講學備其著述或缺於事實殊恨未周其生也晚曾不獲侍滄洲之杖屨高山景行寤寐不忘近年以來得先生遺書一二而潛心焉每欲考先生著述之前後以驗其進德之序文字缺畧力所未能暇日搜擬姑以其可考類為此編先之以師友之淵源次

之以致君澤民之事業而以易簣淵氷之戒終之故
於此三節特加詳焉置之几格時備參訂後有可考
又將續之是亦魯鈍者之拙工不足為他人觀也因
識其歲月于后

祭朱晦庵文　陸游字務觀號放翁山陰人宋秘監寶章閣待制

捐百身起九原之思傾長河注東海之淚路脩齒耄
神往形留公沒不忘庶其歆饗

祭晦庵先生文　黄榦人閩門

吁嗟斯文有廢有興其廢也三綱淪而九法斁其興
也大經正而大誼明是其所關豈不甚重而夫子胡

以一疾而殞其生若昔孔孟迄乎周程與世相望各以道鳴迨去古之益遠紛與説之縱横其精微之藴既不可得而見幸而託諸文字之間者亦且踵訛承外而莫見其全經自夫子之繼作集累聖之大成其知生知其行安行其襟懷洒然光風而霽月其言動肅然左矩而右繩望之者雖憚其貌莊而言厲即之者常樂其心和而氣平資本高明而志道益遠性實通敏而索理益精主敬以立本而動靜無間格物以致知而毫釐畢呈大而察諸天地陰陽之變遠而驗諸古今事物之情仁義禮智不離五性之所賦洒掃

應對洞見一理之所形其精義入神既有自然之權衡則窮經考古莫不炳然如日星謂中庸爲造道之閫奥謂大學爲入道之門庭究本義以言易而探卜筮之旨黜小序以正詩而力辨雅鄭之聲探語孟之編而如對鄒魯之問荅述周程之書而一新濂洛之典刑至於星曆地志曲藝小數不可以悉究驗人墨客窮年卒歲僅見其可稱莫不折之以理而各造其極蓋亦得之於天命而非學可能信本深而形鉅故本茂而聲宏其立朝也危言正色屢形於感慨其臨民也仁民利物一本於哀矜立經陳紀而不爲苟簡

之計摧蘖摘伏而不求姑息之名當就而就不事乎矯激可止而止力辭夫寵榮積者厚而施不遐身雖否而道則亨婆娑丘園湛若無營上以尋墜緒之茫茫下以警瞶俗之宜其宜諸老先生咸資於質正後學小子幸得於師承肆逃禪之論者莫能以惑世駢雜伯之說者不容於抗衡傳聖統以繼絕學正人心而息邪說夫子之功大矣則一存一亡豈不有係於斯世之重輕嗚呼蒼天曾是莫聽曷不百年大命以傾餘丙申之春師門始登誨語諄諄情猶父兄春山朝榮秋堂夜清或執經於坐隅或散策於郊坰或談笑

而春容或切至而丁寧始受室於潭溪復問舍於星亭庶依歸以終老指溪山以為盟胡睽離之未幾忽夢奠乎兩楹奉疾革之貽書對使者而涕零亟奔命以來歸乃獨覯乎丹旌悵此生之疇依竟欲絕而復醒念囑託之至重豈綿力之能勝想音容而奉遺書敢不早夜以服膺惟力策乎駑鈍庶無愧於英靈奠卮酒以陳辭尚有鑒於微誠

又祭文　陳淳

嗚呼痛哉吾道之不幸而先生之亡也自孔孟既云沒至周程始得其宗然提其綱者甚簡而未悉闡其

緒者莫繼其志誦其書者莫追其蹤獨吾先生見守到超群儒而妙契能至至而終終體致廣大而用盡乎精微志極高明而行道乎中庸自一本而萬殊無一事之不貫由萬殊而一統無一理之不燭所以能訛者訂而闕者補晦者瑩而略者詳啓群指之未發集百氏之所長會聖訓以作程極至正而大中辭達意以俱到無或欠而或豐折天下言論之衡而定于一合今古道術之異而歸之同使真是真非若黑白之不亂人心衆理有脉絡之可通聖心賢藴如丹之炳炳帝謨皇範在目之洋洋大金聲之條理粹玉

振之玲瓏蓋不直可以當周程之嫡嗣是又益精而益光所謂青於藍而寒於水半其事而倍其功天既不付之以重任使大施所學以措斯世於堯舜何不假之遐齡使大備斯文以覺後學於無窮嗚呼痛哉吾道之不幸而先生之亡也禮經修矣而未具將誰有制作之才可以紹其業書傳纂矣而未就將誰有帝王之學可以畢其章春秋深斥諸儒失聖經之旨又將誰與發其大義而振其宏綱嗚呼吾道真不幸而先生之亡也先生之縕浩乎滄溟先生之德巍乎穹窿望之儼然乎其敬即之溫然乎其雍其春風之

和薰然襲人而可挹其雷霆之威厲然斷事而不可當其襟懷磊落明快如青天白日之豁其節行屹立萬仞如泰山華嶽之崇其取善也樂而無纖微之棄其疾惡也嚴而無回互之蔵其強健天行而不息其明睿日進以無疆其應學者愈出愈新直探諸懷而不匱而言之入人也又渙然洞徹乎心胸真可謂通儒全才而體道之大成抑自學知利行之至已純熟而從容淳以小生獲侍門墻荷警策之十年幸不至於迷蒙昨歲暮之趍隅誨諄諄而益隆謂愚根本之已立正可濶步而力攻責之以參乎之貫戒之以點爾

之狂宜友善於天下毋孤陋乎厥鄉宜上論於千古毋隘守于厥躬須萬變之畢習庶十分之可充於臨岐之丁寧且再約乎茲冬豈謂斯言之在耳反為永訣之悲傷嗚呼而今而後有疑無復質矣但日誦遺編以自砭而無嚴訓之忘薄寫情而既奠泫流涕其淋琅惟昭明而不昧有以迪乎愚衷

又祭文　范念德門人

天之生賢蓋亦不數儲精孕靈及河維嶽厥惟孔艱是以殊邈先生之生黃河其清先生之亡維嶽其頹不知何年復此胚胎徒友紛集窀穸告期山哀浦思

雲慘風悲隙穴一慟萬古長辭

時僞禁嚴會葬者亦幾千人范念德方爲鑄錢司主管官以微檢視坑場因便道會葬率同門之士訣祭於墓隅念德歸未至鄱陽有旨鐫官罷任蓋黨祭紉其辭次會葬云

婺源朱子祠祝文至正十三年九月十五日

揆伯顏元婺源州知州

惟茲之土實公故邦建祠立廟以奉蒸嘗惟公之道與日齊光師表萬世炳煥三綱妖氣肆虐遂墮餘殃豈因替墜以廢彝章茲當誕節塵消波蒼泉清酒洌黍稷惟香官僚濟濟群珮鏘鏘一觴以奠神其來享

又祝文成化十三年二月十八日

陳金字汝礪應城人 國朝
婺源知縣今任右都御史

惟公道承孔孟學祖周程明吾儒之日月掃異說之榛荊功崇德盛仁熟義精培萬世之元氣集群聖之大成惟時之春惟仲之丁謹以牲帛粢盛元酒大羹竭精專之一念伸報祀之寸誠公其降鑒於我時歆

尚享

禮部頒降祝文　周洪謨

維成化十八年歲次壬寅九月丙申朔越十五日庚戌直隸徽州府知府王振等敢昭告于

太師徽國朱文公惟公發明聖經繼承道統功兼諸

闡澤垂永世茲逢佳旦不勝感仰爰備牲醴祗陳明
薦以先儒黄直卿蔡元定配尚饗

又祝文成化二十一年二月程敏政字克勤號篁墩休寧人國朝左諭德歷官贈禮部尚書

伊川道脉先生之所由傳環溪女宗先生之所自出
表復身之墓而詳其世德嘗有取於程氏之先答成
甫之書而勉之進脩復有望於程氏之後惟敏政程
氏小子新安一生在家庭獲誦於遺書登仕籍乃塵
于講幄曾無肖似徒切戰兢今茲幸進于門墻始得
致恭于桑梓瓣香在御旨酒一陳伏惟明靈祐此愚

眛嗚呼泰山喬嶽之容囿常目念之如在正心誠意之學願終身誦之弗忘謹告

又祝文成化二十一年二月

司馬垔字通伯山陰人國朝監察御史

嗚呼夫子勇決如顏子精專如曾子慎密如子思剛正如孟子至于大全前人之所未備永立後人之所標極其功實倍於四子百世之下不可復加矣垔生也晚不得從門人後然夫子之精神即天道之流行者隱顯游息囿嘗在垔心目之間也茲者憑藉餘蔭提學東南得過闕里展此誠敬夫子其歆饗之

欽降婺源致祭朱子祠祝文

維弘治某年歲次某甲子某月某甲子朔某日某甲子直隸徽州府婺源縣知縣某欽奉

朝命致祭于

宋贈太師徽國文公朱先生曰惟公義理精微道德純備闡揚聖學宗主斯文功冠諸儒教行百世鄉邦故在風範攸存茲值仲春秋敬陳品物式脩薦祀以報

明靈尚享

考亭書院祝文　劉克莊字潛夫號後村莆田人宋龍圖閣直學士謚文定

嗚呼巍巍文公宋之夫子巽翼考亭建之闕里竹林

蕭蕭下有精廬於此授徒於此著書後千百年過者
必式拜俯灑掃邑令之職昔祀于寢今遷于堂配以
高弟儼如玆觴

又祝文　前人

令天子讀四書傳註追懷儒宗親灑宸翰師垣公爵
赫然光寵昔夫子追王於唐朝而兗鄒以下封爵皆
後世有司所裁訂未有議論定於當時褒崇發於獨
斷如陛下之於先生者也敢因舍菜敬奉豆籩以告

又祝文　陳尚德（福寧州寧德人號惺齋元隱居教諭）

惟先生起南服不待文王尚友顏曾潛心周孔志期

其[illegible]道不偶時退而盡精四書以俟後聖敘正周易詩書盡去而漢以來儒者之陋纂脩三禮以開來世太平之基明正道而窮其本原闢邪説而據其津要蓋堯舜孔孟之道至周子程子而始明周子程子之學至先生始光大於天下先生之道之心與百聖同先生之德與曾孟同先生之才之志與伊尹同辭辨幾於孟子而下學之工夫過之其功德之及人則皆不在禹下矣其深山鄙人與鹿豕為伍年十五未見先生之書二十三十見先生之書而不知讀飢寒多過暗室多欺今雖知讀先生之書而齒已暮矣然於

先生之道則高山仰止未嘗一日而忘于懷也今奉一杯寒水拜遺像雖死終無貳於先生之道嘗見一三恨不得生先生之時一侍函丈之席雖遠謦欬然先生之心磅礴宇宙不與身俱死也

欽降建安致祭朱子祝文

惟景泰某年歲次某甲子春三秋八月某甲子朔某日某甲子曾孫翰林院五經博士某某祇奉

朝命昭告于

先祖太師徽國文公曰惟公德盛仁熟理明義精布諸方冊啓我後人爰茲仲春秋謹以牲帛醴儀用申嘗

庶尚享

紫陽書院含菜祝文 淳祐丙午六月朔

韓補 號思軒玉山人宋徽州知府歷官寶文閣學士

大道之秘闡自羲軒洙泗既遠孰窮其源賴有先覺揆彼微言四書之述繼續潛奮扶植民彝罔極之恩瞻彼像設偏于侯藩豈繄枌里敢昧所尊殽衆之飽布帛之温行乎蠻貊配乎乾坤通利而思盍培其根書堂告成劍佩盈門崇肉于豆崇酒于樽肅拜稽首

先生如存

奉安御書刻石告文 淳祐庚戌至日 前人

聖上留神典學作之君師丕闡文教以範當世嘉與海內之士同底于道惟先生斯道所宗垂規具存親灑神毫放下郡國以詔承學之士憲臺奉承上旨特以紫陽故里教所宜先俾刊之琬琰揭于精舍師友講明之地天光下臨昭垂無極雖曰師規猶帝訓也敢告

又祝文 至正九年四月 王思順 元江浙僉憲

堯舜之道非孔孟不能明孔孟之道非先生不能識其於聖經賢傳剖釋精微指示歸的折衷異論削除非僻使後之學者敬之如神明仰之如星日續千載

道學之統流萬世生民之澤韓愈云孟子之功不在禹下而孟子之心孰不讓先生之力也哉某以新學之儒生叨清流之要職分憲紀以南巡道大賢之鄉邑獨躬拜於祠下覩顏容而感激致一瓣之名香謝四書之教益謹陳詞而祭酒願服膺而勿失

又祝文　黃庭桂字德芳元江浙僉憲

先後庚戌篤生聖賢扶世樹教皆原於天惟我文公絕學鑽研由有父師克紹厥傳四書理與六經言玄理自我闡言自我宣如珠貫繩如水赴淵沾溉士類奕奕綿綿茲遇仲秋時祀潔蠲神歸故國祓褰能撓

以安以侑於焉揭虔尚享

重修紫陽書院告文

彭澤字濟物號幸菴關中人　國朝知徽州府歷官太子太保左都御史

徽國朱文公先生曰嗚呼先生之道上接羲農以及孔孟以來千載不傳之統如日在天如水行地學者于先生之道所得雖有高下淺深之殊然謂非被日之光濡水之澤不可也時則西山先生蔡公勉齋先生黄公咸以貞元之會同生於時親相授受講明斯道天下後世爲幸何如澤生也晚不幸不得執掃除役于先生之門然亦幸生于先生之後自成童時輙

得讀先生所著小學書論孟集註大學中庸章句或
問易本義詩傳通鑑綱目伊洛淵源錄宋名臣言行
錄及諸奏議詩文并見之立朝作郡建白惠澤之槩
雖蠢不及知孱懦不能佩服而此心感仰追慕之者
誠有如文中子所謂受罔極之恩于孔子曾齋許平
仲於先生所謂信如神明尊如父母也獨恨少年安
於怠惰不能盡讀先生之書盡識先生之學盡副先
生繼往開來爲世立教以望我後人之意耳竊念幸
得觔力未衰俛仰無累破二十年讀誦探討服行之功
庶或少窺先生之道於萬一顧懷祿荏苒坐廢時月

年踰四十寂寞無聞幾無面摳衣于先生廊廡下者

去年秋叨承

上命自刑部郎署承乏徽守僉謂得官先生故鄉道化漸被所先格言至論必有傳之的而知之真者觀法興起將有所就詎意天限愚蒙無復寸進案牘叢脞詩書冠譽徒弊精神無補政理側身思疚寢食靡寧瞻兹紫陽書院敝壞殊甚特令所司稍加修葺用安尊靈第恐為斤梓塗塈若所驚褻致因經始謹兹告知因以素所嚮慕而畫於自棄之恨述而禀敬嗚呼雖極土木之功竭駑鈍之力豈可以為先生重輕

第以少效有司宣化之職庸慰邦人之仰耳在天之
靈尚
垂昭鑒

奉禮部劄付告徽國朱文公文

彭澤

天地之性人爲貴故人以眇然之軀與天地並列而爲三才先生嘗訓之曰才者德之用也又曰足以有爲之謂才天地惟才故能生人生物司禮司氣而爲萬化之原人惟才故能位天地育萬物而極彌綸參贊之功天地人之氣皆形而下者故有

能有不能而天地人之理則形而上者自生生不已而無不能者焉惟生生不已而無不能故天地生哲人哲人成天地若預定於冥冥之中而有所謂歷數之自然者使有天地而不生哲人以成其功使生哲人而不能代天地以贊其化則天地塊然一物而吾人匪萬物之靈是尚可謂之才也哉粤自洪濛肇判不知積幾有萬年而始為堯舜之治天地之運聖賢之統自後世贊之為淵源自當時觀之為盛極自堯舜歷夏商迄周衰千五百年耳世衰道微至臣子弒君父天乃生哲人如孔子

者出使不墜堯舜以來之道統自孔子歷秦漢唐宋一千五百年耳俗降風移至夷狄有中國天乃生如先生者出使不墜孔子以來之道學夫堯舜之後無孔子則堯舜之道不明於後世孔子之後世無先生則孔子之道又豈孰能盡發其蘊以昭示無窮哉天地之功固非孔子及先生所能盡成而使天地間聖帝明王英君誼辟以及真儒碩士有所啓迪有所發明有所依歸有所師法以位以育以成弥綸參賛之功者則自孔子與先生始也故萬世之下報功崇德之典獨孔子與先生為盛

蓋萬世之公論歸諸萬世之大功固其理也

聖明之典去先生餘三百年自先生歿表章崇重

堯舜以来至先生之道惟我

明為盛

太祖驅胡元而有天下釐修人紀自古臣子弑君

父夷狄侵中國之大亂大患自孔子而後其功惟

獨大故於孔子及先生崇報之典惟獨優固天地

之心孰非先生之功耶頃者先生鄉後之賢者戴

君銑建言於

朝請官先生之嗣於故鄉若孔子闕里且舉祀典

於壽祠若建寧考亭在先生未為重輕在我
皇上則秪奉天地之純佑逺承堯舜之真傳實纘
聖祖之丕緒大振中國文明之化所繫則甚重也
澤生也晚然幸於先生之後
聖明之朝自黄小時即得伏讀我
祖宗以來頒降四書五經及性理大全諸書期以
由先生之言而私淑孔子以來之教以上窺堯舜
以來精一執中之傳而因以伏測天地之功化然
限於匪才未能也茲者叨以科名竊禄于畿甸所
舉措惴惴焉惟恐戾於先生之訓而遺臭方來今

乃復以
聖明崇儒之典而得奔走執事於先生堂廡之下
為幸何如
綸音載頒幽明咸快敬陳薄奠祗告厥由嗚呼三
千四百年間天地之心僅兩見耳天地固不能不
生孔子亦與先生先生之與孔子方始不媿天地
之生哉尚資神化翊我
皇明俾弥綸參賛之功上承堯舜是一先生之功
也澤等
明之儀鳳臣耳倘蒙昭格佑啓愚衷必有樹立以惠

先生之鄉人廟不其墜横渠所謂不才伊川所謂天地間一蠹也嗚呼屏山練水精爽如新秋月春風與刑固在乾坤萬物視乃同胞而況故鄉耶先生其鑒之謹告

紫陽書院落成率諸生釋菜告文 【續集】

維正德七年歲次壬申二月丙子朔直隸徽州府知府熊桂等敢昭告于

先師徽國朱文公曰惟斯道之正統寥寥千百載間不絶如綫賴有周程出焉於是斷者續而晦者顯天復篤生我夫子以嗣其傳註述群經丕闡餘緒是謂集諸儒之大成開萬世之迷途厥功盛矣顧茲紫陽

寔維故鄉而後學之依歸循切書院廢興因陋就簡
良可慨也桂岙守是邦景企遺範遂議撤佛宮得勝
地若天相者啟刱于兹中肖像而祠之規制粗備復
選接七校之有志者俾聚講其間庶密邇夫子英爽
朝夕興起蓋不徒誦其書業其文而已所以明正學
振士風臻實效為夫子鄉邦之光端有望焉樞趨之
初用修虔告惟夫子尚克相之尚　饗

忌日諸生釋奠告文

維正德七年壬申春三月丙午朔越有九日甲寅鄉
後學生王舜臣等敢昭告于

太師徽國朱文公先生嗚呼吾人生先生發祥之邦受先生罔極之恩於先生諱日當倍悲痛況諸趨祠下切磋講明先生之道學者那山嶽儀刑無復心目感時仰昔芹藻揭虔惟先生在天之靈不昧庶其昭格也尚 饗

正德十年紫陽書院開講告文

桂承之先生鄉郡光陰冉冉已五載于茲矣自鼎新書院拔七校士講習于門牆亦已四載矣以先生之緒餘群薦于有司大魁于天下亦已有其人矣然先生之所以垂訓與桂之所以簡拔屬望者則不止於

此亦尚無媿歟乙機使諸生因材成就以不副所期
庶紫陽之門牆益有輝光而區區師帥之責亦藉以
無媿也改歲之初諸生復集謹以清酌用伸虔告尚
饗

朱子實紀卷之十

朱子實紀卷之十一

紀題　碑記　序　上梁文　疏　表　跋

始建文公祠記

楊剛中 [redacted]人元翰林待制兼國院編脩

文公祠者即文公先世之遺基而構焉者也新安為文公父母之邦婺源之遺居固在歲久而侵於居鄰者存不丈尋甚而丘壟夷松楸至為庸下之所竊塋訴正無從公論齊奮及知州事干侯稷道來踐其官省憲交符委以訊決侯起家進士政特公良承命趨然不頗不厲一問而舉得其情咸願歸還以贖罪決

故雖偪殭大恣開隧致藏莫敢肆謾亦聽于欲積年
隧驕一日而還凡剟見開闢不諧懌侠方訊除擴其
詳度其宜議實土以定其遷葬祠以守其復於是汪
君景周出州官族思佐侠成攤地等居報界還者又
謂初基所從成書院於州者皆吾祖吾父之力也復
地建祠亦吾先志乃為之相方畫址拓故有而弘之
衡舉武者四十登其二以為從圍環四外以闢衢屹
崇墉於三面華封對峙流碧横馳吞蔡既崇甍桷加
峻前門後堂疑隆屋而中居庭廡明徜雍瑲丕粉飾
塗梵甃絢煥浴平儀像既陳昭穆秩祀水清非冽注

縣肅如又買祭田爲畝三十舉田與墓一領之祠肇工於元統二年某月某日至明年某月某日告竣行禮以落其成且使來請題書其事於石以貽永久予惟文公之教既以徹乎無倫被乎無垠俾高狀明加賛斯其賛若斯祠之建則非干侯之賢不足以恢舊非景周之力不足以圖新彼其以職道民而尚賢之不知聞訴而若不省者視干侯之見義踔發者爲何若又如大賢之流化出其鄉祖宗之丘墓託其地而乃竊埋啓塚以犯之雖其心迷罔知華然使聞景周之發憤靡計專力而弗資於人以成一州之所歸敬者

寧不為之汗流心悸無所容於天地耶蓋于侯之績於是而著而景周之龔輝三世起廢百年者亦曷可使之無彰也遂詳列其本末而顯書之而復系之以詩焉于侯名文傳官為奉議大夫吳郡人景周名鎬

詩曰大賢之化高溥下弘可於其鄉而有丕承偪之懹之既邈其往闢之華之翁莫于罔靡逸無旋式懌爾然爾惰爾昏盍稽其傳嗟爾州人來覩祠宇有搊孔揚宜爾終古州祠既陋州風其淳彼蹐匪人彼獨何人

朱氏家廟復田記

虞集字伯生去城人徙崇仁元
奎章閣侍書學士謚文靖

為治於郡國者表先民於百世之上所以正民心之趨嚮而開其教思於無窮著其父兄君子之所為所以諷其子弟細民於易從也敦禮節尚名義厲廉恥以變其鄙薄可得而書者今於徽之婺源見之婺源文公朱子父母之邦也其先吏部在宋政和戊戌以上舍出身調建州政和尉丁艱服除調劒之尤溪歷靖康建炎至四年庚戌文公生焉亂亡未定涪讒競庠以自給同郡張侯敦頤教授於劒邀與還徽而吏部之來閩質其先業百畝以為資歸則無以食也張

侯請爲贖之計十年之入可以當其直而後以田歸
朱氏癸亥吏部設張侯以書慰文公於喪次而歸田
焉既葬吏部於建之崇安丁卯公自建寧舉進士明
年登第後同安簿紹興庚午省墓於婺源以其租入
充省掃祭祀之用乾道己丑丁母憂淳熙丙申歸省
故鄉松楸已傷於鄉人矣與鄉子弟講學於汪氏之
敬齋脩墓而去宋之將亡徽建阻於兵族人藏其契
券而竊售之又見侵於富民而丘其方丈老猶識
朱氏故物之所在也內附聖元將三十年朱氏之學
徧天下而朱氏子孫志尚未足以復其舊五世從孫

光訴於浙省閫憲者又將三十年而兩廡以廟者二
守臣前進士干侁文傳始復其宅基於城南請于朝
得旨立徽國文公廟於其地則後至元乙亥二月八
日也而田則未歸無以為祭光又以為言同知州事
蔡陵李祁之來亦進士也數得田主名召與之議三
分其田償其價之二歸其田之一約雖定價錢無所
從出其一亦未肯歸也歙士鮑會鄉聞廟之成也頗
割私田以供祭未果行而卒其子元康見吏民之紛
紛思成父之志於是賣其私田若干與材木之山得
為中統鈔者一萬五千緡以贖舊田主一分其價得元

直之二其一則歲收其租而還之滿其數而止既成納而田歸朱氏之廟矣今奉祀者文公五世孫勳謀諸守貳父兄邦人請置張鮑之祠於廟側張侯字養正辛官知衢州鮑文學字景曾而其田之畝數與其租入之數録其券之副而刻之碑陰云噫孔子之居於魯也蓋有宅焉歷戰國秦項之暴魯人固相與護視之至於西都世之平治久矣諸侯王之世封魯者始欲壞之而其堂壁固在也神靈感之而止者豈有他哉其餘之心有所未安也其餘之土田周公魯公之上田也其餘之城郭周公魯公之城郭也時代雖

殊為其守者為之主宅之廢興則有任其責者矣不
然東阡西陌禾易長畝風雨霜露之變匪今斯今何
獨於此惓惓乎賢者之所存固有係於後世不忘者
與張侯經營於文公父子之時鮑君以私財而復田
於朱子五世二百年之後故鄉之人孰無良心善性
哉于李二君可謂知為治之本者矣傳曰君子學道
則愛人小人學道則易使也吾尚有觀於徽之為郡
譽乎為之來請記者其郡人懷慶文學程文余在奎
章同館生也至正丁亥二月望前

重建文公家廟記

王禕字子充義烏人　國朝翰林待制贈學士謚忠文

徽之婺源文公先生子朱子父母之邦也先生之先家歙之黄墩唐天祐中八世祖制置公瓌以官留居婺源今州東萬安鄉松巖里其世所居也盖自吏部公當宋宣和建炎間歷建之政和劒之尤溪尉因葬其親於政和而先生生於尤溪由是僑居建劒之間吏部之卒復葬建之崇安而先生遂定居於建矣先生於紹興戊辰既登進士第至淳熙丙申爵于祠家食兩當歸婺源展省丘墓宗族而去當丙申之歸也先壠松楸已傷於鄉人而與鄉之子弟講學於汪氏

之敬齋則故居已不復存厥後事異而世殊故居之遺址亦非朱氏子孫之所能有矣有元延祐戊午先生之四世孫甘肅儒學提舉林江浙儒學提舉彬偕來婺源省丘墓訪故居遺址悉為他姓侵據於是移文本州令從孫光聽決其事久無定論光始訴于省憲至元統甲戌而吳郡干侯文傳守是州兩府以其事諉之然後故址以復且請于朝用顏子孟子故宅立廟例立朱子家廟於其地得旨如所請而家廟以建廟成之歲為後至元乙亥上距先生之殁一百三十六年矣然廟雖成而無田以為祭朱氏故所有田

百畝久占於富民光復以為言繼而茶陵李侯祈佐是州為之經理而盡復之始得用其田入以供祀事而五世嫡孫勲實自建來歸奉祠焉至正丙辰州燬于寇廟亦不存甲午權知州事括蒼葉侯景淵癸卯知州英六白侯謙兩嘗新之皆旋燬於兵燹今元年丁未金華程侯斗南字彥梁為守之明年州事既簡乃議為之重建鄉之人士咸樂輸材鳩工以佽助之爰即故址以基以構廟室中嚴門廡如列規制之備悉視其舊而加整飭焉庀事於四月訖工於九月董其役而領祠事者勲之子境也於是儒士王傳練順

祖孫原善江存張紹皆州人以請程侯之續不宜無述乃相與謀屬祥爲文刻諸麗牲之石嗚呼自孔子而後曾子子思繼其微至孟子而始著由孟子而後周程張子繼其絶至朱子而復明朱子之道固集聖賢之大成者也厥今天下學宫以先生爲通祀然其於發源則猶孔子之曲阜闕里所在家廟建焉又所謂賢其賢親其親也歟先民有言盛德必百世祀況乎先生之道萬世所宗師朱氏子孫脩其歲事有引勿替固將世世而不忘若夫賢師師崇尚教道而認認焉圖起其廢墜非知爲治之本末者不及此也稟

彝好德人心所同嗣為政者盡亦思所慕效也哉禕是用備著其事以示後來若復田之事已具虞文靖公所為記而茲并及之者以其有繫於廟事也洪武三年庚戌春正月

重脩文公家廟記

汪仲魯名叡以字行婺源人
國朝左春坊左司直郎

洪武八年秋七月徽州府通判方公來止爲邑婺源下車即請闕里謁拜徽國文公之廟顧瞻墻宇傾壞寢庭未立慨然歎曰文公之學大顯天下作則來世天朝頒令禮式攸遵廟貌非崇何以欽明祀而昭訓

典刻厥考吏部公言行卓卓以啓丕休祀原先世廟宅所宜於是度地鳩工爰構寢堂于廟庭之北首捐資倅縣官士庶聞命歡遘發帑咸助選邑士程達道以董其事達道先輸廩餼以給群工屋六楹中為四龕為若子孫奉高曾祖禰之所以行歲事蓋遵家禮之懿範也公去事息時究陵唐侯来知縣事良是斯舉力就厥緒邑士趙湜夙夜躬勤以督工役廟庭中峙飾舊如新兩廡門墉支葺圯傾易腐捍缺堊塗丹堊巍然炳煥嚴邃穆清士民瞻覲起敬起慕繹奠致告愾然聲容之接僾然道德之在目也又詢求文公

遺像畫蹟鐫置廡下以訓示將來吁公與唐侯所以正民心而導迪其趨嚮可謂同符者矣栽稽伊始宋政和間吏部公宦于閩歷靖康建炎未得歸至四年庚戌而文公生焉邑人張衡州敦頤經營吏部所質田百畝歸之而吏部卒矣文公既葬吏部于建陽歸婺源省墓以張氏所歸田租入充祭祀之費逮景定咸淳間文公之學時所共崇錫命闕里宋之亡也徽建阻兵故朱氏之遺址侵于居隣而田亦竊售於族人矣有元至元乙亥州守干文傳因五世從孫光之訴始復其地遂請于朝立徽國文公之廟其費悉出

於邑人汪鎬度地廣狹計屋材丸以界遷民而侵地始復且給祭田三十畝於是田與墓地一領於祠而至其祠者文公五世孫勲也待制楊公剛中為記其事于石然其竊售之田則未歸焉至元丁丑光又以為言同知茶陵李祁覈實其田而價值之費則歛鮑覺鄉之子元康繼厥父志輸錢壹萬伍千緡田始復歸于朱氏之廟記之者侍講學士虞文靖公集也至正年間詔封公為齊國公而吏部公錫謚獻靖壬辰兵變鞠為荒墟歲戊戌冬

聖天子肇基金陵命院判汪同即婺源城城浚隍始

因故井經度基緒加弘於昔蠲其租稅以奉祠事歲
在甲辰州尹白讓爲屋以棲神位朔望行禮又四年
丁未後尹程斗南因按察知事張允誠之言始創今
廟主其祠若前掌祠之子境記之者待制王公禕也
歷歲寖弊增脩備制則由今通判公而成公之志若
實唐佚也嗚呼周轍東遷孔鐸以鳴宋舟南渡朱子
以生所以祖述憲章啓迪後賢以立天地之心以植
生民之命繼往聖之絕學開萬世之太平者道統攸
存氣運所關不可誣也闕里故宅古非存焉吏部生
而白氣起文公生而紫氣騰則斯文之興也豈非天

乎天定則能勝人而廟有待於郡邑之賢侯大夫世遠弗湮而終以興脩於来世鄉民興感力就不圖人心天理之不容終泯也如此昔也千侯拓地建廟則汪鎬以私力成之繼而李侯復其田畝則鮑元康以私努濟之今公與唐侯載新寢庭內外完美以啓人心之向慕昭教化於無窮者固士庶之歡趨而程達道趙湜亦有以佐力後焉斯役也不可以無紀述也遂以屬筆於仲魯不敢辭公名本字叔文臨海人由起居注来官吾徽拳拳以教化為先務唐侯名廷禮宛陵之宣城人由進士舉任隴州判官轉知婺源者也

洪武丙辰六月朔

重建文公家廟記

汪敬字益謙婺源人前國朝户部主事

徽國朱文公闕里家廟元州守于文傅肇創於元統甲戌至正壬辰廟燬于兵甲午權州事葉景淵癸卯州守白謙兩嘗新之又旋燬焉自後州守程斗南重建於元年丁未郡判方叔文邑令唐廷禮又重脩葺且創寢堂洪武甲寅歲也經歲既久廟寖頹壞洪熙乙巳臨海童公孟謙以進士奉

命纂脩永樂實錄至婺首謁祠下仰瞻之餘感慨久

之遂諭邑及合郡人士資助重新命邑儒士孫思齊
主其役奉命惟謹是歲正廟成第未完門廡而董公
値事訖去其崇重先賢之意隆矣宣德六年辛亥括
蒼葉侯公由來貳邑事凡廟内事有當備及門廡備
建悉命文公八世孫湛日親督役且刻年譜等書一
稔之内奐然惟新其克成厥終之功多矣十年乙卯
予以奉使歸寧獲拜新祠湛請予記粤自文公既殁
故址爲邑他姓所有後百三十六年子孫得復而家
廟始建越數載兩厄灰燼而新之迨于
國初復新僅周甲子今又重新規模宏大繳飾渾堅

謀垂遠久在茲舉矣噫祠未甚壞而遂有新圖是蓋文公功業文章有深是興感人者抑亦秉彛好德良心在人固有然乎故予於此槩述元今廢興之由童公經始葉侯成終之績而不復為繁文竊以春秋之法不没人善直書其事具文見意以為後千百年相繼為政於茲者勸也若文公功德之盛如日星昭天人皆見而知之刻自元至今有諸先正記述詳悉予奚容喙宣德十年乙卯春三月望

重創婺源朱文公祠宇記

彭勗永豐人國朝提學御史

婺源文公朱夫子之世家也邑故有祠正統庚申歲
除前一日市不戒于火祠為之燬明年二月既望易
巡教至邑其守祠八世孫湛溙狀請脩復且謂公柄
斯文非自計則事弗克就神無所栖蓋市屋多覆茅
自洪武至於洪熙凡延燒者數四迄今十有五年而
又罹於此前脩雖累得人今非公則將奚告易閔其
言切而誠遂懷永久之圖乃以行臺所積罰贖金付
縣令陳斌俾市材木陶磚甓為之重構委醫官程璠
儒者孫叔拱孫希泰以敦其匠中為堂三間門為屋
五間兩傍共為廂房六間以妥其神堂後為屋若干

以居其嗣孫首自祠前東北隅循繞其後止於祠前西北隅砌磚垣四十五丈有奇高二十五尺以為之防庶幾其無後患也是年冬落成於戲朱子集群賢之大成從祀天下之孔廟其道學之高明如星斗之麗乎天固不假於褒贊然欲學夫孔子者孰不資之始焉資之始而不脩其墻屋経紀其胤嗣則亦無所用其情也此予於徽建之祠嗣孫致其力而又自形於言者特以告夫後來君子相與繼脩而勿替時正統辛酉十月朔

縣庠朱文公祠堂記

汪應辰浙川人

婺源朱文公先生之世家邑有學架重屋以叢典籍學有祠肖周程三夫子像而事焉二役皆先生為之記今觀其遺刻而先生所以迪後人厚里俗者用意遠且大矣邑諸生服教之久感德之深據經考禮謂所事先生者當如周之周公魯之仲尼不必有合乃營度祠宇于講堂之後以毖禋祀以嚴鄉國宗事之敬而胡君臤實倡其事乃訪于鄱以記筆請且曰先生之道之教庶乎吾子有以發之也應辰生也後既不及瞻拜先生盛德之容質也鈍雖日誦其詩讀其

書而於先生之道未之有聞也其敢凌節以措一辭
則退謝不能他日胡君復命其子升來請益力應辰
竊惟先生明道著書覺悟萬世圖極之賜其誰不懷
矧此發源者河之崐崙雲之泰山而詩書六藝之鄒
魯也風聲之流播淵源之漸潤固有異于他邦者其
猶有待於佔畢而訊說耶雖然敢不為子言之自道
喪千載周程勃興洙泗之統續於既絕厥猷盛矣然
關端若渾璞未盡露作法若彌綸未及詳兩程子歿
門人高第各自名家雖祖述憲章之本不殊而大義
微言之寖乖者有之矣先生以命世特起之才遠紹

旁搜精思獨得關發極於光大剖析入於毫芒星斗揭而衆宿辨次江河導而百川遡源於是語道有定名言經有定旨為學有定序科條品式粲然户曉使後之學者無擿埴之迷而得夷塗無拮据之勞而獲廣居先生之功信不在孟子下數十年來家有其書矣人熟其言矣宜乎成人有德小子有造矣而口傳耳授之俗成真知實踐之士猶未之多見也蓋由其有定名也則曰道在是矣何假乎思而後得也由其有定旨也則曰經止於此矣何事乎講而後明也由其有定序也亦曰吾知學之門户矣何待升其室而

後觀其奧也是則先生所爲孜孜以講學爲己任者毋乃適以貽苟簡自畫者之地豈特世之人疑之吾黨亦或疑之雖然天之生先生也豈偶然哉其任道其立言將以望斯世之屢有志於學而非爲夫口耳自畫者設也士誠志於學則道本於率性離形去智非所以爲道也經切於明理支分派異非所以立經也學由於爲己隨聲逐迹非所以爲學也主以五性綱以四書翼以致知居敬二義既前參衡倚必身體心驗其所以然則所謂定名定旨者如飢食而渴飲泉達而火然所謂定序者亦將歷階拾級而深造之

矣嗚呼士而無立志乎雖聖賢與居而不足士而采有志乎則先生之言存而有餘矣予盍以是歸而質之賢父兄儼以爲然共鑱諸麗牲之石以告來者孟子曰去聖人之世若此其未遠也近聖人之居若此其甚也邑之士豈無感慨興起於斯言者乎若夫周元公祠于序而文公堂也二程子東西鄉而文公則南也諸君之訂正而無違禮焉是又以禮事先生升之當考譽也嘉熙三年冬十月甲子

婺源朱塘晦庵亭祠堂碑

許月卿字宋士婺源人宋江西運幹號山屋

孔子廟終漢世不出闕里發源朱文公之闕里也上即位之十有八年始以公從祀孔子則天下皆得祀况婺源乎二十有三年滕和叔以書來曰先君從游於朱塘之上鈺兄弟子姪既以文公昨夢之語作晦翁亭又立祠其西為屋若干楹文公南鄉坐先父溪齋先生告院君季父蒙齋先生合肥君東西鄉以侑焉秋八月庚申告成將徹田聘士以掌簡鑰庶幾中丁之祀勿替引之謹伐石請書其事月卿發書歎曰不亦善乎今佛老之宫神怪之祠布滿宇内而吾黨之於儒先頌其詩讀其書顧不得朝夕望其儀刑以

自振厲則茲舉也不亦善乎嘗考之二滕公近聞於朱子者曰孟子道性善言必稱堯舜人性無不善則無不可為堯舜者要不可以一鄉之善士為足也嗚呼祠宇崇崇像設嚴嚴恍然當時師友之函丈也學者可以自勉矣立志以定其本居敬以持其志窮理以致其知反躬以踐其實雖地之相遠世之相後如會一堂況世若此其未遠居若此其近哉雖然為已為人界限之大者也漢唐之儒以聞道之難而學無本近世之儒以聞道之易而學無實竊道德性命之說以為譁衆取寵之資俗日以益薄治日以益卑職

此之故歟嘉定以来士大夫專以朱氏之學爲仕途捷徑二滕公當是時退然如未嘗升紫陽之堂者人爲之莞而莫或顧之也陵陽李文惠公持節江東旁收朱門記錄答問之語得之如獲拱璧待其人以殊禮溪齋獨不以徼利焉聞其風者鄙夫寬薄夫廉矣溪齋諱璘字德粹蒙齋諱珙字德章壽不兄若也月卿既善茲舉不敢以固陋辭遂書其事如左又爲迎饗送神樂章以遺之其詞曰

游子悲兮故鄉儵予行兮朱塘山深兮水静荷華澹其自芳昔吾夢兮斯境邈一笑兮倘徉宜爲亭兮水

上以領略兮風光去之兮幾何季子兮肯堂亭既峙兮翼翼廟貌作兮崇崇蕙殽蒸兮蘭藉寒泉碧兮秋菊鄉以奉兮以嘗以拜兮以饗誰配之兮二滕儼師友兮弟兄超忽兮來八荒髣髴兮紛語降若起兮吾思惠我兮光明對越兮屋漏保之兮無疆扶宏綱兮勿之墜萬子孫兮餘慶淳祐七年　月　日

徽州朱文公祠堂記

黄榦

道原於天具於人心著於事物載於方策明而行之存乎其人聖賢迭興體道經世三綱既正九疇既叙

則安且治聖賢不作道術分裂邪說誣民充塞仁義則危且亂世之有聖賢其所關繫者甚大生而榮死而哀秉彝好德之良心所不能自已也堯舜禹湯文武周公生而道始行孔子孟子生而道始明孔孟之道周程張子繼之周程張子之道文公朱先生又繼之此道統之傳歷萬世而可考也文公徽人也其殁也徽之士相與言曰公之系茲土吾郡之盛事也即郡之學繪而祠焉太守趙君師端至視其祠褊且狹不足以稱邦人思慕之意改創於講堂之北且屬蘇記之竊惟自昔聖賢之生率五百餘年而一遇孟子

既歿千有五百餘年無聞焉考其世系則又皆中土
之所生而南方則又無聞焉歷世之久輿地之廣其
間豈無閎博俊偉之士而不足以與聞斯道之傳至
我本朝周程張子既相望於一時而文公復興於未
及百年之後周子既生於舂陵而文公復生於新安
豈非治教休明文風周浹天運之所關地靈之所萃
曠古之創見而一代之極盛者歟秦漢以來斯道晦
蝕天理不明人心不正事物當然之則昧沒而不彰
方策不刊之訓殘闕而將墜周程張子既推明其大
端而傳訛襲舛浸失本真迨我文公禀高明之資厲

強毅之志潛心容察篤信力行精粗不遺毫釐必辨至其德盛仁熟理明義精歷代相傳之道粲然昭著故雖窮鄉晚出亦皆知有聖賢教人之旨然則公之生於世有功於斯道大矣至公之歿海內之士莫不齎咨涕洟失所依歸而況生長於公之故里者乎宜其思慕不能自已趙君大其祠宇以慰其心也亦宜矣我雖然思其人不若遵其道慕其迹不若師其心今公之書既家藏而人誦之矣惟不為習俗之所遷不為利祿之所誘居敬以立其本窮理以致其知躬行以踐其實則雖越宇宙如親見之道之明且行世

之安且治可冀也此當世之所宜共勉微之士其可無以勉之哉師端與其兄弟皆從遊於文公先生之門其爲政知所先務如此堂成於嘉定七年八月董其役者歙令孫逕十月朔

文公先生祠堂記

彭方 字季直都昌人 宋歙縣知縣

晦庵先生朱文公祠于泮宮舊矣今復立祠縣圃非直爲觀美也邑政之所宜得師者在是也夫政學一源體用一致成己成物非有二道士君子講學以明之亦將推充以行之爾矧先生父母之邦實爲新安

其生也爲學者之標準其殁也爲萬世所宗師則此
邦之人要當尸而祝之社而稷之可也任長民之職
孰不有志乎學道愛人之事而可不知所取則乎自
斯堂以嵗寒得名自元豐元祐間蘇續溪嘗爲之詩
蔣穎叔嘗爲之賦今先生之祠於此乎立而嵗寒之
義始著蓋先生抱孔孟之學接周程張子之傳以上
心承道統以一身衛名教平生安貧樂道難進易退
山林之日長講學之功深雖歷仕四朝而其身卒不
安於朝廷之上雖荐更變故而嘗不以夷險易其操
非不能大川於一時而卒昌斯文於後世所謂後凋

之節惟先生可以當之嗚呼先生身脩而道立理明
而義精其蘊德在吾心其垂教在方冊其議論在表
著其事業在生民所謂建諸天地而不悖質諸鬼神
而無疑百世以俟聖人而不惑者然要其全體大端
亦曰誠而已矣先生之體是誠也猶歲寒之松有是
心也以是而立人極以是而開來學其示人以入德
之方必主敬以立其本觀理以致其知養之於虛明
靜一之中察之於幽獨隱微之際學問思辨緝熙無
窮仁義中正卓爾有立所以統情性該事物合隱顯
齊彼我貫徹古今充塞宇宙者皆是心實為之則夫

縣圃之堂采歲寒之義以奉先生之祠也宜哉若乃群山環合古木千章地勢高爽鞅埃壒之混濁隂穎瀰覆集灝氣之清澂則又斯堂之勝足以安先生之靈而慰邦人之思方生長星江蓋自先生來爲邦牧下車而新白鹿洞書院先君實執經講下先生以爲經諭相與難疑問荅講明論孟大學中庸西銘諸書以授學者故雖以方之不敏亦得以私淑家庭之訓爲終身持守之要茲以晚學承乏邑宰入里門而思前哲覩喬木而想高風其依依之誠有不能自已者是祠之立所以見高山景行之志非惟朝夕之游泳

得以瞻道德於前後而施於有政捨是無所矜式焉後之君子其佐同其志同其所師又同顧相與推廣而葺新之俾勿壞嘉定十五年壬午中秋日

績溪縣重建朱文公祠記

胡富字永年績溪人國朝戶部尚書

徽之績溪縣儒學東故有文公朱夫子祠傾圮不治一百餘年莫有任起廢之責者弘治癸亥廣東博羅何侯由南臺侍御簡知是郡凡稽古右文有涉風教者以次舉行既三載奏最旋車取道于績邑至廣平王君育英以其事請侯曰誠今日之先務也亟成之由

是發帑鳩工而一時郡僚又皆相繼協贊經始于正德丙寅秋越明年春告成爲堂若干楹高敞靚深中位文公而以蔡西山黄勉齋諸賢侑食背崇岡瞰清池挹大徽山襟帶乳溪諸水而鳳山鷄嶺羅列於前山川之靈寔毓於此先是侍御濟南李君廷壽謫爲邑簿欲相地於明倫堂之西湫隘不稱而敎諭龍溪顔君樂偕寅友又嘗舉其事白于提督學政侍御肖陽陳公委前令薛君鑾未幾以遷去遂中輟至是續之諸生爭相歡服退遹於數公而亟成于一旦其崇儒重道之功不可不紀乃馳書而陜請記其事高道

人也不敢以謗劣辭為之言曰維徽國文公先生自少勵志聖賢之學充積既久所得益精且深其立朝言論州縣設施經綸規畫正大宏偉亦可槩見晚遭擯斥自反無愧日與黄蔡諸賢討論不輟釐正經言總義大典以續洙泗河洛之傳付得喪禍福於禮義今讀其書崇其道薄海内外皆受先生罔極之恩矧績溪隸徽實其桑梓之鄉可無專祠也哉禮以義起雖自今伊始無不可者況作之於前而又有足徵耶雖然侯所以圖興復新祠宇匪直修大觀而事彌文也盖讀其書當論其世崇其道當繼其迹嘗考先生

所得不越乎主敬以立其本窮理以致其知反躬以踐其實俟期待後學正惟在此而吾黨之士所宜畢力而不容以緩焉者樞趨祠下仰瞻遺像則竦然以敬而思與之齊洗磨淬礪修于鄉而達之天下庶幾先生之後復有其人吾邑山川之靈鍾秀遂將媲美河洛以上窺洙泗之淵源斯無負吾俟期待之意而凡駿奔走於大役之間者亦可忘其為勞矣若夫姑掇緒餘以干榮利而於聖賢事業漫不加省非走所敢知也俟名歆字子敍別號象山又號榕溪起家名進士云

儒學重修晦庵祠記

真德秀 門人

寶慶三年知建陽縣事莆田劉侯脩晦庵祠以其高弟勉齋黃公配食既又謂朱范二太史劉魏二聘君皆可爲法當得祠于學八月上丁工告備安俯如禮則揖其學之士而語之曰諸君亦知予置祠之意乎古之君子稱人之善必本其父兄師友學之至也維我文公先生高明光大之學得之於天然遡其淵源所自則吏部府君首以河洛緒論淑之於家庭比其長也出從諸儒先遊則有若草堂劉公者寔啓之以聖

賢講學門户雖其德業之大成猶待後日而開端正始之功有不誣者至若秘閣范公則吏部之友而先生嘗從之考疑質義焉艮齋魏公則草堂之門人而先生之所友也今也新先生之祠而遂及于四君是亦古人推本之義也雖然豈獨是哉當紹興間秦丞相倡邪議事寇讎朱范二公以史官連名入奏顯斥其非至擯黜流落而弗悔劉公用從臣薦給禮後省屬檜方深仇正論亦浩然引疾以歸艮齋起布衣遭明天子一見合旨枉官儒宫亟用矣顧拜疏闕門亡虚日竟以是非容于朝是四君者其學同其道同其

出處大致又同合而祠之使爲士者有所觀法豈不
休哉繼自今學于斯者苟能潛心文公諸書以致其
濬源培本之功而考於四君子之風流以警其婾作
其懦則靜而體動而用窮所養達所施具於此矣此
余所以並祠之意也西山真具其聞而嘆曰偉哉劉侯
之斯舉乎方侯年盛志壯時天材逸發詞筆凌厲蓋
自眡如李謫僊之流意其不屑州縣間事也一旦爲
令邱民隱重教道懇懇焉有兩都循吏風至其飾考
亭祠表四君子尤世俗指目以爲迂者吁使侯病迂
之名而循世吏之所急其俗之同者廼道之棄也然

則侯之遊舍豈不甚明矣哉侯名克莊字潛夫世以
王學傳其家云

重脩徽國文公朱先生祠堂記

楊榮字勉仁建安人國朝大學士贈太師謚文敏

徽國文公朱先生祠在建安郡城北之紫霞洲蓋宋
寶慶三年正月所建以奉先生之祀者也歷元迄今
幾二百年棟宇頹圯上雨旁風其弊壞可謂極矣
國朝永樂乙未監察御史蔣彥祿給事中陶偉巡部
八閩至于建安躬謁祠下相與言曰先生發明聖賢
之道羽翼六經折衷群言以嘉惠學者有功於天下

後世甚大建安爲先生過化之地其有祠宜矣而歷
世滋久廟貌若斯何以稱士民之瞻仰乎盍相與新
之於是福建行都指揮使司都指揮師公祐侯公鏞
徐公信郡守劉敬議以克合廼命耆儒許弘暨先生
之七世孫鐵董其事仍率邑之賢者相與捐貲出力
庀材鳩工凡堂寢門廡以及衆屋撤朽易堅葺弊爲
完仆者植之欹者正之黝堊丹漆煥然畢具經始於
是年春正月竣事于秋八月於是建安縣學教諭楊
壽夫具其本末謁予以記其成予邑人也奚可以辭
惟聖賢之言載之經傳所以發至道之藴奥者固無

不明且備矣然而煨燼於秦火剝蝕於漢儒議論紛紜穿鑿傅會學者倀倀焉莫之適從而群聖人之道幾乎熄矣迨至宋濂洛諸大儒相繼而作闡幽發微以明聖賢之道上續夫千載不傳之緒可謂盛矣而其後又有若先生若傑然特出著書立言擴先聖之未發正諸儒之乖誤剖析折衷無復遺蘊然後聖人之道昭然如日之行天先生之功其所謂集大成者歟雖然先生之道德天下後世之所共仰而尊之者豈特吾建安爲然而祠宇不稱一旦諸君子作而興之倖然舊觀此不惟一時之瞻望而已有志於聖賢

之學若安知不緣此而遂為之興起乎然則是舉也其所以關係又豈小也哉予實有望於建安之士也遂樂為之記焉

重脩朱文公祠堂記

李賢字原德鄧州人國朝大學士贈太師謚文達

道在天下賴人而明然非聖賢不能明也而聖賢之生世不常有孔孟以來千有餘年發明斯道者始得周程張朱四人而朱子明道之功為最多其用心也為益勞何也孔子之時載籍未繁邪說未熾刪述六經之外無聞焉而朱子之時載籍不勝其繁邪說不

勝其熾六經之外書傳子史又倍從焉莫不一一折衷而發明之其用心之勞可知矣嗚呼孔孟而後群賢用心孰有勞於朱子者乎能勞群賢未勞之心亦能見群賢未見之道此朱子明道之功所以為最多然則洙泗以還博文約禮兩極其至紹道統立人極而為萬世宗師者朱子一人而已奉祀之典在天下後世固宜極盛而況其父母之邦乎建寧太守劉君鉞走書至京師告予曰建寧文公之闕里也子孫世居焉舊有祠宋寶慶中所建者歲久而廢

州永樂中有巡按御史率郡守重建之正統初詔

復其子孫官爲脩葺祠墓後復以九世孫瓛爲五經博士以奉祀事又以高第弟子蔡九峰黄勉齋真西山劉文節配享天順六年冬鉞來守是郡拜謁祠下覩其規模狹隘非稱遂詢得所復之地展而脩之中爲正堂輔以兩簷東西爲廊前爲大門後爲神廚復建閣以爲藏書之所經始於是年八月甲子落成於明年六月甲申敢請記以示永久夫治郡莫先於化俗化俗莫先於興賢一郡之中有先賢焉爲郡守者必當表而出之以勵後進況文公大賢天下後世所共尊崇者哉劉君此舉可謂得治郡之要矣雖然表

祀先賢固將以感化郡人而在已亦宜取法凡文公作郡治民之術具載方冊可考也劉君尙體而行之是爲記

新建朱文公祠記

劉鉞 字仗德安福人 國朝建寧府知府

建安之有朱文公祠其來尙矣先生之先徽之婺源人猶孔子之先宋人也厥考韋齋歷尉建之政和延之尤溪二邑始寓居龍寺尋假館鄭氏而生先生亦猶叔梁紇仕魯爲鄹大夫禱于尼山而生孔子也先生年十四而韋齋歿于建之水南環溪精舍遺命先

任師事胡籍溪劉草堂劉屏山三君子而以家屬之
少傅劉公子羽公為築室于崇安五夫里先生遂奉
母祝夫人遷而居焉晚年遵韋齋治命改卜建陽之
考亭居之八年而殁後二十七年是為寶慶三年其
季子在佐其嫡兄塾之子鑑相宅城闉從士大夫請
作祠以奉先生遺像建安之祠實自茲始嘉熙中建
守王埜別創建安書院亦為祠其中以祀先生而以
真西山配之元至正間遣京學提舉危斿航海奉制
加封頒上醞少牢告祠于家仍致祭于書院于時兩
祠猶並存也世移物改書院尋毀惟家居之祠僅存

然歷年既深梁棟朽壞

國朝永樂初有繡衣黄門使行部過祠督責守臣為

加脩葺仍舊貫撤朽更新去壞為完始有足觀者正

統初

詔復其家景泰間奉

特旨徵嫡長九世孫梴入京

欽授世襲翰林院五經博士俾歸以奉祀事尋敕有

司每歲春秋給官錢為備牲帛祭品仍須祝詞命梴

恒主其祭繼又因憲臣有請增益祭品以門人黄榦

劉爚蔡沈真德秀配享

朝廷崇報之典蔑以加矣惜乎舊祠規制淺隘俎豆陳設奠獻升降俱莫能展因循日久大不足以稱崇報之意天順五年冬予自職方員外郎來守是郡越三日拜謁祠下顧瞻局促心甚不安銳志改圖而慮難其地退而與樅商之樅曰屋西有堂數楹敗梁朽柱固在先侍郎舊居也舊為武臣所據近因朝廷有備祠之命賴司法之力已復之矣其址高闓廣闊足以改創祠宇但乏力耳今遇賢侯下車之初首詢及之誠有待也既得地又慮財無所出乃經營謀度遇有羨餘公錢輒存積以俟又發庫藏得無名

色布五百餘疋仍不足乃分俸錢以為之勸而郡中尚義好名之士咸翕然響應各隨宜出貲以為之助越三時而財用稍備適遇賈人販大木至有不期然而然者於是發貲市材命工興役專委甌寧縣學訓導王璲夫相繼以掌其事復命耆人魏應璧吳禎分董其役中構堂四楹前為重門夾以兩廡堂後建閣以奉度前代制誥并畫像遺書閣之前左為庫右為廚悉以次告完其費金以千計而一毫不科於民用人力以萬計而一夫不役於里經始於壬午八月落成於明年六月又明年臘月之吉始移奉先生故像

手中而列黃劉蔡真四配像於左右題其額曰道學淵源之祠而歷其兩廡侯寮考先生門下平日從游之徒并子孫之賢而有功於奉祀者分立牌位從祀於其間焉嗟夫先生發明六經表章四書集群賢之大成繼往聖之絕學其傳道之功不在顏孟下前人道之詳矣是宜配享孔廟位次顏孟方協公論而乃列諸從祀之末與漢儒為伍於義未安今觀先生過化之處莫不有祠皆有義存焉婺源之祠表所自也尤溪之祠著所生也考亭之祠承厥終也其他遊宦講學之地所祠不一然皆莫宜於建安之祠焉蓋建

安古郡名總各邑而通諸道先生徃來始終寓於斯
後嗣嫡長累世居於斯前朝頒封制命藏於斯我
朝錄蔭後人褒崇明祀寔在於斯以是較之祠之立
莫宜於建安而建安之祠當為諸祠之魁凡我有官
蒞是邦者豈可視為尋常而忽之哉朔望率郡人子
弟焚香拜謁此理之常固不可忽春秋循例給祭品
必豐必潔此歲事之常尤不可不謹門丁庫役更替
有常不可缺也脩飾祠宇
帝命昭昭不可違也此皆有官者之責若每晨必參
每祭必誠與守戒嚴罔敢瀆慢其責在承祀蔭官與

凡朱氏之後人焉祠成之初已請少保李公記之矣然紀其大而遺其細予故敢續書始末詳細以詔來者

縣學朱先生祠堂記

葉適字正則永嘉人宋寶文閣學士謚忠定

初新安先生朱公同安縣主簿今知縣事毛君當時祀公學宫昔孔子既脩述堯舜三代紀法垂後世而黄老申韓之流亦各自爲書學者蕩析畔離苟私所受未有博探詳攷務合本統也及董仲舒稍推明之與人主意合則雜家異學始絀而歸一於孔氏矣姑

說祿利鼓靡使從豈道德果盡信哉故經師句生無
有知者徒為短挾蔽大義而已獨司馬遷採論語發
明孟子不言利為傳世家孔安國解古文論語揚雄
數稱顏淵篤好孟軻小戴集記大學中庸鄭玄併注
之孟子有趙岐論語又有何晏韓愈李翱文人也愈
本曾參翱尊子思矣噫二千年間萌蘖沉潛若存若
亡而大義之難明如此則其博採詳攷知本統所由
而後能標顏曾孟子為之傳揭大學中庸為之教語
學者必不如是不足達孔子之道也然後序次不差
道德幾盡備矣非程張暨朱呂數君子之力歟今夫

箋傳衰歇，而士之聰明亦益以放誕，夷夏同指，科舉冒淺淺識而深守正說，而僞受交背於一室之內，而不以是心為殘賊無幾矣。余每見朱公極辨於毫釐之微，充激切而殷勤，未嘗不為之歎息也。夫學莫熱於好道，莫成於樂，顏、曾、孟子所以潛其心也；行莫如誠，止莫如善，大學、中庸所以致其義也。夷佛，痿疾也；科舉，痒痾也；公所甚懼也。毛君嘗與余學，去而宰同安，有惠政。夫政之得民速，不如教之及民遠也。嘉定五年五月。

朱文公祠記

陳宓

孔子所以為萬世師者學不厭誨不倦而已此二者若易而實難其功若小而甚大非至聖而大賢不足與此近世有儒宗其好學也不唯獨得於師而博采四方士友之長不唯自有諸己而下取一介賤微之善大而天地陰陽之運小而鳥獸草木之情精而道德性命之源粗而度數儀文之末二帝三王之道孔孟周程之心既有以默叅其奥下至諸子百家天官地志兵機律曆莫不窮其理其誨人也無知愚敏鈍貴賤疎戚隨其才性曲加誘掖平生宦遊之日少家

居之日多自朝至暮自少至老孜孜矻矻應接不休
有問斯答如響應聲著書垂訓易簀而後已嗚呼若
文公朱先生者可謂之學不厭誨不倦非耶此祠堂
所爲作也先生所著書數十種而尤切於世教者曰
大學中庸章句或問語孟集註近思錄家禮小學家
傳而人誦之莆雖蕞爾邑昔稱士鄉先生初仕于泉
及淳熈間凡三至焉趍[redacted]承教之士不少先生沒廿
二年矣前輩往往凋謝晚生益知嚮慕校官陳君汲
既[illegible]前諸書以惠後學矣謂誦其書不知其人可乎
於是即學宮而祠之末學小子瞻望其端莊剛毅寬

裕溫和之容反覆其精微詳密深切懇到之誨可以釋師儒不並世之憾矣苟讀其書而不體諸己敬其像而不師其心過斯堂寧無愧乎陳君謂宛嘗登先生之門宜記作祠之歲月云

重建朱文公祠記

滕祐 建安人 國朝監察御史

浦城徽國文公祠以天順戊寅歲因僧寺之舊改為之至于今幾四十年然遡寺之始建又不知其幾十年矣仍舊則苟成物久則易弊故棟宇日就傾圮而妥神之位置於左廡冗襍間前之好事者又以西山

文忠公爲邑之賢合位於文公而並祀之文忠後朱子而生蓋私淑其道而興起焉者亦猶孟軻之於孔子也以之並位過矣是祠與位兩宜易之弘治壬子夏六月建寧同知周侯時中以政蒞茲邑見而嘆曰是豈所以祇儒先繫仰思哉庸圖新之歸而謀諸太守劉公璵公曰是役烏可緩也遂以其事屬之知縣鄧應仁經理而相成之應仁曰茲義舉民咸願有助也於是鳩工之精市材之良卜日而就事焉祠既成侯乃奉文公於中堂而以劉雲莊蔡九峰黃勉齋及文忠公分位而享仍扁其門曰紫陽書院蓋不惟規

模宏壯視昔有加而配位之正又足以合人心道義
之公而無歉焉侯心亦既寧止監察御史滕祐聞而
諗之曰聖賢之道散在天下無所不有士慕其道想
其人則必為之祠廟為之肖像瞻拜之祭奠之思以
有歸也矧浦城密邇考亭聲教薰炙同於闕里故文
忠公以晚生聞知之賢讀其書得其心而文章道德
遂為一代名儒今之地固昔之地也今之民豈非昔
之民乎苟有君子明揭而昭示之則慉然者衆矣此
祠之所以建也建之而或苟於成廢之而或乖於
義則不足以聳瞻視而協輿禮此祠之所以重建也

自玆以往凡邑之士拜于斯祭于斯覩廟貌之尊嚴動徃轍之遐思奮而興勉而脩近而思所以效法焉得無復有私淑前脩成就德業如昔之文忠者乎則此祠之建其有裨於學教也不小吾儒理人先學教而後刑政周侯其真知務者哉使後之理人者皆為侯之所為學教之興其有既乎於是邑之士民相率詣祐請曰幸書以為記祐曰記之祠中後皆為堂各五楹東西為廡前為門各三楹經始於是年秋八月相役而終其事者署縣事建安縣丞郭璟董役者義民程鳳翔耆士葉孔贍云

白鹿洞書院記

呂祖謙字伯恭婺州人宋著作郎兼國史院編脩謚成

淳熙六年南康軍秋雨不時高仰之田告病郡守新安朱侯熹行眡陂塘並廬山而東得白鹿洞書院廢址慨然顧其僚曰是蓋唐李渤之隱居而太宗皇帝驛送九經俾生徒肄業之地也書院刱於南唐其事至鮮我太宗於迅掃區宇日不暇給之際獎勸封殖如恐不及覬模遠矣中興五十年釋老之宮圮於寇戎者斧斤之聲相聞各復其初獨此地委於榛莽過者太息庸非吾徒之恥哉郡雖貧薄顧不能築室數楹

上以宣布本朝崇建人文之大旨下以續先賢之風
聲於方來乎迺屬軍學教授楊君大法星子縣令王
君仲傑董其事又以書命祖謙記其成祖謙竊嘗聞
之諸公長者國初斯民新脫五季鋒鏑之阨學者尚
寡海內向平文風日起儒生往往依山林即閑曠以
講授大率多至數十百人嵩陽嶽麓睢陽及是洞為
尤著天下所謂四書院者也祖宗尊右儒術分之官
書命之祿秩賜之扁榜所以寵綏之者甚備當是時
士皆尚質實下新奇敦行義而不偷守訓詁而不鑿
雖學問之淵源統紀或未深究然甘受和白受采既

有進德之地矣慶曆嘉祐之間豪傑並出講治益精至於河南程氏横渠張氏相與倡明正學然後三代孔孟之教始終條理於是乎可考熙寧初明道先生在朝建白學制教養考察賓興之法綱條甚悉不幸王氏之學方興其議遂格有志之士未嘗不嘆息於斯焉建炎再造典刑文獻浸還舊規關洛緒言稍出於毁棄剪滅之餘晚進小生驟聞其語不知親師取友以講求用力之實躐等凌節忽近慕遠未能窺程張之門庭而先有王氏高自聖賢之病如是洞之所傳習道之者或鮮矣然則書院之復豈苟云哉此邦

之士盍相與緝先儒淳固慤實之餘風復大學離經辨志之始教由博而約自下而高以荅揚熙寧開迪樂育之大德則於賢侯之勸學斯無負矣至於考方志紀人物亦有土者所當謹若李渤之遺迹固不得而畧也侯於是役重民之勞賦功已狹率損其舊十七八力不足而意有餘矣興廢始末見於當塗郭祥正所記者皆不書

白鹿洞書院新田記

虞集

南康白鹿洞書院山長柴實翁誦其郡守崔侯之言

曰昔者斯洞在南唐時學者之盛猶至數百人宋初固不待言矣及朱文公作而興之以講道其間其規約之要被乎天下學者嚮往以為宗焉此其所建立又非昔人所能及若翼之不敏假守茲郡誠不敢以學校為緩於聖人之道誠亦知所尊信而未之能學也思致其所以為教者而未之能為也然而繕其廩既使其師弟子得安於治其業顧力雖不足猶庶幾可能乎乃視學田之入而節縮其冗泛計其資之積可易民田百畝實翁之未至也教授王君肖翁實總書院之事乃能親行田視其肥磽去取之故所得皆

上壤夫侯之意王君之勞田之始入皆不可無記顧
刻其事于石嗚呼朱子之書學者蓋家蔵而人誦之
矣其於聖賢之傳為學之要本末始終毫分縷析無
復餘蘊使窮鄉下邑獨學特行之士苟能玩而習之
思而得之體而踐之及其久也猶可以入聖賢之域
況乎有明師良友相先後之討論問辯以求其正觀
感契會以推致其極者乎此其人固何待於人之食
而後用也雖然侯郡守也書院郡之學也自侯為之
者當如是耳来者其勿負侯之心也哉侯名翼之字
鵬舉燕山人歷官多美政守斯郡也二年矣通練樂

易敏勤堅信民無隱情庭無留事其用民力也若增石閘繼郡治非必當爲者不爲也是以事集而人不知擾至治初元之詔命司臬事舉天下守令之最江西部使者守其舉侯政績著明者二十五事後使者怯烈察之如[redacted]併以上御史邦人士請像侯而祠之侯亦莫能止也其得民如此王君彥金華人其大父師勉齋黃氏柴君番陽人其父師雙峯饒氏皆不忘其世學故併書之

重建白鹿洞書院記

胡儼字若思南昌人號頤庵國朝國子監祭酒

白鹿洞在南康廬山之陽五老峯之下山川環合林谷幽邃遠人事而絶塵氛足以怡情適興養性讀書宜乎君子之所棲託士大夫之所講學焉唐貞元中李渤與兄涉俱隱於此嘗養白鹿以自娛故洞因以爲名寶曆中渤爲江州刺史即洞建臺榭環流水植花木其盛槩遂有聞於時南唐昇元中立學館設主領賜經書給廩食聚生徒常數百人在當時謂之白鹿國庠宋初天下止有四書院曰白鹿曰嶽麓曰嵩陽曰雎陽學者宗焉太平興國二年知江州周述奏請九經詔俾國子監給印本驛送之皇祐中比部郎

中孫璪復置學館教其子弟四方就學者亦給其食後罹兵燹棟宇消落淳熙六年紫陽朱文公先生來為郡守覩訪其處惕然興懷於荒涼廢壞之餘重為興作堂廡齋塾頗復舊觀給田聚書招延士類表揭教條以為洞規又上奏狀請賜敕額一時文風士習之盛濟濟彬彬焉其用心之勤嘉惠學者之意見於詩賦與東萊吕公之記詳矣後文公為浙東提舉復遺錢屬郡守錢聞詩建禮聖殿并塑先聖像繪十哲像其興教遺愛若不亦遠乎越二年郡守朱端章相繼有作復撥田以增給焉興廢本末大略如此歷

宋以及元季兵燹經喪亂書院遂廢殿堂齋舍鞠為茂
草瓦礫荊蓁翳于荒丘
國朝洪熙初余休致而歸偕侍講余正安僉憲黃汝
申嘗一造焉周覽故蹟徒有感而已正統元年東莞
翟溥福來守是郡[illegible]閱志喟然嘆曰前賢講學之
所乃廢弛若是豈非吾徒之責哉於是率僚屬捐俸
入以為之倡而三邑義士葉剛梁冲楊振德等聞風
而興或出資費或助力役剗穢除荒取材傚工先作
禮聖殿大成門貫道門次作明倫堂兩齋儀門先賢
祠以及燕息之所凡為屋若干間興事於三年秋七

月訖工於是年冬十二月董其事者剛也美哉輪奐燦然一新郡邑士民莫不興歎七年孟夏監察御史昆明張公仲益行部至南康躍然喜曰能興文教郡守美事也乃擇日造其所遊覽之際顧謂溥福曰是不可以不記溥福遂錄其事来告余惟郡守若民之師師教化若政之先務而獄訟徵輸簿書期會不與馬今溥福興廢舉墜能為人之所不為可謂達治本知先務矣然必有教之之師養之之具拔俊髦而造就樂菁莪而長育俾之知明誠之兩進與敬義而偕立志伊尹之志學顏子之學庶不負先賢立教之本

旨也他日有賢若興道明德立以嗣夫先賢之教者則溥福今日興建實為張本云

重脩白鹿洞書院記

彭時字純道安福人國朝大學士贈太師謚文憲

江右名山以十數惟匡廬最勝廬山古跡以十數惟白鹿洞最勝洞即唐李渤隱居之所南唐始立學館至宋表章為書院而其規制大備於晦庵朱夫子此其所以最勝於廬山而有名於天下後世也予自始學已聞其名欲往而未暇成化丙戌冬蒙

恩歸省道過南康首謁所謂白鹿書院者郡邑學者

言曰書院距府二十里其地正當廬山五老峰下前
守翟侯嘗興復於久廢之餘今守何侯成提學僉憲
潮陽李公之志經營措置重加脩葺以去年秋始事
而以今春畢工視昔加宏壯矣予聞此益欲往觀焉
又自以違親歲久恨不一日拜膝下奚暇從容他適
哉乃不果既至家居未踰月而
召命且下中貴護往還者促行甚急予意白鹿洞之
行又不遂矣乃歲除前一日舟次南康舟人遽報北
風漸猛不可行中貴曰宜少停以待風止予竊喜曰
此乃天相予成白鹿洞之行也中貴亦喜而偕行於

六命驛吏具肩輿太守何侯濬同知譙君讃教諭君慎等聞之皆騎以從循岡阜北行十餘里乃折而西行路徑崎嶇一水凡五六渡而後至蓋其間山勢秀拔左右環拱如合抱狀前有溪上下多巨石石間刻字皆文公遺蹟背山臨水棟宇翼然東為禮聖殿又東為先賢祠西為明倫堂又西為文會堂俱有廊廡門塾制作合度不侈不陋而又繚以垣墻樹以松竹深邃清曠誠於讀書養性為宜予入謁廟祠既俯仰四顧心甚樂之但恨不得久留以遂好古懷賢之思也悵然而去去數月何侯書來屬記吳君復具事實并致諸名公

述作於余以必其成顧余不敏何足以記此雖然予既以不得久留爲恨得託名其間亦復何辭故不辭而記之曰書院之作何所始其始於前代郡縣未立之時乎學校未立而書院興理有不得不然者厥後郡縣皆有學學校之政備矣實若無所事乎書院然好古君子乃獨惓惓致力於此豈無意耶誠以學校課試遵時制士未免乎科舉之習書院敎養崇古法自可專於性命道德之學也夫科舉之習盛則外重内輕趨浮華而忘本實者有矣惟出於科舉之外而專夫性命道德之學則士習正而眞才出道明德立

無所用而不宜進可行道於當時退可著書立言垂範於來世科目得失有不足言也吾意文公昔者興崇書院其志固在乎此而今僉憲公與何侯等所以脩葺之者豈非欲學者學於此而有成然後備科目以進斯可建功立業而貽實用於天下也耶其嘉惠來學之心至矣遠矣學者尚體其心脩朱子洞規之序必窮理以致其知反躬以踐其實庶幾出處進退皆有益於名教不尤增高於廬山大有光於江右歟請以此言勸諸貞石以俟

重脩白鹿洞書院記

李賢

竊惟三代之教人也家有塾黨有庠州有序國有學規模廣大制度詳備師無不立士無不習是以人倫明而風俗美宜乎比屋可封而人皆君子之行矣斯時也豈復有所謂書院之建降及後世學校之政不脩而人才日以零替於是賢士大夫始留意焉此書院所以建也宋初天下郡縣未立學校時則有四書院而白鹿洞其一也然此書院于今為尤著者實由大儒朱文公興起之也嘗觀文公來知南康建此書院於傾廢之餘用心甚勤所以為賦為詩求記以形

容紀述之者亦慮夫歲久傾廢尚冀後人有誦遺文而感發者或能續而脩之庶復興起而一郡之士又有所造就矣此文公之心真所謂繼絕學而開太平之心也守斯土者果委靡不振則已苟有景慕前賢之志則必慨然為之而不辭也噫斯人也豈易得哉不然文公去後三百餘年郡守所更不下數十而重脩者僅一見焉如翟侯溥福是也由斯觀之則此書院傾廢之日多而興起之日少欲望斯郡人倫常明風俗常美人才常勝難矣茲有吾鄉之士曰何濬者走書至京告予曰濬於成化改元承乏南康視篆後

往謁白鹿洞書院覩其頹弊欲重脩之時提督學校
僉憲李公先見委焉乃儲材聚工屬星子知縣周讓
董其事闔郡尚義之家咸出財以助其費凡在是役
者罔不歡然効力起工於歲八月落成於明年之二
月其殿祠齋堂廡門橋垣之類或新其舊或增其缺
莫不弘其規制壯其觀瞻大非昔時之比矣行將延
師集士以振文風敢乞為記用紀其事刻之于石以
告後來予惟是書院也在文公作興之日則有東萊
呂先生為之記在翟侯重脩之日則有祭酒胡先生
為之記顧予何人敢續二先生為記乎雖然何侯之

盛言則不可拂也茲有一言告焉何俟所以重脩是
書院者蓋亦景慕文公之高風而興起也凡文公之
用心於斯者亦當體之而用心焉給田之未復若復
之聚書之未備者脩之揭昔日之教條以為洞規集
今日之士友以相講習必使是郡人倫明而風俗美
才賢齊濟見用于時庶臻實效而不為虛文矣何俟
其視此而加勉焉苟或忽之則前功盡棄殆無異於
不脩者是以君子所為必慎其始而成其終也豈草
草哉若夫是洞顛末之詳具載前記茲不復贅

重脩白鹿洞書院記

李齡湖陽人江西按察司提學僉事

南康府北行一十五里廬山五老峯之東舊有白鹿洞書院院後有崇山峻嶺騎馳雲矗而来結為院基群山環繞於左右前有三小峯峭拔奇偉如拱如揖西有泉水潺出于岩谷之間衝濤觸石懸為瀑布湧為雪浪滙為清池淵泓澄碧洞鑒萬彙折流而東經于院門而去嘉葩茂樹脩篁奇石交布於其上唐李渤先生兄弟愛其山水之勝隱居讀書於其地嘗養白鹿以自娛因以名其洞後經五季之亂故址已廢宋淳熙五年戊戌晦庵朱文公先生来知南康軍始

訪其處復建書院又上言請賜敕額及賜御書石經監本九経於其中列聖賢教人為學次第以示學者置田以贍其用每休沐輙一造與諸生質疑問難誨誘不倦暇則相與優游泉石間攄幽發粹竟日乃返一時名人陸子静劉子澂林擇之輩皆嘗從先生游焉後文公為浙江提舉復遺錢屬郡守錢聞詩建禮殿塑宣聖繪十哲像偕官僚學徒行釋菜之禮其垂教貽謀之意深矣歷宋及元屢経兵燹書院遂廢我朝正統丙辰東莞翟君溥福繼守是邦仍其舊基復構殿立像殿前有大成門右有先賢祠中白鹿左濂

溪右晦菴三先生像像前有二程張橫渠陳了翁陶靖節劉西磵父子七先生神主在焉殿左有明倫堂東西齋儀門貫道門堂左有文會堂祠右有燕息房總若干間歷歲滋久梁棟朽腐成化紀年乙酉僉奉命督學至南康翼日謁書院仰瞻其陋謀欲脩之適知府中州衎君濬抵任且在國學素有師弟子之好因以命之君乃謀於推官沈瑛知縣周讓募義民廖廷華等得穀五百斛鳩工聚材命主簿曹昇耆民廖笙高鑑教讀唐維禎董其事邑人關夙蔡義捐貲財施磚丸助力役者比比經始於是歲八月朔日以明

年二月訖工院重脩其舊復增建兩廡櫺星門貫道
橋剗除荒穢周以垣墻樹以松竹殿堂祠宇煥然一
新乃聚在泮諸生朱暉梁貴等與郡人子弟之俊秀
者講學討論繼先賢之遺教而興學於當時誠書院
之再興也興廢始末前祭酒胡先生記之詳矣星子
縣學教諭吳慎復慮是功不記無以垂勸將來乃具
其事請記于石竊惟是洞山川之勝非若禪宮道院
彼為遊觀具而聖賢遺像在是朱子教人成規在是
先儒之遺風流澤在是一郡之教化盛衰在是誠為
政之首務也孟子曰知者無不知也當務之為急若

程何二守可謂知所務矣視[redacted]瘝官怠政徒知竊祿而有玷於名教者其賢不肖何如也後之繼治者尚[redacted]於斯

重脩白鹿洞書院記

何喬新 盱江人刑部尚書

廬山五老峰下有白鹿洞乃唐李渤讀書處洞中養一白鹿故名南唐元宗始即其地為國學給田以食其徒宋興因而不廢太宗嘗以九經賜洞中學者俾肄習之來學者嘗數百人至熙寧末其學始廢南渡以來晦庵先生來守南康訪其遺址請于朝而復之

又定爲學規以示學者来學者益盛元季燬於兵燹
而書院隨廢殆盡學田多爲佛寺所據予少讀先生
白鹿洞賦及和尤延之廬山雜詠諸詩慨想當時規
制之盛渴欲一往訪風泉雲壑之樓尋昔賢之芳躅
庶有以自發若然宦遊中外竟莫能一至焉成化初
江西按察僉事潮陽李公齡因提學訪其遺址稍作
學舍又買田百餘畝又得廢寺田八十餘畝以食學
者創復之初猶未大備弘治八年嶺南蘇君葵由内
翰遷按察司僉事以董學政嘗過書院憫其隳廢思
更新之告于巡按王君元善又謀於按察使陸君珩

僉事沈君清沈君銑協圖起其廢宗室上高賢王聞
之助以白金百兩諸公又鈎較羨財節縮冗費以供
工匠之食材瓦之需乃屬劉守定昌撤其敝腐酌爲
規制中爲文廟傍爲兩廡明倫文會二堂以次居左
各有儀門以時啓閉文會之前爲延賓館東西齋舍
六十餘間經始于弘治丁巳年八月旬日至明年十
月七日始用少牢告于先聖先師而落成焉[redacted]兵部
郎中婁君性罷政家居諸公延請以興教事惟養士
之田未敷蘇君告于巡按監察御史陳君銓陳君慨
然以爲己任乃考學田舊爲僧寺所據者今多爲汙

萊廢壞矣於是收市開元寺閑田四百六十餘畝又
市泗洲寺燕田四百三十餘畝合李君所置幾千餘
畝以供祀事以贍學徒先是鎮守江西太監董公讓
雅重斯文嘗謂興復先賢遺跡非圖經久之計不可
至是亦捐已白金十斤以益市田之直僉以為百年
之廢興於一旦誠為盛舉乃具顛末今諸生黎允昊
渺求予為之記予惟諸公此舉有功於吾道甚大必
屬諸大手筆豈鄙劣所敢當固辭不欣為二生請之
益堅乃為之言曰吾夫子之道至孟子而失其傳濂
溪晦庵二先生出然後有以紹墜緒而振絕學濂溪

嘗知南康寓家湓江之上晦庵亦知南康講學玆洞之中則江右乃二先生過化之地凡一草一木皆衣被道德之光矣況靈而爲人秀而爲士者乎我國家

文運聿興

聖天子崇道以淑人心而在位任治諸公篤意斯道因二先生過化之地作爲學舍以教諸生又市腴田以養之延典教者以教之期得明睿之才以佐休明之治而已凡來學於玆者仰廬阜之巍然而興高山景行之思臨湓江之淵然而悟逝者如斯之旨尊所聞行所知斯不愧二先生之遺教而亦無負鎮巡與

在任諸公作興之意矣裔新老矣雖不獲與諸生
誦於茲然亦私淑二先生者也願與諸生共勉焉既
詳識其事而田之疆畝與稅籍之所隸具列于碑陰
弘治己未夏四月望

白鹿洞書院宗儒祠記

楊廉 豐城人南京光祿寺少卿

白鹿文廟之外別祀周子朱子及祀陶元亮李渤之
李公擇陳瑩中劉凝之劉道原其祀或合或分前後
不一稽之往牒槩可見矣憲副錫山邵先生國賢恭
捧璽書來督江右學政弭節南康亟謁洞學周視規

制乃言曰諸祀之舉當矣獨以朱子之門人高弟嘗學於此者若此郡之士李弘齋燔黃西坡灝輩獨不得與李公擇劉道原父子比乎外郡之士張主一洽輩獨不與陶元亮比乎閩中之士黃勉齋榦蔡九峯沉輩獨不得與李濟之陳瑩中比乎今視之同為傳舍之過客去而不復問焉豈所以尊道學哉於是併考之得十有四人與初一祠扁曰宗儒以朱子南向以十四人者東西向羣如文廟之祀孔子而配顏曾思孟之制既畢事乃以書報廣曰朱子門人已從祀朱子矣其為記之廣嘗移書先生亦及斯事先生謂

得我心之所同然然庶何足以知此程子有言學者於道不知所向孰知斯人之為功世之論朱子者謂其集諸儒之大成而劉靜脩有邵至大周至精程至正而朱子極其大盡其精而貫以正之說近時議朱子者復謂朱子之所集非周程張邵之大成不過如蔡元定之樂律周必大之詞章陳同父之事功暨呂東萊張南軒陸象山之長耳竊謂光風霽月龍德正中在朱子固闇然而日脩者豈集之云乎由前言之誠有過當由後言之則豈盡然也哉試以孔子論之其集大成有二刪詩書定禮樂贊周易脩春秋集堯

舜禹湯文武之大成也可以速而速可以久而久可以處而處可以仕而仕集伯夷伊尹柳下惠之大成也朱子亦然象山之尊德性南軒之辯義利東萊之矯氣質固有以焦之而太極圖通書西銘之解其義邵易程易之會其全大學中庸二程之所表章者復為之次第章句論語孟子二程之所尊信者復為之裒集發明以至伊洛微言時有辯析已精而益精已密而益密若是者謂之集周程張邵之大成殆非過也蓋吾朱子自孔子以來一人而已至十四人若於朱子之學皆有羽翼之功倡明之力合而祀之則數

百年之缺典已備矣廉之繆論朱子者如此不識憲副先生以爲何如先生於洞學起廢甚銳其招延四方學者必首諭之曰非罷十年科舉進取之念無輙過此其教條大要本朱子之舊而復提撕其喫緊爲人之語如誠明敬義者懇懇以示人晚生後進知所向方矣先生所考十四人最爲詳備多洞志所未載而朱子門人之歷洞學者其盡在是哉

白鹿洞學田記

婁性 上饒人南京兵部郎中

白鹿洞書院乃紫陽朱夫子集士講道之所士之襲

飧食有田十五頃世遭兵燹院毁田淪無籍可稽莫知
疆畝所在迨我朝崇儒重道之典興更歷多賢院創
殿廡堂齋數十楹而田則不及二頃典學憲僉東廣
蘇君伯誠督理院事憫棟宇卑隘且就傾圮謀諸侍
御王君元善同寅陸君用節沈君廉夫沈君文進乃
屬郡守劉君邦泰撤其敝而一新之楹以百計材美
工良侖奐之麗數倍於前較之淳熙之盛不多讓焉
十三郡士慕風雲集者不遠千里而來凡五百有奇
歲入租二百餘石罄於鳩工之費士皆裹糧無他貯
以給之三閱月家單不自贍者日辭去蘇君又謀

侍御陳君秉衡以養士不可無田無田是無院也適郡之開先寺僧為徭役所併稱貸不足乃出田四頃六十餘畝求售焉陳君計直償之繼而泗洲寺亦以開先之故出田求售數縮十之一陳君知為[illegible]壞償之倍其直經營貿易則潘貳守童玉林節推伯[illegible]之勤焉共幾十頃悉歸之於院以為養士久遠之需直出公帑羨餘官民無預蘇君懼世邁年湮罔保厥終乃磨石四通命予記之并列田稅籍所隸與其頃畝之數于碑陰一樹之院堂一樹之郡齋一樹之察院行臺一樹之典學分司為千萬年計也予亦與院事

者義不容辭昔崇安令趙侯彥繩取僧田二頃入於學宮使無君父者不得獨安其飽學爲忠孝者得以無營於外益脩其業紫陽頌其務一而兩得信矣古今相去三百餘年事之默相符合有如此者夫士之藉田以養道之藉士以興其義一也三代盛時野無無田之夫家無不學之人故道興治隆風動千載其後田不并授士之養無所出故院有田則士集而講道者千載一時院無田則士難久集院隨以廢如講道何我陳君有功於道也博且久矣使其在紫陽時或紫陽在今日又不知何如其頌也士之食於陳君

者不思謀道惟利祿之是謀則為虛棄於此而不如在學宫之為優也是亦素餐而已矣然士之来此者領蘇君之教必知以道自勗焉予亦不可不為之過慮也其職田事若又當謹出内之典無龠合之私庶不負陳君處心之劬矣陳君名銓秉衡其字湖南永州人由進士歷陞今職聲實在朝著書不能悉其治行之懿況此舉乾坤盛事也當垂之載籍故紀其事之顛末以待觀風者採云

武夷書院記

韓元吉 字無咎潁川人宋知建州歷官吏部尚書

武夷山在閩粵直北其山勢雄深盤礴自漢以來見于祀事閩之諸山皆後出也其峯之最大者豐上而斂下巋然若巨人之戴弁緣隙磴道可望而不可登世傳避秦而僊者蛻骨在焉溪出其下絕壁高峻皆數十丈岸則巨石林立磊落奇秀好事者一日不能盡則卧小舟抗溪而上號爲九曲以左右顧視至其地或平衍景物環會必爲之停舟曳杖倚徙而不忍去山故多王孫鳥則白鷴鷓鴣鬨人聲或磔磔集崖上撒漫飛走而無驚懼之態水流有聲其深處可泳草木四時敷華道士即溪之窮僅爲一廬以待遊者

之食息往往酌酒未半已迫曛暮而不可留矣山距
驛道纔一二里許逆旅遥望不憚僕夫馬足之勞幸
而至老氏之宫宿焉明日始能裹飯命舟而溪之長
復倍於驛道之遠促促而來遽遽而歸前後踵相屬
也予舊家閩中為官于建安蓋亦遽歸之一耳吾友
朱元晦居于五夫山在武夷一舍而近若其外圃暇
則遊焉與其門生弟子挾書而誦取古詩三百篇及
楚人之詞哦而歌之得酒嘯詠留必數日蓋山中之
樂悉為元晦之私也予每愧焉淳熙之十年元晦既
辭使節於江東遂賦祠官之祿則又曰吾今營其地

果盡有山中之樂矣蓋其遊益數而於其溪五折負大石屏規之以為精舍取道士之廬猶半也誅鋤草茅僅得數畝面勢清幽奇木佳石拱揖暎帶若陰相而遺我者使弟子具畚鍤集瓦竹相率成之元晦躬畫其處中以為堂旁以為齋高以為亭密以為室講習肄業琴歌酒賦莫不在是予聞之恍然如寐而醒醒而拍隱隱猶記其地之美也且曰其為我記之夫元晦儒者也方以學行其鄉善其徒非若畸人隱士遁藏山谷服氣茹芝以慕夫道家者流也然秦漢以來道之不明久矣吾夫子所謂志於道亦何事哉夫

子聖人也其步與趨莫不有則至於登泰山之巔

誦言於舞雩之下未嘗不遊胷中蓋有其地而一時

弟子鼓瑟鏗然春服既成之詠乃獨爲聖人所予古

之君子息焉者豈以是拘拘乎元晦既有以識之試

以告夫來者相與酬酢於精舍之下俾或自得其視

慢亭之風抑又何如也是歲八月

重脩武夷書院記

王遂 [redacted]人宋朝請大夫知建寧軍歷官華文閣直學士

國初學校未立而四書院以興名卿賢相多出其中

學之不可一日廢如此慶曆間詔州縣置學來遊日

衆孔孟之後傳說四起盈目而不流塞耳而不能決
者歷千八百年周程張朱核而剔之尊本朝安中國
爲功甚大士生是時始得其學而又得其所以學三
代而下未有盛於此者也白鹿嶽麓東湖象山考亭
建寧莫不有書院而武夷諸峰山水清美神仙之窟
宅隱君子之盤旋作爲精舍昔者胡劉之問難朱子
之講學諸生不遠千里而聚首執簡以寫天地之秘
以發鬼神之隱皆在於此而大屏如故九曲猶在徒
爲漁夫樵人之觀覿學士諸生固已隨其所學而解
散矣仁智有堂寒棲有館既已荒蕪宿草蔽蔭亦家

葺一言之教入誨於身者獨以為萬世之所宗仰[illegible]
子侍郎在家孫郎中鑑動來學之思懷肯堂之念因
精舍之舊葺治而廣大之士入能戇正樸茂而恬靜
不妄納交因妻其居守文詹滙好學而粹於文不苟
於科第就命之講說崇奖後進欣然從之遊前使者
潞公友文彭公方㠶公田以食之今大夫陳君樵子
捐萬金植大其規模以養以誨寒暑不替遂命致錢
酒以饋欲走山下以觀五曲之勝而未能也夫虹橋
幔亭固驂入逸士之所動心而四經十傳志得音悟
乃於山林有取焉何我爵祿軒冕非謏聞寡見之能

及游心於獨觀理於妙必有出於耳目思慮之表遂老矣不能起文公於既往質平生之所疑猶與里之後生誦詩讀書以傳其所未至或者天子賜歸翶翔山中得以觀杞道德寫載而歸是非大夫崇尚之意歟精舍立於淳熙癸卯備於淳祐甲辰爲之者知縣陳君樵子佐之者熊蒙詹樞云

重建武夷精舍記

丘錫 字永錫崇安人 國朝建昌府學教授

昔文公朱夫子於宋淳熙之十年辭使節於江東遂賦祠官祿作精舍於武夷之五曲大隱屛之下與門

人讀書講道其中文公之繼往開來學之心至矣
精舍則五楹堂曰仁智左廡曰隱求室右廡曰止宿
寮又作觀善齋寒棲館石門塢晚對亭潁川韓元吉
記之詳矣淳祐元年文公封徽國公從祀文廟咸淳
四年命有司廣其精舍建古心堂於外元季兵燹鞠
為茂草我
朝之有天下有司不以為意先生八世孫洵與澍慨
然以繼承為志適值
朝廷復其家洵澍各出家貲重建精舍經始於正統
戊辰五月落成於是年八月依考亭書院制仁智堂

則立文公神主以文肅黄公榦文節蔡公季通文簡劉公爚文忠真公德秀配享左廡仍扁曰隱求右廡仍扁曰止宿前為廳扁武夷精舍門庭齋館以漸而立以予兩預

朝廷纂脩而於文公諸書備見遂託以記其事昔勿軒熊公之記考亭書院有曰周東遷而夫子出宋南渡而文公生原道究之意真萬世之確論也予何人斯而敢當其所託乎竊惟道之大原出於天而賦於人人能弘道非道弘人故篤生大聖大賢俾之以斯道而覺斯人庶乎有以全其天之所賦行其率性之

道立身於天地之間而無愧於天地之心者也若吾夫子於群聖之經則刪之定之贊之述之而為集群聖之大成者也文公於諸儒之書則取之去之考之正之而為集諸儒之大成者也夫子以前之群聖行斯道於當時而夫子則述之於後世者也文公以前之諸儒亦明斯道於當時而文公則傳之於後世者也斯道之明也猶斯道之行也非有功於人而實有功於天地也而洵瀏兄弟於精舍出財力而重建焉則其尊祖敬宗之心繼志述事之孝亦可嘉也已後之人能致其嵩山景行之思而脩之治之則精舍之

在五曲者豈不與武夷之山川同其悠久乎遂書其大槩以示於來者

考亭書院記

熊禾

周東遷而夫子出宋南渡而文公生世運升降之會天必擬大聖大賢以當之三綱五常之道所寄也道有統羲軒邈矣陶虞氏迄今六十二甲辰孟子歷序道統之傳為帝為王者千五百餘歲則堯舜禹之於斯也湯尹之於伊亳也文武周公之於岐豐也自是而下為霸為強者二千餘歲而所寄僅若此儒者幾

無以籍口来世嗚呼微夫子六經則五帝三王之道不傳微文公四書則夫子之道不著人心無所於主利欲持世庸有極乎七篇之終所以大聖人之居而尚論其世者其獨無所感乎嗚呼由文公以来又百有餘歲建考亭視魯闕里初名竹林精舍後改滄洲宋理宗表章公學以公從祀廟庭始錫書院額諸生世守其學不替龍門方侯逢辰灼見斯道之統有關於世運故於此重致意焉歲戊子侯為郡判官始克脩復邑令古澶郭君英又從而增闢之乙巳侯同知南劍郡事道謁祠下顧謂諸生曰居已完矣其盡有

所養乎書院舊有田九十餘畝春秋祀猶不給侯捐田為倡郭君適自北來議以克協諸名賢之胄與邦之大夫僉然和之合為田五百畝有奇供祀之餘則以給師弟子之廩膳名曰義學田初省府以公三世孫沂充書院山長既殁諸生請以四世孫椿襲其職侯白之當路仍增置弟子員屬其事于邑簿汪君蒙且以書來曰養可以粗給矣而教之不可無師也謂余猶逮有聞俾與前貢士魏夢牛分教大小學蓋有甚歉然者既又屬余記其事將何為辭重惟文公之學聖人全體大用之學也本之心身則為德行舉而

措之家國天下則為事業其體有徒焉仁義中正之
性其用有治教農禮刑兵之具其文則小學大學語
孟中庸易詩書春秋三禮孝經圖書西銘傳幾通鑑
綱目近思錄等書學者學此而已今但知誦習公之
文而體用之學曾莫之究其得謂之善學乎矧曰體
其全而用其大者乎公之在考亭也門人蔡氏淵嘗
言其晚年閒居於大本大原之地充養敦厚人有不
得窺其際者蓋其喜怒哀樂之未發蚤聞師說於延
平李先生者體驗已熟雖其語學者非一端而敬貫
動靜之旨則聖人復起不易斯言矣嗚呼此古人榜

受心法也世之溺口耳之學何足以窺其微哉公之
脩三禮自家鄉至邦國王朝大綱小紀詳法畧則悉
以屬之門人黄氏幹且曰如用之固當盡天地之變
酌古今之宜而又通乎南北風氣損文就質以求其
中可也使公之志克遂有王者作必來取法矣嗚呼
古人爲治之大經大法平居既無素習一旦臨事惟
小功近利是視生民亦何日而蒙至治之澤乎秦人
絶學之後六經無完書若井田若學校凡古人經理
人道之具盡廢漢猶近古其大幾已失之矣當今海
宇一統京師首善之地立胄學並其文教文公四書方

為世大用此又非世運方興之一幾乎邵氏觀化所謂善變之則帝王之道可興者以時考之可矣誠能於此推原羲軒以來之統大明夫子祖述憲章之志上自辟雍下逮庠序祀典教法一惟我文公之訓是式古人全體大用之學復行於天下其不自此始乎今公祠以文肅黃氏榦配舊典也從以文節蔡氏元定文簡劉氏爚文忠真氏德秀建安武夷例也我文公體用之學黃氏其庶幾焉餘皆守公之道不貳其侑公也實甚宜公以建炎庚戌生於劍之南溪父吏部韋齋先生之仕閩也公蘊經世大業屬權奸相繼

用事鬱鬱不得展道學為世大禁公與門人益務堅苦泊如也慶元庚申歿于考亭後十年庚午彊場事起又六十七年丙子宋亡公曾孫浚以死節著嗚呼大聖大賢之生其有關於天地之化盛衰之運者豈可以淺言哉夫子之六經不得行於再世而公之四書適得彰著於當代公之身雖詘於時而公之道卒信於其後者天也過江來中州文獻欲盡自左丞覃懷許公衡倡明公學家誦其書人尊其道凡所以啓沃君心栽培相業以開治平之原者皆公餘澤也方侯創議學東平袁君璧適以泉事至閩訪求公後表

浚之嗣子彬于省長南溪建安二書院奉章齋及公
祠又以考亭遡公舊宅憬憬為語諸生小學入門之
要允以師道不立為憂既而金華陳君與司文吳會
為胄學徽嚴書孜尋文獻且欲於此繼成公志以復
六經古文為屬誠鉅典也而必有俟焉天運循環無
往不復欲觀周道舍魯何適正學一脉亟起而述續
之則天地之心生民之命萬世之太平當於此乎在
俟之功不亦遠乎俟世以德顯其任閩以化為政道
南七書院皆其再造也考亭西北偏有山焉曰雲谷
晦庵在焉俟亦為之起廢汪君於山之麓為門以識

之凡公墳宅悉從而表樹焉庶幾知為政之先務矣
精舍創於紹熙甲寅前堂後室制甚樸實慶元乙酉邑
令莆陽劉克莊始闢公祠今燕居廟則淳祐辛亥漕
使眉山史侯季溫舊構也書院之更造惟公手創不
敢改棟宇門廡煥然一新邑士劉熙實始終之殿學
之創興宋奕黃樞首師以聽華恭孫葉善夫趙宗叟
時江李廷玉與有謀焉而厚帑庚完堅茨以迄于成
則虞子建劉寶也賢勞皆可書時提調官總管燕山
張仲儀教授三山黃文仲助田名氏悉書石陰後甲
辰三歲大德十二年四月朔日

考亭重建書院記

虞集

國家提封之廣前代所無而自京師通都大府至於海表窮鄉下邑莫不建學立師授聖賢之書以教乎其人群經四書之說自朱子折衷論定學者傳之我
國家尊信其學而講誦授受必以是為則而天下之學皆朱子之書書之所行教之所行也教之所行道之所行也今郡縣學宮之外用前代四書院之制別立書院以居學者因朱子而作者最多建寧一郡書院凡七皆朱子之遊息或因其師友門人而立者也

考亭書院在建陽城西五里其始末有熊禾之記陳
義記事甚大而備然而賦入不充於廩稍而繕完不
能無踈也至正元年辛巳通守劉侯伯顏至郡且二
年矣文雅樂善以學校之事為已任知無不為文公
五世孫炘以考亭之事告諸通守通守曰是吾職也
乃輟他學之羨積得中統鈔千五百緡以屬諸縣典
史陳德敬共其事與山長朱汝舜直學張隆祖會邑
人士而告以侯意咸曰此吾黨小子願執事焉第侯
公府為之先爾翕然趨勸而共作新之加葺更造悉
視其所宜而不敢過自堂祖基亦既合矣而新作文

公祠堂先成炘以郡使者太守之命來求屏山書院記遂併求考亭之書焉蓋聞諸炘曰今考亭書院者朱子之舊宅也其先吏部韋齋之言曰考亭溪山清邃可以卜居朱子不忘先君子之言蓋至晚歲而後能築室以承其志而終身焉於是百五十餘年矣意其精神魂魄之往來猶顧懷於兹若子孫後進來學於斯者誦詩讀書求其志氣神明之所在嘉疏之薦執事有恪高堂虛室若有聞乎其音聲瞻前忽後若有見乎其儀刑思其居處思其嗜好思其言語雨露之沾濡焄蒿之升降觀感而化之者莫斯之為近

況乎鄉之遺老宿師微言緒論家傳人道耳熟心存者從容談言以相勉勗則有進有得而不自知其然者將亦在於斯矣昔者鄒魯之風所以見聞於天下後世則亦惟遇聖賢之居云耳吾何幸於考亭見之

重脩考亭書院記

彭時

自孔孟道學之傳既泯遠于有宋儒先輩出得其傳於千載不傳之後可謂盛矣然而著書立言繼往聖於已遠開來學於無窮功未有盛於朱文公先生者也先生鍾元氣之會具希聖之才早聞濂洛緒論剛

大肆其力以探洙泗之淵源故其為學博文約禮兩極其至用能包羅天地囊括古今貫徹乎人倫物理遂兼六經四書與先儒之所傳述者而推明之而訓釋之而折衷訂正之闡幽發微示天下後世以大中至正之道使學者循之可以入德措之可以成治而無異端他岐之惑其用心至勤且遠矣自孔孟而下諸賢明道立教之功邈乎無與並者是宜為斯世文教之宗也夫宗其教誦其書以致景仰之誠固當無所不至而況居處講習之地乎建陽之西里有地曰考亭實先生之故居也當其時四方來學者衆乃於

居之後別建滄洲精舍為講授之所厥後理宗尊顯道學御書考亭書院四字以揭之歷元至今屢備屢壞天順壬午監察御史安成劉君釪姑蘇顧君儼同過而致敬焉慨其弊壞欲重新之時建寧推官吉水胡君緝蒞郡政首捐俸為倡先生之八世孫洵出己貲以為助於是興復如故中為堂前為廳事後為寢室俱翼以廊廡而庫廩庖湢之所則於寢室左右附焉居之前舊有池池上有天光雲影亭亦已燕廢至是併新之榜以故額亭中立石以半畝方塘一鑑開之詩刻焉事方就緒而御史劉君以代去其兄鉞自

兵部職方員外郎來守建寧因喜而力贊其成又明
年監察御史餘姚魏君瀚按治過之益加嘆賞且戒
工亟完之不旬月而工告畢至君經營於始則胡君
之功居多也胡君馳書來京屬時為記竊惟建之考
亭猶魯之闕里也孔子生於陬邑及長始徙闕里後
世致瞻仰者惟以闕里稱焉先生生於尤溪晚乃定
居考亭則考亭之關繫亦重矣今諸君協心於考亭
書院之興復者豈非以先生得孔氏道學之正傳為
萬世所宗仰而此其聲跡之地所當崇重而勿廢耶
能勿廢之以復乎舊觀則先生道德之容儼乎如在

其上者猶可想見矣繼自今遊處於是者尚當起敬起慕學其學心其心循其軌範以進於孔孟之門墻庶幾脩己者有其序洽入者有所本而道德之成功業之建可期矣夫如是然後無負於先生繼往開来之教也詩曰高山仰止景行行止其斯之謂歟諸君拳拳於興復書院致力如此蓋知景仰先賢而嚮往之者也因書此以告庶来學仕處於是者皆知所勵云

建安書院記

王遂

淳祐三年夏前建安太守王公移書今郡守王遂曰埜嚮普受命也上之訓辭曰游胡朱真流風未泯表宅里以善其民則予汝懌埜再拜稽首天子之所以命者敢不敬謹入郡學則游公御史胡公文定之祀於鄉先生有年矣惟是朱文公聚學考亭之下其在周程猶孔子之得孟子元年春駕幸太學命徹王安石之祠而祀周程張朱則文公之宜祀也較然而真公退居遷陽十年篤意文公之學不下及門之士詔參大政而没賜謚文忠邦人所共惜也乃臨北津築祠以祀文公而文忠媲之並祠而立齋舍因室而營

書院上許之山川之明豁風日之清美可以迎前脩而來後學其工役之大小興築之多寡則已戒吏而飾之費獨埜不及記其事而落其成徵予無以遺後人曰初公之未奉詔也以廖公德明之門人鄭師尹為賢而闢館迎之尤以蔡公元定之孫模為賢而移書致之使校朱真二先生遺書會書院成請蔡君與教事其敬之者至而愛之者深矣適公入覲鄭以故歸蔡亦憂去士不能不觖望後兩年頃公寅孫攝府事因其不能致者而致之公時居發又以蔡屬遂既至請撥田于朝以為之食別葺孔子禮殿於西而趺

坐以爲之祀而力未及也抑早歲幸讀文公之書長不登其門於文忠則嘗預聞乙亥救荒乙未得士之盛其大經大法一言一行得諸心存觸諸目擊今居是邦不能是師是學而徒欲發揚其美何居抑聞之教學相長也道義無窮也前之作者非有餘後之繼者非不足也道在天地間亦各盡力以求諸心而已自孟子後千七百載之疑更諸儒講説之衆文公不取諸言論之間而驗之躬行之實不索之想像之末而察之義理之精四書之訓爲世標準入朝三疏能動孝宗之聽而不能不困於邪説之横流求放心一

語先帝之所深知而不能不惑於僞學之明禁肆我
聖上褒崇德學可謂建諸天地而百世以俟聖人也
已文忠初年以言語文字受知當宁布政方牧事業
偉然不幸讒說廢放退而講習皆本文公衍義一書
君人之槼矱在焉所謂論諫本仁義而煥如丹青者
矣然二先生之門多有論著無非天理人心之正倘
已治人之方王公已刋之祠宇而門弟子少有存者
惟蔡君爲巨擘誠帥諸生用力於四勿盡心於一貫
持敬於端莊靜一之中而致之於學問思辨之際雖
師亡而道遠學在而文存容詎知後之所作者不有

盛於今耶此聖上所爲風厲之意王公所爲屬念之深而尤有覬於四方之來學者也遂以是操簡執筆而不敢以固陋辭

紫陽書院記

諸葛泰 金壇人宋從政郎徽州州教授

淳祐六年徽州紫陽書院成明年淮西總領上饒韓公補移書金壇爲泰言曰余之守徽也紫陽之地未及闢而書院未及葺也踰年即江東道院舊基而創焉前爲祠堂坐文公像於其上勉齋黄公榦西山蔡公元定侑之乃爲堂中揭明明德三字以來學者六

齋並設書樓立其前披雲閣峙其後庵湢廩廡左右夾置所以尊師道而昭地靈也聖上表章六經親灑宸翰作紫陽書院四大字以賜守臣雲漢昭回江山焜耀植碑亭於門之左設宸奎閣於堂之陰其尊君命而侈上賜者厚矣抑學成制定而登載無所或若其何以尊顯前聞闡道後學乎泰愧不敢當顧生世已晚於文公之門無復從游之舊獨嘗披讀其書招來其徒薄游建安竊論其學而未能深造自得何敢僭以承命夫樂樂其所自生 禮不忘其本紫陽者非韋齋吏部朱公之所自生而 文公所為不忘其本者

乎吏部少居婺源游於郡學登是山而樂之其精神
志念之感未嘗一日忘也因從宦而寓尤溪刻紫陽
書堂印章以示懷思文公以吏部之志從崇安潭溪
之上營晦庵於建陽雲谷奉遺命從籍溪胡公草堂
屏山二劉公以學近質於延平李公侗而遠交於南
軒張公拭歸築精舍於武夷最後作室建陽考亭四
方之學者咸聚而名其堂曰紫陽書院所謂正丘首
而營菟裘者意有在矣自嶽麓廬山本書院之舊而
濂溪建安延平考亭其建立次第則因文公之學而
作焉皆有御筆照臨其上然未有若紫陽營乎東南

江流上下山川之美卓然於一時者吏部所未及登也吏部當紹興初力排和議大明正論固已開壬午庚子論諫之源學莫大於三綱五常而綱常莫急於忠孝其仁義禮智之論與夫惻隱羞惡辭讓是非之端皆由是而之焉者也經行遺愛一草一石皆文公感念之所故庚午歸發源省拜墳墓宗黨丙申與蔡元定再至游從數月其鄉人子弟必有躍然興起者其於鄉校記書閣以著易詩書禮春秋之盛記學祠以侈濂溪明道伊川之美則隨其資禀循誘不倦有非筆舌所能盡者矣然則徽之學者當以文公為始

而學文公者蓋自吏部始夫宦屑屑於科舉以釣聲
利而已自心而得謂之性率性而行謂之道堯舜禹
文之所行是也以己而從乎人謂之學以人而資乎
己謂之問錄孔顏曾孟以至本朝周程張氏之所言
是也其行道立言豈但一事一理之合於是而已哉
道之統學之的在乎以朱氏為師法而已則夫游乎
書院者沉潛乎四書之妙玩味乎易詩之秘涵泳乎
太極通書西銘之解而終之以通鑑綱目讀書者與
理一則養心反身而持之以敬油油聖人之歸豈復
他求請即是以復明問而使來者學焉是則文公之

教與韓公之設書院宜偶然哉泰固不敢受於言也

淳祐七年八月既望

徽州重建紫陽書院記

方回 字萬里歙人元建德路總管號虛谷

紫陽山去古歙郡之南門五里而近故侍制侍講贈太師徽國文公朱先生郡人也合山與人稱曰紫陽夫子若洙泗先聖然此書院之所以作而名之曰紫陽也始郡守上饒韓公補作書院在南門之外倚山瞰溪陟其門朱榜金書折旋過風泉雲壑軒拜夫子祠趨而横入左右齋廡中而肄講為明明德堂前為

書樓後為宸奎閣而其上又為披雲之閣閣之後為穹為大成殿更六政而後大備紀有文刻有圖傳於世至元十三年丙子冬去始作時三十有一年矣鎮帥設險固圍撤城外凡屋為柵郡撤俾遷於南門之内江東道院實古郡學遺址也諸生綿蕝妥靈明年建祠於道院而為外門十五年按察使者至謀諸總府以書院地與古郡學地兩易以溪山偉觀為明明德堂而書其額得前進士汪君一龍曹君涇為之師前貢士許君豫立為學正相與撙縮租入以其年冬經始興復得經歷趙君仲璋與今治中汪君元龍白

總府皆捐貲率同僚爲助而士亦醵泉相役乎浹亢
畢據亥揖巽爲先聖廟前門後殿各三楹而崇祀之
廡各倍之講堂東西齋廡之數視廟制而在其西又
西偏是舊重屋爲三以大其門又別爲小重屋三面
水西山以倣披雲之舊服具器備以十七年仲春丁
祭告成於是諸生相與言曰昔之書院西向挾紫陽
山於其左今之書院若廟若祠若堂皆南向得紫陽
山之正學者俯而讀仰而瞻由是以想夫子之步趨
聲欬將必有得其正傳者庸詎知書院之遷非風氣
之所宜乎然回間之土有廣狹勢有向背棟宇有隆

殺儀文有盈縮皆物也有不物者焉先聖有言殷因於夏禮所損益可知也周因於殷禮所損益可知也其或繼周者雖百世可知也尚忠質文建寅丑子可以隨世損益曰綱曰常百千世一也則何損益之有古之祀也以尸以主而後世肖形以象之古之坐也以席以几而後世高座以華之古功臣與食於大烝而後世享先聖也以其門弟子及賢者侑之漢孔廟不出闕里許天下建原廟自唐正觀始唐釋奠惟侑顏子加以孟子自宋元豐始宋初止有四書院詔郡縣皆立學自慶曆中始近世所在有廟學書院而又

升曾思之侑自濂溪至東萊俱列從祀而又無不專爲之祠蓋從令尚損與古違世也抑所謂雖百世可知者亦能從而損益之否乎回嘗陟古兗之郛觀魯之泰山與洙泗之水而識孔林之所在漢高祖引天下兵至而聞絃歌之聲魯恭王欲壞其宅而得科斗之書卒全護之歷世無恙歟令魯也紫陽令洙泗也夫子之教百世千世與紫陽不朽士欲與之俱不朽者其亦有道矣文足徵也獻足徵也五典五禮六德六行待其人然後行天地之常經古今一日也至元十八年八月望日

重興紫陽書院記

陳浩[redacted]

紫陽書院三燬三復紀年一百三十斯亦天道一阨也一燬再燬茲不復紀三燬於西江彭黨一鬨不存彼方豕突陸梁於江漢吳越安知紫陽夫子之道在生民如菽粟布帛不可一日而無者固將與天地日月相為久長是燬猶不燬也文運重開

聖人龍飛淮甸所附城郭必先學校次及廟宇無一不新而紫陽書院豈可後耶然倉廩歲入僅足兵食時固有所不逮不有學道者出不倡善於一鄉一里

孰能興先哲之廟食使千載如一日焉於是徽士唐桂芳請於部使者黃公庭桂卜地東門適走里豪鵠材僦工九六閱月而成殿三楹兩廡三門衣冠肖像煥然可觀主者郡守魏琢董役者縣丞胡拱辰贊助則前山長張璲也又虞院之左方以俟他日有為于惟紫陽夫子道貫兩閒派河峙岳雖牛僮馬走皆知為大賢君子此固毋庸多喙但院之三燬三復必由一百三十年者豈無謂哉蓋紀元者必以十二萬為一元以九千六百年之餘為元閏紀歲者必以十二月為一年以氣盈朔虛之餘為歲閏茲院之燬興不

一百二十年必一百三十年天道至此豈非一阨閏物已往開物其兆於此乎吁爲天道者至此否而泰爲人事者至此窮而通爲文運者至此晦而復明也歟此紫陽書院所以興紫陽道學所以明桂芳其有功於名教也不既多乎

重脩紫陽書院記

唐仲（一名桂芳歙人號白雲 國朝紫陽書院山長）

郡縣古未有書院也始於白鹿嶽麓者四風俗清純圜冠方領之士往往依山林即幽曠以宮以田以講聖賢之絕學蓋不以科目得失累其中邃道義而薄

詞章則書院之設廢廢弃不可尚也漢東胡侯善稚
才碩德嘗貳臨川典衡陽政稱神明元年春朝
京考功奏為東南最特拜新安守以衡陽未滿代也
新安股肱郡意嚮甚侯下車未久葺壞植仆廢精致
治一日伏謁徽國太師朱文公祠下顧瞻棟撓風雨
欲壓詰諸生興創之由諸生羅列進曰紫陽書院三
燬三復一燬再燬茲不復述三燬壬辰濁亂莽焉荊
棘之墟庚子部使者黃公庭桂挈卜東關鳩材就工
閱六月成協謀知府魏琛歙縣丞胡拱辰董役則張
[illegible]唐仲也後八年仲已退于郊侯念之不肯貟命者

老仇榮輔齋府檄就隱所委職祠吏明日躬詣黄堂辭謝不報時縣丞趙普覺肇以重建爲巳任祁門縣丞吴子固適來攝邑事賛襄弘多初穆陵宸翰出兵燹之餘淪落山麓水涘普覺率丁壯數百縻以長緪載以巨木轆轤軋軋歷險弗循如蹴平陵於是宸翰屹立大門之内士民聚觀摩挲游息侯益以倫堂之楹鷯昂鱗次黝堊塗墍乍左乍右輪奐一新俎豆揭虔牲肥酒冽神其肸蠁濟濟從邁莫不咏侯之賢如魯僖焉諸生請曰子稔知顛末可碑之以文仲竊謂聖賢之道與元氣相與久長時有隆汚元氣未嘗不

貫其中時乎東遷彼一庚戌也時乎南渡此一庚戌也夫子不生萬世綱常何以賴文公不生箋註諸經何以明我新安闕里紫陽爲山之重吏部韋齋先生寓閩南印章曰紫陽書堂文公曰紫陽書樓皆不忘桑梓也二先生尚爾宜後人尸而祝之以爲講學之地也嗚呼文公之道覆燾天下若菽粟布帛豈可一日無者矧遺風餘教猶未泯乎繼有作者必有感於斯侯字明善構鼓樓警昕夕浚陂閘虞旱暵衡陽臨川屢建廟學興石鼓書院自有記不特書是年丁未十月

紫陽書院增置學田記

唐元

學校之設舊矣其教焉養焉皆三代遺法也文備成周菁莪樂育洋洋德意為士何修何幸逢斯辰風教陵夷群居弗養趍遊說揣摩捭闔迷本失真嗚呼斯文在宮壞曷可一日廢哉歷炎劉而瀛而奎漸追古典至慶曆則天下郡縣皆有學有田禮義浸灌河嶽發祥而七大儒繼生盡啓群聖關鑰幾復三代之懿我文公先生其一人焉異時與門人高弟陟降星埡卜居未果神遊故都山川草木尚有餘耀今書院

曰紫陽從先正志也始創於城南隅則韓侯補魏侯克愚爲之也再遷南阜則山長張公炳爲之也百年舊制輪奐翬飛廩稍未充延佇方來後至元三年郡守嘉議公忽先慨然自任命天台楊某直學吳國英節縮浮費爲市田圖歲會其贏得錢以貫計若干既而教諭蔣某攝書院事與直學貢某積貲益加又得錢以貫計若干買田三十畝有奇爲養士之助公勤懇篤至弗啻視爲私家事前所罕有贊之者知事張侯爲有力是不可無述元謂蒐財庀工以据高明凡隸于學者皆可居焉也拓疆增庾以食其徒凡以儒

名者皆可進焉也孟子曰誦其詩讀其書不知其人可乎知其人者知其心也先生之書具在讀其書而知其心又以知先生集賢聖之大成也二三子其務學哉公西域人果毅有才畧嘗為部使者用法平允方大新孔子廟以雄特稱從事張侯三衢人由科第起家以文行著于時履畝宣勞則程元道姚廷用張珽孔彬孔榮也

重修紫陽書院記

唐仲

允有天下郡縣莫不興崇廟學獨宋初稱四大書院

歷茲以往殆紛紛矣或父母之鄉或講學之地或仕
宦懷其遺愛則尊而祠之尸而祝之以示不忘意有
攸在也齊國文公以真知實踐之學紹聖賢不傳之
緒其性理精微著於六經四書出處大節編於年譜
不復書書院顛末特加詳焉淳祐間理宗賜額紫陽
書院一建于城南門知府韓公思軒魏公靖齋也再
遷于南阜山長張公仲文也三遷于東關僉憲黃公
德芳知府魏公均祥也自庚子迄于己未二十禩矣
知縣陳侯則威哻哻儒者也洽始惟勤役力有方以
尊以庭以協吉日縣丞鄧侯循理業許以為己責陶

瓦堅緻伐木孔良中堂靚深盡除朽蠹斗拱四出清風樓簷雨廡樹之欄楯屹立三門輝映翼翼言言公具玄袞金龍蜿蜒顛藻薦馨不諂不瀆一日邑教諭仲玉訓導俞希尹汪子實奔走來乞文仲曰文公書院有四建安考亭仕宦之邦也崇安武夷講學之地也婺源晦庵父母之鄉也殊不知其先府君吏部公諱松號韋齋尉尤溪而文公生雖轉徙不常其寓南閩婺源本歙黃墩之世家也所以韋齋印章曰紫陽書堂崇安甥館曰紫陽樓意公父子拳拳不忘山川鍾秀其神必靈幽明一致其魂必歸故曰曲阜夫子

之闕里也紫陽文公父母之鄉也則專而祠之尸而祝之其制禮之當然者也侯由胄學發身秉性剛決不屈於物廉以養心忠以報國下車以來民懷其愛吏畏其威所謂烈丈夫者非公其誰耶其可敬也已其可歌也已

重修紫陽書院記

周洪謨字堯佐長寧人號箐齋國朝太子少保禮部尚書

紫陽書院舊在徽郡南門五里宋淳祐中郡守韓補創造理宗御書院額元至元中郡守魏克愚遷門內之江東道院後以齧於水而遷於南阜元末燬

國朝洪武中重建於欽學之右舊則西向今則東
而與紫陽山為正應書院為徽國朱文公設中為祠
肖公像有司歲嚴祀事而以黃勉齋蔡元定配食堂
之前左右翼兩廡又其前為重門堂之後為學舍若
干楹以棲講學之士於乎講學所以明道也道在天
地間歷萬古如一日三皇二帝夏商周之君天下莫
不以斯道而立人極至周末而否天乃生素王孔子
使明群聖之道以師表萬世於是刪詩定書脩禮正樂周
易以贊春秋以作未幾而阨於楊墨鄒孟氏力闢之
自漢而下斯道又阨於佛老至宋周程張邵者出始

能即遺經以發明道奥攘除異端逮夫文公則又兼
諸子而集大成千載之薄蝕者炫然以明百家之踳
駁者粹然以正皆公之功也今夫九州萬國及海外
諸番若高麗日本琉球交趾之類皆知尊公道學而
沐公教澤況其鄉黨縉紳之士得不仰而慕之乎此
書院所由設也是不惟潔俎豆以報公之功且有以
激後學觀感興起之志其有益於風化殆非淺矣自
國初來有司累葺積歲既久而圯滋甚同知張英謀
之知府王勤通判婁琮推官楊宣知縣王鯨相與協
圖理肇工於成化十六年九月落成於明年二月

二日乃遣人求筆其事於石以示來裔若夫嗣葺之使益遠而益新則有待後學崇儒重道者成化十八年六月

湛盧書院記

揭汯

齊國朱文公講道於建寧而楊羅李之道愈尊劉蔡之學亦顯其徒若黃若真若陳若李皆得以表於後世天下崇尚其道尊用其書凡師友游息問辨之地皆建書院起於文公之祠堂在縣治之右七十步至正十六年福建行省參知政事阮公德柔同知建寧

路時因其址而拓之中為講堂北為文公祠祠之南為展禮之庭堂之南為泮池而梁其上翼以兩廡又南為大門堂之左為燕居門之右為興文神祠門之左為參政公祠以面湛盧山故名曰湛盧書院明年閩海僉事般若帖木兒行部覆其事而嘉之俾請于朝二十二年得請而賜額明年署羅文諒為山長遂来請記余嘉其請曰惟文公之道孔孟之道也孔孟之道二帝三王之道也松溪之人能服行文公之道唐虞三代之人矣今之書院昔為祠堂不過朝夕企仰以致其慕而已今也列為學宮有訓迪之師焉有

講誦之友焉當求文公之微言與論而推明之追文公之善行懿德而懋勉之日有所進月有所益庶乎文公之道在是而不負朝廷尊崇之實意與夫參政作興之初心何其幸也

大同書院記

林泉生 字清源永福人元翰林直學士知制誥謚文敏

孔君師道尹同安之明年政平民信乃謀其邑人曰昔先正朱文公主是邑簿民至今稱之今

國家表章理學凡文公舊所講習之地悉為立學設師弟子負闕中最盛同安獨闕焉非所以致尊崇也

吾將興舉墜典何如衆欣然曰唯命乃卜邑學之東偏相土之剛度材之良弘宇峻陛列廡崇堂建禮殿以奉先聖作戟門于殿之外又外為欞星門殿之後作別室祠文公以鄉賢樸鄉呂先生大圭配講室齋序如邑學既成名之曰大同書院泉郡上其事於憲師二府適覃懷許公為閩海憲使即為上聞請額于朝以列學官邑人榮之他日師道遺儒紳張與學以書來求林泉生記之予嘉其能因民所尊信者而興學立教有循吏之風記之不辭按傳文公弱冠登進士第授同安主簿即從延平李先生問學往復從遊

若干年盡得濂洛要領篤信力行悟契古道在同安
教人必以格物致知為言盡斷然以聖賢之道自任
人亦斷然以聖賢之道期之今去之二百年矣予嘗
過同安觀所謂高士軒者文公之所作也古老相傳
弊則必葺俾勿壞同安多古碑刻凡朱子所撰述者
邑人能成誦之彼豈為虛敬哉誠之感人者久而不
泯也不然簿之為官微矣何二年之績有百年之思
乎余嘗讀朱子之書而得其所用心者則嘆曰嗚呼
心公天下學資後世宜其身沒而道彰世遠而言立
也夫孔子之道至孟子而無傳兩漢以來學士大夫

孰不欲為聖賢哉窮理盡性之無其師則知者互異愚者昧焉大道荒聖門塞則強者爭歧柔者畫焉寥寥乎有餘年天生周元公於舂陵生二程於河洛生張子於關中相先後以為師弟朋友傳心講道上繼墜緒燭幽啓鑰盡破群疑孔曾思孟久湮之言一旦皜皜行乎天下天下始知聖賢之可學六經四書之可信也觀太極圖通書易傳西銘等書皆極性命道德之蘊非東周以後之文也四子之有功於斯道大矣及龜山楊氏載道而南再傳而得朱子朱子又有功於四子者也蓋歷四子之書廣大弘博初學不知

所入嘗與呂成公采周程張子之言作近思錄聖門近思之教至是始發之朱子之序有曰使窮鄉晚進志學而無師友者得此而玩心焉亦足得其門而入矣嗚呼即斯言也可以見朱子之心矣夫天之生人無窮而生聖賢則曠千載而一二焉人不可一日而無學聖賢不可待而師也朱子有憂之故述古成書垂前聖未發之蘊開後世入學之塗使聖賢不生志道者得由書以悟入非小補也嘗慮人無小學之功遽入大學矯揉致力鮮不憊矣故作小學書使洒掃應對之童服習忠信孝弟之教禮閑情欲學變氣質

則其成材也易又慮學者以大學為大不可升以中庸為幽深玄遠不可能以聖賢為天資之高不可到則亦自棄而已矣故作四書集註章句或問使學者持敬以入大學則格致誠正脩齊治平皆一理也由謹獨戒懼以入中庸則始於日用常行無過不及其至也天地位萬物育焉學顏子者自無間斷始學孟子者自求放心始故切切以為訓使致力於是者知聖賢可學而到也不惟此耳其他凡所著書欲學者以約得之則用力專而成功易吾黨小子受其成簡可以進道敢忘先儒用功之勤乎予所謂心公天

下學賴後世者此也今朱子之書布滿天下而戰國
秦漢後百氏詭言不攻自廢天之興起斯文必自此
始因同安尊崇朱學故詳爲之言或者因予言而有
得焉不徒祠而祀之之爲崇也師道名公俊孔子五
十三世孫也閩海憲使魏國文公之孫從先宣也聖
賢之後克濟世德又於是復見之可以書書院作於
至正十年之夏成於十一年之秋記於十六年之正
月邑諸生王芳孫謝宜翁孔克原郁璋邑吏林英皆
服集事附列記後云

重建文公書院記

任士林字叔實號松鄉四明人元安定書院山長

尚論先王之制黨庠術序遠矣唐詔天下置郡縣學厥後四書院之名特聞宋慶曆熙寧學校寖盛處士之廬遂廢建徽國朱文公始復白鹿洞之舊祀孔子始開元禮尋創竹林精舍升曾子子思以配孔子以周程張邵司馬李延平七先生從祀是即諸儒講道之地以立書院者益衆文公既沒凡所居之鄉所仕之邦莫不師尊之以求講其學故書院為尤盛其徒不事月書季考所習皆窮理盡性之藴其官在郡博士之上其廩官給之田或好義而多貲者請自給世

祖皇帝混一區宇郡縣學益崇且修頣以力創書院
者有司弗奪其志部使者加察詳焉行省設官以主
之其選視學正錄皇上嗣大歷服播告中外勉勵日
加明年置各省提舉以敦教事永嘉陳君友龍以朝
廷首選寔來江浙始至起士林于家俾復文公書院
於奉化之陽士林載拜承命奉公牒以白諸州州刺
史而下翕然曰請如牒昔文公提舉浙東常平日循
行台溫郡泊州奉化之龍津長吏率諸生請講書于
學宮景定初橋洲姚公斋得建海聞敬齋謝公昌元
方在幕府出籌畫前進士李君濡舒君泌童君幼該

請立書院于津之左聚徒讀書其下榜曰龍津書院尋遷廟學東偏至元十八年改扁文公書院山長李芝皓王磁主之既亦廢弛先是前朝請大夫趙公崇爇有志改築卒不就檄下日其猶子必英圖寶廉山以進其婿前太學博士陳先生著覼示之於是州達魯花赤察罕知州事李侯炳與其貳犀侯癸李侯居安議允協其屬咸君涓鄭君元均賛甚力以工給其役以吏董其事木石之費一不以侵官士又明年祠宇成奉遺像行舍菜事凡受學士林而志于立者咸願爲之徒鄉人士亦樂以義廩三之一爲之贍州若

府狀其實于所部于省斯其成矣噫嘻夫子之道散在六経綱領在四書千載之下說益支道益遠子朱子者出諸儒之論始定今天下一家學者無科舉之累取朱子之書而讀之君臣父子之綱身心家國之目體用無該本末一致其不爲世道深繫乎余不得爲朱子徒也余私淑諸人也今而後獲與二三子周旋矩範之下詎可不知其所自邪或曰州刺史之功刺史不有曰是惟陳君之力陳君力足以任斯文之寄而不屈於貳道足以起學者之慕而不閒於欲故刱置書院凡九所復界潤宜興隸學之田萬八千畝

皆事之著者予不得槩書之云

太師信國朱文公褒封記

方琳卿[redacted]人宋徽州司法參軍

國初五星聚奎肇開文明之祥代生偉人羽翼斯道其振微續絶集衆美而大全者實維我朱文公之功皇上臨御之三年益崇儒術以公所著中庸大學語孟觧有補治道親灑宸翰贈太師追封信國公徽爲道德鄉命下之日衿佩闤闠相慶于學於是繪冕服像如鄒魯乃吉蠲拜祠下琳卿爲文以告焉儀形若存爵數有奕卓哉織乎盛舉也禮既行或問昔我孔

聖再造彝倫功被萬世然皇皇環轍不遇于時晚而著書泰火厄之漢興過魯祀以太牢封其孫為奉嗣君自是諸儒推明其業時君表章而褒崇之典猶多闕也乂乃謚為宣尼公又謚為文宣公謂宣尼以字為謚無取焉爾大象啓鄒土之封乾封隆太師之秩開元更以王爵至我朝乃冠以至聖夫孔子之道如此其大也功如此其巍也彰隆名植徽稱猶如此其遲且難也今文公之學以正心為入門以居敬為實地以正人心闢異端明道立教為事業此孔孟傳之文公者也歷事四朝翔而後集入講經帷君有嚴師

出秉麾斧民有慈父道未爲不行時未爲不遇也雖
正道晦蝕於權姦當國之時而復大明於嘉定更化
之後公去今來久肯堂之揩子踐寢之名派皆駸駸
顯用矣謚而贈贈而封視孔子又易易然何邪願聞
其說且紀今之成以爲此邦不朽之榮州卿欽維離
帝而言曰天將啓太平之運其君臣必有崇師重道
之心者十數百年自漢以來狃於黃老申韓之習雖
明君賢相猶甘心焉百家殊方指意不同未有眞知
聖人之道者千數百年間治少亂多由此故耳方今
帝學日新緝于光明股肱惟良將順其美如舜禹皐

如湯伊萊見聖知聖以心合心故能修遺文於簡冊
發潛德之幽光胙之有邦尊之維垣豈為過乎而此
觀之道運之未興也孔子之爵謚曠代而始定道運
之既興也文公之爵謚一旦而遽崇聖賢何所加損
而治之隆替不古有矣吾君相尊文公所以尊孔
子也吾學者學文公所以學孔子也體吾君相之心
以深潛孔子文公之心學者皆得師焉儒術行師道
立三綱以張五常以明九疇以叙萬物以育太平之
治可以立致將天下萬世是賴豈徒為此邦榮雖然
榮莫榮於此邦也太史公適魯觀孔堂車服禮器低

回留之而不能去其將有登斯堂瞻斯像低回留之而不能去也夫皆曰敬書以告來者寶慶丁亥夏五月朔

重建紫陽書院記　續集

羅玘（字景鳴南城人　國朝吏部右侍郎前翰林侍讀）

徽之紫陽山鄉先生徽國文公講學處也後人作院祀之國以山名宋穆陵特賜額焉然發遷矣入我國初始得遷于歙之學以向是山隔僧寺其後勝滅于寘望氣者言宜院於斯實面于主士後當有光天下者正德庚午冬豫章熊侯來知府事拜公院下曰

是弗稱出而望得寺焉曰可院也推官張鵬以御史
洗君圖而弗果告侯狀上之報可侯喜徙僧撤寺而
始事之越壬申三月院成則中爲祠像公左則勉齋
黄公配西向配後定宇陳公林隱程公環谷汪公亦
西向右則西山蔡公配配後雲峯胡公道川倪公東
山趙公亦東向祠之兩廡祀生于徽之賢者曰企德
之堂西向堂後有講堂曰尊德性爲南向祀仕于徽
之賢者曰遺愛之堂東向堂後有講堂曰道問學爲
南向凡講堂四周皆棲士之舍祠階之前爲道矩爲
三廉拓中爲臺臺下爲方塘雙泉灌之名曰活水以

石梁之貫于道以屬于內門之外其前以穆陵賜額
鐫諸石豎其內從公之石刻豎院之諸文亦從焉豎
之其道貫于外門之外爲衢道迤過之少曲爲坊以
院名大書扁之偉哉勝自天開哉鄱人士咸訝倏然
得是奇觀哉而曰役之不我及何哉侯又喜曰可教
也乃拔七校士合四十人入肄其中釋菜與開講差
廢諏卜矣百需於俸餘資無虧糧矣殿最於聲實徵
絕釣采矣自是聲教日彬彬乎其盛矣迺癸酉秋士
多領賢書試南宮入
廷對第一人者唐皋也繄侯作院崇公推公之教教

人公亦默乎化機其神矣乎而言機祥家者侈為奇
應侯不謂然獨德鵬與繼鵬張應祺曰微一佐吾幾
息而止矣侯名桂字世芳前大理正有聲在徽以師
師自任而其效若此有氏人馬者其有激也夫侯走
院士陳有容越湖山來督記予於留都羌受狀遡發
而次其事為記授之歸俾勒焉以告于世世

復紫陽莊基序

唐元

先庚戌而生者孔子也後庚戌而生者朱子也道統寔有關焉歸魯之優疆者仲尼也歸紫陽之優疆者唐侯勲庸有足紀焉嗟夫天下萬變之機日過乎吾前而吾心自有一定不可移之見所謂一定不可移之見以理為之準則也即事論事則如拖言蝋貌適足以文其姦即理論事則如覆盆之下容光必照今紫陽之莊基是也惟我審堂前代太守思軒韓公創之靖齋魏公繼之靖齋之父鶴山先生與西山真先生號南北兩山皆

宗文公之學克承父志故於紫陽特加之意賈田刋書
悳至濮也佃甲與臺之役也始而事主擎跽曲拳終而
叛主操戈入室春秋書三叛人與夫竊寶玉大弓事
雖小夫不倫叛主之惡亦無少異宅爾宅田爾田書
堂業也今乾没之以爲已有天其可欺哉雖拏其庭
掃其式亦不過也昔魯仲連嘗謂人曰所貴於天下
之士者爲人排難解紛也平原君欲以千金爲壽而
仲連却之故有萬世之知衛諸所以能成不賞之功
後世稱誦不已然則昔人所謂天下之士者其莊公
門矣惟公文足以善化頑足以厲俗仁足以及物智

足以摧姦以是施之百里之間一洗往昔臨民之陋習神鑒其衷有孚盈缶於學田僅一節耳由是以推其餘其允合於人心興墜而起廢若何翅百千也夫砥礪以剸犀兕者其鋒不可犯仰觀群流者惟金石而為能循良志伸貪夫吐舌其舉甚盛也余老矣幸忝宗盟末諳一識輒為引首以寓贊美之意焉

紫陽書院遺文序

劉定之 永新人 國朝翰林侍講學士

宋之盛時濂溪關洛諸儒雖發揮古先聖賢之道然向非紫陽朱文公纂述於後亦無以集其已往之大

成垂諸方来而常明也論其功者謂洙泗賢於群聖則紫陽亦賢於諸儒遠矣譬彼江海之水雖其源實遠然至于末流統宗會合而後大不亦信哉此紫陽書院之廢興與其文章之散合而終不泯者以斯道之所存也按圖志紫陽山在徽郡南五里秀特為郡巨鎮處士祝確翁扁其讀書樓為紫陽實妻韋齋以女而生文公後韋齋去徽為閩人然其印章與文公書樓皆號紫陽不忘本也嘉定甲戌郡守趙師端始剏文公祠于郡學勉齋黄直卿記之歙令彭方遷祠于縣圃之歲寒亭淳祐間郡守韓補請于

理宗御書紫陽書院額賜之遂作書院于郡南門外
元至元丙子按察使奥屯公郡守魏克愚遷于門內
之江東道院即宋時郡學址也延祐乙卯溪漲屋壞
山長張仲文遷南阜與紫陽山對置學田購山地令
士之来學者可賴以養未幾燬于兵
皇明初山長唐仲張珽請于僉憲黃德芳稍復舊規
于歙學之右儒士張士脩汪于容唐彦武等續脩飭
之正統甲子巡按徐御史郁遷諸射圃教諭皮岳訓
導蕭翰儒士吴遜鮑寧江瓏程孟張逵程慶等咸相
其役而逵復蒐集遺文得金仁本抄録唐長孺家藏

文公所作與他人所述有關於書院者悉彙爲帙題曰紫陽遺文夫宋元至今歷代未甚久然書院之廢興文章之散合可感者亦何限矣使非得其人則廢者惡復可興散者惡復可合哉其人所以能興而合之者得非以斯道之本於心哉斯道之本於心無往不然豈但徽郡然而徽郡文公父母邦也於此無有能然焉則他亦無有能然焉矣而其能者豈不足稱哉當是時徽郡之仕于朝者御史許君仕達贊其事尤力間言於余故余僭以是爲序亦所以至其嚮往之心也正統十四年己

巳七月之吉

徽國文公生旦致祭詩序

唐元

天之生聖賢也不數葢將以立萬世之法程為人心之大防也是故周庚戌而生孔子宋庚戌而生文公尼丘之禱圩頂輒應與宅井之紫氣上騰一生而榮也山頽木壞與大風拔木洪水崩山一死而哀也孔子之道著於心發於口筆於書而六經成先生足其所未盡羽翼之而傳註出其道同孔子周遊天下僅為侯國司寇先生在朝四十日曷祠補外晏如也其出

處又同孟子曰君子之澤五世而斬先聖後賢之澤雖千萬世不斬可也今天下學者咸知尊紫陽而父母之邦尊祠在焉至正二年壬午九月既望惟我徽國文公始生之辰書院率循舊典備舍菜禮初獻則廣信張公景範亞獻則番易朱公克用終獻則三衢張公仲亨祼薦有臨肸咎靈既退而燕于明明德堂醆斝序行酬酢有儀雍雍于于髫冠侍列笑談交作芝蘭芬襲神人懽喜於是新安唐元賦詩以彰盛集明日屬和繼至克用公且命元為引首將刻梓以傳山長史君仲衡溧水人僕紫陽老諸生也是為序

紫陽書院集序

王守仁 字伯安餘姚人 國朝鴻臚寺卿

續集

豫章熊君世芳之守徽也既敷政其境内迺大新紫陽書院以明朱子之學萃士之秀而躬教之於是七校之士惧政之弗繼也教之或湮也而程生曾集書院之故復并以白鹿之規遺後來者使知所敦刻成郡生珊來致其合語請一言之益予惟為學之方白鹿之規盡矣警勸之道熊君之意勤矣興廢之詳程生之集備矣又奚以予言為乎然吾聞之德有本而學有要不於其本而泛焉以從事髙之而虛寂卑之

而支離流蕩失宗勞而靡所得矣是故君子之學惟以求得其心雖至於位天地育萬物未有出於是心之外也孟氏所謂學問之道無他求其放心而已者一言以蔽之故博學者學此也審問者問此也慎思者思此也明辨者辨此也篤行者行此也心外無事心外無理故心外無學也是故於父子盡吾心之仁於君臣盡吾心之義言吾心之忠信行吾心之篤敬懲心忿窒心慾遷心善改心過處事接物無所往而非求盡吾心以自慊也譬之植焉心其根也學也者其培擁而灌溉之者也扶衛而刪鋤之者也無非有

事於根焉爾已朱子白鹿之規首之以五教之目次之以為學之敘又次之以脩身之要又次之以處事之要接物之要若各為一事而不相蒙者斯殆朱子平日之意所謂隨事精察而力行之庶幾一旦貫通之妙也歟然而世之學者往往遂失之支離瑣屑色莊外馳而流入於口耳聲利之習故吾因諸士之請而特原其本以相勗庶乎操存講習之有要亦所以發明朱子未盡之意也

考亭書院上梁文

馮夢得

伏以闕里闡斯文之統緒垂二千年考亭接正學之淵源恰六十載又新輪奐加惠佩衿恭惟太師徽國文公晦庵先生體用大全明誠兩進以道接堯舜禹三聖之道以心傳周程張諸子之心先太極而始後太極而終皆備於我由百世之下等百世之上不易吾言真如泰山北斗以仰之所謂河圖洛書之在是惟滄洲之勝槩廼晚歲之卜居源頭之水不窮戶外之屨常滿寂寥木鐸寧無江漢秋陽之思蕭索竹林

誰繼風露夜蘇之讀兹蓋伏遇植齋運判寶章大監望宗西蜀學派東萊堂下步趨曾髣髴乎金石絲竹眼前突兀將收拾乎榱桷棟梁開玲瓏之八窓屹壁高之數仞何但儷嵩廬雁岳之勝抑將廣濂洛關河之傳相與講磨如聆謦欬溪山清邃緬懷千古之風猷雲漢昭回增耀九重之天札輒成善頌同舉脩梁

東　高山仰止我文公會得滄洲無限意百川學海水朝宗

西　故家喬木與雲齊野服恂恂笑談地箇中喚醒幾人迷

南　一抹清烟窩碧巖借問開山公案祖一

齋曾向此停驂

北　此去聚星亭咫尺明河未落斗復昂認

取人心中太極

上　使星大作斯文倡滿堂衿佩玉鏘鏘究

似考亭初氣象

下　諸賢當識其大者但將誠敬為入門是

亦聖人之徒也

伏以上梁之後絃歌不絶衣鉢相傳寤寐千載之心

涵泳四書之澤君子之道鳶飛魚躍各遂性真先生

之風山高水長莫窮教思

紫陽書院上梁文

唐仲

歟之紫陽書之皃繹兩庚戌而聖賢生下而蟠地上而際天一[illegible]而文運合式當恢復之始已遂樂育之深竊以道闡千年學陻諸子正誼明道仲舒僅闢戶庭格物致知昌黎幾迷根本每推關洛次第直窮洙泗工夫北面宜尊南歸浩嘆瑞騰紫氣家發源而産尤溪明照青藜隱武夷而仕廬阜沉潛六經之旨反復四書之編如緫貫珠似髮受櫛分毫析縷含英

咀華所謂日月之行空光芒不夜何淅雨露之潤物沾溉長春宜特榮之一時賢可祭之百世功攄表域之內再營斷隴之巔治亂相仍播遷靡定朱輪皂蓋光從厲魏侯之勳皓首龐眉潦倒笑庸生之卜規模華故事業咒新恭遇僉憲相公先生圭璧粹温冰霜舷潔詩題紅葉早充畫省之簪纓壓金環甫作皇華之使仲究未異飢渴嫉惡不翅仇讎為丞相之腹心任朝廷之耳目郡縣以興庠序絃誦咸聞懽愉而舉賢良發荐悉倫況今俎豆之地在昔文獻之區龍衮公圭歸故鄉之魂魄象筵神主儼多士之儀刑杞梓

儲材斧斤奏技門樓高敞堂宇翬飛尚遺剝落之碑
御題大字將拜褒崇之詔渙號殊恩六偉齋歌變虹
高舉　兒郎偉
東　縹緲花屏拭月中　一點文星移次舍
十年靈雨集新宮
西　峭峴畫棟與雲齊　故鄉見說韋齋井
紫氣如雲白似霓
南　紫陽在望碧如藍　樸分要識先生學
好把遺經仔細參
北　學子步趨佩鳴玉　黃山昨夜月如輪

祗許白雲簷下宿

上　異世懷賢心獨往　有時化作雀歸來

滿谷松聲雜笙管

下　吾道如山本無價　兒時已悟庖羲心

鹿跡沙中觀畫卦

伏願上梁之後春秋薦祀朝夕膽依道脈久存適彼人間之樂土文風大振盡庇天下之歡顏采藻增輝哦松善助

重建紫陽書院上梁文　闕名

汪思字得之　婺源人

繼往聖而開來學功在乾坤崇正學而黜異端事高
今古緊聿新於輪奐良有幸於絃歌竊惟南宋之庚
戌與東周相符是以紫陽之夫子與洙泗並著斯文
未喪集諸儒之大成吾黨有依與一邦之文獻固宜
祀之百世要當傳之一心自昔則然於今匪懈顧荒
蕪寂寞之地遷從屢歷於前脩而爽愷高明之區奕
煌乃崇於佛氏誠非諸士之快甚為吾道之羞茲者
恭遇郡伯熊公石崖先生洪都英俊甲第名賢隆簡
靜之風兼治教之責以興起斯文為任以表章先哲
為心眷茲院之新圖實此邦之盛典撤青蓮宇亦奕

慚巡撫河南之梁公申白鹿規真燕作教授湖州之
安定上有洗侍御以通敏之見主其事下有張節推
以劉斷之才成其謀負問政挹紫陽山攬後前而大
好尊德性道問學堂開左右以宏深額存宋主之舊
題功軼韓侯之始事絜哉蘋藻于廞儀刑偉矣衣冠
在茲親炙麗澤之資罔怠高山之仰不忘蓋將振儒
先道學之傳抑以裨
聖朝文明之化言尾學幻從前慨善地之久淪經明
行脩自後觀英豪之輩出脩梁載舉美頌斯興
東　紫陽山色古今同　朝來試揭朱簾看

雲淨孤峯倚碧空

南　萬仞花屏抹翠嵐　一旦宮墻重出色
幾年寂滅墮空談

西　舊時宸翰煥新題　東南鄒魯君知否
千載真傳莫着迷

北　吾道原來縶不得　當年僞禁底須嚴
此日尊崇自無極

上　衿佩循循咸禮讓　可憐俗吏簿書忙
誰管斯文有興喪

下　大而塗人同類者　吾徒合識郡侯心

義利關頭明取舍

伏願上梁之後山川不改俎豆長輝正學闡前古之微宜有光於故國真才需明時之用期不負於平生心留海闊天高道體鳶飛魚躍

重脩武夷書院疏

熊禾字去非建陽人宋寧武州司户參軍號退齋

宇宙間三十六名山地未有如武夷之勝孔孟後千五百餘載道未有如文公之尊蒼崖碧澗山水依然赤字綠文圖書在是倡明斯道實由此山四書衍洙泗之傳綱目接春秋之筆當今環海數州之内何人不讀其書豈是空山一畝之宫其徒不爲之守幾載雨凌風震一朝地闢天開茲蓋伏遇府判梅庵先生以蜀西之真負道南之望昭布明時之德化厚培昌運之人才倘斯文其在茲乎捨此地又何適矣爰謀

爰始以經以營既爲吾道中入皆非己分外事尚弘乃力用相于成小學成始大學成終肯但作房杜諸入之事業千載在前萬載在後尚永懷乾亨一老之典刑

重建文公神道門跡

熊禾

竊惟建之考亭寔惟東西闕里文公墓在縣西北偏唐石九頓峯下神道門在麻沙鎮西可一里許累朝表章襃表屹峙過者莫不致恭焉年深屋老不無橫壞忽此一夕風雨暴作門屋壓倒者過半竊覩上司

行下先賢祠墳繫識蹤去處皆務脩葺況
聖朝表章文公之學又非他比門臨驛道如此損壞
曷稱觀瞻今擬一新起蓋仍就其傍作草廬三間召
人居守灑掃中為祠宇以為過者下馬瞻敬之所顧
惟工力繁浩召匠計費用鈔二十餘錠非得當路主
盟豈易圓就敬奉簡書以請
右伏以文公百世之師即今夫子徽國千年之墓視
昔孔林公之文如日麗天公之神如水行地空存遺
蹤曷想冥鴻但目商容之閭者必式車而過仲舒之
墓者為下馬道之所在疇敢弗恭況

朝廷崇奬之方新又府縣奉行之惟謹凡經游歷靡不表章顧沙川驛道之傍即唐石墓門之巍峩峩雙表奕奕衆瞻忽焉風震雨淩致此梁傾棟撓此通國上下之所驚慌豈為人子孫而不動心敢瀝懇忱用干當路堯舜禹湯文武雖遠幸是道於此大明天地日月山川猶存則此門亦當不朽輙奉以請顧相其成

御書紫陽書院四字謝表　韓補

地闢紫陽祠儒先而立教天題華扁寵侯服以承休事聳觀瞻情均鼓舞臣補惶懼惶懼頓首頓首切以化民成俗者必由學記久明遠者莫如書嘉祐崇曲阜之宮親濡廟額中興重首善之地特詔殿頒是皆賁飾於人文于以翼扶於聖統眷考亭之講道自徽國以篤生家習遺書若見宮墻之美堂存舊址尚遺金玉之音像祠幾徧於藩方疊宇獨虛於故里閱時浸久曠典未蒐叨承命以撫封勉詢謀以卜築念薄書期會豈為大務而道德性命實在斯文適恢麗澤

之規俾識高山之仰甫玆就緒誤徹凝旒宸奎煥四
字之垂鄉井侈一時之耀恩深雨露與草木以咸蒙
光照乾坤儷羲娥之常耀允謂無前之渥是為不世
之逢玆蓋恭遇
皇帝陛下正筆以心得書之體五帝其臣莫及猶研
極於睿思百家之指不同欲脩明於正學爰闡龜書
馬圖之秘俾參鹿洞鷺洲之榮臣拜賜殊常瞻威若
咫興石室之祀雖慚蜀守之中和歌雲漢之章但祝
周王之壽考

御書跋

皇帝即位二十有二年神化堅凝寓縣寧謐深惟人極民彝之大實儒者扶持之功法宮靚淵獨觀昭曠百爾玩好拒却不疑厥既御寶附題華扁用宏賁于首善之地矣下至方國之建書院者悉次第而敷錫焉臣去冬待罪古歙乞為先儒朱熹立祀因闢黌宇以育英俊儒紳勸講達于帝聰有旨賜紫陽書院四字鳳飛鸞翥遒勁偉特凡厥瞻覩如望屬車之塵罔不欽竦而誇耀臣既率屬拜賜因念昨以宗正簿入對王音諭臣曰朕宮中無他好惟讀書寫字而已始

臣疎遠未能蠡測今觀八法精妙超入神品如此聖
學之進豈易涯哉先是門臨通衢惟璇題尊嚴懼或
褻玩乃規祠堂之左别敞高楹以度貽揭復於直舍
後增創傑閣為尊奉寶藏之所工役告竣進諸生語
之曰天不愛道故龍馬龜圖見于河洛王者重道故
雲章奎畫被于州閭今此數楹之屋非有虹彩翠氣
派離宛延如唐室千二百區之壯也偏州斗壘介在
萬山非有巾卷充衢纓紼匝序如漢京辟雍之盛也
聖上不泄不忘寵光無間非以先儒之道在是乎人
能弘道非道弘人惟孝惟忠克勤罔怠是所以對揚

天子之休命不然則暗室屋漏一念非謹天威不違顏咫尺可不懼諸臣既伐石深刻謹拜手稽首書于下方淳祐六年十有一月望具位臣韓補謹識

白鹿洞賦草跋

虞集

昔者文公先生既重作白鹿洞書院屬呂成公記之而又自作此賦豈無意於其間乎某嘗從彭蠡登匡廬升斯堂三復於斯文矣於所謂誠明兩進敬義偕立凜然有遲莫無及之歎今夫荒澗寂寞之濱朝誦暮絃者豈無其人哉安知其不與愚同此感也今此

篇緝録文公全書者以冠諸首家傳而人誦之則不
待皆至乎白鹿洞者乎章迂軒趙公之幼子乃購得
其稿本觀其草具之謹改定之精尤足想見其意度
他日請使善工模之而勒諸石以補洞中之闕庶後
之覽者有所觀感豈私玩云乎哉

跋朱子墨蹟

朱子葬母祝令人之地得之西山蓋其家每欲得葬
地則必求之西山也

跋朱子遺墨

汪舜民字從仁號靜軒婺源人國朝南京都察院右副都御史

朱夫子九世孫燮源司訓君頴索予所藏夫子遺墨刊示學者予以此本應之嗚呼夫子集諸儒大成所以教天下後世者固不在此然而一草一木謂非造化所及不可也司訓君克懋家學而致意乎此則其大者可知矣覽者當自識之

朱子實紀卷之十一

朱子實紀卷之十二

紀題　詩詞

挽文公先生　曾極 門人

皇天開太極庚戌聖賢生六籍文將絕千年道復明

淵源羅仲素師友李延平遠合關溪急潺湲洛水聲

聞考亭先師之訃 時黨禁方嚴　程永奇 門人

忽聞摧岱岳吾黨更何依歛袵看炊黍登樓送落暉

祥麟傷史筆山鳥悵儒衣此道終難絕他年有是非

拜婺源文公祠　李奎 弋陽人 國朝監察御史

天啓文明贊治平萬年宗主賴先生經窮六籍開來

學道繼諸儒集大成祠枕星源青嶂合亭臨虹井綠
雲積乘驄遠謁逢秋祀瞻拜徧興景仰情

又　　程敏政

洛水初傳道已南後生何幸此庭參一時氣數存虹
井萬古儀刑仰晦庵塵鎖斷碑餘刼火山圍新廟擁
祥嵐正心誠意言猶在三復無能祇自慙

拜婺源文公祠　　鮑楠字良用號龍山歙人國朝戶部員外郎

刼火何年地半虛數椽宮廟作新居遺容不改當時
貌石刻猶傳絕代書白日青天須藉此陰雲寒雨適
慰余平生會須成虛讀欲得攄俟一問諸

拜婺源文公闕里　吳文度 字憲之金陵人 國朝監察御史

千里登堂愜素衷撥開雲霧見崆峒心傳洙泗功常在教著徽閩道德崇二氣貞元歸正脉六經山斗仰高風紫陽亭下空流水百折縈迴繞故宮

又　宋端 湘陰人 國朝徽州府同知

千載巍然廟貌存晚生猶得誦遺言六經已變秦灰後一脉真傳魯教尊燦燦文星貽聖瑞源源道學在乾坤摳衣進謁門墻下薄采蘋蘩酹一樽

題文公故居　熊禾

峩峩雲谷山森森滄洲水中有宅一區過者視闕里

文獻尚可徵豈不自魯始載誦鄒氏書千載若為侯

又　高道凝（監察御史）

當年韋齋翁曾愛此山水卜居繼先志世比道德里
吳守扁已傾遺構孰経始文運無終窮百聖端可俟

拜文公先生祠　無名氏

夢奠楹間已百年遺經遺像尚依然一生忠孝存方
寸千古文章集大全雲谷春融梅富貴寒泉夜靜月
嬋娟有孫抱道脩清節不負朝廷不愧天（元注先生之孫名浚宋亡飲藥而死）

題白鹿洞　方岳（字巨山祁門人宋吏部郎號秋崖）

兹山信雄深鍾梵上雲雨微吾紫陽翁幾何不豪取
有來青牛車肯作白鹿主詩書衣被之一變至鄒魯
唐虞際淳熙此道日方午淵聲撼皇墳山翠濕章甫
紛其四方入會此共談麈岳也互鄉童履二不及户
却後七十年空堂凜遺矩四書在乾坤六老自今古
昭回雲漢光不闕天尺五廠惟貂續難謹勿小吾土

遊白鹿洞　胡儼

騎從金笳發肩輿畫戟開路穿芳草徑山倚白雲隈
秋色淨如洗晴嵐翠作堆昔賢遺教在尋訪洞中來

遊白鹿洞　余宗[redacted]

昔賢遺蹟址面面擁青峯峭壁斜生竹懸崖倒掛松
聽泉心自潔題石興偏濃五老雲霄外相看爲改容
紫陽興學日遺刻徧岩幽經史曾充棟文章昔汗牛
流傳千數載廢墜百餘秋盛世重興復從教士子遊

遊白鹿洞　金紳 [redacted]

雨霽風清暑氣收遠趨祠廟拜前脩救荒遺策曾敷
奏治世良規愧謙求耿耿聲光照宇宙煌煌香火越
春秋禮容升降多觀感匪直公餘事宴遊

白鹿書院拜文公像　夏寅國朝江西副使

山人養白鹿鹿死山人傾偶逢紫陽翁再起書院名

車停構一宇雲流走群英枕石石不頑漱泉泉有靈
彭蠡萬頃波流作泗水聲匡廬九疊峯峙爲泰山形
白鹿比蒼麟困之了諸經我來訪書院僻近南康城
遺像在古祠鐘鼓置兩楹拜瞻不能去豈爲山水行

又

周孟中 字時可安福人 國朝廣東布政使

五老峯前白鹿場昔賢曾此講虞唐百年道誼丘山
重千古林巒草樹香輕世方知物外樂探榮偏覺靜
中忙自從一去希賢室雲壑風雩夢不忘

又

張元禎 字廷祥南昌人號東白 國朝吏部侍郎翰林院學士

潺潺流水泛輕巵千古風流又一時五老雲端應失

笑此中真趣幾人知

誰似南康太守賢乘閑常此聽潺湲光風霽月無邊趣勝地元來自有傳

又次韻　黃仲昭（字仲昭莆田人 國朝江西提學僉事）

獨來蘋蘩薦一卮淵源道化想當時茫茫墜緒期重續聖學心傳愧未知

仰止無由見昔賢青山峯偉水潺湲當年豈是耽山水千古誰將此意傳

過武夷書院　陳元英 [redacted]

踈簾透月山猿嘯竹葉飛塵丸雀行笑指碧池春藻

密溪流猶帶讀書聲

題文公武夷精舍　兆子東

數椽茅屋傍清溪學者及門得所棲地僻住從雲聚徹林深不礙石東西巍巍道德千年在凜凜聲猷萬古齋遺像載瞻三太息一庭烟草有餘淒

經理武夷書院　劉梅村

中分九曲隱屏峰一隙祠堂着晦翁水作當年弦誦響山猶先輩典刑同外無烟火塵埃到上與神僊窟宅通昨夜武夷山下望一輪明月照儒宮

又和韻　月山

九曲中間大隱峯百年猶屬紫陽翁一川風月渾無恙大地山河已不同剝往復来知静動坎流艮止驗窮通我行已與梅花約信到環中第一宫

又和韻　　熊禾

大隱東南第幾峰我思論學武夷翁春秋詞義今如昨文獻風流已不同陽欲復時宜静俟道當窮處有時通先生若有觀梅約好把詩篇和羿宫

題考亭書院　　匡顯 [redacted]

山下深溪溪上亭亭前下馬慨高情四時書屋雲來往千載儒風道顯明甕牖春回山色秀滄洲雨過竹

陰清源頭活水誰能識空記溪山第一名

考亭書院拜文公像　高道燒

斯文千載日星懸獨有先生道學傳筆削百王今有統發揮六籍古無前高名已與江山共陳迹都隨歲月遷一瓣心香問疇昔空餘古木鎖寒烟

題滄洲精舍　熊禾

我觀前輩人作事皆典則堂室雖云卑古制端不易當年小神龕奉主虔祀秩誰知正學行須作天下式

又　李好直 [redacted]

翠屏蒼蒼源水泱泱於穆哲人于焉脩藏闢滄洲于

林藪導活水於方塘沁潛乎仁義之府涵泳乎道德之塲聖道之淵源由是而滂沛後學之流演由是而汪洋撤彼藩籬毀我垣墻月白風清雲影天光猗歟滄洲山高水長蓋與夫東魯之洙泗前宋之伊洛雖千百世而同芳

詠考亭書院桂樹　鄭瀞字彥昭歙縣人元泉州路總管

先生自植庭前樹今日人看手澤存元氣數奪關造化孫枝繁衍蔭丘園四時不改風烟色千載猶承雨露恩更喜天香滿書屋遂將孔檜細同論

別考亭書院　吳與弼字子傳號康齋撫州崇仁人國朝徵士

考亭拜罷賦歸歟昨夜青山夢舊閭沿道若逢相識
問慇懃細說建陽居

題紫陽書院　王勤字而勉武邑人國朝徽州府知府

治教休明景運還先生鍾秀紫陽山平生夢寐惟堯
舜終歲沉潛在孔顏道學淵源無有繼經書傳註不
容删徽州城外遺書院松竹陰陰義理閑

題晦庵亭二首　錢時字子是號融堂淳安人宋國史撫幹

安宅繫誰得奠居流光衮衮隙駒馳晦翁行樂今遺
跡闕里追攀要及時卜築定非徒想像扁題應不為
煙漪藏脩游息皆功用肯受人間外物務

築室如何不立基，基成方會展宏規。聲如務學先存志，志若無愆久自知。偶爾塘名符姓氏，更昭亭榜壯門楣。鳶飛魚躍春風裏，好爲而翁永保持。

又二首　許月卿

古壇黃葉滿霜林，何幸朱塘兀古枌。試上月臺因問月，知涵雲谷幾多雲。夢遊當日成何事，嗜學于今喜舊聞。我憶昨遊春水滿，重來秋老看崖垠。

遊子從來悲故鄉，歸來襟袖芷蘭芳。夢魂飛去雲濤遠，杖策閑行天水光。可是月中曾到此，安知身後却餘香。紫陽弟子有賢子，卜築新亭真肯堂。

又次韻二首

吕午 字伯可，歙人，號竹坡，宋右文脩撰

華居夙近聖賢居，傳習何勞更遠馳。應想杖藜行樂處，恰如琴瑟在前時。朱塘境勝深而窈，繡水波明清且漪。景象至今同闕里，聞知誰不盡風移。

亭名赫赫喜初基，好揭當年舊學規。道造淵源心自得，言垂星日衆皆知。定無俗客窺門戶，應有山靈護棣楣。誰謂東家丘已遠，君家世世共維持。

又

饒虎臣 宛陵人，宋徽州守

魯人尊孔里，鄭公亦名鄉。聖賢不世出，若麒麟鳳凰。一時所尊師，百代遺芬芳。嗚呼晦庵翁，天以扶人綱。

傳道續洙泗致君可虞唐當年困讒口沒世悲壞梁褒崇自神聖尸祝徧四方平生夢遊處築亭仍肯堂斯亭豈徒築景行故不忘而我覩畫圖恨不兩翼翔寄語來登者毋徒翫風光

又　　方岳

吾州斷雲邊山水則大好不知幾何年有一晦庵老去爲考亭人草樹日枯槁兒時所釣遊豈不慨懷抱歸來乎令儀杖屨嘗幽討寒綠翁家塘昨夢幾傾倒田田君子花籍籍書帶草誰其月三間聊以寄吾浩翁今爲飛僊落葉紛不掃滕侯所書紳歲月略可攷

諸郎表章之三峯倚晴昊藐子抱遺書生世恨不早
至今章句間兀兀首空皓孔林不我遐魚鳥亦樂道
緬懷草堂雲春風動芹藻

又

王亞夫 天台人宋仁和宰

山川以人重百世亦興起我觀晦庵亭卑見師友義
惟翁紹元聖動靜參至理萬物備一身會景皆可喜
朱墉豈其夢寓意聊復爾經營得面勢猶想翁所指
問誰亭中遊高山同企止鳶魚驗飛躍風月挹光霽
發水流湯湯源流自洙泗肯堂係師傳美哉賢父子
紫陽敞新居封國表故里此意公不忘與亭千萬祀

又

馬廷鸞 字翔仲號碧梧樂平人 宋右丞相兼樞密使

翁書河漢明人文快宣朗翁名嵩岱高在在足標榜紫陽闕里居朱塘今泗洙誰其董仲舒復此脩吾書

又

程鳴鳳 字朝陽號梧岡祁門人 宋武舉狀元知南雄州

古来何物文乾坤除四書外旁無門晦翁乘風遊混淪天宇掃淨浮雲昏周程扶起凋孔尊使手開斷狂瀾奔當時正氣横八埏猶爾不免遭群譊曾幾何日班庭鶩晩夢有栩栩揄村翁已倦去誰招魂有亭渠渠波浤浤風烟苔徑新屐痕滕侯肯堂之家昆溪山往冉更寒暄空餘碧樹吟霜猿人間興廢誰能論参

田可變海可溺翁之所恃無有焉斯文不死道常存

又　陳淳祖卓山人宋徽州倅

翁憶紫陽山君名晦翁亭神行天壤内来去非将迎點參事洙泗父子俱見稱師友出一門漸磨功化精愛君如玉尺典刑諸後生

又　戴復古字式之號石屏天台人

晦翁曙昔此登臨草木曾聞謦欬音四海共尊傳道統一亭聊寓敬賢心故鄉景物應如舊前輩風流尚可尋千古文公經史學武夷山水共高深

題道源堂　熊禾

伊洛何年此道南道源堂上意誰參告文夫子遺經

六建學文公精舍三落落此生徒苦志悠悠吾道豈

空談是邦賴有賢師帥扶植斯文首晦庵

登雲谷呈熊戶曹　陳大觀[redacted]

四書日行天萬古仰餘光讀之十五載稍稍知慚惶

不辭千里遠意升文公堂多謝退齋翁爲予指迷方

初來心猶疑久之念俱忘兹遊南澗石廬峰步斜陽

雲葉弄晴影瑤花吹古香失笑丹崖上振衣岩谿傍

須臾林樾開仰見天蒼蒼梅巖數弓屋破碎雲中央

土花照人碧蘚花如鴛鴦下有神僊宅金碧相輝煌

丹狗守洞口白蟒遶丹房上有赫曦臺真邈超八荒
君山粒米小滄海寸線長乃知子朱子胸次不可量
道高古無上聊託千仞岡斯人今已去餘迹欣未忘
悠哉一長嘯宇宙空茫茫

乙未寒泉懷古　豐深道 [redacted]

東萊先生雅好古當年尚友朱夫子浙水渺渺閩山
重疊嶠千里來相從屏山山水得佳趣携書更入寒
泉去茫茫學海無涯津泗沂淵遠知何處淵源濂洛
猶可尋誰能涉淺航其深十四卷書非草草精意微
言日星昊書成晤語不忍散氣變倏駿風露早主人

留客客不安送君還次武夷山山神呼風揭浮驂千
崖露泣秋空寒前行曲曲有佳致平林一鏡光清闊
出山俗事紛相尋誅茅有意何時成回舟刻石紀歲
月恐使風標坐埋沒尋常送客止關頭懸懃更至鵝
湖別峩峩二山來從西衣冠儼整風骨奇天資向上
自超卓直指傳註為支離百聖千賢皆學問上達工
夫須自近古今正學何可磨徒惜髙賢有遺恨東鄒
許下晉山陰雖有眹合無講明迷途熟與迪明覘近
思錄與太極辨湖山人散今幾年六十甲子重周天
遺編寥落集蝕蠹舊迹埋沒生荒烟窮鄉晩進重慨

感豈必書在心無傳
省朱文公官坑祖墓　趙汸字子常休寧人國朝徵士號東山
攢簇千峯一嶂開乾坤閟氣此胚胎百靈受職環真
宅五緯四九拱夜臺曾國共悲祠廟毀闤闠不見子
孫來干戈不息諸生老獨抱遺書詠七哀
拜文公墓哀辭　錢寅翁[redacted]
磨石九峯兮矯如龍游峯下寒泉兮玉脂浮浮中有
蓋世翁兮一丘翁不見兮焉求四書兮翁在此亦既
見兮九峯山水竭吾力兮不能忘金風吹松兮聲琅
琅

溪並峰兮石齒足角巾露衣兮來薦秋菊窮源兮大林谷古木千章兮飛鳴鏘鏘僊人來兮紫陽視世驁聖於兮空皇皇昔可爲兮雲一壑來日大難兮九原又不作歸讀吾書兮猶自可樂

題韋齋井　程文 字以文婺源人號默南生元禮部員外郎

比屋絃歌古婺源畫圖連水水連天文公宅後韋齋井夜半祥光生紫烟

又　汪偉 字思偉婺源人號好古生國朝教授承德郎大理寺左評事

韋齋當日浚源深一旦虹光出井陰道學上傳洙泗遠餘波千載淑人心

朱子實紀卷之十二

刻朱子實紀後序

朱子實紀凡十二卷前南京戶科給事中戴瑯峰先生所編也先生自幼有志朱夫子之學謂年譜出于果齋者於今脫畧卽欲編實紀及入翰苑官給舍益

廣蒐輯又慨吾婺源夫子闕里國家褒典弗稱建寧言于朝加創祠宇歲春秋特祭著之令甲如實紀所載正德丙寅編成自爲序越二年而先生卒又五年乃今正德癸酉歙鮑雄以

道氏始板行焉先生是編談[illegible]
大備而年譜中綱目亦多爲之
權衡後之人欲知夫子之道者
尚從茲始哉傳曰頌其詩讀其
書不知其人可乎道見于行符
于言聖賢一動一靜皆道之發

求之言者淺得之行者深故必

曰是以論其世也宅井氣騰人

知夫子之生大風拔木人知夫

子之死姑置褒崇表章散見異

代者勿論若其自洒掃應對之

微以至修齊治平之大中間窮

達常變歲月履歷之詳上而道統世系之所自下而道派世澤之所及不惟天下不之知鄉里後人亦懵然今世之弊士多業舉子徒記誦夫子三四注釋以藻文詞媒聲利魚筌兔蹄得此

棄彼雖夫子雜著諸書容或不甚着目况行之云乎此道之所以不明不行也嗚呼自古而今孰無良心要在於知其人也知有其人尚可作責沈文不知有其人不免如東家丘之于其鄰

也先生之編朱子實紀誠不爲無意若先生家譜易志悉出一時之筆其音校五經批點四書注等書則成于丁卯廢點後惟此編積以歲年不遺餘力愈依門下間嘗類所貯書以供採擇

復從役於先生弟鍊成之氏校録用是獨知其爲之之不易廣幾無負罔極之恩者蓋先生誦法夫子無日休息於此焉可以驟見立朝蹇諤允蹈乎有言責者盡其忠之旨又豈直紀夫子

之行于紙上而已哉愈與成之屢謀鋟梓力有所待今年春以道曰吾友鄭作宜述氏來任斯事愈素稔以道爲有德長者且鮑之先魯卿父子贖復婺源文公廟祭田若干畝世有義行遂

託以傳未幾愈家禍盜火是編元稿賴以道得免天地鬼神固默有以呵護之而以道之功何可得而少之也邪山嶽遺刑桑梓餘薦在所當為者不敢謂有功而欲知夫子之道而不論其

世則其所失不小也故詳書之
於末簡以告夫同志而亦自警
云下元日後學婺源汪愈拜書

宋明理學家年譜續編

④

國家圖書館出版社

第四册目録

文公朱夫子年譜

（清）高愈編　清同治八年刻本

文公朱夫子年譜

宋高宗建炎四年庚戌九月甲寅朱子生先生本歙州人（今徽州府）世居婺源（徽州屬縣）永平鄉松巖里父吏部韋齋先生松母祝氏韋齋爲政和（建寧屬縣）尉遭父喪以方臘亂不能歸遂葬其邑僑寓建（今建寧府）劍（今延平府）二州館於尤溪（延平屬縣）鄭氏而先生生焉癸丑四歲韋齋指天示曰天也問曰天之上何物韋齋異之丁巳八歲通孝經大義書其上曰若不如此便不成人或羣兒偕戲獨以沙

列八卦端坐默視（己未）十歲讀孟子聖人與我同類者喜不勝以爲聖人亦易做（癸亥）十四歲韋齋歿以先生屬白水劉勉之勉之以女字先生（丁卯）十八歲舉建州鄉貢（戊辰）登進士（庚午）如婺源展墓（辛未）二十二歲銓試中等授泉州同安簿先生是時已慨然有求道志博求經傳徧交當世賢士雖釋老之學亦究其歸趣（癸酉）二十四歲始受教於延平李先生語及學禪李先生但曰不是且看聖賢言語又廣有所問李

先生曰公恁地懸空理會得許多道理面前事卻理會不下自是先生刻意經學推見實理始信前日所交諸人之誤而回看釋氏說且漸漸破綻罅漏百出矣七月至同安涖職勤敏以令甲凡簿所當爲者大書揭楣間而簿兼學職乃選邑秀民充弟子員舉縣士操行方嚴者督之葺諸生齋舍建經史閣檢貯治平中所藏書便學者讀覽又故釋奠例止以吏人行事先生參取周禮儀禮唐開元紹興祀令肆行之（丁丑二

十八歲以四考滿歸士思其教民懷其惠相與立祠學宮焉（己卯）三十歲執政陳俊卿薦召赴行在言路借抑奔競泥先生辭不就（壬午）孝宗即位求直言應詔上封事（諸疏具文集中）不報（癸未）孝宗隆興元年三十四歲再召辭有旨趣行乃入對垂拱殿歷陳三奏其一言宜務聖人致知格物之道不當溺記誦詞章釋老虛寂之說其二因宰臣思退主和議故歷陳復讎之義其三因內侍曾龍二人用事故極論言路壅塞佞倖鴟

張先生嘗言初讀第一奏天顏溫粹酬酢如響讀第二第三奏則不復聞聖語矣（丁亥）三十八歲訪張公敬夫于潭州（今長沙府）（戊子）崇安（建寧府屬縣）饑多盜貸郡米六百斛散給之後民輩粟還官郡守命仍留里是歲祝孺人卒居喪輯家禮（辛卯）四十二歲復饑先生所居五夫里豪戶閉糴窮民強奪先生患之乃因前郡米留里者立社倉出貸石收息二斗小歉蠲息半大饑盡蠲之鄉民便焉（壬辰）通鑑綱目名臣言行錄西銘解義

成癸巳太極圖傳通書解成乙未四十六歲東萊呂伯恭來訪留輯近思錄遂偕伯恭與陸公子靜兄弟會於鵝湖在廣信鉛山縣子靜作詩有易簡工夫終久大支離事業竟浮沈等語議不合罷丙申再如婺源以程氏遺書呂氏鄉約等書留學中時上方欲奬用廉退士參政胡茂良疏薦除祕書郎辭不赴冬先生令人劉氏卒丁酉論孟集註或問周易本義詩傳成戊戌四十九歲宰相史浩必欲起先生差知南康軍辭不允東

乘屢書勉行敬夫亦謂須一出為善會省劄再趣行乃赴郡下教三條一延訪利病二令父老教戒子弟三勸民令子弟入學立濂溪祠於學宮奏蠲減星子縣稅錢重建白鹿洞南康府城西書院置田贍學者立學規每暇輒至與諸生講習多所興起庚子應詔上封事極陳將帥剋剝交通權要近習則蠹惑以肆擠排而宰相諫諍官或反出入門墻承望風旨累數千言上大怒曰是以我為亾也會大旱乃大修荒政以朝廷勸

分賞格諭富室得米萬餘石又奏請截留綱運并轉運常平兩司錢米備賑濟令民築濱江堤捍舟因以役錢賑之命每邑市鄉村置場以待賑糶而選見任寄居添差監押酒稅等使各涖一場督之又乞蠲閣稅租四萬餘石檢放民賴以全辛丑五十二歲去郡歸會浙東薦饑故相俊卿遺闕復力薦宰相趙雄亦言凡士好名陛下疾之愈甚則人譽之愈衆不若因其長用之彼漸當事任能否自見矣乃差提舉浙東常平

茶鹽十一月奏事延和殿先生自初入對至是十九年旣得見上極陳災異之由與修德任人之說上爲動容因條救荒七事上之遂視事西興（今紹興府）郎命印榜招海商蠲其征令販廣米至浙東王蕢親出按歷諸郡窮山長谷靡不到悉屛徒御一身所需皆自齎以故所歷雖廣而部內不知官吏畏憚常若使者壓其境不勤荒政者按劾之凡所措畫類南康而惠周七郡上謂宰相淮曰朱某政事卻有可觀又請推行社倉

法於他縣丞嘉有秦檜祠毀之前知台州唐仲友者相淮姻舊也恃相勢恣貪虐而尚書御史交章薦擢江西提刑先生行部至台民爭訴按得其實乃劾奏淮曲庇之先生劾益力乃止罷其提刑新命而即以授先生先生曰是蹊田奪牛雖三尺童子知不可乃力辭而淮遂擢陳賈爲監察御史首論近日縉紳有所謂道學者假名濟僞意指先生先生決志歸而奉祠之命亦下遂杜門不出癸卯五十四歲築武夷在崇安精

舍從居之四方來學者益眾（丙午）易學啓蒙孝
經刊誤成（丁未）小學成是歲周必大相詔差江
西提點刑獄辭不允且趣入對乃復奏事延和
先生至是凡三見上上曰久不見卿卿亦老矣
又曰浙東救荒煞究心先生先謝提舉日荷聖
恩保全蓋指淮貢構訴也次又陳已衰疾不堪
任使上曰知卿剛正今待與淸要官不復勞卿
州縣獎諭甚渥先生出奏劄上之又極論內侍
甘昪挾勢爲姦罪又言宰相先布私恩於臺諫

臺諫顧私恩莫肯言其過而主將恣刻剝爲苞苴陞轉皆有成價上驚曰郤不聞此是行也有戒以正心誠意上所厭聞者先生曰吾平生所學惟此四字豈敢回互欺吾君及奏上未嘗不稱善除兵部郎官以足疾請祠而侍郎林栗與先生不合疏稱朱某剽竊張載程頤緒餘妄希孔孟歷聘之風邀索高價請行罷逐時上意方向先生欲易他部而宰相請仍授提刑先生力辭九月復召辭趣入對再辭遂上封事言今天

下大勢如人有重病內自心腹外達四支無一毛一髮不受病者因遂言天下之大本今日之急務凡數千言疏入夜漏下七刻上已就寢急起秉燭讀終篇於是上感先生忠鯁明日即除太乙宮使兼崇政殿說書蓋將為燕翼謀也而執政有指道學為邪氣者遂辭奉外祠於是始出太極圖通書解義授學者己酉六十歲始序大學中庸章句二書著已久然時加改正至是以慨於心乃序之孝宗內禪光宗即位除江東

轉運副使辭改知漳州以天子初政再被除命不敢固辭庚戌光宗紹興元年六十一歲到郡臨漳風俗薄陋民不知禮有親喪不服衰絰者乃述古今禮律開諭之婦女聚僧廬爲傳經會又或出爲庵尼悉禁之俗以大變又教習諸軍弓射賞勸有法數月皆成精技其訓誘諸生子弟如南康而刻五經四書於郡朞年化成漳民莫不思之是歲先生爲學者言曰某覺得今年方無疑許多道理在這裏某當初講學也豈意

到此此可以知先生所得矣辛亥長子塾卒請祠歸治葬壬子始築室於建陽屬建寧府之考亭以韋齋常愛其溪山清邃從先志也癸丑朝使自金回言金人問南朝朱先生安在乃除知潭州湖南安撫辭不允甲寅六十五歲至鎮所咨老稺攜扶觀學士數百里雲集求誨洞猺叛擾境遣使諭降之又以本路別無軍馬有飛虎軍遥隸襄陽乃請隸本路節制是時孝宗升遐先生哀慟而光宗有疾不能執喪視事丞相忠定趙

公汝愚以太皇太后命奉寧宗卽位趙公首薦
先生乃召赴行在奏事除煥章閣待制兼侍講
門人或言主上虛心待政敢請何先先生曰今
日之事非大改更不足感天意悅人心然吾知
盡吾誠竭吾力耳外此非吾所能計也是時上
猶未朝太上皇先生奏事行宮首言當盡負罪
引慝之誠俯伏寢門怨慕號泣庶親心底豫慈
愛復初詔進講大學先生務積誠以感上心并
乞逐日早晚進講不假他故廢輟上孝宗山陵

議謂當另求吉壤不宜委之水泉砂礫中會瑞
慶聖節請免百官朝賀并三年内並免又以光
宗不執喪禮請行嫡孫承重服丞相欲祧僖祖
先生持議不當祧又編次講章以進他日見上
請其義上曰要在求放心耳先生退謂門人曰
上可與爲善顧常得賢者輔導天下有望矣始
寧宗立太皇太后女弟之子韓侂胄傳言宮掖
自謂有定策功擅權假御筆有端先生自湖南
赴召已憂之數白丞相當以厚賞酬其勞勿令

與朝政丞相方謂易制不爲意先生約侍郎彭龜年因請對以發其奸會龜年因公事出先生獨上疏極言左右竊柄之失在講筵復極言之侂胄大恨遂以內批罷先生趙公袖入還上內侍徑遣付外臺諫交章留不省先生以七月召十月進對立朝四十日而先生行矣十一月還考亭學者益衆築竹林精舍祠周程諸子日與門人李燔張洽陳淳黃灝蔡沈輔廣之徒講學不輟

乙卯寧宗慶元元年六十六歳臺臣擊[illegible]

相謀不軌竄永州先生自以蒙累朝知遇且尚帶侍從職名義不容默乃草封事數萬言極陳奸邪蔽主之禍以白丞相寃弟子諸生更諫謂必賈禍先生不聽蔡元定請蓍決之遇遯之同人先生默然焚奏藁遂更號遯翁是歲丞相趙公暴卒於永先生悲憫註楚辭以見志而廷臣攻僞學日急丙辰六十七歲監察御史繼祖疏詆先生奪職然先生與同志講學自如或勸宜斂德避難者先生曰禍福之來命也乃修禮書

其書蓋以儀禮爲經而取禮記與諸經傳言禮者類附之名曰儀禮經傳通解戊午作書傳會先生歿二書皆未就先生閒居常未明而起深衣幅巾方履拜於家廟及先聖退坐書室几案必正書籍器用必整其飲食也羹食行列有定位匕箸舉措有定所倦而休也瞑目端坐休而起也整步徐行中夜而寢寤則擁衾坐或至達旦其色莊其言厲其行舒而恭其坐端而直威儀容止之間自少至老祁寒盛暑造次顛沛未

嘗有須臾離也慶元六年庚申七十一歲三月己未先生疾猶爲諸生說太極圖及西銘甚詳門人請爲學之要曰惟事事審求其是決去其非積習久之心與理一自然所發皆無私曲聖人應萬事天地生萬物直而已矣辛酉日改大學誠意章癸亥日作書囑門人黃幹收禮書藁踵成之甲子日命移寢中堂午初刻先生起正坐整冠衣就枕而終後儒以爲刪述六經者孔子傳註六經者朱子孔子之學惟朱子爲得其

宗傳之萬世而無弊孔子集羣聖之大成朱子集諸儒之大成聖人復起不易斯言十一月葬於建陽唐石里之大林谷閲二年學禁稍弛詔與先生致仕恩澤又五年佗胄誅詔賜先生謚曰文又二十年理宗特贈太師追封信國公尋改徽國從鄉究例也又十年詔經筵進講先生綱目又以學庸章句語孟集註列學宮又四年辛丑詔以先生與周子張子二程子並從祀孔子廟廷距先生歿凡四十二年矣元至元元年

婺源知州干文傳請旨立徽國文公廟明景泰六年詔以先生建安（建寧屬縣）九世嫡孫梴襲五經博士嘉靖元年詔以守婺源祠十一世孫墅蔭錄五經博士因守臣張芹援孔氏曲阜例請也故今朱氏有世襲兩博士云先生諱熹字元晦一字仲晦晦菴遯翁別號也（按年譜係先生高弟先澂李果齋方子撰而與宋史本傳門人黃勉齋行狀中間記事間有同異今彙三書參伍考繹究其歸一誌）先生出處始終大略如此而凡奏疏累千言及與門人講論精妙之義俱不能載又凡先生所編著如中庸輯略論語訓蒙論孟精義孟子指要困學恐聞程氏遺書伊雒淵源錄性理吟韓

文考異等書亦多未錄以篇帙從簡遂難
免於挂漏之誚爾康熙丁丑季秋高愈識

文公朱夫子年譜終

宋仁山金先生年譜

（明）徐袍編　清光緒十三年補刻本

仁山先生年譜序

婺之學蓋始自五先生云成公世學以關洛爲宗而文定親炙勉齋得考亭之奧授之文憲仁山先生並師二氏而克拓衍繹以開白雲之傳一時閭里學士彬彬嚮風婺

以此稱小鄒魯云然余嘗聞之儒者之學所以昭揭人文蹈倚聖軌而匡世風也元之變極矣爲宋臣子宜皆憤然傷之而當時章縫之士非惟莫之傷也乃俛焉臣之不顧可謂儒者之道如此乎先生宋

之遺民也自德祐之難遂高舉不屈而前編之敘亂藁之題箕操之廣泫然有餘悲焉斯其心可與汨汨汲汲者道哉顧其名獨以著述顯而教行明誼之節猶若有未白者余是以譜而表之俾世之學儒

學者監焉

時

嘉靖庚子五月五日邑後學徐袍

撰

宋仁山金先生年譜

明後學徐　袍編次　古婺後學李　旦參訂

明後學徐學聚較正　瀫水後學黄乾山校閲

明裔孫　應晋重刊　清十八世孫　律重梓

宋理宗紹定五年壬辰三月丁酉先生生于蘭谿縣純孝鄉桐山之第

先生名履祥字吉父本劉氏避錢武肅王嫌名從文更爲金氏居三衢桐山峽口後徙家蘭谿三峯

又徙今桐山下曾祖天錫祖世臣父夢先是爲桐陽散翁娶童氏生四子先生居其三將娠散翁以事留蘭邑夢家塾壁間畫虎甚文已而真虎復升屋大吼覺而自語維熊維羆男子之祥吾殆得男也耶歸而先生已生遂以祥名長而更名開祥後從師友謂開祥非學者名遂名履祥云

六年癸巳先生二歲

端平元年甲午先生三歲

二年乙未先生四歲

三年丙申先生五歲

嘉熙元年丁酉先生六歲

二年戊戌先生七歲

三年己亥先生八歲　出繼從兄章後

先生幼而敏膚父兄稍授之書即能誦記智[illegible][illegible]人宗黨咸愛異之從伯父琳因命後其長子章[illegible]翁許之遂往爲之嗣

四年庚子先生九歲

淳祐元年辛丑先生十歲

二年壬寅先生十一歲

三年癸卯先生十二歲

四年甲辰先生十三歲

五年乙巳先生十四歲

六年丙午先生十五歲

七年丁未先生十六歲　補郡庠生

八年戊申先生十七歲

九年己酉先生十八歲　試中待補太學生

有能文聲而先生反自悔其所爲之非且悼其所志之未定益折節讀書屏舉子業不事取尚書熟習而詳觧之然解至後卷即覺前義之淺時同郡王相字元章者幼爲童子科學問詞章望於庠序先生取友得之而元章亦深相器許

十年庚戌先生十九歲　欲往見北山先生不果

時先生知向濂洛之學聞北山何文定公基得文
公朱子宗旨欲往從之而莫爲之介故不果
十一年辛亥先生二十歲
十二年壬子先生二十一歲
寳祐元年癸丑先生二十二歲
二年甲寅先生二十三歲 受業魯齋先生及北山先生之
門
先生謀諸元章將求書往謁敬巖王公鎡敬巖名

監司能收接後進時方里居益欲偕之以踐北山之庭元章曰見敬巘娃不若見魯齋兄先生亦曰曩嘗獲覩王先生文粹序而竊慕之不知其爲令兄也元章即爲書曰金吉父與相生同年而月長蘭谿學者莫或先焉今欲請教于左右吾兄求賢弟子久矣亦必有以處吉父也於是獲見魯齋王文憲公柏而受其業焉初見請問爲學之方文憲曰立志昔先儒胡文定公有云居敬以持其志立

志以定其本志立乎事物之表敬行乎事物之内又問讀書之目曰自四書始已又因魯齋以進於北山之門既定束脩之禮復起言所以仰慕之意且歷序少小漂流顛冥之故願有以教之也北山曰會之屢言賢者之賢便自今日截斷爲人併以爲學之要示之會之文憲字也自是從遊二先生間講貫益密造詣益精而知學非身外物矣

初作讀論語管見

魯齋先生題曰寶祐甲寅立冬日蘭溪金吉父來訪以讀論語管見一編示余觀其立說則曰凡有得于集註言意之外者則書余竊惑焉夫孟子之所謂自得欲自然得於深造之餘而無強探力索之病非謂脫落先儒之說必有超然獨立之見也舉世誤認自得之意紛紛新奇之論爲害不小且集註之書雖曰開示後學爲甚明其間包涵無窮之味益翫而益深求之于言意之内尚未能得其

髣髴而欲求于言意之外可乎此編儘有見處正
宜用力奉以歸之不敢有隱苟能俛焉孳孳沉潛
涵泳于集註之内他日必有驗余之言矣

三年乙卯先生二十四歲

四年丙辰先生二十五歲

五年丁巳先生二十六歲　仲兄彌高卒

彌高字與瞻以是年四月卒年三十後五年爲作
行狀與季弟麟同請銘于魯齋先生

六年戊午先生二十七歲

開慶元年己未先生二十八歲

景定元年庚申先生二十九歲

二年辛酉先生三十歲　寫真自贊

序曰景定辛酉之春桐陽叔子肖其容而爲之贊贊之爲言佐也佐爾弗及非以自頌也詞曰幼爾寡行長爾及吏驟爾壯齡樂爾純清爾矯而輕以重而敦爾謷而慵以斂而勤爾謹爾獃以養以存

爾戒爾弱以毅以弘肅爾威儀維敬之門視爾踐

修維德之成小子識之毋忝爾所生 是歲作深

衣小傳王希夷以絕句索和先生答之云深衣大

帶非今士考禮談經盡古書莫把律詩較聲病聖

賢工夫不此如

歸宗執散翁喪

先是章已生子散翁命歸宗問于魯齋魯齋曰昭

穆既不順而彼復有子上承父命歸正宗緒夫亦

何疑耶至是散翁疾革命即歸宗已而奄至大故先生還承斬衰之重以畢葬祭之禮凡章家幹蠱之事尤極意彌縫不使少有闕失未幾章夫婦先後卒先生皆爲之服齊衰期以報

魯齋先生自金華來視壙

魯齋有挽桐陽散翁詩云濲水之西巍然一峰是曰道峰翔舞而東林巒蓊蔚邱壑渾融雍雍聚落惟金之宗五世積累鍾此散翁散翁傾傾生有異

質學敏而博心廣而實廼孝廼睦廼大其識教子
一經維寬而栗教人盡已維久無斁選舉法壞取
士以文決于一夫升沉遂分良才美德所甘隱淪
負我求我負人非人兩語垂訓風俗反淳我之識
翁因翁二子典刑是親翼翼亹亹曾不幾見翁遽
不起我來哭翁亦已晚矣匍匐之義直可媿死我
既哭翁亦相佳城千障矗矗萬壑沄沄一邱永閟
昭明上征萬壑沄沄千障矗矗子子孫孫載昌載

毓

三年壬戌先生三十一歲

四年癸亥先生三十二年

五年甲子先生三十三歲　自號次農

其說曰宗周班祿之制自天子而下凡四等國自諸侯而下凡六等其下維農農田百畝上農夫食九人上次食八人中食七人中次食六人下食五人亦凡五等百畝均也而若是差地有肥磽力有

疆弱也然古者以周尺六尺爲步步百爲畝今以官尺五尺爲步二百四十步爲畝古者周尺當今浙尺七尺四分今之浙尺當今官尺一尺一寸三分絶長補短則古者百畝當今東田三十三畝有奇也以今三十三畝有奇之田一夫耕之其屋居與其租稅之入古又出之公田宜其力贍者食九人而無不足弱者食五人而亦有餘也予生二千餘載之後去周室遠矣學先王之道將以措諸國

家謂君心可正公卿士大夫可齊民風可一夷狄可屏也而非有庠以養之非有卿大夫以興之羣試有司類非宗周之制取聖人之經副字儷語謂之程文少自振奮則有司駭之以爲非度予以是數黜家貧親老亦甚病焉知予者以爲有志未遇責予者以爲未能忘祿仕也嗟乎有志未遇者時也而未能忘祿仕亦勢也使予得百畝之田而耕之余亦豈能區區然較得失一夫之目哉昔顔子

一簞食一瓢飲不改其樂孔子賢之彼顏子猶有簞食瓢飲足以事育安知千載之下其空又有甚于顏子者乎也上無可官之祿下無可植之畝進無代耕之祿退無可耕之計也食人之食則多愧自食其力則無地不然乎何求哉乎嘗欲于桐山之下晏原之間爲舍八楹擬古二畝半之宅求田三十三畝有奇擬古百畝之田注下灌高擬古遂畎乎負笠而荷篠耦耕而力耘朋雞種蔬上養下

教閒歌七月之詩公劉之雅願夫子清源以厚下
公卿大夫士忘私以爲公使時龢歲豐穡事不擾
則予也固三代之農也他何求哉予力貧而體弱
不能爲上農夫之事庶幾其次次不能爲庶幾其
中中不能爲爲中次可矣故命之曰次農噫三代
之治不可見百畝之田未易求安得遂吾之所求
耶復安得見吾之所不可見者耶　是歲有和魯
齋涵古齋詩云圓融無際太無餘萬象森然本不

癯百聖淵源端有在六經芳潤豈曾枯入於心上
知潛處古在書中非遠圖會到一原惟太極包羲
元不與今殊又云陋巷深居世已疎書齋幽雅更
清癯神徂聖伏入何在往古今來迹易枯太極運
行長自若羲皇向上可潛圖渾涵妙處皆全體太
用周流自不殊 書浮屠可立薝蔔齋記後云薝
蔔薝花也釋氏書有取焉予少也魯不能讀釋氏
書以爲縱其有同吾道自足況其不同大儒君子

且辭而闢之比之滛聲美色不敢觀也薝葡之說

予葢懵焉佛者翠竹黄花之語我先生夫子亦亟

稱之因物喻理彼亦各有得也雪菴可立上人以

薝葡名齋自爲之記予舊友何君師文爲䟦其後

暇日何公權昆弟舉以示予讀之爽然且要予書

其左可立上人我之自出逃儒歸釋使我親黨間

倐游爲少余葢屢嘆之故不辭而爲之書　九日

有與弟麟及何公權昆弟輩登三峰詩

度宗咸淳元年乙丑先生三十四歲 如京師過謁嚴先生祠

有詩云誰云孟氏死吾道久無傳我讀子陵書仁義獨兩言仁爲本心德義乃制事權懷輔存體用治亂生死關迺知嚴先生優到聖賢邊歸來釣清江夫豈長往入漢道終襆覇文叔徒幾沉何如對青山俯仰自油然我來一瓣香敬爲先生拈陟彼崔嵬岡想此仁義心儼若羊裘翁縹緲慕雲深末

二句一作如見羊裘翁此道無古今 是歲有次題王立齋靜嘉樓詩云層樓新扁表新功个裏功夫自不同儼若思時居此敬寂然靜處感而通山窺南北浮嵐小月轉東西灝氣克更植樓前佳玉樹君家槐蔭比車攻末二句先生自註云立齋故相家時門前又新種槐後魯齋跋云有玉韞藏溫且栗他山之石不須攻

二年丙寅先生三十五歲 八月壽魯齋先生

時魯齋年七十先生爲詩壽之序曰華之高美王子也于是子王子年七十而獻是詩詩金華之高其色蒼蒼維華降神生及何王維王及何文公孫子天子是師斯文之紀翼翼王子教行于東思樂東周舞雩之風東八之子其來秩秩是追是琢是進是服有車班班有來自東子曰予耄落此新宮新宮嚴嚴珮玉翩翩毋曰予耄而將閉關自古在昔聖賢有作七十之齡德烈方恪于時阿衡一德

之書于時尚父猶磻之居于時宣尼從心不踰六籍是正三千其徒百里何爲亦顯其君武公九十懿戒維新屹屹王子三壽作朋䀹彼覇侯曾何足論巋巍巍王子我人所宗維北有斗維岱在東亹亹王子毋遏來學是潔是進亦審亦度毋信其言省其退私毋晦其明而左右咨明明天子宅此四國窮寐幽人旌旄幣帛北山之陽其及王子毋然遁思孤我帝祉帝心孔冀帝民孔棘盍濬其源而沛

其澤穆穆王子毋靳爾猷以求斯友邦家之休書甫作頌其詩孔陋相彼兒觥以介眉壽 是歲有贈諸友詩云臨別哦詩比贈蘭聖賢問學貴先難歸與休用嗟離索來歲時時到歲寒 歲寒魯齋先生書院名也

三年丁卯先生三十六歲 壽北山先生

時北山年八十先生爲詩壽之序曰北山之高兮咸淳天子也天子能繼志師賢而聘何夫子焉六

北山之高表我東底維山降神生何夫子維何夫子文公是祖是師黃父以振我緒翼翼夫子令德在躬道廣心平不外此裏北山之陽盤溪之將以處以安不犄不亢昔在理宗維道之崇旣表程朱亦躋呂張謂爾夫子纘程朱之緒卿士率連百辟咸譽咨爾夫子設教于鄉卽命于家長此泮宮夫子曰辭辭是好爵王几道導揚燕翼是托明明天子丕承皇考曰求多聞曰咨有道天子曰都咨爾夫

子爲世守儒來游來歌東觀石渠夫子國山臣非
素隱士各有志旣耄只天子曰皦咨爾夫子汝
予交修講殿經帷爾優爾游夫子曰道維帝之蹟
臣何容力亦聿旣耄天子曰吁鴻飛冥冥罔終棄
予稟子宫祠寓我渠渠夫子由由匪詭匪隨匪傲
匪求云爰奚爲子矛干旌侯伯是將鳳凰于飛亦
集爰止北山之陽北山之陽優優夷夷盤溪之流
可以樂饑明明天子肇域彼四海樂學師賢有求

無怠巘巘北山其高極天障此東南利欲之瀾敢拜稽首天子萬年克之保四海好德之端敢拜夫子眉壽無從毋金玉爾音以永斯文　是歲題王立齋短軒記詩云以短名軒義已諧方方尋丈自恢恢勿侵四壁籓籬隔不費一天風日來學者勿欺惟暗室聖門所樂只靈臺盡朋但讀立齋記誰謂顏居曰陋哉題下自註云軒狹且暗

四年戊辰先生三十七歲　是歲有登嚴州北高峯及樓真紀勝游小三洞諸詩

一月八行公入縣祠

八行謂景文先生從曾祖也與同鄉陳天隱董少舒俱以孝義重于鄉時稱三孝子郡守韓元吉名其鄉曰純孝至是縣官立祠祀之先生有奉安祝文

十二月乙未北山先生卒與魯齋思誠二先生議服魯齋謂先生曰北山當世巨人今制門人之服而非古則無以示四方矣子其思之先生議用白布

深衣而純以素冠用素冠加絰于內而以生絹加于外絰用細麻帶用細苧魯齋定議用玄冠端武加白布謂即古之素委貌也深衣不用素純而布帶加葛絰及先生往問張伯誠乃不以爲然曰北山之生不爲詭俗之事死而吾輩之服殊詭于俗非北山之意也爲吾黨者以學問躬行自勉有以發明北山之學可矣不必爲是服也生絹白衫加布帶而白巾如常庶可表此而亦不甚駭于俗且

今爲古服魯齋服之可也朋友中有義利不明進退失節者見吾輩之服亦服之則反玷北山矣于是魯齋約曰成服伯誠不往魯齋曰其恥與吾人黨乎先生曰非恥與先生爲黨恥與履祥一輩朋友爲黨耳且伯誠丈之說存之以爲朋友之糾彈可也　先生有挽子何子詩云道自朱黃逝人多名利趨獻傳眞統緒惟下實工夫粹德兩朝慕清風四海孤斯文端未喪千載起廉隅　昔年夫子

在巳慮曉霜稀氣運嗟辰歲天文動少微素帷兄並殯冊旐子同歸總是堪傷處瑶琴聲更希　毋侍圖書右令人悠慮空隱憂惟世變卧病亦春融聖處　言敬天然萬里中音容今永已哀牖隔幽宫

五年巳巳先生三十八歲　二月丁亥祭北山先生其文曰嗚呼先生問學得聖賢之傳授存殁關世道之隆汚是惟知德者足以知此而衆人將謂吾

言之爲詳自夫堯舜以至于孔曾思孟又乘垂吾
百之年而後有程朱前者曰以是傳之後者曰得
其傳焉不知所傳者何事與蓋一理散于事物之
間俱真實而非虛故事事物物莫不各有恰好之
處所謂萬殊而一本一本而萬殊先生蓋灼見乎
此故廣採精擇以求而篤信恪守以居著于語默
出處之義而粹于踐履之實存養之腴又間指此
以示門人也此其傳授之符乎然自朱子之夢奠

以及勉齋之既徂口傳紙授者或浸差其精蘊而好名假真者又務外以多誣惟先生纂師言以發揮剔衆說之繁蕪以爲朱子之言備矣學之者惟真實之心地與刻苦之工夫能此者雖不及吾門可也又何有于開門而受徒衆决性命以干進世滔滔皆利欲之塗然廣厦細氈之召先生猶不受也而況爵祿之區區蓋聞其教者有以知爲學之非外而聞其風者足以廉天下之貪愚此先生之

有關于世道也倘一朝而忘夫昔先生之論世每懇切以嗟吁雖病老于山林與斯世其若疏隱然王府之有鈞石巋然隆冬之有後枯今也先生之終甚矣吾道之衰矣竟世道以何如雖朋從之有傳奈晨星其益孤抑恰好之妙旨與真實刻苦之訓謨言猶在耳其敢忽諸惟玩索而不舍益服行而不渝尚有以繼先生之志而讀聖賢之書 時同祭者五人張必大童偕余澤童俱及弟麟祭畢

退遊北山智者寺有詩云來往師門十五年此山曾近未躋攀于今始至滋懷憾不見先生却見山

十一月再祭北山先生

文曰嗚呼先生道德之隆孰能形容已有魯翁昔我術莫能言一二今此祖行秪言微意念昔多岐中師魯翁指我宗師甲寅季秋時始受學截斷爲入一語夢覺謂古聖賢一敬畏心曾子終身臨淵履氷然所敬畏匪拘匪攝常以爲重則罔或越謂

凡事物用各不同易云萬殊一理所通蓋凡事物有恰好處萬殊一本維敬之故謂昔程子上蔡初來曰此可望展拓得開乎亦謂予於此可進難乎有常戒爾所病出入師門餘十五年受教弘多愧負師言間闋悠悠緒業未卒今喪夫子嗟悔何及比歲卜居求義所安先生曰然大書仁山先生既殁我始戒室揭揭庭顔依依典則北山之南先生所盤南山之北先生所寧伏哭柩前訣此一奠哀

我斯文曷以報稱壽恰好處存敬畏心終期展拓

忝辱師門　按柳文肅公狀云文定恪守師傳參訂訓義于易大傳本義啓蒙大學中庸章句論孟集註太極圖通書西銘之外凡文公語録文集諸書商確考訂之所及取其已定之論精切之語彙敘而類次之名爲發揮已與諸書並傳于世矣若文公成公所輯周程張子之微言曰近思録者宜爲宋之一經而顧未有爲之解者亦隨文箋義爲

近思錄發揮未證定而文定殁先生乃與同門之友汪蒙俞卓續抄校正篇次前後㠯仍文定之舊且爲製序而屬之文定之孫宗　又按仁山書堂當爲是年所築

六年庚午先生三十九歲

自弱冠以後至是歲襍詩文彙爲一集自題曰昨非存稿共三冊　按先生文稿凡四集今皆散落惟吳禮部家藏得先生手筆一冊皆己巳以前所

作即所謂昨非稿者是也其後董東湖遵重加編

校自手筆册之外增入二十餘篇共爲三卷云

又按是稿中有篆老母扇云奕奕桐陽穆穆北堂

清風其長既壽且昌則知散翁既歿而童安人尚

在也其後不知卒于何年姑識于此以俟攷而補

之

七年辛未先生四十歲　至京師進奇策不用

先生負經濟大畧雖不事進取亦不忍遽忘斯世

時襄樊之師日急人皆坐視而不敢救先生圖進
牽制擣虛之策請以重兵由海道直趨燕薊則襄
樊之師將不攻而自解且備叙海舶所經凡州郡
縣邑下至巨洋別島難易遠近歷歷可據以行宋
終莫能用及後朱瑄張清獻海運之利而所由海
道與先生所上書咫尺無異者然後人服其精確
按襄樊之地自咸淳四年被圍至九年陷于
元先生進策當在此數年之間　許文懿公曰先

生嘗一舉進士不利遂絕意進取以布衣遊諸公
間率以文義相處當宋季世睹國勢阽危慨然欲
以奇策匡濟爲在位所沮議格弗上其語秘不傳
然當時計畫之士咸嘆其策不用

八年壬申先生四十一歲

九年癸酉先生四十二歲

十年甲戌先生四十三歲　七月魯齋先生卒治喪如北山
之禮

文憲癹先生相其家以治其喪率其門人制服如
前議鄉人始知師弟子之義繫于倫常之重如此
又爲文以祭曰文運重明冉盛乾淳集厥大成越
惟考亭考亭之亡道散四方鼇峰之傳北山之陽
猗與先生師資就正有的其傳立志居敬攻堅鉤
深高視旁通即事即物無理不窮究其分殊萬變
俱融會諸理一天然有中見其全體靡所不具度
其大用隨舉而措履祥登門今二十春轉迷起弱

弘徧矯輕進之北山館我歲寒施及其徒鱗次朋

升昔我大故貧不克葬先生賙之復視其壙引義

返正師訓有嚴始拘謬悠卒踐師言涵養拓克雖

未克稱環堵饔蔬罔敢越隕勉我力學以大發揮

方期卒業遠遊來歸時夏請益至巳微疾爲我坐

言不踰其則謂喜介寧竟閩淵氷哀哉茲今有問

無徵

魯齋既歿凡所著書僅能脫稿而未及有所正定先生悉爲讎校以傳又嘗取魯齋與北山

往來問答之詞集爲私淑編云

帝㬎德祐元年乙亥先生四十四歲詔召爲史館編校不果用

先生夙有經世大志而尤肆力于學凡天文地形禮樂刑法田乘兵謀陰陽律曆靡不研究其微以究極于用嘗遊杭都諸公貴人爭相引重及進策弗售退歸至是國勢阽危乃思其言而以迪功郎史館編校召之則已不及于用矣

設教釣臺書院

旁郡嚴陵有釣臺書院郡守以文憲上蔡故事來聘先生爲之一出舉子陵懷仁輔義之說摅發仁義之蘊學者始知有義理之學焉、自辛未以後至是歲襍詩文二册自題曰仁山新稿　是歲魯齋先生得贈承事郎先生爲焚黃告文曰朝廷以外患孔棘叛降接踵棄君親而遁者雖宰執侍從自負崛強或不免焉思得先生剛明正大之賢挽回世道而不可復是用追贈京秩以寓求賢不及之意使聞風者莫不興起也節惠異數次第舉矣諸公以某逮事先生俾奉燎黃致告几筵先生不亡其體朝廷所爲表章風厲之意尚歆受之謹告

二年丙子五月以後爲端宗景炎元年。先生四十五歲　元兵入臨安以帝㬎及太后北去先生遂避居金華山中

宋將改物兵燹乘之所在繹騷先生之居猶與盜近因挈其妻孥避之金華山中驚悸稍息則上下

巖壑追逐雲月探幽討勝寄情嘯咏而是心之泰然者初不以亂離之瘼嬰拂之也久之始歸就寧宇

端宗景炎二年丁丑先生四十六歲

三年戊寅五月以後爲帝昺祥興元年。先生四十七歲 爲思誠先生賦

洞山十詠

十詠者一高石巘二朝真洞三冰壺洞四雙龍洞五椒庭六中洞七小龍門八五疊泉九老梅巘十

中峰據先生詩序當在是年以後作故繫于此序略曰思誠子張君少游金華攬奇選勝晚好逾極丁丑戊寅之間避地是山有桃源之心焉朝夕游處其中始盡其美嘗謂洞山之勝有十景焉暇日邀予相與觀之又曰思誠子于朱門爲嫡孫行端平淳祐文獻靈光值亂處約布衣蔬食薪水或不繼人不堪其憂處之裕如氷雪孤松端操凜凜其于此山表微擇勝諸所品題終爲山中故事不鄙

謂予各課一絶自維鄙拙未必能爲此山輕重而
思誠子之命不容辭也勉綴左方思誠子其幸教
之 詩不録

帝昺祥興二年己卯先生四十八歲 宋亡先生遂決志避
世
先生以宋室遺民耻復屈身異代自是歲以後所
著文章止書甲子而不及年號其自署則曰前聘
士云

作廣箕子操

宋季爲相者曾聘先生館中先生以策干之不果用而去宋亡先生感激舊知賦詩一章云炎方之將大地之洋波湯湯兮翠華重省方獨立冋天天無光此志未就死矣死矣死南荒不作田横横來者王不學㓜安歸死其鄉欲作孔明無地空翱翔惟餘箕子仁賢之意留滄茫穹壤無窮此恨長千世萬世聞者徒悲傷

元世祖至元十七年庚辰先生四十九歲通鑑前編成

先生以司馬氏之作資治通鑑取法春秋繫年著代秘書丞劉恕作外紀以記前事顧其志不本于經而信百家之説是非既謬于聖人不足傳信而自帝堯以前不經夫子之所定固野而無質夫子因魯史以作春秋始于隱公之元年實平王之四十九年也王朝列國之事非有玉帛之使則魯史不得而書聖人筆削何由而見況左氏所記或闕

或誣允若此類皆不得以避經為辭及用邵氏皇極經世曆胡氏皇王大紀之例損益折衷一以尚書為主下及詩禮春秋旁採舊史諸子表年繫事復加訓釋斷自唐堯以下接于資治通鑑勒為一書名曰通鑑前編凡十有八卷舉要三卷且自題其編有曰荀悅漢紀申鑒之書志在獻替而遭值建安之季王仲淹續經之作疾病而聞江都之變泫然流涕曰生民厭亂久矣天其或者將興堯舜

之治而吾不與焉則命也先生作書之意蓋在于
此　先生以古書有註必有疏朱子于論語孟子
製集註多因門人之問有所更定其問所不及者
容有未備也及其于事物名數或以為非要而略
之廼皆為之修補附益成一家言名曰論孟攷證
早歲嘗註尚書章釋註解既成書矣一日有悟盡
斥諸説獨推本父師之意一句畫段提其章旨與
其義理之微事為之槩攷正文字之誤表諸四闕

之外名曰尚書表註。按二書不知成于何年無從考據姑附于此

十八年辛巳先生五十歲

十九年壬午先生五十一歲

二十年癸未先生五十二歲

二十一年甲申先生五十三歲

二十二年乙酉先生五十四歲

二十三年丙戌先生五十五歲

二十四年丁亥先生五十六歲

二十五年戊子先生五十七歲

二十六年己丑先生五十八歲。是歲有告魯齋先生諡文

二十七年庚寅先生五十九歲

二十八年辛卯先生六十歲。自丙子以後至是歲裸詩文二冊自題曰仁山亂稿

二十九年壬辰先生六十一歲。子頡卒

先生娶孫氏子男三長頡次頫次頡頡有志于學早卒。是歲以後裸詩文名噫稿且題其端曰自

丙子之難而生前之望歟自壬辰累子之感而身後之望孤曰亂自噫所以志也

三十年癸巳先生六十二歲

三十一年甲午先生六十三歲

成宗元貞元年乙未先生六十四歲

二年丙申先生六十五歲○編次濂洛風雅成

時先生館于唐氏齊芳書院是編類載濂洛諸公下及何王二先生詩詞唐良瑞爲序○按齊

浣乃唐艮驥德之所築以延先生者德之有贈先生詩云公已蒼頭我黒頭两情常得守清幽紛紛世事浮雲變汩汩人生逝水流行止何期南又北交情又見夏還秋可堪天意常如此只合無心任去留　命有窮時道不窮道窮何處更求通此生未老應須學萬事由來要適中物欲盡時心始曠天真動處氣初融百般佳趣難形狀自與常人迥不同

大德元年丁酉先生六十六歲○是歲有祭葉養榮祖母文

二年戊戌先生六十七歲

三年己亥先生六十八歲

四年庚子先生六十九歲

五年辛丑先生七十歲 ○白雲先生許謙自金華來學謙聞先生講道蘭江上委已而學焉先生曰士之爲學若五味之在和醯鹽既加酸鹹頓異子來見我已三日而猶夫人也豈吾之學無以感發于子

耶謙聞之惕然時謙年三十有一矣請不拘常儀
就弟子列
六年壬寅先生七十一歲。設教金華呂成公祠下謙從卒
業
先生嘗語謙曰吾儒之學理一而分殊理不患其
不一所難者分殊耳謙由是致辨于分之殊而要
其歸于理之一又曰聖人之道中而已矣謙由是
事事求夫中者而用之數年盡得其所傳之奥

大學指義成[illegible]

先生在金華以大學爲第一義諸生執經問難皆爲之毫分縷析開示蘊奧于是取其要者筆之名曰指義又出疏義一編曰此予少年所成也詞雖少浮而大義已著固可即是而觀朱子之書矣。二書白雲爲序門人東平陳克紹鋟梓以傳

七年癸卯先生七十二歲。三月壬辰先生以疾終于正寢

先生疾革門人許謙自金華徒步冒雪來省先生

將易簀謂子頫顗曰前編之書吾用心三十餘年平生精力盡于此吾所得之學亦畧見于此矣吾為是書固欲以開後學殆不可不傳亦未可泛傳也吾且殁宜命許謙編次録成定本此子他日或能為我傳此書乎于是授之白雲

大德十年丙午九月甲申葬于仁山後壠兩峰對立中有圓墩地名小釣既葬白雲先生為挽詩云德粹身常潤時艱志莫舒治安曾獻策私

淑幸遺書方寸遜千古 襟懷湛若虛哲人今已矣
吾道竟何如 統緒傳朱子淵源繼魯翁誨人之沛
時雨對客藹春風志立修身本誠存作聖功遺言
猶在耳一慟閟幽宮。其後禮部吳先生師道移
文學官謂先生道德無忝于前修論著有裨于後
世列之祀典義叶古今于是學正徐鉉特為申請
列祀于先賢之祠 禮部有奉安先生神主詩云
我里堂堂有碩師窮經白首問誰知諸君宣化文

明運百世流芳道德祠鄉曲論公身歿後衣冠色
動禮成時服膺私淑遺編在豈乏方來秀傑姿
仁山山下故書藏上沂真傳自紫陽策祕當時桑
海變道行異世日星光先生永配千年祀學子濃
熏一瓣香端藉廣文崇教事相看不恨鬢毛蒼

至正中特謚文安

國朝成化中勅郡建正學祠與何王及許並祀正德
中郡守于邑城天福山建仁山書院歲春秋祀弗

替

附錄門人敘述

許文懿公謙曰先生仁山于書無所不讀而融會於四書貫穿于六經窮理盡性誨人不倦治身接物葢無一毫歉可謂一世通儒又曰先生神勁而清氣候明潔平居獨處終日儼然至與物接則盎然和懌閨門之内相敬如賓生平篤于分義有故人子坐事毋子俱繫于官其後分配爲隷子毋不

相知死生者垂十年先生傾貲營搆卒贖以完其子後貴先生終不自言相見勞問辛苦而已方從王先生時與同舍生夜步庭中指謂之曰某星入某次其分野當有某變已而果然郿人李某者嘗侍坐于先生言次及其鄉先生因歷歷爲言其山川風土物產之宜如指諸掌某大驚服先生之于學其精博類如此

柳文肅公貫曰先生之學以其絕禀濟之精識得

于義理之涵濡而成于踐履之克闡研窮經義以究窺聖賢心術之微歷考傳註以服襲儒先識察之確無一理不致體驗參伍錯綜所以約其變無一畫不加點勘鉛黄朱墨所以發其凡平其心易其氣而不爲浚恒之求深鈎其玄探其賾而不爲臆決之無證自其壯歲韜英蓄鋭致其人十己百之功固已深造自得乎優游厭飫之域迨夫晚暮意篤見凝心和體舒所發皆粹盎所趨皆寛平于

一動作語默之間自然丕冒太和之内而無回護拚覆之弊學之成已蓋若此也四方學者承風依正肅襟造請方群疑塞胸轇轕糾纏莫能自解而親其軌範領其誨言固吝消亡隱僻軒露如人疾疢察製脉劑適其浮沉滑濇之候而中夫攻慰補瀉之宜動悟孚格不俟終日其或一時扞格而不入則寬以養之徐而制之浸灌磨礲未嘗無益而錯施之也又曰文定何公早嘗師事黃公勉齋與

聞眞實刻苦之訓而文憲王公則又得之何公者也何王二氏生同里同志于道同時易名有司以謂何公之清介純實似尹和靖王公之高明剛正似謝上蔡時稱知言而先生則自其盛年親承二氏之教以克之于已者也盤溪之步趨歲寒之講切立志持志之訓謨嚅嚌道腴而游泳聖涯其所資者深所造者遠矣雖進不爲諸葛孔明之起赴事會而崔州平徐元直之知爲偉人者不失也緄

猶得爲陶元亮之任運歸盡而其所願爲魯仲連張子房者尚皦然而不誣也簞瓢樂道著書忘老英華之敷遺芳澤之流滋豈不足以表儒行之卓繫師資之重哉一世之短千世之長以此較彼孰得孰失必有能辨之者矣

仁山先生年譜卷終

松谿程先生年譜

（明）姜寶編

清咸豐間刻本

鬆谿先生年譜叙

寶讀書山、秘時荷先生誘掖奬許不後於諸同館而先恭人金氏捐養京邸蒙先生吊且奠哭之哀寶感於心未能報先生罷官歸舟過我寶迎之、雲陽驛送之毘陵時則荆川先師同相送同遊白氏園乃

別此後時懷仰比先生去世時感
傷而未能一致其追慕之私殊以
為憾今年寶叻起南少司寇而先
生孫順孫為南臺幕僚適先在談
及身後家世事相與泫然久之順
孫以像贊為請而寶問及年譜順
孫因出所自為槀草見示寶受而

增損成編既而又爲一贊以貽順孫寶爲先生門人愧無能仰酬師恩而所爲編次僅若此然非順孫先以藁草見示則亦何從而爲之編次若此乎於乎若順孫其可謂能世先生之家矣

萬曆甲申秋九月朔旦

賜進士出身嘉議大夫南京刑部右
侍郎前南京太常卿國子祭酒門
人丹陽姜寶頓首拜書

程文恭公小像

贊

惟先生章美之內含也英華之吐露以和順之積充其著述可得而稱者蓋發言由性命而亦煥乎其能工曾不尚小技於雕蟲惟先生敬德之中存也本之爲寅畏斯出之爲和衷其周旋可得而數者蓋

中禮以自然而文穆乎其若中畫
不事飾貌與修容儀形餘廿載其
永違追思欲一見而無從遂憑郎
君攄像得於縑素相逢宛然在玉
堂之上瀛洲亭之中就鄉雲而披
祥風於乎斯其所以為文恭雖已
猶存可傳於千百世而無斁者歟

萬曆甲申秋八月既望

賜進士出身嘉議大夫南京刑部右侍郎前南京太常卿國子祭酒門人丹陽姜寶頓首拜題

松谿程先生年譜

門人丹陽姜寶編次

先生諱文德字舜敷其先新安之槐塘人宋丞相元鳳之後元末湖東廉訪使鎧避亂金華石倉岩下更名楷始徙居永康是為永康始祖四傳至萬里為先生高祖世居方岩下曾祖永延徙獨松祖世剛號松厓以子鉎貴封文林郎南大理右評事前祖母楊祖母方贈封並孺人而鉎號十峰舉弘治己未進士

初任南評事歷陞四川按察司僉事副使者
先生父也十峰公在四川備兵威茂建昌勦
平流賊有功得晉秩加俸年未艾方嚮用然
竟謝事歸元配封孺人趙氏者生子三長文
思叔文謨季文訓側出先生其仲也初號益
齋後號質菴後又改號松谿學者因共稱松
谿先生云
孝宗皇帝弘治十年歲丁巳九月初三日未時先
生生於獨松里舍

十一年戊午先生二歲議婚於兵部侍郎金華竹澗潘公希曾

先是潘與十峯公有指腹之約至是以其女字先生即後 誥封淑人者也

十二年己未先生三歲十峯公挈先生如南京

是年公成進士授南大理評事圖之任先生從行焉

十三年庚申先生四歲祖松厓公口授壽文輒成誦

十四年辛酉先生五歲就外傅讀小學四書目數過輒又成誦云

十五年壬戌先生六歲

十六年癸亥先生七歲受業於舉人胡公璉璉號南津淮安人後為少司寇時卒業太學有名故十峰公命先生及其門受業焉

十七年甲子先生八歲仍從胡公學

十八年乙丑先生九歲受業於舉人林公文俊文俊號方齋莆田人後為南少宰時卒業太

學亦有名十峯公命先生從之游肄業於城北隅之興善寺吳門有周侍御名愚者見而奇之贈以詩

武宗皇帝正德元年丙寅先生十歲仍從林公學於興善寺

二年丁卯先生十一歲

是年胡公璉以取乙丑進士受官南刑部主事先生仍及其門卒業焉

三年戊辰先生十二歲

是年從胡公悉受經書大義旁及近思錄太
極西銘諸書皆能領略其大旨
四年己巳先生十三歲
時安福鄒公守益亦從父於官邸年相若同
學於胡公之門並穎異志趣不凡其爲文能
切理命意胡公並加器賞曰他日者皆國士
也同時士大夫聞之益莫不嘆羨焉
五年庚午先生十四歲歸永康受業於適齋朱
公方

朱舉業精尤篤於踐履先生居其門相與切磋發明心契而行合同門之士且隱然有師法先生者矣

六年辛未先生十五歲入邑庠爲諸生

適齋朱公日與先生講明經學自本經尚書外尤深於易十峰公取十三經注疏批點史記漢書及通鑑綱目令先生傳習焉并令讀左氏與韓柳歐蘇諸名家盖公望先生頗遠大欲其早成就先生亦銳然能遵庭訓不欲

自同尋常矣

是年冬十峰公轉四川僉憲先生留於家

七年壬申先生十六歲受業於石泉李公滄李楓山章先生門人也嘗官水部有氷櫱聲章先生嘗稱爲不負吾門者先生之績學勵行蓋又興起於李爲多

八年癸酉先生十七歲赴省城應鄉試不第仍就石泉公學不專事舉業詞章也每夜分且寢矣思有得輒起而燃燭書焉曰張橫渠

吾師也適齋石泉兩公每談及輒嘆曰楓山先生之學在吾黨有傳矣

九年甲戌先生十八歲如金華就婚於竹澗潘公家

是年夏如蘭溪及楓山先生門受學焉

楓山先生察先生能立志究心於理學於是授以真實心地刻苦工夫之說先生毅然起以聖賢之學為學焉楓山喜謂先生曰吾婺東萊之鄉今得子何王金許之正脈其有托

乎先生後來作發集同聲詩序推楓山以道
自任為婺山川靈秀所間出為世所宗又述
其語同志之言曰吾婺有三重擔曰道德曰
文章曰勲業是在我後之人斯言也既有開
於前修恐自隳於後進修巳俟時本至簡而
至易存誠慎獨可希聖而希天仕則尊主庇
民處則正家範俗人以為真修實踐如先生
真得楓山法門矣
丁亥先生二十九歲如金華與內兄潘公徽

旅壺南者同進學於其邑之赤松宮

是年長女章婉生

後適金華姜郎中子寀庠生也

十一年丙子先生二十歲與壺南公同進學於

潘村

十二年丁丑先生二十一歲仍與壺南公同進

學於潘村

十三年戊寅先生二十二歲先與壺南公同進

學於王氏別業後送之之任南刑部有序文以贈

序略云壺南子内兄實莫逆友也同意氣盡規勸暇則遊息笑談而止乎禮義其可謂久而能敬有實益以相成矣蓋道其相與之實如此

十四年己卯先生二十三歲赴浙省鄉試中式第八名

是年次女章娩生
後適徐文玉庠生也

冬偕許如京師

十五年庚辰先生二十四歲下第歸

距家數里許有壽山洞内爲五峰書院乃柔

曠菴吕東萊陳龍川諸公講學之所先生聚

同志友肄業于其中

十六年辛巳先生二十五歲乃肄業於五峰書院

先生以人之有小才而自負汲汲於狥名者

爲深耻謂其常以不已若者與已比故然若

比之古之人不知其相去當幾倍惕然愧不

暇況敢自炫乎我因書痛懲條目十款謂之

三

益齋砭劑納諸袖時出以覽自警焉其從事舉業時已能務真修每如此其條目云余頗有志脩省昔年嘗隨處示戒以為提撕警覺之具恨立志不篤屢奮屢廢于今碌碌猶塗人也竊愚明道自十三四歲時便要做聖人事業竟成大儒余今二十有五年矣倍之則為五十由此去五十只瞬息耳人生寧有幾時邪今尚未有長進則五十年來又安知其遠過於今日邪又安知他日之視今日不如

今日之觀往日耶中夜以思惕然悚厲一旦不祥遂與草木同朽腐不竟為天地一罪人乎為念及此毛髮俱竦展轉反側計無所出師友寥寂只與心謀因洗心滌慮改絃易轍爰揭日用致力大端十條書之袖中出入必觀以為白圭之復絃韋之佩而又有銘之肺腑者自今伊始日省吾身有則改之無則加勉盟諸天地質諸神明有一戾此頑底賊已尚賴我天地祖宗宥其既往之愆廸其方來

之善靡幾不終自棄於神明無忝於聖賢則
於天地祖宗亦有光也惟陰騭而玉成之一
曰景行嘗謁吾鄉章楓山見示曰後生須立
得脚跟定方好做人賢輩注在此時立脚夫
古之大聖大賢吾不得而見之矣若不可得
而由之也今之楓山何人也而海内咸推之
可不求其所以至楓山者乎由楓山而上之
亦豈不可至乎須蚤夜思之念之二曰孝弟
孝弟人道之大本家庭之間不知務此則其

本失矣何以爲人此非一端可悉須隨事謹思力行他日事君事長胥從此出三曰謙厚爲人須温恭謙抑存心更欲忠厚不得竊圭角使性氣爲暴戾爲傲慢爲刻薄與人言論尤不可以賢知先人逞其聰明孔子何人尚恂恂如不能言況下於孔子萬萬者乎深戒深戒四曰德器人必有德器然後可大受浮躁淺露幹得甚事昔人稱寵辱不驚終日無疾言遽色之二公者真可爲法言語必從容動履必安詳

五曰威重孔子曰君子不重則不威學則不固爲學之道以威重爲質乃如此然飛揚佻儇則體裁輕薄非徒廢學抑非享壽之器也慎之慎之六曰謹戲戲言戲動日用深戒雖同胞至密亦須謹飭至於衽席之間則當居敬持志寡欲養心樂而不淫和而有節先儒有曰自檢束則日就規矩縱放肆則日就曠蕩孟子曰夫人必自侮然後人侮之七曰訥言爲人不得多言昔温公以鐘鼓喻人言最

可深省夫人時而後言猶鐘鼓叩之而後鳴也使鐘鼓不叩而自鳴豈不大可異耶鐘鼓無故自鳴即爲異物人之無故說話者不將爲異人耶可念可懼○曰毋誑言語不得誣誑雖尋常閒談亦須從實又毋得爲駭人聞見之論蓋將欺人即先自欺其心矣欺人之罪小欺心之罪大欺心乎欺人乎溫公曰誠自不妄語入○不妄不誑也○曰隱惡終身不得談人過惡說人是非古人所謂聞人之

失如聞父母之名耳可得聞口不可得言也當日須斯言非徒自脩亦可寡尤十日習靜吾性本動更人事擾擾無時休息若不隨處加收心定志鞭辟近裏之功則心與學不相入非惟無心得將并其舊聞而忘之矣可懼可懼程子教人為學且須靜坐予當日佩斯言。韓子曰人患不知其過知而不能改是無勇也。司馬溫公曰吾無大過人者但平生所為未有不可對人言者耳。趙清獻公曰吾晝之所爲夜必焚香告于天不可告者則不敢爲也○余於前之十事而能無媿於後之三言則可以建天地質神明矣○正德辛巳仲冬十日益齋程子焚香拜誓書于五峯書院

是年長子章甫生

後娶同鄉縣丞黃源女（有學行並優為邑庠諸生年逾弱冠卒先生痛悼之特甚黃以悲傷絶食而逝妻死于夫人咸謂先生修齊之化如此後有司以全節死聞于 朝旌表焉）

世宗皇帝嘉靖元年壬午先生二十六歲

搆松谿書院於所居之傍近聚朋友同志者以昕夕講肄乎其中見有攻舉子業而急於進取因忽畧於躬行者手書所常言於東西壁以相勉東壁之畧以人生可惜者惟光陰光陰虛度一日則吾生遂減却一日矣人生可寶者惟無累聲色財氣皆累也至於富貴貧賤皆有累惟好名亦然西壁之畧曰今人以登取科第為成立此殊不然人所能成立也在道德道德有於身雖貧且賤不可謂之

不成立若徒富貴而已者即位至三公謂之
富貴人可也謂之能成立不可也雖然道德
既充富貴亦自至舉業其階梯由之不害也
而志則不可以不辨一時同肄業者咸佩服
為確論云

是年次子章衮生

後娶進士徐昭女章衮為弟子員有聲從表于閶門舟次先生哭之哀生一女適王詒舍楷子

庠生宗默殁後六月得遺腹子光裕以廕為南京前府都事娶東陽趙編修祖鵬女繼東陽盧舉人光詢女

十二月又偕計如京師

二年癸未先生二十七歲下第歸肄業于松谿
書院
三年甲申先生二十八歲造陽明先生之門受
學焉
先生聞陽明先生教人以學為聖賢於是往
受業以所聞於胡公璉李公滄朱公方及所
受於楓山先生者互相印證陽明大悅之相
與講明致良知之說逾數月而後歸其後先
生跋陽明文録略曰先生之可傳者存乎言

其不可傳者存乎意聖學久湮良知不泯支
離蔽撤易簡功成是先生之意也明德親民
無外無內皇皇乎與人為善而忘其毀譽者
是先生之意也世承平治以為已辜將以此
學上沃 聖明而登之熙皞焉是先生之意
也故曰讀斯錄者在通其意而已矣
四年乙酉先生二十九歲正月如京師
抵都門寓于栢林寺聚諸同志者辨証其學
術間相與從事舉子業然終不以此妨講學

功盖先生志自有在不専為博一第而先期

以往也

是年秋又次女章懿生

後適東陽盧仲岳庠生也

五年丙戌先生三十歲中峰董公玘典禮闈分

校以親故引嫌不與試而歸

有詩自述畧云松谿草堂構初成松谿主人

忽遠行燕臺直走四千里奮身自許窺承明

胡哉遠物忌翺翔康衢咫尺逢羊腸就令通

籍黃金閭玉堂未必草堂如不如抱璞且歸
來草堂對景尊常開賓主相歡諧風契藏修
更老經綸方
六年丁亥先生三十一歲編策學類聚成
先是聚同志於靈岩寺旁邑名士多有從游
者先生相與嘆曰口耳之末非所以學爲聖
賢也士不通天地人何以稱儒雅名名儒於
是取古今載籍可通於經濟時務者分類條
析名曰策學類聚既又編二十八題曰策畧

皆手自謄寫暇則時披覽迄今鄉里生業舉
子業者蓋無不誦習焉
七年戊子先生三十二歲從竹澗公北上
時公由南贛督撫轉工部侍郎故先生從之
行以便次年春試也
八年己丑先生三十三歲中會試第十名其本
經座主禮部侍郎蔡鶴江公昂也　廷試一甲
第二名　賜進士及第授翰林編修侍　經筵
試題以知人安民爲問先生對稱　旨　肅

皇親校閲御批採本之論蓋受 上深知如
此
是年冬 上以久不雪蠲吉躬禱俄而應先生
同衆詞臣獻靈雪頌
其進頌之疏有曰遇災知懼者戒於已著遇
祥益慎者防於未萌已著之戒其致力也猶
易未萌之防其操存也甚難臣願 皇上自
今伊始恒存是心而已蓋頌以歎美者衆皆
然而頌不忘規則惟先生爲能然也

時先生與同年念菴羅公方洲楊公荊川唐公意氣相得彀志理學相與砥礪切磋終身如一日後念菴公以請告歸先生有詩送之詩畧云執手忍墮淚諒非兒女儔感子真第兄蚤夜恒相求乾坤勿自負定我終身謀從茲一以別三載懷離憂哉目隨春風送予[illegible]河舟去任各努力青年不可留又云人心無停機擾擾日恒動方其一念萌遂分醒與夢是以慎獨功千古聖賢共勉哉勿多言割欲

頌恐痛

九年庚寅先生三十四歲獻白鵲詩

時以　四郊禮成適　鄭藩有白鵲之獻詞

臣例亦有詩而先生進詩序則曰歌不忘儆

古之訓頌不忘規臣之義也蓋頌以美盛德

之形容而規以效陳善之敬臣雖至愚極陋

敢不效古昔臣工之萬一乎

奉　詔議　郊祀

議略云臣伏讀　聖諭之意在稽古法祖而

已稽之古禮天地分祭圜丘方澤經有明文
至於分祭者 聖祖之初制而畢竟主於合
祭者則其更定之典也夫法祖者率成憲之
謂以初之分而今欲復之則謂之率成憲亦
可也以先王之典而斷于 陛下之淵衷其
誰曰不宜禮成卒如先生議
上親蠶行 內訓講章孝敬勤儉四詩
十年辛卯先生三十五歲奉 旨纂修祀儀成
典

是年冬以　郊祀禮成進階文林郎加封十
峰公中憲大夫母趙氏爲恭人元配潘氏爲
孺人
十一年壬辰先生三十六歲同考會試所取後
來名士有郭公希顏呂公光洵王公瑛等二十
餘人
時選庶吉士二十二人　上以彌封不謹欲
再考更數日輒報罷先生上疏請覆試以成
盛典李亦如先生言

上宴近臣於無逸殿先生與焉上無逸講章

同年四川楊公名上疏乞理性情以公用人

行政言甚直有 旨責實楊抗疏極詆汪家

宰鋐郭武定勛邵真人元節等不法事宜罷

斥 上大怒杖于廷下詔獄而責承主者楊

前後疏詞先生實皆預而楊固未承也先生

心惻楊被慘禍以所聞繫獄者故事密書寸

片紙授諸楊為守者所獲聞之 上遂下錦

衣誤逮御史陳九德先生聞而出毅然自承

王者就繫被拷掠無一語西曹奏上奉　旨楊譴戍而先生降雜職邊方用冀補信宜添註也。遠繫詩常日雞鳴促早朝今晨虎旅擁床邀青鞋布襪長安道月色朦朧在九霄。入錦衣黃羅大作詩　聖明詔獄無非罪詩遣微臣自積愆共誦黃麻昏白日敢言精意動皇天。荅楊賓鄉詩百年及第共承恩四海交情真弟昆主使何人吾道是尚祈張膽叩天閽。不寐詩皓月初上林鴉鳴朔風

時送歸鴻征纤獄通宵不成寐鶡别坐聆雲
外聲朋友情深危事共廟堂計重吾身輕無
紘為寫拘幽操臣罪當誅待聖明○得信宜
命詩謬忝金閨籍時慚彤管司一朝籌友疏
萬死負　君知嚴譴恩仍重遐方我信宜北
望朝陽廟西瞻雷水祠亦有惠州客載遷瓊
海涯三君風景慕百代今追隨嶺嶠居何陋
滄溟觀更奇佩佩龍場翁吾願以為師○出
京詩蒼皇出郭門戀　闕時返顧四載詩匡

擧一朝失雲路去國心所悲况賤 君父怒
微臣雖九死何以償一忤以玆重感傷驅馬
淚如注憶昔臨軒問獻策荷殊遇 宸批誤
叨奬玉堂膺異數感激被恩私心膽思吐露
幾會耿未逢朋比先成梧樹膺爲誰言仰天
難自訴一命豈嗟卑萬里亦易赴獨違 天
顏去若抱慈親慕叅擧手祝皇天 聖躬祈保
護華澔早流祥萬靈盡歸附孤蹤在遐荒亦
若侍輦轂回首黃金臺何恐遂縱步○ 此外

尚有寝地獨坐次陽明子在獄别友韻及赴
司寇獄諸詩見集中
十二月初六日下潞河阻氷未即發
十二年癸巳先生三十七歲二月十二日自潞
河發舟取道歸省五月二十四日抵家九月初
八日啓行赴貶所十二月十九日至梧州謁總
督軍門陶莊敏公諧公留以主嶺表書院教
兩廣諸名士翕然從先生游先生舉何王金
許之學訓廸之○初入院作有詩[illegible]

戒還珠空談陋飛塵賢聖真吾師富貴何足數不見炎炎者冷落疾捊鼓不見陋巷公簞瓢簞千古以茲感嘆吾黨將誰取（見蒼梧門人李獻忠所編梓嶺表遺教錄中）

○著書院諭學上下篇上篇畧曰夫學莫先立志而已矣孔子自言十五志學是志也死生以之而不可奪者也可奪非志也學即明德親民止至善之謂也世之士有志於富貴者矣有志於功名者矣有志於道德者矣夫志於富貴者不可以言志孔

子所謂鄙夫是也志於功名者志矣而亦非其至也豪傑之士也志於道德者斯其至也聖賢是也夫人豈願為鄙夫哉趨向不審而惟富貴之圖則雖欲不為鄙夫不可得也人不欲為鄙夫而卒為之志之不立誤之爾人必能立志然後可以語學問之道格致誠正戒懼謹獨則其塗轍焉而學問之思之辨之自弗容已也有必為聖人之志則必學以至乎聖人之道矣於乎堯舜古今所共慕也莫

之禦也夫古今所共惡也莫之敺也莫之禦而自避焉莫之敺而自趨焉謂之何哉蓋篇畧曰舉業之於心學一爾以皆不能外經訓也學斯以治心謂之心學業斯以應舉謂之舉業未有舉業而不本諸心者亦未有治心而奪於舉業者顧自致何如爾夫言者心之聲也 國家建學造士而求之於言謂言本於心雖言亦德也所謂篤其實而藝焉者也以之蒞政以之治民將行顧其言而 國

家利賴焉則求之言何過哉程子嘗言舉業不患妨工惟患奪志正謂是爾今業舉業者誠能定其志端其習于讀書也必反之身心焉而非徒爲記誦也於作文也惟欲得其意斯得言焉而不役志於詞華也至於應試惟自盡其所能焉而不庸心於利鈍也由是而登仕險夷得喪隨所遭而不變其所守也則舉業之外無心學矣○序嶺表書院誌莫畧曰天地之間舍學無事矣近賴一二先生倡

明之而曰致良知焉曰體認天理焉不有異乎曰無以異也良知即天理也致之體之其功一也然其本則在乎立志而已孔子所謂志學是也○先生立書院後其門人李生葦編遺教錄著先生所以教士之大凡而梧州學諭丘雲霄序之其略曰自心學晦而詞藝競世之言師弟子者其授受一於言語文字之末誠不足以相感義不足以相維師道之不刑也久矣傳曰中心悅而誠服如七十子

之服孔子其至也今李生範去先生十有六年而不能忘於此不忘則終身之不忘可知矣所謂心悅而誠服者非耶

十三年甲午先生三十八歲九月二十九日辭嶺表書院至信宜

時高州郡守至溪石公簡延先生主高明書院教掄一州五縣諸生之可進者聚於書院中先生廸以躬行之教每舉何王金許之學朝夕與之講明學者多感悟而興起焉○是

午冬倡議遷信宜縣學於縣之右以舊學舍文廟雖僅存而門廡盡皆墟圯學官生徒咸寓外舍不成之爲學據堪輿家言亦非所宜居也於是議捐助凡職斯土者暨學諸生翕然樂而從得百金鬻故學地所得亦百金不數月而廊廡堂齋煥然一新矣又别建麗澤書院於學之後先生作記并遷學亦有記○遷學記略云夫學也者遷善於地尤當遷善於心今學之遷廣大高明可謂得其地矣使

諸生之心猶夫故也地亦不得而為之也是故遷地學易遷心學難湯之日新文王之緝熙仲尼之徙義子路之喜聞過皆遷善於心也○書院記畧云易曰麗澤兑君子以朋友講習蓋兩澤相滋則有朋友之衆是故君子有取焉請終麗澤之義夫水至下也至虚也下則順虚則受順且受故相比而相滋不相下則忌能不虚心則拒善是安能遜志於講習也○先生去信宜後信宜門人梁維芳王

杰王瞻之及知縣事事永豐鍾鈕編賓江集以
志去思瞻之爲集序其畧云松谿子以醇正
之學接孔孟之傳由誠敬入門本静虚凝道
以知行爲合一六經子史貫然講授凡侍其
側者皆渢渢乎興起焉故其所揭示之言皆
標爲學之準所製撰之文皆發道德之藴所
吟咏之詩皆舒性情之和無非嘉惠斯地而
皆所以陶鑄諸生也
十四年乙未先生三十九歲陞江西吉安府安

福縣知縣

九月十二日辭信宜文廟行經白沙先生之廬為文以祭之其畧云先生之學皇猷帝畧先生之識領要根極先生之心包古曠今先生之文流水行雲而飲水飯蔬超然自得見先生雖往而此道猶存洋洋甘泉遡流同源岑岑陽明一脈並尊而其發受文成之教晚及湛翁之門是於先生義惟祖孫茲承謫遷過先生廬百年緬想欣然摳趨。九月二十四日離高州行至江西贛州府接家報知十年公患風癱疾遂由陸路兼程于十二月初五日抵家欲留侍養緣外官無請告例因陳情乞休致疏畧云臣于嘉靖十一年十月一日述與心違自取罪戾過蒙　皇上寬斧鉞之誅開自新之路除廣東高州府信宜縣添註典史臣驚喜過望以至感泣即時就道赴任迄今四年寤寐　天顏常如一日犬馬微忱天日臨鑒嘉靖十四年八月二十五日接

得吏部文憑一道陞臣江西吉安府安福縣知縣臣又仰見　陛下量同天地不念舊惡明並日月委照覆盆益深感激誓圖報稱起程赴任行至江西贛州府接得家書報臣父原任四川按察司副使臣銈急患風疾手足癱瘓生死未期一時方寸迷亂涕淚交流思與臣父一見遂由陸路到家見臣父在牀口不能言臣感觸叫號五內崩裂恨不即以身代苟復忍心赴任是不孝之子也又豈能為

効忠之臣執　陛下亦安用之伏乞　陛下念侍從之舊臣憐父子之至愛特容臣休致庶得調理父病少申子情臣非不知　聖主難逢特恩未報且以強壯之年非乞休之日但係外官雖戀闕有情而給假無例犬馬惓惓之私蓋萬不得已也奉　旨不允

十五年丙申先生四十歲赴安福縣任

立鄉約均里役羈逋負豪右有強發人塚爲葬地者他有司置不問先生至窮治不少貸

獄成申報諸司諸司率依違先生竟抵如律正罪焉○建書院額以復古以庠生六百有奇號舍無所故於南郭外謀建此集諸生講習乎其中蓋與東郭鄒公謀而為此父老士民皆驩然應逾旬日而集事乃作記略曰真心一也不真於書則真於惡真於善則為君子其究也為聖賢真於惡則為小人其究也為盜跖聖賢之分考之真心而已矣夫負耒耜而入于肆則為狂農操斧斤而遊于野則

為病工所業非所趨也是故登斯堂而或忘真心之徼滋狗名之弊是猶藝于野而耕于肆也則人孰不以為病狂之士耶為士而能念茲則不虛復古之意矣

八月陞南兵部職方司主事九月離安福十月抵家十一月長至日至南京

奉十峰公于官邸關愛日承歡二圖為製轉輪椅左右遊覽以適公之志○先生離安福後士民思先生不置既配享陽明先生于書

院後特建生祠後又從祀名宦云
十六年丁酉先生四十一歲轉車駕司員外郎
是年十二月二十七日十峯公捐養於宦邸
十七年戊戌先生四十二歲正月扶櫬歸二月
至金華
途次聞報陞南禮部精膳司郎中自金陵至
金華始由陸距家幾二百里衰絰草屨攀轝
號哭以行野宿露飡失聲槁容遠近莫不嘆
息感動抵家後傷痛幾絶者數四與伯叔氏

卜葬公於龍山之原山去所居四十里而近
廬於墓之側越旬日策驢一省覲趙太恭人
晚仍宿於墓焉
十八年己亥先生四十三歲居廬於龍山
民知向學者無論遠近造廬相從接踵至有
自搆室以居者久之環廬側皆生徒學舍也
因號曰龍岡書院先生訓以立志篤學兼舉
舊所嘗講明於實江復古之教切劘不倦聽
者皆感動而興起書院有輪直盟曰教學相

長仲尼求助於回取善同人孟子亟稱乎舜
學貴時習暫悟終迷善非服膺雖得必失多
識本以畜德養性在於存心吾道一以貫之
萬物皆備我矣反身斯樂顧外徒憂操則存
舍則亡爲常舍得有命求有道奈何必求
不聞富貴在天將謂窮通自我妄思求勝於
天地亦或徼福於鬼神戚戚窮年營營終日
豈知名教之真樂不出安靜之良圖素位而
行居易以俟用則行舍則藏寧患得而患失

仰不愧俯不怍亦何懼而何憂此何憚而不爲彼胡樂而不改居諸易邁師友難逢少壯無成老大徒悔易稱麗澤在講習以相資禮著同方豈群居而燕僻各洗心以滌慮咸及時以課功必有事勿忘毋見小欲速立志以植本謹獨以研幾脩辭立誠合内外之道端中肅外一心迹之觀坦率易流踈慵檢束日就規矩九容必飭終食無違相勸相師無矜無傲周公才美驕吝且不足觀大禹聖神滿

假猶不敢作況於吾輩豈容苟安真貿焉其可哀宜惕然而深省參天地而爲堯舜本吾良知陷禽獸而溺穿窬豈天降性念之毛髮俱竦勉哉師弟同心務嚴憚以切磋復提撕而警覺受盟共奮輪直相規苟戾前言必攄忠告知過而自訟見賢而思齊毋自棄焉固所願也如聞義而不服即鳴鼓以相攻○又歲時以安福所行鄉約酌其時宜舉以率手里中人里中人即相戒入約中○先生自丁

艱以來謝卻一切酬應訊不及遠禮不及賓

不御酒肉不入内室者三年如一日自縉紳

及眠隸莫不以真道學稱先生云

十九年庚子先生四十四歲服闋

先生至是始抑情稍稍與賓友相交接然猶

盤旋龍山中不忍去從學者亦盤旋不忍離

先生左右云

二十年辛丑先生四十五歲三月辭墓北上五

月至京師補車駕司郎中

先生意實猶未欲行以太恭人命再三故不得已而行也

二十一年壬寅先生四十六歲以北虜猖獗條陳禦邊四事既而又上賊虜六事

四事一曰銳志二曰用人三曰理財四曰定議六事一曰嚴虜罪以激人心二曰隆殊禮以延名將三曰權兵食以濟時艱四曰明賞罰以作士氣五曰招脅從以攜賊黨六曰乘危懼以防未然　上多採納焉

二十二年癸卯先生四十七歲上車戰事宜疏

其畧曰邇者集議邊務凡兵食諸策皆詳悉

獨捍衛一事未及也西虜將接戰必先馳騎

以衝動則進不動則復退其勁悍慓疾之狀

人見之而辟易腥膻嗎羯之氣馬聞之而噴

縮我之不利常由不能當虜之衝爾臣以去

年正月會疏請用車為捍聯以鉤環其上置

器械車馬皆擁車後則虜不敢衝衝亦可恃

以無恐而銃砲槍弩且各惟意可施左右夾

攻亦可相機而動萬一不利而馳歸也亦有
營宅可依夜則旋繞於外守在是戰在是營
亦在是一器而三利焉不易之制也雖蒙看
議未竟施行使古今百試百驗之法當邊防
如焚如溺之時而不得一試以坐觀其幾是
以臣拊膺激切不忍不言然無徵不信恐復
無益敢歷稽古今成法以明車必可用虜必
可禦誠不忍坐視車之受誣而終以虜為難
制也疏上 命議行

二十三年甲辰先生四十八歲正月陞廣東按
察司副使提督學校
八月抵家省　太恭人乃治行
二十四年乙巳先生四十九歲二月赴廣任行
次衢州得報陞南國子祭酒於是復還家
先生雖不獲終任學職猶寓書六章於嶺學
諸生一曰自愛二曰辨志三曰務實四曰[illegible]
行五曰敦本六曰持謙又綴之以寓書之意
其略曰嶺南予舊遊地拜　命以來欣然就

道顧以連遭嗣子之變感疾灰心上章求退而新命且復臨矣搢膺竊嘆何其無緣於多士也雖未有一日之雅實已繫百年之情世固有隔千里如面談曠數世而相感者予之耿耿獨能已乎然則所欲講者猶可述也使爾多士略難比之迹信無間之心則聞其語如見其人耳之提若面之命雖弗周行於嶺南寔亦左右乎多士矣於是嶺南各學咸為謄寫揭諸明倫堂以相遵守云

四月十四日復南雍任

慨然以敦本篤行為六館倡申明監規曰同寅恭曰肅威儀曰敦誠信曰慎出入曰戒躁進曰正次舍曰禁夙弊又為興射圃葺號房監生有死喪不能舉者即破例哀恤之俾有所歸先是館職學行之優者得與堂諫選例久廢格先生疏請復其制嘗為六館生講孟子雞鳴而起章發明其義其略曰人心一也發於公則善發於私則利公私之際毫髮之

間而已矣是故舜跖之懸甚著夫人之所知
而利善之間甚微則夫人之所未知也苟慕
舜而鄙跖無亦謹於利善之間而已矣是故
欲究乎舜跖之已成則徒勞而無益能審於
利善之方動則一決而有餘學者可不慎哉
二十五年丙午先生五十歲與司業中石呂公
懷有鷄鳴倡和詩四章傳誦於諸生
時六館生感發興起詩傳誦無不倣脈而賡
和者具載於王生文祿嚴生泰鷄鳴嘉會錄

中○是年秋諸生當鄉試應天先生校取金壇生于未第一曹大章第二既而大章取癸丑省元　賜及第未中順天府乙卯科鄉試第十三名而南宮屢黜額限於壽今其子若孫明照文熙孔熹玉立相繼取科第皆本之家教致之人皆謂先生真法眼能得士如此

二十六年丁未先生五十一歲冬十月三十日趙太恭人卒于家十一月初七日訃音至先生奔喪歸

二十五日抵几筵先生以生不及養斂不及視朝夕衰絰中悼痛而哀毀視喪十峯公倚廬時尤爲善切焉

二十七年戊申先生五十二歲殯太恭人於塔塘山莊

先是甫衰二子相繼夭殁堪輿家往往歸咎於龍山非吉壤所致乃謀諸伯叔氏起十峯公柩同太恭人殯置焉遂廬於其側以朝夕不忘卜宅兆云

二十八年己酉先生五十三歲居塔塘卜二親塋地於龍蟠山之原

先生居塔塘既廢吟咏著述乃修輯家譜以聯屬其族人○冬禫制終矣猶不離塔塘殯所壽山距塔塘咫尺先生舊廬藏脩地也至是復集同志者講學乎其中學者無遠近並以及門為幸先生勉以立志勉以知耻以師聖賢學者無不興起焉

二十九年庚戌先生五十四歲服闋補國子祭

酒未赴尋陞禮部右侍郎

初先生居壽山以四方從游者衆若無意於出矣既而再承 恩命義不可以辭於是赴任○八月虜騎薄都城京師戒嚴 上命部院諸大臣巡視九門爲防守計先生得宣武畿民扶老携幼欲奔入避寇難而各門守者難其納先生獨深憫焉乃登望先至外門詰察而入之則閉外門而後啓内門如是以爲常晝夜不輟於是得入而全生者數萬人他

門不能然也都人迄今頌不置先是正旦夜
先生夢有貽以十字詩者天地日流血朝廷
誰請纓心憂之後果有是人謂先生憂國之
誠所感云虜既退又疏陳邺偶殘慎檐精紓
民兵三事及奉　旨製造戰車弩弓先生所
上皆深考古制動中機宜可為後世法者
三十年辛亥先生五十五歲轉本部左奉　命
諭金山相擇睦妃何氏墳
疏陳度地宜安神靈併防守其說有一舉而

三便者詒是其議焉○秋里中無穫冬大饑
先生貽書於伯兄文思出數年所積之租穀
以賑宗族次及於里人計口授粟全活者甚
衆云
是年第四女韋璧生
側室南京李氏出後適知府金華馮熊子都
生國子生也
三十一年壬子先生五十六歲改吏部左侍郎
三十二年癸丑先生五十七歲歲當計吏治究

生與有點幽之力焉
先於署中題詠有饑溺思由己貧殘恐誤人
矣心臨白日披籍鑒明神之句至是務評隲
賢否秉公持衡以裨太宰薦公銓政上殿
最即親臚亦一無所私云
二月會試天下士　命充知貢舉官
以吏侍膺是命蓋前所未有異數也是科得
中試士四百人省元為曹大章而寶辛與焉
三月加兼翰林院學士掌詹事府事教庶吉士

是年取庶吉士二十八人第一人今首揆張
公四維而寶亦幸與焉吉士之選本兼德行
文藝以儲才為他日用故事第課書業詩文
而已先生則務身先篤行雖日程以藝而篤
實之教恒先責成焉每於瀛洲亭令諸吉士
自言志自舉其平生病痛之所在予寶每以
客氣未除為言先生曰客氣甚害事不可有
速去之其善誘人能不倦每如此
是歲兩直隸河南山東大饑先生疏請從便益

以廣賑濟

疏畧曰救荒莫便乎近其人莫不便乎拘以常格亦惟隨地制財因時設法而已臣愚欲於直隸二省遣行人齎 詔勅令各州縣宣布德意自為賑給聽其便益處置凡官帑公廪贖納勸借苟可以濟民者一不為之限制又近日戶部申明開納事例暫許本地上納依期而止若富民所有粟麥黍菽之積可救饑者皆得輸官計直視其例之相應官請部

劄授之彼必樂從者衆是非獨救荒兼亦可
藉以弭盜也臣以為從便宜便　詔如其議
四省之民賴以全活者衆焉
七月考三品三年滿進階通議大夫
贈祖世剛父鉞皆如先生官祖母楊與方俱
淑人母趙元配潘自恭人贈封皆淑人廕嫡
孫光裕入國子監讀書光裕即章袞遺腹子
也
賜　帝社稷胙表稱謝

三十三年甲寅先生五十八歲二月十五日潘淑人卒于京邸六月繼還

是年第三子章都生

側室董氏出後娶學正金華張科女

七月奉 簡命入直西苑

撰玄文以供祈禱非先生心所樂也時 上禱祀從中侍臣撰玄文皆爭綴奇巧以徼福澤先生之詞多寓規諷意 上嘉之適禮部尚書缺次當推舉先生首相之子邀先生半

賂乃可得先生以此官為奉玄專職本不欲
而又因邀賂故謝以力不能首相密以聞于
上謂先生不樂贊玄也　上不悅○時西苑
之帝田產瑞穀一百十五本鄭藩又進瑞穀
八十本獻　祖廟禮成先生隨衆表賀焉
三十四年乙卯先生五十九歲春二月奉　旨
調南京工侍左既而罷為民
先是南冢宰缺會推屬先生而以禮書王公
崇慶陪竟點陪秋內閣接到　御劄云歲例

大祈似不可無但文撰之臣有暗欺者程文
德之作可見昨擬南冢宰未可也或彼欲脫
不經之奉可謂南工左侍　旨下衆愕然為
先生危乃先生則意氣自若焉盖衆方以官
之升沉身之利害為先生慮而不經之奉正
先生所欲求脫先生以此去自心謂幸矣幸
矣瀕行上疏陛辭中有云臣受恩深重無以
為報今當遠離惟願　九重長享安靜和平
之福以慰天下臣民仰戴之心奉　聖旨這

本猶懷訕上着革職為民○先生南歸先馳
書報伯兄其數年情事今始得遂乃祖宗之
靈吾先之庇也又書杜少陵白首放歌青春
作伴作聯對於舟中每遇佳勝地故舊有相
約遊覽者未嘗不赴過錫山以倭警僦居逾
月過吳門亦然七月至武林舟過富春先是
北上謁子陵祠於龍中仰止清風悠然有江
湖之懷戀戀不忍捨出橐中金為屋三楹於
祠之側書額曰龍中待隱至是始遂前志遊

懋者逾信宿乃能去○八月初七日抵家角
巾布袍超然於人世外時適齋朱公由進士
仕至大參方退隱居開黃花澗草堂以自娛
先生舊出其門時往從澗中相與道舊爲樂
又時常往來於壽山舊所聚講士若雲合而
響應後生有志者爭趨造請業焉
三十五年丙辰先生六十歲六月第五女章璉
生
側室蘇州李氏出後適東陽趙祖望

十二月第六女章瑗生

側室南京李氏出後適東陽李有鳶

是年先生構草堂於牛峰之麓以東向屏峰也扁曰象屏軒延經師于其中授光裕業而朝夕相對以爲樂食不兼味談不及外事恂恂然如書生人皆笑先生先生則自以爲䑕遂所好云

三十六年丁巳先生六十一歲

是年學使阮公鶚欲爲先生築松谿書院於

邑中度地聚樹業有成命矣先生固辭之乃
上
三十七年戊午先生六十二歲第四子章尚生
側室蘇州李氏出今爲邑庠生娶東陽吴氏
九月先生患中風疾
三十八年己未冬十一月二十有八日先生終
時年六十三歲彌留之際無一言及家事光
裕輩以爲請筭領之云君子居易以俟命吾
順受其正而已言訖而逝○是時遺命蕭然

鬻産以辦棺衾七日始克殯殮識與不識靡不悼痛行道聞之有歔欷泣下者

四十二年癸亥十月二十八日先生始克塟

先生貧無所遺光裕等卜塟地不能得憲長胡栢泉公松以道義交深檄郡邑爲求之久亦不能得也總督胡梅林公宗憲知而遂移文以助文云本公百年間氣一代名儒功業文章海内師表夫何身歿家貧長文未舉相應處助以資殯塟於是府賻百金光裕輩乃

以是年奉先生柩偕潘淑人合祔於龍蟠山
十峰公墓側。先生易簀時一兄二弟俱在
比塋兄存爾芳生生平事兄極盡禮人以先
生事兄如事父云
穆宗皇帝隆慶元年丁卯奉　旨復先生原職贈
禮部尚書賜塋祭
禮科都給事中辛公自修河南道御史王公
好問等奉　先帝遺詔會題程文德率行古道
雅負時名早任史垣力救忠良而甘與同罪

晚居卿貳不安供奉而遂致落官學術無忝於儒臣行誼足稱乎君子吏禮二部覆題程文德學問淵邃操履端方一麾作令均田勸學安福之口碑猶存三仕為郎掄將談兵車駕之心迹尚在古道古心正言正色先生之復職贈官而賜塋祭以此

隆慶三年己巳本縣學奉先生主入祀鄉賢祠邑諸生應照等具先生履歷請于督學林公大春呈詞畧云程文德性資夷粹學問淵源以

積累為工々以真實為心々對 大廷而敷
陳王道官々旬而潤色帝猷三居翰林八陳
忠悃謫幕々宜倡嶺南之正學擢宰安福稱
江右之循良兵曹而歷屢論奏而忠抒於外
攘內安學檄一宣咸寫揭而化行於神交默
感在國學六館沐光風霽月之休贊銓衡四
海仰玉潔冰清之行教吉士本行誼為訓憫
饑民條賑濟之宜解組來歸欲脫不經之奉
杜門不出堅持可守之貞甚而易簀之時至

於負不成禮鬻產買棺質錢起墓古稱斯文元氣先民法程如先生者其真可以無愧矣爰稽祭法理合尊崇蒙林公詳允遂得於鄉賢奉祀云

今上皇帝萬曆三年賜先生謚曰文恭以撫臺謝公鵬舉按院蕭公廩疏請也疏畧云程德持心允操篤行而善政善教所至輙樹聲猷協 主獨運苦心而一動一言所發類依忠懇居鄉所師事者章懋而行履之完

潔願稱頡頏立朝所敬信者鄒守益羅洪先而造詣之深醇實相伯仲於是得賜謚如所請云

今萬曆十一年六月始梓行先生文集

先是郡守李公一元求先生遺稿金華馮公熊蒐輯垂成適巡按御史龐公尚鵬移文本府云某公道德文章流芳宇宙本院兩巡茲土未及一式其廬今讀所為文有裨世教擬合刊行焉由是得就梓然稿多缺落未得為

全集也光裕入仕以來辦處遍求大父遺墨
於通家故舊十餘年間稍增益而併刻之今
爲卷共三十有二詩居文三之一先生嘗曰
此末技爾予豈以此取名哉故所作不甚求
工惟取達意然率由理由心而言雖不求工
辛亦未嘗不工也
萬曆十三年歲次乙酉秋八月孫男光裕寓
金陵敬梓

王一庵先生年譜紀略

袁承業輯　民國元年鉛印本

王一庵先生遺集年譜

年譜紀略 附出處事蹟

先生諱棟字隆吉號一庵隸維揚泰州姜堰鎮人其先伯壽自姑蘇徙淮南生三子孟國祥季國禎析居安豐場仲國瑞析居姜堰鎮生善卿善卿生德元德元生文善文善生瓚號栢林以醫鳴先生父也先生方七歲先公命習舉子業時年十有一歲遇瘟疫流行奉先公命備藥材施救村鎮一日行至沙村庄遇馬噬嚙幾爲所傷仍命業儒二十四歲補泰庠食廩餼自謂舉業雖出身階梯心學實孔曾正脉遂師事州守瑤湖王先生嗣同林東城師事伯兄心齋受格物之旨躬行實踐得家學之傳先生幼最孝先公性剛直時與內一言不合卽外居先生泣拜三日勸歸務使父母懽悅每事幾諫之不聽則拜諭親於道乃止五十六歲應歲貢初訓江西建昌府南城縣臺使聘主白鹿洞會詩日聞學未堪稱洞主竊官猶自愧山靈又聘主南昌正學書院會復創太平鄉等處集布衣爲會人多興起以內艱去起補山東泰安州未幾還江西南豐教諭泰安

鄉士夫不忍捨以手卷贈嘗有復得親東魯聖人之頌豐接壤南城衆皆異之以爲天啓斯文復賜之先生豐士信從益衆至隆慶戊辰猍水東會建義倉遺會學十規著一庵會語行于世其間誠意之旨尤發前聖所未發先生歷三任所積俸金毫不自潤悉寄歸制田與弟方塘氏共焉辛未遷深州學正初先生屢署縣州事毫不受私致仕歸淸貧如洗悅樂自如大開門受徒風動遠近猍歸裁草堂著會語續集時州守蕭公抑堂聘主會海陵安定書院朝夕與士民講學創修族譜使昭名分歸併遞年聯屬親疎立宗祠以統族衆制祭田以供祀典遺易說祠堂紀事等書七十九歲配享師心齋精舍祠里中咸稱之曰越中淮南生三王夫子云越中指陽明淮南指心齋先生

明孝宗弘治十六年癸亥正月乙丑先生生是爲正月初一日亥時也初盤古以來鎮民多業農買未聞理學[illegible]先生以理學顯以虀薦破天荒始生辰逢癸亥乙丑癸亥癸亥人咸異其不偶云

武宗正德八年癸酉先生十一歲是年疫氣大熾先公命備藥材效董生植杏故事遍施藥村鎮一日行至沙村庄途遇刈馬噬嚙躙轢異常先生仆地盡日乃甦歸詈先公曰吾幾爲馬所傷身不能保矣于是棄醫仍命業儒

世宗嘉靖五年丙戌先生二十四歲習易經補郡庠生次年食廪餼自謂舉業藝出身階梯心學實孔曾正脈是年師事州守瑞湖王先生學古之道守陽明高第弟子也

六年丁亥先生二十五歲□□□□□□□□□□□□門與林子仁往師事之受格物之學躬行實踐久遂有所得出語人曰格物乃爲學樞柄良知人人自有自足但爲見聞情識所混識認不真故講格物之學以身度人推心從矩彼此皆是內外無失方是良知潔淨而不爲見聞情識所混故曰致知在格物物格而後知至也於是闡發家學益明

十九年庚子先生三十八歲越中提出良知要旨教人體識淮南指出格物欛柄數人下手先生合而一之先生事親最孝先公性剛直一日與內不合即外居先生廢寢食泣拜三日勸歸使父母懽悅每事幾諫不聽則拜務諭悟于道乃止是年以弟休第二子用賓爲嗣

三十三年甲寅先生五十二歲考柏林公卒先生哭之盡哀行古喪禮

三十七年戊午先生五十六歲是年除江西建昌南城縣訓導兩奉柱史聘主白鹿洞南昌府正學書院會又赴太平鄉等處集布衣爲會興起益衆時署縣事有胡姓兄弟告爭家財先生諭以難得者兄弟易得者田土勸以一本至情胡感悟兄弟泣拜歸復共爨終身永翕假然蘇公下淚殊有感諭之風焉

四十二年癸亥先生六十一歲是年母儒人丁氏卒居喪哭泣甚哀

四十五年丙寅先生六十四歲服闋赴銓部候選補山東泰安州訓導士民式在咸頌其復親東魯之聖焉未幾遷江西南昌

敎諭豐與南城接壤豐士慶天緣而先生亦深愛會合不偶于是役聯啟同志爲會四方信從益衆時置豐事有一弊婦子某太學生罪誣大辟先生感渠慕毋曲全之私報數百金概置不顧

穆宗隆慶二年戊辰先生六十六歲是年叔水東大會建義倉著會學十規大發誠意之旨遺會語行于世

五年辛未先生六十九歲先生名勤當道撫院交薦擢有司之選先生志切高尚故未滿豐任遂遷深州學正意不欲就時海陵兵憲傳公應黎衡水人也有甥某庠深州强先生行初擢深州接邸報豐有鄉達某囑先生曰某向知深州碩金一器忘持歸如署州事可取之後先生果署州事覺不理及老歸田里終身不齒其事

六年壬申先生七十歲致仕歸里清貧如洗樂學不倦開門受徒遠近信從日衆叔歸栽草堂著會語續集行於世創族譜遺稿以睦族人

萬曆三年乙亥先生七十二歲是年創宗祠春秋祭祀祭祖先睦族衆制祭田定祀典著祠堂祀事等書先生請介不入公門族有被勢以報差我者曰吾族大差不能免終不肯私囑先生者先生守嚴有以威之也

四年丙子先生七十四歲是年州守羅公仰峯聘主會泰山安定書院朝夕與士民論學四方向風瀟公擣吳陵精舍以祀師心齋督理搆据多先生任焉

九年辛巳先生七十九歲正月二十六日先生卒七日前病革與弟方管永訣曰余至憾者與爾爲手足幾八十年未嘗少厭餘何

處顧孫日愈門生吳軒等只有會學一事叮嚀並不及他事習未負者有意中事留喻本宗東厝惜未至而歿時江西南城吳屋等來講已長逝矣

弔泣之心喪廬三月而歸居

先生傳文

先生諱棟字隆吉號一菴泰州之姜堰鎮人其先伯壽自姑蘇徙淮南生三子孟國祥季歐祈析居安豐場仲國瑞析居姜鎮生善卿善卿生德元德元生文壽善壽生讚號柏林以醫鳴先生父也先生方七歲先公命習舉子業時年十有一歲遇瘟疫流行奉先公命備藥材施救村鎮一日行至沙村庄過馬噬嘗幾為所傷仍命業儒二十四歲補泰庠食廩餘自訶舉業雖出身附榜心學實孔曾正脈遂師事州守瑤湖王先生嗣同林東城師事伯兄心齋受格物之旨躬行實踐得家學之傳先生幼最孝先公性剛直時與內一言不合即外居先生泣拜三月勸歸務使父毋慍悅每事發諫之不聽則拜論親於道乃止五十六歲懇貢初訓江西南城縣學憲使聘主白鹿洞會詩曰聞學未堪稱洞主竊官猶自愧山靈又聘主南昌正學書院沒於太平鄉等處集布衣為會人多興起以內親去起補山東泰安州學未幾還江西南豐教諭泰安鄉士夫不忍捨以手卷貽嘗有復得親東魯聖人之教豐拔壞南城衆皆異之以為天啟斯文彼賜之先生豐士信從益衆至隆慶戊辰創水東會建義倉道會學十規著一菴會語行於世其問誠意之旨尤發前聖所未發先生歷三任所稍俸金毫不自潤悉寄歸置田與弟方塘氏共焉辛未還深州學正初先生歷署縣州事毫不受私致仕歸清貧如洗悅樂自如開門受徒風動遠近創歸淮學堂著會語續集時州守蕭公聘主安定書院朝夕與士民講學創譜立祠以統族衆旋置祭田以供祀典還易說祠堂紀事等書壽七十九歲配享心齋師精舍祠

明唐荆川先生年譜

（卷首至卷五）

唐鼎元編　民國二十八年鉛印本

序

民國二十年秋日人伺我之不虞也卒起而攘我東北三省旋又進窺淞滬大肆焚夷海內外同胞相爲赫然於是義旅雲興雄師彗掃寇鋒亦因之屢挫曁年武進唐君鼎元錄其所撰先人荊川先生年譜謂將以是振厲人心也寓書問序於余余維明自嘉靖以來江浙閩粵諸省倭寇剽掠幾徧海壖之民被禍尤烈荊川先生起自京曹禦賊之策惟力遏諸海不任遵陸寧使此身入鋒鏑死亡之地而不忍使吾邦爲戎馬蹂躪之場一念慈祥兆民是賴其功績之最著者一創之於崇明再創之於廟灣於姚家蕩盛暑舟居以迄於歿以視擁兵數十萬守土數千里不戰而自卻者其相去爲何如哉先生文人也平日刻苦自持晝惟疏食布衣晚則偃臥木榻乃至不穀重席雖羸病不改其朔也因龍谿而私淑陽明

其自處也則惟寧武子是歸共其功也則有李遂胡宗憲佐其功也則有劉顯盧鏜繼其功也則更有吾同里之戚元敬以知士君子爲歷身涉世必致力於學以植其基求諸古賢以宏其範借攻他山以恢其業廣事甄陶以遺其後非苟焉已也吾人厠身軍籍負國家治亂安危之重審乎此當憬然知所以自處矣今日寇益深豈更有荆川先生者乎竊不禁有高山景行之志也蓬萊吳佩孚序於中華民國二十一年九月八日

序

天下安注意相天下危注意將此策士之論若爲長治久安計者未有不將相並重文武兼資者也文人而絕不解武事武人而不統攝於文儒此極危之道也卽或知文武合一矣而無性理學爲之根柢是非闇昧怯公勇私則內政棼而外侮乘之是必得有大賢迺可作中流之砥柱也文治幼讀吾宗荆川先生制藝心焉好之後讀先生文集文編更大好之高山景行之念未嘗去懷乙亥秋仲宗姪淞源持先生十四世孫鼎元所輯年譜屬爲序言文治何敢辭謹按先生在嘉靖乙丑擢南宮第一人名聞當世龍潛十數年東南倭亂痛憤時艱指畫方略當事以知兵薦遂與胡宗憲協謀討倭先生以禦敵上策當截之海外乃躬泛海自江陰抵蛟門大洋一晝夜踔六七百里從者驚眩且嘔先生意氣灑然倭泊崇

明三沙督舟師要之斬馘百二十沉其舟十三後倭犯江北先生馳援大破之於姚家蕩復援三沙親躍馬布陣敵不敢出冒暑積勞疾甚返太倉猶不肯乞休力疾泛海而且卒矣有志之士靡不痛惜也夷考先生爲陽明私淑弟子陽明擒宸濠用兵在腹地而先生禦倭人戰績則在外海腹地易而外海難先生之艱苦實踰於陽明也陽明之學在致良知一超頓悟先生之學則以天機爲宗旨無欲爲工夫天機即心體之流行寂而感感而寂靜無動有涵實於虛故雖視龍谿猶師與念菴爲友而絕不拾無善無惡之餘瀋說者謂陽明尚有末流之弊而先生則瑩澈而無疵也陽明文章世美其能追昌黎先生文初效空同一聞王思道言幡然取道歐曾博大汪洋不獨掃空同之塗附幾駕鹿門震川而上之譚沈紫江生墓碑記卓犖天才精光不泯爲有明一代傑作蓋陽

明不必以文傳而文自至先生則無意爲文而文自雄也千古事業之成敗不足以論英雄更非所以論賢哲先生戰功學問文章大致與陽明同而其文武兼資更無稍或異後之有國者得若是人而用之則治疏若是人而舍之則亂君子小人消長之機間不容髮而論者輒謂吾儒迂闊不合時宜嗚呼詩所謂不尙有舊居圉卒荒可爲痛哭流涕長太息者也鼎元字玉虬綴輯是譜於三百數十載後寢饋於文瀾閣四庫書中於先生事實幾無一字不蒐數易稿而始克成思之思之鬼神通之尤近世之難能而可貴者深願其善述先生之事善繼先生之志也太倉宗後學唐文治謹序於無錫國學專修學校

序

邑子唐玉虬荊川先生裔也撰先生年譜質於予予無所益於玉虬而玉虬益我多矣世傳荊川以趙文華薦起而玉虬則曰文華薦荊川爲嘉靖三十六年荊川方居父喪是歲文華罪發削籍歸病死九月荊川服闋明年春御旨起用實得華亭徐公力是荊川不以文華薦起也世傳荊川劾誅蓟遼總督王忬玉虬則曰荊川劾忬在嘉靖三十七年九月忬僅貶秩三十八年忬爲御史方輅累劾下獄三十九年冬見殺而荊川先以禦倭卒於是年四月是王忬之死不由荊川也此兩事予向者胸中所蓄與世傳無異微玉虬則憒憒至死矣甚矣耳食之誤人也吾嘗觀宋史鄒浩傳附傳曾誕謂孟后之廢誕三與浩書勸請復后浩不報誕著玉山對客問以譏之後人遂據以譏道鄉但能盡言於立劉之日不能力爭

於廢孟之時考孟后之廢在紹聖三年九月是年二月道鄉丁父保之公憂去官安得力爭廢后乎誕意謂道鄉起復元符元年二年之際劉后未立之前當請復孟耳夫孟廢三年宮庭大獄勢不可還誕說實難用而撰宋史者竟不知道鄉丁父憂事讀之未有不爲所誤者道鄉十九世孫忠允撰道鄉年譜外紀頗辨此事而荊川之謗玉虬用力尤勤人固樂有賢子孫也儒者好議論深求古人及考其年月竟無此事往往而然此特吾邑之事而已世宗昏闇賊嵩無狀已殺新有功張經忠臣楊繼盛沈鍊先生不當出然而介鱗凶殘藥嬰兒而舞先生不可不出當出者重則百不當出皆輕正使陶淵明處此亦當發憤投袂而起况乎大一統之世君吾君民吾民而忍不出吾平昔所學以救天下之急難也哉明人不滿於公之出其亦不仁也矣邑後學錢振鍠敬撰

序

有清一代常州之學術文藝弁冕南服卽氣節事功亦犖犖可指數然余以謂明代常州之人文殆尤跨越清世桃餘姚而開東林軒天震地爲國脉人紀道統之樞紐者毗陵也方山荆川並峙嘉隆中荆川之學尤博事功尤偉當時儒者莫之並亦越數百年偉人長德世固不乏語其軌轍與荆川儷敵者猶難其選嗚呼盛矣清人喜詆明儒槪以空疏目之張皇考據訓詁漫謂軼唐宋而賡有漢於是常州之經術文筆睥睨海宇亦罕有論述荆川者究清人所謂實學乃純爲空文無補儒術不振國基內亂列強環伺茫然靡所措手足竟棄古先聖哲禔身植國之本驅兒女子膚附遷啜夷裔名物謂足以拯沉痼而甦之偵藝瞑昏至於毀近磋沮湯鑊任人之爲猶不知反而求吾眞實有用之學徵論喋喋於俚言俗

字者之無當卽持經訓史籍詔學子者仍蔽於訂譌摭瑣穿穴比傅之故習將循是以挽波流而隆國族不亦大可哀耶孔門之教人曰從政曰治賦而其本在修己在博學所謂博學者自禮樂射御以至前言往行胥以反之躬行施之實事爲鵠非終身役役於識字審音爲句讀師也宋明諸儒誠多眇論心性其致力經史本其學以從政治賦者胥孔門宗子也清初諸公矯明季流弊猶崇實學雍乾以降迺一變而爲漢學空談之世界孔子之教遂在若存若亡間迄今日其禍未已常州今文大師蓋已病訓詁聲韻之無用徒以西漢專門家法爲名高矜言大義微言演之爲經世之具降之爲變法之毋顧不從身心根本植之基其末流乃眯於功利而莫知反擇術之不可不慎若是是故居今日而講切實有用之學宜反之宋明而上躋於孔門由身心暨家國天下嚴義利

之辨弘翕受之途任重道遠不當再以漢學畫人明儒文武兼資者陽明荆川爲稱首而陽明於典章制度擯斥不道不逮荆川之淹洽陽明武功爲內戰荆川武功爲外攘衡之孰優固不得以鈐山梅林病荆川也詒徵於淞滬戰時搜討乙部熟復荆川書慨然想見其爲人唐君玉虬爲先生十四世孫憫念世變追維先烈發憤輯先生年譜博綜載籍成書若干萬言昭德雪誣尚友論世而其微恉尤在陳古刺今欲使世之人知儒學之有真非惟鑽穴故紙標榜家法假學術罔聲利率一世秀傑之士敝精力於虛牝任羣儈庸豎竊權媚竈而無可如何也書成督序於詒徵竊哀其忱而壯其志爰爲綜論毗陵明清學者與天下相關之故聊助君張目焉風會之成惟豪傑能自樹立吾蘇人多靡弱惟產常州者恆不囿於世所鶩傑然別成宗盟繼自今其復興荆川學統乎予

日望之矣乙亥秋九月鎮江柳詒徵

序

唐君玉虬荆川先生之裔孫也爲先生輯年譜成過余而索序曰子知荆川之學者不可以不爲是書序夫余何足以知先生之學哉雖然吾嘗見梨洲黄氏之論先生矣曰先生之學得之龍谿者爲多此不能無疑焉推梨洲之意豈不以先生天機爲宗無欲爲工夫者於龍谿爲甚近耶然先生天機無欲之論實發於與雙江一書而書中即亦言學者舉心動念悉是欲根往往託無寂無感無善無惡之説以度其放逸無所忌憚之私此心原無放逸則不必論主寂有放逸則不可不論主寂譬如人元氣原無病則不必論服藥有病則不可不論服藥夫無善無惡者龍谿之教也而放逸者託焉先生則病之主寂者雙江所主以爲救正龍谿者也先生則取之且有方竊執事之教以自淑之語由是觀之則謂先生爲

近於龍谿毋寧爲近於雙江也抑先生嘗有書與龍谿矣曰
兄篤於自信是故不爲形跡之防以包荒爲大是故無淨穢
之擇以忠厚善世不私其力是故或與人同過而不求自美
又曰古人舉大事冒大不韙而猶不蒙人之疑今吾輩出格
作一小事而人已羣然疑之毋乃不遁不殖所以自信與素
信於人者有不如古人乎不顧不視不取不予所以自信與
素信於人者有不如古人乎又曰兄所論伊川金櫟子之說
以此施於點檢形跡之人則爲對症要藥矣向非其人則如
以蓍參治肺癰藥豈不美或以助火而長病也凡此所云辯
雖甚婉皆深中於龍谿之病然則先生於龍谿方且爲諍臣
爲苦口之藥而顧以其學與龍谿之學等而論之混淄澠爲
一水豈爲知味者哉且人之於學也或體段略同而工夫有
頓漸甘苦之異或歸趣無背而作用有廣狹大小之差先生

始好伊洛之學繼入陽明之門初求之槁形靜坐之中後參之事物紛擾之際其工夫至苦其次第至密與龍谿所謂不假工夫修證而得者頓漸甘苦不侔也又先生博學多識人也長於文長於兵長於算數長於百家雜技四十之後乃一切捐之而反求於心性之微雖一切捐之反求於心性之微而其博學多識自在也不惟自在也迨夫於心性之微而有得焉向之博學向之多識者乃益得以神其機而大其用故一出而平肆毒東南之倭寇而文亦發揚恣肆自成一家之文此與龍谿之專談良知併歸一路者廣狹大小又不侔也向非綜覈先生之平生確見其前後致力之功進德之實於梨洲之言疑似之間殆無有能辨之者夫子何足以知先生之學哉顧蓄此疑久矣而未有以解也今也先生年譜之成予乃得有所藉以爲參稽以爲質正予或不終於疑也是則

子之幸也乙亥季冬江寧鍾泰拜序

序

古來名儒顯宦恆以誌傳之昭垂與藝文之刊播猶形於槪略圖於專長而世之觀摩者徒見蟠龍在雲東現一鱗西現一爪其豹斑之若何銜接莫由窺其全焉此年譜之所由作也顧或出諸自著或出諸子若孫及門下士手舉所躬歷與夫目睹而心接者扼其賅要筆之於篇故計功較易若昌黎少陵二譜俱成於曠代以立體仍尙簡也至隔年悠遠紀事精詳則以胡若溪所輯孔子編年爲最玆讀荆川年譜戞乎尙已蓋是編之作以昔所昭垂者猶誌傳也所刊播者猶藝文也猶雲龍之鱗爪非全豹之斑也以隔世雖遠非若若溪之去孔聖之甚而列身子孫班紀載益宜求詳非若孔聖事蹟存有成譜並聚諸叢簡膾炙人間掇而取之無待他求也然則是編之作又戞乎難矣夫荆川先生之才學早冠絕於

時中經樓隱多年尤如姜尚父之在崑崙諸葛武侯之在隆中舉凡天文地理樂律兵法以至勾股壬奇之術罔不搜討至熟而習練拳棒又足與岳武穆匹故草廬再出卒能驅未嘗一日拊循之兵卒主客十餘營素不同心之將馳驟大江南北掃盪倭氛殲滅以盡使狡焉強虜不敢窺邊其功烈抑何偉也而是編之出又當國家多難較之嘉靖時且尤甚焉是蓋欲使瀏覽者仿其策略以策成功先生以力掃作者期以筆掃而用心苦矣且先生在世多契交如茅鹿門李中麓輩詩文所遺已成廣陵絕調而作者並附錄之猶之歐陽之語君謨賴揮毫之間爲不朽之托是有此編先生則彰全豹之斑而當年諸契交亦得現雲龍之鱗爪又豈僅如士衡之誦先芬康樂之述祖德已耶先生後裔代有聞人今且傳之十四世更得作手如玉虬者此天道之報功由數百年而數

千年而億萬斯年胥於是覘焉中華民國二十五年二月石

瑛謹序

序

嗚呼三代以後直道泯而是非淆後生之士多好議論前賢以表立新異故唐宋以來巨人碩儒多有年譜或其當時門弟子之所爲或後人考較其一生事蹟以爲尙論之資庶是非皎然別白而多口無所施其雌黃先　荆川公一代偉人晚年一出以身殉國而世之嘵嘵者轉以其晚年之出而議之蓋史傳簡略不能發揮公之心事與動略無由以折羣喙也瓜棚豆架謬說紛論者四百年矣而家乘所載　公之誌傳亦寥寥數篇楹書雖存祖德莫述姪孫玉虬乃奮起爲詳確之辨正徧考羣書爲　公年譜八卷於公晚年之出係徐華亭之力爲推轂而非係於甬江分宜王太倉之獄係別爲一事不由於　公均獲得不易之史實四百年來之謬說辭而闢之廓如也木落山空水清石出而　公翛然清風之操

痌瘝斯民之志鞠躬盡瘁之節益以表見讀是譜者不必為其子孫凡含氣蘊血之倫有不愀乎動容泫然淚下報國淸人之懷油然而興渟然而不能自已者乎玉虬又為　公著述考一卷弟子考一卷唐氏先世著述考一卷又輯太常凝菴公逸文三卷唐氏先世遺文百餘篇又鈔凝菴公周易象義四卷又輯　荊川公六世孫直隸總督薊門公年譜一卷取材於西湖文瀾閣四庫全書不足又求之於北平天津南京各大圖書館及甬上范氏天一閣藏書又不足更求之於私人藏書家及各舊書肆或揭櫫報端或託友人輾轉以求之或購歸或假鈔必得之乃已其於某事見某書寤寐中若有示之者及求得之果然徵引參考之書數百種於文下多註出處便覽者覈對其所假之書或朋儔所貽之史料亦多表出之示不忘他山之助也玉虬僅有微秩於杭七八年靜

若處女不思他遷以近汲文瀾之源出入不與妻爲執炊惡衣惡食務節縮以求未獲之書是時玉虬季弟鎮元亦傭書於杭玉虬纂輯撰次前後時時移置或塗竄自云稿凡五六易皆鎮元所手鈔前歲玉虬離杭將前稿悉寄琢如處肯嘗移書慰玉虬曰子於祖宗之事可謂勤矣文亦富矣吾必爲刊之以酬汝志茲取稿於琢如悉刊之力有未足今先將公年譜印行並附薊門公年譜一卷餘尚有待也茲於付印時會肯復得太常嶷菴公萬歷刻本周易象義四卷崇禎刻本皇明輔世編六卷輔世編尤關明代要政爲數百年來不易見之書嗚呼吾祖宗言行昭昭若日月吾子孫知所從事矣中華民國二十八年己卯十月十二世孫肯謹序

序

先公荆川向無年譜鼎元生 公十三世之下四百年之後數經兵燹遺書無存又安能爲 公譜則以 公之事迹載在史册其年月尚可得而按也故是譜以張廷玉所修明史陳鶴所纂通鑑明紀黄宗羲明儒學案趙時春撰 公墓誌銘顧憲成李贄撰傳王錫爵撰祠堂記爲主而以 公之文集及郡邑志家乘諸家文集載記譜牒爲考證參酌匯通五月而書成 公幼年事譜牒既無所載而 公詩文集不署甲子纂著甚多今已過半遺佚故今譜中某年撰某書某文僅據其可考者載之其他事迹亦然不敢輕下一筆懼其誣與鑿也故是譜謹備 公之出處大節而已明史明鑑荆川誌銘傳記與其自爲文集世多有有心者可得而覈焉其有造作無稽之談以誣訕 公者謹據事實爲 公辨之昔者

墨翟詈孔孔叢子復有詰墨篇鼎元則不敢竊附於此禮五世服盡以親盡也十三世之下又其遠者也親盡而遠則可徵諸事而無所諱出諸口而不爲私鼎元之爲　公辨又豈以爲　公亂裔之故哉夫以　公之爲學之苦立身之高積念之誠且仁而轉蒙詬議但使鼎元與　公同中國爲　公後學亦必發口一言而不忍默默也何則無惻隱之心非人也　公晚年一出不勝其惻隱之心而蒙難捐軀者也不知其人論其世嘉靖之世何世也北虜南倭頻年烽火不息萬民倒懸之日也苟懷有解之之術又遇有解之之緣必束手而避之熟視而無所動其心斯爲仁者乎爲不仁者乎世之論荆川者盍亦一考於此此鼎元作譜意也有識君子必不以其言爲私矣丁卯冬十一月十四世孫鼎元謹識

序

鼎元之纂　公年譜也在　公生後第七丁卯爾時以舊法
爲之至簡既而見近人所爲年譜序事詳備遂思改爲之然
有數難焉吾家譜之作實椒於　公之子鶴徵其立法也高
世系下不書生女不書生卒月日文不錄壽序行狀　公之
事迹見于家譜者惟明史列傳李贄撰傳顧憲成撰傳趙時
春撰墓誌銘王錫爵撰祠堂記及勅諭數道而已求　公
之生卒月日不可得也雖欲詳書　公之事其可得乎　公
之子鶴徵以下至　公之玄孫宇昭宇量累世著述皆有專
集行世意其記先世事必多然自經洪楊兵燹無一存者鶴
徵公有爲　公陳渡阡表刻於萬歷本荊川集附錄至近年
乃始得之陳渡阡表不載入家譜至康熙時　公十六世孫執
玉重刊荊川集雖有附錄而阡表被屏尤所不解也　公之

事迹既無所獲於家譜復無所獲於　公之子孫記載然則雖欲詳書　公之事又可得乎無已廼求之於　公之同時諸公文集及嘉靖以來諸筆記雜史嘗考　公之同志數十百人皆炳炳一代巨公偉人各有專集然自遜清開四庫館其著錄者求之可得（西湖書館有四庫全書）而存目之書半多散佚又近年洛陽紙貴黃卷青編奚啻金版玉簡數卷之書其爲啓禎時版本則已價高連城而（鼎元）寠人子也即遇之於肆亦徬徨無計情有急於汝陽王之道逢麴車口流涎矣於是於其卷帙之少者則立而苦誦強記肆賈辭客者數而余之氣愈下顏色愈和也其卷帙多者則乞人爲介就書肆摘抄或竟假歸擇錄之又其價不甚高者則竟節縮衣食以得之間書之札日作數通有輾轉求之於友人者亦有得諸其子孫之世守者則程萬兩文恭集王孚齋集與廣東翁襄敏公稽

愆集是也而公之生月日則始於去冬獲之李中麓集然公之行狀撰於洪芳洲朝選而芳洲集迄今求之不獲此求書之難也纂輯之事固惟書籍是賴然往往有局中人同記一事而年月相殊如海旋公諡事反須數百年以後人爲之辨正若讀書不多即淆惑無主此考訂之難也故是譜也若作於鶴徵公之手則可毫髮無遺憾不然則作於　公之玄孫宇昭宇量之世流澤未沫楹書猶在　公之事迹大備輯之亦易不然則作於乾嘉之時四庫館開　公之炳炳同志數十百人著作盡出就而錄之猶易也顧此時諸公皆不爲而鼎元強欲爲之於十三世之下四百年之後數經兵燹遺書無存之日其有當哉雖日思之思之鬼神通之然有鬼神通之而有獲者亦有鬼神通之而終不獲者鼎元謂以不獲公生月日爲憾夢有人告之日冬至前一日也既而得之於李中麓集爲十月五日並非冬至前一日也吾名山前曰子自謂識耳夢中蓋告于冬至

前一月也又鼎元意公行狀爲洪芳洲作及見中麓集知果爲芳洲作然求之尚未獲也嗚呼鼎元之處錢塘也於茲六載矣事欲效夫負米情則類於吹簫聾聵自詡善聽盲目翻爲白眼郢客高歌獨唱無和楚人獻璞再刖其足人皆言其宜去余猶困頓圖存所以然者每思漢司馬遷忍宮刑以就史記余亦欲就四庫館書以纂此譜耳嗚呼自鼎元爲此譜問書於海內而後知著作傳世之難也如洪芳洲朝選曾石塘銑其文章功業均負大名於當世然余苦求其文集不獲也卽如茅鹿門集世間猶不甚傳而兩文恭集及李中麓等集則一綫將絕矣故余於　公之同志諸公往來詩文可考者多按年附錄之假使諸公之集其間有不幸而中絕而此譜幸而獲傳則諸公猶得傳數行文字於天地之間此鼎元之微意也　公交徧天下而徐少湖羅念菴王龍溪歐陽南野翁東厓鄭淡泉趙浚谷薛方山萬鹿園王

遵岩白洛原蔯后岡熊南沙李中麓程松溪胡柏泉皇甫柏泉林東城趙大洲陸平泉洪芳洲茅鹿門二十餘公尤爲莫逆故余於國之大事既摘要附載於各年之下而於此二十餘公之出處進退舉舉諸大端亦均分載焉而　公與諸公聚散離合之跡因以明而於世俗之謗方山受夏貴溪囑以黜龍谿謗念菴以仙跡眩世之類並集衆證爲之辨故是譜也合之則爲公一人之譜苟離而增飾之雖爲二十餘公之譜可也蓋既異於他譜之專敍譜主一人之事使讀者有寂寞寡歡之嘆彼此稽對之煩而此二十餘公者各有一段精神輝映天地萬古不磨處今乃聚之於一編使得以覿諸公彼此切劘琢磨精神貫穿肝膽相照於以匡成各有千載之盛業是不啻聯五星於一躔集麟鳳於一庭而瞻其竟天之光耀與曠世之威儀也豈不快哉且吾國今日內憂外患正

與明之嘉靖季年同讀此譜未終又必不勝其感激奮發而爲被髮纓冠之救者矣稿凡四五六易而弱弟鎮元亦鋤口錢塘屢易屢令錄之别輯著述考一卷弟子考一卷以附此譜之後合之約計三四十萬言皆爲四五年來愚兄弟湖上傭書之餘之所積雖平日潛行側步不敢舉眼望人而抱此聊自解慰云乙亥仲秋十四世孫鼎元謹再敍於錢塘寓舍

譜中除訂正海旋事歲月外又改正明史若干條吾邑乘二條疑年錄一條以太常公一改鼎徵一生於當時而不能確記王遵岩來通判吾常之年緣吾所見爲乾隆時所纂之武陽合志而未見太常公萬曆間所修之武進縣志然武進合志必有所承且太常公萬曆元年刻荊川全集號落荊川續集中文二三十篇於其極有關係文字而亦佚之蓋太常公少壯以豪俠聞晚年以理學術豪俠者不耐須屑講理學者不善考訂而半闡公（字昭）父子則以詩書著稱藝林亦不慎在故紙堆中作生活者是譜也使太常半圖崇公爲之固有知今所不知之事然鼎元爲之自有獨勝處豈可詒後人遂不若先人哉

明唐荊川先生年譜

目錄

祭文 附挽詩吉書

究誣

解惑

縞紵集

末附乞書記

例言

一爲古人作年譜非尚爲古人也亦爲後來之人也廉頑立懦奮乎百世之上百世之下聞其風者莫不興起被髮纓冠以赴國家之難鞠躬盡瘁死而後已長使英雄爲之垂淚必如是之人而爲之作譜夫爲如是之人而作譜必得其一生精神之所獨注處盡與傳出始兩爲不負

一是譜雖譜公一人而公之同志袞袞數十巨公生卒事略均附載之實不啻有明中葉數十巨公之譜是則生面獨開與他種年譜特異處也抱是一軼正嘉隆三朝諸名賢事迹大半可稽矣

一撰古人年譜與撰近人年譜有殊近人事實雖前輩有抉擇古人往矣時隔數百年見聞已遙事多隱佚如有一二遺事見於記載雖其事甚微亦錄之亦足以觀古賢風度

一是譜備與荊川集合凡公投贈詩文等作不載其文字僅錄其目而註曰見本集又備與荊川集分其有關係文字仍載入譜中

一萬曆癸酉公子鶴徵合刊荊川前集續集曰荊川先生文集近得荊川續集讀之萬曆刻本佚去文字甚多茲錄出其有關係者約二三十篇其見於他種文集文選之詩文而不見於荊川集者亦爲錄出數篇按年編入譜中

一文貴實用事鑒前車故於姜廷善撰丹徒救荒記及茅鹿門府江紀事均附錄之

一鑒往所以戒來撫今彌用慨昔故於某某血石記及華重慶朝鮮生還記均附錄之冀萬姓之一覺吾族之復興也

一荊川本人雖不以文章爲重然被推爲一代宗工而嘉靖八子七子實爲有明中葉主張唐宋與主張秦漢兩派之

領袖故於譜中兩派源流載之較詳以供考訂文學者明其升降得失

一世不甚以講學與荆川而荆川晚年所視爲性命者實惟講學一事且兵農禮樂曆算皆孔門之實學也荆川一生於此致力尤勤豈僅高談心性乃爲講學哉故欲復孔門之實學當自荆川始而譜中亦特爲注重

一公稟異人之資穫好學之實一生著述綦夥其撰述年月苦多不詳玆別輯著述考一編著其篇目釋其主旨抉其內容學者如欲稽荆川著述概略可於是編求之其著述之有歲月可稽者仍於譜中載之

一公受業弟子數百人其著者若萬思節士和姜廷善寶楊翼少允繩莫子貞如忠吳峻伯維嶽馮道卿行可政績行誼備載於史傳文章播於藝林其有特立獨行潛脩苦學

能得公之精微卓然爲世師表者更難悉數且東林之學實公與方山先生開之東林巨子多爲公之一再傳弟子而當有明鼎革之際爲公之學者風徽尤烈兹於史傳及各志乘搜得近百人别輯荆川弟子考荆川學脉各一編以供欲考荆川之學者考焉而其弟子書牘與師有關係者則備載之譜中

一公晚年所處之世爲何世乎豈顔子陋巷足樂之日乎故於嘉靖庚戌以後南倭北虜殺戮之慘逐年摘要書之以見賢者處此萬難閉戶高卧而世之訾公之出者亦將自批其頰之不暇矣

一才大謗生德高毁至自古而然故於衆説紛紜之處譜中既隨時隨事爲之辨證復爲究誣解惑一一篇附之卷末庶彗孛掃而三辰朗雲霧散而五嶽崇也

一著作傳世由昔所難公之同志諸公詩文集於今存者已如鳳毛更閱滄桑沉淪可慮故凡選有與公往來文字輒附錄之不辭繁瀆用見交情祭文若干篇亦各錄自各家專集搜之匪易並附卷末

一世稱張江陵相業而不知其實基於徐華亭而江陵之狠毒則不亞於嚴分宜茲記其殺洪芳洲一節（詳記在後）可覩其餘芳洲爲荆川好友亦附記之例也

一求書匪易考證實難如朱子年譜等作者數家遞有補正是譜草剏敢云愜心剏所求諸書尚有未獲寓目嗣後續有所得當作補編還祈海內方家匡其不逮指其謬訛是禱

引用書籍

編元纂譜時曾覽明清人撰著書籍千數百種除經閱無所獲與僅稿參攷未引用其文字不錄外茲將引用書籍擇要列表如左並註出處用以備覽

別集類

荊川文集　明嘉靖刻本萬曆刻本清康熙刻本金陵書局本常州先哲遺書本商務印書館四部叢刊本日本村瀨誨輔明六大家選本

荊川續集　明嘉靖刻本北平圖書館藏恐為海內孤本矣

莊渠遺書　明蘇州魏校撰四庫本

古庵文集　明武進毛憲撰毛齋藏為現代希有本

山堂萃稿　明武進徐問撰徐齋藏現代希有本

張文定公集　明鄞縣張邦奇撰希古本南京國學圖書館藏

孟有涯集　明信陽孟洋撰宋明百家本南京國學圖書館藏

清溪莊集　明無錫顧可久撰顧齋重選刻本

聶雙江集 明永豐聶豹撰杭州吳綱齋藏本

東廓集 明安福鄒守益撰南京國學圖書館藏本吾師錢名山藏本

顧東橋集 明上元顧璘撰四庫本

小山類稿 明惠安張岳撰四庫本

瀼溪堂稿 明華亭孫承恩撰四庫本

鈐山堂集 明分宜嚴嵩撰

世經堂集 明華亭徐階撰西湖博物館藏本

南野文選 明泰和歐陽德撰浙圖書館本

端簡文集 明海鹽鄭曉撰同邑張菊生先生藏本是書海內余僅知有兩本其一北平圖書館所藏

江午坡集 明貴溪江以達撰天津圖書館藏本

稽愆集 明揭陽翁萬達撰翁齋子光重刊本

龍溪全集 明山陰王畿撰浙圖書館藏本

玩鹿亭稿 明鄞縣萬表撰南京國學圖書館藏本浙圖書館殘

邱止山集 明崇安邱雲霄撰四庫本

李中溪集 明雲南太和李元陽著近人李根源刻入雲南叢書吾邑葉常茳自昆明寄歸相贈

蘭暉堂集 明平湖屠應埈撰同邑葛稚威藏鈔本

巖居稿 明無錫華察撰無錫圖書館藏本

遵岩集 明晉江王慎中撰四庫本

趙浚谷集 明平涼趙時春撰浙圖書館藏本

念菴文集 明吉水羅洪先撰四庫本

熊南沙文集 明富順熊過撰自藏本

閒居集 明章丘李開先撰在上海受古書店借閱海內存本絕少

陳后岡集 明鄞縣陳束撰南京國學圖書館藏本又在上海中國書店借閱海內藏本絕少

江峯稿 明丹徒呂高撰南京國學圖書館重印本

胡莊肅集 明泰州胡松撰上海富晉書社借閱餘惟北平圖書館有藏本

楊忠介集 明富平楊爵撰四庫本

程文恭遺稿　明永康程文德撰程齋藏本鈔內存本選少

皇甫司勳集　明長洲皇甫汸撰　四庫本

介山集　明仙居林應麒撰刻在仙居叢書內浙圖書館藏本

方山全集　明武進薛應旂撰薛齋藏本通行本多爲方山文錄全集南內藏書選少

文肅集　明內江趙貞吉撰　浙圖書館藏本

青霞集　明山陰沈鍊撰　四庫本

楊忠愍集　明容城楊繼盛撰

茅鹿門集　明歸安茅坤撰　浙圖書館藏本

忠敬堂集　明績溪胡宗憲撰清光緒間家段集重刊缺文極多績溪王集成假閱

敬所文集　明天台王宗沐撰　南京國學圖書館藏本

樗菴集　明江陰王燁撰　南京國學圖書館藏本

林東城集　明泰州林春撰　海陵叢書本

甌東文集　明永嘉項喬撰

田叔禾集 明錢塘田汝成撰南京國學圖書館藏本

自知堂集 明德清蔡汝楠撰吳興嘉業堂藏本託館員施韻秋君查抄

王氏存笥稿 明華州王維楨撰南京國學圖書館藏本

石灣集 明江陰沈鶴撰南京國學圖書館藏本

虛岩山人集 明太倉周詩撰

具茨集 明無錫王立道撰四庫本

王東厓遺集 明泰州王襞王補撰

山海漫談 明長治任環撰四庫本

方麓集 明金壇王樵撰四庫本

周恭節公文集 明太平周怡撰浙江圖書館藏本

衡廬精舍藏稿 明泰和胡直撰四庫本

震川文集 明崑山歸有光撰

洞麓堂集 明永新尹臺撰四庫本

陸文定集 明華亭陸樹聲撰南京圖書館藏本

崇蘭館集 明華亭莫如忠撰天津圖書館藏本似為海內孤本

履菴集 明宜興萬士和撰萬斎藏本除北平圖書館有藏本外海內僅有此本

王孚齋集 明宜興王升撰王斉重刊本諸裔孫恩

姜鳳阿文集 明丹陽姜寶撰南京國學圖書館藏本似三為海內孤本

天目山齋歲編 明孝豐吳維嶽撰吳斎言碩重刊本言項孫吳華謹

太岳集 明江陵張居正撰

徐文長佚稿 明山陰徐渭撰杭州徐署岑藏本

弇州四部正續稿 明太倉王世貞撰四庫本

讀書後 同上

滄溟集 明歷城李攀龍撰四庫本

甔甀洞稿 明興國吳國倫撰浙圖書館藏本

二酉集 明沔陽陳文燭撰自題本

馮文敏集 明華亭馮時可撰南京圖書館藏本

汪太涵集 明歙汪道昆撰南京國學圖書館藏本

蒼霞文草 明福清葉向高撰國學圖書館藏本

澹園集 明南京焦竑撰

正氣堂集 明晉江俞大猷撰南京國學圖書館重刻本

宗伯集 明無錫孫繼皋撰四庫本

王文肅集 明太倉王錫爵撰王齋舜宗藏本

緱山集 明太倉王衡撰王齋舜成藏本

涇皋藏稿 明無錫顧憲成撰四庫本

小辨齋偶存 明無錫顧允成撰四庫本

高子遺書 明無錫高攀龍撰四庫本

願學集 明吉水鄒元標撰四庫本

學古緒言 明長洲婁堅撰四庫本

劉蕺山集　明山陰劉宗周撰四庫本

次囘集　明金壇王彥泓撰

倪文貞集　明上虞倪元璐撰四庫本

鄭峚陽集　明武進鄭鄤撰景近鄭斎重刊本

遜菴稿　明武進薛日初撰

南雷文集　明餘姚黃宗羲撰

萬石園集　明鄞縣萬斯同撰四明叢書本

孟鄰堂集　清武進楊椿撰

桴亭集　清太倉陸世儀撰

亦有生齋集　清陽湖趙懷玉撰邑人錢鈇裝藏本

實齋遺書　清會稽章學誠撰

洪北江集　清陽湖洪亮吉撰

甌北詩鈔　清陽湖趙翼撰

崇百藥齋集 清陽湖陸繼輅撰

大雲山房集 清陽湖惲敬撰

賴古堂集 清陽湖湯脩業撰

養一齋文集 清陽湖李兆洛撰

名山集 清陽湖錢振鍠撰

總集類

明文海 明餘姚黃宗羲纂四庫本

盛明百家選 明無錫俞憲輯

明十大家文選 明陸弘作編浙圖書館藏本

明文霱 明劉士鏻編

明詩選 明華亭陳子龍選浙圖書館藏本

明詩綜 清嘉興朱彝尊纂浙圖書館藏本

列朝詩集 清常熟錢謙益編浙圖書館藏本

常郡藝文志　清杭州盧文弨撰

常州先哲遺書　清末武進盛宣懷刊

又滿樓叢書　近人崑山趙詒琛刻刷

史地類

明實錄　南京國學圖書館藏本

明史　清張廷玉等奉勑撰

明書　清傅維鱗纂

明史稿　清王鴻緒撰

明紀　清陳鶴編

續藏書　明晉江李贄撰

籌海圖編　明崑山鄭若曾撰

江南經略　同上

弇山堂別集　明太倉王世貞撰

弇州史料 同上

日本考 明福清葉向高撰

倭變事略 采九德撰

江陰倭寇舊聞 清末江鋆張之鈞撰

明儒學案 明餘姚黃宗羲撰

雒閩源流錄 清無錫張夏撰

理學名傳 辛全撰浙圖書館藏本

儒林宗派 清鄞縣萬斯同撰

各省通志 畿輔河南山西陝西甘肅四川湖廣雲南廣西福建江西浙江山東江南等十數省

各縣縣志 自武陽合志外無錫江陰宜興吳縣丹徒丹陽上元江寧江都太倉華亭鄞縣餘姚上虞黃巖東山

南豐孝豐新昌長興等數十縣

各家譜牒 自唐氏諸暨外吾邑董氏莊氏吳氏孫氏卒氏蔣氏白氏王氏宜興萬氏江陰黃氏無錫黃氏丹陽

婁氏等十數家

武夷山志 清董天工撰徒叢鶴皋藏 冄

焦山志 歸安鑒撰吳

毗陵人品記 明武進毛憲葉金吳亮等輯毛脊仲省重刻本

晉陵先賢傳 明晉江歐陽東鳳撰

歷代名人年譜 吳榮光纂

唐一菴年譜 明吳興李樂撰

王心齋年譜

周訥溪年譜 明宜興吳達可輯

顧涇陽年譜 名山藏書

先進遺風 明黃安耿定向撰

先進舊聞 明華亭張鼐撰

元明事類

皇明世說新語 明華亭李紹文撰浙圖書館藏本

明稗史類鈔

明代會試題名碑記

明代登科錄

千頃堂書目 傳是樓[illegible]林堂范氏天一閣等書目

經義考 清朱彝尊撰

四庫提要 清紀昀等撰

明賢尺牘

明清名人尺牘墨寶

筆記類

薛子庸語 明薛應旂撰

方山記略 同上

胡子困學記 明胡直撰

鄭開陽雜俎 明崑山鄭若曾撰

鳳洲筆記　明王世貞撰

觚不觚錄　同上

野獲編　明嘉興沈德符撰

見聞雜記　明吳興李樂撰

陳眉公見聞錄　明華亭陳繼儒撰

松窗快筆　明常熟龔立本撰

雨航雜錄　明華亭馮時可撰

夏退菴海陵叢話

西山日記　明長興丁元薦撰

玉堂叢話

制藝叢話

明詩紀事　清陳田撰西湖劉氏劉問芻藏本

東南嶠外詩話

國史惟疑

居易錄 清王士禎撰

見聞隨筆 清武進趙彪詔撰

錫金識小錄

暨陽問答 清陽湖蔣彤撰

有正味齋日記 清吳錫麒撰

清明上河圖詳攷 近人長伯撰

荊川師友表

師

葉包庵林　陸慎齋（名待考　學塾受業師二人當時與會　講學有具學問道之師亦同邑薛方山）

（則師邵二泉呂涇野同年羅念菴未及陽明之門受錢緒山王龍溪之證而猶陽明門人矣荊川則不然於學塾受業之外別無師雖亦私淑陽明且與龍溪最暱卒不如念菴之稱陽明門人益有昌黎世無孔子不當在弟子之列之意爲此亦論世者所當知也）

楊松（授槍法師一人）

友

（荊川友滿天下其不止所表之數茲據所知者而表之達知志道無違形跡不落實者而表之雙方後來學業有關係者而表之其有以意相度當有交誼而無文字可證者則不以列不敢強不知以爲知也其曰云云友者亦舉其大略言之不可以此況於古人與人詩與人書其題多稱別字而史傳鮮言某字某某不及別字欲致知某某卿爲某之別字苦矣難矣每多對面而不相識者矣茲以別字與名雙舉效此則荊川集中詩題書題所舉別字大都了然矣）

魏莊渠校　呂涇野柟　毛古菴憲　周約菴金　徐養齋

問 崔后渠銑 先輩友六人諸公年長荊川以倍毛與徐三公文荊川父執也然皆忘其年而與荊
川交以道學相切磋以詩文相唱和而亦不得不謂之友矣明史謂以荊川爲莊渠弟子別有辨在諸中如湛甘泉
若水時亦來宜興山中講學與荊川變亦必有交誼然兩家集中無有往來文字故不以列

薛方山應旂 丘思菴鰲 董后峯士弘 董兩峯士毅

白洛原悅 同里同友五人且多同塾讀其後董白且爲姻親者也

鄭東廓守益 聶雙江豹 歐陽南野德 王龍谿畿 季

彭山本 林東城春 戚南玄賢 陳明水九川 萬鹿園

表 徐少湖階 唐一菴樞 尹洞山臺 呂沃洲光洵

羅念菴洪先 程松溪文德 周七泉子恭 趙大洲貞吉

周訥溪怡 王敬所宗沐 薛畏齋甲 王方麓樵 論講

性理學友二十一人數所以上諸公多講陽明學者說中與龍谿最密與念菴道最合荊川既與龍谿最密與畿

緒山亦交深而荊川集無與緒山往來文字而緒山集則未之後見未敢竟列

王藥谷大用 翁東厓萬達 鄭澹泉曉 李克齋遂 王

南岷廷　李石疊宗樞　廖東雩希顏　趙浚谷時春　楊

虞坡博　胡柏泉松　蔡可泉克廉　陳蘇山柏　史恭甫

際　鄭開陽若曾　并求經濟講習兵戎友十三人就中唐王克齋亦喜講王氏學恭甫開陽雖未

大亨然案倭時亨史家兵興男亨秀海圖編江南經略其效於世也大矣

文衡山徵明　顧東橋璘　許西原讃　田秬山頊　孟有

涯洋　高蘇門叔嗣　華鴻山察　屠漸山應埈　江午坡

以達　華補菴雲　王遵巖慎中　陳后岡束　任少海瀚

熊南沙過　李中麓開先　皇甫少玄涍　皇甫柏泉汸

沈鳳峯愷　孔文谷天允　王堯衢立道　謝與槐少南

王仲山問　俞是堂憲　施武陵漸　茅鹿門坤　陳兩

湖昌積　楊朋石豫孫　洪芳洲朝選　討論文學研究經術友二十入人齋

山長荆川三十七歲弘治中才子惟衡山得與高培間才子徵與相交際者三四十年遵岩后岡芳洲尤與荆川交

當遵岩亦喜講陽明學南沙殆易考蔡白石汝楠亦與荆川交深似在弟子之列又不敢必其在弟子之列故並

此表及弟子考均未列入而附註於此

顧洞陽可久　馮南江恩　華水西鑰　李中溪元陽　楊斛山爵　張靜思選　黃斗南正色　王湛泉與齡　葉東園經　沈青霞鍊　楊椒山繼盛　延溯氣節友十一人荊川年四十以前所講與諸公正合晚乃一變至道

彭石屋簪　呂竹嶼應期　應警菴檟　符松巖驗　項甌東喬　林巽峯華　循吏友六人

劉南坦麟　陸平泉樹聲　山林友二人劉陸二公貴至尚書居家惡市衣箬笠荊川居鄉嬉荊賢間似之

顧箬溪應祥　周雲淵述學　討論曆學友二人

林介山應麒　攻錯友一人嗟乎進言之難也無論於君於父於師爲諍臣諍子之難於朋友之間而爲諍友亦然荊川之友多矣而攻錯之友僅列介山一人非以諸友之不能攻錯而介山之盡言爲難能也荊川能諍友之失不易有錯爲友所攻音也而介山得聞攻之可謂能盡友之責而荊川一生獲益無窮矣荊川晚年由此而

宏由猶而得乎中道介山有力尋荃荆川交游友吉介山弟子中爲師門忠臣者有萬曆菴介山與荆川書屢菴上

尊師荆川書均載譜中

喻吳皋時 二十年未識面神交一人荆川晚年出山心事獨告之此公者

陸五臺光祖 萬兩溪恭 上友二人後皆登大位立六名荆川識賞之友數

何柏村卿 沈紫江希夷 武友二人

慈舟 翠峯 金道人 方外友三人

唐荆川先生年譜世系簡表

十四世孫鎮元謹製

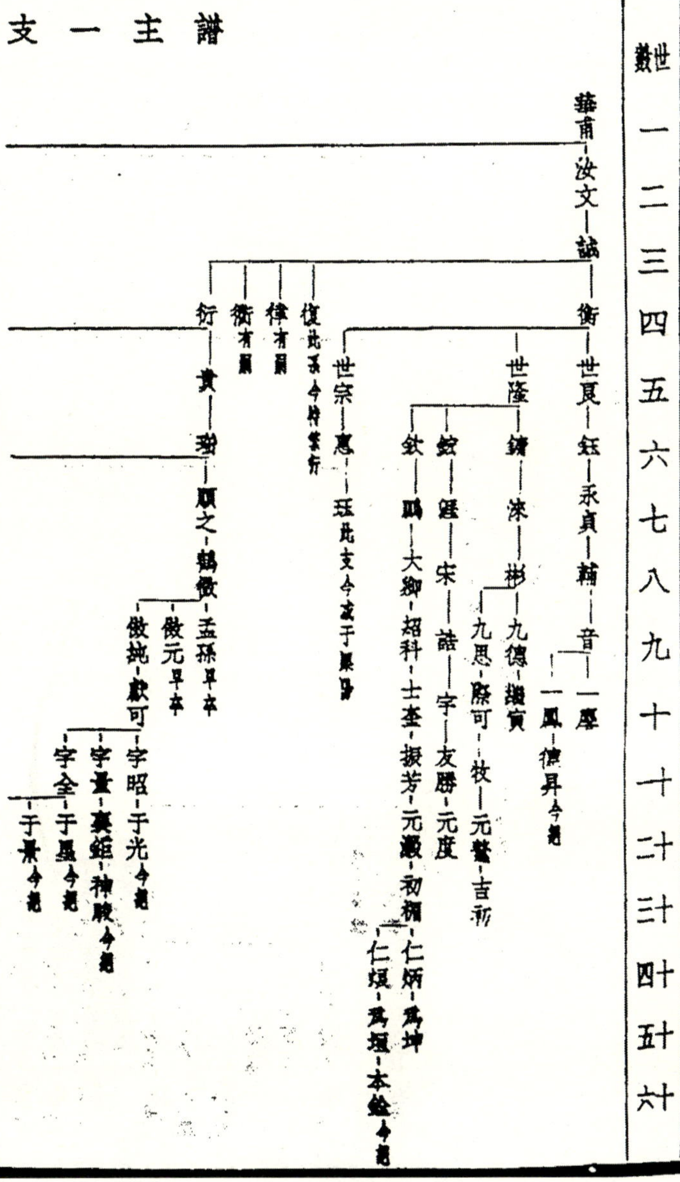

于[illegible]—祖[illegible]—[illegible]—[illegible]—[illegible]
孝思—聯[illegible]—[illegible]
祖應—紹宗—日[illegible]—[illegible]
于旭—祖命—[illegible]金—[illegible]
執玉—孝本—教[illegible]—[illegible]
[illegible]—家[illegible]
東[illegible]
[illegible]
[illegible]文
少[illegible]—[illegible]興—[illegible]
于[illegible]—漢[illegible]
奐[illegible]—孝[illegible]—[illegible]—[illegible]
于旦

正之—魁[illegible]—傚[illegible]今絕
傚[illegible]—猷[illegible]—宇[illegible]今絕
立之兆支今[illegible]

世顯
世美—洪—一之—時—貞明—士[illegible]
世[illegible]

汝章—攸民

譜主一支

世數	十七	十八	十九	二十	廿一	廿二
掄子	寶樹	柏慶	熙	燿庭子二		
銳子	寶賢	邦慶	德桂有嗣			
星垣子	開葵	鈞培				
驊子	亨	福慶	審榮			
			奎榮	燿恆子三		
章子	繩祖	錫慶	曾頤	嘉受		
盛子	安	恆慶子二				
	尊	復慶子一				

荆川公四傳至宇全有子十六人曰于星于景于昶于旭于暈于昱今惟昶旭暈有後星景昱皆絕耀恆者鎮元與撰譜人伯兄鼎元之父耀庭者從兄志才之父吾父既已抱孫志才兄弟皆已有子自華甫公下數爲二十

二世荆川公下數則爲十五世矣丙子閏月鎮元謹識

年譜簡表

正德二年一歲

五年四歲

父有懷公舉於鄉　大毋周宜人卒

嘉靖元年十六歲

補郡庠生

三年十八歲

有懷公爲公授室

七年二十二歲

舉於鄉

八年二十三歲

會試第一名殿試二甲第一名授兵部主事

九年二十四歲

告病南歸　有懷公授河南信陽州知州　六月毋任宜人

卒於天津舟次

十一年二十六歲

三月葬毋任宜人　九月服闋奉有懷公命赴部

十二年二十七歲

補吏部稽勳主事尋遷考功　七月改翰林院編修（至二十四年）

（均官翰林）

十三年二十八歲

四月有懷公信陽州考滿薦卓異

十四年二十九歲

二月疏病乞歸干閣臣張璁怒擬旨以主事罷歸（至十八年段以前均）

（家居爲前家居）　有懷公擢戶部員外郎

十六年三十一歲

有懷公擢南京戶部郎中

十七年三十二歲

八月子鶴徵生

十八年三十三歲

奉朝旨復翰林故官兼春坊右司諫秋偕鄒公守益北上之官（至十九年冬始官春坊）

十九年三十四歲

冬十二月與羅公洪先趙公時春並建言削籍歸（自是至三十七年春均家居爲後家居）

二十年三十五歲

春正月與羅公洪先聯舟南歸　有懷公授湖廣永州府知府（二十三年告病歸）

二十六年四十一歲

秋七月倭寇起浙閩

二十七年四十二歲

冬十一月孺人莊氏卒

二十九年四十四歲

八月俺答犯京師九門戒嚴內閣徐公階謀起用公未遂

三十一年四十六歲

春正月有懷公年七十奉觴上壽

三十二年四十七歲

聶公豹長兵部與徐公階謀起用公與羅公洪先未遂

三十四年四十九歲

七月朔日有懷公卒

三十五年五十歲

居喪　倭寇薄常郡城是時蘇州無錫四郊人民徧遭屠戮

三十六年五十一歲

居喪　趙文華以工部尚書出督師海上同部因衆望以邊材薦公起南京兵部主事以父服未終不出　秋七月趙文華罪發削籍歸病蠱死　冬九月服闋無出山意徐公階與江南巡按尚公維持中外會薦進公北兵部職方員外郎命撫按敦公赴部撫按檄郡縣勸駕

三十七年五十二歲

三月祭告有懷公廟赴部就職　秋七月署郎中奉敕往覈薊鎮兵額九月還奏　十月仍署郎中奉命往南畿浙江與總督胡宗憲協謀討賊（數視軍情）十一月至浙

三十八年五十三歲

在浙直視軍情任　四月十一日倭泊崇明洋公督舟師邀之海外斬馘一百二十沉其舟十三艘　同時倭數百艘犯

通州海門公恐賊逼陵寢令總兵官盧鏜拒賊三沙自率副
總兵劉顯馳援鳳陽巡撫李公遂於通泰破賊於姚家蕩進
圍賊於廟灣三沙又告急公復回援以功陞太僕寺少卿再
陞通政司右通政還太倉迎敕　作鈐山堂集序　三沙賊
遁公率劉顯渡江與李公遂戮力會勦賊盡殄上海防善後
九事　九月李公遂擢南京兵部侍郎改公右僉都御史代
爲巡撫鳳陽等處兼提督軍務　十一月之官維揚
三十九年五十四歲
在鳳陽巡撫任請振地方災傷　四月一日以疾卒於泰州
舟次

荊川先生遺像

明唐荊川先生年譜卷一

十四世孫鼎元謹輯

十二世孫　肯校刊

錢家驥

鄉後學周仁泳謹校

崔龍

十四世孫　斐

纘道仝校

公姓唐氏名順之字應德一字義修（一字義修見明詩綜四庫提要常州先哲遺書荊川集吾唐氏譜不載）號荊川學者稱荊川先生

始祖華甫公高郵人宋末爲翰林院檢討（據曾娟聯譜）遷居常州武進之欽風鄉遂爲武進人一云先世本常州人宋季避元兵過江至華甫始返自高郵譜作於公子鶴徵在華

甫以上不可考故毘陵唐氏斷自華甫始華甫生筠州提舉汝文及汝章汝文生子誠汝章生子俊民

節公子鶴徵唐氏譜序吾唐自余小子鶴徵而上所可知者凡七世世云七世祖諱華甫爲高郵人仕宋爲治中志不樂也時其姑適於夏家武進之白鶴谿治中公渡江依其姑居焉唐氏遂爲武進人或曰夏其外氏也至今白鶴谿有夏氏宅南有墓曰唐墳不復能考其墓爲何世矣七世祖生二子長曰汝文次曰汝章汝章有子曰俊民首登洪武進士榜麗譜籍絕矣凡爲唐皆汝文府君後也唐故無譜嘉靖中有諱涯者草略記其支系行事先大夫荊川府君欲修之不果姪孫一麐欲修之又不果誠重其事也余小子不敏何敢肩焉以丁卯與兄大卿同領鄉書族人喜爲之飲食以相勞余兩人亦

觴以復之凡唐之勝冠者無不赴也歡會累日恍六七世之祖儼然生也既而余以禮曹郎予告歸適銓次其支裔哀集其志狀其草略具自余爲邑乘見毘陵之唐頗盛於宋登甲第者十有九人未知其出於一族否何今日之泯泯別無一唐也高郵去武進幾五百里且界天塹毋論夏之爲姑爲舅非唐女夏則夏女唐吾唐時方食貧豈暇遠爲繫援若今之好事者乎必吾唐故爲武進宋末居戮盡死忠義偶獲逃生流徙北去至我七世祖去鄉未久其姻戚猶有存者故舉室歸而依之復我邦族不然何今日高郵亦無一唐也先君子之存也宇內之唐悉相攀附先君子皆善爲之辭其慕古之願人而冒爲之後有識者所爲大噱今無可考余何敢謂今日之唐卽宋之唐以去來之故徵之萬非無因也詩

禮衣冠之傳或有所自來余烏忍斬而廢諸
誠字伯成生五子長衡次復次律次衢次衍以子復贈大
理寺左寺副自伯成公而唐氏之業大
曾鶴齡撰墓誌銘按公諱誠字伯成其先高郵人也元
末遭兵燹其父汝文挈弟汝章從遷於常之武進依其
舅夏姓居焉去滆湖垂虹里許迄今號曰唐門又呼墳
上此夏之故墟也木本水源安可不揆厥自君配張氏
繼巢氏生五子衡復律衢衍也讀書好禮強學力行惟
克勤克儉營業耕作嘗自言曰民大概有四士農工商
而已吾祖父世以讀書爲業相傳祖華甫爲宋末翰林
檢討父汝文筠州提舉遭我太祖高皇帝龍飛淮甸祖
父攜我兄弟依夏而立此公家庭常談歲久猶在人耳
勵志訓子以續書香次子復早登洪武庚辰進士第孫

世亙亦令業舉以補郡庠餘子弟或商或農不數載而家貲巨萬焉創禁城館四所南所逼唐家灣兩所鄰隋司徒廟莊業亦四一宅出南郭四十餘里地名欽風一宅出東郭五十餘里地名安上二宅出北郭五里許地名大寶橋教子星分散處自耕自鬻以杜猶風漸綜理家政大率類此是時洪武新政規矩甚嚴戒敕諸子動輒罹楚繼以泣淚懲之於是爲士者功名令終爲商爲農者得以積粟盈貲宣德間追贈大理寺左寺副妻張氏贈安人享年七十有六生於元至正乙酉正月九日卒於永樂庚子九月十二日夫婦合葬於永豐新壠元裔

謹考曾公鶴齡字延年泰和人永樂辛丑（十九年）進士一甲第一人翰林院侍講學士兼南院事有松臯集三十卷見千頃堂書目明曾公故明初名宿是文可貴也矣

復字復亨一字仲亨號素齋建文乙卯舉人庚辰進士宣

德十年仕至廣西平樂知府與况鍾等九人特授璽書馳驛之任假便宜從事年八十六歲卒祀鄉賢零陵名宦平樂特祠在平樂建書樓于府學繪古勤學者以風諸生名曰昭文選荒文教丕振自素齋公而唐氏之名德著建書樓一節見廣西通志

舊武進邑乘人物志唐復字復亨建文庚辰進士授浙江餘姚知縣調湖廣零陵又調交趾皆有惠政安南黎季犛亂復爲書數千言諭以禍福季犛震讋以象齒金錯來獻成祖見其書命宣付史館久之遷大理寺寺副宣德五年陞平樂知府先是郡守除授拘資格多不稱職上特命大臣各舉所知復遂與况鍾等九人同擢知府授璽書假便宜馳驛之任時禁網疎闊平樂去京遠猺民雜居冠弊尤甚復至釐奸革蠹扶弱抑強薦拔下

僚裁減冗雜軍民利弊當更張者累章數陳悉見施行郡以大治及去位百姓謳思立祠學宮旁祀之餘姚縣名宦傳唐復字復亨武進人洪武末進士知姚爲人直方斷擊無滯撫循小弱甚著恩愛邵元發撰素齋公詩昭文楔子蔡炎荒蜀邑文翁執並芳化專運歸閩我族文星天上謁黃塘黃塘見後

衡子六三世亘字用彰宣德壬子舉人癸丑進士

節楊鏞唐世亘墓誌銘唐公姓世亘其諱用彰其字顕菴其號也正統初元差往閩浙二省纂修實錄竣事回朝爲皇上嘉獎遂拜兵科給事中轉陞掌科君在任介然有爲以兵務爲重事以參駁爲己任朝野無不聞其賢能十四年適處州盜鑛強賊葉宗留等反叛天官以君才識老成政達體要尋陞浙藩右參議階朝列大夫奉敕馳驛之任巡歷彼處多所設法奸宄勿率者鋤之

佁之良善逋亡者撫之綏之未幾地復寧靖民獲安生皆君之功也景泰四年奔母喪回家自聞訃哀毀骨立祭葬之儀咸克如禮人多稱其孝及服闋赴吏部景泰七年調除福建布政司其在福建蒞政持己一如浙江時公暇則吟咏自娛有頤菴藁數十卷藏於家嘉元敬讀閱卷

公詩集見頤菴卷讀請天書定付六丁藏諸謹讀諸劍當年意氣盼扶風失此豪

世良生子鈺鈺生永貞永貞生輔輔生音音生一廖音一廖本見後

衡五子世隆號竹庵子鏞欽

白康敏公昂竹庵記吾友竹庵宅後築圃畝許鑿半方塘小構周種竹故扁曰竹庵日課二子鏞欽讀書於中勤則經史策論倦則詩賦詞章一日偕翰林王君思軒過訪大參段酌于花果池亭聞書聲朗朗而風弄竹聲

猶絕清韻思軒揖段曰歐陽子子夜讀書其亦勤矣段曰吾兒豚犬耳其吳下阿蒙乎予應之曰此少參用彰弟竹庵之子也勵志讀書一字元振一字元哉皆郡庠生思軒牽衣而起促予而言曰可以覩其寧馨乎遂扣扉入室二子雍容有禮命童子知竹庵竹庵匆遽而來懇謝迎迓簡短遂出蔬菓酒殽延坐酒酣思軒協韻而朗吟曰庭栽棲鳳竹池養化龍魚唐君其有之竹庵曰否非吾意也池魚盆池畜魚耳庭栽今日之樂也使非竹雙鳳胡來哉思軒曰公之言善矣公之意美矣雖然方以類聚物以羣分門內有君子然後可以至君子飲樂後闊別數年鏞欽相繼魁南畿而思軒適揀南雍成均二子俱坐春風予乘興訪思軒暨二子思軒慨念夙昔良會而今復邂逅於此遂賦一律以贈竹庵而士大

夫和之者甚衆命予作文以誌巔末遂亦爲此記云錄元敬復竹庵公詩陶有高軒倦上經臺頂开夏玉泉聲竹庵深處竹吟情好分得書籤十葉青竹庵十一世孫爲圖見山猶以詩文名嚴云白康叔公昂字廷儀天順進士官至刑部尚書爲吾邑名臣

鏞字元振號海萍成化乙酉舉人仕爲湖廣岳州府通判蒞官勤廉撫流民馭九溪蠻恩威並著三載丁艱歸岳士大夫贈文曰惟洞庭之清風明月載在歸航久之岳人有官侍御者爲建清惠坊以表其宅錄元敬復海萍公詩岳陽三載寄仙吏莫湖豐花雨露香却輿洞庭浩然別清風明月載歸航

欽字元敬號半軒成化丁酉舉人丙戌進士觀政大理寺著有半軒詩稿錄元敬復半軒公詩西湖閒居遣百憂隨詞入景遣風流珠星明月攜筇夜抵似東坡赤壁遊半軒著湖閑入景詞末浪淘沙赤岸一闋以遊黃州赤壁故云

伯成公五子衍字仲達號友蘭是爲公之曾祖友蘭公以長子貴貴贈給事中次子世顯世美世寧

貴字用思一字勉仁號曾可公之大父也世以黄門公稱之

王文恪公鏊撰墓誌銘弘治乙卯十月十五日戶科給事中唐君暴病卒得遺奏於几上其略曰董仲舒謂天心仁愛人君故出災異以譴告之今日之災異衆矣陛下修實德以應之假因是警懼以修其身是天愛陛下之身也因是治其家是天愛陛下之家也因是治其國與天下是天愛陛下之國與天下也反覆數千言指切時弊有諷有直疏具未及上固有識者之所隱也然足以覘君之志矣君諱貴用思其字常之武進人祖伯成贈大理寺左寺副考衍贈戶科給事中妣徐氏封太孺人君天資穎邁始就外傅日記千言比遊場屋有聲籍甚每科首選議必歸君然數上輒不利或勸其少變文

體以逐時好者君笑而不言己酉秋年四十二始占解
額明年會試第三廷試賜進士出身冢宰三原王公之
巡撫東南也固已知君及會錄出指君名曰固東南奇
士也以賀主司得人君爲給事中嘗奉敕按兩廣邊儲
監光祿寺內西庫出內會校贏縮不激不隨輪日直內
封駁惟允導駕侍經筵威儀折折人方以大器期君而
君卒矣壽止四十有八君體貌恂恂若不能言爲文浩
博奔佚尤以詩自喜語不刻削而有蕭散之趣素精鑒
賞法書名畫人多以一言定其真贋焉天性孝友痛封
君不逮養事太孺人謹甚扁其居爲曾可蓋其意曰事
親若曾子可也而以自勵其使兩廣道過平樂拜其從
父太守公祠爲文以祭郡人皆竦知府諱復由大理出
知平樂以清節廟食於其土云君娶周氏封孺人子男

一珏女三長歸毛汝泰次聘楊墉吳山珏年十三纍然
衰絰來請銘葬之日爲卒之又明年十二月六日原日
黄塘憶予同考庚戌會試得卷之儁異者五方參伍先
後其一卷光彩爛然透出紙外予驚焉亟塡冠詩房拆
名則用思也
姪欽撰家傳叔唐氏諱貴字用思武進人世系詳志狀
中生而貧甚父又病瘻不能謀生叔世爲儒家子又不
能從業於時制義未有刻行者乃竭蹶晝夜廣求精擇
而手錄以售以爲父毋昆弟養且遠而求售於他郡跋
涉饑困不勝艱苦數日吾不以文發身父毋終溝壑耳
且誦且泣覃精研思徹夜達旦枵腸欲斷膚欲裂不自
恤也年十七補博士弟子强束髮加冠出授童子句讀
乃試則必居高等遠近始爭延之以教子弟脩脯歲至

百金事育少充乃畢力甘旨及弟妹之婚嫁務在得父毋之懽心而後已二十餘年有田三百餘畝則併脩脯謝之矣弘治己酉中應天鄉試庚戌會試第三人既而授戶科給事中輒寄語諸弟以權利為戒每日有無甘苦吾必與爾輩共之毋為急急營營也是時法網疏闊出納無藝而兩廣尤甚廷議遣使稽覈以敍通達令奉敕行叔一切用寬和民心感悅爭償競輸倉庾頓盈惟瓊在海外前人畏渡吏得為奸諸逋一槩至死無得釋者叔奮然南渡多所開釋差其負之多寡而與之期未有不以期至者囹圄幾空瓊州自入版圖未嘗有此比其歸也犀象珠璣名香珍藥一無所攜也不久而卒卒之日猶諸生時所置田三百畝而已叔歿吾嬸周氏病亟絕語其子琊曰昔汝祖病革時汝父為嘗糞甘苦稽

額北辰求以身代吾嘗爲汝外祖言之汝父曰此人子分內之事焉用言之吾自此絕口不道人亦莫知也吾今不言恐子若孫亦不得聞也故以語汝汝其識之嗚呼生人大德孰先孝廉若叔者其可易得哉遺傳玉亦有生齋集史廣紀致用恩先生中弘治庚辰進士終戶科給事中故世皆稱爲黃門公居家以孝聞及官給事掌奉教稽夏兩廣倉庾諸道悉積唯裒在海外吏得爲奸民以遺賦繁者致但滿先生差其多寡令其期償全歸甚衆此使粵時紀行日錄也給自家中發行運至姑蘇歸而止中塗與士大夫交際爲物頗菲趁此可知其廉然地方有司往往予杖示辱亦見當時待使之法蓋明代上有廷杖故下亦多以杖從事似非可殺不辱義也唐氏自褒文後累葉以能書傳是冊雖非經意之作而用筆清延略見一斑夫固有以吝之矣最元教使責門公詩謚技擇葉紀行經瓊孫風成雨專業顯得鄉家霜龍家立綱累葉見呻嶸黃門公孫湘川官僉都入世孫蔵門傍雍正朝官總憲皆以風節著

黃門公僅一子琉字國秀號有懷公父也毋任氏宜興任公端女沈侍郎暉之甥也自伯成公至公名德相承已五

世矣始家齋爲父伯成公嘗塋於鄞東北三里新豐鄉貴遷青鳥家言葬主穴者子孫至貴陽葬其旁穴世有名德伯成公遺命葬其旁穴塋主穴桑士議之通甬江敍爲荊川公修祖塋公力拒之即是塋也友蘭曾可有徵三公均從葬是塋

景泰時有貢生名珏號桂軒者肆力經史旁及術數兵法務爲經濟有用之學有名大江南北試禮闈闈中火門未啓舉子大譁桂軒挺身登濠援十餘人出之諭是傷力病素旋卒年纔逾弱冠餘姚王陽明先生父海日翁作詩讚石亭翁此則公之族兄弟行也桂軒大父永忠公自常遷溧陽今溧陽子姓之蕃比於常州云

以上爲譜前

明武宗正德二年丁卯公生

是歲有懷公年二十五生公於里第爲十月初五日也生月日家譜及他誌傳均不載獨見於李中麓撰傳今又得登科錄勘之亦同母氏任宜興任公端

女

伯戒公喜幼子友蘭公居隣隋司徒廟隋司徒陳杲仁也今青果

巷八桂貞和四井唐氏諸故宅即有懷公誕生公處也鼎

元別有八宅記記之

是歲山陰沈純甫鍊華州王允甯維禎太倉王民應忬生先十歲無錫華子潛察永康程舜敷文德長洲皇甫子安涍生先九歲山陰王汝中畿同邑白貞夫悅鄞縣萬民望表泰州林子仁春長洲皇甫子循汸生先八歲海鹽鄭室甫曉生先七歲同邑薛仲常應旂生先六歲祥符高子業叔嗣章邱李伯華開先生先四歲華亭徐子升階生先三歲吉水羅達夫洪先生先二歲遂甯楊寔卿名生凡他人生卒科第必其人與荊川公有關涉者則附書之用資考證其人明史有傳而又爲世人所共知者則不爲之詳註略詮其字號而已後例此

三年戊辰二歲

是歲平涼趙景仁時春晉江王道思慎中內江趙孟靜貞吉華亭陸與吉樹聲弟子莫子良如忠生高陵呂仲木柟

吾邑周子庚金成進士昭殺邑對殿試第一人周狀尚庵弘史治有濂呂長荊川二十八歲

十周四長歲三

五年庚午四歲

有懷公舉於鄉

十一月公大母周宜人卒

是歲公妹夫無錫王懋中立道生

六年辛未五歲

公大母周宜人葬黃塘與大父給事中黃門公合穴

姑蘇都元敬穆周孺人墓誌銘鄉貢進士武進唐益以

正德庚午十一月十四日喪其母孺人周氏卜明年十

二月二十日葬於豐西鄉之黃塘村奉司訓徐先生東

之狀請銘於予東之予故人其言可徵乃爲敘而銘之

孺人亦武進人父恕讀書爲儒娶于陸生孺人莊重沉

獸鍾愛之及笄歸琦之父用思時其舅贈戶科給事中仲達姑徐太孺人在堂生事頗落孺人躬率女奴勤女紅以助旨甘仲達卒相用思由博士弟子員領鄉薦魁會試官戶科給事中三載考績孺人以是受封而欽荆裙布服之自若弘治乙卯用思卒於京師孺人扶櫬南還襄事畢以舊第暨御器物悉讓用思諸弟而迎養太孺人於新居人稱其孝琦少業舉子孺人慮其怠學每夕辟纑燈下以延誦讀庚午秋琦當應鄉試孺人時已得疾琦不肯行遂強起視事促其行甚力琦果領薦而歸孺人喜見顏面然病勢日危屬纊時呼琦告曰昔汝祖疾革汝父焚香籲天求以身代至爲嘗糞甘苦平日不以語人汝當如汝父之孝又曰汝叔母王孀居守節吾死汝謹事之言訖而逝年六十有四

是歲安福鄒謙之守益吾邑毛式之憲成進士鄒號東廓長荊川十

六歲明史儒林有傳毛號古庵

七年壬申六歲

歸無錫王氏妹生

是歲歸安茅順甫坤生

九年甲戌八歲

是歲亳州薛君采蕙成進士薛號西原長荊川十八歲弟子孝豐吳峻

伯維嶽生

十一年丙子十歲

公生而穎異童時志已必爲聖賢行狀云生而英偉卓犖舉止異人見者知其必爲大器

讀書常徹旦任宜人憐其稚也起滅其燈自是篝燈

檟之俟毋寢熟始發焉率以爲常無間寒暑甫垂髫已徧

讀諸經史據公子翰徵陳牧吁表

是歲同安洪舜臣朝選德清蔡子木汝楠容城楊仲芳繼盛弟子宜興萬思節士和生

十二年丁丑十一歲

是歲泰和胡正甫直之矢言張廷彝經成進士經初改聞中溪洲蔡後乃復

十五年庚辰十四歲

是歲公仲弟正之生與公同出任宜人

十六年辛巳十五歲

三月丙寅武宗毅皇帝晏駕

是歲永嘉張羅峯璁成進士金壇王明逸樵山陰徐文長渭生

世宗嘉靖元年壬午十六歲補郡庠生據阡表

李中麓撰傳幼而父母教之弱冠師長成之而朋友助

之論書不成熟寫字不端楷父即撻之或外婚晚歸或內言使氣毋必厲色曰汝尚有童心乎將爲宕子乎唐子由是勤厲書寫得其父心出入得其母心矣業師乃包菴葉林而窗友則方山薛應旂也經義本其祖傳而舉業可繼王文恪小試屢不前進學五六年猶未得爲廩生包菴葉林字喬伯毅苦力學不假師教正德八年舉於鄉字鄒平多奇節坐事免里居教授弟子甚衆荊川公與姊夫董后峯及白省吾輩皆及其門見邑志又荊川集有跋慎齋葉包菴兩先生壽序鉴陸葉兩先生皆公童時師也陸名不可考

二年癸未十七歲

是歲高子業叔嗣徐子升階鄭窒甫曉及泰和歐陽崇一德無錫華德啓鑰成進士叔嗣號蘇門階號少湖又號存齋曉號澹泉德號南野鑰號水西叔嗣階曉德明史均有傳南野長荊川十一歲有顧可久拜戶部員外郎議禮被杖顧公事詳後

三年甲申十八歲

有懷公爲公授室娶同邑莊靜思公齊女參政鶴谿公稺女孫縣元考鄒元敬撰公大母周孺人墓誌銘孫某聘胡氏云云蓋胡女未婚而卒也

五年丙戌二十歲

是歲貴谿江于順以達全椒戚秀夫賢平湖屠六升應埈歸安唐惟中樞揭陽翁仁夫萬達豐城李邦良遂華亭馮子仁恩莆田林汝雨雲同雲南太和李仁甫元陽及趙景仁時春王道思愼中華子潛察並成進士王汝中錢洪甫德洪亦會試中式不就廷對歸太倉王元美世貞生以達號午坡賢初號南山改號南玄長荆川十五歲應埈號漸山長荆川五歲樞號一菴萬達號東厓長荆川九歲遂號克齋長荆川三歲恩號南江元陽號中谿仕至荆州知府時春號浚谷愼中號遵巖察號鴻山畿號龍谿德洪號緒山荆川集有答戚南玄書答屠漸山論學書登屠翰林仍臺詩錦河別林汝雨提學浙江詩與唐一菴書皆不得其明確之年故彙識之於此李遂與公共禦倭寇事詳後與戚賢唐樞翁萬達遂時春明史並有傳王愼中屠應埈華

察江以達遵傳明史文苑王象錢傳云遵留林以上諸公各有著作傳世陽明應寂蕭名薦華堂集惠徵則有木鐘臺

續集焉恩則名身堯錄徐則自以其號著集顧可久出知泉州重教化由戊子舉於鄉者二十

八人莊用賓蔡克廉與焉

六年丁亥二十一歲

七年戊子二十二歲

與從孫音同邑丘鍪無錫吳雲長洲皇甫沖華亭楊樞同

舉於鄉公以詩房取中第六名音字希古號克菴顧菴公支孫鄉薦後不赴會試嗣公

魏莊渠先生校自京師歸講學蘇州負笈從之遊丘鍪字朝洪號恩菴吳雲字雨之號霽齋荊川集有知縣吳君墓

誌銘皇甫沖字子浚蘇州四皇甫之首弟汸涍濂皆先後成進士子浚獨老困公車博通經集留心世務習騎射目

擊倭寇憤當事無策撰枕戈雜言凡數十萬言楊樞字運之號細林詳見後按江午坡撰廣東參政卒民範墓誌戊

子鄉試大臣議復舊典盡用京官主之卒考應天府鄉爲多云云頃考之戊子鄉試錄是歲考試官爲侍講學士內

江人張鵬右諭德南海人彭澤監試官監察御史南海人數繼先而無卒民範卒字波中號艮齋張字惟信彭字仁

御議字承緒

是歲兩京始用部屬官同考經房爲禮部郎中臨海王度

王公奇士也薦其鄉友許仁卿爲第一公於許爲同經於

是乃得第六（見行狀）

是歲王陽明先生卒謚曰文成

八年己丑二十三歲

舉會試第一人四書題爲顏淵曰請問其目六句惟天下

之至誠爲能經綸天下之大經一節孔子聖之時一句主

司永嘉張璁以暮齡登第惜積學不售之士校文崇尚簡

古得公卷謂沖雅典則力追成弘風度意必老成士也遂

置元及拆卷不意少年（明史傳作年三十二舉會試誤矣中麓曰會試卷見者以爲前後無比氣乎理明而氣昌乎理達深辭發而意包乎辭學者誌長短遠近悉宗其體如圜不能加規模方不能加竪矩矣浙北辯曰有明八大家者吳縣王鏊武進唐順之常熟瞿景淳武進薛應旂崑山歸有光德清胡友信歸善楊起元臨川湯顯祖也孫文介讀行同以王守谿（鏊）瞿昆湖（景淳）與荊川及薛方山（應旂）爲制義四大家或出方山入遵巖）

蔡（福）文介序荊川四書裒稿云（上節）踵之宛然見聖賢之宗氣而猶是以究索至賢之精神直可以終身講而不厭
歷千萬變化而其若道然望是集也其六藝之羽翼非歟一代之楷模已矣鄭崇氏郵云荊川中會元時年甫弱冠
李永嘉典試自以琬遠有意收老成名宿及得荊川殊大謂今其文具在讀函蘊藉雄善鑒者不能辨其爲韶年也
既而教學里中有教學文又有吏部詩文又有中丞時文或謂荊川之文屢變迨乎晚年閎衍宏遠幾離其宗余知
閱之初中後善政未差一黍其精涵蘊藉者原無所不盡其閎衍宏遠者原有所不盡此中消息耶可易窺東坡云
有意而言意盡而言止者天下之至言也後人欲易其語以言止而意不盡者爲至東坡之見豈遂不及此哉先生
古文詞區孫於抽翻刻後之法手許文編上下歐曾可與觀面先生之古文詞從入大家出先生之時文從古文詞
出知其解者曰基遜之也念祠川長城云成弘二朝會元皆能名世文之富者爲王守谿錢鶴灘董中峯三家王錢
之體正大中峯之格孤高王錢之技衍於荊川終明之世號曰元燈又云荊川先生精於制義教學里中有義學文
爲吏部有吏部文爲中丞有中丞文好學深思至老不倦文之傳也宜哉及考先生提南宮年甫弱冠主司見其文
堅老疑爲宿儒然則先生之文亦由天授不盡關學力也夫文至識高發鉅仁熟義精此必與年俱進若夫品之高
家則有得於生者先生於經史子集無不貫通而皆不用入文字所謂胸有萬卷筆無點塵太史公之獨有千古其
以此夫先生治兵薊北視師浙直巡撫淮揚所歷皆顯宦而布衣蔬食不減儒素其清風一切不屑而抑命於文宜

其高潔之品冠絕諸家也歟

廷試第四人榜首羅洪先號念菴邑字見前明史有傳集四庫全書著錄次程文德號松谿邑字見前明史有傳楊名號方洲邑字見前明史有傳公以下爲陳束字約之號后岡鄞人少荊川公一歲明史傳文苑任瀚字少海四川南充人王鳳洲筆記云嘉靖乙丑廷試大學士楊一清等以羅洪先程文德楊名唐順之陳束任瀚六卷進覽上一一手題首名第次定宗元三學正有見言讀而意必忠宜擢之首者程文德曰擇本之論於名日能守聖學以爲本此知要之說於頤之曰條論精詳殆盡於束曰仁智之用本諸吾心此不易之說於論曰然吾敬一之爲主忠哉前此未有異數李奇和見湖錄記亦載之

項喬字遷之號甌東永嘉人荊川集有與項甌東郡守書又與周中丞論項守書郭宗皐字君弼號寂菴福山人諡康介明史有傳胡松字汝茂號柏泉滁州人長公四歲明史有傳陳詞字子達號恭丘江陰人荊川集陳君墓表云嘉靖己丑歲吾郡之士同舉進士者凡八人八人者公與陳君外舉韓甲安如山王表張選黃正色曹察也楊祜字安成錢塘孫持建德人王表字邠正號九巖無鄱人公沭齊堯蜀之久也王穀祥字祿之號酉室長洲人長公六歲熊過字叔仁一字叔抑亦曰叔易號南沙四川富順人安如山字子靜[illegible]人蔡克廉字道卿號可泉晉江人仕至南京戶部尚書薛甲字應登號

吳齋江陵人沈愷字舜臣號鳳峯華亭人仕至閩廣左參政有環溪草堂集荊川集有題沈出守寧波詩有

李開先號中麓邑字見前與后岡少海南沙均傳明史文苑呂高字山甫號江峯丹徒人以上賜進士

出身楊爵字伯珍一字子脩富平人湖文有傳集四庫全書著錄長公十四歲吳子孝字純叔長洲縣

人賈準西安咸寧人荊川集有與賈鳳翔書即是人也曾銑字子重號石塘浙江通志引登科錄云本

爲浙之黃巖人家貧爲揚州賈情去後爲江都人元考茅鹿門集亦祭爲所人也諡襄愍明史有傳壽張選

字舜舉號靜思無錫人楊博字惟約號虞坡蒲州人明史有傳長公一諡眭樺字子蘊以字祭丹陽

人王鋐字鑾之信陽人荊川集有孫養之母墓孺人基誌銘陳鋌江陵人發爲惠天邈據以族摩假公

曾剿三沙倭者也江東字朝陽朝城人黃正色字士尚號斗南江陰縣與無錫人長公六歲明史

張選同傳王璣字在叔號在菴衢州人仕至僉都御史王與齡字受甫號瀛泉山西鄉寧人明史傳

作守鄉試皇甫汸邑字見前號百泉明史與其兄涍冲及弟濂並傳文苑汸著司勳集涍著少玄集四庫全

書著錄曹察等無錫人仕至汀州知府以上賜同進士出身考趙文華慈谿人亦是年賜進士出身皇甫

子循徐文敏集序云我明制科錫丑稱得文士已丑羅洪先榜時則唐子繩之陳子東任子瀹熊子過李子開先不

能悉數李中麓亦云人言己丑科則才盛如乙丑丁丑己丑謂之三丑而已丑多姓氣士所以繳後權臣諫白大琥

舉行舉事因而推折罕至崇品高位者

先是內閣楊一清奇公才欲以公大魁天下使鄉人索試策公以年少筮仕守己當嚴遂置公二甲首並見李贄顧憲成撰傳行狀先時常之閭郡未嘗有魁天下者時鎮江遂菴楊公一清爲相公既首會試名遂大顯卽欲以公爲廷試最遺一鄉人夜半來索策公與有懷公皆辭之一夜數往返楊公怒曰其少者無知故若是者舉人亦爲此乎少者指公也鄉人復以語有懷翁翁素畏愼欲與之公曰一殿元何足爲人輕重始進身之初而遽若此後悔何及翁竟弗之強也楊公於是博訪其卷置之第三已而爲人所易置之第四公是時年纔二十三其制行之嚴能不以高下動其心蓋自少然矣然二甲之有御批自公始

阡表云初舉禮闈潤州楊公一清爲相奇其才將以魁甲榜令人索所對策一夕五返潤州怒曰我何私爲國求才耳時永州翁亦與計偕因語之曰孺子遂與貴人左毋乃不可乎先考曰進卽拜恩私門胡以自立竟不答按登科錄該會試官十八人前四人爲大學士楊一清張璁桂萼翰林院學士方獻夫提調官二人其一爲禮部右侍郎翟鑾

毛古菴與公書云頃聞高第大爲吾常之光深以爲喜然君子所爲又有大於此者仰法古人進德修業爲第一流人物又爲吾常千古之光吾老矣庸劣無能敢以望於賢友何如何如餘瑣瑣不足道也奉去近思錄二冊昔人謂此書爲聖學門庭更望賢者留意當自有得千萬珍重

授兵部武選司清吏主事　夏四月考庶吉士楊一清以

公等二十人名上請遵故事命官教習時張璁霍韜爲會試考官公等以大禮之議爲非雖出其門不肯趨附璁韜惡之又欲傾一清以立黨之說進改公以下若干人爲主事等官而特欲留公於翰林公固辭乃改是官而故事遂廢據明史本傳及陳鶴明紀

李中麓撰傳初選作庶吉士一二大臣不相能遂卽罷之主者猶以二甲前三名制策曾經御覽欲各授以檢討唐子力請同罷一事而有去留非體始進卽能恬退如此行狀云其年考庶吉士公以御批故不預考而亦改庶吉士會閣臣有言諸言士考選不公盡出之而宰臣羅峯張孚敬以公有御批獨欲留公公義不可是遂改部官

公自見羅洪先知其品德因訂爲石交

冬臘趙時春自刑部主事調武庫與公朝夕講習趙公撰公墓誌銘云先生能奕而余能酒淬勵省躬務求爲學本原以修己而以其餘力讀諸六藝爲經濟正務世好利達漠如也

又考設谷集訪唐應德不遇詩云文翁坊東車馬陌興來倒屐訪幽客主人披蒿督題床稚子支離亂衣裳迴首長

安御青夕風倒射春罌白李花已落番花飛不見黃生空太息設谷詩文按年編纂而此詩則附刻在癸卯年下

注云戊子春作按荊川公戊子舉試中式戊子春時尚未應鄉試也何由至北京此必己丑春荊川公會試掄元名

勳京師設谷求友心切而過訪也此可證二公訂交之始

是歲季弟立之生庶母王氏出

九年庚寅二十四歲

春正月羅洪先以念其父雙泉公請告南歸羅公至瓜洲臥疾旅邸有人王紀者坐事爲同年項甌東喬按治[illegible]名[illegible]介萬金謁求解羅公峻拒之既而悔曰紀所逮當拒而非不當死久之有同年魏比部錄刑江北致書生之已弗逮矣聞之憮然（胡正甫撰羅念菴行狀）

公亦疏病乞歸獲允公以幼時嘗竭精神於舉業幾成瘵疾而學問文章未成恐碌碌仕途無以爲終身自立之地遂乞歸李撰傳贊

中麓撰傳試政吏部選除兵部主事未久以僚長盧襄

難處因病告歸

有懷公授河南信陽州知州公六上春官不第遂謁吏部

選授是官

夏六月毋任宜人卒於天津舟次隨有懷公之行也

程松溪祭任宜人文曰嗚呼古人有言覲婦於夫惟有

懷公履道充腴粹然金玉作守名郡人亦有言觀毋於

子惟我應德偘偘行已大魁南宮多士仰止夫人之賢

夫子徵焉人謂夫人食報於天祿養方及優游永年云

胡方艾遭彼數奇將之信陽危疾遽罹别來期月訃聞

京師嗚呼天不可必亦理之常獨慨夫人女中鸞凰豈

必骨肉聞之感傷某令子同袍復均意氣休戚相關曷

禁涕泗南望毘陵哀心遙寄嗚呼尚饗錄程文恭公遺稿

秋七月趙時春上疏論諛俗下獄掠治黜爲民冬十月徐

階爭議孔子祀典謫延平推官

十年辛卯二十五歲

有懷公之官信陽

公居任宜人喪貧甚每泣曰吾母一生艱苦甫就祿養奄然棄去致吾誠信惟葬耳奈何無財不可爲悅也舉要卜地復節縮衣食以營葬具一日忽病憒家人驚惶延醫隣邑少間聞之曰所以絲積縷貯者吾母故也我死不得借以殮形其以酬醫乎亟止之見所表又行狀云當喪任宜人時有懷愈起信陽任諸弟幼公獨居家理喪事自念無以報親惟有竭力營葬可以用情而家業窘雖治葬事細若絲粟之類尚無所取也乃以滿壁書志士不忘溝壑語於其上以自勵自飲食服用苦節縮省以爲葬具其於贈賻一無所受經營太苦因而致昏若家人驚惶迎醫於鄰邑公既醒憤然曰百里迎醫必得數十兩而後可以謝之吾一錢之義皆以爲親吾即死棺衾之具尚無所積況謂盜乎且假於親戚爲以爲之吾不敢也遂命止之嘗語學者此事而譏先儒禮經云仁人事親如事天親役必求仁者之果以祀之此之頌禮終其事雖近於不屑不察而意則遠矣

毛古菴與公書云僕嘗嘆世變日下古道日靡凡事皆然而喪禮尤甚恆思少挽頹風而德菲力薄垂老無能爲也每與令尊甫言之至長太息而不能已頃聞賢者居喪甚謹深有古意已出人一頭地更望終始如禮爲世道幸大抵吾人立心持己不可矯世亦不可隨俗二者皆非中道然與其隨也甯矯此鄙人之私見也竊窺賢者立志甚高律身不苟誠有如黃梅峯所論者僕者矣所望于賢者不倦勉之勉之

王愼中出主領南鄉試得士林大欽明年大魁天下

十一年壬辰二十六歲

三月窆任宜人於殷塔村（今名朱漆村出常州大北門三里餘）

高陵呂涇野先生柟撰任宜人墓誌銘唐母任氏者兵部主事武進人唐應德順之之母也宜興人任公端者

室於工部侍郎沈公諱之妹於是生任爲信陽知州唐
君國秀之配而有應德焉嘉靖己丑應德舉會元成進
士文章行誼聞天下予從縉紳中敬其名矣辛卯冬應
德身衰絰偕其姪舉人音持古菴毛式之狀垂涕泣來
問任銘時雨雪連日夜泥途凍滑應德自僦肩輿卒力
不具或步居鸞峯三日無人知每語及學明白洞朗脫
落塵土邁如也則嘆曰名之茂者其實果盛閱狀任之
歸信陽也舅給事中曾可先生已卽世姑周孺人性嚴
整任事之婉恪有則承意命惟謹一錢帛不私藏姑嘗
有女女於吳氏卽傾己粧奩畀小姑不以勞姑念及姑
卒相信陽喪之皆從禮信陽每館於外身豆羹糲飯斷
腥肉不一御莅內政三十年衣裳簪珥未嘗增於嫁時
非病困不輟紡績補刺一布被經十年其誨諸子女雖

慈劬周洽而規訓尤嚴應德幼好弄則厲色曰兒尙有童心乎應德或晏歸或使氣則厲色曰兒將爲宕子乎將不免乎他日慮應德及正之多病且弱也復賀於信陽蓄媵以廣嗣得子女則喜曰若女吾女也若男吾男也提抱鞠育踰於其母鄰嫗日往來莫辨其非所出焉性好深閨靜居非歸甯及掃墓不輕出女姻或招延者輒辭解之信陽試南宮屢不第略不色愠及應德應試魁天下亦不色喜於是信陽屢稱之曰大丈夫寵辱不驚者亦不過如此耳予然後知應德所造如今日者皆自於此則嘆曰流之長者其源果大乎乃應德猶自悲痛曰嗚呼吾母相夫三十年不及享其封教子二十餘年而弗食其報其病也方藥委諸塗人而不暇擇乎其艮其卒也含襲棺殮辦諸水濱而不克盡乎其心人生

有涯此痛無涯順之多孽天不以戮而何使吾毋至此極也予慰之曰應德節痛夫吳自季札言游之後雖世有聞人然皆未有能並其盛者應德篤學好古卽力追札游之舊以爲毋任於千萬年顯者在是乎任生成化辛丑十一月二十四日卒嘉靖庚寅六月六日隨信陽行（行狀云己丑就養于京）以痢疾卒於天津舟中享年五十歲子男二應德娶參政莊公襗孫女正之聘應天經歷王君文炳女女四長適鄉進士董士弘次適冠帶書算劉大中次適無錫庠生王立道次納丹陽賀鏜聘庶男一立之女一納左丞聘應德將卜壬辰年三月十一日歸窆於殷塔村新阡銘曰羊叔禕之孝胡敘修之學皆常之先媛也其沒已久乃今于唐任而再見乎孔其子材旣大魁志欲登岸吾知任其不死雖千萬年並明月乎煥

也（吾唐氏譜不載生文尊此謂可考云父任宜人之父毛撰行狀及李中麓撰荊川公傳均云齋名儀此師六）（疑意者儀爲呂涇野之家諱故改之歟考毛古菴撰行狀云將以辛卯某月某日窆黃塘祖塋之次而此云將卜壬辰年三月十一日窆殷塔村新阡蓋初卜年辛卯卜地黃塘祖塋後以不吉而改年改地歟行狀早撰於誌後作故此從墓誌任宜人遷葬黃塘後荊川公仲弟重庵卒葬殷塔村遺穴今重庵齋已遷荊川後人世世）

（毋忘以麥飯往祭鼎元並註）

李中麓撰傳母隨父之任信陽路出天津卒於舟中後唐子每對人痛哭云云呂涇野聞而解之曰吳自季札言游之後雖世有聞人皆未有能並其盛者君篤學好古而能升札游之堂以光顯其母不爲優乎後王遵巖序其集亦以此爲說或蹈習之耶抑偶合之耶（史稿云時天下言學者不歸王守仁則歸湛若水獨守程朱不變者惟呂柟與羅欽順考方山亦從涇野游也）

公既襄事祝天日幸不以母故喪節終完矣（見阡表又行狀跋閱北上）（登舟事手祝天日吾生平所離遠言須非母一事今未嘗有分毫妄取自今以後必無若葬母之離遠者庶可以終）

身不變乎與此詞微異

與睦擢諫子蘊啓

啓云哀子唐順之稽顙拜謝擢諫睦年兄大人侍史諸年友中順之于兄又爲同鄉且同旅寓蓋辱愛最深者久别豈勝馳慕去歲聞使節抵宅欲移訪戴之棹者數矣緣衰裳禮不敢越境抱歉殊甚兹辱顓使手札兼之厚貺感激感激順之自去夏冒寒疾且瀕于危至今氣體尚弱十日伏枕者常六七奈何特在愛末敢一道之先母誌銘一册奉覽外具小葛一端書一部謹附使者將敬尚容遣使奉候左右不悉仲夏廿日順之再拜具

此啓真跡蹈入明賢尺牘中江南通志睦峰成進士授行人屢使親藩皆卻其餽擢戶部給事中旋掌刑科嘗巡十庫得貴人奸弊舁金求免不受而劾之奉兼事兵科陝上饕途十策多見採行荊川公與啓時即子蘊給擢給事回里也

九月服闋

十月編修楊名以災異陳言程文德並坐下詔獄

羅洪先告滿赴京補修撰原職據胡廬山爲羅念菴墓誌銘又念菴爲程松谿墓誌云壬辰予起告松谿已先同官楊實卿封事下詔獄謫信宜典史

公服闋無赴官意以有懷公命是時荊川公想已在信陽署乃束裝赴

都程文德謫信宜典史楊實卿名謫雞澤衛遇諸途公有送程公詩見荊川集有白晝敲珠落青天臺閣分瑞撥三下淚明月兩靜居句爲詩所稱

王畿廷對第進士寓京師公與晤盡叩陽明之說自是與

羅洪先彌篤志聖賢之學矣據李贄撰傳

荊川集林東城墓銘是時縉紳之士以講學會京師者

數十人其聰明解悟能發揮師說者則多推山陰王君

汝中其志行樞實則多推君與吉水羅君達夫東城林仁春別字泰州人是歲成進士

是歲茶陵廖叔愚希顔南充王子正廷及皇甫子安涍白貞夫悦並成進士廖號東雩由工部郎中擢山西提學副使[illegible]學河[illegible]海[illegible]甚[illegible]御史[illegible]令[illegible]補參之進浙江按察使辛[illegible]川秦有各寧東雩選學國使書廖使廖東雩表使閒所憲池貴酒臨滁沙紛詩王廷號南岷又號北厓仕至都御史明史有傳守蘇州人比之趙清獻荆川集有與王蘇州南岷二書白悦號洛原白康敏[illegible]孫荆川公館甥路京之父也

十二年癸巳二十七歲

官吏部稽勳主事尋遷考功不阿流俗獨任風裁重淸議吏部勿堪也墓誌銘居家時素知有司某某賢後取至京以不通關節留滯不時用公卽密白其賢擢科與道不使其人知之李贄撰傳與王穀祥等同官皇甫子循爲王西室墓表云時鄒子汴王子慎中任子瀚唐子順之並以才居吏部不利爲伍君行而論子亦相繼謝去考是時長吏部者爲汪鋐公等共惡之而西室爲考功署員外郎以告養殷真定尉秦官歸又考荆川集贈蔡年兄還鄉序是時遺卿亦與公同官吏部

毛古菴與書云孟夏附吳院使書計已塵覽仲夏初接

華繊具悉雅情且知近裏功夫不廢喜甚須聞榮補銓曹尉尉但此地是非叢聚須胸襟寬大志識公明隨才器使恆寓愛惜之意始得雖有讒毀此心無愧慎勿以一青絕才可也老朽自春來痰火綿延夏後稍愈又以勞脾胃欠和血氣衰憊藥無算日吳君行亦因不及一會老病如此安能復長進乎可懼可懼楓山狀傳錄附乞轉達甘泉先生病困不敢草草作書幷達此意劉平嵩此月初二日行不盡所懷悵望悵望

時高叔嗣王慎中華察孟洋（字望之號有涯信陽人弘治乙丑進士）江以達（午坡是時在刑部以鞫郭勛卒案獄不阿尚書聶賢旨直聲振天下）曾汴（字汝誠號前川泰和人）屠應埈陳束任瀚熊過李開先皇甫氏涍汸諸名士咸官京師公與之遊而上下其議論學大進高王詩文尤負盛名一見公作斂手心服時以公與王陳任熊李及趙時春呂江

峯高爲八才子初公與王並尚秦漢公尤熱李夢陽文下筆即刻畫之至是悟其剽竊無真氣相與改而取道韓歐曾上掇史遷之神髓詩則規初中唐陳任熊李等和之於是風氣大變時孝豐吳維嶽隨父京邸就公學詩文李中麓撰傳云荆川素愛李空同詩文篇篇成誦且一一倣傚之及遇王遵巖告以文章自有正法妙意何必雄豪亢硬也唐子已有將變之機闢此沛然如決江河莫之能禦矣故癸巳以後之作別自一機軸有高出今人者有可比古人者未嘗不多遵巖之功也又云遵巖素惟好古漢以下著作無取焉至是始發宋人書讀之覺其味長而曾王歐氏文尤可喜眉山兄弟猶以爲過於豪而失之放以此自信乃取舊所爲文如漢人者焚之唐荆川見之以爲頭巾氣遵巖云此大難事君試舉筆自知之未久唐亦變而讀之矣皇甫子循云同年吳子孝唐順之任瀚熊過陳束李開先呂高栗應麟等相與爲羅洛之音又子循爲司直兄少元集序云與王文部(慎中)李司封(遂)唐二編修劇談開元天寶之盛而心醉焉又王浚川廷相(名在前七子中)數當時作者有唐子羅子趙子王子江右則有尹子曾子胡子陳子唐元薦翁本朝之詩曰明詩其盛於弘治藝苑則李懷麓張滄洲爲赤幟而和者多失于流易山林則陳白沙莊定山爲眉目而識者或以爲旁門李何一出變而學杜正變雲擾剽竊雷同比興漸微風騷日遠茲其偏者唐應德

也嘉靖初更為六朝初唐而盛諧不達關殺無當作非神解傳同耳貪議其後者陳約之也務敬甫云唐公詩典雅

春容雄有盛唐讀袁頌女言云中丞古體如雲律羅鑑幻裘其狀近讀如風調雞琴幽逸有致並足流響詞林胡元

瑞云嘉靖為初唐者唐應德袁永之屠文升王汝化任少海陳約之田叔禾等為中唐者皇甫子安華子潛吳純叔

陳鶴約施子羽蔡子木等真有集行世就中古詩沖繪當首子潛律體精嚴必推思鶚蔡仲舒云弘正閔李何峯出

海內進之迫其習弊音響足聽意調必歸剽竊畜同正突雲授太史之孫為初唐去嚣誠莝足祭羽藏菁元成雨就

華錄其方伯（子夏）常薄唐荊川先生詩其送程論林諭蒯勗詩白壹鮫朱落青天盃閣分又帝獲三下淚明月雨帆

居贈張相公詩櫓生東閣承顏色首長西羌識姓名冰盤詩出海歙硃猶帶水滿堂華袖敘生寒霞之初唐真不易

辯陳敘子云惠窺氣象爽邁才情敏發使能琢造畫有翅乘劍受之云正嘉之間為詩者蓮何李之後盧劉窺要以

應德與陳約之輩一變為初唐於時稱其莊嚴安嵩攻塗金壁歸田以後意取辯途王李乘其後互相評夜吳人許

其初務清華後逸險邃考其所撰若出二轍非通論也又云嘉靖初王道思唐應德倡論盡洗一時剽擬之習李伯

華羅達夫趙景仁諸人左提右挈李何文集發于遇而不行貴陽陳田明詩紀事云唐應德古文自是明代一大家

詩學初唐律體自有佳篇要後談兵講學不復能唱澄城又云唐宋入家文選自朱伯賢（名右臨海人洪武閩召修

元史）始明中葉末盛行自唐應德王道思嫌北地（李夢陽）劉夔之弊顧肅選入家文鈔或行於詩可稱好事鼎元考

荊川公以外諸子皆有事集行世又考荊川集佳句如美人去後空閨笛芳草歸時獨倚樓亦何減唐人作四庫提

要歲稱荊川文章而抑其詩一概抹殺豈爲公論哉又吳錫麒有正味齋日記云慈仁寺殿左穹碑矗立乃成化御

製詩但稱爲太后祝釐而建孫國敉燕都遊覽志云本爲周太后弟吉祥建嘗時蓋諱之也唐惠德詩云同行更說

前朝寺鱧蟒蛾魚有故僧舜元考此詩不見荊川集遺附錄之薦南沙以去年丁艱毋憂歸明年六月起復授兵部

主事又王元美評荊川公詩曰宮采初傳長命縷中官爭插辟兵符衛勇荊史新縣道傳北維王已上春雪使鄉妾

行壹外月明傍端滿後中瑯第近蓮平衆覆入朝新給羽林兵留生東閣承顏色首長西羌識姓名繁花向日宜侯

芙幽烏蓮春各異啼老去自吹秦簫集西征曾比襄輝桃水落壺如留電過山迴俱作鳳鳳飛山學翠屏開作畫水

從金谷篇成春門逕近連融道樹池塘適發興宮流要教玉葉和煙漏暖洞珠花映雨飛此嘉增時爲初唐者也類

雨靜蘇侵石徑採秋穫稻滿山田隸負六根成慧眼身無一物我茅庵空庭廬岌瑞雲色燕坐錦郞紅水聲虎患已

從隣境去猿聲偏近郡齋前萬里靜家身是夢三年作郡口爲碑遠院松林嵐翠重滿庭燕葉雨聲多青將自對嶽

花發高枕無如啼鳥何此其積變而中聲者也

附孟有涯遊山遲唐荊川太史不至詩云野興朝來劇

層陰凍不開煙霞迎使節詞賦憶仙才豈負青山約何

妨細雨來臨溪重回首沙鳥似深猜又同荊川遊龍泉寺云見說青蓮宇叨陪金馬遊衣冠來北極文藻動南州卷幔峯巒入臨軒雲霧流慚非名勝地司馬好冥收見孟中丞集攷荊川集有雨霽約孟有涯中丞游山孟先出郭及同游龍泉寺等詩

夏五月羅洪先奔其父雙泉公喪歸公陪之旅中情特摯

秋七月改翰林院編修校先朝實訓與陳束同官

李中麓撰傳往時翰林皆由進士上甲及庶吉士兩途聖上以爲此不足以盡人遂更其制選取十一人咸自科道部屬入焉而唐子則由吏部十一人者陳束尤相厚入陪侍講筵出則校讎東觀暇則盃酒歡宴或窮日夜不休鄞縣志陳束傳束遷員外郎改編修日與慎中順之諸人更相過從談藝文至達旦不休倦則便相枕臥率以爲常

又中麓補傳荊川唐子之居吏曹一以清苦自持而以

進賢退不肖爲急同年及朝覲進表官至京者率有折帖禮曹吏受之不以爲異唐子始却之有行取知縣其人本賢人也無力通關節又曾觸忤鄉貴假以行查錢糧故淹滯其期使不得與科道之選唐子於衆中昌言其賢得授言職撫按保本其中有不才者復昌言其當黜已而有他本至果黜唐子之所謂賢乃當道之所不喜其所謂不才乃當道之所私厚於是堂僚多不便且畏其以清相形會改翰林遂得爲編修意實外之非進之也按此節採自荊川撰行狀

九月敕進階文林郎母任氏贈宜人妻莊氏封孺人

羅洪先自喪廬寄公書書云旅中得與應德相依而變故相促遂至隔越痛心痛心初喪承朝夕往視不異骨肉又致奠賻同袍之情至矣感謝歸家以十月襄事學不得力哀不用情愧負何言應德之學不患不實所患者恐非本心流通耳近

日與寵饒商量向如夫多學而識聖門以爲第二義然博學又聚門之訓也究其所以異者只據多爲却有義之心非一了百當然後知識之痛豈小小哉子貢一生精力自視豈與諸子等然畢竟不可以入道故可見矣虛居深海向來悠悠之病方藥懸劍逆恩同心遊在千里外風便何以惠之初冬習受書入鄉想得專精於學惟勿忘於施故吾道之幸

是歲歸孫氏女生文介公慎行母也家孫氏家譜

十三年甲午二十八歲

官翰林

作從軍行送呂兵曹募兵遼海明史世宗紀十二年十月大同兵亂辛卯中叛換呂江舉高傳由維南監倉謫轉兵部武選司主事值大同戌卒再叛亂欲往遼募兵足以壯觀而資用又呂江舉集卜三年正月敘命募兵遼京

夏四月張選官戶科給事中諫帝不親祀太廟杖闕下幾死削籍爲民張公居職甫二月以言得罪名震海內明史

有懷公信陽州考滿薦卓異錫父母及本身妻任氏誥命

敘後署嘉靖十三年四月二十日

午日廷宴有詩（見荊川集）

皇甫子安五日廷宴和唐陳二編修詩北闕晴雲晝漏聞中天麗日綺筵分魚歌鎬宴歡依藻鳳舞虞絃曲奏薰蘭葉正調仙鼎實榴花初泛御杯芬更誇續命傳金縷願以堯年祝聖君（又子安五日感舊有懷唐陳王諸子詩云五日蘭筵敘千官式燕榮象寅調律氣謁帝仰文明蕙綬分賜席花枝間綵纏露遊繁節賞寵錫嘻皇情惟昔數獨朽遂時扇後英銜恩陪上列謁藻遇同羣人事何潮徑實羅每易舊入宮闈見拓投笄暗招驚都邑張衡去長沙賈誼行吳淵春草變痾緒夏雲生宗虞詩發賦受來酒獨傾感心恩幾往無復懋徵名此則荊川公與尚之遂業均已去國子安偶居京師有懷而作也又皇甫子循午日懷子安兄詩云午日遙餘獻壽儀省郎同記拜恩時九華承出雙執扇五色頌來韓綵妹見說驛筵浴殿更傳饒詠使昆他不堪身事如遊轉蓬款花前酒一巵此子循續外徒追憶當時招與廷宴之盛狀也）

南京御史馮恩劾大臣張璁方獻夫汪鋐逮下錦衣獄（在十

年帝必欲死之其子行可年十三伏闕訟寃日夜匍匐長安街見冠蓋者輒攀輿號呼乞赦至是復上書乞代父死不許（禹公當朝審時獨向闕跪厲聲面叱狂鉞不稍屈時號四鐵御史謂口膝齒骨皆鐵也十四年五月行可復刺臂血書疏自刎闕下求代父死上覽之惻然感動後減死戍雷州見明史無及說起禹時可（南江次子）撰中丞荊川唐先生傳云生先君廷尉與戴發先生交最善常率先兄京兆行可事先生爲門人京兆從先生于陳渡于留羨最久云云考南江在戍所六載始歸則荊川公實交南江于在獄時而南江亦于獄中率子行可師事荊川公爲門人追從荊川公致仕歸遂從遊于陳渡于陽羨也則公之弟子及門最早言憩數道與（行可字）與峻伯宗餘詳弟子考）

與李中溪熊南沙任少海王湛泉謁陵並往觀長城（熊南沙以是年六月起復到京）

李中溪遊銀山鐵壁記云嘉靖甲午夏謁陵同熊南沙任少海唐荊川王湛泉既竣事約往觀長城東北行二十餘里路人云此去密雲僅八十里諸人相謂曰且訪

赤獨子於密雲遂策馬東行暮投村寺有溫泉浴罷止宿陵晨登寺臺因指顧長城論天下形勢湛泉曰長安不可不作一都荆川南沙少海皆曰都則然矣設官未盡其制如都何余曰顧東橋先生嘗曰天下選十五人作巡撫三十人作方伯一百人作知府後顧東橋撫楚中丞薦爲荆州知守遂爲其屬必九年成績而後遷必得其人而後代巡按如雷霆行於其間或三年一差或五年一察其他循資仍舊如此則吏部所訪科道所舉僅百五十人易於遴選彼不肖者自不容側足於其列矣縣令教官聽知府各舉其所知以時聞於巡撫巡撫舉之於部賢者留不肖者卽黜天下之治可立而待也諸君皆以爲然飯已騎行又二十里路人又云赤獨子已去密雲旬日矣衆相顧色沮南沙謂予曰銀山鐵壁去此不遠盍往遊焉遂

折北而去諸君相尾問程或言遠或言近各有難色遲回不進南沙與予恐爲所阻遂策馬亟馳行中節明日荆川少海攜酒來相勞頃之湛泉亦至因爲言山水之情狀諸君頗以不遊爲恨

中溪有都門言祥寺溫湯芳潔秋日同任少海唐荆川熊南沙會浴頃之趙大洲亦至遂宿翠峯上人方丈詩一首蓋亦作於是年也詩曰濯纓濯足付滄浪此日溫湯氣轉芳啜茗七杯誰記數振衣千仞亦尋常高僧在座休行酒詞客揮毫似倒囊始信上方諸品淨一輪明月立迴廊中溪又有期唐荆川不至詩云昨夜月華滿倩光照湖水今夜張燈看山翠色生衣諸不翻日落後奔雲擁太虛雷電阻所懽咫尺空躊躇乃知百年內無期志願亦但當今日樂明日或乖疎則不知作然何所恐然然此

王慎中以禮部驗封司員外郎謫判常州公與同人餞之

海甸 遵巖以覆方士發行慶藩封事竣謫

李開先儔海甸詩序云嘉靖乙未三月王遵巖謫判毗陵武選吳皖山穆呂江峯高熊南沙過翰林唐荊川順之陳后岡束遣郎張少室元孝李克齋遂及予共入餞之海甸董日出阜城門至則荒涼殊甚蓋張昌國以人癸巳罹禍已三年矣亭臺頹圮惟水聲潺潺不異舊時酒爾賦詩皖山先成意高辭雅不愧唐之名家又曰夏桂洲遂劾張李二司屬無事侵勝下獄未久七人相次罷謫皖山幸而獨免詩卷歸予手事如隔世而人多下世愴然作序不惟歎諸友之易消散而歎大臣之善類洛也又陳約之有賦得上林雁贈吏部王郎中謫毗陵七古一首遵巖集有鳴雁篇一首亦謫毗陵作又陳約之送李郎中謫守吳興兼簡毗陵王別駕詩云予與李邦良王道思同飲後罪二君相繼謫譴卽指海甸之事也虞山錢謙益曰嘉靖海淀之獄與蘇子美監院飲酒之事大略相似貴溪特寵枝橫一至于此西市之禍豈不幸哉鼎元考遵巖爲有俊公行狀云甲午冬某由吏部郎中謫判常州應德亦削翰林編修籍還里辛丑春某罷河南參政應德亦以右司諫爲民皆先後相次亦皆及侍公於家云甲午嵗遵巖之謫常得見有懷公於家蓋有懷公信陽州考滿未抵戶部新任歸視里中之時也又遵巖丙申嵗出爲山東提學中間自常州判又爲江陰令遷南京戶部主事禮部員外郎若曰乙未嵗謫判常州期嵗之間不應遷轉如是之速且荊川以乙未二月告歸遵巖之謫如曰在乙未三月荊川又安

得毀之耶縱荆川猶未出郵人且以荆川與遵巖遂餘之荆川又安得與七人者並爲主人耶荆以遵巖之爲

有襄公行狀及華甫著之序遵文粹（見後）考之則遵巖先謫荆川後歸明矣則南旋之歲實爲甲午而又非

三月時也何則遵巖前既云甲午冬謫判常州又爲杭雙谿集序云某年我謫官常州而熊南沙有贈遵巖謫

毗陵序亦云甲午南沙以是年六月起復若在三月南沙且不得爲公議中人也呂江峯送王郎中謫毗陵詩

有云秋風吹玉樹又云雨雪三秋盡關河萬里征又云秋風搖落動離情又呂江峯有秋日同諸曹長過郵亭

有感五言排律一首而陳約之之送遵巖也賦上林雁而遵巖自亦有和雁篇雁秋禽也則遵巖被謫信乎在雁

秋冬間矣然吳皖山過張侯園亭詩題首即表明春日其詩中所寫亦皆春日景物也當何從鼎元曰此蓋皖

山春日暮過此園亭而有此作迨我石公叢對衆論之中麓在三四十年之後追序此事誤憶皖山之詩爲在

公墓中作誌記其時遊誌記其年耳嗚呼出於當局中人之筆記尚有時而難信考古豈易哉吾邑舊志職官

表列遵巖判部於嘉靖十七年尤誤十七年是遵巖六山東僉事遷江西參議之歲也桂洲夏言別字是時掌

禮部吳皖江春日過張侯園亭詩五侯臺榭競芳菲三日花深車馬稀枝鶯不隨流水奏綺羅應化碧雲飛空

閻玉牒分天府曾親金葩蒔尊韓借問使前桃李月從來此地幾人非昌國郡孝宗張后弟鶴齡遺世宗聚鏈

國除

省有懷公於信陽 考嘉靖本荆川集輸林寺詩題良中州逢賀長至表差恭述詩寓信陽云云蓋

有懷公信陽秩滿將歸而公往省之也又公爲王母蔡孺人墓誌銘云余嘗往來信陽蓋公服闋赴部道信陽而此

次又由京師往省父也集中十五夜渡河謁比干墓中嶽遊嵩山少林寺等詩似皆此時作

冬至日與陳約之陪祀南郊並有奉天殿慶成侍宴朝謁

長陵奉命分祀孔廟諸作 諸詩均見荆川集又有皇陵行金臺行結客少年場行等詩皆

作於是數年中皇甫子安讀唐陳二子陪祀南郊並侍燕應制詩篇贈二首詩云詞客飛郊路詞臣翰藻來文飛寰

曜合輿引翠華開鳳敔瑤仙管龍舞映御蓋甘泉方奏賦共仰子雲才帝鴻光千古皇風啓二賢章分周祀典樂協

漢郊篇麟馬洋俱集星琴美並宜幸叨觀禮末留歸未須儔陳約之送唐子朝長陵詩云周王東定日漢后北巡年

虎旅陰山轉龍舟夜壑還珠丘開白壤樹殿閉支泉示儉裁流水崇咸廻跨杳雲中分池脈斗極應星躔弓墮矢攀

陟冠遊月向還光靈六聖遷警蹕入神傳南至恭明祀東曹簡上賢瞻依徒致贈悽惻未能宣

是時公與皇甫子安陳約之田希古等常爲文讌之會 皇甫

子安夏日飲陳約之寓同田希古讀鋼宮應德編修施子羽秀才賦陳一首詩云索居追長夏崇情結蘭林之子固

良覯逢遊騁西岑眞興塵幽駕乘日徹追尋伊人諒寂寞蘭若開余襟來臻值衆彥眷茲偕賞心陳席俯閑曠列樹

蓬森沉軒榥泞流[illegible]雲日延情坐連[illegible]發嘉蘋内燭御鳴琴方年及比景臺[illegible]題思曼凄足移文[illegible]愧慕能不床又

寄書子一首發江文遠[illegible]王[illegible]君養夫詩云遲春[illegible]寒波山堂蕙草歇石寶吐委費蕪[illegible]流芊[illegible]生人杳莫徙金草

[illegible]華月悲[illegible][illegible][illegible]吟[illegible]氣[illegible][illegible]結[illegible]蓋[illegible]支[illegible]玉芳[illegible][illegible]穴[illegible]遊銀臺[illegible][illegible][illegible]安可[illegible][illegible][illegible][illegible]沉[illegible]援[illegible]慰偶[illegible][illegible]

約之聖體初安春石視[illegible]志喜同唐太史作云龍領天保乘春[illegible]鳳[illegible]齋[illegible][illegible][illegible][illegible]盡鼓忽傳[illegible]市樂衣冠[illegible][illegible]聖

明來花明玉[illegible][illegible][illegible][illegible][illegible][illegible][illegible][illegible][illegible]景[illegible]共識[illegible]和合天隨欣欣[illegible][illegible][illegible][illegible]起又夕[illegible]對片有[illegible][illegible]一[illegible][illegible]詩云於

日[illegible]飛[illegible]三徑[illegible]來往[illegible]溜一以捐[illegible]雲[illegible]廻[illegible]長[illegible][illegible]河出月華依波上[illegible][illegible][illegible][illegible][illegible][illegible][illegible][illegible][illegible][illegible][illegible]委[illegible][illegible][illegible]

萱開更映[illegible]草不[illegible]明流土[illegible][illegible]書[illegible]命酒陶情[illegible][illegible][illegible][illegible][illegible]爽[illegible]人[illegible][illegible][illegible][illegible]來[illegible]由[illegible]沉思[illegible][illegible]夕景同神宜

往又東[illegible]太史[illegible][illegible][illegible][illegible][illegible]云[illegible]生[illegible][illegible][illegible]支[illegible]入化[illegible]坐忘詩[illegible][illegible]遺[illegible][illegible][illegible][illegible][illegible]衣[illegible][illegible][illegible][illegible][illegible]君[illegible][illegible]長知

不安[illegible]有[illegible]遠無[illegible]又[illegible][illegible]亭[illegible][illegible]一詩云[illegible][illegible][illegible]石[illegible][illegible][illegible][illegible]要亭[illegible]危坐起[illegible][illegible][illegible][illegible][illegible]冥[illegible]色向[illegible][illegible][illegible][illegible]

合[illegible]明[illegible][illegible][illegible]人度[illegible][illegible]知[illegible][illegible]目[illegible]景共[illegible]心[illegible][illegible][illegible]情[illegible][illegible]百[illegible][illegible]詩[illegible][illegible][illegible][illegible][illegible]言同[illegible]子如何[illegible]不共忘

鑒[illegible][illegible][illegible][illegible][illegible]思[illegible][illegible][illegible][illegible][illegible]流水志[illegible][illegible]鳴鳥[illegible][illegible]伊起賞[illegible][illegible][illegible][illegible][illegible][illegible]又[illegible][illegible]文人訪[illegible][illegible]太史南[illegible]詩云夫

子不[illegible][illegible]身[illegible]得去來[illegible][illegible]三月[illegible][illegible][illegible]一旬[illegible]別[illegible][illegible]長[illegible]寒衣客[illegible][illegible]出[illegible]自有[illegible]行[illegible][illegible][illegible][illegible]均[illegible]是年作

考公一生惟是[illegible]年中[illegible]文人[illegible][illegible]之意有[illegible]友宴[illegible]之樂[illegible]是二十五年[illegible]公之[illegible][illegible]省[illegible]無[illegible][illegible][illegible]出皆苦行

原花生羽也莊子羽名瀚號武陵無錫人公亦有注莊子羽南行詩是詩子羽蓋以貢入京年也

歲杪有去國志陳約之立春日寫懷簡唐一菴編修詩云閬歲青因過舊年寒城寥落許春還士牛侯氣偏能早金馬沉詩可是閑我貴漸欣知少宦通長魏是非閒聞君歸路能辭祿便欲因聲寄小山自話云時處謝病且歸又荊川集有和陳約之禁中雪詩二首又皇甫子安有歸正雪日東唐陳二子七律一首（見少玄集）不在今年之春則明歲之首也

是歲薛方山舉於鄉公寄書有曰見南畿錄知先生得舉但不在魁元之列未愜素望見方山記略太倉王元馭錫爵生顧可久免毋喪起補贛州知府甫三月擢廣東副使尋以讒免歸永廢於家

十四年乙未二十九歲

實訓成例當遷時張璁當國公素以直道自任耻出柄臣門二月疏病乞歸璁持其疏不下或言公欲遠璁者璁怒擬旨以吏部主事罷歸永不敍用據明史列傳李顧撰傳陳鶴明紀朱竹垞曰羅

峯（璁別號）不由史館起家特授學士又以議禮爲持名教者所輕以是嫉詞林特甚尤惡詩人文人入才子無得免者比諸夏殿更覺深刻

行狀公常以學問文章未成意常思歸會校累朝寶訓將完心不欲受陞賞族子音會試期近（音以乙未始會春官試）意避作考官復上章告病是時羅峯張公柄國張公故敬公常欲引公自近而公每有遠嫌意僚友之銜公者遂倡言公養病在遠嫌以激張公張公果怒使人以危言動公而留其疏不下促公供職公日吾謝病疏上即此足不可出戶限矣豈有復出供職之理且禍福有定數既告復出何以爲人張公怒不已遂取旨以原職吏部主事致仕永不許起用公浩然以爲得遂己意無幾微忤色

李中麓撰傳居官尚節概而持己廉隅兼且議論英

發人雖有忌之者然而頗服其才稱其公不至不能容其羅峯張國老雖會試舉主惡其不相親近有慶賀事遠投拜簡躍馬徑過其門因其上疏養病則票一旨云唐順之方取史職又見校對訓錄乃輒告病着以原職致仕去不許起用報出士夫駭之而唐子安之曾無慍色。父在浙此時有懷公信湖任滿歸矣反聞有事不知其何事及得致仕消息喜謂所知曰此有甚事原以秀才得官今還其官矣固無損於秀才也議者以羅峯險毒唐子高亢又補傳云校對實錄將完不欲受賞陞又族子有會試者迴避作考官因上章告病考公從孫音以乙未歲始會春官試中歲所謂族子即音也

公浩然南歸會陳約之亦出爲湖廣僉事分巡辰沅因與聯舟出都陳后岡集臨潘舟次東唐一太史詩云客中相見倍情親白日追隨意未申近水樓臺時供燕

違山啼烏盡關人疎懶且喜隨中散鄧尉那堪作外臣懸許別程能發日未須政路已姑巾考后岡集出都在春碁

李雨村曰唐荊川家居有許方山上公車來別荊川曰意君此去當作會元但南京許仲路者名數號石城後共曾

孫女妻荊川公次子孫宇量(曾以寶藝相賢君往須防其出一女頭地也及孫發許渠學元方山屬居第二考荊川是

歲二月疏病乞歸方山赴公車荊川送之而未抵家也雨村云云荊川方山過於京師或過於途相謁求

有懷公擢戶部員外郎爲尚書梁儉庵名材嘉靖朝主計名臣明史有傳

所知主十三司奏章蓋法家極選也羅念庵撰墓誌銘

公歸與遵巖時爲文酒之會遵巖之名益彰道光邑志名宦傳號中無

遷論意善治劇身致扶弱抑強立不說毀則數發從郡人餘同毛悉虛願之爲文爲樂荊川嘗曰吾於學同請竊願文

字寫進巖又曰宋有至蘇明有王遵巖方山遵巖文粹序云荊川唐子與之遇於京師相見大悅詔共文類南登心

子固亟稱於人士前自是遵巖之名日聞四方乞言者踵集戶外而發傳發序內矣又華補卷序遵巖文粹云遵巖

王子巖以吏部讀粹批讀吾批讀未之奇也會荊川子自京師歸語於人曰讀人乃知王子遵巖集有夏日燕憩山

同荊川是堂(詳見戊戌叢)諸君詩恩於此時作又遵巖讀判常州御史郭宗舉戚董其才舉擢之而起諸侯位待之

不少假委署江陰令遵巖之令江陰當亦在是年中也

客宜興居邑人杭錫賢名封號曰湛坑雙溪淮之元子別業自是往來常宜間與杭君游東西溪及銅官諸山有暮春游南山等詩按荊川集杭君墓表文中云余所館距君所居五六十里是地蓋張渚也張渚一名桃溪距宜興城百里之半後公蓋于其地自結廬居之今張渚市西有唐家巷巷有荊川故宅門對天頂山已易姓爲余氏祠屋按公號荊川取宜興之荊溪以溪音不亮故易川荊溪即宜興城外東西兩溪亦曰東西氿古稱中江

皇甫子安真州曉行接公書此書不見荊川集賦詩爲報詩云獨遊京國數離居不見情知發月餘車馬厭厭行驛掌星霜冉冉去齊踏茂陵誰慰相如渴瓜步逢傳太史書青帘欣然江渚意秋來同爾食鱸魚

是歲永新尹崇基臺同邑薛仲常應旂及趙孟靜貞吉王允甯維楨劉子素繪公妹夫王懋中立道並成進士尹號洞山薛號方山方山事蹟略具明史其孫敷教傳首趙號大洲允甯號槐野明史與李夢陽合傳文苑子素一字少賓號嵩陽界几略如康對山與大洲明史均有傳懋中號堯衡著有具茨集與尹洞山洞麓堂集均著錄四庫全書毛古菴先生卒古菴在正德朝官給諫以直諫著告歸窮究理學近二十載卒年六十七荊川集覽徐養齋見

懷毛古菴及小子之作存段感懷和頌詩有美人去使空閣笛芳草歸時獨倚樓句美人鄉親古菴也古菴有贈荊川五言絕句詩十首錄之於此太極含元化天運不停春來生意足庭草自青青聖門有仁訓博約同一理敬義須持明誠乃君子作聖元克念功夫始不敢懈慎拱一貫此誠基人心本虛明蔽塞由欲蠹努力盡消融常之配天地四時恆漸進流水亦盈科積累方成大休疑往多優游近於忘迫速亦爲助存省常提醒從容自心悟哲人謹大倫紀行亦修飾萬物皆吾身偏旻豈一德行己勿隨人俗操心亦勿矯揉涉奚道義中獨立風塵表或行觀海寓才忌嫌忌靜歎心自清淨重舉新固藉君任起予雅索惜且別顧獨千古心易哉難期哲

十五年丙申三十歲

家居

王心齋王龍溪兩先生相偕來訪心齋年譜嘉靖十五年丙申夏五月會王龍溪識金山訪唐荊川頌之武進心齋是年五十四歲吾邑與心齋之鄉泰州相隔一汀荊川公必往答訪其年月不可考矣

與萬古齋名吉字克修宜興人刻意爲朱子之學訂交古齋遣其子士安士和從公學壽荊川集萬古齋文祭公往館宜興攜室以行

履菴集先考古齋翁行略素慕荆川先生爲人時先生方以少年拔出流俗論先生者是非相半先考將就見之先生適養疴來荆溪卽踵門求謁不覺驚服率安和往從學焉是時古齋年五十三士和少荆川公九歲士安當選長爲每一會晤必有激發悵相見之晚然論書辭談道理必反覆質正不苟爲同歸家則進不肖輩曰先生非特博極羣書而志趣高邁造詣精深如鳳凰翔於千仞又如白璧無瑕眞當世人豪也汝輩能學其萬一則吾願畢矣

王孚齋撰萬古齋行狀素慕荆川子唐子之爲人時子唐子以少年獨立塵泥中爾而不譁俗之人忌而毀之者百端先生獨心奇之將就見焉適子唐子以養疴來荆溪卽踵門求謁一見甚驩談論竟日益自驚服曰世有斯人耶亟遣子安和受學自是每造必竟日論亹亹

不能休若有以深契其中者然剖析疑義多反覆辨正不爲苟同抵家進諸子庭訓之曰荆川非特博極羣書而志趣高邁造詣精深譬如鳳凰翔於千仞豈斥鷃輩所能窺耶若等能得其一毛亦足以自立吾即死無恨矣先是陽明公倡學東南弟子偏天下先生之友靜菴周子名道實從之游爲高弟每申其師說日夜慫恿先生往即其門先生素尊朱學斷斷不可謝之曰晦翁之說明白深切吾信之篤矣守之固矣不能復變也及是聞子唐子之論戚然心動嘗謂華日惜哉道通其愛我也實至然其言不甚了了若與朱子爲敵者吾是以不敢從也若荆川之言蓋多與陽明暗合然究其指歸其牴牾晦翁者鮮矣今陽明去世而道通復爾淪沒豈非遺憾哉蓋先生自其少時承溪莊翁家學與其奮發所自

得皆以躬行爲先故其篤信好古大略類司馬文正公迨晚年而有荊川子之助所得殆益邃矣是時荊川公未有晚年出山之擧也方以忤張永嘉罷官歸然毀之者百端蓋人之信道獨立不惑者卽遭流俗之忌毀振古如斯可勝歎數段且此一段文字更見荊川公學問歸宿宗王處

公自是稍收納弟子課章句時藝外與嚴析義利之辨見與王有江書李中麓溪傳從之遊者甚多治學雖主宋儒然兼參之漢注如十三經疏者無不究覽而三禮春秋尤其留心著有春秋論遺訓以王鄭之說不可偏廢

與王堯衢編修書

書云詩文末藝與博雜記問昔嘗殫力好之近始自覺其如羊棗昌歜之嗜不足飢飽於人非古人切問近思之義於是取程朱諸老先生之書降心而伏讀焉初亦未嘗覺其好也讀之且半月矣乃知其旨味雋永字字發明古聖賢之蘊凡天地間至精至妙之理更無一間

句間語所恨資性蒙迷不能深思力踐於其言焉耳然一心好之固不敢復奪焉此類之書皆近世英敏材辨之士以爲老生爛話至束閣不肯觀雖其苦心敝精於文字間而竟不免老死而無所聞有可痛者僕之自陳其愚蓋過不知量亦欲執事之同所嗜好也何如何如

[illegible]

門應以與竟賓與響菴與王南江三書冠首荊川公是詩年譜後三十已萌詩文不爲點公事稽詩文俱遺錄

後五六年耳

與應警菴郡守書

響菴名價字子才遂昌人進士歷康諭明敏御史行部郡守進見必長跪價擲

狀遊架長揖一日與蘇松二府謁御史價適中立如架筆山御史後笑日非應價乃筆架也人遂稱爲應筆架十三

年來守郡釐正田賦富不毀爲貧不飛還荊川書中有在荊溪時與石屋彭君相切蹉云云時石屋以郡判署宜興

繫事也石屋名響安成舉人來判郡不以聲利自污荊川集有石屋山志序贈彭君石屋序及代府官送彭通判致

仕序閩彭君石屋置生館有感等詩羅念菴有石屋令楚時作衡山志序鑑石屋亦士之有志於道者荊川集又有

與應響菴提學書

陳約之在公安道中寄和公村居詩四首

公原詩見荊川集約之詩和詩云

應是歸休日安貧得所加鹿裘新着便貝帶舊遊來返舍因爭廊廟遲山羨卜幽閑顯無遠意不著絕交書便息荊館

上明時掛一瓢帶經收雨麥抱甕汲春苗石室寧期道芽齋已偎途時照田社客伏臘年相邀恰得高深理遺樂殊

自甘酒狂身茲宴詩癖性踏枕林果從猿乞窗談與鶴諮遲言擾沐濁更住小山南相期五嶽意恨儻海雲深更絡

維南棐愁閣吳會吟祖生先著策貢禹未投簪言貫盈尊洒歸來共竹林（自註與唐相期同隱唐竟先得告故云）是

宸季夏暑瀚山有賓[illegible]為之書册兹之[illegible]此書云韵之足下僕不[illegible][illegible][illegible]念之[illegible]心蒙丘[illegible]之陳姿土缶乘音乎大

雅已若異曲[illegible][illegible]春自分與世寡所[illegible]也而二三知已如足下者乃獨領蓋[illegible][illegible][illegible][illegible][illegible][illegible][illegible][illegible]用[illegible]決[illegible]休庭優

遊省閣則蓮槳方鏡[illegible]維古今則[illegible]金中玉共金洞于祗[illegible][illegible][illegible][illegible]于[illegible]林年[illegible]令青[illegible][illegible]情酒明月在戶[illegible][illegible][illegible]

單然若沃[illegible][illegible][illegible]若遠[illegible]公天池一[illegible]生死[illegible]損樂哉斯乎以[illegible]千[illegible][illegible][illegible]也見[illegible][illegible][illegible][illegible][illegible][illegible][illegible]至于今三年耳

足下[illegible][illegible][illegible][illegible]王生[illegible]文[illegible][illegible][illegible][illegible][illegible]殺[illegible][illegible]于東[illegible]面僕[illegible][illegible][illegible][illegible]于司[illegible][illegible][illegible][illegible][illegible]江[illegible]異[illegible][illegible]言[illegible]之[illegible][illegible]

有卿若大律家[illegible]于[illegible][illegible][illegible][illegible][illegible][illegible]于足音也是以永[illegible][illegible][illegible]向風[illegible]思西[illegible][illegible][illegible]宜之[illegible]南首[illegible]延[illegible]之[illegible]東[illegible]

[illegible][illegible]又[illegible]子長過孔氏之[illegible][illegible][illegible][illegible]不[illegible]去[illegible][illegible]乎君子[illegible][illegible][illegible][illegible]志[illegible][illegible]人[illegible]天[illegible][illegible][illegible][illegible][illegible][illegible][illegible][illegible][illegible]今[illegible]之

季矣趙足下已[illegible]之[illegible]年未[illegible][illegible][illegible][illegible]以下京本[illegible]

草書詩册贈王龍溪

書題[illegible]學士仰哀[illegible]七律一首和[illegible][illegible]中[illegible]詩七律二首[illegible]書白氏[illegible]五

律一首末暑[illegible]川書題之[illegible]呈龍[illegible]先生[illegible][illegible][illegible][illegible]丙申令十月書真[illegible]今[illegible][illegible]山[illegible]氏上[illegible]真賞社有致[illegible][illegible]影

本五律一首不見[illegible][illegible][illegible][illegible][illegible][illegible]下[illegible]至[illegible][illegible][illegible][illegible][illegible]此技[illegible][illegible]一生[illegible][illegible][illegible][illegible][illegible]夕[illegible]忘[illegible][illegible][illegible][illegible][illegible]几[illegible][illegible]心

已似[illegible]方外河須[illegible][illegible][illegible][illegible][illegible][illegible]一云[illegible]川先生之書[illegible][illegible]二王[illegible][illegible]化其[illegible][illegible][illegible][illegible][illegible][illegible]之[illegible][illegible][illegible][illegible]中之奇特直出

直入[illegible][illegible][illegible][illegible][illegible][illegible]人[illegible][illegible]之[illegible][illegible][illegible][illegible][illegible][illegible]之[illegible][illegible][illegible]不行不[illegible]自成[illegible]古者也至其[illegible]力之[illegible][illegible][illegible]致之[illegible][illegible]

心胸之靜躁別是流露於楮墨之外斯學問之實際因不可與藝事同日而言矣梁山舟跋荊川尺牘云章草謹書而出以奇橫之筆意生氣勃勃紙上此先生尺牘中最佳山舟此評實能抉出荊川草書妙處爰錄二評于此以示後之欲考荊川書法者此二評並載近人吾邑陳嘉園撰武陵藝術史

林京城與公書

書云叨與鄉榜之末久匿瞻慕進京來得侍教每以剛明正直敬之後往來且久契合益深或野寺山房傾倒心話竊喜同志有人觀法有地將來益於人者可知矣及執事浩然南歸鄙人此味益濃矣但無由得遂每學而中止耳蓋學人非將平時精神志意歸併於一終落零碎不成片段故古人只於一處用功不見世間許多欣羨處中心坦然塵勞不困我不自見人無可疑我不惡人人無惡我言語及物精神所流少露幾微便生嫌隙若果由本心而發亦自溫厚和平使人豁然自悟油

然自解者彼亦不知其然也使不諒人而槪語之中正則險邪自愧語險邪則疑忌日深此古人重以爲愼而避禍也如何如何鄙人日違至教不知自考但一種心期然當對床請正也不知日來近褭有可以示教否龍溪書來聞在金山一會迄今主意謂何人生苟勿老此道難聞隱約見之實際未得不免如貧人說金祗增執事富者之哂耳僭言求教欲已未能惟若時自愛不宣

皇甫子循寄詩因懷橫山之遊二首（詩云山館同君別江城歲載陸春情期又壺發吳宮重湖月照千畫女婁叢竹徑深唯幽流水曲終夜特中舉聞君暮遲携歲曉竟發家有興增乘望忘言事鳳岡臨江寧燕草迷潤渭桃花首向金門裏微官忝物華考子循與荊川公遊橫山卽在是年荊川集亦有與子循同遊橫山詩橫山在常州城東三十里原名芳茂山晉將軍費橫葬此故名）

明唐荊川先生年譜卷二

十四世孫鼎元謹輯
十二世孫　肯校刊
錢家驥
鄉後學周仁𣲘謹校
崔　龍
十四世孫　斐　纘道　仝校

十六年丁酉三十一歲

家居恆館陽羨

夏湖廣按察使高叔嗣卒荊川集謝病歸別高參政子業詩道將歸舊林復此路知音隔魚憲分藩總憲交秦目疑三河守身分十載吟徒並一相失長嘆隔飛塵

有懷公擢南京戶部郎中由北戶部改擢王遵巖與有懷公書例郎按拜南曹承心甚喜

以執事之平生繼以資歷之久一南曹郎之拜已爲屈矣又何喜焉但執事恬然於世俗之中不欲與衆人競進則南京之居乃其心之所樂而令子荊川君得以時於官邸侍膝下之懽修身而養志此所以爲公喜也旌節過奔顧違不及知不能遣人候之境上（是時遵巖已由南曹擢山東提學僉事故云然）罪愧罪愧茲因同僚之官之便敬此申賀且問起居

王遵巖與公書

側見尊公拜南曹郎之報甚喜使吾子不違親養不廢學非子之素志也夫而今乃遂也假予不得在金陵而洵縶於此也令弟計已成播田留意窮之事亦不復以累子之力子其舉哉不審比來尊體病否何如何如子之寡欲省事以養理養心而病不念者未之有也古稱戰勝者肥子已無用戰矣又何所得灑哉余居此疏懶之誅懷吾于在庵君去談話爲一談之由今追昨其過惡之多不能其可勸報而悼恨今惟嘗常存此心茲加警察使袪之追今其可懲毅悼恨者痛加少庶久之不已少面漸少祛甚一可不至於爲小人而已夫以余之論習章句忽閱諸君之論其於聖賢之學亦能謂言其棲徹而竊知一二然自舉括其行則未免於小人豈非其言爲空言而知乃遠知也然則由是以知大學之所謂致知者信在內而不在外係於性而不係於物而體格君之言爲益可信矣余力本弱貞本下而子往往以以爲可進是非好而不知其惡毋亦誘而誘之也乎益友雜居蔣力下宜愈其所誘進而書發吾子山中所得宜一一見示無爲得益在庵君益良友去此大可悵恨占筆信幸不盡

此心

公答王南江提學書遵巖晉江人故曰南江見荊川集是書凡二千餘言丁寧反覆於迭倍

而字期收功於一義超形氣而獨存至於同死生齊得喪莫然無一勳乎其心是琈公在少壯之年而其志卓然如

此此萬古豪所驚漢爲鳳凰翔於千仞之上也而公一生爲學皆立是物以赴之者矣又公除彭石屋序引宋著程

伯子之言曰孔子曰古之學者爲己今之學者爲人吾以爲古之仕者爲人今之仕者爲己其學也爲己則其仕也

必爲人其學也爲人則其仕也必爲己離彭通判序及李耶中甚文皆年內作附示王南江自云稍見己志者公爲

學之論如此宜其說年之出謂快於心論笑皆所不顧矣

答李中溪御史書論學劾事又答江午坡提學書並見荊川集

元考答李中溪御史書發藩冬家舊稿川文者並選之録漸山武夷吟稿李詩序元譜故闢廷丙申宗中作所川公

答書云兄之東夷也一年究學以論下謂者士四矣目物答書在是年武夷吟云江生（以道）諸古烈士爭燬快細

去天閔川公答辛坡提學書云李辛丑夔來提學書籍徐又云兄之蔬旦三年矣云云考守年坡出得手閱中

在乙未歲冬方石荊川公答午坡書即在答中歲書之歲也

附李中溪復書云承諭御史所急諸語最切時病陽昨

與人談寂感之說輒舉以請教或問寂然不動爲性之體感而遂通爲性之用然則感屬心乎曰否心則爲物所動已涉神識故無所不通內典謂天下之專吾則應之以往而不對之以心是也聖人之應物寂而常寂賢者之應物寂而故覺故曰普萬物而無心順萬物而無情也寂然不動之謂中感而遂通之謂和中卽和和卽中未感名中既感名和中如鏡體本明和如鏡光應像非一非異寂然者澄湛自得無意必固我之擾故曰不動感通者物來順應無思維擬議之留故曰遂通中者君子之德和者時措之宜中字無喜無怒故爲天地萬物之大本和字能好能惡故爲禮樂刑賞之達道此是未涉心意情識已前事純是知性知天作用世儒乃謂最初一念可依以行曾不思吾之中體有無建立遽謂

時中可能此所以賞非人心之公喜刑非人心之共怒祗足爲無忌憚之中庸而非所謂達道也顔子不遷怒正是寂體覺用不因怒而遷然後可以言時中耳愚見如此幸不惜再示中竢文集遊龍虎山記云余嘉靖丙申使閩戊戌五月得代與曆瀨山所合云

夏陳約之遷福建布政參議迂道過常相訪公送之至姑蘇觸暑積勞遂病瘧[illegible]后閣集丁酉薦至宜興訪惠德不[illegible]同南二秀才歎任光滌宅（自註秀才思德弟先錄忠禮乎勇）詩云故人消急若焉聞早說璧車向白要偽識外說來相宅困途賢季不題門中宴重色宿征梓逸林山先生酒尊賢是主人能愛客不妨遊夜隔思存荊川集與田拒山提學書云約之過敝邑寄到手書嘉惠多謝赤意侯自送約之至毘陵觸暑遂勞遂爾發瘧又與陳后岡參議書云婉然相別遂三四年而復得一面日之聚方一集恩孤懷十亦乖其二三而激首已南矣又寄以談書其攀發之答心道術有云句已告疲詩寅之舉兄更無以此甚我之言在山名頭字太素號西與人正德十六年進士官至貴州提學副使有清一奮四卓提要存目荊川與書論書之之詩相易以聖賢之學資

秋省有懷公於南京並晤歐陽德程文德相與論學歐陽南野

與王龍溪書云程松溪到數日矣遲遲迎心齋荊川狂狀第恐心齋有若親荊川不肯入關場耳是知公之如南京並由南野所約心齋父守菴公卒於丙申冬十二月則南野是書爲前年春夏間所發也南野時官南寺卿松谿去年由潮陽移安福知縣新陞南兵部主事荊川集有程使視詩自註云同年舜數之父致云嘉靖丁酉秋余見公於金陵公留余飲酒至冬而公卒蓋別後纔四月也

葉東園經來爲吾郡推官據邑志職官表並參考上虞縣志葉東園傳經字叔明上虞人壬辰進士初除福州推官剖決稱神明來判郡[illegible]有風裁十九年召擢御史在郡與公結契甚深

是歲薛方山以九江府學教授就福建聘入內簾閱鄉試卷事竣選九江會徐少湖自浙移督江西學政與撫臺胡補南岳檄方山署白鹿洞書院集各郡諸生倡言身心之學方山初授慈谿知縣與府尹鄭威相失乞改教職至是撫按先後特疏薦之

與項遷之書見荊川集題爲與項甌東郡守集中又有與周中丞論項守書亦在是時考遷之十四年

守處州轉虔州十七年丁母憂去

十七年戊戌三十二歲

家居

答顧東橋少宰書是書川集東橋名璘字華玉史稱上元人自云姑蘇人蓋祖籍姑蘇而居金陵

言吳負元稱璘錄昌發貢家號江東三才又與東會南午王韋夙章等金陵三俊後寶應朱升之憲登關之稱四大

宮又真李夢吉夢暑何仲默景明建廷實貢王發夫九恩東𢶔涵身鄭為之蓋夫及昌數升之齊南稱十于東海在

當日負重望有好士名事論是明史文話嘉所著高國華蒲四庫全書著來考王鳳淵余山別集御貳表云顧璘嘉

荊十七年荊考案古詩郎云任是王荊川公答東顧書顧少宰在是年也公答書有沈荊是年事手書云云考東顧

徵几二集許沈弓華南於常州別寓（原注故南京人）詩云武昌二沈推雜弟別寓既安登足多千里分符看數錄萬

言稱等記懸河王發密図官仍貴民力東南田若何經路故都御往那悤留考薔一昆敬又考陳后國鄰東語山中

集序云嘉靖丁酉有家起卷于山中薦附全是之地云云是序東為與孫川書在去公任是中詩西為作寄書集者

閣沈閣寫華甫也選川集中文館先後顧閩推與人書系所與人論日宮留弦在可考知此月耳又答書中有陳王

吾邑素后閣進戊后河守賓宰寶會事閣遠在東華當下二友葉衰官英娶兵進叢兵郎足是年不年兵沈華寄忠

正旦

八月五日子鶴徵生徐養齋喜惠鶴生子詩云宗孫今又子孫角異凡流渥水龍駒出藍田玉

氣浮高門先閥閱積善必公侯家聲頌招役魁擧蓋九州攷養齋與荊川公題唱詩甚多大都在荊川公前家居時

養齋適自北兵部侍郎引疾歸也荊川贈養齋詩見本集故錄養齋詩如下謝病詩誥喜作兼東唐翰林惠德云聖

主恩念老臣北歸猶及伴青春人非甚病埋投簪宦遊明時好乞身物理定捻閑貞得性情須看靜中真五嶺鳳

月行雲具兄有良朋共比反荊疾遣中有懷式之惠餉云高清天氣不同勝空待雙魚寄達衣青貴幾時還勿藥白

墨何食獨登樓（古庵有疾應德送乃翁至望江樓）閒中今古意誰說靜裏工夫各自求水落魚歸荒草合晚烟和雨

一雖舟和應德荊溪見後及發舟逆訪二首云春辨不得相知共疊童荊溪入夢間世道復踏流水遠野人方與白

鵝閣三段有句頻歌葛萬事無心只住山閑道鶴書招舊闢天平（山名）何日共賦華何處傍君賜水深舟航與作古

人心發年舊病常欲枕竟日情言欲斷金江岸行雲浮夜泊野圃齒鳥應春吟堤菜宮闕適如許此後詩盟過寶尋

次聽饒寄和山居云誰謂蒙官只愛山山容恰似野人頭石賓邪水無人巽清得松發白日閒石亭步曲水識集歸

陸有度吳頭山唐荊川及同遊諸友云岡嶺樓繞帶陵嶺一遺飛泉走白沙竹裏清言開碗茗水邊列坐散旗擺山

川每為禽人假宇宙都忘去日冷寒共英貫運慢別五湖西埜隔藩葭戴恭變唐子惠德云秋風入月下荊溪又作

參商兩地思悠歲獨堪知己共雪山多負可人期一生寄興滄洲遠千里逢源日月遲江水迎潮將送遊詩花村演

吳君詩以上詩見徐溪山堂萃稿頤山名仕宜興人正德甲戌進士官至四川參政

九月叔祖父月樓翁卒黃門公之第二弟也公撰行狀見荊川集

節徐養齋月樓居翁墓誌銘翁諱世美字用成月樓其別號也父諱衍云云翁二兄一弟貌獨魁梧負氣倜儻善談論居常作草書最遒晉而詩歌則亦有唐人興致少志進取受經史於其伯兄既而以產薄父且患難重念伯兄叢以百務遂不卒業乃晝夜侍父疾兼以營家俾兄獲肆問學伯兄既登進士官戶科時孝宗敬皇帝最重言官翁則佩兄教言罔敢怙勢雖里中騎亦稀往來常坐一室焚香吟咏晏如也郡長吏知翁名特請賓蜡飲時年已六十矣適歲我皇上詔賜天下八十以

上老人冠帶翁乃始冠帶然惟一服之後竟不更服亦猶一與蜡飲不更往飲也翁生景泰丙子八月十日享年八十有三

公嘗至廬州時蔡可泉以府同署印將約之同遊境內山川蔡辭以有算糧事相妨唐子乃討善算者十餘人人各與一數算訖記其概只數字凡三四易自撥盤珠每一數亦只數字不移時而一府錢糧數目清矣老書算咸驚歎天下未有若是其神速者也往費一月之力工食紙筆催辦騷擾臨時猶有不得真數者李中麓撰傳是事在前家居時考不得其確年故錄之於此元明事類亦載之

陳約之遷河南提學副使道經吾郡訪公於陽羡山中陳后岡集有病後還朝就陵唐過婁兄弟艤舟相送醉中話舊因懷任二考功文頡詩云舟迎浦樹綠參參笑傲途君御性既陸氏兄弟原其逆處公主客自來諸病中握手慰能奈癡後逗親恩豈堪惟有同懷應問訊定言幾日發山南

（自注唐方惠命起宴）均之所云太頭卯太料川公湖復官殺寄京師友人詩韻也載荆川集又同唐應德過蓋任甫

詩云沉拖敍雜呂裙逢卯詰盧感君多夙昔穎我日頑來貫酒好長筆效藥祈短蓮忘憂豈必辭會此未應如亦作

按此詩又考唐后閑有送通度唐一學何讀詩云蒼來秋發晚辛苦客情遠隨分雙劍達羅阻一行歸月色明疑見風

題逃舞故霜交白好合路羅齊林錫翳嶽廟廟別寒雲盡庭飛甚詩勝達志更爾住遊非又和唐太史望太行山詩

云題題太行山達天路每閒株峯全蔭日烏道半離明未盡五丁枝張傳入歇登歇甚不可上登登須朱顏又潮水

明唐太史之洛云漳河流不盈雜恩跡雜裁可堪今夜月復照別詩將路向鄴城去人傳全馬來南任能作賦還照

二廷才皆作造甲午以爾受聘其之

是歲太平周順之怡續溪胡汝貞宗憲餘姚翁儒參大立

吳縣章懋實煥光州喻中甫時泰和陳昌積無錫王子裕

問俞汝成憲及沈純甫鍊茅順甫坤弟子莫子良如忠吳

崚伯維嶽並成進士明貝都峯一號納長荆川公一詩年事王龍溪胡庾梅林爾號見身章

寶路華倫與吳阜孝號古明王號仲山會號是堂沈號青覽莫號中江孝號達門吳號莫實周訶翁王沈莫孝吳霞

安均有溪沈青霞集四車全書著錄荃子吳日與荆川公均交來荆川公集後與梅林見海同事軍中有與梅林見

專吳岳兩湖子貞鹿門等書載荊川集時以青霞鹿門子貞與侯二谷翁恰山王東華熙六子子貞事別詳弟子考青霞後謫戍關外與荊川公書云疇昔學游於陽羨之墅義以彎弓云云考青霞是年授溧陽令二十二年調茌平青霞之訪荊川於陽羨蓋卽在其令溧陽時也吳岳累官南戶部侍郎任甘肅總督時廉介自持饋恤將士吉囊入寇固原遣總兵趙岢迎擊斬首五百餘級馬駝牛羊無算虜不敢近邊見甘肅通志大吏傳著有吳皋海上老人二集是堂仕至兩廣按察使有盛明百家詩選其子夏南都夏至齋宿荊川先生有贈文顗奉祠詩云遙聞大報啓玄宮千騎星陳羽輦同建禮衣冠分省闥谿參鐘鼓夢魂通丹心繞日重華表瑞氣瞻雲五色中賈傅未還宣室召致將得嚴假遺逢原註云時先生廢臥未起知在今年夏也見叢蘭館集荊川公贈其子貝詩見本集子貝舉進士除南戶部主事

是歲王愼中遷江西布政參議遵巖爲薛方山築觀易臺於廬山紫雲菴之側方山集有觀易臺記

十八年己亥三十三歲

以疾就醫無錫返舟爲豪家僕橫辱塗端因作知命說知命說見荊川續集公卒後子鶴徵刻於嘉靖末年

文曰余貧不能具樓船惟一敝航艙中高僅兩尺許乘以出入卒傴僂盤辟而坐親友或爲余慮曰航往來卒爲人辱侮汝故耶吏也盍少自異焉不見霸陵醉尉耶余笑曰若爾則路中當無一航耶且吾能含垢久矣即侮何害自是出入凡三四年日日由坦途中亦不見航之難也嘗泊陳渡鋪家人取路傍一碎磚偶鋪人出欲詰焉乃諜曰是官牆磚也汝安得盜之亟呼其羣黨將見磚羣黨中有識予者指曰是某人也是守分不敢作孽勢者吾輩安可詐之衆乃解蓋三年間僅一遭焉然其人又憐予竟不忍侮也或者之說其不足信矣乎已亥歲春予感痰眩將就醫於錫亦以前舟行會友人見而憐之曰汝病苦風且航固不障風也乃假予小樓船易之至藕塘忽有舟横河而來避之不及偶搓胥其尾篷

其人怒叱曰蠻奴汝不識吾船誰船耶于是勢忽然甚目左右盡裸而捕縛牽縴者碎其上下衣因取縴板連抶之又紛紛手磚石擲舟中人余曰事急吾不可不出時余弟在船止余曰磚中兄奈何余曰吾不出使磚中船人死奈何急出艙立舷上揖其人謂曰鄙人某也鄙人知罪矣其人忽然且擲磚石如故復叱曰汝何人耶汝謂我畏汝耶且抶牽縴者非吾意也吾且抶汝耳余遜謝且曰有損直須奉償耳君何怒焉復取一名帖投之亦不止也然其人愈張則余益遜謝彼亦無可奈何又已快意于牽縴者其手磚石者亦已倦怠遂斷縴然後去去數十步外猶聞叱咤聲也于是未知其人爲誰既而物色之則豪貴家僕耳所謂羣左右者又其僕也嗚呼航也人以爲率侮于人者也余乘三四年而僅

一遺也然而竟莫余侮也樓船率挾以侮人者也人固不敢侮之然余假之僅一日耳而人且侮之矣豈其繫乎所值而不繫乎其船耶余能免於舖人而不免於貴家之僕豈其侮不侮固亦繫乎其所值之人而不繫乎其船耶使樓船還舖人則固知可以不侮而航或遇此貴家之僕其爲侮固將不可言耶俚語曰過分則災豈航者吾分也樓船非吾分也據其分雖航可以無侮據非其分雖樓船固不能免於侮耶據其分雖三四年可也據非其分雖一日焉固不可也然則余欲避侮也其將何從耶夫此一出入間耳亦若有數焉况乎進退消長利鈍之大者哉君子可以知命矣余因命酒飲率繹者且慰曰雖汝亦命也已而笑謂余弟曰汝識之萬曆元年

公子鶴徵重刊荊川集此文削去今之通行本荊川集皆無之曾見有怨字韻跋節系此文不過十之一也又

考公鼎友可知者張靜思黃斗南華西水（荊川集有書水西集）華補菴華鴻山顧洞陽王仲山施武陵俞是堂王堯衢父子等靜思補菴洞陽諸公時正在邑也是堂巳見前仲山姪字不見荊川集仲山爲荊川公曾姪孫一塵墓誌銘予昔與荊川爲道義交云云補菴少師事邵二泉（鄭文莊公寶）又出王陽明之門辛丑成進士會當試館職以親老徑歸三年除戶部主事權稅九江甚著清節進刑部郎中時嚴介溪用事遂乞歸築真休園萃古書名畫其中補菴素工文字尤好與當世賢士大夫遊一時往來翰墨之富甲於江左（見無錫縣志）且老寄與王弇洲亦交好荊川集有華氏義田記爲補菴作也補菴有詠雪峯用荊川冰壺韻詩荊溪舟次寄荊川太史時約履菴同會于河橋不至詩見盛明百家選

二月少師張璁卒於里第張公先以應召至金華疾大作乃歸是月卒李中麓撰荊川公傳後羅峯有悔心家居日嘗言僕蒙宣召務薦用之了此一段事仍復還山

上立東宮在春正月華公察奉命告慶出使朝鮮妙選宮僚以故官翰林院編修起公兼右春坊右司諫羅洪先爲贊善華察爲諭德黃佐爲左司諫黃字才伯香山人正德庚辰進士仕至詹事吏部右侍郎明史文苑有傳著有泰泉集四庫全書著錄鼎元考荊川集有謝殷陽石江趙浚啓及與殷陽趙浚書知公之以宮僚召爲殷陽趙浚所薦也啓

云自來無門在賓客之交豈所取在此杜絕貴之外華蕭人常延其知在明公起不以言之曰所受知恩所以報在

鄉人則稱有識心等語遂知歷邑選擢邑公拔未職面也敵歸選擢名舉字崇道泰和人仕至吏部右侍郎嘉靖

二十三年卒贈恭簡明史有傳明紀十八年天巡撫歐陽鐸檢荒田二千餘頃計租十一萬有奇以所蠲免田

撥六萬餘石補之餘請免又議裁役及裁減費凡數十百餘民皆稱便並山堂別集卿貳表云十八年歐陽鐸

以巡撫尹天古圖都御史鄧任南兵部右侍郎刑川公書尾云伏惟明公登拜直廟寄鎮南京幸被之工合

初詔選宮僚夏言字公謹貴溪人號桂洲顧鼎臣字九和崑山人號未齋舉陸

深字子淵上海人號儼山崔銑字子鍾安陽人號後渠王教字庸之祥符人羅洪先唐

順之黃佐等三十七人皆天下名儒時以爲極盛已而御

史洪垣再疏言溫仁和張衍慶薛僑胡守中屠應埈華察

胡經廬陵人亦荊川公己丑同年川史際字恭甫號玉泉溧陽人中玉陽山房

白悅皇甫涍張寅等皆庸流不可使輔導青宮他諫官

亦言言等多徇私五月帝爲廢黜數人而以選補事屬吏

部給事中錢薇字懋垣海鹽人呂應祥任萬里字□南人乞如會推

故事集内閣九卿公舉帝特命黜三人爲民許讃字廷美靈寶人等乃舉霍韜毛伯温顧璘呂柟鄒守益徐階任瀚薛蕙周鈇趙時春等詔璘柟蕙仍故官餘倶擢用見明紀元考所謂三人者台洛原皇甫少元等然少元等實名士非庸流也御史以聽夏桂洲驅法故替是劾之耳趙浚谷撰公墓誌銘云庚子立東宮召爲編修兼右春坊司諫江西吉水羅念菴爲贊善同官有犯物議者言官論汰去廷臣更舉以聞上更簡少保霍公首宫僚東廓鄒先生今少師徐公爲洗馬時春編民拔爲史校周御史諱鈇者改清紀郎天下謂得人考立東宮實在己亥春浚谷言庚子者誤也周鈇字汝威掄文人嘉靖五年進士李中麓撰傳東宫員缺十餘人而唐子不與焉東井左鐙言之内閣失唐殊不愜衆望已而内旨不允再推因而及之得爲右春坊右司諫其實乃子言之東井而東

井言之內閣也

秋公應春坊命赴都是時羅洪先除毋李宜人服（胡廬山撰念庵行狀）公與鄒守益馳書羅公相約偕行羅公後至公與鄒公先渡江（見念庵冬遊記）過丕指揮僉事湯慶飲餞於沂水之曲（見荊川集）

節錄念庵冬遊記嘉靖己亥余當赴宮僚命鄒東廓唐荊川再書促余有聯舟約（節）閏七月十八日登舟十月二日始抵鎮江聞二兄既違去不相待王龍溪在南京邀會龍溪語間極贊荊川近來造詣迥別處（節）十一月十九日抵金陵晤南山（即戚南玄）縣令李白洋率士來訪晚宿南山家塾南山自訴學不得力且日近得荊川提拔一番稍有憤發處（節）二十二日早同南山過南京暮抵江浦白馬寺寺中有白沙陳先生手書碑當時

與莊定山諸公相會處南山日前龍溪荊川皆嘗宿此（節）二十四日與南山閑行入徐府庵出寺由春牛廠三官廟入高座寺午飯羅觀方丈中荊川所留詩（節）已而論及詩文龍溪曰荊川近揀得下縱彼終日執筆總是輕念庵縱終年不作總是重余初不肯服已而自察果然（節）二十九日謁唐有懷翁語次每處荊川過高不近人情處余應曰在令郎不可有在今世不可無然令郎殺用功終當消去無過處（節）陳眉公見聞錄云羅念庵訪荊川值荊川外出荊川父有懷翁云小兒不近人情諸先生規之念庵曰在令郎不可有在今世不可無蓋即本諸此而傳聞小異也與龍溪談及儒與老佛之辨龍溪曰用儒書解二氏不識二氏用二氏解儒書尤不是此各有機竅所謂毫釐千里自混不得已而究竟學術歸宿處龍溪隱而不發余再三詰之龍溪曰此事難以口說須是

自悟余日如今只有無欲一着不敢不勉舍此恐更無着力處龍溪日無欲上着力乃千古聖學宗旨只得從此立説從此用功真是不懈應有別悟汝此去與荊川切磋當有辨別時也（節）考冬遊記中又晤及王遊業又至泰州訪王心齋（明年心齋卒）訪林東城（東崖贊亦入都）又晤林巽峯其中江又徐存齋來迎引又王龍溪以書迎引白沙謂學青之語兄能不忘否荊川能了此義然亦還說未學要好良以善養活人處荊川却不如兄正好交相為用所謂不有並赴彼必有並赴我也云云十二月二十八日由揚州發舟北去又王龍溪為求南支基蒞云王華谷唐荊川書僧余往訪君赴南謙送至江濤白壽寺謁真性流行之旨正與冬遊記所言合王葉谷名大用字寶行其先江南淮真人以良椿臯福建興化衛為南田人正德戊反進士授都水主事累遷右都御史巡撫大同順天西川霆南家務齋古寺耶屢平叛牧單功甚著亦嵩時宗人也鮮福建通志方輿舉十一年萬谷罷頂天巡捷衛寓贛真言七年真劉川公諸訪南支的在武時三十二年辛卒篤真送雍講館集江上王龍溪唐荊川二先生見語孝學叟云曉念來巷墓記故學著支頤發榮道氣荔諸學山衣益行人爭慕聖說理說銘支見拔嫌貞念魯亦忘變是寺子員以戶字主事蓮吳賓直荊川公潘蓮溪之之說在是宣這寺也佳詩實不佳且以塘壁

熙輔與第之友亦不合

趙浚谷亦赴召至都（浚谷集送華子潛序云十入年遣仲夏之月愚余以宮僚召抵京暮而克與華君會於館下湖三月而君請告歸甯其親浚谷又有戲答荊川公惠柑橘詩云洞庭三寸承分惠江緒千頭不用羨閑坐小窗讀楚須萄中老子爲詳來）

鄒守益與霍韜（字渭先號兀厓）上東宮聖學圖有神堯茅茨土階至帝西苑耕稼蠶桑凡爲圖十三帝以爲謗訕欲罪之已而得解（見明紀念庵冬遊記謝東寧與荊川偕行入都荊川公何月首塗志傳均無可考然以浚谷答惠柑橘詩計之當在秋末京發而明紀東宮上聖學圖條列在秋七月闕似欠考）

冬十一月黃士尚爲南京御史劾中官鮑忠等貪婪反爲所誣下獄搒掠遣戍遼東（黃公與張舜舉在里中最相善時稱兩公有入同同舉鄉榜同捷南宮同出宰浙江（黃縣仁和張知蕭山）先後同以行取入爲臺諫同以直諫廷杖同邑總觚初以遣部起復同以年七十致仕張卒年七十五黃卒年七十六同壽考明史以兩公合傳黃適十七歲給知敍書敍年戊進士在遊時所據通鑑綱目謂失一本無由借抄從腹筆追錄以補之後取原本勘對僅分註中訛兩字而已荊川公有寄黃公）

寇東書齋以讀易（見荊川集）黃公遊狀詩讀易居違三十年無發發無愁意

自壬辰乙未丙申丁酉東南諸郡薦饑小民不能具饘食或剝樹皮食之公在部有贈呂竹與通判還郡序論蠲災事將赴都時有贈邑侯王春巖獎勸序並見荊川集春巖名嘉元四川人進士嘉靖十五年令武進竹墩名應期章丘人舉人是年再大夫[illegible]心[illegible]字于民[illegible]故公並謝之序而與之論如此

是歲薛應旂由九江府學教授陞南京吏部考功司主事

王慎中擢河南參政明紀十八年河南大饑命戶部侍郎王杲往賑杲請急發帑金[illegible]會發五萬兩以行既至復請發十五萬兩以其事委參政王慎中全活不可勝計念菴冬遊記十一月廿八日在南京與遵巖別則遵巖之由江西赴調河南亦在歲中矣留[illegible]墓表在江西參議任值章聖梓宮由九江入楚下吏部[illegible]有[illegible]以送者先生往董其役[illegible]約以[illegible]人不知[illegible]而張[illegible]墓誌傳則以為在河南參政任事此張傳之誤也

夏六月江以達調督學楚中會章聖祔顯陵總三司纂制

城門鑰不遂楚藩遣出遨遊意為所誣陷械繫至京下詔

獄事白釋歸別公於城南寺據午被繫江公自是永康

給事中謝廷蒞以疏諫南巡下詔獄謫雲南典史廷蒞字子佩齋

順人嘉靖十一年進士明史有傳謫太和驛以風節稱見雲南通志屢遷浙江僉事以侍養歸遂不出荊川集有題

偶耕書屋送謝右侯西歸兼柬左侯詩右侯廷蒞別字左侯廷蒞兄廷芝嘉靖五年進士

十九年庚子三十四歲

在右春坊右司諫兼翰林院編修職與同僚鄒東廓徐少

湖羅念庵趙浚谷吏部鄭淡泉力砥聖賢之學是時淡泉官考功

李贄續藏書鄒東廓傳與徐文貞階羅文恭洪先唐荊

川順之相資切士類興起甚眾附東廓與荊川公書戒懼中和中和位育此是

聖門相傳教率若律呂曆數所謂有司存者曾氏既得其宗豈以道器為二觀依仁游藝緩急自別何如何如

近會舜渠司成互言所病僕謂初入朝市恆憚紛華換素志而渠謂久住山林無良友生意不免蕭索因相顧

以嘆古今而須症候執藥丁多少豪俊安得出門如賓使民如祭繁劇而常定岑安而常充乎鼎元考此書益

東廓以宮僚命官南都荆川公前家居時所贈也附此藉以考證二公平日所切劘

歐陽南野與少湖書云喜與東廓念庵荆川諸兄先後彙征朝家之慶第南都失友江右失所師資然豈敢以偏而不咸之情致私憾於盡取也考少湖以爭祀孔廟謫延平推官遷饒州

同知擢浙江提學改督江西學政頃由江西入也諸公赴召荆川公與東廓最先行念庵次之少湖最後

徐少湖爲巡撫雲南副都御史周潙陽墓誌銘曩予在經局日從東廓鄒子荆川唐子念庵羅子相與切磋于身心之學於時士大夫之賢者大率辱與余四人遊若潙陽其一也潙陽名采字子貞長沙寧鄉人嘉靖壬辰進士

王鳳洲撰徐文貞公階行狀節上後以皇太子出閣妙選宮屬公爲司經局洗馬兼翰林侍讀節中政稍簡得以其暇與故鄒文莊公守益羅文恭公洪先鄭端簡公曉趙中丞時春唐中丞順之輩相琢劘爲聖益切

耿天臺先進遺風羅念庵官春坊與其友唐荆川趙浚谷居相比荆川語念庵之學輒傾誠嘆服而浚谷生西北未悉也一日浚谷邀念庵出遊屬其內子謁羅夫人闖室中故啓一篋一無所有乃曰羅君內外皭然如此由是三公交好浸密日相期許以天下自任中外咸稱異之曰三翰林（考此條本胡廬山撰念庵行狀天臺名定向字楚侗）

（悉元考白洛原初選左春坊左司直後改翰以謝少南補進兼翰林院檢討亦與公交好謝字應午一字與槐上元人以文才顯官至河南參政著有粵臺河亘等稿荆川集有與謝參政與槐題青白蓮畫詩與與槐謝翰林書）

李中麓撰傳至京則向所交遊者多半凋散世所指八才子者獨少三人（進勝鶴之其一人似爲呂山甫）仍相與繹舊業正新知與諸友俱有益而其戒予不當着棋止予不出醮銀及稱予覆疏的確迄今何可忘也俸薄而用不足官間

而樂有餘不但辭受不輕雖一拜往返之細亦斟酌可

否而後行之名既高而心愈下年漸長而操更嚴

與鄭守益趙時春等應詔議薛瑄從祀從祀議見荆川集惟康熙本佚

公弟子吳峻伯授江陰令以詩謁別天目山齋歲編病起南行呈荆川集師詩

云徂承魏雨月中苦病良尋官舍親民出詩因趨主吟雙爲少神衛五斗增塵心所志春祈瑟絃彈畢父琴考歲遍

又有首夏病起詩蓋峻伯春初入都四月奉除命戒行書時惟趙浚谷集與峻伯歲編按年編次秩然不紊天目山

齋歲編傳至近世僅有孤本裔孫缶廬昌碩重印行

公避暑雙塔寺念菴偕林東城誤於郭外訪之不得賦詩

寄贈公用韻答之見荆川集浚谷亦有詩奉訊羅公詩云出郭尋芳侶滿林趣

世氛何知塗變異氣具混重雲障觸目芒與晏蘭感訣分託名自有別不敢怨離羣東城詩云維海如今推獨步迷

迢推我只塵氛隔先雙塔參差月發念群嶺逐暮盡風定棲鳥違嵩合雨餘歸馬傍波分好看荷自從泥出始信斯

人亦可草浚谷詩云閑道浚南寺清溪不著氛烟（缺三字）水樓閱按層雲外干三綠薄身將辟者羣我徽蘿桂樹曲

恩益紛紛東坡與蔡景書云始入京東者先生已行令人怏怏念眷眉山荆川每見氣忌執事云云是東坡入京

在東家已去之後也京城時官文選司郎中

秋七月掌詹事霍韜薨於位公與念庵浚谷中麓偕往弔

哭盡哀見中麓撰霍渭厓墓誌己丑會試座主也卒年五十四

草書詩冊二十一幅見南海吳榮光撰歷代名人年譜

與熊叔易謝與槐趙浚谷同遊城西趙浚谷集有城西行熊正郎過招謝司直

唐司諫同遊詩云窮秋草度日慘悽美人攜我遊城西韓堂華舊連雲冷萬葉颯颯悲鳥路祠耶綺燕張高臺司直

右談騎馬來鳴箏急管跳不發颯然萬壑秋聲哀北氣此聲何良得我欲叫天天徘佪歌亦不能嘯古調酒亦不能

注金罍但恐嚴霜冰霰發璧至乾坤旋轉蒸杳翻平生坦奉無不可犢羹短褐隨裋褐天子命我讀儲典豈謝身貧

慇細瑣入柱擊天蟠六醋把圖懸父母之壁眼見騎驢翅委泥梟鏡尋瘠踞向我對食斯餐還苦相按無吹毛心痰

火閱居蔟念交遊疎殿前發行足欲跛我友嗟我久曲髮招我同鼓鈞臺枕身跨聳鼎捨驛騮違道擔行計亦左餘

單大澤藏蛟龍苦犯靈神若爲那砌除決明數毀行且欲下磯從容坐向晚羲和馭赤烏夕氣細掃光剩擲天地陰

齊理明然我遺頂惱倩亦顧迴首七夜氣乐雄鳳旗靈旆紛旖旎（旎乃可切同旎）

偕羅念菴謁陵浚谷集羅達夫唐應德謁陵迴折澗走岡詩曰弓劍龍遠護攀微衣冠輸立拜叢扉

千年玉葆燕向虛萬歲金宮荃孛非靈鴻瑠璺教拆杖
待臣香霧起仙衣卽看神鼎窺觚去領取鈞天清樂歸

項遷之與公書

書云日接句容手教奉讀再三如膏肓之得良藥不惟終身所當勉行且使廬之人士佩服而傳誦之嗣遣使及躬過貴邑兩致手書報謝閽者以節旄外指堅卻而不納用是至今慨嘆不已生力量尙不如人但自出守以來嘗鑒時官推託姑息之病每事惟論是非不計利害直以身擔當之雖或間出常格之外而潔己愛民之四字未嘗一日解於其心故視僚屬不同志者謂必稍加節制庶幾俾足及民不意某也儉邪遂爲謀主某也聽其頤指而爽嗑之遂使譖言如流而謗書如雨若非早受教於諸公而不如古道自處幾何不憤嘔而死賴天之靈託兄之庇得克復舊任至淮約翁道及手教千

餘言爲不肯暴白者甚力間似以翁爲不知生者翁嘗奬生云學問精深持己足徵平素節刑名諳練愛民益溥其餘恩予奪悉愜乎輿情平反不拘乎成案翁必謂當時渠多有力者在上恐處之過激或反至戴胥及溺而棄之或如遺又或爲讒言所傷故薦剡云云生應朝過淮翁迎而諭之曰我欲舉爾第一而爾遇此等同僚奈何某曰若爲此等同僚遂棄某而不舉君子何恃而爲善小人何憚而不爲惡耶翁色動然非翁之老成長處能保生今日不爲袁軒冕耶但在任聞訃卽行抵家杜門謝事於翁不辭不謝聞翁舊歲又撤林退齋勘報竟不識究竟何如倘便願求一言以致謝私也去歲偶得報知科道交章薦兄曰又聞皇上兩番詢奬足知公道尚在人世間葉待詔自北方來知兄應命北上有本

有用之學自此當及乎天下蒼生矣歆慰歆慰生嘗念古今人所以不相及者止在名利關打得過不過耳兄昔洗心於紛華之俗脱屣於美官之棄使在聖門當在簞瓢陋巷之列過此以往無施不利矣但使如昔者相過之時則恐疾惡之心太勝容人之量太狹耳聖門爲弟子則泛愛親仁爲大人則與天地萬物爲一體故曰君子尊賢而容衆嘉善而矜不能又曰人而不仁疾之已甚亂也近日聞以講學明道爲事且得鄒東廓羅念菴諸公相與切磋固知已進於此矣特愛之深不覺過念因王東華舍親附此聊布間闊東華年少而志大吾鄉豪傑之士也相見當自器之小兒文煥仰兄如山斗別有書求爲言説以書之紳伏希惠教考鄒東廓是時丁父憂在家書中所云約翁謂周約菴金也區東守廬州日通判趙迪刻書飛謗擬逐趨周公約菴爲辨明之荊川集有與周中

丞論頃守書又甌東與同年蔡可泉提學廣東書有壼太子將立弟將遂武進爲荆川之地云云蓋即此書中

所云鄕遇賚邑閣者以節鉞外指堅却不納也公之不見甌東與林介山呂氏邵郞有憾公所謂不近人情也

鄒東廓擢太常寺少卿掌南京翰林院公賦詩送之見荆川集

據明紀云夏言欲逮東宮改出之在夏四月杪考公同官春坊司直任少詹先是二月以拜疏引疾觸帝怒勒爲民

華鴻山以告養歸徐少湖以奔母喪歸至是東宮復南選旋少詹事兼侍讀學士崔後渠轉南禮部侍郎

時上齋居決事不受朝賀顧經陽撰本傳東宮未定朝儀浸聞有他異胡宣山撰念菴行狀冬十二月公與羅洪先趙時春疏請來歲朝正後皇太子出御文華殿受羣臣朝賀疏入上大怒並免爲民

明紀贊善羅洪先司諫唐順之校書趙時春疏請來歲朝正後皇太子出御文華殿受羣臣朝賀時帝數稱疾不視朝諱言儲貳臨朝事見疏大怒曰是料朕必不起也降手詔百餘言切責之並除名

行狀公於同進中尤與徐公羅公趙公爲同志會徐公以憂歸而辛丑歲天下百司入覲之期公故憂微識達每以宗社大本爲慮於是與羅公趙公上定國本疏忤旨爲民

墓誌銘先生深念天下之重又以皆充講官連掮深憂日進不得見上退困於讒佞尸祿不去如天下萬世何盍請朝乎故與念菴及余請以辛丑大朝會及朝東宮朝禮欽蒙御札下柄臣朕三翰林請朕及東宮臨朝之意甚好朕久在於懷卿等以言度意諸柄臣繼其奏留中二十六日乃皆免爲民自是荆川之名重天下

中麓撰傳同羅念菴趙浚谷上封章請朝東宮上怒以爲意在刺朕閣臣又有身首異處不足償責揭帖事勢似不可測矣予爲之多方求救如崔京山等不遺餘力

因召見言及之聖心本無他意留二十餘日始批下俱奪職爲民荊川集·莊孺人墓誌銘云以狂謬獲罪者二十七日

是歲有海印寺再舉同年會紀事送王舍人往崑山爲顧相公營墓顧未齋相公是歲十月卒崑山故無城未齋言於當事爲築城後倭亂起崑山獲全寺中

訪後渠崔侍郎不遇次韻點蒼山歌贈雪屏趙考功趙考功名汝謙（一作謙）字數夫雲南太和人嘉靖進士會京察欲黜趙文華不果一日遇諸塗文華謂曰昔日欲殺人今尚能否雪屏曰殺人而人不死假刀不詳耳點蒼山歌念菴陵谷方山同作李中麓文選藏書歌是時中麓自在部官吏部明史中麓本傳性好書李氏藏書之名聞天下朱竹垞稱其藏書帙必精研朱點勘能得斯趣者無多人

詹府讌集奉和上宰松皋公卽許讚等詩

是歲陳束卒於河南督學任年三十二明史及鄭曉志束傳故有嘔血疾會科試期遂一晝夜馳三百里試入部之士三月而舉疾增劇竟不起無以爲斂王愼中遵同官與束同里參議周後共經紀其喪送其孥以歸玉堂叢話崔侍郎後渠飲量無敵陳約之束少赴崔三十一歲視學河南侍其少壯值崔病初起卽往按部安陽謁之崔與痛飲酌之大醉不能止復舉十餘白乃別遂病至咯血不起

二十年辛丑三十五歲

春正月攷跋浚谷竹溪記知爲二十三日公攜莊孺人出都與羅念菴各買小艇聯發本念菴行狀及趙浚谷別於彰義門趙公詩云彰義門前官道柳到時凋謝發時迴榮枯自是尋常事閒逐春風歸去來見浚谷集二公自是與浚谷一別遂千古矣念菴則永豐之家是年三十八歲浚谷三十三歲抵淮遇程松溪起復至京共宿話舊程文恭公述舊懷上遇唐荊川同年同撓共宿詩云昔年君逐謫滄梓今日予同維浦舟歸不爲官憶寂寞抑憐何事坐遷留物忠無術空悲憤去國多情敢[illegible]先[illegible]猶錄云丙申召爲南京兵部職方主事轉員外郎[illegible]錄丁外艱辛丑起復兵部車駕郎中北上會予於淮名[illegible]淮孝松溪父名[illegible]十[illegible]辛丑丁酉冬示

二月御史楊爵上疏極諫有往歲太僕楊最言出而身殞近日贊善羅洪先等皆以言罷斥國體治道所損甚多云云帝震怒立下錦衣獄搒掠血肉狼籍關以五木死一夕復甦本明史

四月戚賢劾郭勛等擅作威福謫山東布政使都事尋以
父老自免歸念菴冬遊記訪南支於南畿則南支之入都亦在去年也自是南支亦不復起考越文華
官主事時亦以劾郭勛幾遭不測以張孚敬力斥判東平州為謫復東平王鎡舊修墓文華前半截固是美人也
六月鄒守益仍官南翰林院侍讀兼祭酒陳上下交修之道觸帝怒落
職歸東廓自是亦不復起是年五十二歲
有懷公擢湖廣永州府知府
王遵巖在河南參政任以前官部郎時忤執政夏桂洲至是
遇計吏落其職歸過訪公並見有懷公於家遵巖撰有懷公行狀辛丑
春某罷河南參政還家亦以右司諫為民先後相去皆及侍公於家云東南嶠外詩話道思世事浮罢擾久息故國
芳草夢空還世尚無端爭夢裏人生何事勝尊前莫嗟自然令人三復不厭考遵巖罷官年三十三歲永不復起
公偕遵巖訪無錫顧洞陽與堯衢及施武陵會於清溪莊
洞陽名可久字與新正德九年進士授行人武宗將南狩偕同官上疏諫上怒廷杖之左遷國子學正世宗立錄諫
臣擢戶部員外郎會追崇獻皇議起又上疏諫復詔杖尋出守泉州移敘州擢廣東副使備兵瓊海按行諸部拒其

冦塞吳客纂山海圖說明錄出涼旁郡發空其果未發先歸好讀書工書學道王又傳洞陽再被廷杖時野內盡脫
割羊臂稿之後生少子起東臂上有羊毛至孫譜然南剛舉多其長學廣東詩所取士也洞陽最喜荊川及見衡詩
文集頌常置北二集（見無錄錄志及錄金議小錄等香）錄元紀得與洞陽杳召南爲先世交云見衡夏夜同唐應德
王道思學顧與新倩賢別秦主人進至設讌詩云扶醉嘉樹基倩流卜築曾閒顧虎頭乘與不須題鳳字遶空明復
上後舟忽逢名孫尊前集好伴沉冥物外遊與上設鳳芳壯曉月明相傳仲宜樓洞陽和亮衢內翰與施武啟太學
唐荊川宮諫王進叢大參任過談墅之作大題詩云找陵嘉樹饒春流舒霧草山大星頭愛婆謝陶發草宅浸承李
郭下仙舟笑談過許舄同闈送作還遊與共遊但惻好波剡末得藉君返蒸破煙樓又洞陽夏日餞上通值荊川過
情請客詩云美酒舉不值今至遠相讀共坐變詹下清風詩素鄉義重人不遣聯更還多許自飄脈負尚何能荷裝
垂又竟爾問衡與新腈溪甚和康應墓彩四首云飛官應自好負邦有瓜田官味陶元亮詩才買淚仙高素聽雨枕
幷月過別僻共曲吟者空閑招叢舊舊是日後地役舍此卜居負閒安藥留春至淦農書食荀恩分竹脫絲發價
詠也知遠上攀遑衰未能知林見堪遑洛村居後近國鹿門琴見鵠鼓掉不鷺急謝與人俱數蹊決主亦憑甜憐太
詩謨韭外首桑晴鮮語開盈久一徑落花落書幽年長在家豐春更尋空山發死展遠遺四愁吟北壁休相笑平生
詩闋心（原鎖詩四首見荊川集）施武安名字見詩人評其錄如春竹稽題寒孤浮翠又如寒彌返照流水孤村有冬

日綏行尋寒荊川太史詩云野水縈孤棹晴天露半敢寒會自向日殘葉俯如敘好遺甯辭晚縱生豈解愁恩君時

一見猶免失東丘武陵有生句云巴雲青洞庭郢水寒夢澤千里明月來楚峽五更猿斷魂巴城桃花浪開三江水

湯柳益長百尺樓焉邵文莊公實所貫也。

九月公妹夫王堯衢侍其父九巖公來訪具芙集贈宜興二洞日月記云

嘉靖辛丑九月十四日侍家大人往遊宜興二洞先期約唐應德偕往十五日至常州應德以事不果往十六日抵

敘升部渼改九巖公以丙申歲由南禮部郎告病歸堯衢以庚子歲陳情歸省

十月公偕熊叔易是時熊公以疏爭題主陵墓間爲非遺新謫雲南白鹽井副提舉以赴任便道

詩也訪如甯波弔陳約之之喪

皇甫子循陳后岡集序云嘉靖庚子余友陳子約之以

憲職督學於粱即捐館淇上歸櫬越中時太史唐子應

德以上書失指免官熊子叔抑以奉職忤意承譴二子

者不遠數千里漬絮酒以入甬望繐帳而出涕撫藐孤

於素室搜遺草於名山而後相與別去余方倚廬未果

從邁嘗移之詩而悲焉亡何唐子刪定其述造若干卷乃就荆令某登梓而以序屬余云云又送熊叔抑同唐應德入四明弔陳約之詩二首云憐君提寶劍東去覓徐君可惜看花伴飄同落葉分淚傾鄞海月心斷剡溪雲篋內收遺草傳來不可聞已作浮湘去因爲弔屈行風霜萬里客生死一交情白馬夢中路青松錦外城逢人問勞苦何得不言名節王堯衡遊西湖日月記（載具其集）嘉靖辛丑十月四日熊叔暨唐應德至自常州將往紹興弔其亡友余久有西湖之約遂同共舟行初五日早至蘇州是夜至吳山初六至嘉興初七至崇德初八至錢塘初九至昭慶方丈少憩即永塗左僧室也時已約錢段成祐先至遂同宿大佛寺有金身半出岩蓋巒山馬之俗云即秦皇纜船石也拜岳武穆祠又登其十六登孫處索觀武穆遺像目段緒殘書殿殘不壞試弟及學勤一通有宗手書叔話玩論一遂己成不時官士僅存至集慶寺觀宋理宗書像又一帖敍小似今人所賈行樂理宗居前其大度宗最後帝兩肉幼定二人其一爲圖記其一不知爲誰二序壘夾侍凡爲像七盡時不工去甚古遂至下天竺龍三生石坐飛來峯入飛來洞洞前靈隱寺冷泉亭

在焉洞內外皆鑿石爲諸菩薩天王像乃宿保叔塔左僧房張子文撫以余同年茅仲獻瓚以迓余同官皆會飲小閣上與潘凡六人閣名天然圖畫倚曠瞰中每夜遂從有燈火滿湖點點應映是夜大風微雨無所見惟閣塔四周鈴聲淙淙竟夕初十日由北山下泛湖至孤山登林和靖放鶴亭亭後即其墓也旁爲四賢祠祀李郭侯白居易蘇子瞻及和靖凡四像復登舟謁于肅愍墓墓有祠居若干楹制甚壯麗晚乃抵蘋花居亦一小寺也寺前皆荷池故名是夜宿淨慈寺寺有大樓五間在佛殿左殿亦甚壯麗與靈隱埒殿左復有屋四十八間塑應真像凡五百軀軀皆長大十一日早發罷慈君唐君別去渡錢塘十三日予遂還舟舟次德勝壩恐爲好事者所撰跡稍徙去里許以待二君復七日始至至二十四日始抵家云荊川公與王北崖蘇州曾云四明陳約之自同第時便爲肺腑之交後在郎署聞無議不與之同亦有白首同歸之約不謂此兄便爾長逝心如痛之又與雷古和提學書曰故河南提學陳后岡東者鄙人之生死之交也念其生死之交而爲之庇其後此鄙人之私也陳君歷宦十四五年未嘗有百金之產止葬其死後數百兩購金僕不得已爲之經營而歲還其息云蓋公於講論性命之交念菴龍谿爲密文學之友遵巖浚谷后岡爲最厚

寄黃士尙遼東書是歲士尙妻蕭孺人卒是書中有年後誌文云云誌文見荊川集

是歲焦弱侯竑生華亭陸與吉樹聲太倉王民應忬無錫

華從龍雲同安洪舜臣朝選公姊夫同邑董體仁士弘弟
子宜與萬思節士和並成進士睦號平泉初冒外家姓林會試第一人王民應號恩
賀鳳洲世貞之父華號補菴洪號芳洲董號以峯萬號履卷是歲鄉試泉分考會試考歸覆川有先亦以去歲舉於
鄉主考爲荼陵張龍湖治官川集常稱爲張文隱公後改試文毅又改文肅者也是歲會試落第歸從荊川公改後
洽第賀川長荊川公一歲
是歲正月薛西原卒年五十三公爲墓誌銘見荊川集王外集史集考
謨嘉靖十入年選官不求中閒西原以右參坊右同之後討而歸翰擢志亦俸數寄從遊遺多所存獎皆遺直象
五月崔後渠卒年六十四諡文敏十一月林東城卒卒于史年中
任公爲墓誌銘見荊川集有明公東城文莊在之後文之閒賞累開諸家拔於事工夫錄書不
涉安排不落階閒明道之行所無事甚與之不契處庭發近之心當之門未之咸先也爲川公有答朱變舊者云雜
謂之俗大賈富人爭以修祖高其來久矣于吾變痛極之以儉其閭里貧窶小民以力於奔命財困虞傳亦久矣
吾變舊以身任怨每一舊求所以節用告賀之道自非其實爲民不能若此每一一歸令人復喜借變猶始然此實
爲之三數年庶幾修俗可舉而民衰其有泰乎侯廷臻人也發孝裁赴吾大之日復矣養被葬中選不教變至今忘

之不忘自使節至雄揚又承書寫遺及顧撰何以得此無乃亦有取於其求之偈同耶東坡葬文向已託龍溪兄力辭今三友復此建來奈向雖然亦以責不能發此兄存儀之光是獲也三友同草草復命餘默亮不既是文不載荊川集見陸弘祚明十大家選以文中有論東坡遺文跋集之於此變籍名撰粹是時為揚州守是先巷冬進紀又趙撰寫東坡集序云因出以議諸書學孔文谷子（名天胤）文谷子毅然圖所以題之而以校讎之事託諸荊川御史趙炳然疏薦公及唐樞章拯馬理鄒守益羅洪先陸粲汪應軫等五十餘人見唐一菴年譜按趙炳然字子晦劍州人嘉靖十四年進士仕至兵部尚書卒諡恭襄其在御史任劾宣大山西兵備勸前任督撫與羅祖史道監史楊銳指揮馮世能等一百七十人侵冒罪坐論有差胡宗憲下獄詔罷總督設巡撫以炳然任之綏察有功詳見明史

田叔禾與公書

書云頃者執事以直道蒙譴屏跡巖壑初聞抱鬱彌旬悲同志之厄乃今移其悲以悲世而為執事者稍稍解矣僕雖竊祿疏逹然端居靜觀周流社稷之慮恆亹亹焉終夜擁衾不交睫也夫世際乾姤之會盛衰之機縣

發大難之端人將駭而不信同狃燕安之習則又覥焉

疚心私言之徒負訕上之名公言之則又恐殘骸骨貽

老親之戚嗟乎悲哉國家承運之昌跨凌前代即有阽

危之變往往消歇遠若英皇蒙塵而復辟武皇盤遊無

度蹕道不驚近若諸邊叛卒外連反虜可謂寒心而倏

然冰釋南征之議脫不受命構兵其容已乎而負組來

歸曾不遺鏃凡此等事殆皆百靈呵護其間非智謀所

能逆覩也嗟乎居豫者矜履滿者傾覽日月之盈虧寒

暑之遞代天道且不能終古也而況于人乎幸今英哲

在御時振不測之威破落姦膽綱紀猶張然大臣急于

順主廢謀國之達猷庶官巧于取名鮮修職之實抱儀

文繁縟而慈祥槁索忠讜遏塞而貿佞紛綸帑藏竭而

土木猶營災變仍而歲豫自在北狄覬覦則上下周章

漕渠湮涸則東西騷屑卽使昌運綿長萬無他虞然憂盛世而危明主非臣子所能忘情也夫上有督察之術則下有規避之奸上有靜攝之名則下有偷惰之習上有文過之跡則下有獻諛之策桴鼓之應寧足怪哉祖宗罷丞相建六卿更進用事故無權雄抨彈建白雖屬垣台而百司亦許以其職諫故無廢事迺今批荅繁而顧問寡六卿希得召見庶官言事卽以越職譴之十九須死故皆卷舌不諫夫聞見塞則不得不秉狙緝爲明批荅繁則不得不倚票擬爲助此治亂轉移肯綮大較誰爲言之而誰爲聽之嗟乎悲哉方今士大夫以苟容爲福盡節爲愚不惟不諫而且妬人諫若非台垣之伍卽指目哂之曰是沾沾徼名者死何足惜嗟乎夫人捐毛髮體膚父母妻子之養以靖獻于君王而猶不免越

職之謗則皆將折腰立權門緘口取高位然後爲官守也竊聞成化間章德茂羅廷彝黄仲昭莊孔陽以諫罷燈火忤旨外貶科道交章申救竟得改官時謂翰林四諫夫四臣抱納忠之忱垣台極愛賢之力憲皇弘徒善之度如此盛事不亦曠世希聞者哉執事崇德觔行蔚爲時宗而羅趙二君亦復特達雅稱三元項以朝儀疏闊爲諫此實六卿更進之端倪也怒忌横生竟以削籍科道未聞有交章救之者夫以三元同聲一朝罷比之章羅諸公尤爲奇偉使漢人逢之必將爲語爲謠以極標目光史冊迺今文字不逮漢人即使爲語爲謠亦不磊落儁偉可誦可傳恐遂泯寞良可慨也雖然執事豈沾直徼名者哉進不負君退不失己完骸骨守蓬蓽不貽戚于所生斯已矣僕愚拙不諳世態連年求歸猶

未得請今已懇疏不識主者作何判置以僕之不得歸故欣執事之歸向移其悲以悲世而彌旬之鬱稍稍解也山居閴寂眠食自如珍攝幸甚叔禾名汝成錢塘人嘉靖五年進士仕至廣西左參議福建提學在廣與副使翁萬達討斷藤峽等賊立有軍功著有炎徼紀聞西湖游覽志見明史文苑傳

二十一年壬寅三十六歲

家居卜築陽羨山中宜興張渚鎮有荊川公遺宅今易姓爲余氏祠土人猶稱唐家巷考張渚去縣四五十里石荊川集與屠漸山書曰年來奔走荊谿今歲始買小莊去縣十四五里未知即爲四五十里之側舟耶抑別有一莊耶時時教學荊溪游塘間嘗過邑亭遇盜竄身於江陽羨古有中江即今之東西氿也生平不善浮水然得不死中麓撰傳荊川集有邑亭遇盜詩春坊初罷歸時作也

有懷公在永州知府任

皇甫子循贈詩云南國逢新歲東山懷故人秦官初殿最經世學垂論象外能齊物尊中抑累身不

知芳草色有似茂陵春是歲子諸除父服起補南省司勳與蔡子木諸方山諸生詩文荊川集有答皇甫補泉郎中

書與蔡子木郎中書皆在此時

公自再遭廢黜彌苦節自勵冬不爐夏不扇行不輿臥不裀衣不帛食不肉掇扉爲床備嘗苦淡曰不如是不足以拔除欲根徹底澄淨四方學者翕然師尊之從遊者甚衆亦惟使之精析義利而徵其實於辭受進退之間不爲玄談假以利器也參本傳及歙李撰傳

公與王堯衢書此書在嘉靖十六年聞卿前喜按半節也曰僕自生齒以來百種嗜欲頗少於人亦絕不知人間有炫耀顯赫事獨不能淡於飲食乃始痛爲節損或四五日不肉食始而苦之久且甘之矣間飲食於富貴之家腥膏滿案且噦而投箸矣所以苦身自約如此者以爲旣不能改於固陋以徇時好則貧賤自是此生常事諺曰畏水者不乘

橋恐其動心也

阡表一日抵其姊一鷄迎而啼姊欲烹以供不許自是終身不食鷄已而牛羊犬豕之物悉不御

馮元成名時可雨航雜錄伯兄卿行可嘗從荊川公陳渡草堂夏月席藁不施茵帳卽白鳥噆膚不顧也出則小艇一葉僅容二人常語學者人有富貴氣詩文必不佳又言近來文章不以用世而媚世

陳眉公見聞錄荊川公少時卽厭華靡任宜人衣以鮮衣赧然不能出門衣亦輒污其後雖貴未嘗自制一紵衣也削籍居家惟着一青布直裰巾履十餘年往來鄉郭乘一小舟低首側足盤膝以坐見者不知其爲公往往凌侮同舟之人至不勝忿公恬如也家中臥處惟一板門冬則置草於其上以爲溫有懷公見之淚下以銀

三錢買一床與之公於是始睡牀而終身亦無厚褥常病羸借軟褥於所親家愈即還之門生子弟從公出入遊處不堪其苦而公獨安之初喜肉食無肉則飯不能甘後連肉不食終歲茹素最後即鷄豚牛羊之類終身不御其意以衣服居處雖淡而飲食尚喜甘美亦能爲心累也又云荆川公滿壁書志士不忘在溝壑語於其上以自勵考此段採自芳洲撰行狀及中丞補傳

呂晚邨云荆川先生性最澹泊刻苦布袍疏食夜臥一木板不設重席且清癯多病其封翁憂之託王龍溪爲之解說龍溪乃謂天下人以戒定慧救貪嗔癡荆川當以貪嗔癡救戒定慧荆川惝然受之此條見晚邨評荆川四書文後而陳鼎公見聞錄則以救貪戒定慧云云爲趙平泉語蓋荆川平泉二公當時並以澹泊刻苦聞也

秋七月首輔夏桂洲言落職有答夏桂洲相公書見荆川集

如無錫有書醫施氏婦事見荊川集

歸楊氏姑卒公爲墓誌銘見荊川集

公欲省有懷公於永州

薛方山與公書云八月間得尊翁書知永州官味甚適但反覆言道險難行專託轉達謂決不可往又有家書一封隨即附上不知執事見否愚意亦謂天寒道遠愼動愼動若以定省久曠則唯疾之憂更宜體之翰諭問學只於性情中求之此實至教執事高明峻潔工夫易簡如此足矣但鄙意則謂踐履上亦不可一息放過不然則荒唐無實如近世之論學者於知行忘助辨析毫釐而義利大防則甘心潰決而不顧未必非邯鄲之步累之也不知高明以爲如何新春元宵前後當得相見傾倒庶幾得盡考道後谷答江西王參議書云見荊川唐先生省親永州將取道也此此見

尤勇挫達兄試學而相資之云云是公省親永州之說已傳聞遂夾象山縣志王英字子長又字同野嘉靖十一年進士以工部郎中出爲江西左參議任至廣登政七第文選詩覽軍書建昌成府參文國學泰詩更唐詩有奧唐風格入都從經輯呂柟後梁蒙鋭遊一意反約爲韻行資殘之學復與羅洪先鄒守益遊時春諸人論詩生復力闢致旻知之旨而同郡張邦奇萬表尤所深契蓋彼谷所答書之王參議蓋即其人也方山集有春雨寄唐荊川詩亦在南都所寄也居韓之泰維客舍春遊碧芳草庭中翻雨飛久坐替思人愈遠陽居翻苦影相依閉門自是行人少上士遲須知者稀童冠交遊俱老大幾番歡聚幾番遊

江午坡與公書

書云生還日獲於城南寺中卒卒一語殊不盡懷別來縈念不置以僕於兄知兄之不能忘情於僕也三年杜門謝客與時世都不相聞去年曾爲羅達夫出詢知兄三君出處心大慰甚達夫言兄將以十月省尊公於永州遂訂衡山之盟爲之以喜即折簡道思以待兄於武夷到則相與從彭蠡窺廬嶽白鹿洞數月之聚然後買

舟南下效司馬子長爲萬里之遊窮五嶽之勝乃道思已有苫塊之戚禮不得釋杖達出以從友人比奉手書此書不見荊川集又知兄重違永州公之命不果踐約使人悵懷承見諭山中事業當求諸言語文字之外極是相勉之言僕謂爲學之道當先理其性情僕天性峭直不能猶豫見人與事不可意者輒易見顏面急於分曉雖未必盡離於正然於聖人感人心而天下和平之理終是背馳比來力意剗刮終無深厚氣象可見克己工夫此學者所難第一義而從前作用大半不自德性中出來言語文字之學信於身心無補也諸友聰明才氣容有一二庶幾兄者求其精思實踐脫然無世俗之累則絕少耳嘗謂唐應德身不勝衣而志不可奪卓然萬夫之特今之天下一人而已僕居鄉無一善行可述止是放

情丘壑不復知有人間榮顯可欲之事耳兄過聽人言以爲奬倍增愧悚兄比來山中所得必有進於他日者方日企開引以淑餘生而來論過爲謙巽自私其有非所望也張以學在閩中極有意氣果於集事毘陵之政考於兄者何如吳給舍守歙郡甚有風采能使人畏而愛之辱其推兄於僕者甚厚但僕株守野人之分一向外儕比承其不遠數舍遠顧山中乃一出見之洒然形骸之外迥與俗吏不同真兄之友也言及兄嘗與有婚媾之議既而兄又以男女年小大爲辭復爲指腹之許恐兄再食懇欲僕就中一質以訂其盟兄其以爲何如竊見何大復作詩美其兄云女長適人止近里兄里中固多士大夫然能賢如吳君者以聯秦晉之國尚不可耶又聞其尊君以醫術顯武宗朝所全活人甚衆則其

後之必昌無疑也君子以理爲兒女計如是而已兄其自此定之兒掌中英物顏公子藉數也好計已出讓僕室中二三人午坡室莊側室徐孺尚未有萌孽者奈何諒兄之見念莫有先於是者輒附以聞吳給舍名希孟壬辰進士以給事中出守賓信其父名藻字士奇號暘谷詳見荊川集暘谷吳公傳考荊川公子女無有與吳氏爲婚姻者豈後而家中所生者頗或有所夭折歟是時遊叢有父之喪念菴遊衡嶽以在乙巳年午坡癸卯八月始擧子

集同門諸子爲葉師包庵壽公爲壽序見荊川集又有次葉師與諸生請春鐘樓寺聞鐘作詩一首荊川公以言事罷歸每歲必具酒饌遊諸寺爲葉先生弟子者惟會竟日（見葉師兩擧墓誌銘）

山西左參政胡松被給事中馮亘知等劾建言冒賞無寸功斥爲民胡公去年以提學副使上邊務十二事切邊計帝嘉其忠懇進秩當事者忌之不畀以兵柄令於三關聽用因以陷之公與之書見荊川集有云天下事魚爛極矣非特邊陲戎狄之患然也患夫□其必有隱憂而持祿固寵之士無人敢出一口氣而有一人慷慨言之而出身任事則衆共惡之必擠去之而後已

嗟乎此編纂之所以成也塗蓋而志士之所爲扼腕也

巡按舒汀出按江南特疏薦公於朝有曰學以聖賢爲本
道以經濟自期立朝著謇諤正直之風居鄉有廉靜無求
之節乾坤不可無此正氣天地不可無此正人云云
李贄撰傳請朝東宮落職歸自是御一布袍嘗居宜興
山中與諸生講學宦於其地者欲一見無由四方之行
過是邑者必先禮於其廬薦剡殆無虛日獨雲川舒侍
御薦章云云可謂得其真矣
阡表家居幾二十年力得薦士者輒藉爲薦剡光前後
積五十餘疏考世經堂集云嘉靖壬寅侯官舒汀爲南畿巡按監察御史明年春莆田周公代之
福建通志舒汀字紹安侯官人嘉靖乙未進士以行人擢監察御史奉使按兩淮及南直風裁赫著繼按浙江
貴溪志黃吉甫皆將首自敍浙寧小兒或夜啼呼汀名輒止又考荊川集有與舒梓川巡按二書第一書爲答書
辭牌坊銀也第二書謝其薦章事書首云執事之使赴江南也轍車所至風裁凜然願之心竊慕爲久矣然不

敢一拜下風者蓋守禮恐之分不敢自濫於爵祿往來之道也末云吳越寄更寄勉首再拜復數語之致是知

第二書爲明年春雲川發拔浙江時所發也

項還之來書云日臥榻前匆匆奉別數年渴想之情殊未通暢近有一鄉人抄舒道長薦疏云唐某道以聖賢爲師學以經濟自任立朝著謇諤正直之忠居鄉有廉靜無求之節在乾坤不可無此正氣在廊廟不可失此正人讀之令人凜然不徒見舒公之知賢兄彌中彪外之學人皆信之固如此然聖人不聞以氣節著稱伊尹之不至大聖者正以有任底意思在惟兄再加涵養能無意必固我渾然無聲無臭庶幾可以語聖學矣學問至此工夫尤難弟知善於蚍蠹欲效攀而不可得也茲治劇無他能惟幸戶樞之性遇勤動反無疾病耳顧錫巖便附告僕夫

又項遷之與雲川侍御書云日奉滄州手教謙光之德溫然如春及讀唐應德薦稿至乾坤不可無此正氣廊廟不可無此正人又令人凜然起敬知薦賢爲國之忠無所畏避此非正氣正人胡有此此非獨可鼓舞一方天下山林遺逸有志之士必有翕然奮激而成風者

又遷之爲遵巖文錄序云吾同年吉水羅子洪先武進唐子順之以道德鳴於天下王子素相友善者也二子居鄉觀風者以不得見爲恥下至兒童走卒亦樂指其閭里而道之使進退不倦二子皆不朽人也

與徐養齋尚書書請緩征災欠民賦見荊川集考養齋是年起南京右侍郎故晉戶部尚書

有爲華三山墓表等文有與邑侯徐少初名良傅字子弼臨川人嘉靖戊戌進士令武進紹行教化嘗疏二程要語刻以教士名明道語略學者尊之曰少初先生書辭巡倉巡

江幣帛與季彭山書論治經書中有偶遺會稽□□後閣高論云云書是公如寄□此手后閱之書有舊論經會舊時與之書也書在是數年中彭山名本字明德會稽人正德十二年進士授建寧府推官宦遂反守分水道過其入閩之路師事陽明先生喜治經考索與圖罷官後涉維訶歷齊魯登泰山論江入閩面後歸其爲人甚奇詳見明儒學案荊川集又有季彭山春秋私考序

王堯衢自京師與公書

書云入都四月中間不病者僅數日耳蓋孱薄之人不任祿食所遣固應如此且久在靜中一涉塵途便非向來面目如執事茹素有年見腥肥滿案遂生嘔噦此殆難與不知己者道也久不通信執事必能亮之大抵寒暄常語不足涸記室而身心所得又無可請教者几案間非醫藥卽道書每展卷亦不能數行也奈何奈何所幸毀譽得失了不置意中悠然日用飲食而已知執事以尊嫂之故心事亦不甚佳然豫養自遣爲望堯衢以遊西湖

之明年五月初北上供職晃具芙集與得盡嶽書又見衡寄荆川詩云香筆曾為漢署郎相迎詞賦早升堂自歸野性就沐汎恐資窮衣亂鳥行溪上晴看黃綸建山中晚食棲草舌多漸舊日滄江待篋向金門立曉霜知君執誦與寺來不為功成學漢疏至鈞篋連羨子顧鉛耕人蹊葛公盛因窺子氣學遊自以似全年更登得莫倚一丘能自考三源作有萬賢書巨源似循舒待御雲川也又題詩云愛看荻市無秋家背郭圖處十里縣為覓魚羊仍種竹恐坊瓜池罷栽花病須送客發孤蜓手校談書過五車草說支經語與殘知君弟子衣笑芭草碌門徑往來稀澤國風霜滿蒔女苦茹喜為貧女訴遣祭久食故山薇春遊田父看分社夜對鄰僧話息機却堅鎖關扃守在家詩騁着蔵庭緯此二詩則似在有彼公歸田後寄也

是歲清紀郎周鈇以上言備寇降盧州府知事李開先以

太常卿罷歸是時伯華年四十不復起好為俚歌以遣其牢騷抑鬱其奉使毅夏時訪康德涵王敬夫于武功鄠杜間賦詩度曲引滿祭聲二公恨相見晚也

是歲呂涇野先生卒年六十四高陵人為罷市者三日譯棄及四方學者聞之皆設位心喪諡

文獻

二十二年癸卯三十七歲

家居

趙浚谷寄早春見懷詩並懷羅念菴詩云秦塞春歸海色晴憶君此日別黃扉三年逐客田廬在萬里行人音信稀江渚早梅堪寄折天涯樹色依微惠而不見空惆悵目斷南來鴻雁飛又懷谷和荊川公見懷韻詩云雨後孤踪信所如三年一見故人書遙慰情殘星寥落還宸皇州月滿梳綠鬢垂絲爭似昨丹心在魏苑猶初滄溟幸有狎鷗處肯學鉏桑怨家居

徐少湖服闋赴祭酒命過訪公於陳渡草堂考王鳳洲徐文貞行狀及弇山堂別史國子祭酒表少湖除祭酒爲嘉靖二十二年

徐少湖與陳文峯戶部書別後以二日至姑蘇次日與衡山南岷飲竹堂寺有僧頗能詩出示沈石田王守溪所題梅花卷展誦數四僧又摘花瀹茗作諸清供因留至暮得衡山贈行詩一首而歸四日寓無錫楓潭及張黃門靜思邀登惠山攝衣至絕頂南望太湖如衣帶環山東下湖中諸峯隱隱天際如晨星昏鷃乍有乍無眞

異境也是夕宿五牧與荆川方山劇談至夜半語多不經人道然要之不牴牾聖人五日晨起校射一荒田中張侯百五十步往往破的觀者如堵牆門人吳江陰峻伯取酒飲射所至午飯舟中遂趨毘陵六日飲道南書院張行吾出邸報知江貞齋（貴溪人午坡同族）以職方郎佐北雍喜得賢僚友爲滿飲三大爵七日同方山李節推慎菴董進士後峯訪荆川於陳渡莊荆川特破格殺鵝炊黍留予輩飯李亦解射偕荆川發數十矢值暮乃罷八日以方山舟載荆川同趨丹陽（去歲暮方山與荆川書云新春元宵前後當得相見蓋是時方山請假在里赴南都銷假少隨附乘其舟也）門人鎮江葉節推以明來逆九日謁陳少陽祠飲有歸樓觀少陽被逮時所作家書及高宗贈官救文相顧泣下罷酒是夕與荆川別（下節考此書亦見陳眉公見聞錄惟僅節至日暮乃罷句）

荆川公兩漢無疑茅容條日茅容日日有爲事母乎日日有爲則多稱矣何難再以一孝客如止此爲何必對容邑殺是祭寘亥宗之爲異人故以此妻異而使之稱譽也公之論茅容如此故雖平日茹素破格殺雞以孝徐少湖也朱素陽以茹見享客亦不近人情之事茅容幸遇異人發得稱譽素陽不幸遇小人遂損讒誣

如姑蘇省魏莊渠先生之疾值其喪有與王北涯卽王嘆廷南

蘇州書託以莊渠後事見荆川集考莊渠卒年六十一謚恭簡北涯以御史論判亳州二十一年移守蘇州荆川公與書云去年失一涇野今年失一莊渠海內若而人者有幾生成之難而凋謝之易若此悲哉悲哉又云兄以正直自持人或以爲落落而宦跡所至則西原莊渠兩公獨爲相知西原之死也吾兄爲之悉力經紀其後事有如骨肉是以同志中皆推吾兄之高誼今之所以處莊渠者豈異西原哉云云薛西原卒於嘉靖二十年正北涯判亳州時荆川集共與北涯五書並楊答其論均徭隆慶初北涯官左都御史高拱傾陷徐少湖北涯救之並爲斥逐北涯以道義著亦荆川切劘道德之友也明史有傳又考明史魏莊渠傳謂以荆川爲莊渠弟子爲莊渠弟子者乃荆川從孫音非荆川也荆川所稱爲師者惟葉師包菴陸師愼齋然皆童子時師也同時若薛方山則師呂涇野歐陽南野而荆川於先輩若涇野南野若莊渠若東廓若毛古庵若徐養齋皆友之羅念菴嘗受錢緒山王龍谿之證稱陽明門人荆川雖亦私淑陽明未嘗有是稱也荆川實有昌黎世無孔子不當在弟子之列之意

註集與荊川書六通茲擇錄之知爲切磋之友無師弟子之禮也

答唐應德題照渠集註書別後恆切嚮往聞杜門讀書聖賢之書既以妨於心學弗讀然則所讀者乃諸子百家之書或後世類書文集不知以此求放心耶聊遮眼耶若遮眼謂之玩物喪志否耶此爲格物致知耶多聞多見耶譬諸取友將求勝己者耶同己者也長吾游心汨吾炤心不可不精察也嘗聞以讀書爲業次此恐未合於聖門近世詭聖之言多出於好人而一向差却便至於此願與勘破庶可相切磋若不知不覺被留下些種子他日能爲害也

又遠承書問感荷無涯開門授徒無乃省事中又添却一事誰始爲舉業作倆知耗了人多少精神心中添了多少葛藤蔓說縱斬絕之猶恐牽纏況可引惹乎若欲

因此轉移人才却是先以欲勾牽後令入佛智也文公謂舉業是一厄詩文是一厄簿書是一厄校謂只此三厄埋沒了天下多少人才願應德卓乎萬物之表莫以此等攖心若謂此是業次是指尋花問柳與力穡同也愚見如此不識高明以爲何如

又總總中承轉并示之教言無任感荷久失致謝人心元神昭昭靈靈收斂停蓄因其真機引而伸之觸類而長之自有無窮之妙校未之能也億而屢中校亦弗屑焉應德邇來作何功夫想日精進此學須見得收功處則發端不差應德高明一洒支離之陋豈非大快事却覺似好潔者又未免別生出弊端專內遺外日用間分本末作兩段事如此又仍是支離也愚見如此然與否與

與唐應德書侍裁連日獲探心之精微洒然超脫塵俗卓哉卓哉但毫釐易差恐微有近禪處微諸孔門或有未合辨之弗明弗措乃可洞極幾微於此尚覺欠耳賈傳致火致日之譬聖學殆有取焉何如何如

又聞讀周易以應德之高明必有超然會心處便中毋惜示教校昔治五經惟春秋易致力爲多賴天之靈偶有所見而又得之弗完體之未合恆用歉然深願應德撥天機莫被葛藤纏去也雖然又不可落空不識高明以爲然否

又虎丘之會承諭所用功夫視前乎此可謂盡言無隱矣學患不能行如應德之力於行所進何可復量但校有所疑亦不敢隱應德信道篤矣而執德似未弘仁以行之矣而學以聚之問以辨之寬以居之似有所未足

吾輩不幸去聖久遠學絕道喪不稽之以聖人之言安保其無差校自度言輕不足以回應德雖然應德昔者持之甚堅但願毋使他日之悔亦猶今日之悔也聞欲過我跂余望之莊渠言荊川似好像執認秋末弘荊川前半節學問却是如此

莊渠與唐音解謂魏莊渠集書得書自覺未探本原甚喜甚喜乘此戚然大有警於心百尺竿頭務求進步處乃不枉此一身耳鏖音子之入學舉業想日有進但恐德業日忘日逺不患妨功惟患奪志斯言宜惓惓服膺高汝白㓜時叔父教之以舉業數日便做到狀元三年一箇何足慕哉及長登進士第其叔父以書戒之曰此何足喜吾正憂汝從此不免墮坑可置一簿記每日過差寄我汝白自謂我終日侍傍何不相信如此試問其僕答曰比在家漸不同矣因此而懼乃置簿記過過不可勝書因

此太懼刻苦用功若汝白之學與其叔父之教可以爲法矣此明宛然師之於弟子擇氣矣王仲山撰止庵（一處致）墓誌銘云始慮克菴公見魏莊渠先生聞萬物一體之說茫然警省時年十四銳志欲學聖人云云故此莊渠與克菴書言及之

王龍溪集洞山尹子舉陽明夫子語莊渠心常動之說有諸先生此先生指龍溪曰然莊渠爲嶺南學憲時過贛先師問子才如何是本心莊渠云心是常靜的先師曰我道心是常動的莊渠遂拂衣而行末年予與荆川請教於莊渠莊渠首舉前語悔當時不及再問因究其說予曰是雖有矯而然其實心體亦原是如此天常運而不息心常活而不死動即活動之義非以時言也因請問心常靜之說莊渠曰聖學全在主靜前念已往後念未生見念空寂既不執持亦不茫昧靜中光景也又曰學有天根有天機天根所以立本天機所以研慮予因請問

天根與邵子同否莊渠曰亦是此意予謂邵子以一陽初動爲天根天根卽天機也天根天機不可並舉而言若如此分疏亦是靜存動察之遺意悟得時謂心是常靜亦可謂心是常動亦可謂之天根亦可謂之天機亦可心無動靜動靜所遇之時也（考荊川集有答莊渠書又與江書孔子所謂者也入時）（其知其向是真心而非妄心亦卽此意）曰

如歸安視茅鹿門疾勸赴丹徒知縣之命（白華樓藏稿丹徒起事集藏庚子）（春予須青陽僅六十五日而以先君南陵公病發奔喪歸既先歸八又病發壬寅秋四日癸卯秋謁選補丹徒知縣江西）（縣須衛疾予時以哭先君及舊人之喪過哀病怔忡且曰怖死棄欲毀幾矣友人唐司諫趙子強之且日君非一流）（邑君持耗心血而怖耳莊生不云乎瓦注者巧金注者惛丹徒故多名君姑之宜而書不敢投縣自免未晚予）（以明年二月之官云云考荊川集有茅實士妻李孺人合葬墓志銘卽爲鹿門父母作也）

答張甬川尚書論學二書

甬川來書（書前書未）見一云養翁（徐養齋也）价至拜手教精覵兼聞

鄉居甚適且敬繹教旨知精探完養日造高明進將敘世退足範俗感激欣企莫以爲喻有欲無欲之論正周子得傳心之法者在此但欲根絲忽不盡決不能棲心虛寂苟至乎虛寂又何欲根之有王樗菴知其賢忽忽別去薛稽勳卿方山亦素知之冗中未獲詳叩所蘊所論彰善癉惡信今日要務而愧未之能也養翁乞休甚善顧不能不爲天下慨方其起用僕親見人情翕然至爲之歸重銓部使今日稍復還陟豈不足以消貪競勵廉節乃癉彰之大端也哉萬一遂令得請則雖極力於抄末其如大勢何正其本萬事理惟得其樞要而執之而於天下直運之掌也逡谷遠不相聞念菴聞方聚徒講學學術關生民之命毫髮不容少忽要之孔門教人死生有命富貴在天所以自中人而上都立脚得定後世

高談欺人中人無所持循不如勿講念菴高明然事當爲天地立心何可輕也臨書不勝馳情不能盡又云今之講學者至於狎侮天地如秤停羲農以下諸大聖人分兩輕重之類開闢以來未有無忌憚若此者也遂使先農八佾先師六佾節用愛人舉直錯枉等語棄置如糠粃誰則爲之蓋一時強其躁誕以快其恣己欺人之私而不知其爲生民害遂至於此也高明密之勿露陽明語錄有以精金喻堯舜萬鎰孔子九千鎰之語張甬川名邦奇字常甫鄞人學以程朱爲宗與王陽明友善而論每不合躬行力踐跬步必謹事母甚孝弇山堂別集南兵部尚書表張邦奇嘉靖二十二年任荊川答書中有承示欲修飭武備云云則知二公之與書答確在張公任兵書年也荊川集又有和張尚書甬川新修池亭奉母登覽詩張旋致仕以此觀之益知荊川公之潛心程朱見敬於先輩也

答洪芳洲主事芳洲是時權稅杭州書與王湛泉文選書與鄭淡泉文選書與葉東園御史書並見荊川集湛泉與主事周敍咸鉄發翟鑾嚴嵩請屬事帝怒

除名爲民故荊川公與書云有兄之退而西歸也海內端人節士莫不悵悵然失望云云鄭淡泉撰湛泉王公傳云壬寅轉文選郎中癸卯致發憤謁諸城分宜奸幾中危法奪官去余時爲考功郎中代公文選五閱月議官去又徐少翰撰封宜人王母李氏墓誌銘云初王子與海鹽鄭子武進唐子及予三人者友王子長身廣顙昂昂如野鶴而其志行峻介嚴家不可以不義動予三人者恆相推服之其後爲文選郎善善惡惡直行無所顧禍且旦夕作而宜人者就養宦邸諸爲王子謀言度不能奪則攜之曰將若宜人何王子笑曰茲固吾子之所義也未幾王子果被逐布衣徒步奉宜人歸而耕釣河汾之間是時康子已落職歸年鄭子亦貶考淡泉是歲以不許嚴嵩子世蕃爲尚寶司丞貶和州同知周改成茂亦褫職爲民按上虞縣志葉東園經與謝瑜陳紹徐學詩稱上虞四諫癸卯歲以御史出按山東荊川書中有青州滄手云云知與書在是年也是年東園監臨鄉試發策以邊寇侵侮禦應失當對時民困爵賞冗濫爲言鄉試錄上下臺寄讒先是東園以十惡劾嚴嵩嵩銜之因摘錄中語號之君德非至聖作聰明以亂舊章好自用而不能任人等語皆指爲誹毀貼注以聞帝怒手批山東試錄議訕逮案詔廷杖八十斥爲民創重卒明史陳束傳附呂高傳高歷官至山東提學副使鄉試錄文舊多出學使者手巡按御史葉經乞顧之文高心憾寫書京師友人言經亂學最嵩惡經疑置之死及後大計諸御史謂經禍由高乃斥歸又李中麓撰江峯呂提學傳錄文舊多出提學手君之時文精瑩簡當葉御史經乃置而不用顧於二千里外求唐荊川顧之之作而亦不過一半

篇錄成君以一冊寄余且貽之書曰錄中無僕一字不敢冒他人之美其間訛謬處必爲詮部之所參啟是又往年
一余先也余亦不知何所見閩復書料其不但余先光止提問此則旗校早晚必有一行君與趙甬江文擧書中亦
具此意不過前札往來常事耳議介僕嵩孫假葉御史評勑假此報復之擬其辭之似涉議論者以閣上因大悠林
至御史井藩集之有瞰事者祭之獄罪讀各有等差而御史竟死杖下臺中誤以爲君者攢臾之也甲辰外考罷眞披
博處其不安言之家宰許松皋讀如呂某者歷宦行己俱無異議今次考察幸毋及之松皋處日然已而卿報有名
虞彼向松皋扣其由松皋言初發無事而衆御史必欲點之惡其曾害道中人云鼎元考此文題爲無爲而治一節
見荊川傳稿彙評中呂晚村註曰同文錄作葉經蓋荊川代筆也鼎元謂荊川公以無心出之東國以好名得禍分
宜借牆楔復雖無荊川公此文東國發策嚴諸亦足以殺身然荊川公此文更爲有遺憾矣若山甫者肆無殺東國
之心然伯仁由我而死坡甬江句人而以此書示之也又見明賢祐中刊荊川公與江峯一札云本擬再奉教言乃
盡瀆復而適會中冷往赦邑荊歸久病欲諸參侯雙乘夜故舟相望殊耿耿也情致有興更當與兄爲金焦盡日之
談未知此書在東國生前與死後也又江峯稿有寄唐編修詩云三年供奉侍蓬萊漢帝曾驚作賦才鼓鑑不逢盧
世笑焚魚早向碧山司山中日月芝堪採花下圖書戶不閑共借洛陽年獨少幾時宜室詔重來幷錄之於此

與河南李石疊中丞論禦虜書

李石疊名宗樞字子西富平人嘉靖癸未進士授諸

城令擢御史奉詔按宣大陳邊務十事詔用之邊境畢寧出備兵潁州遷河南參議陞遷僉都巡撫其地黎民懷德災疫請賑恤多獲全中州民甚德之以病歸詳見陜西通志考張淨峯岳二十二年春夏間在鄖陽巡撫任有與河南巡撫李石疊書知荊川公之與書亦在是數年中也又楊忠介爵有哭李石疊詩是知石疊病歸旋卒

陸樹聲以庶吉士乞歸會公於京口連舟至丹陽謁宋陳少陽東祠入門見汪黃二像踝膝庭下公指謂平泉曰宰相之不足恃如此拜後出視祠額題宋贈祕閣修撰陸公曰此何加於陳少陽盍亦書太學生使人興感公曰君言固當如後高宗悔過之善何因共訪陳氏子孫而別陸公有詩詠之曰泊舟依水際過客拜荒祠憂國直同杞忠言亦忤時霜烏啼曙寂風葉帶寒淒弔古頻經此因懷感逝悲題云癸卯同唐荊川謁陳少陽祠據張鼐先進舊聞及陸文定公集考都南皋元標撰文定墓公傳云公辛丑會試第一人對策抑置二甲第四選入翰中秘書公爲庶吉士之明年念父志侮公心動疏歸省卿是歲也又王龍溪與陸平泉書云每覺龍池燕坐忽然默對之崇德不忘夢寐間又萬曆卷見送道

中送林平泉內翰詩二首云別久休疑問訊疎只今吾亦自忘吾儕論漸與人爲伴山谷應從我姓懸已分衰材違壹省祗因高士出窮廬數言未遂懷人願極目江天又悵予六年京國達知音一鳳空山歲月侵遲手試看愁後發閒言聽語別來心壹身直比無瑕玉壺益如思久早森坦羨讀垣君入直令人羨筌五雲深處是知平泉常過陽羨與荊川龍谿履巷彙紧之密矣荊川與平泉相知由於謝與槐之介紹見之荊川與與魏論林書

公於討研經術闡明性理之外益留心世務以至槍棍諸訣無不勤而習之

荊川續集示兩弟云此文亦惟續集有之他本荊川集無余卅六七時曾問槍法於河南人楊松是時殊有躍馬據鞍之氣每以未能盡其技爲恨後十年兩弟正之立之復學槍法於河南一老翁亦楊姓也兩弟俱壯年銳志而立之尤買勇直前幾於所謂逢人鬭輕健矣余見之不覺技癢更欲一盡其技以畢向時之志而精神已不在是作而復止者再如高陽酒徒匆匆衰老且病過邯鄲之肆而垂

誕然意氣不復如向之慷慨悲歌擊筑若無人時也爲之一笑且以爲少壯不努力老大徒傷悲者之戒豈獨槍之一藝然哉因書以示兩弟云（此文在後十年作移置于此又考荊川集中有湯教師槍歌示知是贈前湯坤後湯又有峨眉道人拳歌知草堂之內奇人畸士常與才子碩儒交臂並進也）

墓誌銘請朝議既紿將別去曰臣子受上知深矣去胡以報乃又相語（誦念菴後谷）曰不十年北虜南倭必大作不得爲國醫願爲瘍醫鞠躬盡瘁死而後已

行狀公去宫官心未嘗忘天下國家既削籍不仕於是一意沉酣六經百子史氏國朝典故律例之書始居宜興山中繼居陳渡莊僻遠城市杜門掃軌晝夜講究忘寢廢食於其時學射學算學天文律曆學山川地志學兵法戰陣下至兵家小技一一學習四方談學攻文之

士重趼盈屨藝能方技聞風遠來公身與之印證校習必盡所長其或技能稍優於公與公有所心得而未及印證於四方之士者不憚險遠不畏寒暑往返究竟必精必透方外修真道人衲子或有所得延接叩請不異學徒於是公學問浸涵淹貫道大藝備粗細靡遺精神完固始有翻然用世矣公罷宮僚歸芳洲始復交遊公過從甚密故此段見聞尤切中麓撰傳再罷宮僚歸或居宜興或居陳渡莊僻遠市城一意沉酣六經誦讀諸子尤留意國朝典故律例之書旁及天文地理兵戰射法一時技術文學之士踵至於其門卽身與之印證栽習必盡其長乃已蓋其天性甚敏而濟以勤苦是以無堅不破於書無所不讀亦無所不精於藝亦無所不究亦無所不能又中麓補傳自始仕卽奮然有以身殉之志見天下無事士大夫雍容

文墨賦詩弈棋宴飲高會輒不喜常閉門讀武經戰書考究山川陰陽兵馬強弱壬奇禽乙孜孜不倦見者笑其學雜多事卒之南北寇虜交侵搜求武才而唐子始以所長表見矣又云擊劍騎射之法無不各精其妙顧撰傳於書無所不讀讀輒窮其奧至於甲兵錢穀象緯曆算擊劍覕強凡稍習其說者必折節下焉既得其說輒以全力赴之所得卒超初說之上

公子鶴徵撰叔父歡庵號立之墓誌銘云荆川府君素抱憂世之志自錢穀虛實山川險隘兵甲驍鈍人才真偽以至弓矢戈戟陰陽星曆韜鈐禽遁諸業凡持其技至者罔弗禮持其書至者罔弗售翁即歡庵亦一一爲之剖心荆川府君未及延納者輒令翁館轂一日有以長槍至者自謂無敵翁疾其誇挺槍而起其人不及措手應

槍而倒自是罔敢以虛聲謁者此事在廿六年故載是年也

錢牧齋云見列朝詩人小傳應德於學無所不窺大則天文樂律地理兵法小則弧矢勾股壬奇禽乙刺槍拳棍莫不精心叩擊究極原委以資其經濟有用之學

戚元敬繼光紀效新書巡撫荊川唐公於西興江樓自持槍教余繼光請曰每見他人用槍圈串大可五尺兵主獨圈一尺者何也荊翁曰人身側影只有七八寸槍圈但拿開他槍一尺即不及我身膊可矣圈拏既大彼槍開遠亦與我無益而我之力盡此說極得其精余又問曰如此一圈其工何如荊翁曰工夫十年矣一藝之精其難如此鼎元謹按公又有月夜登譙樓教俞虛江大猷槍法事又在京師與人論槍法曰一執須其中出毋過長庶可四面掩護乘人而不為人所乘因過酒家借槍起舞出毋過長正與教元敬圈串一尺之說同此二說忘出何書一時翻搜不獲識之備考據上數係荊川槍法受授之際可略得其梗概因又知容之以

(搶顏數菴者數菴挺搶而起卽應搶而倒正坐圖串過大不及掩護之故也太倉陸桴亭云昔唐荆川與俞將軍天啟論搶風月樓所言圖搶特小小手法耳遂以爲學之三年洵英雄欺人耳見桴亭撰石發機傳鼎元曰桴亭但知荆川語虛江三年之說而不知語南塘有十年之說然南塘虛江豈易欺者南塘虛江信之而桴亭獨疑之桴亭肄自頭能搶法然領其僂於南塘虛江人亦不信也)

劉嵩陽寄荆川書云京師自得灣中手札無便通訊王翰林懋中還乃具動止知居宜興山中就幽寂僻人事庶得澄養神駿也閒居山中雅好弓矢盡悟開闔之巧挽強達疎乍聞不信後言者交至知兄聰靈靜蓄有術氣充力倍加於昔鄙意不覺歎踴矣

況青霞寄荆川書云憶疇昔辱游於陽羨之墅(在戊戌己亥青霞令溧陽時)省記微旨教以挽弓當其時不識也別後幾二十年未由一晤而世路坎壈不出公之所議論緬想英槪時時於夢中見之顧僕出關來目覩世變大有傷心

者恨不能會幷於數千里之外與兄握手傾此緒談也頃燕峯使者之便敬修手狀奉訊外鄙作一帙幸賜覽削之青霞此書在十年後謫戍關外時所寄連類錄之於此青霞在關外結草爲李林甫秦檜嚴嵩像而射之故憶荊川教以挽弓之訣

趙大洲答胡廬山直督學書云聞公昔學射於唐荊川矣然自今觀之巧其可學乎然荊川之講射法皆巧也當其初巧不在我而在荊川之語故曰不可學至其久而力充矣力充則巧至矣然後荊川之巧始在我雖謂荊川教我巧亦可矣胡廬山從荊川公學射蓋在嘉靖三十三年連類置之於此

皇甫司勳汸觀唐太史吳門射歌君從弱冠起明經文藻爭先拔漢庭蘭臺給劄因成草石室紬書屢殺青此日公車承寵渥詎言金馬棲方朔昨來上疏批龍鱗不獨談經折人角飜疑君厭承明廬詔令歸就家山居誠

盡瘦圍憐沈約病多消渴類相如隱姓潛行吳市東却求劍術想英風擊筑夜宿專諸館袖錐朝過闔閭宮清秋獵騎平原上白日張侯雙圖中左肘能教置杯水右手引弓輕發矢風前報道百葉穿雲際驚看兩鵰死是時觀者愕相嚮我亦心雄氣增壯灞亭醉尉苦相嗔漁陽老將嗟推讓聖主同時最好文諸賢幸厠從官羣那知好惡多更易况兼蹤跡有離分公孫客館丘墟甚鄭莊推轂遂無聞但云海外求方士更傳天上出將軍勿向長門奏辭賦請從遐塞勒功勳是詩叙在壬寅歲作

萬履菴戲詠荊師射詩山西俠客射鵰手猶嘆吾師用術工持處虎蹲還據石發時鷹擊又乘風印空絕影虛聞響落地無塵已沒鋒豈是屠龍無所售幻來餘技亦神龍

履菴再詠荊師射詩二首自詫健兒攘袂至幾人袖手
互驚猜力數猛士堪九把臂似通猿擘兩開難在張機
翻一定意存不射轉多才文章武事皆無用閒盡衡門
長綠落　世上何方不亂真紛紛箭手盡傳名空驚違
勢從天落誰識師傳似水平覆肘豈令杯水動攀弦却
怕樹猿驚門生似我安知術也向場中妄品評

綜上數條觀之公之學射爲最早在戊戌以前年未三十也至槍棍則至近二歲始專習之而射法槍法爲
最工槍師爲楊松而公又以之傳南塘虛江射師向人不可知矣又按世人多以文章相推尊而公書日所自
喜者則爲射法槍法兵法不在文章故以射法教沈責霞胡盧山以槍法教俞虛江戚南塘在京師酒家與人
論槍法則借槍起舞在吳門則對衆彎弓發矢皇甫子循爲之作歌朝廷初命公爲視軍情官職等巡按御史
無單旅之任而公卽自出馬殺賊病起之維揚巡撫任與翁見海中丞書云但兩足之腫如故來歲遂妨羅馬
先登耳卒之前登焦山歎日吾第一梟將使吾病不克展其能奈何乜此可謂公之志趣矣

皇甫子循寄公詩詩云避世曾看躍石渠幽情終自返廬門前愛樹因蔬仰郭外疏泉學養魚

談笑每從林叟語浮沉翻視野人居 年來尺素長相憶莫作嵇康不寄書 [illegible]詩

是歲周怡諫諍疏諫獲罪杖闕下錮錦衣衛獄與楊爵斛山劉

魁晴川同繫久不釋三人屢瀕死講誦不輟

二十三年甲辰三十八歲

家居

五月歸無錫王氏妹卒編修王懋中立道妻公爲誌墓文

見荆川集

有懷公在永州告病乞歸時年六十二

節羅念庵撰有懷公墓誌銘公知州日當官務勤職事

職事所得爲執之甚堅或不聽卽以去就決之未明視

事漏下一二鼓不爲倦在信陽時按察分司遍城分巡惡

城樓不利郎舍議徙之時蝗旱甚仰天竊嘆不應分巡

問故答曰方視飛蝗耳分巡雖含恚然議竟寢給獄務

平允常恐致枉濫日夕曲求其可生或得說必爭之上官居二一人退而色喜不爾終日悒悒若有所失一貴官誣七人爲盜且挾勢構語相軋公不爲動而分巡訾出真盜公抱獄詞力諍之不專爲慈也有貨郎商歸而婦與所私殺之以久旅紿其族人公卒發其覆置罪人於法在永州以恩信撫猺猺喁喁受約束俗苦強贅婦新孀則遊民更相媒證納胥無問聽否既婚則奴其子貨其産而他之公痛芟鋤室有嫠婦壬寅秋瘴癘大作若絳雲觸者輒死死且數萬人公行禱散劑歸櫬瘞胔備極勞勩左右以諫曰吾恨不能身代而敢自愛乎是時麻衣滿城道遇公多脫巾走有遙望見揮手止之作莫脫巾謠誦者莫不掩泣屬員知州某有母年八十度不得見子而死剪髮一縷寄之居州如故公聞之怒請

於上官黜之上官曰罪惟一髮公曰一髮之罪甚於丘山卒黜之邵故有唐刺史祠於是爲語曰前唐後唐一日遽乞休上下交留之不爲止年十三喪父始舉鄉試復喪母常以不逮養爲恨取詩有懷二人之意以自傷云

王道思謝有懷公贈九疑茶詩二首永州太守清於水囊攜芳茗擔還輕却分囊茗遍閩嶺重擬千鈞未此情多病却無口腹營獨耽泉茗類頑僧走向北山汲綵澗松月窗前自煬鐺見遵巖集以此二詩考之知有懷公永州謝任取道閩浙歸也

早秋趙浚谷寄五古詩見懷並懷念菴詩云會少寄書多古人風所嘆願茲長別離尺書亦難見皇風正倩夷同仁異離亂胡爲阻天涯而不一對面江山幾萬重烟波眇宇懸長風天外來一夜青林淒衆蟲滄喧雜草鶏叫倩旦嗟余但家居終焉寡儔伴起登南山顧五陵空秋煙同看青海底鯨波殊未已昔賢安在哉悵望青陵臺赤鳥方西逝關月正東來不竟霜露重萬籟吹新哀昔者同攜手此

日難復有人定長樂鐘夜涼西苑御柳色年年新恩君成白首本自來鄉邑安能竟相守朔攜未能息陲地龍蛇走悠悠塵世間倏忽成老醜無作蟻飛蓬相將期不朽（見浚谷集）

公寄劉南坦書

南坦名麟字元瑞本安仁人先世以武功襲南京廣洋衛副千戶遂家焉弘治丙辰進士歷官工部尚書嘉靖八年致仕好爲山水之遊流寓長興之南坦自號坦上翁與孫山人一元龍參事霓及吳中名士吳珫施侃等結詩酒社號苕溪五隱年八十餘被褐坐小舟赴峴山會人不知其爲鉅公也顧華玉贈詩云琴鶴居何定尊鹽味獨偏王履吉寄詩云驚鶴諸真賞瑤華贈達人孫太初詩云閉門句好香殘後擣藥聲高月上初其風可想也又史稱守爲築一臺令爲構堂始有息遊之所家居三十餘年廷臣頻論薦晚好樓居力不能構懸籃輿於梁曲臥其中名曰神樓文徵明繪圖遺之李獻作坦上翁傳翁欲爲樓居不能文徵明作層樓圖以贈翁懸之北壁朝夕視之號曰神樓與史說稍異是時長興又有苕谿顧惟賢先生精曆學與坦上翁均異人也荊川書中常有顧從請益之語宜長之間一水可通苕霅之上鼓知常有荊川公屐踪矣坦上翁寄神樓趉孔壁荊川公擬戶屏爲寢榻坦上翁被褐坐小舟赴峴山會荊川公亦長年一青布直裰來往一小舟僅容二人坦上翁力不能爲幾不爲荊川公力能爲而不爲而清節則同荊溪苕霅之上其風高矣荊川公寄南坦書有年近四十語肆不能指其在是年然知其在此數年中也苕溪太平寰宇記云在長興縣南五十步顧野王輿地記云夾溪悉生蕭苕故名會

書顧惟賢取以自號

程松溪擢南京國子祭酒公與書以轉移士習爲言（見荆川集）

書首有蘇州之變兄之至痛既而聞令孫生於遭水厄云云考文恭公遺稿有閻門弔亡兄（行二）章亥文以墮水死文云

中有云或保汝遠腹郎長大顯揚以不愧光裕之名光裕後即爲其大父刊文恭遺稿者

是歲夏大旱由蜀漢抵豫章北逾江淮吳越蓋數千里吳越尤甚民大飢而徐沛以北歲頻登茅坤在丹徒議請開閉糴禁議請蠲請折漕上之巡撫丁一夔是其議而疏行之得蠲者四十萬石折者倍是江南並受其利茅爲振政於其邑尤備云

（節錄姜廷善丹徒縣荒政記）（上節）茅公又以丹徒之民枕江山而田者殆相半山田旱而赤地矣猶幸潮於江者因潮以濟歲也而稍稍收於是爲通融酌處之法以請而得潮者與其不盡請而折者皆歸山田而山田之民得無稅又於里甲均徭夫差三者皆撥弘力薄征按事請於院司府縣免其半以歸於山田而山田之民得無辦里甲均徭卸夫差亦不以及也由是江田不加賦而山田之民因寬稅役也人得以謀生而自食其力公

又以此但施及有田者爾若其無田者與有面田少藥下下戶者未遍也於是乃議蠲先是公以餘歸閒歲願
登而諸開閉糶禁也括庫金共五千餘元充官糶之本而民有厚於貨者悉令自往糴官不禁亦若不與也但
令猥置所糶於各鄉以待行事既而又虞里胥者藉饑戶往往致也則悉召鄉長鄉賦者予以實散之胥令檢下
下戶以閭縣示檢有漏閭責令代之給貸方以代嗇籌病己故悉檢以閭而不知公以此發錢戶也凡錢戶之
聽於官者既得矣公又以故無藉於官而流且備於山谷閭里閭者未遍也於是又議爲沿鄉審故之法以卑
騎遍行縣每至一鄉則故嘗藉於官與未及藉而來告者並聽核核而信乃皆齎食而予之印符令饑者執符
以受粟而主賑者按戶收符爲券前此厚貸者之家其所貯私糴但令錢下戶轉相糴或貸以取償而已公盡
以此爲佐賑之一兼亦未嘗奪其有以盡予饑下戶也計通邑受賑者萬八千戶賑而得全活者數萬人蓋前
此饑下戶以聽審而收支城市中其爲發日資與聚而爲疫癘之惠既因公以免而甲胥者又無據得售其奸
敷貧者隸惠而厚貸者之家亦不至失其利又如山田被施而江田亦未嘗有加賦也皆亦他令長凡救荒者
之所無也於乎公可謂有造於丹徒矣故公去丹徒已二十有六年而士民思之如一日凡求屬予爲記者玉
山聶公等數十人其言亦如出一口也於乎難矣難矣予嘗謂救荒猶醫病然醫者意也意有所獨到斯神有
所獨通盧扁視病人能盡見五臟癥結人謂盧扁非人能通神如此不知其非能通神如此也意到故也公

於丹徒荒歉豈亦所謂意獨到能通神者歟不然事至難處亦難濟何其善處而能舉濟如此也史遷不云人之所病病疾多醫之所病病道少今年大水爲災正疾多而病道少之時丹徒士民者安得不思公予亦安得不爲公記其事歟雖然予爲公記其事乃爲盧扁者傳寫其方書也而水災與旱災異江田漂沒與山田赤地同又在後之長民者按方書而善用其意民病庶有瘳於公通神之治庶亦得其心傳矣（是記有裨荒政故附錄之以供留心經世者之考究）

是時知鎮江府者爲莆田林華字廷彬號巽峯守道愛民嘗召諸生質疑問難瀕江有洲田民間至持刃鬭殺林公請於大吏立爲公莊收其租抵府縣坊廂之費公爲撰洲田碑記並撰巽峯缺字一義序並見荊川集林與茅不相能而並善於公公深疑於兩賢之不相厄懇懇以下交之說勸之巽峯而復以上交之說爲鹿門告參考鎮江府志及荊川秦發民不利巽峯爲政造謗言聞上部逮問士民送者頃刻萬人至京驗問無實釋之歸壽終訃聞京口兵民縞衣爲位哭奠之

作贈熊南沙郡倅入賀詩（見荊川集熊南沙題郡倅陣行卷云嘉靖甲辰乙巳間予左官）（毘陵又為無錫華從龍鄭中七十壽序云予嘗左官為其郡上佐又答王遵巖書云甲辰歲攝令教趁毘陵又）（為張陽峯文集序云嘉靖甲辰我過以圻內吏謫賀閱下蓋南沙自辛丑謫滇癸卯來佐吾郡常州府志乾隆）（武陽合志職官志均失載）

與薛方山書

書云為別甚久（蓋指前年元宵節後之晤）可勝耿耿時迫歲暮百感俱集自惟年垂四十已蹈無聞之戒世間事既幸不復關涉一箇身子又自不能了終日碌碌竟是何事回頭一看不覺噱笑以此來歲更欲作一閉關之計生徒盡已謝遣交游亦且息絕非敢望於坐進此道亦庶幾作天地間一閒人不落鬧攘套中儘有受用矣康節云豈為此身甘老朽尚無閒地可盤桓每誦此語悵然太息文詞技能種種與心為鬭亦從生徒交遊之例盡謝遣

之盡息絕之不然猶是鬧攘套子也山林之士終是入山深入林密乃是安穩地面而日侍老父必須居城中如前所說欲效古人隱身廛市陸沈於俗者不識能乎否耳吾兄方爲時樹策勳名勉旃山人雖不與人間事亦當傾耳以聽下風也

答馮午山提學書 見荆川集午山名天馭湖廣蘄州人嘉靖乙未進士提學江南年月參考王心齋遺集

吳峻伯由京師寄詩問候 是時峻伯由江陰令徵入爲刑部郎詩云荆溪溪上有精廬南國儒生半侍居當日澄江曾枉棹一年京洛已無書靜中樂意羲皇上吟處春風草木餘愧立門牆頻歲月終然頑劣一無如

林介山與公書 書云不面顏久宗仰爲勞昨暮抵毘陵驛次詰旦盥沐方敢詣謁門下滿期盡吐二三年積抱求就有道而正之適閽人以執事尚留宜興爲辭悵然自失比驛騎東歸尊价持一緘謀設歛舟不敢答至去僕徐啓視之實

執事違從吳峻伯手札也令人慚悚無任昔者周公躬吐握以待進見之士故舊無大故則不之棄原壤母死
而歌以夷俗自夷得罪於名教甚重孔子未嘗絕之且云故者毋失其爲故僕先峻伯十許年奉教於執事亦
嘗辱執事之譽相知不爲不久僕固很陋鮮聞達可貴然自束髮以至今日亦未嘗有不可掩之惡聞於人不
知執事何從而違棄之也且以仁人萬物一體之誼觀之卽僕雖有不可掩之惡亦猶執事四肢之有疽癰瘡
瘍也宜藥之決之熱而灼之必盡而後快於心苟置之不恤任其橫潰崩裂侵淫於腹背腰脊之間執事將不
爲狠疾人哉雖然孟子有云不屑之教是亦教誨之而已矣審若是則執事固將以激僕也僕敢不猛省以求
無負執事曲成之德哉又適聞之徐養翁云執事遇拂意事輒怒不可同性偏厭人造諸呂沃洲素稱執事莫逮方
絕察時曾三次往候執事輒辭以疾因托尊會入臥內強執事至再終不肯一出審若是以惡執事臨[illegible]成[illegible]面
形迹近於驕且吝矣夫以伯夷之聖之清周公之才之美不可以被臨與驕吝之名故孟子謂之君子不由孔
子謂之餘不足觀而況執事固方願學孔孟者也可不察去之耶夫執事譬猶美玉貴於瑕類瑩盡設使衆人
以爲白矣使雖朱璧神往目而視之猶有纖毫之不瑩爲豈不爲連城至寶之累哉僕有他山之石吾之囊中
錯落如寶今敢價圓而獻之執事惟執事勿以粗頑斥之幸甚幸甚按介山名應獻字必仁伯居人嘉靖乙未
進士曾游王陽明之門授吳江知縣陞禮部[illegible]慾以忤御史苟偷安謫以微變世宗實怒[illegible]且不錮匿

捷歐陽鐸抗疏論救復移書科院諸以頭血明其無罪後得白吳峻伯以去歲由江陵令歷部郎則介山之遇訪荊川公當亦在去歲也

萬履菴與公書

書云天下進言之難也惟不諫其心之無他明匪面中止故人之相與可以盡言無隱者莫若師弟之間然先生每苦某之難悟而某亦不敢輕進一言何也某之難悟則以鈍性而心詰包藏愈緩之意多而磨勵真切之志少是以每到病痛便覺難醫此某之不能承受真也若某之不敢進言者則有二說先生每事皆求定見其見一定信之甚堅而持之甚固即有學識與先生等者必不能回其既定之見（此公晚年出山雖謗議滿前而不回歎鼎元註）而況萬分不逮者欲置喙於其間豈非跨海涉河而使蚤負山乎先生聰明蓋過一世凡有言於左右者不待其辭之畢而已洞見其所言之情皆不出其料度之內是以視之也甚易動之也甚難夫信之堅而持之固則人必不樂告以善雖無拒人之心而不免有拒人之應視之易而勤之難則於庸言近論無一慨意而取快於非膚言非近論之間由是好為新奇以上下其辭辭託為術以文飾其膚淺者時時中其巧面使得售其好此二說者某竊妄意其如此不知其然耶否耶倘先生不以為然則和雖淺近無知得以盡言面無隱可乎先生身所證當直欲為宇宙間創開一路竅從來相傳法眼心源以鍛鍊而通徹天樞以無欲面唱

著豈某之所可窺則某之所發言者非敢微之於精微之際而直求之於形跡之粗耳所謂求之於形跡之粗者亦有二說好尙之少偏惠發之發當也先生於同氣相求眞甚焉懇切故其意懇之懇難而據其形跡之際爲是以窺何者常偏差而忠信者常見疑某雖疑說然常謂先生之意可以擇而取也其人之未見也而猶爲恭敬則不問其可否而皆得其親厚其既見也察其指意而處爲好語則不問其言之眞偽而皆許其由衷條而察之面非親厚也非由衷也乃推而違之然而向之容而受之者吾心已爲之作喜矣其待忠信之士一本之發差誠由於雖謨而救其中心一發之誠據本由於無心而疑其叛去徐而察之而非中心也非叛去由文容而受之然而向之推而違之者吾心已爲之作怒矣其乍喜也不但行於斷隔不正之徒而誠及於昔難有緣之士其作怒也雖不施於先朋發落之章而時及於中才以下之人是以人之交於先生者若實若不有害其容而受之也其熱如火及其推而違之也其冷如冰故某常疑先生之用人未必嘗心服之實而實者之用於先生也亦不能無不盡之憾此豈非由於好尙之少偏有以致之歟君子之行兼視世之用舍而其憂世之心則不以用舍有異但當天地閉賢人隱之時可以有憂世之心而不可以露激否之跡徒露其跡而無救於亂則東漢李杜諸人所爲也某謂先生凡接士夫藹口不論人長短可謂無臧否之跡矣但扣門求見者均之以是心至者也而先生乃或見或不見至於一日之內而有見有不見在先生固自有意非以見者必實於不

見者也而人之欲一識之而不可得者遽以爲列於不肯之目雖面斥之而衆辱之無以勝其怨也怨以不爲怨於先
生何足損益但於眞世之道或者任情而不任理以覺未安耳見懸人以遯咎與夫歟足以容君子委曲以處
亂世者如是先生嗇舒存己之理壽之素執而明哲保身處卽號爲智者不能如其愼寄然某不免於前所言
者以其避之於幾微形跡之間而不曾求之於一徃以實作用之際也某自渡江來有人以先生行事言者一以爲
遷官府事辭一以爲有寄官求見值先生敘客吏人已趙報而先生乃謝遣之及吏人再至座客猶在也其前
之所云甚俚鄙無稽可笑而乃出於故交項厭東之口豈非不肯有司因先生遐之太甚疑先生言其短而造
爲之乎其後所云則往來於門下者所建雖某亦以爲此先生之常也是豈非否臧太露而人情大有所不堪
者歟此和所以爲應接之遇者也井蛙翁鷄何足爲見某之罪其又何可逃贖接履藉此書當亦在此數年中
作槃硎明文每亦收藏之牘此二書可以知公衰年猶介之操晚歲之出乃進於遺矣王季齋所謂向使先生
猶介之節未敢則必不出也然公之不見呂氏謂猶有說也以其方爲本遺趣按也不見林介山何說乎吾知
此中必別有故蓋閽人以公君常拒世俗之客之辭拒介山固未入報而公固未知介山之至也閽人之徽情
荒謬豈古而然不然招崚伯之東又何以送至介山之舟也惜乎不得公復介山書一讀之詩曰他山之石可
以攻玉公晚年德量沖和純粹介山屢卷困有功矣丙午歲呂沃淵與於會蓋獨訪不見而爲朋譽之盡歟

是歲張甬川卒年六十一謚曰文定

二十四年乙巳三十九歲

侍有懷公家居

二月翁萬達由陝西巡撫都御史改總督宣大山西保定軍務遺公書公答書縱論邊塞事勗以用人才募士著諸端又製塞下曲十八首贈之並索宣大與三關地圖（實書）

及塞下曲並見荊川集（國史惟疑）翁萬達親撫小卒手與論心幕客常數十人至貂拜參謁之母士因感奮身周尚文傳閫亦頗翁萬取有法滿水兼之役候養之復趣援之恩威具得（唐荊川詩得一降胡之婦愛子屬三降將立奇功（見塞下曲）極力寫出

附翁東厓來書云海內交游貽我書札多相標題及起居溫寒之問即不敢厭斁然於心無當也乃今何幸得聞君子之教灑練胸臆從之無由時事雲輪未可方止臥龍躍馬孰是孰非不爲綰胸不戀死鼠僕固有平生

也安能易心肝麻面目自貽世人觀嘆耶曩昔與三三
君子抵掌談邊若將頭繫氈裘君長縣之藁街以摧薄
其雄憤乃不意果真使之鑿凶門制閫外如昔人之沐
冠者深懼不免損辱聽聞待罪半年敢忘慷慨理繩有
漸易轍斯行羣志未同百謀未備遲以年月或尚可爲
然所以扼腕拊胸不能擴慮而直遂者足下其亦去之
耶大官門下函刺喧闐榮辱去留視貨輕重趨變宛轉
遂成風流僕死不能也有偉朋儔每相勗勸致曲旁行
而孰能以進退之說教不肖耶法曰將能而君不馭者
勝今僕非能將而又從中馭駑馬繫蹄欲使之走踣且
死矣受命之初曾以此意上書陛下果欲其仔肩圖難
樹建戎績自當不策近功不適小譽今之廊廟何嘗不
知雖此朔方亦多智勇僕來玆土注意頁勤昔人有言

用者未必賢而賢者未必用行者未必當而當者未必行僕以爲賢且用矣當且行矣而未必其能專且久此邊事之所以日非而達人之所以興嗟也陜西三邊近地多砂磧乏水草若宣大偏保四鎮則水草可依彌延千里虜騎大舉可長驅而入者非止數路近日擺邊乃自困之道非長策也簡百一之士練技擊之兵即不必似漢武之窮追但當如周宣之薄伐狂虜縱有大志度無能爲往過平凉會浚谷相與極言邊事大較有必勝之旅則可攻也有必攻之謀則可守也若我不自定而欲以制人安可得邪九邊圖頗多俱不甚較一宣大三關舊圖尤多舛亂不足據別具一幅乃僕近所更定者僅能脱稿欲旁爲之說而困勤未遑薊峽圖曾寄浙江一山人胡姓者乃竟未徹呈邪南國材士譊弱不潑耐

誠如來教向循故牒率爾有行旋已知其不可俟畢防秋當議停止邊機幕議言人人殊僕有窮思未能條刺嗣當質之有道者在關中時偶見足下爲仇將軍賦南征甚愛之珍重抄錄畀之蒼頭以時吟誦足下視僕何如仇將軍乃獨靳之耶相見無由言念向往

又書云佳什遙寄誦之鏗然當一字一拜也自入朔方曾兩附札一爲丁滄源使者一爲浙士云素善門下偶忘其姓名矣閫外之事尚可致力但盜跖登壇謀士扼腕時賤體近愈齷齪委曲寡術如區區不肖終能不貌落者耶臥龍躍馬孰是孰非遠慕高蹤喟焉長嘆聞執事間與念菴真菴輩扁舟往還根極道源較勘時政進脩得益日就高明塵中之人可媿死矣然又聞諸公卿大夫慕執事殷勤欲一接顏色者往往不得見豈省事

避嫌其道固宜爾耶匆匆附候侍教無緣念言惆悵（三）

趙浚谷自家寄春初見懷詩詩云白璧初分逕上冰黃金欲動逕川柳階草萋萋摘宿莽蒼烏思我友陽羨珠茗誰共烹況余獨飲秦京酒六載一凡[illegible]七字詩百年幾得頻開口人生此會不同時雲聚散復何有有信風前寄將無使天涯各回首（見浚谷集）考浚谷方治第于鄉氏之山是歲夏築觀音臺居之

邱止山北遊燕京過郡訪公於陳渡莊不遇汎舟遊塘相值因爲詩贈公曰逹度山橋野興遲輞川何處問王維繁花翠合迷深徑細柳青垂護短籬棲雀門前初近午聽鶯林外亦多時漫從笑語晴川上一艇春風泛碧漪（邱止山集）名雲霄字陵漢崇安人官柳城知縣有南行東遊北觀山中等集四庫全書著錄

薛應旂爲南京考功郎中二十三年陞稽勳郎中年調考功郎中考察南官部郎王畿白悅及本州守符驗並置察典被黜士論疑駭考考察期在三四月間符驗字大克號松巖貴溪人進士清操峻節嫉惡好善以御史出守常州不權家持二敝簏隨一童奴供作爛食而已稀御肉常供蔬人呼符青菜鋤蔬不避權要有竄匿類必得苟牽法而至亦不深

苛志在巽革凡都野建迺殺易圖之以使均丈值賦大旱壇日駱阡陌間每出以僅成米數升染數束不勞民使健

嘗遣府婿見村船儲奴有臟肉舉餐者怒答之尤喜尊禮儒碩與徐問唐順之錄問以書規以寬大不能改時郡人

薛應旂官南考功主察為蔡人所劾驗竟坐不及調役知險賢悔且借為據邑志名官傳及貴鄉邑志公有答待部

守書論都野地圖事見荊川集

王遵巖與白洛原書云士友傳聞皆云薛仲常不肯相容僕於此君極為相知然厭其志而未深許其器今稱

此亦議未廣之弊又呂氏洲與頃甌東論役中試行不捷言益聖門狂者考功氏以不謹去之天下所共寬也

見甌東錄

皇甫子循適洲積自序云已巳為南省司勳氏時書考吏太宰張公潤卷無能為專任耶官閑論賢不肯藏其

所家嫉而留其易與以快己私余起而力爭之言官論附詆以侵職請為州倅于是有溫州之役（鼎元按此聊

指方山羣察事也第未免言之太過）

鼎元嘗讀劉念臺奏疏云顧憲成之學朱子也善善而惡惡其弊也必為申韓之慘刻而不情涇陽學於方山

方山為朱子之學者也王龍谿言行肆有不相掩處然其壺禮師門不屈己以求官僚至拚夏貴谿光明俊偉

吾道中人也且方山嘗與學於歐陽南野則與龍谿不為無雅故白洛原之賢待育栞之倩在已邑里中方山

齋不之知洛原又爲趨叢荊川諸公所交贊方山並以之置察與而竊之是顯有立異之意矣朱子與唐仲友

互許本失怒道且亦失諸使朱子官考功陳龍川遂亦在被竊之列是以荊川公雖亦學本考亭而以陽明之

學濟之蓋考亭之學體峻而用宏宜於律己立師教陽明神矣通其學將與相無之而不可者也雖然方山少

年則然至其晚年議論舉然當於人心矣

世又有以方山之爲龍溪爲受夏貴溪之爲誠其貪怙權勢者李卓吾續藏書周海門聖學心傳並言荊川貽

方山書以不知人間當脉國不者事分貴宜之也此是迴歲夢我之帝甚覺也分考宜是

貪恣始復召貴溪十二月至京再命入閣去考察時已十載矣而分宜則以惡給事中王華爲尚寶司丞諸徐

貽書方山爲之方山反爲傑分宜大怒嫉御史桂榮劾方山挾私爲郡守謫建昌通判方山不受執手炎炎時

相之爲獨柴取爲顏乃受冷落家居故相之爲乎爾時貴溪又安能爲人乎荊川又安有以惡諸侵方山乎李

卓吾爲龍溪之學者周海門羅近溪弟子亦龍溪弟子也其意欲借荊川以重龍溪不知龍溪後過方山拜之

大君子之德量豈易測哉自是龍溪以講學終其身後歐陽南野居禮部荊川公據維揚俱欲特疏引用龍溪

閣而止之常訪荊川於宜興山中溧陽史恭甫際爲結樓玉嶂之右題曰龍溪遊寓（在闕後玉女嶂）恭甫又爲

湛元明築甘泉精舍於張公洞畔知甘泉子亦時來講學也與荊川公所居桃谿（今名張渚）相距三十餘里

邑人偈猾菴（名偹業）薛方山率南察辨（見顏古齋文集）相傳薛方山為南考功察貞山陰王龍溪而廣荊川斥其不復知人間有羞恥事龍溪為陽明門人時良知之說盛行而荊川又兄事龍溪故其說如此世之論者多其詞說謂龍溪為夏貴溪所惡方山迎合貴溪所以顛倒察典獨挑江黃黎洲不然其作明儒學案于方山傳則曰龍溪言行不相掩于龍溪傳則曰方山與先生學術不同欲借以正學術遂填察典此又一說也而涇陽年譜載山陰祁承爍答涇陽一書則又絕無此事涇陽辨方山掌察與龍溪罷官年月不同因致書于祁承爍此承爍所以答書也考涇陽少時曾受業於方山而此語又得之方山文孫元臺涇陽與元臺皆賢者抉非阿好之詞且事有歲月可考則真偽立見後人更無從置喙而黎洲猶以此事為真者涇陽年譜頗晚出想亦未曾寓目也夫方山不畏強禦于分宜向不肯阿附况夏貴溪乎逢迎云云此固不足當識者一笑也

鼎元之前為方山辨也未見猾菴之辨也猾菴謂方山黜龍溪并其事而無之據顧涇陽辨方山掌察與龍溪罷官年月不同遂斷為絕無此事而以黎洲為未見涇陽年譜不知方山黜龍溪方山自著薛子庸語明明言之不啻一言之且再三言之有曰役中為南兵部武選大不為公論所容薛子為考功黜之有日薛子視學留與謂陽明書浣後中揖而前曰矣曰承教吾知過矣過也如日月之食復其見天地之心乎薛子莞爾而笑曰果若子言則吾為晏嬰不知仲尼如其不然則子為少正卯吾為仲尼矣龍溪亦自言之矣龍溪為臧南支行

狀曰方余之再告論例無復用世之想當事者承季鳳旨指爲明嗣首及之人復置疆衛獨怪逕歸支讀嘗未

見此書何也支書之爲此說者叙亦有敘龍溪遺先重刊本）本傳云會三殿癸部求直言六科疏薦王集（講學

有濁源宜列清班備顧問補養聖德閣臣纂旨誠爲學而貶薦首吏科給事咸賢官龍溪時爲南武疆耶中

再疏乞休銓司報與告歸論年以大察去而龍溪爲武南支行狀亦云以薦己故請山東布政司都事尋致仕

去予亦遂以病陳乞去位是知龍溪去官信在方山考察之前矣然以告病去也告滿仍可同職也（明時病告

可至三年告滿不同則除名其說見朗亶山爲羅念菴行狀）而其除名永則仍以方山置之察典故也此

涇陽以龍溪罷官與方山孝察年月不同爲溪言宜門置之不理也余謂士君子立身具有本末龍溪必不因

方山之龍而後其貶其賢龍溪之言不相掩亦如古之狂者之云爾小德出入亦即如荊川所規諸偭寺之

顏書見荊川集）必不至如後世所誣之甚不然荊何（如人而兄事之周許溪何如人而歸事之甚余惠方

山之龍溪或卽聞龍溪歸後有伽寺耳而其不能容人小過卽吾前所云朱子之惡陳同甫也方山且盡

論符松溪白洛原以安龍本州守讀判建昌不能詞亦絕無其事也慈之謂方山逢迎貴溪須爲之辨其論松

溪龍溪君子曰月之遇原不必爲之辨也續叢書又云荊川自云文章得之遂寧同得之龍溪余考之公子

曾撰陳傍汗表述荊川語云吾邑楊藝樓薛仲常文章德王道思學同德王役中德者朋友切磋之德也得

之云者有如弟子之受之于師矣而又劊去方山不書是心有好惡故爲抑揚增損秉筆者之病也（更有詳辨見下萬曆十一年）

附方山春雨寄唐荆川詩秦淮客舍春逾碧芳草庭中細雨飛久坐轉思人愈遠獨尋翻苦影相依閒門自是行人少上士還須知者稀童冠交遊俱老大幾番歡聚幾番違又寄唐荆川詩村莊流水漸成渠藉草牽蘿自結廬盡說幽人時引鹿誰知學士屢焚魚獨行豈願稱遺逸高臥聊將適起居猶恨治安曾獻策西京傳誦賈生書又署齋夜坐寄唐應德詩秦淮霜月白落葉夜堂深聊寄城闉跡依然松檜心頻年愁病肺終歲憶知音更惜寬閒景光風祗自吟考以上諸詩均方山官南都時所寄方山詩於荆川後往見毀荆川何得有激爲事惟方山與龍溪洛原松溪等荆川公胸中不無介介以後與方山形跡却疏疑方山祭文與答丘謙弘書可知祭文與書均見後

七月歸同郡吳氏姑卒有懷公命公誌其墓見荊川集

冬十月俺答入寇掠蔚州犯浮屠峪直抵完縣列營四十里京師戒嚴

撰唐郎中嘿菴墓誌銘見荊川集

唐郎中名侃丹徒人卒官無以爲殮茅公鹿門在邑令任解囊金爲之殮而歸又爲之市腴田八十畝以食其家祀之於學宮令其孫得隸之衣巾以奉祠事請公爲之銘墓書云曰者痛故郎中唐公孝廉至衰白不改今且歿矣非得海內大賢厚望之士題其墓而令士大夫共傳之則唐君之誼當與露草同委矣死者泯泯則生者跐跐士大夫之出而仕孰不甘心於富貴紈綺池臺歌舞之侈其身及其子孫而亦何羨於彼之死不屬棺棺不及其葬爲也某忝縣吏之後則采其誼而聞之海

內大賢厚望之士固某之責矣故敢因王生之抱經南來而具書以請先生云云得無重於采僕之鄙陋而輕於卹唐氏之行誼矣乎且唐君無過人才智獨其當父繫獄者三年卒爲之號痛而土寢蚊處於其外歿之日亦如之自起家至刑署郎縉州縣印綬並大夫以上二十年於茲而身歿之日無一椽以棲其棺據某言之雖未必與聞乎道謂非孝廉不可也先生猶以未及面爲辭何歟古人有聞其風而弔其墓者矣亦有得其道路之遺而爲之傳記者矣往往悲歌慷慨借之詞采以遺後世先生唯計其人可與不耳而何暇擇其面不面乎星附光於月則爍鑠因響於風則遠唐君潔白之誼非先生之文不傳傳之亦不遠百年之後士大夫載質而出猶且讀其文思慕其人徘徊於唐氏墓草之側而或

不售意於彼之富貴紈綺池臺歌舞者是則先生之賜也亦余有司之事也惟高明亮焉外承示文稿一奏且命坤稍爲議評詮次其後某慙非工於文者初不敢妄屬而繼至者再私揣先生之情或欲令不肖竊與聞金石之末而使之同聲耳謹忘鄙陋略加商榷如別楮教之辛甚公不輕作墓誌即道行甚高而非素識亦不爲之作如辭屠漸山之請不爲其兄九峯作傳記是也讀鹿門此書知碧巷墓銘之作已再請而後許矣荊川集有與王生宗道書論碧巷墓銘事即茅書所云抱經南來之王生也所論德州接遜一事陳鶴據以載入明紀

有與陳兩湖書勸之擺脫詞章之習致力性命之學並示以千古文章真血脈書見荊川集兩湖名昌積見前官至尚寶司少卿兼翰林院學士有兩湖集及松風軒藏稿四庫存目爲訓導殷翁墓誌等文

是歲顧東橋卒年七十東橋先生以刑部尚書致仕

明唐荊川先生年譜卷二

十四世孫鼎元謹輯
十二世孫　肯校刊
錢家驤
鄉後學周仁泳謹校
崔　龍
十四世孫　斐
纘道　仝校

二十五年丙午四十歲

侍有懷公家居

春戚南玄羅念菴來訪周七泉王龍溪萬鹿園陳明水呂沃洲亦至王堯衢訃聞辰冬萬履菴並在告共作旬日之聚

念菴送弟居先如南雍遂復至全椒訪南玄因與俱來參考

王龍溪撰戚南玄墓誌銘及胡廬山撰羅念菴行狀

公與念菴夜語契心相對躍曰庶幾千載一遇乎遂達旦不寐念菴因作詩誌之曰一言天所契千載似俱非何事聲相應而能心不違道從疑後得機向識中微大笑重嘲問狂生或可幾是時公與念菴皆以重名爲海內宗依所至聚觀望之若仙據念菴行狀及念菴詩文集

念菴答羅整菴欽順書云毘陵唐應德莫逆友也相與別者五六年而相期者數矣一旦因友人之舟不及奉告而遂往某之始焉決於往者蓋亦有說以爲斯道之不明由師友之不立師友不立由守己太堅而取善不廣欲舍己而取善非必待人之告我也有當就而問者矣故曰友一國之善士友天下之善士夫既謂之天下之善士要必觀諸四方而後可決也又與劉龍山書云

去秋入衡山今春遊毘陵得與荊川七泉一二三君子聚處又覺彼此相長始知此學須日有所操習方是有尋路頭處得此則處家家和處邦邦治事上可信臨民可通千聖所以豪雄一世照曜千古出入萬有裁割衆務而不一動心者要有此具耳又念菴答南玄書弟自毘陵歸路經稍明日間精神散漫不無却比向來挨傍處少亦欲從自心立命於命根處稍提掇得動然尙未是入塔中說相輪去年得石蓮洞泉石爲一鄉勝結茅其前（節）荊川別後止得一書此書不見荊川集書中所言勉我者不止弟以告兄處想曲阜老祖未言者亦不外此命根所在卽天下人命所在立心立命原是一事共以爲終身之盟又念菴撰陳明水墓誌銘嘉靖辛丑某歸田始會明水陳先生於螺川上又五年再晤於毘陵聶雙江撰

陳明水墓碑既又出會荆川唐君南玄戚君龍溪王君緒山錢君相與究竟歸宿云云不知緒山亦與此會耶御明水與之別有所會耶王堯衢與程松溪書見具荆集自毘陵西郭之別已載閱歲雖因臥病闕問未嘗不馳情左右也去夏會羅念菴年伯堯衢父九巖己丑進士具知道履綏和毅然以興起斯文爲任欽慰欽慰萬鹿園毘陵逢羅狀元詩見玩鹿亭

積清江病裏逢君別服藥閒居已四年一念相期今尚爾此心那得復安然江雲漠漠頻依望山月輝輝獨不眠何意扁舟千里至一宵清話失前緣萬履菴同羅念菴太史游張公洞詩面面平岡暗綠錯花飛無處祇迷律偶逢丹穴千峯出一上瑤臺萬景新奇象懸崖如欲動層巒奪目恍非真攀緣幸遇蓬瀛客世外雲山自悵人又履菴宿善權寺贈鹿園註老子解詩云往來經月不言姓何處山僧尙識君世味總看如逝水鬢絲差可

比浮雲行披禪衲聊同往坐向仙巖若可羣何幸闢門瞻道氣求書應得五千文羅念菴訪唐荆川詩千里相尋到草堂蕭然隱几一庚桑心緣忘物幾無懼道在憂時苦自強機發定如穿伏虎書多會不畏亡羊別來鄙吝今如失可是君身舊姓黄書永慶寺壁次荆川詩城陰背流水違樹夕含風避客溪橋外逢僧野竹中問名無以答齋食偶然同更向忘歸處方知過去空別荆川詩懷君歲歲若相望一月春風去處忘臨發幾回留解橐無言還似待傾囊幸俱見索形骸外恨不同生寂寞鄉家住名偉書易寄莫緣諱姓懶題將會荆川歸詩不出深山今幾年湖邊又上李膺船芝城夜雨初憐別巖寺松風且寄眠自笑多歧成役役何如一息守綿綿歸來尚喜庭柯在欲話相逢已嗒然以上並見念菴集姜寶同與念菴書有是

篤發次來毘陵云云惟此次可詳考王龍溪永慶寺次荊川韻詩行歌郊外寺亦復舞雩風墟里浮烟合閒房夕照中生涯隨地足吾道與人同試問維摩氏應知法本空又鹿園山中酬唐太史見訪詩山齋寂寞臘初深披衲朝朝聞梵音我已出家惟帶髮君來連榻與同心天涯避地因多病幻跡隨緣即故林明月滿庭殘雪在那堪孤棹返山陰周七泉名子恭字欽之少與念菴同師李谷平歲貢卒業太學辛丑授湖廣永州府通判居五年擢德安府同知荊川集有與周七泉通判書鹿園即萬民望表之別號也少慕諸葛武侯爲人書寧靜澹泊四字於座通經術熟先朝典故年十七襲寧波衞指揮僉事登正德庚辰武會試授都指揮僉事督漕運嘗隱姓名作雲遊道人歲除之宜興善權寺僧方擎性藏會拒不納不得已處之隘室鹿園藉草爲牀與一僕拾薪煮粥以給後詢知爲鹿園皇懼乞宥鹿園笑曰不足異也乃更爲募緣開拓禪室仍令坐禪誦經寺僧化之皆戒殺崇禮禪誦鹿園久處善權乘興著感遇述懷諸詩龍溪荊川過訪出所作荊川曰詣作皆超去言詮坐證玄理探得驪珠三昧鹿園如京師大洲訪之郊外與之談禪議論鋒[illegible]鹿園唯唯不答大洲大喜歸語人曰今日降却其鹿園

薩平泉聞而笑曰此是堯國降却大洲何言大洲降却庵國也感悟玄眞堯國遇該日堯國名爲旅禪資未得

理是假和尚堯國日育玄名爲僧宗實未見性是寂秀才相與大笑責禁寐日堯國之學多得之藉溪念菴緒

山荊川而究竟於禪一笑一默無非禪機如此荊川集有同萬堯國宿工文華（宣異苦北十餘里）次韻有贈詩

寘胡水名九川字唯營詰川人初號竹亭正德甲戌進士請告入度詳王焉與還役太常請士武宗狀南巡明

水與舒芬夏良勝萬潮連疏諫止午門荷校五日杖五十除名嘉靖初復言遷陞評郡中爲草小所陷下詔獄

撈旅譜鎮海衛已遇恩語復官致仕周流講學名山詳見學案）呂沃洲名光洵字信鄉新昌人邑有沃洲山（因

以爲說嘉靖壬辰進士初仕崇安令旋丁內艱服闋補令深謂入湛身交庶請從祀葬瘦洊歡章巡按蘇松常

鎮等寄藤發苦水劇沃洲爲熱疊有去又委克早祖六十餘萬第戍海寇大洋中復命京歸與流溝爭馬市不

可一日章十三上上覽奏賴爲動色遷光祿少卿丁外穀之達其塗起請太僕大捏二御能尹應天共御大理

時遺辛以說中殺戶侍晉沃洲右部御史領餉事辛用劉貼遣改北左侍晉兵部尚書兼右部御史馬辦玉往

襲鎮南諸叛首以次削平推武定屬邊祖倚川貴爲三崑象數萬地方千餘里數率諸蠻攻城郭殺惠巨然華

由休氏當兵符爲該左旦沃洲表其由乞符得自調奉勢晉領川貴諸兵道豫訪用是誠憂敗走復首逃川祭

港千餘星崩早歸襄衣十萬戶南中自是悉平休氏奪祈其攜沃洲古是致詩稽淡南工部尚書以歸後爲定

諸大臣九疏起用辭不赴所著有詩易義元史正要皆山堂稿三巡奏議皆可劉詩鈔所藏皆祀名宦（參考浙

江省志紹興府志新昌縣志及張元忭撰傳）考荊川集有章邑人傳所頌稱人夫芝山君言名世員字中遂長

子光先陶卿沃洲太光廣光以光龍父子兄弟皆以書學聞光龍章邑人傳弟貢荃邑人卒芝山君續娶所生者

荊川有與呂沃洲論學書與呂沃洲巡按論族災書是歲之會沃洲方爲應天巡按也沃洲入仕四十餘年不

慶講學宗王文成與緒山龍溪荊川切劘而其討要南叙夷功業甚偉額曰明史及明儒學案皆無傳特採據

其事略如右

答歐陽南野書

書云不獲奉教七年於茲齒髮漸衰頑疏如故豈惟自負素心且亦負海內知己之教是懼奈何念菴兄來獲奉手書深爲慰幸中間所論慈湖之學反求諸心受病處與得力處夫能自知受病與得力處而後能知古人受病與得力處僕于學一未有得力亦未能真知病處而藥之也其何以尙論古人哉蓋嘗因慈湖之學反求

諸心而卒未得其要領慈湖之學以無意爲宗竊以學者能自悟本心則意念往來如雲物相盪於太虛不惟不足爲太虛之障而其往來相盪乃卽太虛之本體也何病於意而欲掃除之苟未悟本心則其無意者乃卽所以爲意也心本活物在人默自體認處何如不然則得力處卽受病處矣幸教之邇來志學之士往往以知解爲坐證以意見爲實際則所謂未得其力而受其病者也潛修精粹獨登道岸不假言說默轉斂風非先生其誰望哉此書載嘉靖末年刻本荊川續集萬曆以後本荊川集無

附歐陽南野與荊川書往歲兩奉書問不知達未此兩書亦不見南野集憶南都領教嘗談及慈湖先生之學兄直謂曉解不得某嘗聞諸師友慈湖有受病處亦有得力處想比來精思妙詣得其所謂受病者何如與得力者何如

幸不惜違示近日友朋中有謂古今學術與我相牴牾

大疑難處須較訂一番彼已端緒必見庶不至於自用

某嘗以其言謂然兄謂如何

秋七月視萬古齋先生疾萬曆菴先考古齋翁行略卒之前十日氣弱如不能言越三日荊川先生來問疾先考聞先生至即聚精神藏巾拔面坐見先生則日吾語言俱已顛倒先生曰須靜養之先考日正謂平素不能靜養遂三四言精神短促先生出猶執手送之越七日而逝是爲七月二十日也

章邱李中麓初與公及羅念菴約爲天台雁宕之游會喪內遂不果來據殷士儋撰中麓墓誌銘中麓以太常卿罷歸至是六歲矣約游不果寔日會心處不必在遠吾直幾居而川觀耳乃闢亭館招致四方賓客時時以其抑鬱不平之狀發之於詩尤好爲金元樂府不經思索頃刻千餘言酒酣與賓客倚歌相和怡然樂也以是長篇短調名徧海內

自癸卯至是嵗連年旱蝗穀米翔貴民咀草根公有與李

龍岡邑令書見荊川集丏其遵古事奏請折兌糧漕以濟民食

李故才高氣鋭勇於任事爲奏記撫按請諸朝報可得免

米若干萬石東南諸邑皆然振活甚衆

與裘剡溪推府書論書徐醫占恆扁額（裘名士瀍字子憲嵊縣人進士是年來為吾郡推官問政於薛方山告之曰峻法懲惡慈者威讞入焉詳刑平反察究或以律出司理所以難也鑑空衡平不主先入不惑左右吏之以情法底有當乎裘領其言政頗有聞據邑志職官表及名宦傳考方山鑑空衡平不主先入數語已進于道異乎掌察時矣）

是歲曾銑以山西巡撫晉總督陝西三邊軍務上平套八議以書問於公公答之書（與曾石塘三書並見荆川集）周約菴卒年七十四以戶部尚書致仕歸卒贈太子太保謚襄敏公為之傳有與周中丞論項守書答周約菴尚書書答約菴中丞九日欒城道中見贈詩並見荆川集屠漸山卒年四十五（荆川集有答屠漸山論德書蓋屠卒之前二三年也漸山有復趙景仁唐應德二首贈長詩云玉樹金標兩少年萊廷親侍聖人前歸臥故山今幾歲著書玄室動習嬌蘭生曲谷元同鵷鷺失青雲只自憐郢曲陽春知寡和何因重得奉朱鼓世經堂集屠書修謹讀改口詩且令不自表見送抗疏乞歸歸而疾作竟不起云漸山著有蘭暉堂集四庫）

存目

皇甫子安卒年五十仕至浙江僉事

二十六年丁未四十一歲

侍有懷公家居

春以病客荊溪同杭子宣登龍池有題詩三首見荊川集

陳山人鶴過訪陳山人名鶴字鳴野一字九皋紹興山陰人世襲紹興衞百戶棄其官出遊以詩名嘉隆間有海樵詩二十一卷有與荊川太史約修蘭亭舊社書茲節錄之觀不學槃趾我伍間飛馳五載形骸羈弃心亦衍困血氣不周病就床蓐手足拘攣進退失節綿延數歲漸成廢徒官不司周知其故以爲不足復可用遂容休放歸固野性尙存少得頃刻蘇繫卽便跳梁自得情志既舒疾患遂解自此結茅於少林山中買書三千卷旦夕玩誦考德於周孔取學於顏孟宗莊韓之辨論究馬班之文辭以詩賦爲陶杜以摹寫爲適情事力三年蔵無寸取是以襄明觴蔽而亦窮所寡見所致也故乃拂衣西渡歷覽周遊平吳楚之故墟訪齊晉之遺覇聆弦歌於東魯觀兵仗於北燕中歷泰岳南陟衡山廣泛洞庭之舟幽引武夷之杖於是賢豪接履通人締交石室之徒立門而問道竹林之士攀車以贈言凡入於耳者則得之於心遇於目者則藏之於思乃自摛文賦詩陋東漢之萎謝鄙南齊之妖妍始知昔之所學猶觀天井中未能識星漢之文今若駕雲騁翱翔於雲漢之上窮太陽之窟嘗不快哉昔嘗入昆陵城

郭依然宗族星散荆川集贈山陰陳千戶卧病昆陵周下註陳故昆陵人與（此合）千里孤廢按為出諸既乃採風俗問人物則知有足下然足下之才固李何之同驅其所著作實鄭孫之逆譽求其承舉合調一口同心之侶則惟王遺恩陳約之三四君子而已初振雄麗近就平雅諫惡必抽其性元養情必引其道本題物則比體人以與肆意外之謫辭無語中之方君誠為片言萬乘一字千金者也文運既遲豪樂應譽而起百有總人皆能承六藝之旨萃一家之言但務廣言則遠其玄建俗言則忘其意擇精者則陷於微取音者則近於徵然四者皆透為（下節）又海機透荆川太史隱居詩云惟君愛嘉遯結屋向江村建月長讀梓殘關自到門心無時事累家有古風存已得川中樂都忘河上言考海樵為詔興某太守重修蘭亭序（見明文海）館昔以徵之昆陵唐荆川太史不應也蓋荆川公藏嘆時事方為經濟有用之學遑晉賢之清談風流也　未

遊武夷會王遵巖洪芳洲於山中遵巖與江午坡書云比得唐荆川書蓋與洪芳泥有武夷之約期往會之浸亭雲谷之間云與午坡在江西別已十年又與萬曼菴書頃待荆川於武夷山中云云考遵巖為江西參議在嘉靖十七年以與午坡別已十年之詣計之知荆川公遊武夷在是年也蓋天工武夷山志云竭若水鄒守益嘉靖之曾來遊又王梓劍建軍賢祠記云明王文成羅文翌羅文恭湛文簡翁文莊唐襄文李見羅蓋見龍王恩賢宗方城徐天目葛屺豫諸公皆有祠久廢者茲共為一祠名曰羣賢庶廢者以興絕者得續而後

之考德論世者亦有所發法興起矣暴元又考福建通志洪朝選傳嘉靖辛丑舉進士除南京戶部主事榷稅杭州曾京倉歸引疾客常州僧舍與唐順之遊一年而歸復與王慎中講學論文二十八年起補南京稽勳主事云云則芳洲之與公遊正在近年中也中歲遊龍溪洞記云羅官後屢約江午坡羅念菴呂江峯熊南沙唐荊川王遵巖諸相知同游荊之武當閩之武夷江右之匡廬浙東之天台鴈宕川巴之峨嵋劍閣予以懶病不果往羅唐熊王四子雖未盡遊然已如約矣每有書來矜放且蒙訊彈予惟嘆羨之已耳

六月仲弟正之配王孺人卒尙書文肅公僎曾孫女也公誌墓見荊川集又王遵巖寄弟遺原書云李中麓寄內山東兩司遂傳中麓凶問前日唐荊川弟喪歸而傳者遂以爲荊川有故我今有內憂安知海內言者不以我爲已死耶傳死不真有何害但虛憂海內一二知己亦可怪也

項遷之與公書

書云自離雲間以來竊念平生以心爲學而反至於病心故於知己殊覺赧悚然病在不能任事而疑諸下之不檢恐名節之有傷非病於貪淫無耻也故兄與張滄

江及巽峯乃弟來音問俱不至斷絕病中曾差人乞休半途遇陞官而中止抵家病痊家父又強之復舊物而未能已今舊物已將復過半同視吾兄猶昂然如巨舟之在壑不見半夜有力者負之而去也顧予褊心之人那忍以虛舟而橫溟渤直欲任此風波之險哉繼自今兄當尋我於永嘉九曲之圃九山之中無疑也相愛在明德相望路漫漫考區東錄遷之在丙午夏四月由朔廣按察副使謫閩福學同知是歲五月十八日復過雲間別駕又項遊武夷山紀事云嘉靖丁未季春之吉由雲間別駕陞閩臬憲僉奉勅督理屯田兼管水利六月陞廣東參議八月莅任遷之己丑會試第二由郎署出守撫盧河間三郡歷陞廣福建藩臬終廣東參政仕宦二十餘年所至多善政平居未嘗一日廢書研窮理奧有所獨得輒箚記以自號為文不事險辭靡麗著有區東文錄政錄錄溫州府志

七月倭寇起浙閩朝廷改南贛巡撫都御史朱紈號秋崖蘇州人於浙江兼提督福建漳泉建寧五府軍務以禦倭

徐階佐吏部（考弇山堂外史二十三年任吏右二十四年轉左）折節延見庶僚見必深坐咨邊腹要害吏治民瘼皆喜得徐公意願爲用尚書熊浹唐龍周用皆重徐公徐公數署部事所引用宋景張岳王道歐陽德范鏓皆長者海內甚稱之公因與徐公書（此書不見荊川集）徐公答書

書云朋友道喪以諂諛爲愛僕所以數欲得兄書者冀聞過耳非敢疑兄疎我也去歲所寄華翰兩月前已到承教義理甚大然爲之却難每讀狄梁公傳未嘗不慕其爲人及觀宋儒所以議龜山者又未嘗不悚然汗下懼磨涅之難試也奈何奈何鹿園兄舊嘗聞之而未及識茲與講論果見所養惜猶未有權力可以究其作爲大抵近日格例太繁既使人難於展布而忌才害正浸以成習尤使人躊躇不住今所恃者獨天佑國家庶幾

陰護一二善類於冥冥之中不至墮坑落穽耳方山聞已憂歸果然否會間幸道意考少湖爲方山父竹泉公墓誌銘云方山以考察廢後謫判建昌召爲刑部員外丁未七月一日丁母吳安人憂未終繼丁父憂又考方山答華師魯問刑部員外之召爲付南至卿丁繼母憂歸

歐陽南野自京師與公書

書云自入京益覺善與人同之難平居所與游處志同氣合相敬相愛自謂有根心生色之實至遇齟齬拂逆未免憎嫌又自以爲好善惡惡之本心而不知黨同伐異是己非人固已潛滋暗長乃知舍己從人樂取諸人以爲善真大舜之所以爲大然非有不善未嘗不知之知之未嘗復行者亦未易深造乎此也見南野文集是時南野召爲太常與羣祭酒羅近溪在京師勸少閱與南野等設壇講學會者千人南野此書云云蓋歎氣類難廣而金石之交爲難得也

十一月二十四日公妹夫王堯衢卒官官翰林以是歲入都銷假年三十八

堯衢明史傳文苑著有具茨集四庫全書著錄陳田明詩紀事云懋中入翰林故事館師課之而已嘉靖乙未帝親臨軒試之選三十人懋中第一懋中為唐荊川妹婿文學歐陽詩學中唐年三十八卒同時名輩哀悼之王槐野作傳張龍湖唐荊川作誌銘尹洞山作解王子哀文按荊川公撰墓誌銘云君姓王氏諱立道字懋中號堯衢常之武鄉人其自少勤業翰君有節雖精力與偶居不夜觀卒逮熹而作速獨而輟在翰林亦然既病則不日輟書其學益記尤注意國家故事自金匱之藏野史稗官之錄其不輸苦購借長掇短輯日吾史氏也其為詩文能於平雅中出奇險語為人狷介方簡其在翰林於諸閣老未嘗有屏人之謂其家居於郡縣未嘗有邑子之託其京師士人往往修交遊走馬飛刺君獨閉門如家居時其鄉曲賓人或被禁錮獨君獨泊然斂飭如秀才時君自嘉靖甲午舉於鄉乙未舉進士選為庶吉士二年授編修是年謁病家居已而趨官復謁病兩年間病竟疾既愈矣至京師又病竟遂卒君雖強學博記而善自韜藏雖交遊亦鮮其燕居所談審戒叩以故事君拄腹不一語以士人多東審遊誠而君恐以己故形顧其短為人以猜際中有鋒鍔而持以不露小心慎長世事利害人猜短長習居中禁不語及無窩中戚語及之則輒悔其與己合意者雖心喜之未嘗有翕翕之態而不合意者雖心疎之未嘗有驕踞之色嘗曰吾非好奕也在羣居中可以寡言省尤故昔人以奕為坐隱信然其小心謹慎若此甚以人一口舉君其卒也人人莫不

借之。是文見具其集尚錄，不見荊川集，故錄之。又有讀公有挽殯詩云：經綸稚圭正，嚴嚴最是令人感愴深，留得文章千載事，獨轉忠孝一生心。讀賀念安不勝悲泉梧容聲山斂眉，爲向玉光傳一語，鍾情而父轉衰遲。亦見其集

附錄

大內火，大高玄殿災，帝禱於露臺，聞火光中有呼楊爵、劉魁、周怡忠臣者三，遂出三人於獄，釋之歸。

十二月，倭犯甯波，大肆殺掠。

是歲，羅念菴闢石蓮洞于廬舍之北，自是常止修其中。熊叔易辭吳興郡判歸。陳崇哲撰熊過傳：二十三年選吳興判，二十六年去官歸。又叔易與進叢書。荊川至霅上相訪，錢王二君爲作別於湖山間云云。自是叔易永廢於家，以著書丹鉛自遣，所著有易象旨決錄、春秋明志錄等書。

羅整菴先生卒，年八十三，謚曰文莊。施武陵漸爲海鹽縣丞，考海鹽縣官表：廿六年任，廿九年卸。公有答施武陵書論方田。又撰送邑侯李龍岡擢戶部主事序。並見荊川集。楊仲芳繼盛號椒山、王元美世貞號鳳洲，又號弇州，並成進士，公弟子吳峻伯

同考會試張居正出其房

二十七年戊申四十二歲

侍有懷公家居

二月爲河壖掩骨記自嘉靖甲辰乙巳間歲大旱道殣充斥公不忍其暴露與弟正之諸生蹈醵金收瘞其骨於天甯寺後爲文以誌後萬曆二十二年僧道綜復建塔院爲井三以瘞枯骨請公子鶴徵記其事

三月帝殺總督陝西三邊侍郎曾銑十月幷殺前華蓋殿大學士夏言以曾銑議復河套嚴嵩搆之故也復套之議起夏桂洲力贊之欲倚以立不世功宣大總督翁東崖萬達則極言其不可曾石塘曾以疏稿及邊圖寄荊川公山中公答書謂自古舉大事者其初每若落落難合及其成功往往如取諸寄自吾丈始爲復套之議士大夫多以爲時勢之非便蓋不惟北虜未通之前爲尤難而山澤鄙人之見亦不能無慮於此云云又勸曾內料國家財力之盈縮兵馬之虛實外料虜人部落之離合散勢之瑕堅不徒爲犁庭掃穴一時快意之功而必爲以全取勝使我馬旣不敢復河而中國財力亦不因之困憊旣弭近患又無遺憂蓋公未目擊邊塞形勢不敢贊亦不敢阻果能君臣一心百折不

同以赴之套未必不可復廷撥議方定帝忽中變而夏亦不敢力任遂使賊嵩乘隙得施其奸然兵甲未動成敗未

見石一相一將身膏斧鑕豈不惜哉豈不惜哉薛方山當兵延綏諸舉去案壁建議賊遂與之賢者余嘗欲（子後）爲

獨馬（文升）之外必以爲文襄（一清）爲首近日則曾銑可惜若遲兩月不拿則套可復矣（見方山記略）讀此則嚴嵩之

殺曾子銑何異秦檜之殺岳飛舉乎吾于此而嘆朱明之無福也

王樗庵與公書

書云別兄數年矣僅兩候問繼此聲跡寂寂若秦越然所自諒者心神契慕寤寐如覿有非離遂所能間耳邇來想道履萬福靜中所養當益宏邃不知與往年都下所論說稍有異同否弟局局塵鞅跡與心違每思芒鞋布襪從兄於青山白水間不覺志氣灑灑兩腋風生也去秋謝事同得遂麋鹿之性長鳴豐草即圖買舟晉訪一爲積悰酬應紛沓遂爾稽違尚謂此會不出旬月間雖徐徐終有冀也不意近得邸報知二怨俱秉政樞恐

摘其不赴給由之故橫加之罪爲者毋憂典衣給裝匍匐北上支離拂鬱之懷不能無我生不辰之嘆也復仕後歸疏一上則爲斂裝宵遁計矣冗中布此奉訟起居晤教當以明春爲期耳餘惟千萬爲道自重至懇至懇禪庵名樺字翰孟嘉靖十四年進士仕給事中遷山東武定兵備僉事以前劾嚴嵩是行竟爲所中以赴謫論辰按禪庵在臺嘗劾罷方面三十九人直聲甚著傳名臣金壇志

六月朝廷贈前大學士楊一清太保謚文襄羅念菴爲祭文曰儼嘗道曲阿訪昆陵唐應德氏論公平生有唐謂某曰世以多欲病公亦孰知其廉介者某曰何曰聞有故人餽寶珠一斗受之客既退分勞左右役之地頃刻立盡而門生有以貪歸者發橐助給奉數十百金爲常夫爲天下用財而不以私著卽比一介不取可也非廉介乎陳眉公見聞錄云羅文恭述揚文襄一清爲相時有人餽美珠一斗者公直受之嗣諸邊將謁請留侍左右訪邊事公隨出所受珠分勞之投之地頃刻立盡門生有貧歸者發橐助給奉數十百金以爲常蓋以天下財爲天下用而不爲私蓄卽比于一介不取可也近揚太宰述徐文貞爲相時亦嘗捐千金爲一菴將紓爲意亦若此眉公所記羅文恭述云云卽念菴祭文中語也而說加美矣揚太宰謂揚廣披博

秋七月雷雨後與褚生遊陳渡浩然有會有秦風蒹葭二章書後

鼎元考秦風蒹葭書後已采入康熙御纂詩經傳說公有讀書處在南郭五里陳渡墳之左曰陳渡草堂荆川集有題陳渡莊詩謝應芝襄文讀書處記曰吾州西南數里有園爲明唐襄文讀書處方今步五畝面南疊石當門中高如人立又中清谿一曲樓觀皆抱焉東北閣一楹顏友白書日瀨雲閣其西樓五楹曰五言樓襄文讀書樓也又西室五楹曰春池館又西樓北壓谿樹三楹西壁有石刻孫文介書曰荆川先生讀書處石舊在五言樓東壁後登置焉直北爲齋六楹又繞而東爲庖湢十餘楹獨五言樓猶襄文古跡庭西梨樹一數百年老幹虬曲面樓莢樹一大可兩人合抱茱藤盤繞樹上垂於餘相傳皆襄文手植園之左數百步襄文之墓在焉石人翁仲直立天際陰雨望之森然遶面北襄謀渡草堂詩前賢遠歷綠楊濤水木清華建市闌並世文章無北地當年聲基此東山或名難免求全毀晚節終看歷試艱荆有城南讀書處畫圖一稱好荆關高名海內共知閱却向林閭風白雲七子敢稱吟社侶入編直詮選樓文說兵雄劍肉髀內請易壁徑叩夜分古語隸人三不朽累公精力一生勸武陽邑志蹟光間武進支沈某工心計肅得是圖有諸沈者令易文介石刻爲沈某讀書處其夕夢古衣冠者數之日何物老吏敢污吾壁以象簡舉之某亟還其舊旋卒兵後樓樹悉圮惟石刻僅存疊元考議記發閱今皆廢惟襄文公手植莢樹古藤文介公所書碑尚存莢樹遺空可蓁人藤根大徑尺而梨則亡矣海雲劉者襄文公友孫宇疊丁明

鼎革挺元亮之節與兄宇翠漁虞里巷自號嶺雲並以名其閣者也是圖之倩劉與屬陶氏易諸氏既復屬陶氏復書於卷

沈氏今由唐裔會同地方人士集資修復之鼎元別墅有濠渡草堂志略

冬十一月孺人莊氏卒年四十一歲公誌墓云孺人有淑德始嫁見於舅姑舅日所囑婦者無他第閨外不聞婦聲足矣自是有懷公往來閨外不識孺人聲每嘆以爲能封十五六年未嘗爲置一翠冠全文見荆川集又中麓撰內同情集序云荆川嘗致書於予首言喪內之情吾三人同之蓋兩年之間荆川遵巖及予俱喪內也與中麓書亦見荆川集

與張西磐尚書書爲撰大觀草堂記並見荆川集西磐名潤字汝霖山西臨汾人弘治壬戌進士嘉靖二十四年任南京吏部尚書二十六年致仕明史無傳見弇山堂別集南吏部表山西通志張潤王與齡韓文陶琰稱平陽四賢趙浚谷集亦有大觀亭記爲西磐作

是歲春劉南坦翁與唐一菴等於湖州爲峴山吳興縣南第八會夏五月羅念菴王龍溪等會於匡廬秋又會於龍虎山題名沖玄觀詳見念菴撰夏遊記而公則獨與二三子扁

舟遊於陳渡白蕩之間春間念菴有答戚南玄書弟自毘陵歸路經少明云云（已附見丙午年）

二十八年己酉四十三歲

侍有懷公家居

聶豹（字文蔚號雙江）平陽獄事白（詳明史傳）釋歸渡江訪公不遇（雙江集訪荆川司直不遇有寄詩云登堂如入無人境密邇廬君故不聞逃世未應人獨往懷君空有足生雲重瞳本是陶鑪伴宜父何曾烏獸羣自笑逐臣元不偶十年廬渴向誰云考雙江以正月得釋寒食渡江而明代之至江西者多取道浙江吾毘陵乃其往來衝衢也司直乃司諫之誤）

三月乙酉皇太子行冠禮越二日薨謚曰莊

四月浙閩巡視大臣朱紈以扼於權要不得行其志仰藥死紈清強峭直勇於任事欲爲國家杜亂源乃爲勢家構陷朝野太息自紈死罷巡視大臣不設中外搖手不敢言海禁事浙中衞所四十一戰船四百三十九尺籍盡耗紈

招福清捕盜船四十餘分布海道在台州海門備者十有四爲黃巖外障副使丁湛盡散遣之撤備弛禁未幾海寇大作荼毒中外者十餘年據明紀 公有與魏立峯憲司論呂提學書見荆川集中有秋匡公云云卽朱公巡視閩浙時也立峯名一恭字道莊莆田人己丑同年進士歷官著清節卒廣西左布政使御史入視裝篋無他物所餘俸錢盡寄在庫御史大[illegible]賻之喪始得歸見福建通志呂朋字志同武進人正德舉人歷官幾二十年家不增一椽一僚受進薦者十餘章終同翔州縣充數之秩以番人事獲罪邑人唐中丞力救獲免見常州府志

秋七月浙江海賊復起卽倭寇也自秋匡督閩浙經營二年寇難漸平至是復起

八月有送兩弟正之立之赴試詩是月游錢塘有題孤山林隱居岳將軍墓觀潮諸詩見荆川集

冬十月翁東崖以父憂歸東崖父梅齋以八月卒

無錫諸友謀爲公刊集代乞王遵巖爲之序遵巖與安陽陽書云承不建三千餘里特使見存屬以文字之事其意良厚而詞亦甚高自度非鄙陋所當褻也久留來使意從容旬月勉竭

思誠於文或有可觀言今乃若此又以海不如早落筆免遜使者茲乃重增一說矣請文厚儀達以奉還僕非爲廉也

平生門戶甚寬於辭受之際不能爲狷尋常交際如今人所頻接以禮者猶多受之況於請文之禮固未嘗辭也而

乃介於繆陽數千里倦倦命使之所委者乎凡僕所謂受其請文之禮者皆爲其父祖大事或自名其堂室而乞記

之類僕爲之文則爲有寵於其人之先與其身故不可不受之以圖其誠而不宜爲拒也若繆陽所請序乃有未曾

南登與今唐荊川兩先生之文此吾黨之同願斯文之義學僕於此道非但有勉又最留意苟得聞之欣然爲意終

爲同好致謝於繆陽今乃以作序之故受禮非獨無復廉爲且是都不有意氣也幸鑒此心請勿訝其爲拒又請勿

譽其不取按安繆陽盖卽荊川集中安子介也

有相士謂公四十六歲且死者公作詩自笑題云生死亦

大矣此謂趁日力以進道者言之也苟不進道總是虛生

修短何辨焉苟於道有見處夕死可矣然則死生詎足爲

大哉中麓撰傳荊山田氏嘗恐公年不過四十又相士有謂四十六且死者

與雷古和提學書見荊川集爲諫后國孤子說項也古和名禮字必進李齊和見陽辭記云雷古

和先生籍江右豐城人嘉靖己酉庚戌間視學吾浙其所取士文義專尙辭書務肯綮體貼聖賢口氣徒學選浮辭勿

録也一詩齋至明至公即童生未嘗登進二人選四明寄閣太宰甥在朝其弟生員應發社郡邑諸公力救置三
等先生終不甚諾焉遂趨高風若在齋古之世官至工部尚書少傅

是歲關西楊斛山爵卒十月四日十年五十七王龍溪爲沖玄
會從曾孫一麐鄉試發解有送郭無錫知縣邦光擢南京
戶部主事詩見荊川集按郭字元實冠縣人在任廉介有幹才刊唐宋名賢策論
文粹八卷見范氏天一閣書目李中麓撰序詳見著述考洪芳洲以病痊例赴部
補南稽勳司考功司與白野殷公吉陽何公初泉劉公交
相砥礪時有南郡四君子之稱芳洲成進士授南京戶曹
出榷杭州關政唯通商惠民是急雖處膩毫無所染關事
竣督放倉糧其所規畫繼者皆以爲法一日自思少習舉
子業非古人學優始仕之意遽上疏引疾因客毗陵僧舍
與荊川公考德問業一年而歸復與遵巖王公講學論文
自是聞見益博凡國家典章經史精義莫不充然至是告

滿赴部云（據林士章撰芳洲墓志）

二十九年庚戌四十四歲

侍有懷公家居

春病囊癰出膿水四五盌一二月間瀕於死者三四伏枕百餘日有囊癰臥病作三首公自註云余平生無厚褥止一褥既薄且敝病骨覺冷硬不堪乃從親人家借一褥襯之平生有厚褥與重褥自今始而余素戒肉食病乃肉食

有與李少卿中麓答從曾孫一麐答洪芳洲答王龍溪郎中與羅念菴修撰等書（並見荊川集）

王遵巖與公書

書云兄精神凝固志氣堅卓絕無私慾之累以害生則身肥之效可坐而致乃屢有病傳吾始以爲兄道尊學成四方求見者多既無以辭之而始託此以謝雜賓故

有此傳耳近乃知其真有疾也度兄致疾之由只是起居飲食之間太爲瘠陋又不揀擇故嬰此患也兄學以孔子爲願一部鄉黨兄所知也何俟吾發明人生四十曰強今兄雖過其四年猶未深入衰境從此調攝不患不復但願加意每觀兄書往往以文字爲勞神傷生之物惜易盡之身不欲爲此無益之好而居起食飲之間乃忽不加意得無明其一而暗其一也耶吾自多病又於飲食起居尤不能爲節顧欲薦所見以助兄宜其不爲所省然不以人廢言則區區之意亦不爲無益於忠告唯念之圖之歲新矣而我猶故臨紙慚恧如何可言

又遵巖與弟道原書云克齋書中又云新得唐荊川手書（此書見集）怀云得疾頗篤不知何說荊川本多病想書詞太過耳然以此益動思相見矣

徐少湖來書云後峯至知尊體已平復甚慰追憶往時兄最無疾病耐勞苦顧邇年以來頗似不及昔豈非四十以後光景固然耶再至五十其光景大約可想見乃猶未得及此時用兄此僕所以每喟然長嘆而重愧於推挽之未能也東宮冊立嘗再疏以請（第一疏去年七月九日上第二疏今年正月二十一日上）俱留中不報蓋父子之間人所難言比兄上疏時又益以甚區區此身進退維谷止可與兄道未易與他人言也會試錄一冊奉覽又是一番人才矣畢竟不知能有幾人爲國家宣力臨楮悵然

公報書有得來書三復感嘆深知兄之苦心然不待兄書亦深知兄之苦心也河上公之言曰圖難者於易爲大者於細故勢有所不可必行則有拯有隨歸於委曲從宜以成天下之務事有所不可預則或迂其身歸於

彌縫微密以濟天下之幾是以天下陰受其福而不見其功此非古之所謂誠與才合者不能而後世喜功之士與務爲名高之人皆不足以及此也云云是時帝惑方士言不肯立儲首輔分宜轉欲借此陷徐公徐公陽交權之公與徐公相知深故相爲言之

與念菴書有寥寥宇宙所望于兄者不淺弟亦不敢自棄於吾兄教誨之外但與吾兄不得合并最是苦事以僕愚見非特僕之鹵莽朝夕不可離兄雖以兄之高明純粹亦不能離我云云公與念菴其始皆受陽明之說于龍溪既而與龍溪皆有異同而二公之相爲發明相爲砥礪益契合切至是以公雖與龍溪常聚山中而念念於念菴者甚深

秋病瘥知錫友欲爲刊集與書華補菴卜無錫等力止之有云每閒靜中得一適意形骸之外覺此身亦是贅疣而虛名果是羶氣不能早自晦匿使野人姓名尚有聞於世間以爲此身之累不及古之織席箍桶之流使人不得知

其姓名卽自古文人雖其立脚淺淺然各有一段精神不可磨滅開口道得幾句千古說不出話是以能與世長久退而自觀鄙文只是幾句老婆舌頭話不知前人說了幾偏有何新得愛我如兄如曹君欲使不朽吾文吾文其能不朽否耶嘉靖宗公子爲象渊荆川讀集云先人本不敢以文章名家故諸文皆不及留稿而書柬更多散失今據所存者梓之倘諸老先生向曾尋交先人而書問猶有在者不惜錄示如海林翁實不肖之幸也亦諸老先生生死之交情也希元讀魏莊渠集與荆川七書答爲者三又讀明文徧有劉嵩陽論答荆川書又讀題文編公（名貞吉號大洲）集首與荆川書中云既觀來教雖荆溪然而世傳荆川集無與莊渠書無與嵩陽書無與大洲書且荆川與華公鶴山交甚深亦無與鶴山文字以此推之荆川文章遺佚者多矣爲明文者必推王唐歸三家荆川道思爲莫逆友熙甫與荆川同學吳中人生平未曾謀面也熙甫爲戴楚荃序云其師事泰和歐陽崇一與文薛通問安成鄒謙之吉水羅達夫交親魏陵唐應德太平周順之窗平楊子修並海內有道高名之士自稱踧踖以居未敢列於當世儒者之林以親就而求正之又云嘗怪孟子與荀卿同時而終身不相遇熙甫之以荀孟爲言蓋亦自負甚矣然荆川無所不學以經事爲文而後世以文章之名歸之上高李祖陶且以爲明文第一蓋道思熙甫猶孟起

（與益德遂擧而謝川則擧之起草老倫者也）

八月，俺答犯京師，人情洶洶，公屢欲奮身勤王，尋解嚴。（見墓

（詩錄歸元考俺答犯邊久矣迄未敢深入也曾石塘死翁東崖罷歸虜遂逼京師人才之係國豈不大哉）

劉嵩陽繪答公書（黃梨洲錄入明文海）云：邇復聞兄憤戎馬蹂躪，數逼京師，每當士人喜爲雄談，有請纓仗鉞之志，聞者相傳，靡不壯之，且欲盡覽西北諸邊形勢、牆砦阨塞，可爲臨事屯兵結壘、麾羽仗策、橫掃強敵計。（考嵩陽爲行人使韓事竣）

（道出武功時康修撰海家居逢嵩陽驚喜曰子非江南劉嵩乎執手歡甚爲置酒錦域中康自起援琵琶嵩陽撾鼓三摻作漁陽聲宮羽轉激四座盡傾（見張佳胤撰劉墓誌銘））

當寇急時，徐階（去年二月任禮部尚書是歲加太子太保）力薦公及聶豹、趙時春。聶公入爲兵部侍郎，趙公爲主事（趙公以十月二十日赴召），公不果出。（阡表庚戌虜寇闌入古北口一夕薄都城逼近震駭國相華亭徐公力薦先考及平涼平涼起家兵部主事爲元考公蓋薦而未召也汝谷有寄公詩云烽火未容思壯士途窮先已笑高人風塵天地一身老禮樂崩綸十載新）

欲洗甲兵朝聖主豈將期會困疲民論心誰道知何地爲報匯江洗耳臣是役程文德以禮部

侍郎督宣武門郊民扶攜來奔命者號擁關外程公獨入

之免殺戮者以萬計薛應旂以禮部郎中方山以二十五年由建昌通判量移刑部陝西司員外郎未上丁繼母吳安人憂二十六年丁父憂二十九年補禮部祠祭司員外郎再遷精膳司郎中分守皇城時九門皆閉煤炭俱盡居民皇皇遂往西直

門告之嚴嵩始開正陽門凡被傷投生男婦入城者無算

煤炭絡繹不絕人心稍安是歲十月方山陞浙江按察司提學副使翁萬達奪

情起爲兵部尚書聞警倍道赴都嚴嵩言其稽留奪職歸

明紀司業趙貞吉在圍城中獻計破賊犯嚴嵩怒杖謫荔波

縣典史詳見明紀趙大洲赴貶所顏山農護之行

是歲彭石屋卒年四十九邱思菴卒亦年四十

九公爲祭文見荊川集思菴名崟見前年十二喪父與弟崟廬墓三年三試禮部不第則棄不復應試日坐小亭手一編環堵蕭然家屢絕粒不問謁選得山東寧陽教諭起貧貽教諸生如子弟己酉分考順天鄉試有

擒千金之者吐之退年四十九卒貧不能殮兵備史某厚賻之鹿裹文顧之予以墓地僅克葬云（見道光邑志）祭文二公莫逆之情不啻莊子之於惠子也

撰送郡侯郭文麓陞副使序見荊川集郭名廷晃字季文文水人性狷而平易近人布袍蔬食有古廉士風嘉靖二十五年來任無錫顧叔

時憲成生

是時王元美與濟南李攀龍長興徐中行廣陵宗臣南海梁有譽武昌吳國倫南昌余亦德銅梁張佳胤在京師結社爲詩文復揚李何之燼號曰後七子詩必盛唐膚廓以爲大文必秦漢鉤棘以爲古崑山歸有光著論詆爲妄庸公與王遵巖闡揚唐宋八家文以糾之公爲董中峯文集序尤致諷焉初公弟子吳峻伯在郎署時與濮州李伯承先芳天台王新甫宗沐攻詩皆有時名峻伯尤爲同社推重謂得吳生片語如照乘也已而進王元美於社實弟畜之及李攀龍出詩名籠蓋一時元美舍吳而歸李峻伯慍

眙盛氣欲奪之不能勝乃罷去後元美雖置伯承峻伯于廣五子伯承峻伯不受也是時海內文學蓋有二派前五子後五子續五子則推于鱗元美執牛耳公與進獎等在嘉靖初號八才子後起若蔡白石茅鹿門其中江洪芳洲等咸附麗焉而諸公與選叢爲岱斗吳門四皇甫氏亦依公以爲重吳峻伯絕元美後始終宗仰公不變（見孝豐縣志）其時蔡白石以集副入長安高歌其弇州諸詠吳明卿（國倫）飄軒寢軒聲與歌聲相上下一時風尚相凌轢如此獨歸震川安寞荒江之然孤唱寡和而後世與公及進叢並論焉然公在是時薄詩文不治久矣錢受之曰嘉靖之末王李諸人號七才子八才子之名遂爲所掩然而八子者通經史諳世務往往爲通儒魁士以實學有聞以後七子方之則邈乎其後矣董中峰名玘字文玉會稽人弘治乙丑進士官至侍郎讀尚之之妻父也茅鹿門與蔡白石論文書曰近代以來學士大夫之操觚爲文章無慮數十百家其以嬰吻蜀奮虎聲叢襲之材揚聲藝林者亦星見疊出然詭其所謂萬物之情各有其至者或在置而未及也近獨從荊川唐司諫上下其論稍稍與僕意相合僕少爲文每謂當跌宕激射似司馬子長字而比之句而擬之苟一字一句不中其累黍之度即悽慘悲惻也唐以後若薄不足爲者獨怪荊川疾呼曰唐之韓猶漢之馬遷宋之歐曾二蘇猶唐之韓子不得至其至而何輕議爲也僕聞而疑之疑而不得又蓄之於心而徐求之今且三年矣近乃取百家之文之深者按覆之默且嘗而餐且查湾然後悠得其所謂萬物之情自各其

至面因悟憂之所謂司馬子長者眉也髮也面唐司諫及僕所自持始面相印而無復同異黃髮瞯日當空同之時韓愈之道如日中天人方企仰之不暇而空同之徒為秦漢之說遂陵韓歐是以旁出唐宋竄居正統而道以衰之辨之也其後王李輩持論益甚招徠天下靡然而為黃茅白葦之君曰古文之法亡於韓又曰不讀唐以後書則古今之書去其三之二矣又日視古修辭寧失諸理六經所言唯理抑亦可以盡去乎百年人士染公超之霧而死者大甚便其不學耳朱竹垞曰詩莫盛於正德文莫衰於嘉靖之初自後七子派行而真詩亡古文亦亡矣考是時公既在子講文章不為孜孜研求經世之學而張居正則默虞禁中寺索國家典章及兵食諸務推王李譊譊以詩文號天下又李攀龍為遵巖督學山東所拔士而力排遵巖

三十年辛亥四十五歲

侍有懷公家居

春正月沈鍊官錦衣衛經歷上疏劾首輔嚴嵩謫佃保安

趙時春出為山東按察司僉事任練兵事據浚谷集以正月二十七日奉除命

趙公在部見仇鸞開馬市憤曰此秦檜續耳身為大將而效市儈可乎員外郎楊繼盛遂疏劾鸞

四月白洛原卒年五十四徐少湖撰墓誌銘（見世經堂集）公爲祭文（見荆川集按洛原次子路京爲公館甥洛原壬辰成進士授戶部主事改禮部員外郎郎中己亥改左春坊左司直兼翰林院檢討出通判永平逾年升南京都督府經歷南直吏部郎中乙巳復謫外丁未通判河間府戊申升戶部主事改尚寶司丞辛亥三月升江西按察司僉事未至任以尚寶司丞致仕四月二十日卒見少湖誌墓）

徐少湖與公書

書云五年不得書忽奉華翰（即指去歲答書）爲榮爲重不肖近來所大苦頗具徐推官書中生年四十九鬢髮皤然盡白兄試念此以爲情況何如也此中朋友甚少大概十數年來有意思者皆已摧折只存得一味愼默無識見之人便爲高品此外皆貪佞讒險之徒共相與結納交構坑塹滿前使人一毫展布不得蓋其積已非一日之故矣浚谷兄入朝其初或詆爲疏狂或笑爲古拙至其後則遂指爲邪黨而思甘心焉故不得已姑出之於外

至若用之領兵置之山東則竊有深意委曲而處焉者也近山東兵精健冠諸軍士大夫方相與服浚谷之才而忌者又謂此兵驕橫無紀律流言喧騰至形章奏嗟乎士居今世其欲有爲也豈不信難哉去歲銳意欲屈兄出山後乃未果蓋深有所懲也趙道長具述兄隱憂之詳不肖亦爲言憂有出兄所云云之外者計渠能口道臨楮瞻遡不一（指浚谷爲邪黨而思甘心詳見後逆黨本末）

公亦有答浚谷書云近舍親萬禮部（即萬思節）寄兄書知兄慷慨許國之志又云云聞兄僉憲山東以操練民兵爲事青齊勁卒教之以有勇知方以備一切不虞之變自是兄所素長云云（全文見荊川集）

會羅念菴於康郎山（參考胡正甫爲羅念菴行狀及王龍谿集康郎山在江西餘干縣西北八十里鄱陽湖中一名康山）

胡正甫爲羅念菴行狀云先生自匡廬會後數年簡出久之出晤荊川於康郎山訪周訥溪怡於九峯菴王龍溪答念菴書云再領吾兄至日所惠書始知冲玄爽約之因（冲玄盛會百餘人在己酉仲秋）又云荊川數時來於此件事甚著緊一切伎倆儘覺灰心欲與兄對證之顧亦甚切當以兄所得語之亦一快也（又考龍溪有秋杪偕唐荊川過釣臺登高峯追惟往跡有懷蔡可泉短述見志七律一首意即荊川赴會念菴龍溪送之而作也明時吾常至江西多不由大江至杭州泝浙江而上）

冬周訥溪從王龍溪來訪（據訥溪年譜）

訥溪與公書云書作適龍溪先生過舍語以吾丈不輕作墓誌此義誠有道者所慎不欲汎汎爲諛墓文此事亦嘗與斛山議以爲然若自真知實行可傳想亦不必果以自限先生心行昭昭寰宇識與不識罔不信如著

龜今之講學君子言人人殊有定見者自信不惑亦或考人之行而疑其言然神無方易無體有所不爲者固高於無所不爲若擬之無可無不可又難以同日語無可無不可地位不可輕擬要之發端知幾不越惟義所在精義之至不雜于非義之義是即無可無不可之家法究其極非敢妄想研其幾不可自分難易遂成異論高明廣大安有兩端海內高賢疑信未一惟吾丈造詣入室人皆深信無疑若發明昭顯不假言說真如四時之行百物之生也不識以爲何如又與王湛泉書云天之阨我如不我克古今同患尚賴數年前與東廓龍溪二師及念菴荊川諸君子遊竊聞緒談聊以自儒也是歲時溪又過溧陽訪史恭甫適逢至日在陽羨山中玉潭仙院同祝聖壽

熊南沙與公書

書云別久之見便奉候歸來長兒日昝至今未愈兼老母年至八十不敢違出庚戌之約遂成虛語誠知如此悔不爲遊塘在常州城南七里荆川公教學處數月請教也閉門省愆日惟偃仰中林合并杳無前期離索之感不獨宴好之故頃緒山龍溪自江州示書欲尋舊盟悠悠我心不能奮飛耳念菴近相會否見此兄冬遊記殊爲懇切未附龍溪數語則雖覺其自出少異然沉着痛快某西歸時渠渡江爲別憾不聞此語也思成而夢與兄周旋者何啻百由是可以知飛神作我由是可以凝精作物由是可知意外生身無人無我無死無生彼以得喪榮瘁言者真可大笑也據几獨坐不喜把筆時復有作皆爲人所強感時懷古餘習未忘身隱無所用文故欲絕意玆事於易稍有所窺無由就正今漫以序往有異同希一

言之教此書龍溪舊常見之今更訂殆十之五六矣龍溪止過勿爲此引石齋語爲教感此兄高誼不淺若會幸爲過謝之書郵劉氏者以買事往來蘇常間敬附此申候起居意不知竟能達否若得來報此後當託集別有呈請燈下草草不盡（譯書諭應在是數年中）

蔡白石衡州秩滿北上次姑蘇與公書

書云赴守歸德時曾一款候不侍道範今數年矣臥衡陽得聞先生行蹤汎浙河過玉山抵洪都嶽原竊仰在先生指顧間矣無緣承請邈風惘然滿吏入覲道遵毘陵謹此奉期請教夫爲邦之伎倆有窮而童冠之偕樂無盡弟之有窮者且自喻自媿之深矣兄之無盡藏者可使略見之乎次閶闔先此相報（白石名汝楠字子木壬辰進士授自行人擢郎凡十二年轉歸德守未三月以毋憂去起守衡州轉四川副使轉江西參政丁父憂起轉山東按察使江西）

左右布政使晉河南巡撫擢兵部右侍郎改南京工侍生正德十年十月六日卒嘉靖四十四年七月三十日

亦荆川文學友之一也其爲郎南都在嘉靖二十三四年間荆川與二書見文集白石明史附高叔嗣傳

譔曆算書稿詳見著述考 荆川集有與萬思節主事顧箬溪中丞論曆法書

中麓撰傳暇日精究天文而問數學於顧箬溪久之乃有獨得處以古曆惟大衍爲精被僧一行藏却金針世徒傳其鴛鴦譜耳郭守敬別有一法曰弧矢圜算弧矢有橫立赤黃白道變轉最爲活法三道之畸零可齊而氣朔之差可定知曆理又知曆數此其異於儒生知死數又知活數此又其異於曆官所著弧矢論勾股測望論真乃千古不傳之秘而曆家作曆之本也又補傳自經術正學詩文雜學之外尤長算曆兩家自謂得神悟已有算法諸論刻行矣曆則合唐一行郭守敬之說而

參之西域曆亦自謂唐郭之後一人而已陳眉公見聞錄云荊川公於書無所不讀技藝亦無不名家尤精於算曆三家自謂得之神悟其法有諸論刻之前後集曆法合唐一行及郭守敬之說參之回回曆亦自謂守敬之後一人而已與李撰傳略同鼎元考公不敢以文章傳世而於曆學則自負之甚公六世孫尚書益功（名執玉）刊荊川集數有歷代神機勾股算法回回曆批本諸書卷帙浩繁無力刻[illegible]云云又黃梨洲撰周雲淵（述學）傳稱荊川曆學受之雲淵而明史周述學傳亦謂與武進唐順之論曆[illegible]荊川集中無與雲淵往來文字亦無及雲淵名豈其已佚歟明史撰曆志於當代論曆諸公之說多採之又回回曆法篇云習其術者如唐順之陳壤袁黃輩之所論著又自成一家言今爲博訪專門之裔考究其原書以補其脫落正其譌外爲回回曆法云是時尚書益功方官於朝當已寫送史官今曆算書稍回回曆法批本家藏者雖不獲見於明史中求讀其書可也顧箬溪名應祥註見前著有授時曆法則復算術弧矢算術與圓海鏡分類釋術等書其自序測圓海鏡有余自幼好算數學晚得荊川唐太史所錄則圓海鏡一書乃元翰林學士欒城李公冶所著云云

是歲茅坤署府江兵備道大破猺獞於陽朔茅公於是歲二月由南京禮部郎中陞廣西僉事敘七月應書庭公檟（見前）總督兩廣檄茅公署府江道且以大征一切軍興事宜屬之茅公

詔治南粤諸夷莫善於雕剿莫不善於大征何者夷賊[illegible]獠其凶悍猾鷙者特十之一百之一而已擇其渠魁而剿剿而餘不以及則諸部落非案始分人人知懼大征則圍山刊谷而部斬之矣其爲功莫真於雕剿而莫覆於大征雕剿者師不發時候而入疾而出如隼之搏兔故其爲功最真而大征者非調兵歸劫者踰年不辦兵未集而賊皆走險矣其始也兵連禍結若其終也奉斬能級以殺罪甚其爲功多費然當事者往往利於大征行不便雕剿大征之師如太山壓卵奏捷之後濫冒爵賞而雕剿之法少不利則非且毀坐之矣因力言大征之非討且誅便宜從事應公詣之歸括所部署得戍兵五千人是歲十月茅公身督之分遺疾入不終朝連破十七砦斬後生擒二百二十人井被虜幼口凡千人以歸是役也軍門不遺一卒不費一金而所奪還民田且十餘萬款自正德間陳公金大征無功府江道兵威不振古田諸部落佃劫殺吏民猶稍蠶食諸州縣甚且擒陽朔令及其者江百戶殺之至是陽朔里戶歸子始知樂生日臥帖席云方戰日雨甚茅公焚香禱天顧以己生二年易晴二日佑將士故將士無不用命（參考白華樓稿府江紀事及王宗沐陽朔紀事卒）

皇甫子循論澧州憲副饒湖田過謁草堂公有題詩見荊川集考湖田亦己丑同年是年備兵三吳明代進士題名碑記一爲饒中一爲饒思聰不知孰爲湖田江南通志職官表亦無載

三十一年壬子四十六歲

春正月有懷公年七十公奉觴上壽徐少湖羅念菴王遵巖並爲壽文

少湖壽文曰昔者聖王之治天下既舉其俊髦委之政事使各究其用矣及其老也又養之太學至爲之袒而割牲執醬執爵偲偲然如子弟之事父兄夫是以貴德尙齒之教行於朝廷而其民亦相與習爲敬讓不知俯仰升降之爲勞拜稽之爲屈以成其老老長長之俗降及後世所謂士大夫之賢者既不得有爲於時而其耆老又或受其播棄沒溺困踣於閭閻田野之間則其政治風俗因以大壞予每上下古今未嘗不喟然於斯也今年二月十有二日爲有懷先生唐公七十之辰公舉正德庚午應天鄉試知郴州歷戶部員外郎郎中遷永州太守身有古子男之封地與所稱刺史之榮而又在

郡久有德於其民民戴之若慈父不可謂不用於時矣獨其倦而歸也未獲從三老五更以享太學之養思古者或有憾焉然公雖不獲養於太學而其初度之日鄉之羣彥從其子太史君遊者莫不奉羔酒稱壽於公之庭其俯仰升降稽首而再拜莫有不樂於色隱然古揖讓之俗豈非聖朝學校之設所以教焉者有素而太史君躬行孝弟又有以先之耶今上聰明睿知高視遠覽禮文之事追復古初者多矣惟所謂養老廷臣莫或以爲言故其禮未之能復而高年粟帛酒肉之賜猶時時見於詔令蓋上貴德尚齒之心得於天賦如此誠有舉三代之典以告者上固將忻然從之而公年始七十其享割牲饋醑之奉殆未可歲月計也予叔父昔與公同領鄉薦予又與太史君交最稔故序以賀公太史君攜

學篤行名聲聞四方年未四十家食大臣屢薦之不召然上意將老而用之非常情能測也今而後公壽益高太史公亦起佐天子盡展其蘊蓄以壽天下予尚當爲公賀之（見世經堂集）

王遵巖壽文曰語齒於上下之間交有尚焉尚其在上則曰公曰君尚其在下曰老曰叟當其爲君公而齒足尚則貴有所不與當其爲叟老而齒足尚則雖賤而無所詘此古道也尚齒之儀以祝爲文以養爲物皆情之所至也然祝頌之文常施於貴其於老而居上者在養以珍嘉可享之物蓋其儀之伸於愛敬各有所用其爲加尚於齒則貴賤一也其祝也非媚而說之也有可則而事者焉其養也非卹而恩之也有可憲而師者焉故語齒於上下之間而有足尚而德存乎其中矣是以貴

爲之掩而賤有所必隆也在上下而有齒者意其不乏於古惟其可尚之有所存是以詩書無得而多稱焉尚之日君而有稱者莫如衞武公尚之日叟而有稱者自華封麥丘絳縣二三數人之外不得苟以老名也武公之聖固無所愧於下然欲退而從鄉先生長老几杖安車遊宴之衎樂而有所不能二三老之高固無所羨於上欲進而據公卿大夫寵數事業之崇顯而有所不可得齒之在於上世而有可尚者得人之難既如彼其於所享之宜而取數之寡又若此某於是益有慕於唐有懷公矣公毘陵世家代有顯人非有泥塗之辱起家守信陽州復守永州府得千里之地而長治之以君之政教施其境內金錫圭璧之德加乎民至於久而不可議申謝舊土疑山湘水襟帶之邦歌舞其治洋洋如也及其解

印謝事休於百瀆之上遺前日之榮膴而盡屏身外之紛華田夫樵子相偶爲徒雖唐堯在上齊戚爲國曾不得一見之行年七十而貌愉悅聰明有加於昔德如武公而有其所不能高如華封叐印絳縣老人而行其所不得行其所不得而棄之爲其所不能而安之人之尙公者一以爲君公則不專於貴一以爲叟老則固未嘗辱於賤也邦人子弟交欲祝且養焉以致其欽愛皓顛鮐背隤然泯其上下之所處而忘年數之不足古之有德而齒足尙者莫如公取數之多也某以通家子建在下風不得從子弟祝養之後而特序其盛以寓忻慕之意云見遊嶽集鼎元考念菴壽文不見其本集念菴爲有懷公墓誌銘首云嘉靖壬子正月十一日昆陵有懷唐公年七十洪先爲文以壽大意以爲程大中蘇老泉名位不甚著也後世談慕若有不可必得者豈非以其父子之間皆能自立而又有以相成者耶蓋況公與應德也云云吾唐氏譜系下止載本人生卒年

不載生卒月日有後公生月日惟見徐羅兩公文中然徐曰二月十二日羅曰正月十一日當何從是時念菴隆慶山中荊川公與諡疏或乞其文以為堂上壽而告之曰月且所云正月十一日者追敘在墓誌銘首荊川公曾見之誌銘又載之家譜中譜公子鶴徵所纂也苟有誤荊川公父子必更之荊川公雖與少湖結契不貸然在朝竭荊川公必不告之而乞其文而少湖蓋從明友中輾轉得之故月日有誤而此文少湖自載於其集中不載於唐氏譜故無從考也（達撰壽文亦不載唐氏譜）故鼎元以為有讀公生月日當從念菴所記某筆記日羅念菴為有稱公壽序以荊川為之子而不提及今念菴所為壽文不可見擇其所為墓誌銘首所述一段雖以程大中蘇君泉推頌有徵公而又自註云蓋況公與應德也則壽文中未提及荊川名字可知矣今讀遵纂壽文乃知亦絕未提荊川也

三月徐階以少保去年十一月晉二十九年八月加太子太保禮部尚書

兼東閣大學士入預機務仍掌部事

四月把都兒辛愛犯遼東

倭寇浙江陷黃巖七月寇勢益劇大奸汪直徐海陳東麻

葉輩爲之主謀海中巨盜襲倭服飾旗號分艘掠內地無

不大利廷議復設巡視大臣命山東巡撫都御史王忬提督軍務巡視浙江及福興漳泉四府移俞大猷甯台諸郡參將明紀

八月咸甯侯仇鸞伏誅傳首九邊徐階密疏發其罪也見明紀

節錄趙浚谷撰逆鸞本末庚戌歲仇鸞復爲大同總兵官大同自梁震後遺陝兵通事頗多鸞遂收用時義者提督時陳僕也與太原伶侯榮咸見嬖虜逼大同鸞恇懼一二嬖勸之厚賂虜折矢誓不交戰語具錦衣都督陸炳劾章虜既過大同遂東犯古北口直寇安定德勝門同事者知其謀遂促鸞東入衛鸞亦度虜志滿將退故廷道東至通州所部通事披髮胡服掠京南固安臚朐河以助虜勢揚言兵部尚書丁汝夔婿爲遼陽軍將其

兵肆掠也故汝夔罹極刑都御史王儀督鄉兵禦虜斬獲通事首鸞劾儀妄殺御史助之（即王鳳洲父思質也）罷儀官遂進鸞平虜大將軍承制斬副總兵文官三品以下懦不戰者人皆震畏鸞率諸將徐隨虜出境竟不一戰猶論功加俸秩太保賜範金圖書得密論事趣勢者爭附之始與輔臣相軋矣既連搆獄困於財即大受賄賂始於東華門北強市前周皇親大第麥太監福莊園遍奏用覆軍諸將益張大虜勢謀逼南遷又陝西人多知鸞通虜恐發覺欲矯上命蓋覆之且以虜勢要君引進近畿史道趙錦等斥逹時春翁萬達及兵部尚書王邦瑞然時春業已召至遂授兵部主事贊營務鸞益忌之搆罷上復命以前職督巡捕軍萬達罷去衆方傾心驟鸞鸞乃與史道倡議與虜市馬以紓患衆或問余余曰此亡

宋秦檜策也何足問且官爲平虜大將軍而效牙儈開市職乎主辱臣死庚戌之役辱甚矣時春爲臣子五世受恩三十載得備一偏校練五千精兵願爲大將軍前鋒古北口狹鼠鬬穴中將勇者勝耳且虜唯恃弓矢今時春操持勁弓大矢教中國勇士不下虜且間以長鎗大斧拒馬劉信叔所以破兀朮也願諸君安坐毋憂所憂貪侈流行耳懦將不足任恐誤國事遂作責言以諭志辛亥二月時春擢山東按察司統民兵僉事市馬議遂成車駕員外郎楊繼盛陳其不可者十有司承鸞指劾下詔獄逹貶鸞遂令延綏宣大俱開市虜將俺灘阿卜孩知鸞意欲弱朝廷且納降人蕭芹策以開市爲名盡踐毀宣大邊牆邊將畏鸞不敢禁自茲宣大無藩籬矣蕭芹結黨謀翻大同左衞城語俺灘曰吾叱城城卽

下那顏騎馬可入城城中人夜覺其謀縛其黨懸諸闉闍五月二十五日平旦虜騎傳城則遊擊兵已陳城外山蕭芹吒城城上縛四呼疊芹大駭俺灘計沮乃呼諸酋以疲老馬及鹵獲不可生者互市獲段布數十萬疋厭飫南方珍酒果虜益喜恣盜邊上甚惡之時春以山東兵四千餘騎至通州上命屯西直門外新建民兵教場鸞惡其兵盛軋己毀諸上欲加誅上不從時春乞守古北口上命移駐密雲自是君相縉紳皆疑鸞時春自介鞬率甲士鼓行至於密雲鸞亦屯兵安定門外中使賜食踰日始反命上怪其遲以鸞不在屯遊別墅對八月十四日鸞始出師時屯兵三十二萬騎十八萬鸞不知兵唯誇虜強盛志在脅和其出也索列鎮官將饋遺載路少不滿意則褫甲奪馬或戮斬中軍將其歸亦如

之貪賄公行識縣赤地戶兵工三部糧芻馬豆工需各數百萬靡費略盡九月十七日歸京師乃奏曰民間訛言臣率家丁刼殺民兵僉事趙時春營爲時春所敗辱臣臣有應援功其詞失措謬妄傳報四方人皆笑之十月兵解時春歸山東史道路俺譡執蕭芹總督薊侍郎何棟執通虜熟夷哈周陳通事歸于京師鸞及輔臣道棟等論功行賞有差鸞進位太傅壬子春虜復犯宣大鸞徵陝西兵會戰其家丁先入巢敗績時陳殿得逃參將歐陽安旁擊之獲二十餘級鸞反刼二將行軍法上皆原宥衆論益疑鸞通虜之謀益漏鸞欲嫁禍故屢攻時春且誣成國公朱希忠通虜上皆辯明之而是役也夫馬芻糗械復半入月之役大同守備沙觀不堪命自刎死鸞與家丁爭納大同女妓大同人憤怨尤甚兵

益不振是歲正月七月月皆食時春兵復至通州諷通民毋舍民兵時春露次教場結草廬鷩諷趙錦兵部尚書教參將許璽夜縱火時春夜除廬結陣整兵北戍密雲錦又諷參將劉繼光妄報虜十三萬犯喜峯口檄時春兵援之欲使虜入古北口時春納其檄固辭喜峯無寇古北口信地不敢輕棄八月鷩疽發背時考察相近匱金求薦者甚衆猶力疾奏請而遍詆輔臣諸大臣然匱金者卒持去十四日死上用少保徐階謀先收制書將印時義等各散去都督陸炳擒獲各伏辜詳具法司卷中臣時春贊曰臣伏睹壬子九月詔書數逆鷩罪勾引虜患不容一人幾蹈亡宋覆轍聖謨洋洋通于四海義士咸奮敵愾之志偉矣故掇其隱事遺文著於篇緊守古北口不受喜峯口之給淮浚谷能辯王思質不能辯也然則浚谷之獲全思質之見殺亦才不才耳非幸不幸也

會楊椒山於鎮江因與之書書見荊川集輯安吳要焦山志楊忠愍詩楊子使人渡揚子椒山無意合焦山地靈人傑天然巧啣息神遇萬古間題云訪唐子荊川到此因山名與己號音相同喜而賦之詩與題字句與今本椒山集頗不同又阮芸臺焦山仰止軒記明嘉靖壬子楊忠愍與唐荊川先生約同至焦山云考椒山自敘年譜辛亥疏劾仇鸞降狄道典史壬子四月陞山東諸城知縣入月一日報陞南京戶部主事十月二十二日到任即有北刑部員外之報十一月入日赴南京是椒山壬子歲之重來南都席未及煖也亟亟約會荊川公於丹陽則二公之相慕殷矣兩公並世奇才荊川深曆算椒山深樂律皆獨有神悟發明絕學者也荊川深愛椒山故致書勸其少斂慷慨激發之氣沉潛含蓄以為世用椒山之擧奸而死爭光日月然天地間頓失一奇才絕學無紹荊川公之所深痛也

十一月朝廷起翁萬達爲兵部尚書道卒以聶豹代之

明史傳稱萬達好談性命之學與歐陽德羅洪先唐順之王畿魏良政善嘉靖中邊臣行事適機宜建言中肯綮者萬達稱首隆慶中追謚襄毅翁東崖萬達生弘治戊午六月二十八日嘉靖丙戌（五年）進士壬子冬錯武夷趕閩道趙三河經情流疾作至上杭舟中遂逝時十一月十三日吾鄉薛

方山代徐少詡撰翁墓誌銘（見方山文集黄梨洲並錄入明文海）載之甚明翁述功烈烈明史與錫一清毛伯溫等並傳乃三讀疑年錄載翁生嘉靖三十七年戊午卒萬曆四十年壬子竟移後一甲子不知緣何致誤

冬十二月從孫音卒於京師年五十五王孚齋升為行狀

洪芳洲朝選為誌墓江南通志郡邑志無錫張夏雒閩源

流錄並有傳音字希古號克菴已見前與公同舉于鄉乙未歲始會春官試庚戌就選廣平府雞澤令滄治奸猾悉置於法兇閭出爲民害者長經其地督學使者臨廣平集多士於庭曰諸生何從學聖人乎學雞澤令耳以脩覲赴京遘疾卒無以爲殮子一麈在京師承遺志悉却賻贈奉喪歸少與荊川公同筆硯相砥礪以古人之志學嘗答鄒東廓先生書有曰在高明視之則可頓悟而入若後生輩雖用力持守尚恐不免得此失彼又何敢自信以冀其化耶答古菴先生書有曰周書言且須權止檢詳書藉各以心來相參務求是當然則檢詳書藉時心豈不在耶又豈不求是當耶又言語所謂知識者豈若諸儒所謂即物窮理要治而得之耶莫在反躬自悟默而識之不知舍即物窮理之外又何有反躬自悟之機豈閉目兀坐而可得耶答賀平嵩書有曰中庸爲遺明之端而必先之頓聞之謹善則知君子之學貴得實地躬行有疑參諸同志斯之謂講未有置發履於後而且以講說爲一事也又言發書謂人生爲此大事出世不知何指豈以講學明道爲大事耶愚謂此事自人觀之固若爲大自己觀之直常

事耳道具吾性吾自明之吾自體之何大之有鼎元謝吾唐凝菴克菴而公皆以理學名家以墾於荊川公舉先不
著所謂松柏之下其草不直也疑菴傳黃渠淵明論學案士林稱頗知之而推閱迥流錄則讀者希矣克菴有文集
二十卷見明史藝文志亦不傳茲將其與諸名賢論學書則由行狀墓誌銘中摘出略見一班耳又萬鹿園與克菴
書云弟平生每求自信自覺亦以爲必欲得古人之心先得吾心古人之心元眞吾心不少有異若只以古人之心
求之便覺有間故耳幸有以教之云云見玩鹿亭務萬愿節祭唐克菴大尹文儒者尙方剛中不撓俗士貴圓顯人
諳焚然器亦有圓破蔽障塞不執于私爲遣之則俗亦有方任其意氣匪日浩然是爲乖戾君早歲馳騁羈師古人
一變向道厭薄運淳悉乎其說而存之以必不可拔之志徐乎其言而御之以必不可同之氣其於心也如有物爲
的然自信猶百鍊之金不可易也其於事也如有見爲定面後發猶萬鈞之弩不易折也聲名勢利一不垢膩是非
毀譽無所避忌強毅之責出於理義既不爲隨亦不爲戾君之不爲俗學而必爲儒者也信矣故其在家也親師取
友不計世俗之詘伸其在官也勞民勤事不願上人之喜怒余也嘗熱君之言輸而擷採其瘝大要以心不可以兩
用而業必致於專精是以居家則不及外事居官則不同家事鼓其精力早夜皇皇屏諸技能罔有急荒君之耦苦
以自勵也如是然用其勤於事則或汲汲而未安用其說於學則或切切而未融豈中道之肆戚抑守之而有俟吾
固欲君破方以爲圓而亦信君之得力者在此君素所要者荊川先生也然嘗謂余人心須各有主傳而不君固不

可謂盡由師傳亦不可則君之自立可知已僕輩資稟荏弱正病於證每發君為奮然自持君不我棄謂可與進徵

言與謀疑義與正君之作令遣行方始胡為在京一病不起嗚呼死生晝夜何足為異遠近一塗又胡介意僕不能

無憾于中者第以世態無常交情日薄當面輸心背面則譏如君之比今復為誰善孰我助過孰我規幸有賢嗣義

重蒙榮不負宿心告于冥漠（錄自殷菴集）

有送陸生南陽諸生滔赴試詩見荊川集

三十二年癸丑四十七歲

侍有懷公家居

春正月刑部員外郎楊繼盛草疏劾首輔嚴嵩下獄拷訊

二月倭犯溫州三月吉能犯延綏殺副總兵李梅兵部左

侍郎楊博巡邊楊號虞坡見己丑年有將帥才尋遷總督薊遼保定軍務後入掌兵部

弟子姜廷善寶號鳳阿成進士出徐少湖門下有書與公

書云某無似辱收之置講席之末且六七年矣中間迹雖少疏而漸磨砥礪之益所得于先生者甚多某實賴先

生以為終身依歸不止文義之仰丐斤斧而已也昨試禮闈以先生之義幸與甄錄復幸有少湖翁為知己某

私心竊喜以爲二先生均繫天下之望然出處殊塗久矣而某以先生之門人得爲此翁所賞拔意者天於二先生之合先生之道將有大行之機故使遊於先生之門如某者得以先生之教而遇焉所遇又此翁也初于家中相見未敢以先生之門人自通此後又隸聖廷有選館之命專方以求薦爲事某不敢私候其門以負先生故寧隱其說而不發亦冀勉率先生調言少自樹立不爲門牆羞久之則此翁亦或自相信耳不識先生以爲然否榜初下時即發册履中奉書左右不謂履中即行某進訪不及故稽至今茲專託道卿代候俟翁老先生暨應貞應達二兄不及另柬候四月間小僕回當一一申謝也風便惟不吝教音更惟爲道自重以慰瞻戀不宜

閏三月汪直勾諸倭大舉入寇連艦數百蔽洋而至浙東西江南北瀕海數千里同時告警賊留內地三月餘蘇松甯紹諸衞所州縣被焚掠者二十餘處紀錄　明公嘗至姑蘇見倭人戕嬰兒爲戲痛心疾首誓不與之俱生見焦弱侯爲公傳贊

萬鹿園起僧兵殺賊

王龍溪撰鹿園行狀壬子春海寇初亂人心洶洶君雖

在告憂懷激發慨然有澄清海甸之志深究亂所由起欲治其原時槐溪孫公宏軾爲寧波守君備陳海上事宜屢以書告言極忠懇繼聞黄巖失守寢食俱廢常中夜披衣步中庭長呼曰事漸大矣不覺煩懣是時賊首王五峯號聚倭夷衆猶以貢買自之未顯明其爲賊君乃作海寇議大意欲明正王五峯之罪嚴禁通番以絶其黨或曰此議一出關君門户事不小君曰吾世受國恩不論事權之在與否義當捐軀以報他何所顧也是歲巡撫王公忬問策于君忻然爲之百計規畫誘致賊中黨與多設間諜以圖密擒之計曰兵法所謂上兵伐謀其次伐交若徒以兵革相向不治其本財殫力竭禍敗無涯矣因條十一事致之王公論議不合事機屢失遂抑鬱成疾嘗嘆曰古人一言不售遂致疽背而死亦

一念激憤所致耳我學道之人于此不能擺脱寧爲我累乎每自解慰竟不能釋然癸丑夏海寇犯赭山賊衆標悍官兵屢北杭城震驚時巡撫王公出巡海上左布政游公居敬强君出君慨然任其事乃單騎出城相度形勢以鼓人心既而曰此輩羸敝之卒不可恃也急歸選募方僧兵倉卒召集咸曰菩薩出世救人我輩寧愛一死乎一日夜得二百人遂召壻指揮吴懋宣將以統之君送至月堂寺勞軍戒之曰夷賊狡猾相機而進愼毋輕敵懋宣是夜聞賊據民舍遂率僧衆進焚其巢奮勇前驅斬其先鋒數人賊稍遁遂乘勝追擊斬獲數十人餘黨奔竄山谷間懋宣恃勝獨窮追爲餘賊所殪賊亦隨遁城中賴以獲安時有五峯謀士某者潛居內地巡按趙公炳然獲奸細并其所與謀士書中稱蘭谷先

生不知其爲誰因密示君君歸訪旬日得其姓名卽擒其人趙公駭然曰公智策何神也君以陸戰屢失欲截之海上以爲沿海下八山人時常入海販鮮採樵習知水戰爲賊所憚年來困於生理俱作爲兵不然且將從賊亟須召募駕船給以火藥兵器分泊於陳錢馬蹟大衢等山要害之處遇有賊船經過併力截殺毋令登岸內地始保無虞亦以所議不合而止鼎元考徐少湖與趙浚谷僉憲書云王思質襟度志向俱佳至於兵事恐南人終非本色望兄開心與一講究云云（時思質巡撫山東浚谷爲僉事任練兵）今以鹿園之事觀之思質殆難與識兵事者

答徐少湖書

書云吾丈負天下之望久矣僕誠迂愚無識亦竊嘗以誠與才合屬之吾丈者今居相位將爲國家起百年太平之業蓋非吾丈之德與才不克有濟非得盡吾丈之

誠與才亦不克有濟也山澤病夫願少須臾焉以觀感績吾丈其將使民無失望哉使吾無失望哉家交重辱雄文永爲子孫寶藏而積瑕負罪之人亦得藉此以免于不能顯揚之愧爲賜多矣又辱重惠何以堪之久欲作一書奉謝非特避政府之嫌蓋無人可託者欲待來歲白主事伯倫行稍違此意偶高徒徐君之便草率附此徐君清操直節可謂不愧師門者其來時承手教敢以相復一二士人自北來多道吾丈拳拳垂念鄙人雖然吾丈知吾之昔而不知吾之今非昔人矣樗散闒茸百念盡冷已作一方外人矣追思曩與吾丈及幾谷相聚謬負意氣欲攘臂於經時之略真如說夢可發一笑更有可自笑者閉門縮首幽其影響以避咎而卒不免於每速衆口之咎槁形灰心毀棄廉隅以逃名而卒不

免於每冒不情之名乃知大易發無咎無譽一爻所以教戒山林之士意至深遠初看若甚易然仔細求之非混化形迹同而能異異而能同處世人之間不特不使人見有一毫可憎嫉處亦不使人見有一毫可稱述處則誠不足以及此耳東南海寇出沒於國家雖爲疥癬而百姓則不堪荼毒非特蘇松爲然敝郡亦凜凜於隣之震矣傳聞賊酋復有造船大舉之說不知何以爲善後計也曩者變起倉卒蔡操江（謂蔡可泉是時任操江御史）以身任之雖無成功亦儘可支撐劾非其罪有足惜者草草及之（是書錄自荊川續集萬曆刻本荊川全集頗有刪節　太倉州志三十二年閏三月賊至劉家河搶掠而入守備梁明道六合知縣董邦政率兵追擊追及吳淞口別隊賊自採淘港來與會勢益熾操江御史蔡克廉逮齊同知任環與賊戰斬首百餘走之四月賊首蕭顯自浙西來集福林入劉家河寇太倉操江御史蔡克廉在郡[illegible]入攻與知州熊桴乘城捍禦凡十七日乃[illegible]賊遂掠城外民居及倉儲略盡）

秋七月俺答大舉入寇延慶諸城屠掠幾徧八月倭警又作公有病中秋思八首又病中秋日作四首(見荊川集)又有感一首云百步飛刀賊勢雄連城刮地泣途窮誰供秋稅耕農盡將授寒衣杼軸空星孛仲尼書北斗兵交師曠詩南風六州節制憑元老會翦兇渠早奏功(詩中元老即公指王忬也)又云道家人說道中語開口便是先天後天無極太極兵亂中人說兵亂中語開口便是干戈搶攘之狀蓋亦各會其所遭也使兵亂中人讀道人之詩則雞狗殺戮之憤躍馬除兇之氣便當一笑灰冷使道人讀兵亂中人之詩其亦有愀然而攢眉勃然而扼腕者也

與趙浚谷書(見荊川集與浚谷第二書)趙公時由山東副使擢僉都御史巡撫山西(二月十一日奉新命)趙公負奇氣慷慨善騎射憤寇縱橫將帥不能戰數謂人使吾領選卒五千俺答即擒不足

平也作禦寇論論戰守甚悉既秉節鉞益思以武功自奮九月寇入神池利民諸堡趙公率馬步兵往禦之至廣武諸將畢會諜報寇騎二千餘去兩舍趙公擐甲欲馳大將李淶固止之趙公大言曰賊知吾來必遁緩追即不及遂策馬前及大蟲嶺伏兵四起敗績倉皇投一墩守卒縋之上乃得免被論解官趙公喜談兵至是一戰而敗當是時將帥率避寇不擊爲督撫者安居堅城遙領軍事無躬搏寇者趙公功雖不就天下皆壯其氣又山西通志趙公在巡撫任督兵禦寇率以身先斥貪墨省征徭抑求請絕饋遺日吾不敢竊府庫以自潤亦不能借府庫以市恩宗藩貴臣相戒無敢犯法以謗歸浚谷集癸丑歷整奉旨同給讒謂以兵科論其忠勇委可嘉而況渡或不足也三十一日去太原正月十日至平涼徐少卿與浚谷書有日發江所云荆川所謂皆不可知兄然亦不可謂不受兄逆其意而略其詞斯可矣又日入衛之行兄不可不深詳但必誠已遠嫌乃可就途蓋賊將

從宣大東犯兄出太早恐彼乘虛而西耳云云譯其意似荊川公有書與少湖或與浚公言其過說者但此書不見集中無可考耳自是浚谷不復用又四庫全書荊川武編提要謂荊川自負宿望初出即爲寇所敗云云蓋因趙公事誤傳又考史稱羅洪先罷歸甘淡泊鍊寒暑躍馬挽強考圖觀史自天文地志禮樂典章河渠邊塞戰陣攻守下逮陰陽算數靡不精究至人才吏事國計民情悉加意諮訪曰苟當其任皆吾事也鼎元謂念菴浚谷荊川一時碩彥念菴惜不見用浚谷惜不再用三折肱爲良醫浚谷再用安知不終收巨功耶荊川公惜未盡用而死荊川公與張半洲（經）曾石塘（銑）翁東崖（萬達）諸老於邊務者交翁在專鄉向之索薊鎮圖在北則向之索宣大與三關圖其於京則與鄭開陽（若曾）謀纂籌海圖編草堂之內日惟邊務是研於當時名將若南之沈紫江（希儀）西之何柏村（卿）東之俞虛江（大猷）戚南塘（繼光）北之馬芳馬永或爲之撰大戰功狀（廣右戰功錄爲沈紫江作）或贈序（沈何）贈詩（俞馬）或爲之傳授槍法（俞戚）雍容談笑均結之於山中高臥之日（惟贈馬芳詩在[illegible]鎮時）荊川公之爲學豈若宿閒者一經者耶而荊川公之志又豈僅掃一倭寇已耶使天假公以年膺分閫之寄無論投之東西南北必烈烈以報國家埒勳王文成公而流俗斷斷不可於其晚年之一出何異鷽鳩之笑大鵬耶

聶豹陞兵部尚書（正月二十七日）與徐階謀起用公與羅洪先未遂

姜鳳阿虬館入來書云某於丙午冬辱收錄門下每期身心意念之間刮磨洗刷以不負先生之教而不徒以其舉業文字見齒於門牆此夙願也然自去冬奉違以來既不獲時領面教春間附書左右仰求開導又未有一東賜答遂疑棄之夫以初進寡與之人時當壯門已不能無孤陋之患而館試或有高下自覺勝心猶未盡忘譬則一舟隨風飄流於大川之上無有與之操其柁而理其帆檣者行且覆矣先生天下之仁人也肯使門下之士至於如此而不爲惻然矜憫乎正爾自念忽得王掌科疏稿讀之則又以先生之將出而自幸其初望之不終孤不自覺其喜動於顏色也方某初第時實嘗以一人之利鈍卜先生之出處邇來間得接遇薦紳先達若對山林太史武東楊文選雙江聶本兵諸公皆謂方

今世道必得經綸大手如先生與念菴先生者一出而任其責乃克有濟其傾仰之誠真猶欲睹麒麟鳳凰以徵太平有道氣象蓋雖與先生素不相知者亦聞已有翻然之意而不獨一二賢而有望者默主於其間也疏內欲以職方相處雖似非宜部中覆題雖未有明說然聞周旋委曲實出諸公至情而兆足以行之機將在於此先生素有濟世之具且在盛德必不以昔宮諫而今郎官爲嫌天下之舟方且有操其柁而理其帆檣者時運有關此又不止某一人之私慶而已也風便先此奉布草草乞台照正寒更祈爲國家自重

羅念菴與聶雙江書云上缺見諭當道欲以軍旅物色荊川與生者極力說阻恐終不免聞之且愕且喜荊川命世之傑也其行峻潔其學精進其志堅剛其精力壯健

世不用則已小用則小益速用則速效而又無擇於遲速小大之間此世道之賴也故可喜若生非其倫也非其倫而槩求之故可愕顛執事爲我圖之也中節兩年以來齒落二三鬚髮已半白稍近書册則頭眩目痛夜廢熟寢卽飲食不甘乃自悲曰吾已不復可久人間世乎中節故莫若豫計而默寢之彼此爲兩得也中節故量己而進進則不辱非力不取取必爲災生自決久矣去歲與荆川別湖上謂辛亥歲鄱陽湖上之別論及出處謂之曰兄不可不出吾則終老山林耳荆川不甚許可彼蓋足以任之故其見與生稍異執事聞之得無又以爲希高慕大好奇喜新矣乎下節

聶雙江答念菴書云論出處一書甚悉肺腑語不屬安排自是真切曩以情跡孤危計無所出欲致二一賢相與

同事將必有濟及商之三數知己皆以爲然乃格於機會然後知行止非人所能也

歸元日此時趙慈谿尚未薦公也而當道固已欲起用公矣但不知王掌科爲何人耳夫念菴講學君子應不用打譏語而念菴自述衰狀如此然念菴後公五年死年六十一是公不出山不卽死也嗚呼公之出豈己果何利哉公在山二十年薦者五十餘疏徐少湖兩疏起用公事竟未遂慈谿疏上朝命遂下遂使公蒙所薦非人之譏毋亦佛氏之所謂障蔽然公本豪傑何憂污渠渠公後日之出仍自白少闕何世之人嘖嘖不察也

是歲金豪來守常州公有辭胙鹿書見荊川集金字文輿號前宗蘭谿人甲辰進士

戚南玄卒七二明十年六十二羅念菴爲行狀王龍溪誌墓周七泉卒八二明年四十八羅念菴誌墓薛應旂以浙江提學副使被察罷歸嚴嵩惡方山置之察典洪朝選出督蜀學

三十三年甲寅四十八歲

侍有懷公家居

寧國知府羅汝芳號近溪入覲勸徐階聚四方計吏講學徐

遂與歐陽德壬子年十月任禮部尚書聶豹程文德時為吏部左侍郎大會四
方之士於靈濟宮與論良知之學赴者五千人聶公有書
與公論學去歲公有與聶公書論寂感之說見荊川集故聶公
來書云呂先後（即呂氏淵）至領書覽不但悉起居慰懸渴而一番警發拜賜良多此學自嶺南一倡之至陽明
而後大明即如大學古本之復真是取日虞淵手段格物之說凡三變至即佛氏之常惺惺只是識取他本來面目
數語卻是公案而今之所講者葛藤末說時或參和佛氏金銀鉛銅鐵錫混作一器其與經文知止一條殊不相照
夫學至知止則定靜安慮生焉即來論有取於故是也蓋寂者性命之原神應之樞原無一物而無物不備一無所
知而無所不知譬之鑑空衡平而妍媸輕重若其中之所素具者可類而推也孟子牛山之木一章獨有取於日夜
之所息故日夜氣不足以存則其違禽獸不遠乃格物者不知養夜氣盡寂之原以發平旦清明之機而乃於已發
以求好惡之相近卒之病己病人不待其子往視而苗已槁矣龜山為程門高弟而其所傳不過令人於靜中以體
夫喜怒哀樂未發之中此是頂門上針往聖之絕學也來論絕私之原灰心默坐參驗此心天機脈路的確實際自
見幸甚幸甚趙淡谷忠孝勇略真寰中一人豪也惜其苦不知事變爭向前又措無好友堅得他下以故自恃大雄
而于臨事而懼好謀而成俱視為過耳之風昨歲取敗有由然也方當省悟方受鐫級而遽令回籍聽調奈何奈何

僕如一葉之舟承重載況重載而浮諸海耶早夜兢兢其知所竟皇恐皇恐變江吳王寵孫書云只於辭受之閒日求實際如羅達夫唐應德其學未必盡然將來人自信得若或世情俗念與世人無異雖說得天花亂落終亦何濟又與念菴書云家藏二字本夫子大傳發以教萬世而於儒佛之辨已著其大端往聞荊川以此為笑柄恐後人亦於將以此笑荊川也荊川與薛考功皆一代文人之雄而其集中談宗乘亦肆肆有來豈呵佛罵祖文人相詆自古為然耶蓋荊川公與雙江論學大旨相同雖講家藏而重在躬行也

官軍圍倭南沙五閱月不克會新倭大至與舊倭合勢轉掠華亭上海嘉定二月官軍敗績於松江巡撫應天都御史彭黯遷南京工部尚書畏賊不俟代去下獄除名倭犯通泰餘衆入青徐界大江南北漕艘幾阻南沙在崇明縣治南七十里

鄭曉改兵部侍郎兼副都御史出總督漕運巡撫鳳陽等處請發帑金造戰艦築城堡練兵將積芻粟並收武健才諝事多施行鄭公前請一判和州丙午遷南考功又遷尚寶歷太僕鴻臚光祿太常去歲遷吏部右侍郎

三月二十日歐陽南野卒年五十九贈太子少保謚文莊

五月南京兵部尚書張經總督江南北浙江山東福建湖廣諸軍討倭便宜行事

六月倭由吳江掠嘉興還屯柘林縱橫往來若入無人之境王忬方視師閩中諸將盧鏜等頻失利御史趙炳然劾忬帝特宥之明紀

萬鹿園起爲南京都督僉書過毘陵與公議討賊之策

鹿園行狀甲寅春復詔起爲南京都督僉書聞嘉興蘇松通泰諸路賊報甚急嘆曰東南財賦之衝爲國家命脈所係而殘破如此尚可泄泄爲耶乃褒產聚糧倡集下八山水兵併僧兵合八百人以進時竹墟胥公大山巡撫直隸君謂曰欲固留都根本先守蘇州此要地也乃爲指畫要害分兵截守復以下八山水兵五百屬之軍門發往江陰駕領福船出海截殺隨報海賊自嘉定

太倉而來遂率所隨僧兵往禦之猝與賊遇於婁門陽涇橋時兵備諸將領皆微服潛入城君以孤軍在外誓與賊死戰乃拒河以守分爲三隊先發火器以挫其先鋒一兵手戰慄不能灼火君拔劍斫其背自往灼之衆乃奮力前進殪十數人俄而賊鬆分爲四支紛繞衝突我兵衆寡不支遂奔潰君方督戰在後被流矢中肩渡河溺水自分必死幸而獲免二義兒力戰俱殞於敵遂裹瘡力疾趨留都至毘陵會荊川唐公順之談及時事荊川曰忠誠如君實乎日月世所難也以上行狀因次萬思節韻賦詩四首贈之見荊川集江南經略六月初四日都督萬表帥親兵僧兵下入山兵千餘人禦賊婁門賊設伏兵擊萬帥敗走賊勢益張次日燒劫閶門至楓橋地方初八日賊分三支一由張家橋一由北新橋水陸並進燒劫虎墅一由花園村燒劫橫塘橫山東西諸村落皆窮其所聚逆逐殺擄哭聲徹天

公以倭人入犯東南騷動蹂躪特甚慘不忍言歷五十六歲無能痛創之者爲憤懣廢食時時攜一編袖中或竊視之乃七大傳自留侯鄴侯以至李忠定皆在焉蓋古今所稱七大經略也公嘗謂看盡世事只少一寧武子之愚顧李撰傳

八月應天巡撫都御史兼提督軍務屠大山坐失事下錦衣獄免爲民倭犯嘉定官軍敗績

十月倭寇嘉善圍嘉興劫秀水俺答把都兒打來孫十餘萬騎犯薊鎮攻牆百道並進警報日十至京師戒嚴

十一月朝廷改張經右都御史兼兵部右侍郎專辦討倭調王忬總督薊門公有贈督府張半洲兼東周中丞名珫詩四首見荆川集

是歲爲子鶴徵授室娶弟子萬士和女鼎元考菴[illegible]語見閒蹟筆荆川爲子鶴徵娶婦萬氏入門還恭拕姑莊氏聞衣上香氣姑問身有何穢答曰無之曰無穢何必薰香云云莊氏謂亦載之

不知莊渠人已先七年卒矣

尹洞山由南京國子監祭酒改北因取道遊三茅山過吾邑訪公於陳渡莊洞山先期約歸安唐一庵來會傾倒論學罄生平之歡洞山先後賦四詩贈公公亦賦四詩答之按胡正甫爲洞山行狀公答詩見荊川集洞山見前乙未年

鄒南皋元標爲洞山傳云生平所最切劘者西昌安成三文莊吉水羅文恭毘陵唐太史湖州唐比部諸公學不設岸異立門戶惟默默自檢驗洞山先後贈荊川公詩云一入陳孫梓郎迷深源何異武陵蹊支離未厭壺丘病寂寞仍耽潁水棲舊劍床頭長鏽鐵新書案側欲燃藜微言更及元荃理不記參橫曉日西發歲風塵海甸昏如公那得猶倚門焚魚學士跡空秘友白山人遺自尊桂樹攀援聊賦隱桃花開落竟忘言英雄出處元無定不見南陽與獨村十年學道與方迷退守真漸老氏谿下士誰抽青笑散高賢久作碧山棲三江采秀常舟楫五岳尋仙獨杖藜強託著書能暫許五千文字定傳西扶餌吹淚瘴砂昏蚤浦搖氛暗國門白面書生誰解武綠林萃盜故舊尊握奇自識才元辨抱甕終知寂不言射虎緣橫紛在

目可容閱居碧雲村鼎元考洞山赴北都後與王稚川並以督教楊椒山齋於時荊川公最愛椒山者草堂之

內知與洞山大有所猶商矣

聶雙江重來書

云尹司成到京得詢道侯爲慰且謂執事有見於未發之中而于管竊疑若有所取爲者但未面證其來歷耳何幸何幸夫欲知聖學之來歷當先考二氏之來歷知二氏之來歷則於聖學思過半矣知聖學之來歷與二氏同而又知其所以異斯可以析毫釐千里之微止也盡也寂也未發之表德也其於二氏之所尙可以異言之耶止而說虛而受寂而感天地之所以長久而不已也乃二氏鄙之謂爲煩惱障爲衆生魔至于枯槁容嗇無情同氏槃參贊經綸之實乃付之烏有此特其見之過高耳夫人生而靜天之性也感於物而動性之欲也謂虛寂非性之體不可也謂欲非性之所有亦不可也夫欲謂性之所有而動於欲非性體生生自然之用於是聖人之學必先立乎其大以臨夫生生之機所以皆盡牛而戒於履霜也故執中者執天下萬有之中也夏得之爲艮背商得之爲安貞周得之爲潛龍吾夫子於咸卦盡發其蘊故曰觀其所感而天地萬物之情可見矣此其來歷大較學庸首章當之矣參之於大易之咸艮坤復之閒則立象之意可一目而盡之若乃今之以知覺爲良知者特錄情流注逐物變遷不過爲宋人張一赤幟傳君錄節要白沙緒言具在可覆視也

訪胡正甫直於句容裁舍遂偕訪趙大洲於南都

見胡子困學記

按大淵去歲由廣西荔波典史量移徽州府判補南吏部文選司主事未至升郎中明年陞南光祿少卿遷南通政司參議大洞與詞正甫書言其嘗學射荊川公蓋在此時正甫發盧山師事羅念菴又明年丙辰成進士仕至按察司

弟子吳峻伯罷居里閈有事吳門命棹過訪天目山齋載編別荊川先

生後泊鄒山作云窮秋何事簡衰出為乞名言志趙山尊榮買來仍洗罐澄舊讀泉欲修刪若從辭尉運藤後（原往

云彈舟人有見詞者）一說頭倫頸扣闕（原注先生數廣德彭洛陽事甚詳繫是梁鴻好月色聽雲夜夜只恩遠坡伯

又有五木謁方山不遇詩

明唐荊川先生年譜卷四

十四世孫鼎元謹輯
十二世孫肯校刊
錢家驥
鄉後學周仁泳謹校
崔龍
十四世孫斐 纘道仝校

三十四年乙卯四十九歲

侍有懷公家居

正月倭奪舟犯乍浦海寧陷崇德轉掠塘棲新市橫塘雙林等處攻德清殺裨將梁鶚等

二月俺答犯薊鎮參將趙傾葵戰死倭自三丈浦分掠常

熟江陰吾常甚恐築月城以守吾常月城近已拆毁圖近稍者安知其爲縣倭故賦哉

阡表海寇之變蹂躪焚虜慘不忍言先考痛心疾首食不下咽有司攖城將盡撤附郭民居且閉城以拒來奔者先考曰以是兩者誤入賊願以身任其罪後賊竟不至民賴以安考薛方山四書人物考序云余嘗董浙學政既罷歸避寇鍾山故廬所嘗讀書盡爲寇燬是書獨攜在行篋以免云云則當日倭寇北至常之鄭陸橋東至五牧離郡僅二三十里耳

聶豹自兵部尚書謝任歸明史七卿表二月致仕便道訪公於里中雙江與羅念菴書云曩從閒殿撰託妻子之楚避及至毘陵晤荊川而得其細且謂前此有簡遺渠同行荊川親在老且病搬使荊川好怪如殿撰恐當責其不可可復招之妻臥榻之親以從己出遊於千里之外乎胡正甫念菴行狀云乙卯春先生西遊舊廬留滯楚之旅舍時王龍溪至自浙遂共避暑山中尋病作不果白河之行至九月逝舍而曾夫人卒先一旬矣公與雙江通書論學已久至是得面相質證也

倡議築孟瀆堡

鄭開陽曰東南海防與西北邊防不同堡之無補於江防海防較如也惟河莊一堡又當別論而不可以不築者此荊川唐公之見所以爲不可及也何也孟瀆乃蘇松諸郡之咽喉大寇若犯江南此爲最要愚於常鎮諸論已發明之矣荊川默識乎此倡議興築勞民費財萬姓怨讟而弗顧厥功大矣孟瀆堡官軍居民與小河包港二巡司弓兵協守城周圍五百八十丈高二丈二尺厚三丈門六座（縣志作四座）水關南北各一座窩鋪二十座雉堞一千九十七座均載江南經略邑志書建志孟河城嘉靖三十六年築（事略志作三十三年誤）時因倭警巡按尚維持疏請于孟河築堡城周云云蓋荊川公倡議之而巡按尚公爲之疏請也孟瀆貫城中北入大江設官駐兵屹然瀕江重鎮

薛應旂起復故官備兵延綏王槐野與薛方山書云頃睹傳几謂徙方面仍領原銜除前日之令矣如是公可出以明吾志矣世事浮雲造物小兒未有大男子真小兒弱言也白衣蒼狗斯須改變自昔人固漠之矣公識窮華華曠覽之士獨奈何不審斯遭乎寓庵公言公遁栖林莽之間蓋履迹不入於市容有問其

盧者瓢匿而不與發則乃古人鑿坏之意矣然此但可異於凡流耳非所以通於大方之觀也所謂大方之觀者嘗
猶之神龍潛則蟠於九淵潛則橫乎四海潛見大小不可形求之不可定擬哉孔子取之以喻君子貴變化之義耳若
塊守一隅自以為褻是以往即可立名書世此乃遺旁橫立禿木耳彼其蓺且不足以休行人朔以上栖九日下覆
入疑乎顧公改技勿用之以勢奇焉吳中古辨才窗然奇雋者不數數見進藪王子有言自季札子錯以來歷數千
歲而始有荊川唐子若是乎其難且就也今唐子既出而公復欲以澹榮川文章表見于世恐山川精華不能分而為
二不若顧進攢王子之意去之而勉勵功業復仁義之實以髮靡敝而抹瘡痍亦庶幾哉於當世之治可與前行名
臣比綜矣方山紀略三十四年謂陝西按察司副使甚妨延綏兵備兼分巡河西道巡撫王孝泉設燕于榆林學謝
不敢當孝泉曰教方子弟不知師範特屈先生以示觀法耳因集諸生講學孝泉日皆彼輩所未聞也小子識之與
僉憲楊明田師履禮戎李北峯楠孟游舉家游河姜紅石映紅山寺孟家歷道總制巡撫之賢者余盧敏禹蟠盧之
外必以楊文襄為首近日則曾銑可惜若遷兩月不會則套可復矣總制賈樓村應春設燕于固原日先生在延安
正范文正備西夏去歲當事諱以難事苦先生其實非先生不可入月當防秋之期不應預料場事巡撫崩北邦與
買王二公帖幾入場作試錄策題序文閱遍揚卷推易經四十五卷無一可者復將點落入百餘卷盡行詳校取中
一十五卷其一鄒應龍也後連第進士授行人遷御史卿劾罷嚴嵩父子嚴置方山于危地適以自速其禍云明年

（丙辰）南京科道屠仲律等承嵩指疏劾方山吏部考功司萬寀以不謹落方山職方山自是不復起

朝廷遣工部侍郎趙文華祭告海神兼區處防倭事
五月總督侍郎張經副總兵俞大猷擊倭於王江涇大破
之文華攘其功且先密疏劾經養寇帝怒下詔逮經以應
天巡撫周珫代爲總督
去歲七月俞大猷敗倭於吳淞所公有詠俞虛江參將詩
四首見荆川集虛江大猷別字也任環屢破倭陰沙寶山南沙等處裹
創搏戰氣蓋三軍由蘇州同知擢按察僉事又會俞大猷
大破倭於陸涇壩見明紀公亦賦詩贈之詩云龜茲本小醜
突然障東沙江左久承平風烟頗堪嗟一發竟連年長驅
若無遮戎吏多旁觀泄泄歲月賒惟我復菴公挺然不顧
家屢立矢石前揚鞭策渥洼所向皆成功克敵無堅壘賊
畏如范韓海外稱任爺出師嘗露宿月夜聞羌笳嘉績在

朝宁璽書賜安車試看大捷音彤廷頒白麻持節過毘陵

共嘗陽羨茶任字應乾號復菴嘉靖二十三年進士明史附曹邦輔傳贈任詩不載荊川集見四庫全書任著山海漫談附錄中

初島夷犯王江涇橫行殺戮公如姑蘇登臺

說周御史如斗字允文號覲所餘姚人進士釋褐貴谿令入爲御史按蘇松以疑人擅大計責爲撫將

帥諸臣激揚士氣有青陽石碣婁門平望寶山木瀆分御之捷改督學晉僉都御史撫南贛後移撫江西卒官日

君見良民被刃耶周言須任使君來有頃任至語次啜茶

嚥梳碎之日某誓殲此賊是夜出師斬五六百級蓋南中

首捷也任有詩曰三尺龍泉書萬卷丈夫何處不爲家本常

熟蹟立本松鷹快筆

倭據江陰蔡涇閘分衆犯塘頭知縣錢錞字鳴叔顯陵衛人率民

壯數十人戰邑之南郊九里山死之據明紀及江陰倭寇書閩江南經略載在

丙辰年

趙文華劾周珫李天寵薦巡按御史胡宗憲勘珫天寵爲

民南京戶部侍郎楊宜代巯總督軍務而超擢宗憲僉都御史代天寵爲浙江巡撫鑄督察軍務關防卽軍中賜文華文華威出總督上宜懲張經禍曲意奉之文華視之蔑如益顛倒功罪易置文武大吏惟所愛憎納賄賂不貲紀律大乖將士人人解體賊寇愈熾（明紀文華是歲冬回京）

儀部陸五臺過訪陳渡草堂傾倒論學（參考荆川集及趙大洲傳陸五臺傳）

按五臺名光祖字與繩五臺其號平湖人嘉靖丁未進士仕至吏部尚書卒贈太子太保諡莊簡其事蹟大節見明史傳少年與荆川龍溪大洲諸公講學其爲北直令時邑生盧樵富而才許前令逕以直辟數十年相沿以其富不敢爲之白陸至訪實卽日破械出之然後閱於臺使者曰此人有富聲陸曰但當問其枉不枉不當問其富不富某不枉夷齊無生理果枉陶朱無死法（見明稗史類鈔）

撰送何沈兩公同蜀廣序（見荆川集）

明史何卿沈希儀傳嘉靖三十三年倭寇海上詔卿與希儀各率軍赴蘇松軍門明年充副總兵總理浙江及

蘇松海防兵與將不相習又不諳海道竟不能有所爲並爲御史周如斗劾罷

余考世經堂集譏天鑿樓曹邦輔與熊會湯宜皆不喜沈何也荊川公送兩將軍序當作於是年亦居有僂公妻之謫卿字柏村希儀字唐佐號紫江四庫提要謂公晚年薰蒸語錄與之俱化（荊川公三十歲即讀程朱語錄亦不自晚年始）今觀是序瀾幾有河海之勢何曾有語錄氣味蓋公文章根柢已深又極留意將帥才每遇疊揭有事奇才淪落感慨惋惜之念動於中文機不運而自轉文情不求深而自深而奇文出焉黃梨洲所謂荊川無意爲文而文自至也沈希儀之謂海上也內閣徐少湖與之書云區區以一地方之故望於執事甚厚又念執事夙負盛名若晚節一出無所建立將舉其平生而棄之故尤望執事一抒遠猷破此小寇而傳聞執事在軍門布袍韋屣有山林之志竊疑執事身已出矣豈得復爲此未敢信其然茲得書知慨然以討賊自任喜甚慰甚人生既到五十以上精力豈能如前然古之名將蓋有與疾而致勝者有不事甲胄而成功者楮末所云更望執事盡去此念執事毋曰爲區區只上恩不負主上眷知之厚下恩不愧荊川二十年之交足矣損寄厚儀函區區不敢以諸將待執事乃以世情相待耶附使返璧惟照存爲愛又少關與南中督撫書云將才難得如沈希儀何卿皆宿將拔見上官不任之以事又不優之以禮自計不能展布且防後患於是各爲避去之謀或佯爲嗟歎求以不才劾或故爲僨事求以無狀劾兵守見諸

公彈章交至發存遺面只得覆行彼閱報忻然而去蓋非諸公能去兩人乃兩人能悉諸公也又茅鹿門與趙玉泉大巡書云如寇兵所向禦沈希儀輩皆川廣名將也比聞其至所部署不遑所攜家丁數十人與本處一二百鳥合遊食之卒而已更無數千專領之兵及一切不貲之費令得以恣其出入之厚貲濟兼其間覬上數書可知沈何在海上情狀而荊川公序文所爲數惜於人不能自爲材也

七月朔日有懷公卒年七十三葬黃塘祖塋在常州東郭外舊永豐北鄉祔於給事中曾可公之次遷任宜人柩與合兆

錄王遵巖撰有懷公行狀已摘譯念菴撰墓誌見前者不錄信陽州衛舊常隙公在州與衛官嶽然在戶部監十庫與中官共事強則取禍弱則招侮公平心其間中官皆得公永州有南渭王府每招飲公輒往往輒盡醉後公去州郡幾何年矣衛官南渭王之書簡不絕也而十庫中官與後共事戶部郎必問唐公宦蹟所在居起何若公亦每自喜曰武人中貴王府皆仕途所謂極難處者我能不覺

其然然公未嘗曲法徇之其於物無害中心誠有信乎人者公嘗病困手書與友人訣吾平生無他長惟不忮不求二字可以無愧至是寢疾復舉以自計曰吾知免矣疾篤命諸子告别於先祠徹薦果公方坐取一果啖之核未吐而瞑面微含笑也葬畢三虞方訖祭異香滿堂室內外聞之莫知所至乃從靈几前起也臨化實景死後靈響非積功累行氣完真還胡以有此嗚呼如公者生死之際可謂全矣又云人知應德之進道而不知由公教之而後有以成其學也知應德之遯世無悶而不知由公安之而後有以樂其天也公未嘗言學而家庭刑範陶成之實學者可以觀矣蓋語公之所以自成則在漢陳實晉吳隱之之間語其功之在於後世則與宋之程大中朱韋齋比盛云云閩南通志唐瑤武進人嘉靖中知永州府作育

人材勸民力作敎善導詩不倦（原本誤誤爲）

趙大洲祭文曰：士有百行，厚實先稱；曲禮三千，忠信爲根。於惟先生，追媲先民，匪夷匪惠，居身有珍，不隨不激，道廣難名。將使守玄者尚其體素，而持議者無以容其議。評先生之仕也，既與民相安於牧馬之野；先生之退也，猶與士相忘於亡羊之濱。委蛇白下，懸犢零陵，買田陽羨，築室南荊。蓋冥冥欲掩跡於谷口，而昭昭自揭影於上京。由學箕之賢，多故盍簪之譽。與嗟乎！遊伊洛者必仰大中之休範，而交建安者先慕喬年之儀刑。某等託交令子，久嚮清貞，生不能隨升堂之拜，歿寧不動寢門之情者乎？爰合辭而共噫，見吾道之同盟。嗟嗟！豈止於斯，雖千齡有修嫮之士，尚友斯文者，猶當下馬而尋墳。猗嗟先生，是慰是歆。行狀祭文錄自趙纂大洲本集吾唐氏譜不載中麓撰荆川傳曰人徒知唐子之進道匪懈不知由其父教之而後有以成其學也知唐子之遯世無悶不知由其父安之而後有以樂其天也知唐子之應用無窮不知由其父作之而後有以善其政也非是父不能生是子非是子不能承是父

胡柏泉來書云滿擬秋中急圖一晤稍所請益不謂兄遭此大故而江上亦又擾擾比日喜聞賊稍稍遠矣乃拙室偶病疾頗重近今調理半月漸有生理然尚未脫然也嗣兒庶弟皆在顧昏百事一身亂我衷曲無由縮地一附懷翁老伯之棺哭以襄事負負無可言者乞亮之也重惟昔人有言天下之寶當爲天下惜之願兄節哀爲後學後世加愛不獨今天下云爾也病妻稍間江上無警仍必圖面教相期於獻歲之首幸不棄也東望

不勝向往（胡莊蘆集）

倭六十七人（江南經略作五十三人）自焚其舟登岸劫掠自杭州北新關西剽淳安突徽州歙縣至績谿旌德過涇縣陷南陵流劫蕪湖燒南岸奔太平犯江寧鎮徑侵南京兵部尚書張時徹等閉門不敢出倭紅衣黃蓋帥衆犯大安德門及夾岡越二日趨秣陵關而去入溧水縣流劫溧陽宜興聞官兵由太湖出一晝夜奔八十里越武進抵無錫駐惠山進至滸墅始爲應天巡撫曹邦輔所殲（以五六十人之小寇徑行數千里進薄大都至城門盡閉與近年以三百人尋瀋陽十萬之甲同爲千古怪事尙謂國有人哉此時公方伏苫次痛憤甚矣知其易枕塊以枕戈并爲國而泣血也待喪終出山講學人譏紛紛議之講學講學講至有胸無心此孔孟程朱萬不得已後世言也讀徐少湖世經堂集責勇裁卷書知此時幾會得宜正宴笑歌舞於錢塘湖上且以邦輔捷疏不署其名識之義菴宜別字）

俺答大舉犯大同宣府參將丁碧戰死進犯懷來京師戒

嚴參將馬芳敗寇於保安荆川集有贈馬芳詩

時朝議欲以兵事起公有金革無避之説公寓書門人曹子泰評事懇其力爲斡旋停止並以死自誓

書云聞軍門諸公欲相薦紛紛有金革無避之説聞之令人驚慚無地若無此事而先言之則爲躁妄若有此事而後言則又無及故不得不以託之子泰也僕固陋之人所以自立於世者守區區之禮義而已如老嫠守節蓋亦幾十年若心若一旦忘哀冒利恬不知恥則所謂舉其平生而盡棄之生不如死也若旣有成命而杳趄前却不肯即赴則罪且不測是諸公之愛之者乃深禍之也若無此疏則已若軍門諸公或撫按或操江但有一疏到京言及鄙人姓名煩即持此字到少湖處一陳愚鄙委曲少湖公在今時最號爲維持風教保全人

才者雖一介之士苟可以全其名檢而遂其素履亦必留意况僕素以頗識廉恥受知最深者乎金華無避之說蓋指當時如魯伯禽有社稷重寄者言之此只可爲大臣任兵事者之例非可爲小臣無關輕重者例也只可爲見在金革不當因喪而廢事之例不可爲見在閒散之人乃却去喪而任事之例也有可有必不可此辨禮家之所死守也見在金革不以喪廢猶爲甚不得已見在閒散去喪從事更何說乎若有此舉相及從之則死有不能不從則罪或不測頃吾友委曲轉言必使得免于此只當救一性命也情切詞迫勿以爲怪異日服闋之後國家但有驅使臣子之義自不當辭但在喪中則必不可也必不能也子奉名三翊宜興人公門弟子

冬十月朝廷殺總督都御史張經巡撫副都御史李天寵

兵部員外郎楊繼盛明紀

十二月十二日壬寅山西陝西河南同時地震華山終南山鳴軍民壓死八十三萬有奇致仕尚書韓邦奇南京光祿寺卿馬理國子監祭酒王維楨與焉明紀薛方山丙辰正月出關有紀王

槐野馬谿田文

三十五年丙辰五十歲居喪

正月二十六日萬鹿園卒年五十九

鹿園行狀時尚書張公經爲總制乃作書以告終始主於截海之說君至督府病勢復作下血數斗幾暈絕右手足漸成痿痺伏枕三月猶日以地方爲憂因陳固守京畿之策以告當路吉陽何公遷大洲趙公貞吉兩溪萬公恭聞君之議翕然是之以語於總制張公乃強君以出君扶病就道與武庫郎中譚君綸兼程趨吳中募

兵度地築臺置柵開濠設險爲拒守之計至嘉興值大夥賊自平望來勢甚熾君曰此賊重載而還志戀財貨可要擊而破也遂親詣戰地布險設伏分立奇兵水陸並進期在必克張公堅執不從惟欲收兵閉門以待其去君不勝憤激變色而作曰若賊來惟欲閉門棄其四隣而不顧何用總制爲也事皆掣肘不遂坐中忽昏暈絕去急進湯藥始甦自此語言蹇澀口吻流涎臂足愈痺精神恍惚健忘方欲辭病復詔爲提督漕運君以特命不敢遽辭乃沿途倩醫調治赴任月餘值倭寇犯鹽城先期漕運巡撫鄭公曉出巡揚州料理通泰兵事君在淮鄭公行文欲調兵守廟灣君測曰此賊必赴雲梯關若守廟灣則緩急無及矣後賊果趨雲梯見有備尋遁去乙卯秋病勢轉劇上疏歷陳得病之由懇疏乞歸

未幾復推爲浙直海防總兵官言者謂君病久不堪任事始得以前旨歸山中君曰吾此歸已成廢人惟須靜養以卒舊業不復更以世事攖懷也未幾忽疾大作痰火上壅一夕而卒鹿園有武林病居寄答唐荊川太史詩二首不得其年錄之於此病歸辭祿家無計老去貪閑子暫居賓客到門常不發詩書乘興獨難除已知羅養形終誠稍悟浮虛意覺舒爲問荊溪唐太史道心病後更何如十年學道禪曾悟遇景運詮却未曾身事致別離不了道心將見時難遠故人同病誰堪語末行無矜象所憎汩汩流光知不返舊盟空復憶山僧

官軍擊倭於松江敗績

公會趙大洲於金陵復如揚州

胡柏泉書云久不侍教積疑積感欲就正於兄者種種前金陵之行苦得信之晚二月中一赴大洲之約知兄尚留揚急使人奉請至葛宅知以十三日歸矣悵惘之極幸莫春之約在耳度此時貴地尚可緩恐向後漸逼

難出矣倘惠顧前約得一就見至幸且大洲兄亦欲再面也二月二十二日返自京賤目互病今右目猶羞盥昏眵力病口占不盡欲請若嫌於言至京則棲霞去京三四十里去龍標只八二十里甚僻也又否則生八六三上有字誤疑之間如何若望報音以慰飢渴公在囊中何爲有此行也是時寇縱矣江南北盡被殘破公奮至姑蘇登御史臺說周襄所破賊矣而鄭公淡泉方督漕淮揚兼提督軍務公之如揚無亦如姑蘇見周公意獻嗣是鄭公屢破強寇立奇功公必有密謀方略者矣蓋公亦深知兵公之屢見之亦滿目世難有所適權耳公與趙公鄭公均相知豫無坊以衰眼見也徐石壁自北平函告在癈肆見荊川公細本畫幅並撰影見示上題五言律詩一首[illegible]外分明見法幢川光孤斷石井眼樹寒江折葦僧歸渡觀物客倚穗一窺龍女傷坐使毀心降鼓云乙卯春初過潤州不及登金山戲寫以寄游目荊川子後筆此畫曾經南皮張香濤故藏有南皮可圃珍藏之章可圖香蹟仲子權之別號也荊川公書跡多矣壹則僅見此冊記於此以俟博雅君子之考鼎元譜乙卯春初之過潤州蓋亦如金陵如揚州訪大洲淡泉也

三月朝廷進胡宗憲兵部侍郎代楊宜爲總督張京賢代

曹邦輔巡撫應天阮鶚代宗憲巡撫浙江

鄭曉在漕運總督任連破倭前後斬首九百餘召爲吏部侍郎晉南京吏部尚書帝以鄭知兵夏四月改右都御史協理戎政

倭犯江陰將領常州義士張邦定率義兵禦之鄭陸橋力戰以死據武陽合志向洪遇有鄭陸橋赴義詩序

徐海引倭衆犯浙焚舟示無還意圍巡撫阮鶚於桐鄉時兩浙皆被倭而慈谿焚殺獨慘餘杭次之柘林乍浦烏鎮皂林皆爲賊巢前後至者二萬餘人詔胡宗憲急圖方略徐承烈聽雨軒贅記明嘉靖時倭寇沿海而入縣東南浙之嘉興被禍尤酷常掠貲財婦女貯之三塔灣僧寺中而李象往攻桐鄉去婦女數百日夜悲泣慘不可聞寺僧妙諦惻然詭辭守者開門放之令各逃取金帛逃去婦女中有言及得師者妙諦曰吾以一身而救數百人之命雖死何傷於是衆皆羅拜四散而逃衆皆勸其同逃妙諦曰不可吾若一走則追者立至矣因獨留以紿之守者醒知而亟詢之妙諦以言遣見幸獲

尊者以寶杵擊門閉尊之使去吾不敢違也守者素長鬼神聞其言而懼且正病酒不能行遂斃妙諦以俟之未幾倭歸知其爲僧所救因重笞守者而縛妙諦於寺東石坊柱上畫矢射之斃復堆薪焚之後倭寇平受其恩者拾遺餘之骨葬於寺後而血痕入石至今宛然蓋已三百年矣甲申七月予至嘉興閱其蹟卑至河畔因過訪之石坊在三塔灣東百餘步塘路之旁坊已頹廢惟石柱尚在近視其上微有形迹而模糊遠隔十餘步觀之則酷肖一僧側首向內坐頭與頸及肩俱明晰之甚以下但一片似血非血之痕而已旁有居民數家予就而問其異皆言天晴不甚了了惟一至陰雨則其形分外顯著云嗚呼忠義憤鬱之氣萬古長留石坊血痕與未央宮前草色可以並類而觀矣

四月倭寇入圍郡城賊自小河入六月賊掠村鎮江陰之賊走往江北復回澄犯包港孟河入顧村嚴莊焚掠無遺江南經略

公在金壇有與二弟書

書云二弟爲我憂念我即日入金壇城一坐五六日後當遣人至家問消息更作歸計也兵戈離亂不忍言亦未知禍之所止生民何辜遭此痛酷毫髮無可援手處

令人長嘆止能爲一身苟免計亦可自笑也三弟知吾此情乎奈何明清名人尺牘墨寶

姜鳳阿寓金沙奉書云適來得從吾師於金沙日聞至義方自喜以爲此生之大幸而吾師則遽欲去此地矣悵恨當何如悵恨當何如某昔從游門牆竊意吾師教人惜於氣節上立脚義利上究源頭便了人生大致故每每自重其廉恥而欲於微芒毫忽之間積而養之以不失此身於可賤之地去歲居常時時親炙道範則又見吾師性情日就中和造詣日底純粹德業日進光大行方智圓之說時啓其衷誨之向之所聞似亦更有進矣然未知吾師胸中乃有如許寶藏故又欲求見龍谿一聞其論如冬遊記所載諸語使此心豁然以爲求進于洞探微妙之指南而金沙相從以來時得一見奇寶則知吾師中之所藏閎乎不窮其精光射人真如出火之金又既然若經百煉而未已者蓋吾師於龍谿公其立身雖各有地面超倍絕人學問蓋世則未可以使此定優劣也某方自幸以爲不必於他求而吾師亦時賜提拂若不忍以終棄矣然而定居之約竟不獲終某又竟未能挈家以相從於所往豈非心誠未至而緣分尚淺耶是可嘆也此間講論有數番精實格言某欲編次成帙攜以入京時一披展以爲身心之助而徒事其爲緒其能致是尤可嘆也金沙假館久居吾師既不果來某於此役當覆事勢漸且語後敢邑庭於人情稍爲相安耳吾師若往宜興幸早告之某得少間即來速直山中

與思節諸兄同請終此教誨也時方擾擾更祈愼趨出入爲道自重以慰虔懇是書載在鳳阿集讀書臺蓋鳳阿丁艱未畢在家也是歲五月刊文編六十四卷鳳阿與趨編文之役

趙文華進工部尙書兼右副都御史出提督江南浙江諸軍事文華自請行也文華欲爲公修葺先墓有襄公墓也公以書堅拒之末有云人之相知貴相知心故曰或與人以千金而未必有感或與人以一飯而終身德之鄙人之於公宜相知也久矣萬望即賜停罷庶使異日尙可奉教不然是非以厚之乃絕之也詳見荆川集

胡宗憲遣客蔣洲陳可願入海島招汪直直見洲等心動又知母妻無恙大喜曰俞大猷絕我歸路故至此若貸罪許市吾亦欲歸耳節明起

俺答二萬騎犯宣府游擊將軍張紘戰死

李中麓賦詩見懷

詩云唐君吾畏友剛柔而有斷讀書古左史拜官今右
諫多能乃其餘象緯善推算兩仕兩見麾不能爲巧宦
羞稱卞和氏荊玉輕三獻著書似揚子解嘲兼解難又
復似嵇康因而成懶慢戰勝身漸肥寡營病已間工文
恐役思破焚筆與硯見聞久棄捐心性能磨煉所居備
蓬蒿所食惟藜莧他人或不堪妻子俱無怨但聞司牧
貪憤恨時扼腕別去歷歲時生來異鄉縣何日得合井
再聽新雄辯此中麓九子詩之一也九子者荊川公外爲李愚谷舜臣劉嵩陽繪羅念菴洪先呂江峯高熊南沙過趙浚谷時春王遵巖慎中孫春谷高也原序云李空同有九子詩奉多詩文之友予亦有友九人焉詩文而兼經濟者也勿論經濟其詩文不屑乎今而亦不外乎今不蹈乎古而實不違乎古有可挽救前九子者焉同履仕途相繼一黜弗起惟趙浚谷起西復覩蓋各殊方無緣再會別近者亦且十餘年矣丙辰六月六日熱甚坐飯姑象成留通宵不能假寐安得高閣迎風而玉井含霜乎起步中庭仰見玉繩將低斂河已徙愛念同心作爲九詩敬之

公小祥後走武夷山中會王遵巖論訂有懷公行狀將乞

羅念菴爲墓誌銘遵巖行狀念菴誌銘並續錄見前皇甫子循贈荊川公挽武夷詩云那堪遂鳳後重此對懸尋嵐亮崇江道天長慢嶺雲墨魚尊漢祀仙掌謁夷君獨往續箋夜啼猿發虞閣是處子循新自爲中解象事在彝而荊川公此亦似在武夷山中度歲以當時傳有期以兩年始還之說宗叢筆門諸公弓旌之召也

八月胡宗憲破徐海於梁莊

十一月打來孫十餘萬騎深入廣寧總兵官殷尚質戰死

是歲周潙陽卒五月二十六日年五十事略見前華亭楊細林卒十月公

爲祭文見荊川集按楊名瑄字運之細林其號也與公同領戊子鄉薦卒業南雍爲祭酒張文定公邦奇司業歐陽文莊公德所知又從事涇野吕先生授受毛氏詩名闡四方甲辰謁選得福建延平府推官擢辰州同知論漢陽推官乙卯遷瀘江同知以遷勞得疾卒年五十五著有言史慎餘服故述火餘律著孫歌詩傳心數學蒙養正記等書在延平時河南飢民男女八十餘人流入閩監司盡繫之坐以盜發力爭曰生民固未有攜妻子以爲盜者遂得釋其餘善政甚多長子豫孫學丁未進士（摘徐少湖撰墓誌銘）考孫字幼登號覺石郎公祭文中交總公之子祠部君云云言也吉吳發吉字舜弼號石湖正德九年進士作州推官著直節左遷教王府長史亦華亭人荊川集

中所云石湖王博學擔集見贈長句者也覩秋弟子吳峻伯北上過訪山書載編寄伯武進荊川唐先生擕僉張二遠人經梓過訪建星書云小能琴書烟川滿琛見陵秋月幸進尋數年龍臥同集許一意遷遊學向會遺侶共參眉宇氣齋居翻議市城心獨備得散趣徽祿猶抗塵容領饒音爲關侯廟記見荊川集記爲外孫愼行書今尚存於廟壁

三十六年丁巳五十一歲居喪

春正月朝廷改阮鶚福建巡撫新設命胡宗憲兼浙江巡撫

二月俺答以二萬騎分掠大同邊殺守備唐天祿把總汪淵

李中麓臺集賦詩見懷

詩云臺近古城隈出門即上臺雨餘園景麗客至野筵開晌日花間轉光風草際迴遙思唐太史何日共銜杯序云曩予有詩二句晌日花間轉光風草際迴自謂得常不足觀荊川獨愛而誦之丁巳春宴客城南臺上風景適與詩合遂足成一章兼及荊川嘗誦詩之日去今二十五年矣再加此數則人各入十上下未來事安得

詩亦猶不能已爾（谿田居集）而知之道違別久懷景翼思此

答常鎮道王鑑川書初鑑川弔公之喪在山中不值未幾鑑川奔喪歸鄉函問公公報之書見鑑川集按鑑川名崇古字學甫蒲州人嘉靖二十年進士後總督陝西延甯甘肅軍務致把漢那吉俺答遂率諸部聽約束受官封釋五十年來邊患東起延永西抵嘉峪七鎮數千里軍民樂業不用兵革歲省費什七爲一代奇功鑑川公與書論諸公或年生才行論爲時稱勳者也荊川公於吳峻伯萬兩溪王鑑川皆激賞之於位未崇之時後皆成大名建殊勳公其精於衡鑑者歟公與萬兩溪書亦近數年事兩溪名恭字肅卿南昌人官至山西巡撫河道總理時稱才臣與鑑川明史並有傳

趙文華同部以邊材薦公時發猾遂又薦秦白崖中丞爲憂恚行至彭城疽發背死起

公爲南京兵部主事額惠成嬰專會有以材薦者起兵部主事迄不出有與趙

甬江司空書

明史本傳倭躪江南北趙文華出視師疏薦之起南京兵部主事父憂未終不果出

阡表家居二十年力得薦士者甄藉爲薦剡光前後積

至五十餘疏庚戌虜寇闌入古北口一夕薄都城達近震駭副相華亭徐公階力薦先考與平涼即趙浚谷平涼起家兵部主事未幾倭夷肆擾積五六歲無能少創復有薦先考及胡公松者先考亦起南京兵部車駕司主事轉兵部職方員外郎尋轉郎中時居大父永州翁喪不起

李贄撰傳趙文華者以上命視師海上來訪公與陳機略趙歸朝首薦公以南部車駕主事起之尋陞北部職方員外堅臥不起與趙甬江司空書曰傳不云乎賢者之舉也必以類公才果而氣雄闊達而不拘細故至於羽檄輻輳意氣常閑謀夫盈庭議快濁異遂成濟功以報天子亦宜得雄暴默達能顧公者而居之而乃以卯並俟檢蹦謹覷壘而步多疑少快蒜錄雨雨不可大受之士矻然不能勝衣帶絕類探山清齋道人有枯槁沉鬱不揚之氣如僕者何以羞公之風而乃以塵公之薦書亦異乎傳之說矣而又以其辭言兵而薦之其何以自信而亦何以信

乎公之言耶就使重新朱朱然夜則讀陰符韜鈐家書又筆筆君操孤拳劍挺矛日則與介胄士相馳逐如此蔣弄三兩年矣是軍旅未學其亦雖以信乎公之言矣一笑一笑向別公于武林（前歲公赴武夷道杭州）書謂玉歷侯封爲天子建櫜答四夷之勵宜以屬公一鼓一笠到夷丹丘福庭宜屬之我我見公其止此矣道會揚相士言僕昏薄不堪詠食獨兩瞳子光燦燦頭角四歧顏軒然有冲舉骨相心瘠自喜又自負公亦善相人也公不信僕言乃亦不信僕之相發袁貪我耶雖然公之於僕拳拳推轂之心蓋責之久而爲之躍幾乎所謂說上教下語而不含言矣公亦何爲而然然則公之欲以人事主其用心亦苦矣何能當也何能當也僕豈闕木鄙人也木豆瓦登古詩僕樸不可以今扶眉窄袖鄉翁村野度猶不可以減僕固山人也蓋三仕而三罷矣昔人言拙者之效可見于此矣使屏居山林則向可以無咎而無譽使周旋仕路必至于多權而多憾將速罪戾以累學主如河汾河閣元老相公拳拳援引非公左右謂護則不及此近承部檄待罪南曹但以三年大故積氣盡枯髮度沉病耳目尚減未能奔走以赴惟公教之考是書見荊川讀集通行本荊川集不載

徐少湖與公書

書云去秋聞兄入武夷期以兩年始還故久不得裁問

茲姜生至卿姜廷善公武夷歸與廷善書見荊川集有備聞孝履甚慰甚慰

新除計已得報兄之於出處僕之於去留蓋各有苦心只可兩人相對語而未易告人者然嘗觀孟子之處王驩雖比東漢諸賢迥然不同而視孔子之待陽貨則猶未免有跡此中更望兄深思而細察之也白儀制人還草率附此不盡（見世經堂集書中王驩陽貨考指分宜）

姜鳳阿（起復館職）來書云前月白伯倫人回曾附一東（此東不載）（鳳阿集）想已達上矣此東始終語意皆受之存翁（卽徐少師）某不敢有所增損然其意則真是相知相愛而欲相成之甚非一切尋常推挽徒以薦賢一事愜物望而了世緣者比也憑至既在服中且須繳還無疑吾師出處關世道大機方今世風日頹須大有主宰者一挽回之然覺甚難爲力此某所以每私心付之於嘆息也海上今秋想已無事吾師服闋時憑決再來通書之後或可一到

任但恐明年有警則兵憲遷除似在所不免爾存翁之意惟欲別有處分然竟不知果何如也清宵教論未獲嗣聞瞻望師門不勝戀慕家兄還先此申布因履任諸冗在即草草未盡欲言乞尊亮

公亦有書謝少湖

書云服中久不敢奉起居罪歉罪歉某至迂戇無能人也甬江之薦與介翁者先生之用誠不自意雖然舉無書抵政府之人此風在古時亦爲罕闊久矣甚愧僕非其人耳古之人不辭以老病之身而當車左之禮者其説固曰以成上之人之高誼也某亦宜不敢以迂戇無能與衰病不堪爲解而勉強就列者非弃特以承聖明在宥之深恩亦以承元老相公與諸公之高誼也雖然幾度沉疴精神耗盡一大故之餘哀魂未返奈何奈何惟公

委曲教之（是書亦見荊川續集不見通行本荊川集）

又與南渠李相公（名本）書

書云某向時備員詞林獲承清教自相公大拜竊與田夫野老同其慶喜而不敢通一書于門下者分不敢以瀆政府也雖相公大度不責禮于山林懶散之人而廊廟掄才乃借譽于樗櫟朽腐之士遂奉明恩復齒衣冠自知迂劣何以致此忝竊忝竊顧某衰絰纏綿哀魂未返藥囊常御病骨尊銷槁木形骸豈堪鞭策惟相公舊愛幸辱教之（錄自荊川續集）

又與許默齋（名論是時掌本兵）書

書云向在京師嘗獲承教愛于左右自罷歸以後適公宦游南都又辱垂問深見高情當時即欲奉答而公宦跡已北去矣至今歉然惟公當四陲憂然之時而切切

爲籌邊之計經略爲衆所望久矣茲者北虜南倭羽檄交馳帷幄重寄非公其孰堪此昔人所謂才與時適相值也違羨違羨某廿爲廢人久矣不意再塵衣冠推強竭駑鈍以從諸公驅策豈非所願雖然自度拙滯之才既無益於世途迂褊之性又不堪於處俗惟終老巖壑則無咎無譽公素知我何以教之茲復借有所云東南將才深識海賊之情而熟知戰陣虛實之形者惟俞大猷其次則（缺二字）也俞大猷已爲江海長城而（缺二字）僉書廣東置之無用東南緩急不及應手若得以南都營中一閒缺處之亦可以爲預防之助耳辱公相知當亮我之不爲私言也不宣（錄自荆川續集書中原有空格不知所爲何人也）

又與厲侍郎午山啓

啓云白門一別驚廿稔之候新華札幾緘見兩心之如

故頃因人望晉貳冢卿以疇昔道誼之知敢效王陽登而貢禹喜以今日政府之隔自宜司馬進而安世疎是以燕賀雖共平羣情而魚書未通乎一字惟僕之遇公也最故而公之知僕也特深睢睢踽踽不近人情傴傴僂僂豈堪公事曾負請長纓舞荒雞之謬志今已知非原無製美錦烹小鮮之長才老而更拙循牆罔措翹首一鳴見荆川續集原注云諸啓偶未及用午山四十年任刑部尙書本年閏住見弇山別集刑書表是時則爲吏侍也考焉午山與陳黃潭（名錢應天巡撫見後）關北通志均不爲立數行之傳爲憾位寘足特平

三月癸丑把都兒擁衆數萬入流河口犯永平及遷安副總兵蔣承勛力戰死吉能寇延綏殺副總兵陳鳳初帝器王忬才甚眷之及所部屢失事則以爲不足辦寇夏四月諭嚴嵩與兵部計防守之宜嵩言流河口邊牆有缺故寇乘之入宜大修邊牆且令忬補選額兵操練戰守不得專

恃他鎮援兵兵部條六事如嵩指帝乃下詔責仔赦仔罪

實主兵減客兵如議（明紀）

秋七月俺答子辛愛入大同右衛境掠應州朔州攻毀七

十餘堡殺擄甚衆（明紀）

趙文華罪發削籍歸病蠱腹裂死（明紀）

冬九月沈青霞死宣府市嚴嵩子世蕃唆其黨宣大總督

楊順巡按路楷陷青霞於白蓮教殺之也（青霞在塞外有寄公書書辭已見前）

是月服闋無出山意（趙殺鳴犢孔子不渡河掀山殺青霞斬公之傷心甚矣）有與嚴

介溪相公書曰（某不肖辱與進焉而承一言之教於左右久矣通來不奉台光者且廿年矣然而

不敢通一書於門下者非敢自疏也誠自度其最迂闊將數無用不足以煩材館之記存也某誠自知其無用而相

公誤以為可用曲為推轂舉引而致之於朝然知相公非私乎其人也相公之心恐一宜之不任乎其職恐一士

之不究乎其用固且為官而擇士固且為天下國家而用其人也某亦非敢私為請以瀆相公也相公為天下國家）

而用乎其人其人宜爲天下國家謝相公也爲天下國家謝相公則莫如以身謝之以身謝之則莫如致其身以爲天下國家之用以上察相公以人事主之素心而明相公得士之效于當世則庶乎可以爲謝而已其如某最迂闊得敢徒有路垣蹤墨之小節本無經時理物之長才自知實不堪爲當世之用以累相公知人之哲而或以少損得士之效此某之所甚愧而甚懼也雖然以某之最迂闊無用而相公猶且拳拳引而致之則人將曰相公之急於求士而不責以備若此相公之恐失一士焉而包荒不遺乎選若此相公之舉用無書抵致府之士動如古人若此則是相公嚮昔得士之聲不因某一人之迂闊無用而少有所損而相公急於求士之心乃更因某一人之迂闊無用而益以章矣此某之所以稍自解其愧且懼辭敢以不肖之身而仰承相公之高誼也須奉新命待罪南曹古云召不俟駕禮也況聖恩用之罪隸之餘豈敢次且以速大戾但以鳥獸奔踊之慕甫及禫除狗馬之疾疚之憂未離床席形魂枯盡不齒人羣此亦相公之所矜念也恐稽朝廷授官之成命且負廟堂推轂之盛舉謹布鄙懷伏惟俯賜裁之考是書見萬曆本荊川集康熙本及金陵局本皆不載

答俞虛江書與虛江二書載荊川集

俞虛江來書云猷自涉世以來即聞有唐太史荊川先生倡明理性之學於毘陵之鄉厭薄世俗溷濁而動輒

直追聖賢遺軌四方學者宗之如響自顧無似知所歸依久矣計從事兵戎奔疲東西無有寧期此願莫遂比備職浙直倭患肆熾智短才疎支持不給雖欲假須臾去戎服聽講左右亦竟無由而先生謬辱過聽以猷爲稍可與進附賜佳詠四章慰勉勤勤猷盥手捧讀佩誦弗置深加淬礪奮策駑駘恍若明師之日臨其上也復得王龍溪王遵巖二公屢惠書示猷謂荆川先生每談論間多有意於猷之不肖自愧譾劣何以克當久欲敬脩一楮奉候門下以未躬謁未敢徑瀆茲者又恐稽遲益罪故謹專人薄致問安并披露肝志就正有道幸垂聽焉猷少小時祗奉師訓以爲人大致要從光明正大路上著腳不自揣志向從幼已決抵今犬馬之齒漸高日在得失成敗中未敢分毫毀裂以從卑污第資稟庸

下每作用處頻失頻復厲其不免大抵皆緣鐵門關未過耳玉鑰匙之啓不無仰賴於荊川先生平嘗試求之儒者中庸義疏云中庸者日用事物常行之理乃天命所當然精微之極致也夫從古中庸莫過孔子而善形容孔子中庸又莫過鄉黨一篇自飲食衣服之微以至事君擯相之大自鄉黨家居之近以至立朝聘鄰之遠平平正正切切實實近人情循天理蓋皆愚夫愚婦之所與知而實達諸無聲無臭之蘊也過焉者則蕩於矯亢而不近人不及焉者則局於瑣陋而不中理惟孔子中庸其至矣乎殆使千世之下有志之士玩而求之若想見手采於千世之上先儒所謂弟子用心之密豈不信哉及今荊川先生萃造物之秀負世間之英得中庸正傳而直覩堂奧者也故一擬議一舉止皆足以爲軌

當世開示來學賢士大夫所仰以爲羽儀赤子蒼生所望以爲霖雨者也比來薦剡交上公論攸歸樹伊傳周召之勳以開雍熙泰和之治中庸所謂成己成物之道不於吾身親見之耶敢不洗心滌慮致叩門牆以償夙昔依歸之願且冀蚊虻附鴻翼共翺翔于天地之間則雖沒身碎首無憾也昔張子厚得受中庸一部於范文正公方得進於聖賢之學此生賴以不錯敢今日所厚望於公者寧後於子厚耶不知公肯進而教之否畢吐素懷不覺盈紙伏惟鑒亮爲國家斯文珍毖不備（正氣堂集）

朝廷進公北兵部職方員外郎命撫按敦公赴部撫按檄郡縣勸駕公有與尚仰山巡按書（見荊川集）

徐少湖與尚仰山巡按書云大疏所請仰見爲民至厚

但部中以是額數執不肯從今止乞得崇墾稅價其餘不免於糧上派徵若得於派徵中一加意使猾胥不得作弊亦所謂催科之撫字也幸與尋齋公善處之唐荆川今世人物昨雖已起用然以所薦非人尚有未肯出山之意望公爲具一疏大略言原任某官某（此處稱道數句）雖已蒙聖恩起任南京兵部主事緣本官尚在制中未曾赴任今已服闋乞敕吏部早爲敍用之意公此疏入僕從中調維庶成就得一個人才出爲世用也仰山名維持湖南人一號羅山

姜鳳阿來書云昨尊使允撤還曾附一柬蓋是存翁意如此渠欲俟周尚一二道長題本至後方有處分庶不作兵事起用今遽轉職方則似元老父子實主張之而所謂通融合併之論恐亦未盡然也以愚見料之不久當

卽在本司轉授正郞職銜以觀吾師經濟學術此固無所不可但見近來文選職方諸公每有題請輒伺候於元者之門似非吾師所宜爾雖然一時專體或亦繫乎其人吾師既爲世道留念當自有轉移作用之妙要於無言而期於有濟如昔所獲聞智圓之說以行於其間非區區淺陋所敢窺也唐勝還附此請教夢寐宫牆瞻依諒不違矣未盡之私統俟面時悉之王鳳洲嘉靖以來首輔傳徐階傳云是時倭事起上以倭寇擾皆階鄉而階又曉暢軍事以故數數詢問鼎元嘗疑荊川公之出與徐少湖必至有關係今讀上二書可以曉然矣趙文華薦公公未出也既而文華且得罪死朝廷猶汲汲求公是尚得謂係文華之薦乎而後之人必曰荊川之出由文華薦應分宜之召之史且書之曰聞望頗由此損夫分宜非以君命召之乎荊川在山中二十年不與分宜通一書分宜此舉猶之知爲國求賢不宜并誣之更不宜誣及荊川且荊川二十年中前後薦者積至五十餘疏文華一薦遂爲口實世俗之所云云洵昌黎氏所謂小人之好議論不樂成人之美者也

弟子萬士和之官江西公與俱之廣信預約羅念菴來會詢以出處事考萬思節丙午丁父古齋公喪服除補精膳司主事以母老乞南遷職方員外郎母卒免妻補南車駕轉南儀制郎是歲出江西按察司僉事王龍溪贈別萬履菴偕其師荊川唐子南行送之蘭谿詩云江涵夕照雙文空去棹歸帆尙此同可是狂歌託宴鳳設將絕響寄寒蛩亡羊路覺千歧少彈指心知萬古通送徙倍而旋聽自驗唐門衣鉢可無公丁元薦西山日記云唐太史起家兵部郎萬文恭其門人也力止其行語次流涕不已太史詩曰思節何哭曰哭先生數十年精修一旦付流水耳曰若豈以我爲一官出耶思節曰分宜敗矣讒諂先生者及今返棹猶未晚也不聽後以中丞鎮維揚兵敗繫死鼎元曰思節與荊川公同舟往訪念菴非赴官也是時公之出處未決思節安得流涕而哭安得有返棹之請自是公與思節一別千古矣更無同舟之日也是元薦之記載不實一也

明史本傳晚商出處於羅洪先洪先曰向已隸名仕籍此身非我有安得侔處士順之遂出然聞望頗由此損

阡表先考晚年之出初亦猶豫過浮梁謀之吉水卽羅念菴吉水力贊其出大都謂嚮嘗隸名仕籍此身已非己有

環玦之賜惟所命爾獲罪君父幸從寬政恩至渥也知當軍旅不得辭難之日得私此身與徵士處士論進止哉學力至此豈猶未破毀譽關耶先考始決

羅念菴行狀（明儒學案念菴傳同）分宜起唐荆川爲兵部主事次及先生先生以畢志林燮報之荆川欲與同出先生曰天下事爲之非甲則乙某所欲爲而未能者有公爲之何必自我（鄒元曰念菴已不出山而勸人出山得無處己於患而處人於污處己於逸而處人於勞乎又考明史念菴本傳流寇入吉安主者失措念菴出爲畫策戰守寇始引去是念菴非見難不救者也備左季高隱處不出胡文忠與書曰使賊迫柳莊梓木洞先生尚能高臥乎季高遂出倭寇之亂無錫姑蘇江陰盡爲殘破吾郡寨寨迯郭之賢矣是哉迫柳莊梓木洞之時也荆川公安得不出當倭入吉水念菴亦安得復以畢志林燮爲言乎況荆川欲私挽之出分宜私以書問之未若荆川公之已經復官而以朝命起之也荆川念菴易地則皆然）

冬十月廷議以倭擾江北督漕御史不暇辦寇請特設巡

撫乃命李遂以故官右僉都御史撫鳳陽四府時淮三中倭歲復大水遂至請饟增兵恤民節用次第畫戰守計明紀拔李遂字邦良號克齋見前考明制設有總督漕運兼提督軍務巡撫鳳陽等處兼管河一員撫淮揚廬鳳四府徐和滁三州治淮安巡撫與督漕時分設時併嘉靖三十六年以倭寇日逼併漕務於河院特設巡撫海防務駐泰州四十年倭寇平仍駐淮安如故又兼理鹽餉提督軍務兼巡撫應天等府一員嘉靖三十三年以海警駐蘇州時江南北有兩巡撫

蔣洲在倭中諭山口豐後二島主源義長源義鎮還被掠人口具方物入貢胡宗憲以聞詔厚賚其使遣還義鎮等以中國許互市喜遣夷目善妙等四十餘人隨汪直來市至舟山之岑港胡公誘置之於獄餘黨焚舟柵舟山阻岑港而守俞大猷戚繼光等四面圍之賊殊死戰將士苦仰攻先登者多陷沒

雲臺山人李杜撰僉憲盧江大猷功行紀曰時天子必欲得直至勤宵旰督府梅林胡公宗憲欲遣辨士蔣洲陳

可顧之其國誘之來圖總兵盧公鏜揭陳禦倭之策請宜與通市兵部郎中荊川唐公順之爲之辭於嶺云鏜

老將也其策可用獨盧江力爭以爲不可（福建通志兪盧江傳亦載之卹本此）鼎元考梅林遣將渡入海招汪

直事在三十五年春汪直之來爲梅林誘置之於獄在三十六年冬史載之甚明是時荊川公尙未出山也何

有助梅林許島人互市之請乎

趙浚谷職日寄懷公新除職方郎值鼎新朝堂詩詩云二十年同

玉署香再聚歎錄具兵郎丹心未逢丹墀啟白髮空題白日長屢向燦霞爭孔樂沐言漢殿老壽康廬梅含鳳折堪

寄曉敢不權冰雪勝

是歲十月無錫顧洞陽卒年七十七皇甫子循爲撰墓誌

銘

三十七年戊午五十二歲

公落職歸嘗居宜興山中與諸生講學宦于其地者欲一

見之無從也有與陳遷書云遯跡王墨川兵備等書言以避跡自居不敢見官府四方之行

過是邑者必先禮于其廬以得見爲榮鼎元考以不得見而僞假生請者亦

衆矣（見萬思節上荊川師書）喜靜坐（遊藝子曰荊川讀書貴精神可翻嚴整然自跳上蒲團便如木偶相似收攝保聚可無滲漏處予則不能及又王杕西曹固說予與羅惟德（名汝芳號近溪）在西曹羅問曰近見荊川云何予對以所聞大意而不能敷析但述曰靜則能見自家不是處又曰人往往無賦作予羅領之）樂與方外之士遊曰方外外之學雖與吾儒不同而其苦行堅守洗淨心緣知自求之身者固賢於今儒也（與慧舟翠峯道人輩爲方外交有贈余翠峯老僧觀詩等詩）與人無間於貴賤貧富惟投其機則言笑無厭有所拂則咈然見於顏面遇之途亦爲之趨避曰匿怨而友吾弗爲也其與人言罄竭底蘊若無所不盡事關機要則深沉隱默際不可窺於瑣屑之事若不甚通曉至於籌畫世故則辨析毫芒性恬淡不樂仕進而見民之瘡痍困頓又若痌瘝切身思拔之如不及貌不逾中人而視天下勢之所至若萬鈞之壓卵處之晏然舉天下之所不敢爲不能爲者獨毅然當之居家窘甚而於文章之潤筆弟

子之贄儀未嘗妄取林下三十年（合前後家居言之論林羅歸爲前家居春坊羅）歸爲家居後不役官府一人不受坊價一緡官府積公所却至三千金（有與徐少初縣尹書辭巡倉巡江鹺幣帛與趙寺齋巡按書辭金與郭似菴巡按書辭牌坊銀有司以公却金修理書院見公與徐少初邑侯第二書郭似菴名宗臯公同年尋齋已見前少湖與向仰山巡按書名侃字子樂豐匡人嘉靖辛丑進士以刑部郎出守保定爲揚敬山買田（見敬山年譜）備兵冀州飭器練士隄負長城塋治兵山西總撫應天所至務鎮靜持大體汚吏皆懾懼名節摘陝西通志以上節李贄續藏書荊川公傳所述公矜性情與萬思節上荊川師書中相出入蓋荊川與龍溪爲密友而卓吾得之於其師龍溪者也中麓補傳南畿兩院每有創建及修理牌坊之類一切拒而不納常州府庫積所却有三千金授徒數百人初尚受其束脩之半後亦不受也行狀於里巷親識一錢一粟不受之亦未嘗苟一時諸名公也爲謹取予必推公與澤共先不知者或以爲矯甚者至用爲怨公不恤也）

公在喪期內外兩承朝命初起南京兵部主事就近贊理

禦倭事嗣以北虜氛急復進公北部員外郎以父服未終

堅臥不起至是免喪巡按提學二侍御奉旨促行（李傳撰）

有與尚仰山巡按二書均見荊川集與元考第二書有云學古艱難而又難之草多愧處名韓明公匪私於其人顧任朽亦何能爲役以此與前徐少湖致尚仰山書合觀之荊川公此時之出明明係於少湖仰山二人之爲力而世之人昧昧不察何也

三月祭告有懷公廟赴部就職

祭有懷公文順之不孝罪惡深重居常不能承順顏色臨病不能盡心醫藥以致先考殞殁終正之痛無所復言每一哀至恨不卽死早侍先考於地下行復自念先考百年門戶付托之重苟活至今顧平生頗無富貴之心年垂五十用世一念亦漸冷落不圖喪期內外兩承朝命臣子之義不敢逡巡謹於三月間赴京顧世事之安危休戚不敢知此身之禍福利害不敢知苟時有可爲不敢不竭駑鈍之才時遇多艱不敢忘致身之義時或可退不敢昧保身之幾此先考之所以垂教而順之

之所以自立者也

行狀奉旨起公爲南京兵部主事公以有懷翁服未闋辭不就又改職方員外郎堅臥如初提學御史周君如斗巡按御史尚君維持以書勸駕猶不起二君復上疏奉旨促行親知皆勸公勿爲已甚公自思本以罪謫之臣起廢復用與山林處士徵士進退可以自由者不同乃至浮梁謀之羅洪先羅公復勸之行於是勉強就道

春初王敬所來書云客歲信州獲摳趨門下（即去歲冬公往會念菴廣信時也）已自謂不負此生雖匆遽未盡欲請然德音在耳儼然師保之臨某也雖愚其敢負一宿之緣而不求嚮覺耶恭惟歲律更新陽泰入候大人法天德履俱亨斯文幸甚蒼生幸甚四海多事東山之仰幾十年于茲今徵書甫下縉紳動色相慶蓋不惟恬澹之蹤可以抵

障頹瀾而石畫之才且當扶植危搆自宋氏以來儒者受不適于用之詬久矣門下天挺命世昭然建立一爲昭雪非百年快覩吾道將興耶惟門下勉惟社稷加強飯也念菴先生景德之會適有羈役不及追侍去人甚遑伏案敬此上候北行有期尙能縷請指教不備敬所名宗沐字新甫天台人明史有傳

胡柏泉來書云向承教貺感切七月中徐少參赴涮致書奉問九月中固原李倅名胄者家人歸宜興又具書狀及薄侑行當自裁言返初服請教督府之幕要之當有日矣恭喜承簡命中外歡動易曰天之所助者順也人之所助者信也會見海波不揚却走馬以糞豈不甚感羈縻困頓躬賀不能敬專伻來又愧不能爲禮伏惟重自愛以副天人具瞻之望柏泉以去年趙慈谿薦起陝西參政分守平涼故書

中云
王龍溪送荊川赴召詩與君卅載臥雲林忽報徵書思
不禁學道固應來衆笑出山終是負初心青春照眼行
偏好黃鳥求朋意獨深默默囊琴且歸去古來流水幾
知音（滄江詩話李戒菴謂以龍溪此詩爲譏荊川者也原詩具在果有譏乎否乎）
華鴻山送唐編修起官職方和比部兄韻詩云夫君出
處繫蒼生司馬才名重洛京江上離心空日暮天涯回
首正春明中原道路風塵靜北闕星晨夜氣清却怪煙
霞舊成癖五湖三徑尚多情（比部兄謂華諸菴此詩錄自叢居稿）
李中麓喜聞荊川復官詩二首云暫借兵曹寄此身玷
看大拜極人臣已知起廢非其願竊喜朝堂又得人堂
卿俱是同時友翻把高賢作屬官出處偶然同柳下指
揮行見却呼韓荊川原是濟川才不獨文章耀上台遴

會逢辰須早出漫勞郡吏及門催錢閣居集

新倭復大至夏四月分犯浙江福建帝嚴旨責宗憲

公到部復進郎中公冒暑遄征遂發脾疾吐瀉交作臍突

腹腫閉門伏枕累月見與白伯盦議部書中

行狀至京師未幾陞協司郎中公去國至是十有八年

始復以武事用云公自丁有懷翁憂哀戚過甚至京病

臍突面腫諸惡證公在喪期內外兩承朝命即南兵主事與北職方員外也郎中則到京後

進推陞表三次官階皆在居喪未起之前蓋圖行文之便耳

秋七月奉敕往嚴薊鎮兵額

帝從兵部尚書楊博言命薊鎮入備兵聽宣大調遣王

忬言古北諸口無險可守獨恃入備卒護陵京奈何聽

調遣帝怒曰曩令薊鎮練兵今一卒不練遇防秋輒調

他鎮兵耶乃命公往覆敕曰敕兵部職方清吏司署郎

中事主事唐順之嘉靖三十年該薊鎮督撫官奏稱本鎮兵缺少欲行召募選補分區設將操練防禦兵部題覆允行經今八年邊臣玩愒全不經心每遇防秋輒稱兵數不敷多調邊兵糜費糧餉司計告匱皆由於此夫主兵不練邊兵之調何時而已況連年遠戍人情不堪今特命爾前去薊鎮會同東西巡關御史查照兵部原題事理照依區分逐一查點現在兵若干缺少若干及閱視曾經操練堪戰與否俱要從實回奏以憑處治其缺少兵數目今作何抽補增募及責限將官如法訓練務要堪以禦敵以免歲調邊兵爾宜悉心區畫來聞欽哉嘉靖三十七年七月十九日

兵部題覆兵部爲遵照舊規請明詔遣以重防秋事該本部題稱職方清吏司案呈照得該本部題前事內開議照薊鎮切近陵寢京師關係甚重自往歲虜變之後節奉明旨選練兵馬分區設將當該議調邊兵以圖久安長治使

該鎮諸臣果能仰體聖心募選土兵補足原額分投調練精清戰守則邊關之地人皆爲兵數年之內兵皆可
用虜議可以款伐邊兵可以免調發禦可以節省夫何玩愒因循年復一年一卒未練每遇防秋專恃客兵以
致各鎮士馬疲於奔命司計算竭於供億委非經久之計況前項入衛兵馬先該總督場具題駐劄關外該
本部議撥聽候臨期酌量虜情緩急奏請定奪今總督王復又分布古北關河具奏紛爭仰荷聖明垂鑒特下
臣等通行查議除宜大入衛兵馬三枝以該臣等議覆二枝駐劄密雲一枝駐劄昌平遊內外有警相機策應
無容別議外其本鎮練兵事宜誠爲禦虜第一要務卸今若不及時整頓主兵終無強盛之期客兵永無息肩
之日臣等謹遵明旨查據原分區數東自石門寨起西自鎮邊城止各區設有參將分守守備提調把總等官
俱有原額主兵數目及本鎮鎮守總兵分守各屬總兵并各區遊擊亦有額設兵馬相應查理以備揮禦合候
命下移咨都察院轉行巡視東關御史王漸東自石門塞起西至古北口止西關御史蕭九峯東自黃花鎮起
西至鎮邊城止各親臨關營監口照依區分一一查理要見二十九年以前原額軍馬若干以後抽撥若干召
募若干解補若干逃軍若干通共若干老弱逃亡若干緣何不行換補見在若干曾否操練有無堪用中間若
弱逃亡即便行令總督王督同鎮巡等官督路安馬孫設法選補抽募務足原額責成總屬參遊守備提調把
總等官揀選精銳分別奇正併力戰守則鎮各有兵着實調練使兵皆有用盔甲器械有無完備作何修整將

操馬匹有無足勾作何處補主客供億有無缺欠作何充裕其訓練事宜與一應戰守方略一一詳細具奏定奪事完該鎮督撫即將訓練過名數備細造冊奏繳清冊咨部以憑查考如有仍前玩愒時日本未補完而安報已足原額本未選練而妄稱精強可用支吾目前致誤邊計者聽本部指名參奏處治每年終該巡關御史查照本部節次題准事宜清查一次各官部下有無缺少軍馬數目分別等第具奏以示勸懲庶主兵日強而邊防自飭戍務亘新而寇患可弭矣等因題奉聖旨是薊鎮撫督等官不遵旨練兵棄定邊兵調以自備倖虜不至輒相玩愒以致各兵頻年遠戍人情不堪糧餉多費歲復一歲何待而已該鎮原分各區兵馬係部裹差郎中一員與同巡關御史便逐一查明閱視兵數多少及有無操練限一月內回奏目今防秋已近責限王抒殿陽安等處期發督操練防禦如再違延參奏處治其各邊兵馬明歲量為演調你每定撥數目來說宜大兵駐薊懷隆昌平地方依擬欽此已經通行欽遵外所有差官事宜呈乞題請案呈到部看得前項事宜既經奉有明旨所據該司具呈前因相應題請查得本部職方司署郎中事唐顧之留心邊務堪以差委除本官并齎帶吏書廩給口糧馬匹查例應付外合候命下行移各該衙門請給敕書關防即付本官欽遵前去會同巡視東關御史王新西關御史萬九峯查照原題事理親請該鎮照依區分公同查理完日經自具奏回京再照薊鎮邊垣東自石門寨起西至鎮邊城止延袤二千餘里每區關營必須逐寨經歷各營兵馬必須一一點查中

閫戰守事宜亦有應與督撫等官計議而行者一月之内誠恐辦理未周合無少寬欽限使各官得以竭盡心力著實幹理庶幾邊防有益臣等未敢擅議伏乞聖裁等因嘉靖三十七年七月初九日題奉聖旨是欽此

給事中徐浦請令廷臣及督撫各舉邊才帝從之故侍郎郭宗臯都御史曹邦輔吳嶽祭酒鄒守益修撰羅洪先御史吳悌方涯主事唐樞參政周大禮曹亨參議劉志和知府黃華在舉中御史羅廷唯駁曰浦疏本言邊才今廷臣乃以清修苦節實學懿行舉去初議遠矣其實僉著亦具邊才惜乎俗眼不能識況又有貪緣進者是假明詔開倖門也帝乃責吏部濫舉命與都察院更議左都御史周延等言所舉皆人望無私帝終不悅切責延等所舉悉報罷時海内賢士大夫被斥者衆是舉上稍冀復用爲廷唯所阻自是皆不復召矣見明紀按丁元薦西山日記云分宜晚年懼後患思召名士以自固於是起唐荊川順之羅念菴洪先趙浚谷時春趙負氣骯髒唐自恃才略皆驟至節鉞不終念菴堅不赴召至託方外之遊以免聞其風者比於九霄之鳳嗟

乎一官之談人多矣鼎元曰酒詰元薦陵谷荊川之出其意以爲一官出乎陵谷庚戌之出由徐少湖之薦與分宜無與也彼谷到君負氣剛烈非若荊川之少年耿介晚歲涵養純粹使其與分宜遇必立決裂且如明紀觀之是念菴當日舉而未召安有堅不赴召至託方外之遊如元薦所云乎念菴與荊川齊雲別後靜坐止止所中三年不出聞荊川訃至始下樓而慟（見胡直撰念菴行狀傳雜錄明書念菴傳及各記數）又何嘗爲方外之遊乎此元薦之說哉好爲遊談不考事實者也又念菴與嚴介谿書云夫乘時建立誰無是心非有甚不得已忍自許秉此非明公誰則亮之荊川某莫逆友也學業才力皆非其比然此心共許形跡久忘間相謂曰事變之來固當有任之者非甲爲卽乙爲爲者不逞其勞不能爲者不求相下譬之負擔在途多寡遠近各求濟其力固不係己與人用與否也往歲荊川特受眷知破格拔用凡平日眷顧於荊川而不可必者遂得之一旦豈私荊川哉彼誠足以任之也疾且衰矣所欲爲而未能者彼誠任之卽比于自效可也豈必盡出於我哉且以荊川學力才識幾一出猶不免人言如尊論所云至須向人稽其議論註諸爲之辨設有某者議論註諸素出其下遠甚則其群尤集詬當復何若又將何解於人言哉然荊川自謂獨報宜不辭計人言何若久之當自白耳考此書念菴自云年五十七當作於庚申春荊川未卒之前明儒學案念菴傳所謂分宜起喜荊川爲兵部主事矣及先生者也然介溪得書卽止而念菴亦未嘗以不任事爲高長儒（元薦字）堅不赴召託於方外之遊以免云云何嘗癡人說夢乎

岑港賊徙巢柯梅胡宗憲上疏陳戰功謂賊可指日滅所
司論其欺誕帝盡奪俞大猷戚繼光等職切讓宗憲令剋
期平賊明紀
九月還奏疏載荊川外集薊鎮額兵九萬有奇今惟五萬七千又
皆羸老不任戰因條上十七事著爲令總督王忬總兵官
歐陽安及巡撫都御史馬珮諸將袁正等皆貶秩
趙浚谷聞荊川點兵詩唐子雞羣鶴爲郎更點兵止齋
將白首安石爲蒼生夢寐連床話淒涼伐木聲俗穎頎
振濟海宇仰休名
是行有盤山賦及三屯營閱兵薊鎮總兵開府處喜峯
口觀三衞貢馬謁夷齊廟二首古北觀降虜步射至夜
山海關陳職方名柏號蘇山邀登觀海亭盧龍行密雲閱兵
夜上石塘嶺關古北口城宿黃厓營登喜峯古城薊鎮

憶弟正之試南都副總兵馬芳歌順義道中塹關二一首

順義公館題壁登懷柔城二一首黃花鎮拜聖誕等詩遺見

荊川集

姜鳳阿書云近於伯倫處兩接手書知差事將完還朝有日私幸請教有緣也抽民為兵之說亦知尊師所不喜第西塘有聞不敢不言蓋亦彼此欲效其芹曝之愚得來諭當即往告之矣威使言尊體尚有未安豈日夕過勞不得靜養耶病來殊不自覺又塞上秋風頗早而嚴程趨事之勞以一身獨當之衣食起居之節恐不可不加意自愛也至祝至祝承寄薊州詩覽悉此兄之作已屢屢成家矣職業有拘之人方爾從容諷詠覽此能不生愧耶鄙意以詩文須先知法次須胸中積有奇寶然後流而出之故欲少待其蓄然竟悠悠正不知胸中

奇寶當于何時始積聚也鳳阿有與唐凝菴書云荊翁薊門建白諸疏議是其平生有用之學今往海上經略必更有可觀

萬履菴跋胡盧山所藏唐師奉使詩卷云荊川先師閱兵幽薊有奉使詩紀關隘阨塞及設險校武事自有盧龍鎮山川以來纔有此作其詩既刊行於世盧山胡君復出抄本一卷示予乃先師在時以貽君者中有自書七言三絕刻本所無其餘間有旁註一二小楷亦師筆跡當先師出使時且病臞形骸索然今觀諸詩雄壯奇偉勢蓋萬夫其字畫硬健寫意渾是一團靈氣蓋捐血肉鍊精神實先師平生得力處故神通妙用雖於詩字餘技亦有垂後光彩如是彼形骸之衰敗可以爲世人病未可爲至人病也胡君篤志好古攜此卷自隨常若在師左右余忝爲師老門生一別萬里奄忽永訣及見

此卷則又如覩顔面兩人相對感慨胡君因命余綴數語於卷末嗚呼先師不可作矣其文章可見者要以寄其光彩耳乃所以致此者則實始於指血肉鍊精神之功余雖從游日久質魯無聞胡君好古有得深達性命其索於形骸之外使光彩射來世者必有所在願以告我焉可也又胡廬山書唐荊川先生夷齊廟詩後云唐荊川先生示予謁夷齊廟詩末引王廬川疑夷齊叩馬事不經見以意論夷齊與文王同心則不得不與武王異志以此信其叩馬之事無疑是固已辨矣而猶未足以致其實蓋近世多以叩馬之事出莊子寓言而太史公談信然予觀左傳載臧哀伯之言曰武王克商遷九鼎於雒邑義士猶或非之義士非夷齊誰也且臧哀伯前孔子數世去周未遠其言或可信以此證之則叩馬之事亦薄之久矣其不創出于莊子明矣孟子曰君子亦仁而已矣何必同然則伯夷又何讓其與武王異耶且伯夷之論在天地間何可少而廬川之膠于一是而非之亦拘矣孔子又言夷齊餓死于首陽之下而廬川謂伯夷死于北海及來而死於道路與夫至文王之都而不及武王之世其說皆無據矣

從孫九思舉於鄉

冬十月土蠻犯清和總兵官楊照禦之斬首八百餘級越四日寇十萬騎薄界嶺口副將馬芳拒却之明日寇殘騎二百奔遷芳及歐陽安俘斬四十級賞功總督王忬亦被賚明紀

金山軍變巡撫應天都御史趙忻駁尋書見前下獄罷官明紀

奉命往南畿浙江與胡宗憲協謀討賊明紀

初公自辛丑建言削籍歸耽玩典墳討索性理無復仕宦之志及倭寇入犯東南蹂躪特甚慘目怵心初起南兵部主事謂可藉手以靖桑梓暨召赴北京蒿目時事遊巡數月意大不樂及閱兵薊鎮歸求外出殫力有與嚴介溪相公書書曰某自入京以來深承門下獎進知愛謂得備執鞭之末可以稍有樹立於當世豈惟平生之志亦少酬國士之知不圖平生骨相最寒福分素薄

一入京師風土不慣飲食乖宜上吐下瀉寖成脾症旋有薊門之命不敢以病爲辭輿疾就途黽勉夙夜僅能畢事前疾轉增腹脹露筋臍突半寸兩足盡腫面骨削鐵詢諸醫者皆謂惡症且外形盡見非敢掩飾諉所謂實症難掩實病難醫實恐一交春氣木旺土尅命不可期自薊門歸來亦以上有公務不敢以私情瀆聽竊謂此時若不一哀鳴于門下則無處可告矣數日間見朝之後自容面請惟門下知其症之非虛也某平生非敢偷安于山林者但得一僉事一郡守雖在雲貴兩廣之間亦與南人風土爲便卽不敢以遠爲辭庶幾一見鄉土來春徼幸不死便當驅馳就道以酬門下始終成就之厚德尙有日也伏惟門下曲成萬物各得其情況辱在知愛如某者有不能矜而亮之者哉干瀆尊嚴不勝

恐悚是書見荊川續集不見通行本荊川集觀是書荊川公欲遂分宜之心彌苦矣

適是時舟山倭負隅頑抗久不下朝議遣部臣知兵者往視師僉推公兵部爲題請云云查得本部署郎中唐生長地方久諳夷情素曉兵機近奉旨查閱薊鎮兵馬一入經略兩關振飭收堵截大虜之功合行本官前去浙直地方會同督撫等官先將舟山餘孽蕩平及將浙直緊關海防處遵照舊制或斟酌時宜或增兵易將或掄才儲糧一切戰守機宜俱要區畫周詳會奏上請施行以防來春倭夷云云遂膺是命敕曰敕兵部職方清吏司署郎中事主事唐順之該兵部題稱浙江舟山餘寇未靖皆因文武職官水陸兵將不肯協心効力以致日久費財欲要差官閱視催督進兵茲特命爾前去會同總督胡宗憲嚴督總副參將海道兵備守巡等官將現

在餘寇尅期蕩平各該文武職官敢有偏執怠玩阻撓軍務不行一心平賊者爾即指名具實參奏治罪其有內逆與賊交通接濟者着宗憲多方訪拿斬首梟示進勦機宜及軍門糧賞缺乏聽爾與宗憲相度措處便宜而行將來海防一應合行事務爾有所知見查照兵部原題條奏以聞朝廷以爾素負才名諳練兵事復茲簡用爾宜益竭忠猷以裨東南安攘大計庶副委任爾其欽哉嘉靖三十七年十月二十五日

公奉命奮然曰一月賊不平請拿將官二月賊不平請拏郎中（卓吾撰傳）十一月二十三日過家一宿（據通刪書）大祭祖廟文曰伏惟我祖宗以忠厚傳家承嗣至我先考克繼世德而益修之順之少事先考見其孜孜惻怛雖一蟻蟻草木亦不忍傷順之欽承教命視師浙直顧生殺誅

肯有天命君師在順之不敢專但念祖宗一脈之緒必不肯輕以人命易己功名至於不得已而後殺之謹此告知祖宗伏惟照鑒

明日遂行二十八日至浙將士聞之咸奮戰賊遁去（譚撰等）

有與胡梅林總督書云昨至嘉興已具書瀆覽茲辱手教拳拳深感同心共濟之誼顧僕迂腐無能爲役其何以仰承雅意耶僕此行本是輿疾以來苦賊事未了則當力疾跨海不敢辭勞今賴公勝算賊巢已空則僕欲乘間稍養病軀計留杭一二日發奏後且當返棹春初尚仰山公巡行海壖至於安攘大計公所素定僕但知傾心領教而已南瞻旌節不任馳情（是書見荊川續集）

趙大洲與荊川公書云先是有傳公居都下甚鬱鬱者僕遶床嘆息者旬日而張稽勳至矣聞公之無恙且意

亦安閒矣既覩來教（是書不見荆川集）又風調洒然殊無苦況乃知昔者之言近讒矣不數日即得上命唐郎中經略江南之信及南兵部抄咨慰喜何如正想望之間聞以十一月二十三日過家一宿已入浙云舉動快便心服心服而賊已空亦省調度之勞也忽奉手教並捧讀敕書抄白仰知廟堂之於才賢試之艱難之盛意又喜金陵揚鎮皆公得察舉之地則前書所期相見亦不徒爾而僕得奉晤語者有日矣甯不屈指計之哉公才名甚高易爲人忌布衣草食窮餓蓬藋人尚計較有言紛紛而況茲行有縣令負弩諸侯屏息之勢哉可不加意謙下以郭令公曹武惠之事自處非以媚世也乃以善世也乃大乘法門也呵呵恐相見晚故先道此又知公早自知而僕之言之聊作印證耳如何（考大洲丙辰陞南右通政丁巳陞南）

先錄詩韓又三年匱南戶部右侍郎祀國外錄歸是書韓云睡諸有日與荊川公永祀昭矣

遂與胡宗憲籌商禦倭方略識山陰徐文長渭於幕中

陶石簣撰徐文長傳部御史武進唐公順之以古文負名胡公嘗袖出渭所代謂之曰公謂予文若何唐公驚曰此文殆吾輩後又出他人文唐公曰向固謂非公作然其人誰耶願一見之公乃呼渭偕飲唐公深獎歎與結廬而去歸安茅副使坤時游於軍府素重唐公嘗大酒會文士畢集胡公又隱渭文諱曰能識是為誰筆乎茅公讀未半遽曰此非吾荊川必不能胡公笑謂渭茅公雅意師荊川今北面於子矣茅公慙愠面赤勉卒讀謬曰惜後不逮耳徐文長有依韻和荊川公冰盤詩二首云夜堂流影倍生妍迥挂誰乘來未闌鵲暈只疑杯水抱火齊應落數珠寒薄輪通焰清離晃滿魄生花洞可看復通餘光能照膽却令游女佚追歡五枝最裏燭磨斫徑尺能消幾夜闌對日水晶誰取火生花銀燭自禁寒共然始覺琉璃璐但挂還將雨露看無奈陽和消作淚向人難上解悲歡（此二詩載文長佚稿殊不易見茲由友人徐君繼岑處抄得繼岑文長裔也）

公以禦賊上策當截之海外縱使登陸則內地咸受禍當時萬鹿園歸震川咸有禦海之識並弛漁船出海禁以身任其事乃躬自泛海審視險要寇賊出沒藏匿之所以為攻截堵禦之策自

江陰至於劉河渡自嘉興放洋至蛟門風汛日行幾及千里羣從驚眩嘔喘公意氣自如有自乍浦下海至舟山月夜渡蛟門等詩據明史本傳顧憲成李贄撰傳及荆川集

江南經略自倭變後當道慮倭僞充漁人擄漁舟混入且執縛漁人爲引導之計執鎖漁船爲幫備之資又有賊因兵船追擊逼入內地者有之有賊船趕漁船乘勢混入內港者有之莫之能辨遂禁止採捕莫敢開端職方唐公順之捧敕視師獨毅然任曰兵荒之後民鮮生理處置得宜何患之有遂約軍門每府漁船若干輔以兵船若干相須而行協力而戰取甘結給旗票謹盤詰驗出入船回之日該府差官收稅於軍餉大有助焉自是厥後浙直海濱不聞春汛之警非偶然也向來浙直陰受唐公之賜而不知責會丞識上嘉靖戊午荆川唐公撫

菽至吳興督府胡公兵憲熊公毅然弛禁沿海數百里窮民踴躍出海自是厥後海烽久熄未必非由此以致之禦海洋之說有明徵矣又云漁船之出洋爲捕魚也而因可以擊賊天生自然之利天設自然之守荆川諸公必弛此禁意誠有在矣防海論

鼎元考李卓吾撰傳曰視天下勢之所至若萬鈞之墜卵處之晏然舉天下之所不敢爲不能爲者獨毅然當之又萬履菴云先生每事皆求定見其見一定信之甚堅持之甚固鼎元謂公居鄉日有司欲盡撤附郭民居以拒寇閉城以拒來奔者公願以身任其罪以爭之一也議築孟河城雖萬姓怨叢弗顧二也主禁賊於海勿使登陸三也弛禁漁船出海亦願以身任之四也此四者皆人所不敢爲不能爲獨毅然當之其見一定不可回者也

皇甫子循送唐應德視軍海上詩云玉關此去朔風寒瀚海東來血未乾曾謂軍容非俎豆應將經術靜波瀾虜情已向帷中決師過還如席上安借問王章舊時友

幾人相慶貢公冠

胡廬山贈荆川視師海上詩云：翩翩瑤節下煙霄，歲晏關河朔氣饒。兵法久傳黃石略，使旌遙指赤城標。雪中鯨海銷氛祲，春後鮫宮貢薄綃。薊北越南均報主，勳名那羨漢嫖姚。軍師強起白雲扉，海上還如臥翠微。日護貔貅仍習靜，營開魚鳥試忘機。絲綸早已推黃閣，去住身看着白衣。行過荆溪棲隱處，莫因蘿薜繫驂騑。

邱雙橋送唐荆川視師江上排律詩云：學士焚魚早，巖居三十年。忽承天子召，從事大夫賢。塞北師方閱，江南命復宣。感恩餘涕淚，力疾肯留連。早珮辭丹闕，輕裘指玉鞭。劍鳴龍欲舞，旌動隼交翩。袐略神為翼，丹心日獨懸。師中真倚重，麾下卒爭先。吉甫才無匹，伏波身尚便。詩書嚴甲冑，談笑息烽烟。夜靜稀刁斗，春明共凱旋。犢

眠楊柳塢漁唱蓼花船時雨羣黎慰天威萬里傳坐看消黠虜何用勒燕然

前詩錄自邱氏家乘雙橋字世章同邑人嘉靖丁未進士・授侯官令四載考績為天下第一擢戶部郎曾監通州務昌平正運弁乾役之罪出守南陽以清勤卒官（錄江南通志）

雙橋又有臥病永慶寺詩次荊川公韻詩二首

行查各鎮兵糧船隻總數

文云照得本部欽奉勅命欲圖長策須得兵糧數目詳細查算除各參將所管細數已經具呈外至於一鎮總數未及併歸一處仰中軍官卽行查照要見該鎮主兵之數水兵共是幾何陸兵共是幾何歲用軍需幾何其軍需原用何項錢糧措辦船隻共是幾何原打造用銀幾何每年修理用銀幾何各具大數同報不必總開花名至於客兵雖無常數及難預定但以每年通計之亦可見其大略仰查自倭寇以來某年調過客兵或係徵

調或係招募及每年用過募兵銀幾何供給客兵錢糧幾何今年該調客兵幾何度用錢糧幾何逐款查報以憑本部會同巡撫李尚書酌區處畫一奏請此係緊急軍情且本部復命在邇毋得稽遲誤事云云錄自荊川文集

在海上有與羅念菴書擬復約於虞郡一晤云云考此會未成公與念菴去冬壽雲之會遂成長別矣

是歲公孫徵純生華亭陳眉公繼儒生

明唐荊川先生年譜卷五

十四世孫鼎元謹輯

十二世孫　肯校刊

錢家驥

鄉後學周仁泳謹校

崔　龍

十四世孫　斐

纘道　仝校

三十八年己未五十三歲在浙直視軍情任

二月庚午把都辛愛謀大舉入犯駐會州挾朵顏爲鄉導詭稱東下王忬不能察遽分兵而東號令數易敵乘間由潘家口入渡灤河而西逼三屯營三月己卯大掠遵化遷安薊州玉田駐內地五日京師大震御史王漸方輅劾忬

及歐陽安巡撫都御史王輪罪帝大怒斥安貶輪於外切責杼令停俸自效缺

姜鳳阿寄書云別後無便止寄得馬竹崖僉憲一書今此兄以事當降調此書想不得達矣差人來乃承手教兼聞道履已全愈甚慰仰思良鄉之別碗粥杯水彼此亦分之即此光景便見吾師有疏食水飲孔門相與之至樂由此而推便亦自有萬物一體飢飽冷煖無不自我而共之之真蓋有道者作用自是如此然否然否舟山寇已驅逐當自先聲所致新春海防佇聞良畫此亦吾師之素養與素志也不久策勳還朝聞當以京營事相煩北虜南倭既一一身親經略之然後坐運廟堂以中權制勝於天下我宗社億萬年之安永永有賴焉則吾師今番出處其有出於摒管摛詞之上多矣乃知人

有學識者自無施而不可何必復還翰林然後爲稱耶某於歲前奉尊教時出白雲觀靜坐莊子粗完讀尚未熟然胸中一似有潑潑流轉之機春來正看楞嚴俟了此再理會容後并討分曉如何也仟還時適有小冗未盡所言伏惟台亮

三月陞太僕寺少卿據行狀

四月十一日倭泊崇明洋公督舟師邀之海外斬馘一百二十沉其舟十三艘據明世宗實錄及陳鶴明紀

李中麓補傳海門乃要害之處原設會哨官當春汛急時令其往來互應夾擊諸將官既不肯親自下海而哨兵各退避內地賊至第左右影射推諉遂致登陸浸淫不可制唐子深知其弊亟登海舟督諸將詰崇明沙因出餞中緘犒賞諸將拜而約之且戒之日有不用命者

以軍法從事兵艦連亘海岸賊見驚曰江南自來無此
備俱登岸而北卒諸將急擊之犁沉賊船十餘隻得首
級百餘顆衣器無算人謂自蘇松用兵以來無此捷
江南經略嘉靖三十八年四月倭船突至三片沙劉家
港官兵擊敗之賊屯三沙先是兵船憚於出洋潛泊內
港賊至多不知偵聽其滿載而去則襲以爲功翰林唐
順之毘陵人也免官家食洞燭情僞每蹙額歎曰痛哉
鄉民橫罹塗炭如齏子肉惜未能弔之至是言官交薦
爲職方主事奉璽書視軍情至吳密查歷年飛報凡寇
賊登刼地方月日與官兵禦避咸編手鏡買民船微行
至海上各官兵見之大驚公詰之曰朝廷命吾查究功
罪爾曹縱賊殘破郡邑死不可追衆譁然辨公曰某賊
於某月日登岸乃某之信地也不然飛報奚是汝名乎

某嘗戰而不勝限於力可恕也某未嘗戰某未嘗策應也案卷可徵爾何得欺我衆相顧語塞叩首不已公問何以自釋衆請立功公曰不然我乃督戰官也爾曹但知畏我臨陣稽考夫豈畏我平日之稽考乎須各具死罪招由用印而藏之我方貸汝衆從之公施不測之術或由江陰出江收劉家河收吳淞江或由劉家河吳淞江出海收乍浦收楊舍收龜子門收定海驚風怒濤隆冬月黑人不敢行而公獨絡繹於溟渤中間擒將官之潛泊者治之以偶避風對公應之曰我至不知寇至甯知之乎叱左右縛送軍門諸將號泣而籲公杖之百取其再犯連坐甘結粘連於招由自是將官兢兢焉常哨海中遙望風帆輒疑公至整搠齊截罔敢懈四月初九日倭船突至三片沙總兵盧鏜與把總楊尚英迎擊之

沉其三艘俘斬一百五十餘級既而衝劉家港官兵拒之頗有斬獲賊不得入數日不意中國之嚴備若此來無益矣且苟延以圖歸乎遂如三沙

鄭開陽又曰沿海備倭兵船未嘗不設每賊至岸輒爲所登何也沙兵非不能遏以賊未嘗擄掠擒之無利且縱賊深入者無罪獨力衝鋒者無援人心不服故且俟其內寇滿載而去方邀擊之荊川唐公洞燭其弊親歷海口以兵船各派汛地仍責其兩鄰互相策應四月間倭至而不能登陸一支飄往江北一支飄上三沙蘇松嘉湖千里甯謐實荊川之功也見鄭開陽雜著

三片沙在崇明縣治東北孤立大洋中四望無際倭寇從東北大洋而來必經此蓋浙直之咽喉也三沙崇明舊縣治也控諸沙之上游爲一邑之中土明初建縣治於此又設守禦千戶所俾兵雜守衛得捍禦長策因東近大海洋水衝齧城北易圮遂遷平洋沙而此僅一巡司領之失險甚矣蓋此沙下隔北通狼福沙南通宋信嘴

江南江北之關鎖也亦見江南經略鼎元稱嘗思之公境年一出建樹未宏遠志而設人多借之然公之未出
也十年之閩案獨三四省驟數大帥此時有倭而無官軍公之既出也家志成被殺款致果五年之內變有官
軍而無倭夫倭冥官軍之徒為興衰執主張之日氣也倭氣何自而沮官軍之氣何自而揚毋亦微乎公之忠
憤有以作其敢氣之心而衰魏寧之瞻乎夫文臣下海此破例事也文臣報甲宮寧北又攻例事也公為其破
例之事將士宜有不感院奮發為其分內之事乎人人書其分內之事於是中國之境非復委人之所能甚足
而倭患自此平矣夫兵氣揚則敢無所乘兵氣猶興國無所立然而十餘年來無有學是氣而轉援之者則以
任事之人難得贊定亦公之忠且誠也是故以說虜擒魏論公功未為邦公也謂公辛於庚申四月未為知公
也是氣常鮮謂公常生可也謂公於平倭患可也昔諸葛武侯功之可見者六出祁山攻魏數邑耳其取蜀取
漢中詔烈之所自為也然而諸葛大名垂宇宙令萬世之下流節而感奮者非以鞠躬盡瘁忠誠之志為不可
及叔公山中之清苦武侯之澹泊也公之經綸武侯之經綸也公之志武侯之志也然而今世之人徒以其少
年之文辭與道思然宣並冠以其毅慮之功與彼真邦員進溥而不知公為絕類超倫步諸葛而並伊呂者武
侯忌唐賢宋儒之袁多而公守宋遜知少凌南軒羣兵闌發之敢

三片沙報捷疏題為仰仗天威宣軍出海邀賊鏖戰克

獲奇功事臣原奉敕書會同總督胡宗憲勦舟山餘孽及本部題奉欽依一體會同江北江南巡撫經略海防臣至浙江舟山賊已先遁謹具題知外及數月以來身歷江海一應經略亦漸知要領正欲起程復命間忽得海上警報南洋北洋盡是賊船臣即趨嘉興會同總督胡宗憲面議方略又趨吳淞所會同巡撫陳錠亦面議方略以爲非禦之於海則不能制其衝突又以東南賴
皇上恩德海波平靜閭閻休息一二年有餘深恐人心玩愒賊鋒方銳非有出格賞罰則官兵未必用命謹遵敕書嚴督副總兵官盧鏜遊兵把總楊尚英邵應魁等若容一賊登岸定以失機參奏從重治罪及與督撫兩軍門議定賞格有人打破賊船一隻連人船拏獲者當即賞銀五百兩內衝鋒船加賞其斬獲首級數多或一船

至三十顆以上真正倭賊首級者另行給賞將官打破
賊船至三隻以上當以奇功論薦賞格既定又以非有
監臨文官下海督戰猶恐諸將士畏避潮險賊鋭不肯
出洋邀擊適報有賊船二隻泊崇明營前沙諸將擁兵
觀望賊得逸去往江北登岸臣知事急卽從吳淞江口
泛海至崇縣爛沙洪時巡撫陳錠卽遣主簿郝堅齎懸
賞銀一二千兩隨臣至海船開匣拆封徧示諸官軍諸官
軍色動鼓舞踴躍思奮未幾總督軍門貼助賞工銀一
千兩亦解至而巡按御史朱綱巡江御史江北亦搜刷
贓罰助軍兵備僉事熊桴辦到月糧火藥方船而至諸
官軍則益踴躍正料理間江北連報海賊登岸前後積
至七八千人巡撫李遂告急之書亦一日數至臣原奉
欽依會同江北巡撫聞報驚惕懼負委任遂以海事付

託諸將嚴督盧鏜泊爛沙洪楊尙英泊三沙洪以候賊至不許退入港門一步臣即馳往杭州會同宗憲前後計發援兵一萬八千餘人臣亦從後馳往揚州督戰行至崇德地方得盧鏜報照得本職親統遊兵都司楊尙英等兵船出哨北洋四月初九日哨至三片沙適遇新到大倭船二十餘隻幷隨帶小船俱收本沙約賊二千餘衆隨該本職分布各哨官兵船隻四路埋伏初十日早各船奮勇齊進舉放佛郎機鳥銃噴筒火箭併力攻打犁翻賊船三隻打破四隻生擒真倭一名共斬真倭首級一百一十三顆倭器倭衣共三百四十六件滾水死者不計其數餘賊慌張隨潮沿灘收入三沙地方見今兵船圍勦等因臣竊照此二十餘船之賊若是不上南岸必上北岸若上南岸則江南方幸無賊豈堪此賊

殘破若上北岸則陸賊已將及萬又添此賊合夥如熾火加薪勢將何止今聚而殲之海中雖云捍禦於江南實以分殺賊勢於江北海賊既殲陸賊自然破膽且自來海中獲功止擊歸賊不擊來賊歸則賊氣已惰賊貲又滿人既樂擊擊之又易來則賊氣方鋭賊船又空人不樂擊擊之又難擊賊之歸如虎啗人而人殺虎虎氂而人已殘擊賊之來如虎未啗人而人殺虎人不傷而虎氂然自有倭患十餘年其間擊賊之來者僅往年朱家尖之捷與今日三片沙之捷而已此實聖明玄威廣運廟堂成算本兵調度督撫協謀諸將用命之所致也臣誤蒙任使適會成功皇上命臣爲視軍情官理合題知上寬聖慮其有功官員總兵官盧鏜僉事熊桴都司楊尚英把總邵應魁楚瀛陳文麟指揮濮大有鎮撫包

守正等容臣會同督撫諸臣查實功次另行具奏外又前此打破賊船不分賊來賊去同是一樣賞格人不知勸伏乞敕下兵部會議擊賊之來委與擊賊之去難易不同另立奇功賞格鼓舞士氣此爲伐謀之上策再照江北賊情十分緊急職奉敕往視計非異激賞則亦不能成功況應援之兵四面雲集平時會計原不及此若是軍門糧賞果係缺乏容臣遵照敕書查有漕運衙門積下輕齎銀兩巡鹽衙門積下餘鹽銀兩及各衙門無礙銀兩會同巡撫李遂便宜而行一面借支數萬兩應急一面具本題知外緣係仰仗天威官軍出海邀賊鏖戰克獲奇功事理爲此具本謹題請旨盧鏜汝寧衛人由世廕歷福建都指揮僉事爲都御史朱紈所任紈自殺鏜亦論死尋赦免以故官備倭以功累擢至總兵爲李遂劾奪職尋以公薦復原官詳見明史傳熊桴字元乘武昌人嘉靖庚戌進士官蘇州同知禦倭甚力歷河南僉事調蘇松兵備

後推廣東巡撫海盜曾一本作亂討平之卒於軍見湖北通志湯肖英字時俊鎮海人生有膂力猿臂善射長七尺餘虬髯燕頷顧盼若神弱冠嗣世襲千戶有膽決饒智略委亂亭上大小數十戰多有功積官至總兵見弇州史料

與胡梅林督府書云三沙局面海道能言之將士事情海道亦能言之僕不敢贅一詞也黃潭公題三沙本稿并弟咨稿俱謄奉若用黃潭稿必須削去浮語如燒屋及銃砲打死之類乃爲就實耳三沙賊未滅恐督府事亦不了用兵之役昔人所謂此法終不可罷恐不可盡以僕爲懲創而矯枉過直也一笑一笑譚海道（名綸）與戚參將仍望令其暗整兵馬以待用雖極知此等語翁不喜聞當機不得不一發耳見海撫公至弟亦盡數交付與排場且歸陳渡聊作閒人以俟罪而已惟翁心亮之

錄自荆川續集他本無

又書云伏聞道體稍覺違和恨不能一侍左右蓋一體之義公病亦吾病也東南有福此時計已勿藥懸望懸望灘山衢山有賊係浙直諸總會哨所在而李希賢孤軍獨往餘皆坐觀不相爲援及烏沙門洋山一帶有賊定海兵船亦互相觀望待其登岸噬臍何及蓋守港將官全然不以會哨會剿爲意賊迫近島機會可乘輒以風潮不便爲解縱之登岸陸地失事則又罪坐陸戰官兵彼亦不與其責習成套子牢不可破明旨近例所謂邀之於海徒爲空言不得已而陸戰在我爲舍易圖難在賊得護其所短而用其所長兵家之忌我則犯之然則倭賊何時可平公亦何時可息肩也興言及此祇有疾心承公指教不自量力謹往吳淞督戰一番若賊仍在灘滸洋山之間諸將官仍守舊套不肯會哨會剿僕

止有以身先之而已吳淞事機稍緩即星馳侍教左右爲快亦有所面請教也聞薊州虜情尙緊南北事勢若此臣子之心臥不安席奈何奈何浙西江南陸戰之兵俱無足恃僕所親見成敗只在海剿一著賊一上岸必然復如往年之事矣故憂之不得不深但公方在調攝中不宜以繁言相瀆念無可與爲言者故不得不爲翁言也

趙浚谷贈荆川南征詩二首云鯨波深未破鵬翼奮將摶信美從軍樂無嗟行路難羣靈海岳助一劍斗牛寒南紀風塵靜仍期早掛冠同人分袂久豐潤得詩新悲喜知交集東西望未伸文夫多意氣君子貴經綸倘遇赤松子莫爲塵世人

四庫全書荆川武編提要云公之應部起爲維揚巡撫禦倭也負其宿望盛驕恃氣一戰而幾爲寇困賴胡宗

憲料其必敗伏兵須教得免啓爲宗憲玩諸毀掌之上然其後部署既定亦頤能轉戳愛燕擇祭得宜著有成

發究非房瑲劉扶廷譯賃報者可比是編肆紙上之談亦多由閱歷而得固未可以書生之見目之云暴元謹

接崇明拌之捷公第一次與倭發仗也一閩書報卿龍同與梅林面議方略定出格賞罰以鼓勵士氣此即仲

尼之陳事而纏好謙而成與諸葛武侯之集恩廣益安有所謝自負宿埜盧矯特氣者乎崇明之捷舉賦大胖

爲海上儘有之奇功安有所謝一戰而發爲寇困者乎梅林之一萬入千人公親往杭州調之以赴援江北者

也安有宗憲料其必敗伏兵須教之說乎且崇明距杭敵百里此時梅林適臥病並未同在軍中（見前與梅林

書）亦安得而料之且公之未出也梅林帶以禦倭方略寫書請教山中而公亦嘗諭人曰禀倭必專重梅林二

公之相推服也久矣安有宗憲玩諸股掌之說乎公之始來所直非即爲推揚邀換奉教視單擠宜也非有應

陣之責儀可高坐省城惟以筆札從事不過與梅林諸公意氣索孚而公又風復平倭之志故不辭險危起而

借助一實安有梅林諸公不戚公發公而反玩公者乎無錫諸友欲爲剋集公抵死力止之共卒趁通州也數

危語從曾孫一塞日很山中尚少十年功夫公之自視敢然如此是尚得爲有盧嬌之氣者乎公之在山中也

二十年矣尚未能治其盧嬌之氣是尚得爲儒者乎是尚得爲荆川子乎是皆委巷之談有識所不道夫今委

卷之談荆川軼事者多矣是皆可筆之巨編傳諸大雅之目蕪諸天祿之閣者乎不信史傳而採委巷之談甚

矣紀昀之陋也按提要所言蓋即前述陵谷事誤傳陵谷荊川當時並負知兵名又爲好友故致誤傳耳

胡宗憲爲御史李瑚所劾瑚與俞大猷均閩人疑俞漏言乃以柯梅縱賊罪委俞劾之詔遣校逮俞下錦衣獄據明紀考虛江四服來杭役畢在四月十九日或者問曰荊川公胡爲不救虛江也鼎元曰子欲荊川公若何救之亦將拜疏於朝爲虛江辨乎則何以爲海林地荊川公方與海林協謀討賊如是則立決殺語曰胡然自難又曰辭鈐遲須黎鈐人後海林與書東倭轉爲虛江緩頰又與書趙捷李同野爲虛江說項安知非荊川公從容爲海林言之故海林海而出此乎當日力救虛江言達東閣從中斡旋者徐少湖楊虞坡安知荊川公不嘗貽書言之乎然而虛江則不復諒之矣觀其後與譚二華論書（見正氣堂集）甚不滿於荊川公之爲意可知也嗚呼此入世之所以爲難而賢者多以袖手林下爲得策也

同時倭數百艘犯通州海門與三沙之賊別爲一起即前三沙報捷疏中所云江北連報海賊登岸前後發至七八千者也公恐賊逼陵寢令總兵官盧鏜拒三沙自率副總兵劉顯明史有傳馳援李遂於通泰行狀時江北告急督府以調兵盧鏜往援公留鏜往三沙而身赴江北之急

閩撫王芳湖來書遺公蜀扇佩劍公報書有云正與梅林計若四月內浙直無賊僕當以鎮溪土兵數千自隨效麾下一隊之用不謂北洋之賊忽然彌海維揚醜類幾將殲萬浙東亦接艦而至揚府告急之使幾如秦庭之哭矣向華高日本考倭寇浙直會通政唐順之以視師至浙援甚衆其寇福建者張甚連破甯德福清永福諸邑趨撫阮鶚罷去王詢劉燾游震得相繼撫閩無尺寸功芳與王詢別字公受教視軍情即親自出馬殺賊數僅浙直面公了浙直之賊即欲帶兵至閩殺賊公不與倭俱生之志明矣

王龍溪與公書云聞兄入省發舟西渡則前旌已迅發矣領所留手教知赴援甚急不遑寧居且云克齋兄借兵不減於秦庭之哭可謂岌岌矣及見克齋來東忽有止兵之說倏緩倏急倏鼓倏罷倉卒舉動有同兒戲吾兄老婆心切救世念重但恐未免尚被虛聲聳動只此便是道學障便是應機欠神處不可以不察也吾兄自

信此學已得手徹底乾淨不知一切應感果皆出於本色無意見攙雜否一切逆順稱譏好醜盡能平懷應之不起爐竈否於自己一切利害得喪盡能忘卻不作見解伎倆遣釋否一切好惡盡能緘藏使人無從廻測否一切閒忙境界盡能以無事處之無所揀擇否若於此有未透脫還是此些子有礙在未可便恃以為徹也剏兵機應感呼吸存亡孔子尚臨事而懼以為未嘗學況吾人乎兄既督領麻兵師行旅從乃事之宜還須整隊押發防其沿途搶掠庶為有制之兵赴難雖急獨此數百門鳥銃將安用之區區一體休戚相關情不容已知兄諒予不以為迂廣濟攻巢鳥銃却甚得力也又書云竊看吾兄近來舉動乍出乍沒倏往倏來若神龍之變化似欲使人不可測識略出有意卻未免涉於輕躁反使人情惝恍不

能快然此是學問關係非徒形迹加減而已也況兵家應感呼吸安危尤忌播弄奇正開闔虛實進退藏於九地之下動於九天之上隱見叵測主張處全賴於機機圓則應始神方則礙太抵鎮靜則得之輕躁則失之吾兄見在感應凝目注思微覺有礙當機便不能神便會蹉過生死利害反覆毫釐皆決於此凝目注思固將以矯輕躁之失此正在形迹上加減似鎮靜而實未必然也千古聖學本於經世與枯槁山木不同吾人此生不論出處閒忙亦只有經世一件事如吾兄今日處在兵中金革百萬與山中飲水曲肱萬變在人原無二事徹頭徹尾只在機上理會原無二學此機無寂感無閒忙有無之間不可致詰是謂圓機日應萬變而常寂然方是大鎮靜方是經世之實學固所稔聞也但恐救世心

切如張忠定之救火當局對境復作一一見旁觀不嫌於饒舌耳昨聞兄請兵意氣横發君臣朋友之義以身相許誓欲與同生死竊意此尙從俠氣帶來俠者之重然諾輕生死終涉好名與聖賢本色作用未免毫釐亦在機上辨之而已兄常自謂已忘得名根試驗之纔遇差别境界便會觸得動纔涉嫌疑便思分疏忍耐不下纔經指摘便覺懊惱不快活只此便是不能忘處大抵豪傑不落卑污多受此病非從學問理會時時自反常見有過可改幾於無我者未易以氣魄承當吾兄性根原來暢達矯懽抑情處似涉安排坦懷任意反覺真性流行其帶此些子俠氣疑於輕躁亦在此此正是學問血脈路未分曉在若信得及時全體精神收攝來只在此一處用針針見血絲絲入理神感神應機常在我如馭之

有轡御射之有彀率如舟之有舵一提便省一切嗜好自然夾帶不上一切意見自然攙搭不入豈止用兵如神千古聖學亦不外於此矣何如何如兄任事真經世心切愛人根重每事盡心寧可犯手不肯此二子放過但恐應機處少有所礙如前所云實同心隱憂也易无妄繇辭曰其匪正有眚不利有攸往既無妄矣尚有匪正之眚何哉此正是研幾之旨夫子求免大過之心幸默察之龍谿之言如此洵公與龐之交直諒之友矣

崇明捷聞賚銀幣改陞通政司右通政仍命在浙直討賊以胡宗憲奏公權輕故有是擢詳見倭兵部咨考明實錄有五月己丑崇明縣三片沙倭賊合綜遭至盲軍出海邀擊斬首一百餘顆總督侍郎胡宗憲等以捷聞部覆宗憲并視軍右通政唐順之各銀三十兩紵絲二表裏巡撫應天都御史陳銓二十兩一表裏云云不知此與四月十一日斬獲一百二十沉其舟一十三艘爲一事之重記耶抑本爲兩事而諸家之失載耶附誌于此以俟考

公至江北與胡總督書

書云崇明沙上實有賊一千三四百人登岸立柵已撤盧總兵不可離崇明一步盧鏜既不可離崇明張四維又不可不還浙東則江北督將戰將皆弟身自任之而已江北了賊後即擬浮海了沙上之賊然後轉戰而南擣舟山一帶海賊告成幕府此語誠昔人所謂初若落落難合仗公神算更觀其後何如也但隨身銀子殊恨其少公所給銀謹先發一半往崇明而以一半自隨弟亦搜括家貲并借貸僅得銀五百兩通公所給共是千金而已弟承遣命至地方半年並未有一題奏今欲并崇明江北勝負賊情及請發糧賞特題一本公崇明捷奏千萬上緊早發勿緩也蔣寇奎溪海捷維揚本末中有總督侍郎胡公宗憲與視軍通政唐公順之亦提青浙兵至相與合勢云云又明史世宗紀嘉靖三十八年八月己未李遂胡宗憲大破

倭犯劉莊云云畢元以荊川公與存林先後諸書觀之敘江北之役惟荊川公實行存林在浙未嘗往也薛氏所紀及世宗本紀所云則以存林為會浙直記載體例須歸美主帥耳

庚申倭攻淮安巡撫李遂督參將曹克新等禦之姚家蕩公率劉顯來援賊大敗走以餘衆保廟灣公薄之殺傷相當李遂欲列圍困賊公以為非計麾兵薄其營以大礮攻之六克三沙又告急公復來援紀事本末明

馮文敏名時可南江亥子集日本志云賊至潘莊與我兵遇全營覆沒李遂次於淮而通政唐順之亦提青沂兵至相與合勢分五哨師於姚家蕩以待初賊計我兵綴于丁堰急走淮安掩其無備比至見兵勢甚盛相顧驚愕盡銳衝我左哨遂揮兵夾擊俘斬八百有奇賊奔守廟灣我兵鼓而進之賊困甚乘風雨夜逸官兵尾之凡三戰斬級千餘菓向高日本考賊走廟灣李遂欲以策困之

通政唐順之以視師至促戰斬獲甚衆順之會有他役釋去遂益合兵攻圍

行狀是時廟灣巢堅甚故猝未能克將休兵復戰而蘇松兵備以三沙之賊諸將不進兵來告總督軍門復以書促過江公以廟灣賊已入囊中不日旦夕擒即走而身兼南北之責復以五月五日至沙

咨胡總督文照得江北賊勢始因副總兵鄧城等諸將官不能禦之於海延賊登岸繼因諸將官不能遏之海岸延入內地四散猖獗前後積至六七千人巡撫李因見賊勢重大移咨貴院及移書本司請發援兵一日再至比時本司巡歷崇明海沙方督諸兵船出洋打賊聞報驚惕馳詣浙省會同貴院計議深惟陵寢留都之重稍有震驚不敢辭罪先是貴院會同本司具題用銀一

萬兩募沂州兵都司何本源青州兵把總邢鎮卯令統
兵駐箚淮揚聽巡撫李調遣殺賊隨發守備高湜澂補
兵五百名贊畫沈遷桂汝攀鳥銃手五百名周衝箭手
一百名槍手二十名葉燦處州兵三百名繼發指揮彭
鶴年土指揮張窖等鎮溪兵一萬二千名四月十四日
牌遣副總兵盧鏜統領諸軍往江北應援貴院以抱恙
初愈不及自行本司監督以往比十六日至嘉興忽得
巡撫李止發援兵牌面土兵萬餘陸續已到崇德等處
俱各驅回貴院深恐賊情難定止將張窖等七千名調
發合溫殺賊而令彭鶴年一枝仍舊往江北應援盧鏜
以圍賊於崇明三沙不及依期赴調本司遂將諸兵以
行二十日馳至揚州是時賊分南北兩枝其北枝蟠據
廟灣場其南枝蟠據如皋其北枝直衝淮安巡撫李躬

督官兵分爲三哨參將曹克新領巡撫中軍爲中哨沂兵爲左哨言兵爲右哨大敗賊於姚家蕩共斬真從倭首千餘級餘賊尚據廟灣巢四面流刼者又復竄入巢中是時南枝賊勢張甚殺趙千戶韓鎮撫及毛葫蘆兵殺傷頗多海防副使劉景韶憂憂告急巡撫李即同揭州本司亦適至相與會議南北分擊本司擊如皐之賊而巡撫李擊廟灣之賊二十三日本司行過灣頭十餘里比得報廟灣賊復張殺蕭千戶蘇百戶官軍亦多被殺傷巡撫李即移書邀本司同往廟灣擊殺而以南賊付之劉海防二十九日巡撫李與本司發淮安駐馬邏去賊巢七十里止軍五月初一日巡撫李以主客兵付本司而身赴馬邏請發兵食本司移營至新溝東去賊巢十五里而軍露宿何本源營先是何本源及淮揚中

軍指揮倪崧別領沂州莊兵千戶王皋及南京兵部尚書張所遣家丁白虎等四十名已營新溝參將朱仁千總苗騰與廟灣賊巢及諸軍隔河而營高湜沈遷桂汝攀葉燦周衛等五軍及邢鎮所部青州兵則隨本司住營明日午時本司率諸軍覘賊適往北路劫掠而歸諸軍奮勇入巢鳥銃手先縱澉浦處州兵繼之主客馬軍槍箭左右翼巢賊多中鉛彈馳被賊拖入巢不能得首級遂抽軍還營是時廟灣之巢牆厚如堅城樓居平屋延袤二三里深房曲巷險如設阱皆平時鹽場富商所築以禦倭往年及今賊皆據之以禦我軍賊又燒絕外屋止留空牆以防火攻其背據大河搶船五十餘隻聯營浮橋通南北走路本司遂與巡撫李約會曹莊村計議非南北水陸夾攻不可打船破牆非火器不可巡撫李

又與本司會議賞格有能破巢先入者賞銀一千兩本司還至營部署諸軍所從入高湜何本源等五枝客兵及主兵倪淥等由西大路填溝而入朱仁苗騰由南路入仁素細為賊巢故恇怯又督發千總沈儒馬兵一百八十名潛師度河詣仁與苗騰戮又夜遣健士潛裹大母礮二子礮三十使詣朱仁營隔河擊賊船密票令朱仁埋木樁於下流淺狹處以斷賊船走海之路又以廟灣北通雲梯關賊走要路令邢鎮率青州兵一枝當北路邀賊令管火藥局需齋將軍礮子母礮佛郎機等火器以俟部署既定黎明諸軍移營本司自擐甲冑逼巢而營諸軍既為本司激發又貪重賞爭先闖巢沈還領鳥銃先入激滸兵從賊樹而入邳州兵繼之所舁將軍礮等器亦至巢而健士亦已齎礮至朱仁營兩河大礮

與鳥銃齊發聲殷原野牆毀船摧賊中鉛丸死者尸疊牆壁間頃之賊出衝陣被銃打箭射回回而復衝者頃刻十餘合驍賊四人升樓頂而望一鉛丸落其一人餘賊滾霤而下賊益奪氣先是覘之賊伏兵於北路林木中俟戰合將繞出我兵後賊每恃此得志本司恐青州兵不能獨當遂以鳥銃手四十名丁有德白虎等馬兵九十餘騎搜林木出賊不意賊駭奔巢官兵邀之斬首獨多日過午戰益酣賊盡銳突出青州兵小卻塵起軍奔本司據鞍整衆而歸賊不能躡是役也諸軍共得首級四十六顆內從倭三顆南北共燒擊船沉者十二隻鳥銃手澉浦處州兵以戰於巢中沂州兵以翼入巢兵後故皆不能多得首級而驍兵爲賊死傷者獨多青州兵及馬軍以搜林戰野故多首級而死傷獨少沈儒故

驍將從南路入水手燒賊船賊鉛彈中死明日將休兵復戰會江南兵備熊桴報至言崇明沙賊將有變本司身兼江南北之責且料廟灣賊已無能爲不日暮擒則走耳適會彭鶴年所領鎮溪兵五千名新到淮安遂幷留青沂兵共八千名與主兵同聽巡撫李調度攻巢都司李恍所募土兵五千亦奉貴院牌遣駐儀真以待本司又檄守備董相領海船五十餘艘自雲梯關東下備賊走海邀擊本司身率高湜等兵千二百名往崇明先是本司攻巢而適泰崖報亦至兵備副使劉景韶身督遊擊邱陞等兵沿路逐賊日夜鏖戰賊遂大敗凡得首級三百六十餘顆其詳具劉景韶揭帖中茲不煩述竊謂本司素書生未經軍旅罕未嘗一日拊循之兵率主客十餘營素不同心之將以攻據巢死鬭之賊幸有小

捷此皆仰仗貴院面授方略千里決勝之算與巡撫李調度兵食運籌之力也本司南北奔走深愧無功其廟灣留兵攻巢後事及崇明賊情處置容續具外理合先咨貴院煩爲查照施行須至咨者別有分道侵突號題爲海寇分道侵突一按斬獲發書一按發據未載事矣咨胡總督文大老相同並不錄

與李克齋中丞書云弟以江南沙賊恐日久變生勢不得不一往然别兄殊甚惘惘不能爲也千里赴援之心與今日别兄之心毫釐寧有異哉蕩戰巢戰賊奪氣已盡巢賊戰雖少首級然從來柘林舟山之役並無一人敢闖其巢者賊計窮必走但不容朱仁輩導之出疆日夜隔河打船驚擾之則賊欲走不能只破萬金作月糧賞計可殲盡此賊江北可五六年無事不然縱七八百倭子下海來歲之患未已也蔡功惟斷乃成兄如決計

弟區處崇明後可復備幕下驅使其賊中動靜時望見
示口糧首級銀諸將士皆已領惠多謝多謝惟賞功銀
子弟昨所以留馬逢一日只爲欲與兄商議此事因兄
遲疑遂不及了而歸人各有心此非獨斷之事其詳已
具所與淮府牌中兄當能悉吾意也邢鎮首級銀頗多
稍足飽飧而何本源營無一首級死傷又多煩兄少加
格外之恩以適低昂之平太抵賊尙易殺而軍情最難
調停也兵賊相持日久號衣器械恐有爲賊得者賊多
狡計或扮作我兵晝混夜掩分付諸將宜知此意梅林
公所遣參將張德雖未偶然聞其人頗有行止兄宜稍
假之顏色使得彈壓苗兵亦一助也張兵備再三言沂
兵有該補還銀二三錢以足三兩原募之數者已與兄言
之然必須沂兵與青兵各別後乃處不然邢鎮又藉口

矣（錄自荊川續集，通行本荊川集無）

又與胡梅林督府書云：行過無錫，得健步華潮所送公手書，喜慰之極，喜慰之極。公料我兒繫江北，而僕已渡江二三日矣。有圓機乎？無圓機乎？圓機速乎？遲乎？會心人一笑可也。自餘可以忘言矣。咨文稿先奉覽，請公據此及劉海防印信手本所具通泰滅賊及廟灣攻巢事兩股文字，合具一本題知，權了江北應援一段公案。待後廟灣之賊或走或剿，并祟明賊情處置若何，陸續具奏可也。倥傯之甚。先將使者一起自蘇州發，同一起使者帶至太倉，更有書也。劉海道呈文及手本，翁覽過便中發還。公料廟灣賊勢甚審，千里真如目見也。但淮安所報搶雙桅大船六十餘隻，正是廟灣巢賊各處鄉村搶得，將載以下海逃走，今已被官軍打沉十餘隻矣（錄自荊川

續集本無

又書云書生操赤幟一日拊循之兵領八九枝素非同心之將以攻據巢之賊而監將戰將皆身當之直可謂不自量而任之太過矣安公京篡初二初四兩日將士買勇入巢斬獲共得首級四十一二顆皆係真賊無從者衝鋒則鳥銃手激濃兵之力也生獲免狼狽爲幸多矣餘賊據巢者尚繫有旋戰後鎮溪兵乃至將復用之剿平餘賊此後容再報也弟以崇明事緊恐有蘇虞不得不急歸而銃手皆遣僕還矣區處崇明後即往杭州候公計相晤只在半月也此中賊勢似已有定恐不久當走公書中云欲還本可且緩之更看消息何如承教步步擡營立於不敗此公老將經略甚愜鄙意弟已造下行營三座決然可以制賊而諸將尚不能用之所謂或

執拗不肯相聽或意見不能相聽此亦其一節也若不用擣營之說明日再戰恐又如前之奔耳雖十戰亦復然所謂假戰也弟所進行營嘗攜至杭州演之公與弟嘗一笑耳

又書云青兵不可留沂兵不可去其間委曲不能盡言須面盡之但青沂事同一體歸思亦同青兵一動沂兵勢亦難止須先遣牌將一枝兵分作兩處青兵抽開遠廟灣處駐劄待江北賊盡則調沂兵過江南而徑遣青兵北歸或江南浙東賊亦盡則并沂兵亦遣歸此為得策何如何如謹俟尊裁中軍官李錫童華出入陣中逼巢督戰衆所共推適所奉咨稿中少此一段再奉告弟每以軍中事宜請教已而得公所傳示往往不謀而同如佛家之得印證也何幸何幸荊川集

又書云賊不難打苦無錢用除常套使用外若得銀萬兩作格外之賞分作江南江北兩處每處但得五千兩則廟灣三沙賊巢自可盪平苦無可告處惟公大肚皮可相告耳不意薄福之人不惟一萬兩不可望而所解銀一千兩爲布政司吏一惱遂并此亦不得享用眞可一笑也今株守崇明只得操兩空拳煑一鍋無米粥奈何奈何用兵無他說況多兵亦無用眞如扮戲所謂一貫錢做一貫道場十貫錢做十貫道場也事急矣昨更索之黃覃公看何如耳沙上賊已造許多小船勢似欲衝者岸及奪船今催兵上岸急打不可緩蓋海面廣闊日夜防守爲難也海面之守已畫地分船把總邵應魁正守西北一角緊要處諺所謂年夜賣門神買賣俱急公欲調之蓋未知此中事勢也敢此奉告正欲遣人走

報適使者到附之荊川續集

又書云此時遊魂餘賊浙直間止有廟灣及三沙兩巢皆係窮寇勝勢在我徼國家鴻福仗督府勝算殲盡此二巢浙直可數年無事弟區處三沙後尚欲直從海路往通狼而上處廟灣殘孽適得公書知閩中緊急若此奈何奈何不知僕區處三沙後將往江北平將往閩中平幸示教克齋臨別相約事急則一日一報事緩則二日一報今將二月矣而更不得一兩報也豈廟灣賊已走耶督府時有江北報更望傳示三沙之役盧總兵劉顯劉堂高湜等分四營於十八日已登岸立柵賊伏無聲息多只在一兩日間鏖戰也張窖兵亦已到在十九日登岸水陸分布俱各嚴備但賊已多置小船二十二三月黑以後防之爲難督令諸將不敢不仔細草草先

復

又書云王遊擊善鬬而不能撫下其部兵畏賊之甚而不顧主帥王遊擊父子止與祝夢麟一枝兵攻巢餘皆望風不進王遊擊父子幾陷虎口其子馬爲賊得去古北口一生員竟爲賊殺弟細詢遊擊部下北諸將官皆言自夢麟兵外其餘兵實不堪戰臨陣只欲潰耳柰何張空一枝土兵其勁兵前時多被賊殺昨日之戰亦望風不進矣兩戰不得一首級也今只看李沈土兵何如昨到此其氣殊銳自請當一戰只數日間戰也劉顯兵尚可用朱尚禮鳥銃手亦銳戰也青州兵彭鶴年兵宜早歸之前書已言及惟何本源兵一枝尚可用江北既已不用兵請公調何本源兵來江南聽用何如福蒼諸船以晝夜守賊之故不能泊港而泊於大潮中夜夜多

有壞者或連伙船幷沉之弟與燕僉事亦連泊潮中偶
聞夜一福船走旋弟舟幸免而騎在燕兵備船上幾溺
沉了亦幸而免耳卽此豈是可忽不守不得守又多患
半年後船亦當壞盡矣昔伙兵久變生之語纔境乃覺
其言有味也[illegible]
又書云軍中作用哭而笑笑而哭喜而怒怒而喜須刻
幾番傀儡其處頑將驕兵也亦子龍蛇須刻幾番
變態乃知公向言一面哭一面笑纔做得總督此處認
真不得做假不得自笑盡得公之神授也幷寄此以發
公一笑耳王應岐李沆之兵俱到儒將更無以爲詞只公
得上陣矣此賊只恐其冒死奔突但水守緊嚴得不奔
突盡平無難也昨守備盧相自到此言廟灣餘賊甚計
三日已乘海艇遁走矣此賊俾有遺種歸島明年禍不

可知弟不能體公之心殺盡此賊誠無所辭罪耳奈何

奈何湘川續集

又書云適作書而健步王明所齎尊柬適至承諭諸凡事體可嘆者甚多誠然誠然江北之事已具之承差胡賓賫去書中并附胡賓口傳其三戰易進易退正坐弟之不自攖甲弟之不自攖甲非弟敢後蓋亦諸將畏弟督戰而以計款之弟馳至營則諸將又奔歸矣弟欲處營中又無親兵寄宿諸將營終非事體自大洋中移船就營風潮每不便也奈何舒徐寧耐之訓感翁至愛至教此大事也弟亦豈敢急性但弟諦觀此局面半月後事無就緒則海船不能久在濤中而陸兵亦不得不斷抽矣若此則儼然成一柘林川沙也況彼小船已多又有奪船上岸一日不可期之憂乎此局面可速而不

能久者也防守稍緩事必至此弟再過海看士兵一戰
後亦且趨杭州會公矣敕書不知今在何處懸心懸心
得凌海樓來亦好若不肯從不必強也錢糧賴公移檄
有司決不敢後矣熊兵備甚用心亦殊賴此官也荊川文集
又書云竊料此賊若得突走必不東還必上老岸不便
流刼必又結巢是移沙上之巢於老岸如柘林川沙故
事圖之更難萬一若此奈何何本源及江北之兵若至
諸將或更有一番會剿意欲借麾下梁守隅千兵以往
若沙賊有可圖之機則見可而進若機不可圖則知難
而退不敢必用千兵當全壁以還麾下也何如何如
又書三沙緊急用兵之時而黃潭撫公謝病去矣弟所
賴者黃潭公委心相聽儘力相應今去矣奈何蘇松更
無一上司巡江替換巡按丁憂獨弟與熊兵備在海洋

內地無人料理兵食蘇松府縣有司素蠻皮一時提掇他不動便成誤事如何爲處弟今日認真幹事督將官督有司全賴朝廷委任新敕書尚未見到不知齋人停滯何處也弟積熱又飲鹽海痢病頓作不能食者三日幸而遂愈然精神甚弱也廟灣攻巢一戰得真倭首四十六顆弟心竊少之昨得克齋書半月之內數戰止得十三顆今三沙一戰止得八顆乃知攻巢之難也又書弟處三沙後當細承指教或更爲南中一行耳

姜鳳阿來書云一別遂逾三時仰思徒勞書問不獲時相寄殊耿耿也良晝猶未上海氛乃爾孔熾部中倉卒遽加職銜便欲以東南事相委此在吾師義不避難而種種實學當見種種實用第如良醫脈經素難無不精熟至於診病用藥則未之一試恐猶不可不斟酌爾人

來傳言吾師每出嘗以小舟傍大舟行有欲求見者輒蕩槳避之此在軍機秘密固非淺識之所能窺然使常常爲此人反得以窺伺我恐又不可不審也前時聞主修海防蓋爲賊未來時計也今賊勢旣猖獗如此似當先了此賊乃始防賊於後來譬寒邪在身先須發表然後調養元氣耳然否然否某一春應酬會試諸公極其勞擾吾師所謂世俗心腸也正業雖少廢然胸次覺有自樂處從此能衝開擴見得自己有真光景不爲世情所遷改便當頂禮老師矣今且未敢自謂已得也庸卿兄來附此道鄙意庸卿所養得之師門爲多今授青田又適在屬下惟吾師始終成就之草草伏惟尊亮又書云某無似辱尊師收置門下以來每每欲啓發其顓蒙而登之於賢者之覺路亦每每欲勉其樹立表見之大者而進之古人深夜情論人有不與聞者某獨幸而得聞爲多每竊私念以爲自有人父母生我以來惟吾師之恩實

與之並而深浣無以爲報惟是生得一女復供其箒於先生之子孫乃某生平簡若之私至爲小犬婦婚難曾對尊使私一吐之謂有徵之兆之時肆萌此念而未卜天意之如何然又示卜尊意之如何也今者閱先生果生安孫亦果有不棄之意是吾師前此之恩造就與天施等而今此之垂念又實與天意相通也某也抑何幸而有此歉入二月以來以傷足伏枕者再浹旬日呻吟痛苦中忽聞力傳傳言不覺喜動顏色若沉疴之遂去體也極感極感謹先備楮少申鄙悰餘俟齎休積誠以仰求門下不宜

方輅復劾王忬失策者三可罪者四詔逮忬及中軍遊擊張倫下錦衣獄刑部論忬戍邊帝手批曰諸將皆斬主軍令者顧得附經典耶明紀是時掌刑部者爲鄒繪泉

秋七月公督盧鏜劉顯進擊三沙倭再失利公憤甚親躍馬布陣賊構高樓望官軍見軍整堅壁不出顯請退師公不可持刀直前去賊營百餘步鏜顯懼失利固邀公還時盛暑公居海舟內兩月得疾還太倉明紀適朝廷陞公通政公曰藉此以令諸將賊可克也還太倉迎之并調狼兵赴

戰

錄行胡總督手本爲軍情事照得倭賊泛海入寇至崇明三沙職督率副總兵盧鏜都司楊尚英於四月十一日海上邀擊斬獲首級一百十四顆於是職應江北之急留盧鏜等攻圍沙賊職至江北攻廟灣賊巢獲首級四十六顆俱經具題外職正在廟灣攻賊忽得蘇松兵備熊桴手本言沙上賊久將有變而諸將推延猶未上沙勦賊續又得總督軍門書促職過江至三沙督兵職即發江北五月十五日至三沙是時賊已蟠據一月而諸將未有一人上沙攻賊者兵法宜乘其新至飢疲營壘未成擊之失此機會使賊得以鳩糧立柵爲堅持計而又得造有小船數十隻以備突走矣職即督盧鏜與參將劉顯劉堂等於十八日率兵上岸立營而職帶守

備高湜等兵五枝及土兵張窖所部鎮溪兵亦續至聯營而居職議立賞格出銀示衆以爲懸賞二十一日黎明合兵盧鏜率烏銃先逼巢賊多被彈傷不能得首級賊分勁銳先衝劉顯兵顯素驍將率部下郭成車梁等鏖戰抵賊得首級六顆而盧鏜部下得首級二顆賊復衝劉堂兵堂部下田應山兵最後不交鋒而先奔劉堂兵逼巢者多爲賊殺餘兵亦奔其部下王如澄廣兵以苦戰亦多殺死盧鏜亦遂還營劉顯高湜等尚戰於巢頭之亦收兵歸衆議以劉顯將先鋒而盧鏜將老營兵駐後各營罄選鋒付劉顯是時蘇松巡撫陳以告病候代於蘇州猶調度兵食時遣牌督戰而巡按先以憂去巡江江任滿去交代未至職止與兵備熊桴從事海中至六月初一日劉顯率選鋒攻巢賊閉巢不出是時賊

四面起土牆障箭銃牆內鎗齊立賊衆時出環牆而趨
官軍不敢逼巢賊亦不敢躡官軍竟不接刃而還是時
總督軍門遣遊擊王應岐率兵五千應援又遣都司李
忱所募土官吳九韶鎮溪土兵四千赴三沙是日王應
岐全軍至吳九韶兵四百先至初六日會兵合戰劉顯
將前鋒與王應岐等分路入而盧鏜箚老營在後盧鏜
選鋒兵攻巢得首級三顆劉顯兵得首級一顆賊衝右
哨王應岐兵贊畫生員李應春被殺先鋒亦殺傷者應
岐子光祖棄馬奔而免餘兵數千不顧主帥而先潰左
哨張窖兵亦潰是役也以老營堅故賊不能遠躡而潰
兵得徐還營劉顯亦收兵歸明日吳九韶兵盡至名爲
四千實不及二千也蓋土兵張虛數以冒糧賞大率如
此衆議初六日進兵劉顯仍率前鋒攻賊賊多爲銃打

死蜂擁出張窖兵先奔盧鏜斬其一人開銃自打潰兵亦不能定賊數戰頗輕易我兵徑追至諸營勢甚張盧鏜營舉放發熕佛狼機連倒七賊各營亦發銃擊賊賊纔退歸各營共斬真倭首級十二顆是役也不藉火器老營幾不守先是職攻廟灣皆躬自擐甲陣中及至三沙以盧鏜劉顯有名宿將可仗又國家方用以爲總兵副總兵遂不復自擐甲而但與兵備熊桴居老營督戰至是知諸將易進易退不足盡倚乃復自擐甲入陣中至十一日復戰分布陣勢指揮伍惟統把總田應山爲誘兵布賊巢門吳九韶劉顯苗兵分伏左右王應岐選鋒與張窖兵左右綴爲副伏兵欲誘賊入伏而夾擊之盧鏜札老營王應岐餘兵及王如澄兵左右翼以防賊東西衝陣既定職擐甲徧巡諸軍促營中傳餐食誘兵

伏兵賊甚狡先爲四層木巢以覘我軍一動靜十里必
見揣知我有伏誘之不出劉顯請撤兵職曰合兵甚難
少忍半時賊出矣顯謬言軍飢疲職曰適傳餐何言飢
伏兵蔭草木間未嘗戰何言疲也顯不能答而專欲收
兵職遂前至誘兵所見誘兵亦怯甚去巢尚三箭遠不
能怒賊又舁火器至巢邊火亦不能入巢賊以故不出
應之職過誘兵而前下馬獨拔刀步行過鱘魚港去巢
二箭盧鏜劉顯與左右爭向前抱持職曰奈何若此職
曰吾不能督諸將惟有自往死鬬耳二將誓以必滅賊
遂扶職上馬還未半時兵竟撤矣明日復戰布陣如前
吳九部土兵感激遂攻巢川苗兵次後賊先戰頗得我
鳥銃手至是穴牆以通銃眼項鎮銃手一人使彈土兵
土兵一人死六人傷遂退究我軍所以不能破賊之故

有三札營太遠出軍五六里而至巢賊閉門而臥開門而衝賊逸我勞其弊一也立營既遠又無行營其弊二也烏合不同心之將雜勇怯不齊之兵怯者先潰勇者不能支其弊三也職督諸將移營近賊諸將以爲營遠尙畏賊刼奈何近之又爲諸將造行營木城三座進兵又不肯用其所以宜急圖而不宜緩攻之故亦有三賊已造有小船五六十隻勢必乘月黑潮滿之夜出海搶船突上老岸則江南北之禍又自此始其不宜緩一也陸兵進攻水兵守海職與兵備熊桴晝夜風濤中者已及一月每見大風潮則福蒼等船必壞數隻今入秋風惡久之船將盡壞誰與守賊其不宜緩二也江南大旱禾麥槁死聚兵太多餽餉難繼一日計口糧行糧火藥諸費不下一二千金萬一不給軍自生變其不宜緩三也

職才不足以料敵制勝權不足以督勵諸將致此殘寇偷緩天誅負罪負罪除一面候新降敕書奉行一面調生力兵上沙會勦外爲此合用手本前去貴部院煩爲查照施行

江南經略唐順之與提督都御史李遂討賊淮揚欲聞三沙之報即趨而南白儀部伯倫止之曰士論多疑公避難殆不可南公曰江北賊勢摧破又已搶船包裹不擒即走矣我之去江北而走江南乃去易就難非避難也公至太倉各官兵猶豫不進公曰我兵若不渡海滅賊賊必渡海衝我內地勢不兩立也乃要提督都御史陳錠親征之陳曰公請先往留我治兵餉接濟公乃督總兵盧鏜等以行密與熊桴計造木城每扇高廣七尺四人舁之四人持銃箭一人執刀隨之連比而進遇蘆

葦處先從木壘中發銃箭驅走伏賊刀手從城足刈蘆
蘆仆踐行而前復發銃箭如初如是者二十餘里我兵
得盡登岸速命撤舟以防賊掠且示我兵無歸意分兵
爲三枝每枝千人令二總兵及參將分領各綴木城爲
營晝則擡行夜則據守不數日沙地七十餘里悉爲我
據賊之所據僅五里而已然賊多智而猛我兵常怯之
沙中大家又有爲賊奸細反揚賊勢恐怖我軍者公督
各官兵逆戰賊從濠後築土垣貫茅竹潛窺我軍至卽
從竹筒中發銃箭我軍莫能近公令人舁銅發熕佛狼
機擊賊賊舞刀而出衆棄火器去公怒欲斬諸裨將諸
裨將曰兵不敢敵非將之罪也公不信親率諸將履陣
兵望敵皆潰棄諸將與公弗顧諸將策公馬夾擁而旋
公巡各營諭曰若等不受節制我知之矣誅之不可勝

誅逃之不可勝捕也吾欲處汝無難編隊爲冊更番而調敢有棄頭目走者查其該隊行令原籍有司追口糧囚家屬梟爾之首爾能逃乎三軍痛哭訴曰逃非本願見賊褫魄耳公問其故曰不嫻武藝也公曰奚爲而兵乎日向來官兵不戰罔罪故應募以規儋石之需今欲實戰不如願已公曰惡是何言也小民出銀豢汝爲捍患耳縱賊殃民屢年我不爾殺方用爾一戰而猶弗諾乎三軍號泣不已或訴鹹潮蒸熱瘧痢傳染公曰從征而殁爾之分也爾等茹辛通計不過三千人若縱汝還則賊亦過海海西郡郡生靈並罹鋒鏑彼何辜乎我今但用爾圍賊毋容賊走而另請勁兵於總督胡公兵至即換汝矣衆大悅遂相與戮力困賊沙上賊不得逞六月提督都御史陳鍈以告病去俟代于丹陽先是公敦

陳錠之約過海督戰兵以鄉官日之弗之畏又敕語督
視軍情無生殺權陳錠假以旗牌便宜行事公特此嚴
明號令儼如提督在陣不虞錠之上疏稱疾也一得俞
旨即還蘇州旗牌官皆去巡按御史朱方丁憂巡江御
史自五月交代未至諸事皆瓦解兵餉不給公莫知所
措移書於陳公日東南不可無公況三沙正在緊急用
兵之際願少駐以待事甯此不過遲公十數日還山之
樂而東南利害關係甚大也陳公弗許或諷公日爾非
守土之官也事既掣肘推脫擔子何如公日朝廷原以
我爲視軍情官假如高坐省城今日移文督江北總兵
明日移文督江南兵備此等使乖五十外人豈不及此
顧江南無一上司賊千二三百人未有所掠皆如飢虎
若登者岸禍不可言故與兵備兩舟經月在海嚴督將

土困賊於一壞沙上至於搗巢之舉則我兵素怯須別選精兵俟隙圖之耳吾本愚人只幹愚人事惹出議論不敢計也按公之議雖困苦書誠寇賊亦此世人尚有非議之者是誠何心矣陳錢以旗牌讓公書戰其謙退自抑咎舉宗胡世將之任吳武安矣然不久即告病而歸劾閣既虛旗牌亦去遂使劉倭之事發致氏解非其為國一念猶未誠且篤獻考陳錢之名僅赴科名錄見之江南賦北通志皆不為立傳而江南通志也其助荊川公剿倭韓誤為會大立事雖秉筆者失考亦陳公不能始終有以致之荊川公當時雖頗怖萬狀然名垂宇宙天亦何負愚人哉華亭孫毅齊承恩與府縣論備倭書云即使一二賊登城荷戈之士心膽俱喪即驚奔潰散于此益知當日寇賊之兇悍官兵之怯懦矣

陞通政敕諭敕通政使司右通政唐順之該兵部題稱浙江地方餘寇未靖皆因文武職官水陸兵將不肯協心效力以致日久財費欲要差官閱視催督進剿茲特命爾前去會同總督胡宗憲及嚴督總副參將海道兵備守巡等官將見在餘寇尅期蕩平各該文武職官敢

有偏拗怠玩阻撓軍務不行一心平賊者爾卽指名具實參奏治罪其有內逆與賊交通接濟者着宗憲多方訪拿斬首梟示進剿機宜并軍門糧賞缺乏之聽爾與宗憲相度措處便宜而行如遇賊奔散地方稍寧便宜訓練土兵以免征調之擾將來海防一應合行事務爾有所知見查照兵部原題條奏以聞朝廷以爾素負才名諳練兵事特茲簡用爾宜益竭忠猷協心經畫以裨東南安攘大計務使海徼肅靖庶副委任爾其欽哉故敕

嘉靖三十八年月日（見諸家）

兵部咨兵部為薦舉經世人材乞賜超擢以靖安攘事該本部題職方清吏司案呈奉本部送准吏部咨該本部題文選清吏司案呈奉本部送吏科抄出總督浙直福建等處軍務兼巡撫浙江地方都察院右都御史兼兵部右侍郎胡題為案照先准兵部咨該本部題開查得本部署郎中唐生長地方久諳夷情素曉兵變云云（略見前）奉聖旨是着唐順之去寫敕與他欽此欽遵備咨到臣隨該署郎中唐奉命前來崇宗山餘華先已到

平議經具本題知競所遂善後事宜是同本官議處除另報施行外臣惟責任專則人不玩愒事權重則下知稟承今照郎中唐孜體熟於閱歷之久施爲發於涵養之係學究源淵才兼文武臣日與之計議俱各切中撥宜備知肯綮真所信服目下春汛方殷防範爲急倖得竟其所蘊是必大有可觀但以郎中職銜當此單撥重務勢既限於位分事必泥於施行礙有謀獻似難展設臣查得國朝故事有以郎中而經歷本部侍郎者有以御史而經歷本院僉都者卿如唐曾任春坊司諫且科第三十餘年資望不淺如蔡伏乞皇上俯念人材難得池方事重教下該部議覆將本官破格歷擢同臣在於地方計處戰守事宜候過春汛方令同京庶以有爲之才良可爲之地其於東南地方亦非小補矣等因奉聖旨該部知道欽此欽遵抄出送司查得兵部職方清吏司署郎中事主事唐於嘉靖三十七年十月內該兵部題奉欽依差往浙直隸督戰守擬宜去後續該總督胡奏報彼處賊勢猖平於三十八年三月該本部題奉欽依將本官歷授太僕寺少卿今該前因通查案呈到部看得總督浙直福建等處兵部右侍郎胡題稱要將唐比照歷朝故事破格超擢仍在浙直等處計議戰守事宜一節爲照浙直倭寇近察稍平所據善後事宜委該先時計處今歷太僕寺少卿唐學究本原材足經世又請練兵務屢經薦揚與督官酌見其堪與圖事所以奏保前來無非欲謀斷相資爲地方永久安全之計但本宜雖歷太僕寺少卿而衙門之位分既懸則體統亦限於謀爲似難展布相應議處查得先年修理河道府防

等須多差通政使司通政參議等官欲將本官改歷通政使司右通政仍在浙直地方欽進行事一應職守撥

宜與同議督胡悉心經畫務求萬全待事有大第同京其應行事件合候命下仍咨該部照例題請等因未敢

擅便嘉靖三十八年四月初八日本部尚書吳等具題初十日奉聖旨是害顯之陞右通政着同胡宗憲經畫

兵務欽此欽遵欽遵會議行為此合咨前去煩照本部題奉欽依內事理欽進查照施行等因咨部送司查查先

為議處倭寇云云（此重從教往視軍情一節節去）今議前因查呈到部看得吏部咨稱太僕寺少卿唐改陞通

政使司右通政仍在浙直地方欽進行事一應戰守機宜與同總督胡悉心經畫待事有次第同京其應行事

件仍咨該部照例題請一節為照今陞右通政唐才本足以經世志復坊於愛時君靜林居已知函養之素起

官那署益占擅責之其彼宗書之萬勞既有驗於已事在顧之之效用議異負於湖者可資任既專則見布益

力且謀議招答司題畫言審所有本官致守已經奉有前項明旨無容再議但罷未山急該并已并歡自今見

派之期亦有營殺即宜相復逐剿免致滋蔓亦或地方孫寧更宜添士著之兵以免征詞之遺猶餘擾之數以

社變冒之弊以安養休息責之守令務期保民以為弊皆之本以戰守爭求賞之爭須務期禦寇以為安民之

地事有可以易撤幸勿扭於故常法亦可以是頑亦無事於姑息其他覽所思變因循宜民凡有許於海防以

為久安長治之計昔均宜頁處合候命下本部查照先今所議職任責撰教書一道要付本官照舊在候會同

總督等官將所直隸夷事宜悉心計議協恭經畫務期運之惟鑑以靖海氛待事有次第具奏同京則於朝廷簡命之意庶為不負而本官經濟之學亦得以自效矣其原領敕書徑自奏繳仍備咨總督胡憲照施行等因嘉靖三十八年四月十四日本部左侍郎江等具題十六日奉聖旨是欽此欽遵擬合通行為此除外合咨前去須照本部及該部題奉欽依內事理欽遵施行須至咨者右咨欽差通政使司右通政唐順之（見家譜）

與嚴介溪相公書云某一疏闊迂愚之人耳已分枯槁不堪世用久矣自起家編氓以至轉官京堂凡所進取皆是門下獎拔自閱兵薊門以至視師海上凡稍有所建立皆緣門下指教拔之不待其有求而教之惟患其不悉是僕之一身門下成之有成其身者而不盭其身之所能為者以為答非答也雖然伺候於門牆者衆矣而某獨蒙異待若此者翁豈私乎其人哉豈以為疏闊或可以責之大節迂愚或近于不避險艱萬一能為國家幹得一事二事則亦足以明門下以人事主之素心

是翁之所期于某者或在此也南役以來雖則治軍行旅之才素所不長至于波濤矢石之間往往不敢自有其身者以爲非罄其身之所能爲者則無以報國而亦且無以報門下也自轉官以來區區禮數之末皆不敢以瀆門下知門下之所期于某者有在也于是汲汲勉於門下之所期者而不敢以區區禮數瀆焉令孫婦之喪幸翁自遣以保天和不勝惓惓三沙節略公之愛我也甚至而知我也甚深近者兩轉官資俾得展布至於凡有建白部中如議覆題特蒙聖賚皆公盡力委曲扶持其間此惟以心感而不敢以言謝也（錄自荊川續集他本荊川集無）

鄭淡泉來書云承長翰數百言（此函不見荊川集中）知江南賊情猖獗近始退斂江東浙西所在農耕如故甚喜及見克齋翁疏復云云若公泛海洋窺賊巢水路往來出入阻

險豈敢謂異樣說謊乎公初行時曾有拔本塞源之議何不及今明白條上所謂視軍情者當如是若冒矢石督兵戰守似總督提督事也門下處師中姑舍虎爲龍何如議者又謂江南將領難得其人余盧相繼斥去代者誰可公雖不欲必置死地但一至法司則有律在難輾轉矣度此賊皆華人借夷作惡秋去春來習以爲常今秋且不去明春更可憂真倭獲而盡殺之亦不爲武聞彼中皆謂交易來中國父母兄弟妻子寄書來喚而不知其已爲俘鬼莫若於所獲真倭中量留數人給與印信文移令其歸島徧諭彼中勿從華人相誘入寇送死彼既目擊言必真切當必信之勾引奸蜑計自窮矣其間委曲情狀公略入數語料足動人夷亦人也若專以調兵調財驅殺爲事恐不止於庚戌首尾十年況土

著不練倉粟不儲所養之兵乘機爲盜所竣之財冒破無紀直恐禍不在海島而在蕭牆也三十餘年道誼骨肉不敢尋常唯諾由中迅筆殊不倫次

姜鳳阿來書云久不得來音甚用懸憶一月前荆仲韜書至云於京口候謁老師知淮揚已寧復將盪平殘寇於崇明之三沙秋冬間當自奏功闕下也爲慰久之邇聞此賊負固難剿而老師出兵動欲身先士卒夫身先士卒方可責將官用命此固一說但勅書中委任責成之意恐只以謀議督率爲主而此外原非己責今人因避事而不免壞事誠爲可惡若因惡人避事而過於當事亦豈非賢者之過發之太激切耶或者謂三沙之賊其勢已窮惟當坐守以斃之不可與戰此亦不知果何如也荆叔韜來附此通候叔韜舊出門下今爲屬官則

是始焉聚首於一堂者師生也今焉共事於一方者上下司也纔履仕途便賴近者師以登覺路在叔韜一何幸敗病中草草未悉所欲吐伏惟尊亮吾師斯道宗盟
國家柱石萬萬自愛勿以輕敵爲忠勇也

廟灣餘寇爲巡撫李遂兵備劉景韶所滅

是月作鈐山堂序蓋卽作於太倉舟中也章實齋學誠云凡立言之士必著撰述歲月以備後人之考證而刊傳前達文字慎勿輕削題注與夫題跋評論之附見者定後人得而考證焉辨元讀荊川同時人文集惟道陵谷集按年編纂秩然不亂荊川集每篇尾不待不書甲子且次序淩亂不以撰著歲月先後排編蓋公既無意以文傳世未經手定而排編者盡將撰著歲月削之矣是序撰述歲月何以知之吾考之世所傳鈐山堂集公序尾嘉靖己未七月數字赫然尚存乃知此序劉倭三抄時抽毁作也嗚呼世人以是序爲口實久矣以公是序遂謂公與分宜迹近吾稽之序鈐山集者有十餘人極一時之名宿若湛甘泉若水楊升庵慎退老閱讀之人得已而不已者也荊川之序不得已者也昔杜預在襄陽載寶以賂權貴日非以求福但求免禍夫提師旅之重一身之茲禍猶小而因以禍及家國爲大也古來閫外之將帥以身啓之釁朝官而敗壞禮揚之事危及家國者

何可務數荊川既不貴資以路分宜遠梅林為分宜刻集而分宜索序荊川荊川一序其能斬耶然荊川下筆極有斟酌未嘗如甘泉子之以天之為天文王之文擬鈴山之文也荊川云少陵詩謂之詩史公為之詩謂為時政紀亦可少陵詩諸以詩一人則詳於其人而世繫之必有諸公之詩者則公進退爲類之論並以明而世並可論又云特舉公之詩係談世故之大者安論世者有考焉夫分宜所為言理傷義爲世深恨痛矣也久矣荊川一則曰論世再則日論世分宜語之清夜自省亦有覺然動心者乎此荊川治於自濁者塗炭之宣蜀矣此改之念而又致使人如孟子所謂讀其詩讀其書不知其人可乎又論其世者也與拒道甬江修墓書俱今本人與後之人尋繹其意於語言文辭之外君子之放而發與人而不旨夫及文章之妙如此荊川自登第出張永嘉門沒沒遂之迹建言削籍歸林下二十年未與分宜遺一書戊午夏入京冒暑臥病垂死者一月七月出按薊練九月同奏十月卸事視師浙直之命其在京與荊臣相發不得數旬鈐山堂序云其嘗侍公於苑直卸此時也而荊川與人書已視京師亦遣火封穗之不可近力求外出其欲遠分宜尤急於昔曰之遠永嘉也欲歸荊川與分宜益近乎

公每誡諸將以月黑潮滿之夜防賊搶船突上者岸及公去而賊果遁公憤甚嘔血疏劾諸將其前斬馘功皆遜不居

三沙賊遁疏照得三沙軍情自本年六月十三日以前已經巡撫都御史陳鍈會題外臣於七月初九日自崇明縣起身往太倉州打發湖廣土兵三枝回還間十七日據整飭蘇松兵備僉事熊桴呈據遊兵都司楊尚英報三沙殘賊圍困窮逼於十六日四更時分風雨大作乘潮由三沙北面珊港地方往北洋遁走去訖等因到臣臣即星馳前往江北體勘賊情行至鎮江府據鎮江備報據瓜洲鎮巡檢司報據呂四場報本月十七日于東場地方七星港西南江有小倭船四十餘隻登岸燒劫約倭七百餘人往西近通州地方去訖隨報備倭把總張大義防禦外等因據此查得先據守備盧相呈抄蒙狼山副總兵官曹克新紙牌奏提督李軍門鈞牌備仰副總兵官督同卑職相度各兵船損壞撤回營前沙

停泊修理仍分撥小船遠哨等因遵將各船於本月十五日駕同營前沙停候副總兵官估計修理以防緊急之用其北岸信守已該兵備熊僉事將邵把總部下兵船分有堵擊外卑職仍選便利沙檠等船十餘隻親督在西沙嘴一帶協守等因據此則三沙北面羈港地方原係盧相邵應魁派管位地臣又查得先據盧鏜劉顯等稟稱賊已用居民車廂板造有小船數十隻勢將衝突各將官明知衝突理須嚴備及臣訪得賊已上岸放火江南水將總知賊走江北陸將亦知賊到繼稱風雨晦霧不應突然至此當時若使江南能禦之於海則賊不得走江北能禦之於岸則賊不得上參照總兵官盧鏜副總兵官劉顯遊擊都司楊尚英把總邵應魁守備盧相等既不能奮勇攻堅蕩平巢穴以收一鼓之功又

不能水陸協力晝夜嚴備以固四面之守臣屢有牌行月黑潮滿風雨晦霧是賊突走之時而乃不遵約束畏避風汛掣船入港賊出巢不能知賊登岸不能斷致使柙中之虎復出噬人江北之民再罹荼毒三月防守於江南雖不無保障之勞一旦潰決於江北則方爲貽禍之始鄰國爲壑雖非本心罪坐所由亦將何諉再照江北諸港逼近三沙海路不及百里於鄰之震不爲不切又方鑒鄖城失事之罪懲創不爲不深既非猝然之寇且屬先事之防而狼山副總兵官曹克新維揚參將邱陞及備倭把總等官坐擁重兵全不設備海賊焚舟登岸照舊深入略無攔阻人亦有言巢賊渡海如出無人之境則謂江南北將帥兩無人焉不亦可乎縱賊出與縱賊入之罪同臣職同總督官視軍情江北江南乃其

兼總三沙之役臣與兵備熊桴日夜波濤中者月餘自

擐甲臨陣者凡二親叩賊巢者凡一亦欲以身激將士

敵愾之氣滅此朝食以報聖明而各總兵等官以怯賊

爲故態以縱賊爲常套臣才不足以料敵制勝力不足

以督勵諸將有負委任罪合首坐伏惟聖明矜察臣於

二十一日星馳瓜州會同巡撫御史李遂嚴督曹克新

兵官盧鏜劉顯曹克新等乞該部論議罪名從重處治

卯陛進兵勦賊及催督劉顯楊尚英過江截殺外其總

伏惟聖明俯念尙在緊急用人之際令其戴罪殺賊待

江北事甯一併論奏內邵應魁盧相失事重大容臣會

同總督胡宗憲先行拏問以警其餘緣係巢賊遁走將

官失誤防禦事理未敢擅便爲此具本謹題請旨

行狀時公方陛通政以舊璽書權輕無以令諸將欲待

新壐書行事因暫還太倉俟勅諸將官見公同即欲以船與賊從之出洋幸賊去嫁禍他地方已得無事公聞之怒甚因冒風濤往諭諸將乃不敢然賊已取民家車箱材造有小船矣公復令諸將嚴守以防突走而知諸將之守必不能固策賊已窘必逃死自救因設五伏兵以俟賊果離巢分爲三營出分一小䑸過火燒港掠舟前所伏兵港側者見賊至先驚遁賊遂遁乃合大䑸還巢蓋幾中公計云然諸將竟畏避掣回內港賊乘風雨夜遁過江北矣公以三沙不守每用爲愧然議者以公冒盛暑居海船中與賊相守者兩閱月始賊之舟至崇明者二十餘隻使非公邀擊之于海犂沉幾盡則江南北受禍久矣厥功已奇而廟灣三沙相去千餘里以一身而應兩地之戰敵或殲或遁亦無非公功也方公聚賊時芳

洲亦在南目擊自真

七月二十一日公弇疏後星馳至瓜洲會同巡撫李遂督諸將剿賊諸將亦知奮勵賊轉掠揚州兵備副使劉景韶與戰連勝圍之劉家莊劉顯以銳卒數千至李遂令諸軍皆屬顯八月己未顯率所部直入諸營繼之自辰迄酉賊巢破逐北至白駒場茅花墩斬首六百有奇賊盡殄自此絕江少寇矣論功賚白金文幣是役卒壓以奮勇逐賊陣亡

江南經略七月賊勢窮蹙以沙民屋木造舟爲逃竄計我兵餉亦將匱唐順之日事急矣賊若渡海而西沿海兵船乏人監督賊必登岸如螃蟹散行不可收拾矣遂以三沙兵屬之兵備熊桴而自西歸申嚴水陸將士約束馳晤陳錠議兵食錠日我行矣東南事有梅林在君其圖之時天大旱禾苗盡槁公謂錠日倭寇之患地方

猶有限公爲巡撫若不上荒疏而去朝廷不行蠲賦振貸千里生靈誰與造命請問責安所諉錠然之卽日繕疏入告公乃如杭州與總督胡宗憲計議胡見而討之日三沙告急吾方調兵航海策應君胡然而來也公曰勁兵不至賊誰與滅糧餉不繼兵何以生須假我兵食事權方能爲役耳胡如其言公將出定海關而三沙之飛報歘至是月十六日四更風雨大作賊乘間由北洋遁去次日犯七星港登岸公聞之一面查論將官縱賊之罪一面赴江北剿賊提督都御史李遂謂公曰君在江南不能滅賊而縱之馳突我今方略已定早晚滅賊矣君又來撓我事何耶公曰賊至三月不曾流毒江南地方亦不能掠民財皆我力也我乃看人行事之官原無兵柄而焉能罪我哉且朝廷原敕我視軍情江南北

皆我責任也而焉能辭我乃相與戮力剿賊未幾賊平公歸而語人曰使江南有一李克齋擣賊巢如反掌何獨累我煩難若是又曰江南賊雖走然大受挫凡在三沙者無一生還島夷聞之必數年不敢近邊時順之方主滅賊一時行役者多憾之或議其輕出或責武功不成或謗其囊貲後因積勞成疾轉官而卒後倭果累年不至蘇松人始感其恩德云鄭開陽有與荊川公論戰法書亦見江南經略有皮髮等製篇長未錄

蔡白石自知堂集有聞揚州之捷寄李克齋中丞唐荊川銀臺詩云四州諸將集奇謀數萬精兵控上游江北戰雲遙蓋野淮南殺氣已先秋迎鋒不數邀歸艦報捷爭傳繫海酋最羨當年詞賦客真看投筆取封侯

宋明理學家年譜續編

⑤

國家圖書館出版社

第五册目録

明唐荆川先生年譜

（卷六至卷八）

唐鼎元編　民國二十八年鉛印本

明唐荆川先生年譜卷六

十四世孫鼎元謹輯
十二世孫　肯校刊
錢家驤
鄉後學周仁泳謹校
崔　龍
十四世孫　斐　纘道　仝校

九月朔李遂擢南京兵部右侍郎改公右僉都御史代爲
巡撫鳳陽等處兼提督軍務（家墓誌錄及明實　錢明紀在十二月）
鄭淡泉來書云前具啓復時新命未下鄙意欲公以視
軍情爲名條上久安長治方略總督提督事姑且勿任
今奉簡命實由師錫緣數十年來善類皆云南倭北虜

非公不靖今身任其事專且重矣不識果能如公謝疏中所云者見之行事否練鄉兵江北易於江南積軍餉江南易於江北賊之長技利於江北而不利於江南總計賊則利於陸戰而我利於水擊先朝極嚴倭賊登岸之禁良有以也其最可憂江北貧而悍者利與賊合江南富而豪者利與賊通與賊合者利於搶掠流害鄉曲與賊通者費糧漏師奸詭百出尤可畏也今熒惑出入南斗占者謂吳越間有兵火不知占書有此說否

上海防善後九事　一曰禦海洋二曰固海岸三曰圖海外四曰定軍制五曰足軍食六曰鼓軍氣七曰復舊制八曰別人才九曰定廟謨

鼓軍氣有曰臣聞戰之所以精明與中國之所以勝四夷者氣也而非甲兵之謂也國家承平日久文吏游談

而養尊武臣恬保而實身閒雅雍容之習成而慨慷果
銳之氣亦寖銷矣南倭北虜倏然內侵殆若昔人所謂
氣餒以取之者賴皇上天縱神武赫然一怒誅逐偷惰
拔用英奇文臣督帥皆躬自臨戎有兎罝赳赳之氣自
此倭虜不敢深入則氣之勝也以臣占於行陣之間猶
有未盡然者臣視師東南備觀怯將情狀一聞賊戰如
澆冷水顏色可憐縱不便走股已先慄雖亦未必盡然
而然者固多矣至於倭賊渡洋談笑飲食若履平地而
我將棲泊近岸日遇海風則頭掉目眩夜聞海潮則耳
聾心惕且夫倭賊有過藐我將之氣而我將無必吞倭
賊之氣則是未戰而索然矣如此而望長驅海島掃清
大憝臣猶以為難也此氣在宇宙間磨礱而時用之則
鮮明置之不用則黯無精光謂宜文臣督帥時御戎服

出入軍中發揚蹈厲以作武將之氣武臣大將遇有賊
戰戎服出入陣中以作偏裨小校之氣偏裨小校遇有
賊戰戎服先登以作士卒之氣而督帥武將臨陣督戰
間取潰校逃卒遵奉旗牌事例百萬軍中忽然斬却一
二人以變士卒之耳目使我之氣日益精明則賊之氣
自然銷沮此其言若迂闊而實勝敵之要機李光弼蒞
軍一而旌旗變色每戰必勝氣之謂也行狀戢軍氣一事尤公自得語讀者
壯之
別人才曰臣聞爲政以人才爲先至於兵事尤急人才
臣視軍情一年其於官吏賢否非臣職事所關不敢濫
及外訪得淮揚海防兵備副使劉景韶英敏多謀臨機
立斷運籌足以破鬼夷之算賈勇足以汗懦將之顏今
歲淮揚殺賊二千餘多賴其力已與臣同擢巡撫不敢

更舉外又訪得浙江巡視海道副使譚綸雄姿勁氣法令必行賊與我軍見聞寒膽今歲浙東殺賊千餘多賴其力蘇松兵備僉事熊桴自倭事始起以至今日無一歲不在兵間忠實練事沈毅內明出入海潮艱危不避此二臣者皆宜久其官而不易其任以待資望可為巡撫即以授之者也杭州府同知唐堯臣留心武備訓練有方紹興府通判吳成器素識兵勢屢立軍功待堯臣歷任年久成器再立新功皆可當沿海兵備之選者也合州倭寇屢入兵凶相繼民瘠已甚全在良有司撫循而知府黃大節貪黷有跡昏眊無能政成黠吏賄滿私橐所宜亟為罷黜者也又訪得浙直總兵官盧鏜老練善謀副總兵官劉顯驍勇善戰臣嘗以三沙賊走劾其失事畢竟東南將官無過此二臣者所宜久任責其立

功者也然盧鏜善謀而怯於臨敵劉顯善戰而果於自
用則其偏也若以使過之義則革任甯紹參將戚繼光
先登敢勇立有新功見監原任通泰參將黒孟陽遺蹤
悔過尚餘勇氣皆堪策勵立功贖罪者也狼山第一緊
要海口總兵第一江淮重任如狼山提督副總兵官曹
克新偶因際會獲冒功陞臣見其人耽溺酒色常如昏
睡謀勇俱無精氣已銷設有警急憑何決戰前任鄧城
見以失機拏解克新異日誤事必不減於鄧所當亟投
閑散以全其功者也又訪得境內人才臣得二人焉原
任僉事終養徐九皋者成經事熟諳夷情原任刑部主
事爲民唐樞經術優長才猷老練原任知府致仕嚴中
警敏足智曉暢兵機皆可充異日兵備之用者也
定廟謨有曰二十年前何以絕無倭患十年之間何以

倭患若此年年禦倭何時是了如何可以永斷倭寇之路以復東南之舊苟可以利國不必爲身家顧慮苟可以便今不必以成說拘牽外內臣工方略畢上然後聖明與廟堂大臣從中主斷而力行之期於三年四年斷却此賊臣猶以爲遲也不然一歲一來一來一勝臣猶以爲浪戰以上九條詳見荊川外集

鄭淡泉來書云詳讀大疏所列八事勝於南沙北灣數千首級一禦海洋文武吏士皆移險阨且重迎擊來舟之賞是也復設視師官官易設而人不易得奈何二防海岸必須海岸與腹內從入與被虜並論功罪此不但可行於東南在西北亦應如是三圖海外二事最爲要策但蕞非自歸之賊蔣非絕域之使以此二人爲可託又不若不行爲愈也盧帥之言鑿鑿可行四定軍制練

鄉兵調士兵處置甚善無容他議六鼓軍氣貴在磨礱
而時用之文臣督帥擐甲臨戎武將次第身先士卒自
古爲然雅詩具在至于出刀用鉞直可偶一爲之爾七
復舊制此國初良法善謀父老相傳倭賊登岸爲大創
以故水寨不可不復復水寨則出洋亦易矣浙西亦有
水寨原在乍浦沿海備所舍田耘田誠爲非策金堂玉
環諸山某不知其在何處三市舶者何以謂福不通貢
亦不通船琉球三國鼎立時專在福海往來今之賊皆
起於福福人至今通賊以地狹人稠生理蕭不得不資
於番今若城月港設參將兵備幷三市舶於彼亦以毒
攻毒以人治人之術也暴元考唐一菴鄭淡泉皆以開市舶爲利八別人才
所薦所劾皆允當矣或謂羅拱辰勝於唐堯臣嚴太守
不如淮安張給事果否九定廟謨極言兵變民變爲禍

叵測尤人所難言者非吾兄忠誠安肯及此倭寇往時春來秋去秋去春來今徧地皆有幸倭之盜時時有望倭之心何日得息肩乎卽今朝鮮將倭賊所虜人口送回及此奬諭國王并令傳諭日本事非創端機出乘便而議論不同蓋前此蔣洲但至賊舟未至日本也五足軍食只於鹽法上稍加損益可也若專責斂財者而不責之用財者用財不肯節卽日殺守令守令日殺百姓祇爲循恩巢芝先驅耳爲今之計斂財者不可不守絜廉之操用財者不可不知交際之節如何又春汛時浙東兵備移舟山江東移崇明不知浙西移乍浦爲便抑移金山乎金山有武將移乍浦可也壘元考公之來視鎮廟上也徵孫耶中官止五品雖許當廻奏事杏行會推然位非專閫撫按揚劍其鎮將逮按心肆績之強新抑一二人不可得也惟有以身作則以感諭其心故公下海則將士不敢不下海公前冒矢石則將士不敢不前冒矢石崇明廟

灣之戰官軍之氣百倍賊氣消沮是公之不特□然而能齊一將士之心而作之氣也嗚呼雖□矣又考公疏中

所□□二華陰咸南據□先後辛平閩浙倭寇且據兵都鎮為東北長城蓋公□人才真備在山中已寨之寨

矣會□江大猷□已為胡總督梅林誣以□師拜被逮至京師錦衣衛都督陸炳給金賞之是時方立功塞上

非公事所屬是以薦疏中不之及

是歲有寄內閣及本兵諸老書及與陳黃潭（[illegible]）巡撫書（書與略見前江南經略中）朱肅菴（名[illegible]山東曹縣人）巡按書吳筠泉（[illegible]）宗伯書李石麓（名春芳）少宰書陳蘇山職方書楊虞坡司馬書

楊朋石祠祭書與山中劉南坦尚書（第二書）（考吳宗伯筠泉李少宰春芳楊司馬博明史皆有傳楊祠祭朋石名豫孫字[illegible]林福之子也嘉靖丁未進士累官太常寺少卿[illegible]國引朋石自翰凡海內人物國家典故悉諸面從行由是士大夫敬求知少與者無不輯其門遂力求出進之以右都御史[illegible]廣辛官載明儒學案揭故山年[illegible]中亦[illegible]在南都時與楊朋石講學而茅鹿門則云以不[illegible]朋石[illegible]安朋石懷之讀起少湖發廢業終身鹿門與朋石[illegible]亦交好也按陳蘇山名柏字子堅一字終[illegible]初號大蘇以[illegible]蘇肝有合抱木枯而復生因號蘇山[illegible]人嘉靖庚戌進士授工部主事轉職方主事升員外郎甚[illegible]才尚書[illegible]）

旬寶額之湖鳳會梅林獲汪直蘇山力主詩之又獲許豪鶴庚申春出湖浦山西按察副使蘇山舉戊子鄉試在南太

學卽與荊川公善（摘王鳳洲撰墓表吳國倫撰墓誌銘）荊川與場屋披書己丑同榜中考爲國家宣力者尤著者若

公北門鎖鑰方溪公福存閩度云云是時虞披兵書以虜書出督薊鎮左侍郎江東著部事東亦已丑進士所謂方

溪公者蓋東之別號也東明史無傳故採註之

是歲長洲文衡山卒年九十衡山嘗爲書荊川所撰華氏義田記及救荒議記

永

康程松溪卒年六十二謚文恭晉江王遵巖卒遵巖舉進士時年十

入就乞歸娶二十赴登授戶部主事差滿調禮部祠祭司辛卯主議南畿試所取士林大欽壬辰廷魁天

下時議欲改公充館職張羅峯欲一見不往乃轉主客員外郎改吏部考功員外郎未幾陞驗封司郎中因疏論封

典坐以變更成法謫判常州調江陰令未幾歷南京戶部主事陞部員外郎尋轉山東僉事提學校踰年轉江西參

議罷陞河南參政辛丑大計吏部輔臣夏言銜舊陰從票不讒罷歸年三十三生於正德己巳九月二十七日卒是歲

七月十六日享年五十一與荊川交最深天下諸文者每稱王唐或曰毘陵晉江（摘明史荊川傳及張汝瑚撰傳留稿撰

墓表）遵巖受內與弟道原書云言平生宦遊取友海內稱不少然彼此室人衰條之胃照及者亦不數人已數人

之中吾所最敬推毘陵唐荊川太史故屬道原爲狀將以乞太史銘又遂叢書話李中麓云公但敬服荊川不知蒐

川得吾之緒餘耳此非遂翁孫矜語詩與荊川及中[illegible]交詣緣聊作忘形幕耳遂翁之辛荊川集中無哀悼文簡堂

未及聞其計卒是時公方在軍族從後之際抑聞而未及爲耶荊川每欲了其浙直之致延聞征剿豈其意象欲一

哭翁翁之極耶明年春荊川卿卒此行不能賓矣丁巳歲遂遂與顧洞陽書期於二三年內更一訪荊川遂登清錢

莊是歲洞陽卿卒遊變盡有是詩豈詩未會荊川遂未會洞陽古人每憶夏朋千里即時命駕夏有以哉又考荊川

集無進變妻墓誌銘進變喪妻年方四十距荊川之卒十餘年不應負諾不價並荊川文字多不自存猶由弟子及

友人爲之錄存故集中篇目亦毫不以歲月先後爲序遂叢妻墓銘亦在遺佚之列耳羅念菴有與王敬甫書云昨

歲十月於傳語中聞尊君遂變公之計爲之慨時尊君寶明惠和寶博舒文爲世異才而又力振古雅一變俗陋願

見嫉於世早棄田野亦已修矣天又不悔其禍致此不測之變使倉卒旅寓未歸正寢含忿而終其爲可悼可惻倚

復忍言（中節）今家難會解否喪事尙在何日銘文當遇之荊川荊川相知最深相念獨至即不能辨援爲之期無復

此（節）按此則遂叢實不得其死不知所謂家難者又何事也書云昨歲則此書作於庚申春荊川俟卒此文出於念

卷意料之外宜其有下稿之[illegible]也

十一月之官維揚公積勞病甚不能行然以維揚重地朝

方倚任不敢辭勉強赴官墓誌銘及卓吾撰傳又中籌補傳云等匱都御史代克齋以勞

故吐血不已親友方以遇家稍得從容治疾爲幸而維揚方大飢自謂若不速行則新舊交代之期緩期緩則民之饑死者衆萬一議或深入其勢必裹驚駭寢卸解家抵任

謝表爲恭謝天恩事照臣於嘉靖三十八年九月二十七日准吏部咨爲缺官事該本部會推題奉聖旨唐壑都察院右僉都御史提督軍務兼巡撫鳳陽等處地方寫敕與他欽此欽遵備咨到臣臣於本年十一月十四日前到所屬揚州府儀真縣地方准前任提督軍務都御史李將原奉備振救荒查催班操查催錢糧督催大木敕諭四道符驗一道旗牌六面副巡撫關防一顆咨臣接管續於本月十七日該兵部車駕淸吏司差舍人李齎賫奉提督軍務兼巡撫鳳陽等地方敕諭一道到臣當即叩頭謝恩祗領欽遵行事外伏以溫綸洊錫歲敢冀於三遷雄鎮特分官遂叨於獨座云云鼎元考溫始游錫以

上今通行本荊川集皆削去今由荊川續集錄出通證
谷爲公墓誌銘云九月擢僉都巡撫鳳陽陳鶴明紀載
公代李公遂爲巡撫公赴十二月李卓吾撰傳則云十一
月赴官今按此表知公赴九月二十七日准部咨陞官
十一月十四日赴官赴
十七日奉到敕諭也

敕諭皇帝敕諭提督軍務兼巡撫鳳陽等處地方都察院右僉都御史近該巡按直隸監察御史馬斯臧題稱淮揚地方屢經倭寇爲患乞要專設大臣督理戎務方克有濟該部議覆前來相應依擬今特命爾前去提督軍務兼巡撫鳳陽等處地方爾宜查照該部題准事理專在鳳陽駐劄無警則以時循行各府州縣操練兵馬儲蓄糧餉繕葺城池修造戰船整辦器械撫恤軍民督察官吏將領禁革姦蔽清理鹽課振濟飢荒其用兵錢糧庫無積貯卽于鹽課內支用有警移駐揚州相機調度防守如倭賊由海口突入淮河會同漕運總兵併力

夾攻賊邀長江登陸勢逼瓜儀浦口等處則與操江都

御史互相策應務要聲援留都疏通運道拱護鳳泗陵

寢若江海無事仍同鳳陽彈壓宿亳豐沛等處盬徒盜

賊其撫屬文武職官及潁徐曹沂睢陳等處兵備所轄

官員幷沿海參將守備把總等官悉聽節制錢糧兵馬

徑自調用敢有抗違阻撓致誤軍機及貪殘不職文官

五品以下武官四品以下徑自拿問軍前臨陣退縮及

逗遛不進者許以軍法從事各該官員如有廉能公正

悉心幹濟者據實旌獎一應事宜勅內該載未盡者聽

爾便宜處置爾爲大臣保釐地方斯稱任使毋或怠忽

誤事責有所歸爾其欽承之故諭 餘退撫任欽諭三道從略

祭六纛司旗牌司之神文曰生者陽道殺者陰道天生

天殺雖云並用而上帝好生不得已而殺之上帝不得

已而以司殺之權寄之天子天子不得已而以司殺之權付之閫外之臣必不得已而後殺所以體天心也上古有罪者一人不殺則千萬人不能生故殺人所以生人也今臣獲亂兵六六人實爲殺人之始敢告上帝不得已之意伏惟昭鑒

祭刀文曰嗚呼上帝厭亂此刀不敢不用上帝好生此刀不可輕用某欽承朝命給有旗牌今殺亂兵是爲用刀之始敢告司刀之神伏惟昭鑒公之自有生殺權則自今日始也

與徐少湖相公書云伏惟門下愛僕者之深而體僕者之至僕暑月居海中鹽潮蒸熱近自杭赴揚忽然吐血素無此疾頗覺驚訝調理一月勉強赴官亦止得一半人氣也仰思聖明拔擢廟堂汲引今日只有死生以之一着不敢爲退步計若人言不相容以爲必不勝任自

合違避賢路於陽羨陳渡之間料理宿疾康濟此身而已素辱知愛敢道此心浙中條陳及江北請糧揭帖瀆覽幸教誨而扶持之伏枕具書仰惟台照此書錄荊川集他本荊川集無

與江方溪少司馬名東己丑同年進士時兵部尚書錫實坡陳視師宜大方氏以侍郎掌部事書云聽差官賫杳至又辱手教惓惓深荷雅意某視師一年無功而數受賞至於謬當江維重寄捫心自愧此皆翁私其同年私其末屬掩其大疵而錄其小勞曲爲調護之所致也知感海上倭患真是未見了期年年防禦東南膏髓暗暗抽盡若欲斷賊來路則又漫無長策翁大經略其必有以處此也江北請易置將官請催發邊兵皆非得已庸懦之將必非敵愾之用土著之兵素乏衝鋒之長惟翁早爲題覆使弟之迂劣得藉良將

勁兵以免于敗僨事焉受賜多矣且翁既已汲引而致諸用則亦不忍其僨事也（錄自荊川續集他本荊川集無）

與陳蘇山職方書云（見荊川集陳文國唐先生手書卷跋云荊川先生與家按察公厚此書十章先生視師維揚報家按察公于職方者今集中止刻其一紙俱先生手書其詞款密如面晤絕無世套語又字書類眉山余珍襲之昔人得劉弘一書賢于十部從事余于應鶴亦云（見二酉集））

與胡梅林督府書云東南倭孽古今異常之變特生古今異常之才以戡定其難以福生民公真其人也其章句腐儒尋行數墨則有之運籌決策則原無寸長豈足仰副公意而公過以相薦惟公簡在帝心久矣故言出而帝信之遂使迂儒叨此重寄書云平舉能其官惟爾之能稱匪其人惟爾不任竊懼僕累公之不任也然公既已薦之矣亦將自懼其不任也則深慮僕之所不及而思教誨之雞鳴半夜扣囊中之祕訣平生未嘗以

語人者爲僕提醒一二語使得奉以周旋臨敵出師常如面命縱不能步公之如神百勝亦庶幾免於迂儒僨事之咎焉僕知所埊矣謹洗心積誠以待躬詣幕下叩請先此布鄙懷伏惟合照賀禮本不敢辭於知己但弟幾番出師公費累公甚多若公私兩費實不自安也謹託來使賫還幕府弟不久面會自當請教委曲不盡不盡

又書云交好者多以才與器之相似也公倜儻雄奇之才而僕乃拘謹迂儒之器兩人宜各不相爲謀而相與歡狎如一人焉此一異也公之談兵悉是成算僕之談兵本出屢億然議論筆劄之間或公祕其機而僕先發之或僕蓄機不能自決而公先發之卒相與一笑而莫逆此二異也人之相與情昵則褻而貌嚴則隔僕與公

杯酒間或始焉儼色莊語而繼之慷慨高歌提劍起舞以寄其跌宕之氣或始焉寬綽戲謔博舉雜物以爲歡而卒儼然以相別無非各以真精神相感發此三異也每謂非有宿緣則不及此更得相聚半年彼此麗澤之益不知其何所至而忽奪之淮揚之役奈何奈何雖然與公神交而意注焉久矣不自意有今日武林之聚樂也始者不自意而得之然則公之來書所期異日復爾相聚於巖廊之上擔子益重而共濟益切其相聚之樂又或出乎今日之外者安知其不有然者耶以今日偶然而得之知異日將持左券而得之也是皆所謂宿緣也一笑一笑願彼此自愛不盡言

又書云違承手劄深慰病懷即已力疾至揚州擔子推不去只得擔了前請教於公亦有死生以之之説矣承

諭台州另置兵備未為非是但僕正有一段鄙見分浙江諸郡欲以一沿海郡搭一腹裏郡為一道沿海應敵腹郡畜糧繕兵以副之如古昭義鎮山東出財山西出兵之遺意今嘉湖一兵備寧紹一兵備溫處一兵備舊制皆是矣杭嚴宜為一道今却以台州兵備帶金嚴割嚴與台則杭薄矣不若台州只帶金華則兵糧已有所資控制亦易且與各道事體相同如畫棊然甚整齊也不然帶金衢而不帶嚴何如便中更望答教考明實錄嘉靖三十九年二月朝命更定浙東守巡官信地仍以台金嚴爲一道未能如公之議蓋御林業已入奏不能復改耶

又書云適以沿海之行匆匆不及多敍情曲今年江北入寇廟灣的一枝倭兵千五六百人海舠船十六隻住在海外一沙未返其國即且復寇已遣奸細入江北偶然獲之甚是的當非尋常捕風捉影之說其事且發其

發又多在江北恐不待常時春汛之期其詳蔡時宜能道也公臨別時許借田應春士兵三百敢并借朱尚禮鳥銃三百暫時應用若朱尚禮兵不便則其次仍借桂波攀鳥銃二百亦可也諸兵發時并借公半月之糧庶沿途不爲索糧濡滯耳并煩公嚴切分付田應春勿作常時士兵套子一路捱延也前所許通事陳[illegible]帶水倭子及舍人李經健步蔣全并煩遣來恃公同心[illegible]體之愛輒此奉瀆伏望留意凡諸方略及有可爲僕處者并望見教即且蹤跡此沙之賊似乎去岸不遠若得其所在欲先發舟師襲搗之恐須提督自行也[illegible]笑[illegible]笑此地甚苦無冰將公麾下將就小冰將可用者煩即遣[illegible]二人來邵應魁若在麾下煩遣來若不在麾下煩遣[illegible]牌調來蔡時宜爲公之人多年辛勤今欲借用請公箚

例卽爲遣來戚繼光造得堪禦鳥銃防牌如有付一面來做樣子適得白儀制書言倭賊寇江北歸者被風打二船至朝鮮其國因朝聖誕并獻中國被擄男女三百餘人此事計公已聞之二船之數已若此矣江南經略華重慶撰入朝鮮生還記嘉靖丙辰首夏十有八日海寇掠無錫邑人華重慶被擄入舟登出海舟被官兵擊散急入日重慶所居之舟爲至高麗地面高麗將遣三舟李百人遇救視後山對賊無遺重慶等中國人九名冒死號泣而訴生請至於達人將奏報國王遣通事台元與光州牧相審問華生無錫人卸問重慶日昔京天使華學士者無錫人也得非殺宗族弼重慶日然具悉以對元歸達以告王七月初三日王使吏曹侍書發訊舉出住天使舊宿館入月十二日王賜宴陪坐重天朝亦推學士之發數山宴罷每人賞圖竹帽一頂白布衣一件裙二條青綿布一疋皂靴一雙綿布東服一幅遣尙書都御史各一員太守太醫各二員知縣十人一員伴送還朝仍遣軍五十人護至遼東九月念九日過遼東兵部十月朔至京住會驛初三日下禮部同初五日一日兵部同十三日復發刑部二十二月初一日差指揮押同原籍重度遂得抵次年二月之望抵家時年方弱冠也鄭若曾日夫海寇之患各府縣民被擄去者無限若重慶之生還蓋絕無而僅有者也學士名察(卽鵝山)重慶之族祖

也自非德學言動有際服乎夷人之心安能致其君臣去思如此耶其孚被之澤不獨狄也重夷而中國入人

亦均蔭焉海外小臣厚遇中國皇朝一統誼面何如其尊耶重慶歸高麗之臣以詩送之日錫山學士閣天下

君是同技共設人選崇若同東方事仰戴皇明德萬春此係嘉靖丙辰年事與公書中所言別爲一事附錄于

此有不關今昔之感也

又書云適再三捧讀來教知公苦心僕亦爲公感歎矣惟公天挺才傑爲江南作福星非所謂繫匏也然入秉機軸亦知不遠矣至來諭所謂舉動而督府不聞失事而督府首罪蓋才傑處世常獨當艱大之責如此奈何奈何未得教劄之前曾作一書適見示題稿處置募兵及留運米等事甚善僕亦已先具書懇請之廟堂矣細詢沂人沂州一道募兵或不能及三千之數得精銳二千亦足矣或令鄰道幫募之俱託之張兵備聽其處分可也其領哨頭目五人令其進見稍加激奬可便發回

僕亦即遣承差李經先往沂州去矣山東萬巡按與僕素厚渠亦感公相知此亦一便且公題本中欲委之山東巡撫不可不先通一書僕亦欲附一書于巡按公何如張四維達追捕賊報已悉來教前所言山東兵數人已發至劉堂處矣

又書云李經并兩承差陸續到此所以諭僕者甚委曲所以爲僕慮者又甚周悉也感佩何可言高湜等歃血相詁自是義氣在公猶在僕也若江北賊勢重大遣告急之使則公必遣全師若江北力能自支則誠不必折散其一枝也所諭伯永福艮將也其事又誠枉當爲轉達之蔡時宜之諭誠然誠然陳一夷來平蔣全俱已到但公見諭蔣全須了提問而後來謹此遣還承公諭及徐海文字僕別公時已有約言若非嘔血重病則歲底

了此積年陳債矣今病根猶在公事日不暇給此文須得關門靜想費却五日精神乃可彰公之盛烈足當鼎彝之勒而不朽不然則韓退之所謂其爲也易則其傳不遠也公乃以爲半日精神足爲千百年之不朽則望僕之過矣一笑一笑幸公更展限期耳（考紀徐海事公卒未能爲後悔林乞茅鹿門跋之）江北救荒養兵之費藏于官藏于民者兩無所處近請餘鹽得七萬廟堂已爲破格過厚但春汛四萬班軍齊到一人日給四分一月該銀四萬八千犒賞酒肉置造軍器之用分毫不在其中而費已如此不知何以善其後也題稿一紙請教跨海搗沙領公教愛未敢輕率但半洋棲倭去處如子毋山叢林沙等類須得一清巢穴乃可耳趙龍換王國賢爲聾換啞誠然誠然邵應魁惟公處之（以上諸書錄自荊川續集他本荊川集無）

與趙浚谷書云王蘇州至承兄丈寄二詩（見前）極感雅意不淺但既已擔却擔子却亦不得容易弛擔也倭維揚防過春汎後倘可便作陽羨老叟尚當訪兄於崆峒之曲相與縱談一笑耳保定巡撫廟堂久欲以此處兄論之已定弟出京後而羣言復紛紛搖奪可笑可笑若得兄在保定僕在淮揚南北共擔國家兩條擔子犄角提挈足濟得一番事真所謂行止非人所能也然南北多虞兄亦豈能久作東山之臥乎但兄出世而僕又還山矣偶見清河縣丞知是貴鄉特此寄書巡關巡海二事蹤跡多在奉使集中特寄一覽病餘草草不盡（錄自荊川續集）

有與翁見海中丞（見海已見前寄代陳錢爲應天巡撫明史附朱衡傳）書略云初到揚州尚奄奄欲死及百勞備嘗乃漸將復舊可笑可笑但兩足之腫如故來歲恐妨於羅馬先登耳箭手劉

希孟等久叨廩食感謝感謝僕歲底及春初且往猿山欲度福山約公一會或奉攀旌節一同渡江共登猿山此江南江北巡撫大勝事也公其許我乎僕能戒行即當馳報

答喻吳皋中丞書云海內相知未有神交二十餘年而未能一奉面教如公者每於朋友間得公清曜道貌寤寐如見之公之於僕其亦然乎承示出處一節深荷同心相知但世間眼孔甚小其卑者則旣嵩戀戀以保惜富貴爲生涯其高者則又以兢兢守護名節即爲大事而古人饑溺由己溝中之推由己一段學問漫然不復知矣平生此心不敢求信於流俗而敢求信於豪傑縱不敢求信於人而天日炯然在也草衣木食已過一生果哉末難亦何哉公知我最深聊一發其狂愚耳不敢爲他

人道也正欲遣人候門下并請教歲例調兵事辱書惠乃先之感謝感謝卽專人趨候不盡欲言惟臺照考此書見荊川續集萬曆以後本皆無之荊川公答萬思節書云倡答喻吳皋一書有關心事抄寄一覽卽指此書不知當時疑庵公重刻荊川全集時如何致遺却而李上高明文選荊川集獨收之蓋曾見荊川續集者也上高云此真第一義諦孔孟心事亦是如此豈第耕莘野者然改而愧然任哉鼎元謂後世之所以誣公者公先已一口道破紛紛姚舜之論亦何苦哉喻吳皋名時已見前先世豫章人徙於光之遂爲光州人成進士拜吳江令傚拜御史上備敵十四事劾嚴嵩出視淮河南荊川公與書時吳皋方以右僉都御史督西輔六郡也

答萬思節參政書云近得書知吾友爲衰朽謀者甚厚然書中所言鄙意尚未有然者如書中所言蓋有見於委曲徇人者之爲非而無見於自牖於巷者之爲是也有見於鴒飛冥冥者之爲是而無見於匏繫果哉者之爲非也天下一舟也天下之人一同舟之人也猝然而遇風濤大作縱知其無可奈何其攔頭把柁之人焉得

不盡其氣力以呼號同舟之人之有氣力者而爲之助其同舟之人亦焉得不聽攔頭把柁者之呼號而盡其氣力以冀其必濟乎又況未至於必不可奈何者乎此蹇之所以匪躬而大過之所以過涉也時行時止我一付之無心人用人舍吾友亦何必爲我有意哉茍爲我急急求解脫其與爲我汲汲於求進雖題目不同其有意則一也又答書云得吾友書云獨有剖破藩籬一意以爲天下國家此最爲難不謂思節之過信我若此思節謂我數年以前無此識見恐思節數年以前亦不能過信我如此也附錄萬思節來書蘇子瞻嬉笑怒罵皆成文章吾師向所寄書乃倉卒間數句而高古莫及（考此書不見荊川集）然子瞻得之於天資吾師得之於學問則固自有不同也中間論白沙是莊老師是醉想二老翁一醉一莊動靜殊遇然不知醉即是莊莊即是醉其實醉亦非醉莊亦非莊若和章者未嘗知醉未嘗知莊而終日作醉人莊人又可笑也書雖未詳近日心事皆見之出使二集疏稿詞翰事明皇明

妻識中得此可以增光一代矣詩意雄放不拘賦與長歌尤爲奇貨然立朝建言登高作賦皆是吾師傳事不

足爲難得有詞破藩籬無所顧惜而一意爲天下國家此最爲難蓋不但世上拘拘名檢者不能脫此窠臼卽

吾師數年以前亦便無此識見也天下事須具人做有吾師手段不一論當爲乾坤落落將誰差哉卽今所眞

比之晉視尤爲親切兵食大計未知措置何如和才徹資淺屢得超轉實非本心此必以出於先生門下故耳

不然何爲有此也（覆蕃轉官之逮餘少劂實授之屢蕃集有謝少劂書少劂與荊川公交深故云劂然）未壁之前

不求既歷之後不謝此非不感拔擢者之知己以通書致府素所不能若其泖踏則盡宴其平生是以不敢也

（此則諸分宜嚴菴墓誌銘分宜既有前鄭見公屢調且按察其鄉意殊不擇然是時分宜當國嚴菴之調雖由

少闕石分宜則戶其矯耳）今春所謂士兵皆厚路士司循門而行此其志有在真欲仗義死敵耶一往一返功

無分寸懸積丘山今已諸得數人置之於去後來非甚緊急似不可輕調但不知彼中事勢何如士官張空者

留爲罪魁向來用之亦須得其力否伏乞示知某初得轉官報急欲趨侍門牆緣單門在沅任所在辰乃必由

之落遂爲時洲所栗且池方見有本務亦時時用兵物得如顧謹遺百戶苑恩代同左右臨書不勝瞻戀又書

云向有鄭答之見得先生教及答人諸書遂豁然無疑王龍溪嘗爲和言拘拘謹守不是學問一向忽略近來

始覺其是錄謹守之徒部從賢緣上起念把捉一生只是私意只是辭生麥死此與聖賢一介不取與界限相

反者只在有障礙無障礙之間作如是觀則和前日之言宜爲先生所笑羅之令耶先生不笑其見之陋面敢

其意之忠以此存心人豈有不獲自盡者哉然則先生此行學同心備額以一明又不但事意爲天下國家已

也前後奏疏詩文貴之既富用之無窮意向所到便有此故事來應且行所當行止所當止和間編評之恰如

有一大將坐百萬中軍張內刀弩槍劍器械色色皆備當其用時視刀刀懸混弩弩懸惟大將耳目之所使然

此大將當用刀處則刀當用箭處則箭各各得宜不差毫髮若其他則或有善用者器械不全或器械雖全用

之不應應矣未必皆當故其一偏之能可學而至者人也其兼全並到有巧以運乎其間不可學者天也非人

也嗚呼此大將之所以爲難也居卑論高先生其一首肯否耶春汎緊急飢民願連倉廩既空閭閻亦竭櫱有

奏諸所得恐未便突手此則器械不具不知善用者何所施其巧乎文章攻事要亦無異然一係於己一係於

人難易有間此盤根錯節別利器之時也在先生處之量有次序矣家人韋來閭先生有譚胃之疾謹遣百戶

范恩奉候和處此盲渦過苗平無甚難事但略覺貴碎併臘馳勞苦耳書不盡言伏乞鑒察又次徐存翁額寄

荊川先生時有兵荒之變詩二首云師旋民勞己不勝那堪飢歲復相仍撫民此日還兼將度世前身戚是僧

刀劍終鐵應買犢刷塢空笑豈知闌試看出處原無二一片心源似水溫潤跌經歲不開闌衣白山人強試官

劍接倭夷膽馬繇身穿海浪照心寒南滋征師議五月西夏行邊驚一韓木食半生何所爲藩籬討破任人看

考履庵公是年八月由貴州督學陞任湖廣右參政。履庵行狀云：公在兩司時，以唐先生老，杳杳念不置，乞休者再，而不復。按荊川公書亦有云日夜望思節之歸也。古人師弟子之間何啻父子哉！嗚呼，公之晚年出山，當日公與念菴與弟子思節，思節論之詳矣，又何勞後人置喙。彼丁元薦者曾讀思節此書否耶？常州先賢傳荊川傳云：先生積力二十餘年，超然有悟，謂蚤行恐蕩猶俠，番求開拓，以一體萬物負荷宇宙為事。此思節書所謂吾師數年以前無此識見，而荊川答書云：恐思節數年以前亦不能遽信我如此。而王季齋亦云：使先生狷介之節未發，則必不出也。

姜鳳阿來書云：齊東簿孫鎮行後，聞道體欠安，甚用懸憶。日來正欲脩問，無便，忽得手書，知已調理平復矣，甚慰甚喜。此疾存翁言江西提學時亦曾有之，醫書載失血一條，原不為大害，但多自勞心中得來，此則不可不慎也。師旅饑饉兼任二者之難，自是聖門實才實用，老師從根本上做，必有可觀，所謂毀譽好醜利害一切由人，真有道之見，極服高論。第人身上事要亦是我分內

事凡所接人所處事須令件件得所方爲學有實用處吾師今爲國家大臣非復前日比擔當世道之重又從此始之胸中真有無衆寡無小大無敢慢境界其處人應事又真有休休有容氣象然後可以聽其毀譽好醜利害之自來蓋毀譽好醜利害其由人者固當置之於度外其亦有不由人而由己者則當求所以善處善應於其間而不可忽也愚見如此非是欲老師於世情上做工夫亦謂大臣小臣於道雖無二致於作用則或有不同爾某讀書未有所進近來因看莊子及釋氏一二種書後頗覺纏縛少解又得少瀟相近時時不逆胸襟執滯處似亦漸有圓活之機世情罣礙處似漸消釋得一二分但未知此後果何如耳明年老師以大拜北上或某得差遣南來當親執所業面求印證可也謝恩表

純用歐蘇家體而用事精切處更出入於王金陵周益
公之間真是作者昔韓退之因文章以見事功今吾師
將因事功而發揮其文章垂諸將來並可作三立中事
業殆非某一門生之私言也去人行促未盡所欲吐伏
惟照原機務紛宂更祈節勞自愛以慰仰斗之私又書
云九月內自尊使行後絕無南來信息殊用馳慕比日
想已按節淮陽海邦旌幟當亦有一番增色矣前時聞
用兵進退給餉盈縮之數因與共事者志睽而多有撓
阻乃今則似中權獨運可斷可專之時且以實心行實
學當見種種實益而東南數百載之安諒吾師能造之
於三年期月之間決不爲頭痛灸頭脚痛灸脚等事第
聞不久即將有卿貳之命恐事不就緒反爲有道者所
歎歎耳然小用則小效大用則大效隨處以發抒其忠

而乘時以大行其志則尤廟堂主張之得宜而亦門弟子所望汲汲於先生者也撫巡一方俗情雖不當狗然盡從出格則過客與屬吏中恐以沿習不慣不能相安反不免有禮不及情不通處幸惟斟酌乎道俗之中如何齊東籌孫鎮來便先此代面布草草乞賜台亮正寒更祈為國自愛以慰瞻戀

冬十二月二十五日詔斬汪直於浙江省城官巷口直繫獄者幾二年不能决軍門數請旨至是詔下斬之王方麓西曹記

云聞斬王直時衆推荆川發言王直出不遲語考汪直被繫梅林虞之甚嚴至法場始悟就死地豈至是欲明正其罪梅林以始之之故中心內愧欲假荆川素蘊義憤者以責之賊然荆川已之任維揚茲適錄事到抗耶又稽采九德倭變事略監斬王直官為周侍御汪直本姓王

三十九年庚申五十四歲

在鳳陽巡撫任請振地方災傷兩疏載荆川外集

公先居有懷公喪哀毀飲水病臍腹腫及居海中數月犯
風濤疾復作以振災事急與疾躬履查勘奏乞餘鹽銀兩
奏留糧漕十萬石又自捐俸令有司以次捐俸金易米散
各鎮爲粥以食飢民并手訂放振規條（載荆川外集）存活數百
萬衆（見明史本傳名臣實錄顧李撰傳江都縣志）
行狀時兵荒相仍軍書文移旁午公晝夜治文書經理
戎事每夜至四鼓尚未就寢子弟交諫答曰鞠躬盡瘁
死而後已耳疏請乞餘鹽銀請留漕米請豁鹽請邊兵
分委賢教職下村鎮煑粥食餓者捐俸捐家財助振䘏
䘏不少休又以爲地形勝不習遙度舉事非策也乃躬
歷通泰沿海之處無不親蒞所至鄉民不知有司亦有
不及知者公初不罪也疾發始歸揚因就途中過歲（中鑑）
補傳略同

與章陽華中丞書陽華名煥字懋實吳縣人嘉靖戊戌進士除禮部主事歷吏部考功郎中轉南京太僕少卿進光祿卿以右僉都御史撫治鄖陽改河南巡撫去年四月以右副都御史總督漕運事改晉南京戶部尚書疏乞致仕自號羅浮山人著陽華稿按荊川公書中與陽華論折兌事卸陽華總督漕運去官時也

與熊鏡湖名桴書云恭喜榮轉蓋國家酬勞撫臺公薦顧僕毫釐何力之有惟知為桑梓慶幸耳容賀容賀去年與公相從于海中乘坐者民蔡端船頗慣欲借至江北暫用一月自為督戰非恃公素愛則不敢相瀆若果發來須給印信文書從福山港渡至狼山庶免盤詰也可否幸先示一信欲借被擄人沈樺暫至江北前書已言及之并近日太倉人張玘回去託奉一書左右想達之矣使旋尚在病中草復不盡聞浙中風煙已動回思與公出沒波濤中又是一年矣

與方七峯巡按書云向于冀門獲承教愛孤竹古墟追遊竟日未嘗不時時在懷自南役以來海上奔走日無寧居久疎候問於門下殊切耿耿東南有幸仰藉福星輶車始臨精采一變兵荒之後民知有賴矣達羨達羨謹遣人奉候門下并布久闊之懷適以病脾伏枕殊覺草草統希台照奉使集一冊請教以上二書均見荆川集通行本不載

二月壬寅奏請添設水兵把總一員於狼山民兵把總二員於曹沂二道調原任大同參將朱雲漢宣府游擊郝英四海治守備岳嵒各攜家丁赴淮揚待用丁未朝命以五軍營游擊將軍吳瑛充提督狼山等處副總兵復甯紹合參將戚繼光充新設金台分守參將按明實錄按戚之復職亦以公去年別人才蘊之薦之也廿二年敵俺答犯延綏總兵官吳瑛等擊敗之則瑛固宿將也

歸董氏姊卒姊與公同毋出少慧與公同入塾讀書經傳

子史無不通貫天文星象亦了了洞達常與公夜坐瞻乾象指示垣舍躔度無爽者蓋姊所學亞於公云姊夫董士弘號后峯嘉靖進士備兵浙江與督撫張經李天寵調兵轉餉屢破倭以忤趙文華督撫論逮死士弘僅免死降調歸見鄭邑志及董氏家乘鼎元讀此嘗作而嘆曰嗚呼此可知士君子之立身矣夫文華之求悅於公也詎無不至且欲爲公修葺先墓其價后峯必不知爲公姊之夫也倘公爲一言於文華后峯不惟可脫於罪且立可升擢然公卒不肯發一言於亟欲求悅於我之人而脫其至戚之罪而后峯亦不以是望之於公而公之視其身與視文華爲何如也

徐少湖來書云連日得海上之報兼聞地方災傷內變外患皆可憂恐幸兄當事諸凡想各有備矣吳瑛典兵朱雲櫱鄒英在幕下可謂得人但邊將終不習水戰須爲避其所短而家丁之養既不可不厚又不可獨厚須處之得宜恃知愛僭及非敢謂有裨於兄亦聊效其區

區耳（見世經堂集）

公受任十旬於練兵設防籌餉諸大端苦心經營悉有成算三月以春汛期至力疾赴海二十一日至京口病益劇登焦山嘆曰吾第一梟將使吾病不克展其能奈何然使一病都堂居海中則諸將無敢不下海諸將能下海則賊自奪氣也（本傳及李撰傳）在舟中每手書少陵詠武侯詩以自見志（見趙徵玉亦有生齋襄文手書杜詩卷跋）

與胡梅林總督書云江北將才楊縉巨擘今又往麾下矣雖然去僕而往公無異楚失而楚得也一笑一笑幸公鼓舞之使立奇功以盡其用何如僕近得心腹之疾堅硬如石寢食俱廢勢甚狼狽似恐非好消息蓋自積久勞傷所致若再十日半月不瘥必不能料理人間事矣敢以報公伏枕不盡潰兵及盜刼二事藉公餘威處

之幸有次第題稿二紙呈覽送綿牌使者已到謹此謝
復（錄自荆川續集他本無）

與楊虞坡司馬第二書（書見荆川集虞坡去歲十月由宣大回部）

又與胡梅林總督書云脾脹之病非旬日所積亦非旬日可遣淹淹牵牵半死半活人也春汛逼矣何以堪之平生每欲督陣血戰今遭阨如此雄心徒在猛氣盡銷真可自笑也遠承書問垂念拳拳深感一體之愛龍溪兄已到此數日議論可以代藥真如來教使選力疾布謝掘港守備王楹專差速遣病中復書殊不盡情又書云東至狼山北至廟灣沿海巡歷一徧則江北又是一樣局面海上歸來一身骨立勉強過一番春汛若不苦苦乞歸則王芳湖真笑人也掘港廟灣諸海險處不論有倭子未有倭子之時自來無巡撫到其地土人見之

以爲駭僕似前生欠却水陸路程債可一笑也節[illegible]
中麓補傳疏請剩鹽邊兵請留漕兵請討餘鹽銀分委
鹽教官下村鎮煮粥食餓者捐家貲助振矻矻不稍休
又以爲地利形勝不親經焉非策也即於通泰沿海諸
處無不周視不惟鄉民不知爲唐子雖有司亦不及知
殊不之罪也同行狀
莫中江來書云忠自去秋謁拜先生于太倉不值而返
留東屬孫守奉達知徹尊覽矣嗣後遣犬子是驥迎候
毘陵不遇而返聞方攢冊治裝且有尊恙犬子歸道之
即擬鼓棹躬謁一罄訊問之私而以宂奪少選會儆鄉
揚民南掌科則言先生于仲冬望後已渡江矣悵望殊
深莫能追隨杖履奉餞江滸大非素心春首忽病肩疽
沉淹牀褥迄至于今迺發瘡瘍無慮百十兼患目疾不

能出戶已三月餘忽有來言隼輿已駐維揚而時事未寧方勞石畫勳宣武略還振流移啓處靡遑江南黎庶二年之間得賴安枕匹夫匹婦知頌功伐此先生許國之忠素所蘊蓄旦不負矣忠竊聞尊恙久而未平願益增劇旦以過於憂勤而殉國家之急故爾天啓哲人所係于天下後世者重甚願倍自珍用其所未盡當以身係社稷安危達可行而後行之區區一方似非名賢畢智委身之日也伏枕不能奮飛泝瞻情倍不覺僭言覬

蘭館集

維揚晤語荆川唐子開府維揚邀先生諱畿龍往會時已有病遇春汛日坐治堂命將遣師爲防海之計一日退食笑謂先生曰公看我與老師諱陽明之學有相契否先生曰子之力量固自不同若說旦知還未致得在荆川

日我平生佩服陽明之教滿口所説滿紙所寫那些不是良知公豈欺我耶先生笑曰難道不是良知只未致得真良知未免攙和荆川憤然不服云試舉看先生曰適在堂遣將時諸將校有所稟呈辭意未盡卽與攔截發揮自己方略令其依從此是攙入意見心便不虛非真良知也將官將地方事體請問某處該如何設備某事却如何追攝便引證古人做過勾當某處如此處某事如此處自家一點圓明反覺凝滯此是攙入典要機便不神非真良知也及至議論未合定着眼睛沉思一囘又與説起此等處認作沉幾研慮不知此已攙入擬議安排非真良知也有時奮掉鼓激厲聲抗言使若無所容自以爲威嚴不可犯不知此是攙入氣魄非真良知也有時發人隱過有時揚人隱行有時行不測之賞

加非法之罰自以爲得好惡之正不知自己靈根已爲搖動不免有所作非真頁知也他如製木城造銅面畜獵犬不論勢之所便地之所宜一一令其如法措置此是攙入格套非真頁知也嘗曰我一一經營已得勝算猛將如雲不如着一病都堂在陣此是攙入能所非真頁知也若是真致頁知只宜虛心應物使人人各得盡其情能剛能柔觸機而應迎刃而解更無些子攙入譬之明鏡當臺妍媸自辨方是經綸手段纔有些子才智伎倆與之相形自己光明反爲所蔽口中說得十分明白紙上寫得十分詳盡只成播弄精魂非真實受用也荊川憮然曰吾過矣友道以直諒爲益非虛言也考此文當係王龍谿弟子所記其中不無過於粧點然孔明廣益集思龍谿告荊川虛心應物使人人各盡其情能剛能柔觸機而應迎刃而解數語確精要允爲荊川益友然處處牽拾良知二字却成當時陽明派濫套語夫能措

大事者才與識也識猶可磨練增益才之大小則天生經畫廣化王平之才其能孔明伯約之任乎卽當時陽明嚴講學、諸子焚能致良知其能用兵如神與陽明並駕爭先乎

王東厓龍溪翁訪唐督撫於揚州以書召赴會有作詩云新鶯初囀綠楊風雲煖晴開曉日紅春寂野堂傳翰簡花明督府接仙翁卽從聲應看龍虎信有丹成見羽翀不是陽和行大地那逢桃李報春工又王東日唐荊川巡撫夜過詩云星飛霜夜度征輪勤恤宣傳代紫宸向者疏辭青瑣闥遁焉志在白綸巾迅雷能破妖狐膽惡颶堪驅腥羯塵久矣蒼生瞻斗岳而今始得覩經綸東厓名襞字宗順心齋第二子東日名補字宗完心齋第四子克承宗業王東日傳云於書無不讀蓋天文地輿圖算數亦無不精尤善詩歌武進唐荊川經略淮揚行部至泰州造先生廬談通宵去

陸平泉辭南司業同訪公於維揚撫署

張鼐先進舊聞陳眉公見聞錄及皇明世說新語並載之陸公平泉以祭酒

北上唐荊川先生方以禦倭爲淮陽巡撫置酒送別及陸公祭酒告病歸復過荊川先生於淮陽先生相顧歎曰公已得請告但不佞尚無歸期耳陸公云某如人家教書先生先生有病主人只索放他回去若老先生乃好郎中病勢未愈如何肯放回來考鄭元標爲陸平泉傳丁志悔公黜歸六年起補南京國子監司業未幾請告歸乙丑起太常卿掌祭酒則平泉兩至荊川維揚撫署爲司業時非爲祭酒時也又考之明史本傳亦爲南祭酒非北祭酒先進舊聞所載未免傳聞小誤耳後神宗嗣位以平泉屢辭朝命中外高其風卿家拜禮部尚書張居正得之以爲重用後進禮先謁之相對移然意若不甚接居正失差去一日以公事詣政府見席稍偏熱視不說坐居正遣爲正席末一年又連疏乞休比出國門傾城追送皆謝不見當是時士夫視平泉不啻天上人荊川之與平泉友也在後家居時由謝與槐之介紹荊川報與槐書云林君與吉吾兄屢屢示及僕亦慕其爲人嘗至松江一訪之與之有山中同事之約是時平泉猶冒林姓也嗚呼使荊川但高臥何難爲平泉而平泉之時臥時起亦豈徒沾沾清名者乎世之能辨此者罕矣（鄭傳云是時禮闈試近張江陵必欲其子得第故平泉見擯而去）

舟巡通泰病革猶手敕振粟七千石西山日記云淵川先生鎮維揚時兵敗疾革且瞑矣憂然起索一牌手書曰歲荒民飢有司宜加意作賑分振弗以本院物故遂草草了事聊筆而逝西山日記四條只此可取兵敗二字殿如後訣諸將勉以忠義語妹夫左丞曾姪孫

一麐曰死國吾志也今得良死舟中幸矣第恨山中尚少

十年工夫耳時天皎皎聞天鼓鳴於舟上者三飭衣履而

卒時四月一日也

行狀三月疾稍愈復巡歷泰州已而病驟至公自知不

起促舟歸進諸將訣言本欲與諸君戮力同衞社稷今

無能矣願諸君勉之無一語及家事四月朔疾將革時

妹壻上舍左君烝姪孫解元唐君一麐在側曰病不甚

重幸尚可支也公曰不然吾氣將絕矣吾生平常念死

有三或死於陣上或死於忠義或死於海中不意能全

軀以死於此今無所恨但爲人與學問未成章欲就山

中了十年工夫只此一念未遂耳日將晡命取新席置之地平移臥少頃整衣起坐而絕時天氣晴明隱隱如天鼓鳴者衆以爲異左君與唐君議欲殮於舟中揚守任君希祖不可乃還殮於公署夏退庵海陵叢話荆川卒地考云明史唐順之傳順之泛海討崇明三沙廟灣諸倭賊暑居海舟兩月遂得疾反太倉尋擢右僉都御史代李遂巡撫鳳陽時疾甚以兵事棘不敢辭維揚適大祲篠上海防善後九事三十九年春汛期至力疾泛海度焦山至通州卒泰趙時春撰先生墓誌銘病先生力疾振凶荒治戎伍嘉靖庚申四月朔舟巡泰州猶操筆散振粟七千石訣諸將勉以忠義諭妹婿左某從孫一麐日死國吾志也今得見死舟中足矣顧閒居三十年未聞遣念之介介舫衣履坐而卒焉詩可撰中丞荆川唐先生傳亦務維揚大復春汛且至先生力疾走海壖籌兵事寮荒政捆伸設齋括民數十萬而疾益作強起至泰州疾大漸損操筆散振粟七千石語諸將努力嗣吾志無一語及家事場坐而瞑而先生子鶴徵撰陳渡所表將先生強出行步至泰州姜堰鎮自度不能起勉諭諸將吏與之訣慈於舟均足爲先生設於邑姜堰鎮之確證史文卒於通州蓋謨泰爲通也先生與胡公宗憲矢志剿倭身捐寇鋒爲士卒先借諸將謄功未竟而先生病病且死然就家薦之捷倭夷畏膽賊之設江者又爲遂等所珍東南

之民額以安枕其救援維揚力疾[illegible][illegible]卒以[illegible]死泰困先生所部且夜至泰遣云能氣大炎擇大憲則祀之泰

之人苟毋忘先生祠而祀之可也特書之伴俊之人有所據焉李中麓撰傳云嘉靖庚申四月埜徒得其第三

書宋善識風雲占驗之人及予詞曲與李陽冰篆書進元朝經世大典單發咎僞留心占驗有聞武事者可也

而又旁及文事向也計其書乃三月二十又入日付封四月一日發行卽日竟以疊張舊疾卒於揚州舟中

是歲倭竟不至以去歲倭寇南畿罕有生還者自是南畿

倭患遂絕明之南畿今江蘇安徽兩省地鼎元謹按公年二十三登嘉靖己丑進士授武選主事明年春

卽告病歸壬辰冬毋服除赴部尋改編修乙未春復告病選歸己亥冬起兼春坊司諭庚子冬以建言削籍戊午夏

起補員外郎已未十一月之屬陽經塘任庚申四月朔卒討公一生仕宦僅數十月耳史稱公於學無所不窺自天

文樂律地理兵法弦矢勾股壬奇禽乙莫不究極原委旁及學劍挽強亦勤而君之孔子日吾少也賤故多能鄙孔

子嘗云加我數年五十以學易而孔子竟超七十從從心不踰矩之境而公僅及夫子學易之年此公踰留之際所

以自限山中歸少十年工夫者殺公平生以國事自任奮日鞠躬盡瘁死而後已而年壽亦與武侯同方公之力疾

恐江也登焦山一篑擊輿涙俱又手書少陵詠武侯詩鳴之舟中是亦宗定僞頻危三呼渡河長詠出師未捷之俛

也鳴呼傷哉鳴呼壯哉南畿倭患之平去歲公與拯救李公兵備劉公血戰之功也而公三抄殺賊海洋尤足寒賊

論而沮賊氣江南經略戴錢之言曰不意中國承當若此來無益矣公之經綸雖未大展然桑梓之患則由公而增庶乎不負晚歲一出而公之英魂亦可藉以稍慰者乎

繼任巡撫劉景韶總督胡宗憲疏聞贈公兵部侍郎賜祭葬故事四品滿考得賜祭公任巡撫總數月以勞得賜葬並命建祠於本郡

公二十以前專精制藝之文故負海內盛名爲場屋圭臬三十左右爲詩古文辭甲兵錢穀象緯曆算擊劍挽強無不習之四十以後專研理學至其性情亦數變早歲狷介子特有懷公謂爲不近人情王龍溪謂念菴以善養活人處荊川卻不如兄而荊川與劉南坦書亦自云早年馳騁於文詞技藝之域而所恃以立身者強自努力於氣節行義之間又與謝與槐書云閉門厭事此是鄙人前身宿病近來力自懲創以庶幾吾非斯人之徒與而誰與之意蓋

公晚講萬物一體之學冲粹含蓄痌瘝民瘼有油油然與之偕而不自失之德量焉使公無庚子之罷黜林下十五年之潛修繫官於朝憤臣工之叢脞痛綱紀之弛墜擊奸之疏且先椒山而先上公與王堯衢書云若使不如此而如彼守其愚戇固陋而不變自作禍孽更有甚於向時徵公早晚歲之境固古人所謂讀書以變化氣質由氣節而至道焉者也

行狀公有二弟友愛備至有懷翁殁二子析居田產幾及二千金公所當受產悉推與二弟二弟不受竟與之僅受居室而已讀書備極專苦至於盥櫛都廢祁寒盛暑初若不知六經微言聖賢要旨究竟鑽研弗得弗措先儒發明之書充棟汗牛靡不參訂文人才子論撰著述評論點勘如親面質歷代之史世代久遠事目猥多

公爲之分門立類割裂斷碎鍼縫縷續世故興衰人才邪正地利要害識職歸宗粲然明備皆以前儒者之所未有故其於六經自謂有千古折衷之見有千古獨得之奇一日與王公戱論易謂爻辭雖以吉凶言而大象獨言吉此聖人教人直入聖道之路也王公日陽明先生曾有是語亦以大象是單刀直入之説也公欣然會意然初未嘗得聞陽明語也他經皆有成説特未嘗著論著論者獨讀春秋一篇耳謂左氏有功於經而文多散碎謂二十一史經濟之要而繁亂無統謂濂洛諸儒語錄朱陸張呂陳問答爲學者門戶歷代奏議忠賢嘉猷悉爲纂次編輯古文辭之可取以爲法者如史漢如七大家文亦爲批點至於稗官曲藝蒐輯罔遺今左氏始末史纂左編批點史漢書已行於世其藏於家者儒

編雜編尚數種嘗論前代博學諸儒於鄭夾漈馬端臨皆所不取獨推服朱晦翁以爲不可及蓋自喻也詩初學李杜王摩詰沈宋劉隨州諸家其詠內庭宮省有絕類沈宋者其贈行紀遊有絕類隨州者故其詩纖落筆海內口傳以熟晚年乃欲自寫胸中自得真光景不爲花草淺近之言於是始好觀邵堯夫王臨川黃山谷陳履常劉靜修及我朝陳白沙莊定山王陽明諸詩嘗謂白沙詩云子美詩之聖堯夫更別傳後來操翰者二妙罕能兼公晚年之詩有志於二妙者也故其出塞渡海諸篇縱逸不羈又似杜邵矣

晉陵先賢傳張納陛撰荆川先生傳云積力二十餘年超然有得謂蚤行恐傷狷狹務求開拓以一體萬物負荷宇宙爲事平生最尊信者濂洛關閩外唯白沙陽明

兩先生然猶以陽明津路宏闊求濟者或迷其所白沙一線之津得而守之其渡差易故多本之以援接後進而身自游於脫然之境其鍛鍊所至也又云先生精思睿識探窮鴻閟凡所歷閱必究極本原六籍之精微蘊奧出一兩言揭示之足以剖蔽全經而垂不朽如言易則以象合理以爻合象皆千古未發之見也嘗示人曰無時無向者真心之體機順機逆者儒釋之辨晚歲之出憂世孔棘自信內無緇涅可以剖藩而用之雖經守者之所不敢試然先生之衷豈非皭然不滓者耶（敬訥監宜興人字以登萬曆十七年進士官刑部主事著直聲居鄉與東林顧憲成高攀龍等講學明史附顧允成傳）

李中麓撰傳曰本以天性剛方而又問學充養使壽至耄耋事業甯止於此有問其爲文者則應以始尊秦漢繼好宋唐必須完養神明以深其本源浸涵經傳以博

旨趣獨存本質盡洗鉛華透徹光明委曲詳盡雖從事筆底寫成卻自胸中流出如說家常話而作家庭書所謂見理明而用功深者乃始得之也有問其爲學者則應以必先不爲習氣纏繞不使願障起滅好是懿德好仁無尙真消息也終日如愚終日忘食實用功也已將舊時伎倆見解一切抹撥清明中稍見標影原是靈明混成者以爲有物則何思何慮不覩不聞以爲無物則參前倚衡瞻前忽後三代人才皆從心性上磨練故其參贊經綸之業不出戶庭而得之後世反躬自得之學不傳而攻辭雜禪之徒紛出矣唐子明此爲文爲學宜平有用於世而亦有名於世云

十四世孫鼎元謹輯

十二世孫　肯校刊

錢家驥

鄉後學周仁泳謹校

崔　龍

十四世孫　斐
　　　　　纘道　仝校

以下爲譜後

王忬既繫獄其子青州副使世貞解官與弟進士世懋日蒲伏嚴嵩門涕泣求貸又囚服跽道旁遮請貴人輿搏顙乞救嵩雅不喜忬父子時爲設語以寬之而陰持其獄十一月殺忬（案鑑明紀事三十九年十一月荊川公卒之下半年也另有辨詳見後）

四十年辛酉

胡梅林總督刊公史纂左編別詳公著述考

四十一年壬戌

二月五日葬公陳渡賜塋在郡城南門外五里陳渡港左薛公生前草堂僅百餘武葬則

薛方山祭文趙浚谷爲墓誌銘鼎元發讀荆川公詩二首電掣書堂落墨蹟函天麻地入宿青

歐蘇韓柳都驚倒更一番風帆海上行長吟杜老武侯詩堯舜其君揖任之百一未償華野志文章萬古壽如淺

四月公仲弟正之卒年四十二字應貞號重庵丹陽姜廷善寶誌墓鼎元發讀重庵公詩美玉瑩然磨不將文字遺人詞荆川門下難爲弟讀罷雄詩出鳳阿

重庵不善書鄭東廓陳明水卒鄭年七十二謚曰文莊陳年六

十九無錫高存之攀龍生

四十二年癸亥

夏四月福建巡撫譚綸令總兵戚繼光劉顯俞大猷合擊

倭於平海衛大破殲之斬首二千二百級墮崖溺死者無

算福州以南諸寇悉平

是歲季彭山卒年八十聶雙江卒年七十七謚曰貞襄

四十三年甲子

二月舊倭萬餘攻仙遊圍之三月戚繼光引兵馳赴大戰城下賊敗趨同安繼光麾兵追至王倉坪斬首數百餘衆奔漳浦繼光督各哨兵入賊巢擒斬略盡閩寇悉平其得出者逸至廣東潮州俞大猷又截殺之幾無遺類自倭寇起海上首尾二十年蹂躪山東直浙閩粵五六省黔黎血塗草野無慮數百萬轉漕軍食天下騷動至是倭患始息

郭造卿紀事戚令公班師自建昌至唐家莊有九十老叟帥聚落人謁道左公問何言對曰邊境昔苦敵患而我人乃無寧居幸自令公至享太平一紀矣今秋大舉我人實歲歲藉令公宴堵敢叩馬而謝蓋深幸老得見此而喜不自勝也令公遂之命起更不起面寘矣

湯元讀放翁詩云王師北定中原日家祭無忘告乃翁荊川公如姑蘇見倭人較獲見爲歲疾首痛心書不與

之俱生倭患未平公目不冥也拔以平倭處月階于譜尾面況詞觀愈感諸將田公舊屬爲公徹實面疏薦之者獄昔人有言曰願忍須臾無死得睹太平吾生不知能償唐家莊之臾之願否誠此不禁置有感矣

是歲羅念菴卒八月十五日也胡廬山爲行狀徐少湖誌

墓隆慶初謚文恭

萬履菴祭文云嗚呼天地翕聚山川發靈大賢之生不數數然也然天之生賢固難其並生於一時尤難若宋之周程朱陸豈偶然哉推先生之生實與余師荊川子扈子同時子唐子壁立千仞稟乎不可犯先生春風和氣油油然可儕一極其情一極其和然其以新建爲己任以聖人爲可學則二先生一心也二先生同年登科同在翰林同志而進同事而退不特相遇而卒相與以有成使此學大明於世是天之贊助之也然子唐子末年應詔而起志快身藏謂其清也而有如是之達先生齒人稍貞乘化而盡謂其和也而有如是之介蓋可仕則仕可止則止歸隱其身二先生一心也先生外若柔頂內則剛方村夫俗子可羣也而貴育之勇不可奪也致屑鄙事可親也而一毫非義不可干也萬物一讓其學也而棄屠之心不能已也搏學經濟其才也而謙處之度常下人也溫潤之資愈深愈密克復之力愈久愈新其志遠也坦然無疑其敢功也瑩然證微鄉邦化之天下歸之可謂踐形盡性篤實光輝者矣憶昔丙午先生布衣扁舟訪子唐子於陽羨余始識面陪從山川之

間侍教累日大率皆切己近裏工夫丁巳之實余造先生之門止余信宿矜尊通宵茅塞頓開鄙吝如釋蓋子

唐子切切聽我以善及見先生則自不敢不入於善子唐子我師先生雖未執弟子之禮亦我師也自子唐子

棄我而去吾將安做猶有先生在也茲幸緣庭於此自謂鳳儀可了詎意到任之日即先生告終之期耶自今

以往如昏夜求於幽室倀倀乎安之矣嗚呼使大賢相繼須謝吾不知天意果何爲也豈元氣之衰能生之而

不能壽之也吾道果孰主張而斯世斯民果何望也吾將終爲棄人已乎雖然策此一念斃而後已肆舉勗之

賢不敢希覩厥奧抑亦可以無得罪於二先生之門否耶嗚呼患因有身病誰發藥披詞致奠孰知我哀鼎元

謹按此文雖祭念菴而與荆川並提且其中事實可資考者甚多並錄之是時履菴始履江西意長任即被劾

歸

西山日記羅念菴公死後數年舜人有遇之嶺南山中者作家報寄之致須上寄數信室公殺時物也鐵受之

列朝詩集小傳云達夫没人言其仙去不死又數言見之燕齊海上蜀人馬生好奇俠怪之士也余遇之京口

詢余日念菴先生不遠數千里訪公於虞山得無招失乎余歸問之果有西江老人衣冠甚偉杖策叩門不告

姓名而去元考念菴遊倘發有道人教傳以丹訣辭不受也豈青弄此狡猾當時焦南紗任少海皆以學仙

聞豈以此誕薄就故齋文章士不無好奇丁元薦誌學人痴亦薄怪鳴呼元萬不盡荊川并不盡念菴矣後讀

秀水沈德符野獲編尸解條（前段述劉閣老健）近年江右羅近溪汝芳大參卒於家久矣一日忽至其同鄉曾見臺同亨司空寓達日快談曾以詩吏部郎劉直清文鄉初訝不信偵之果然近溪學問照映百世宜其仙去不死也云云近溪向好奇非金丹所能比此事或有之面同姓羅同里江右則長舊受之所記皆據近所誤傳矣

四十四年乙丑

洪朝選擢操江御史洪公自晉蜀學尋參藩廣右調改山西壬戌丁母憂服除起南太僕少卿至是晉僉都督江防總晉圖都御史權備兵巡撫山東

蔡白石卒年五十從曾孫一夔成進士高拱欲令讀書中祕辭不赴是歲顧箬谿卒年八十三公外孫慎行生慎行姓孫氏父名集字邦正別號景南以其祖太僕公諱臺者號南野也風神部令以文學知名無錫孫繼皋宗伯撰封儒林郎景南孫公暨配唐孺人墓碑云時同縣御史中丞唐公海內鉅儒負人倫鑑為女擇婿遍訪英俊群所許可已見景南輒深相知器竟以女歸之顧數奇屢試不第中丞公好慰曰孫郎才識異常象又大好行誼不容不貴政娶今者少遲遲耳鄉人既中丞公愛女甚悅文史女紅之暇搜覽書冊至午夜持諸見女醫被任教令知不見女御在籍弱但從旁近舍手受果餌歸輒詞奪之景南生[illegible]增甲午

卒年四十六歲十六人大生嘉靖癸巳卒 年四十叶慎言大慎行云云

四十五年丙寅

周訥溪來哭公墓留宿旬日（年譜）鄭澹泉卒年六十八

謚曰端簡李克齋卒年六十三謚曰襄敏（考克齋王氏之章亦譜）

（學者）十二月世宗皇帝崩徐階草遺詔凡齋醮土木珠寶織

作悉罷大禮大獄言事得罪諸臣悉牵復之詔下朝野號

慟感激比之楊廷和所擬登極詔書爲世宗始終盛事云

於是周怡（訥谿）謝廷漎（鎔石）均以故官給事中召（給事中召）張選

（思靜）起通政參議黄正色（南斗）召爲大理丞公之舊友均有枯

蘇菀仲之望矣

（徐少湖公之志也嘗與公書云兄之出處與之於去留蓋各有苦心只可而人相對語而未易告人者公）

（亦有書與少湖云圖歸者於易爲大者於胡敵勢有所不可必行則有去有隨歸於委曲從宜以成天下之務）

（事有所不可預則或其身歸於彌縫密以濟天下之幾是以天下險受其禍自分宜敗少鋤獨相于此五）

年其所撓敝甚大天下翕然稱名相公之所坐于少保者盡償之矣是時楊虞坡博掌兵部胡柏泉松掌吏部

王南岷廷寧都憲亦皆公之同志也使公而在東正相引致君澤民必更可觀惜公已志決身藏于軍孫之登

也發閣後以壬戌冬在江西巡撫平寇讀禮兵部右侍耶癸亥春轉左改吏部明年冬陞南兵書是年夏四月

改吏部尚書十二月卒贈太子少保謚莊簡見萬曆撰墓表明史七卿表作十月卒楊博由兵部改長吏部

穆宗隆慶元年丁卯[illegible]

洪朝選入爲刑部侍郎由南兵侍入也公從曾孫譽卒

方洪公在操江御史任屬校荊川雜編卷帙浩瀚譽先

丁內艱已有病至是勞瘁竟卒年四十有五字仁夫號止

庵王季齋爲行狀無錫王仲山問誌墓僉以理學稱之

設復止庵公詩一翁許十萬樓檔一莊晚歸程門立雪來悟頓胸中無路住兵農禮樂嫌真才止庵當從學荊川公于兵

閩也公子鶴徵姪大卿同舉於鄉鶴徵爲亞元大卿宇軒公

之孫也判青州有惠政冬十二月趙浚谷卒年五十九

節徐少湖撰浚谷墓誌銘（上節）嗚呼予負公矣予負公矣予與公交三十年自謂世之知公無如予者今予方

在致府又幸禁聖天子嗣大歷役盡召起撰穴有舉實之士而予乃不能至為公使竟其所欲為予負公夬予負公矣公為人畏發介特與士大夫建意有所不可議為有所不合必引避拔矩詰責之不少貸故賢者服其正而在中人咸疾其太剛或語及北虜方持杯酒相懽笑氣發眦蔑背而不與俱生數頌所知曰使吾得備偏校領精兵五千人操勁弓巨矢間以長鎗大斧鉀悗譯丘循不足平也故在賢者率壯其志而亦願討其太輕憂其太銳然自疆年來士務以柔媚全其身將畏懦不致一言戰致曰以殆虜曰以驕莫狀卹人之病衰漸入於不能起予以為得公出而矯士之習作將之氣於時必有所補益而又念士大夫於公尚未有定評使其所長不曉然著於天下萬一有妄議者公必怒而引去不肯復出故委曲為白其所以然冀論定然後薦且討公年未六十用世之日長而不意其遽卒盖不獨予負公卹公亦且自恨其不及俟予說之行也嗚呼其殆有蔑然耶公幼與率見蔽每列陣部署自長御之年十四舉朕西為試十入試禮部發然為舉首當是時海內伺其有所製作爭傳誦之而公則習騎射談甲兵日以盡備之不修為大咸及再失官虜果入犯遊騎薄都城世宗皇帝用于薦召為兵部職方主事遷山東按察僉事領民兵轉副使遷巡撫山西都御史提督雁門諸關庶數用當其才矣然公在蜀方坐議馬市非策又以能兵為逆黨所忌發得蕩死在山西徼將士禦虜代州身甲實督兵機進斬首若干級而為兵卒誅乘勝入虜伏中敗役部處公官疏論迄今十五年予曰思蓋起為乃竟不

克終慶固未嘗試耶何公之難於用也

二年戊辰

秋七月少師徐階致仕歸是歲李中麓卒年六十八

三年己巳

八月趙貞吉以禮部尚書兼文淵閣大學士預機務大訓自辛酉殿閣改北戶侍又以升最崇罷隆慶改元起吏部侍郎兼翰林學士至是以禮部尚書入閣位居張居正下然自郎負長輩而材間呼居正張子有所語朝事則曰唉非面少年輩所靡居正內假不復答引高拱入與之閣明年十月

大訓仕歸致是歲周訥溪卒年六十四謚曰恭節吳峻伯卒年

五十六張居正爲墓銘

五年辛未

公子鶴徵成進士選授禮部主事

薛方山與書云南宮報至甚慰素心舉家內外無不欣慰豈誠以功名富貴爲重事哉實以尊翁抱經世之略負大有爲之才雖嘗一一見之施行而終不免爲忌者陰沮竟賫志以沒是其所未顯者蓋誠有待於君也云

云

六年壬申

四月兵科給事中劉伯燮爲故總督胡宗憲訟冤得復官胡公以嘉靖四十一年冬被劾解官歸既復被逮入獄四十四年十一月以病卒於獄年五十四至是復官予祭

神宗萬曆元年癸酉

公子鶴徵重刊荊川集詳見著述考劉嵩陽卒年六十九

二年甲戌

公仲孫徵元年十七卒於京師公子鶴徵遣人以其喪歸

萬履庵赴禮部命北上遇之於濟寧哭而祭之以文履菴集祭唐二外孫徵元文曰萬曆二年五月初三日舟至濟寧遇唐二外孫徵元之柩哭之哀因以詞祭之曰嗚呼此仲子之柩也而吾胡爲見汝於此耶汝常時見我與吾老妻每偕其弟雙雙而來舅公舅婆語不絕口笑言啞啞今汝見我而曾無一言耶吾則哀汝汝之魂有知乎無知乎舅婆去冬聞汝之死目已雙瞽猶出涕淋淋滴滴也汝之魂有知乎無知乎汝生年十七歲未嘗離汝父汝母汝弟時刻也今孤魂千里而道途阻長而河流湯湯乃辭汝父母兄

弟將安之乎吾見汝汝低而不見汝父汝母汝弟痛哉肺肝乃我京見汝父汝母汝弟而不見汝將何以為生也吾年

來老曉日追多病讀身外茲中乾在世寧復有幾此豈可出一灑淚時也乃今鐫心鏤骨雪淚沾襟蓋未死一日則

有一日之傍吾固不能作東門吳也吾未有孫先見汝兄弟頭角森森竟育祖父固鳳毛麟趾也方茎高飛遽舉奪

墜昂膏豈意中道天折璧卒來沉旁人視之猶難已已而沉於骨肉之親乎嗚呼我言既竭我恨無窮汝其有知乎

無知乎割雞酌酒薦於墜丈冥冥之中猶冀汝魂來一饗也嗚呼哀哉徵元考凝庵公長子仲子不列於譜僅於徵

熊世系下註曰行三二字顧涇陽撰徵元墓誌銘曰教子有兄二人伯曰孟孫早卒仲曰徵元仲在懷抱中能解

文義以口授以古歌詩衛事則援以證凝庵之長子名曰孟孫則以涇陽文知之也徵元之名再見于凝庵祭文徵元

之年十七而卒又惟據此祭文而知之據涇陽文則徵元早慧宜凝庵公哭之慟也唐氏譜作於凝庵公而不以其

二子列於譜者未行成人之禮也是古人之能義以義也凝庵之出長孫即以陸平泉之薦再辭不獲而起之

華鴻山卒五月二十七日年七十八楊虞坡卒年六十八謚曰襄

毅薛方山卒閏十二二十日月年七十五

方山受學於邵二泉寶呂涇野柟歐陽南野德張夏雄國獻徵錄方山傳云二泉既沒人有謀據其故第者（二

泉無子）仲常不違怨爵徵然白於當事借同門莫同華堅舉即弟為祠以拒從之後顧憲成允成兄弟以倡義

來學牆草席設拜畫甚恭仲常侍器之呼二孫數致數教相見後告成進士自二泉歿後幾及入十年爲萬曆

甲辰西東林再閣擯其中者實惟仲常爲貴桑洲日先生爲考功時置龍谿於察與爲者以爲逢迎貴僕其實

龍谿言行不揰先生蓋借龍溪以正學術也生嘗及南野之門而一時諸賢不許其名王氏學者以此節也

然東林之學額學源於此豈可終哉

是歲秋公子鶴徵出使秦中萬履菴贈之以詩履菴時官北大宗伯

與菴公同在京師詩日彌擔妻子客長安余亦寒顏總一官早歲傳經心事在暮年秉燭別離難身將周與

數同路指秦關入大觀想到隴頭聽念我夜深北斗劍光寒壯年仗節意何雄百二山河指顧中函谷依徽

賽道氣咸陽彷彿舞璧宮且看客部乘槎去正值降王鼓塞同發尉指思在何日歲寒江上報歸鴻乘龍當日

重門聚此秦提濤庄瀉臺邱陘技途堪臺淚說言先達可彈冠光搖劍氣星河動翼奮飆宇宙寬知子平生

多達志好圖形勝入來看又送別玄鄉因憶諸子詩云夏日江頭別五男欲風送汝淚仍含久孫禪理虛疑定

一鄉慾自不堪尋使三關中行輔節家人庭畔各分甘嗟予獨客垂垂老風雨三更夢草菴鼎元考擬菴公三

葛中有所謂北遊稿者卿使秦諸書也求之今尚未得面疑菴公使秦歲月則以履菴詩知之耳考履菴萬曆

元年十二月任北大宗伯在二年夏五以京以履菴詩子敘之知疑菴之使秦是歲秋也靜志居詩話云劉

川譔履菴貴陽以後詩曰譔汝出頭又云履菴肆宗華褒君集未殊鉅此數詩亦可見一斑矣王季齋集亦有

閿鄉道中值唐凝庵使陝東還詩蓋季齋以忤江陵謫倅成都也

三年乙亥

萬士和致禮部尚書歸以不附張居正也

四年丙子

董后峯卒年七十四公子鶴徵撰行狀黃斗南卒斗南起復仕至南太僕卿引年歸斗南本姓廖爲士人訛爲黃遂姓黃萬履菴爲墓誌銘曰余弱冠從荆川遊先生數舉公高風相砥礪云王仲山卒年八十

趙大洲卒年六十九謚曰文肅

錢受之曰大洲公剛忠英偉稱其氣貌議論慷慨有孔文舉蘇子瞻之風身任天下之重百折不回爲詩駿發突兀自放一洗臺閣嘽緩鋪陳之習尤爲雄快殆千古豪傑之士讀之猶想見其眉宇云考大洲好禪學著世通出世通二書未就而卒嘗與趙浚谷書辨學禪無害於忠義報國二公均偉人也

五年丁丑

公曾孫獻可生履卷集喜唐徵執外孫得子詩云跋得初生子吾爲四世人獻麟天降麟芝草地挺

珍甲第傳家箴儒林發武新定然成宅相何用問星辰自往云偶值祠堂生芝九月編修吳中行

劾首輔張居正不奔喪廷杖考發庵與吳復庵情好若兄弟孫愼行爲發庵墓誌云翁

成進士選禮部主事時江陵閣翁才急不羈之不就尋中以舒録復庵拜杖意在發庵被難後叢然發庵方尚意

氣必疏以爭不讓鄙南皐等事美也發庵復庵成進士同出江陵門面發庵之不附江陵有父風矣

十年壬午

春同安洪芳洲爲巡撫勞堪陷於獄卒年六十七監慶元年巡撫

御史王憲爲詰不法事明年巡按部先先復劾其大郭十三是時芳洲爲刑部左侍郎奉勅命往勘閩廣副使

施爲臣賊憲爲詰書饋芳因持之憲建白盡日試冤之盡篤臣日王反矣使卒五百圍王宮芳洲日

匡夫犯重辟求訴同官尙當審羅況王親乎運報命言王貪暴捏虛事有之願實未嘗叛張居正家荊州故與憲媾

有隙嫌芳洲不坐憲庇反乃族言者劾芳洲歸抵家忿猾撤自持好言有司短長居正父喪謀奪情芳洲聞之志誣

之及閱趙用賢吳中行有疏被杖芳洲貽書辭之有勞者與芳洲索不協爲擬建巡撫希居正意飛章劾之命未堪

下卯擒芳洲置之獄其飲食饋親屬莫得至獄卒妻抄墨之死堪謂其向在蜀中得同生葬死三日禁勿殮屍

齋獄中晉江士諸日發拜獄門入進居大僚收驗之堪下諸司錄錄獄籍誣以頌奏後廣請事報上居正大喜召堪
爲左同都御史未至京而居正卒芳洲子都察院檢校棊訴寃闕下堪飛書抵焉保館鏡籍廷杖遣歸給事中李廷
議條上冤狀齊議令堪同舉寃發既而給事中孫瑋益發其事並及堪諸貴虛狀疏復訟父寃發胡檟王宗載事諸
與堪俱死乃下堪獄讀戍定海詔復芳洲官競補藝歷上林監丞貴賜還判一時阿堪意錄獄者相繼寬遂士論稍
傳芳洲居官廉豫以名節自礪平生學行敦事卓然可稱獨不能含章免禍云以上節操福建通志洪新選傳又云
按列選按通事明史述王傳得瑋傳及林士章所撰墓誌與名山藏閩書諸書皆言其不坐王反惟野獲編謂其銘
錄不逮餘力以明史諸書證之獄無其事至楊順黨發崇納按械塞啓發死不敢辜然發罪者吳時來定獄者鄭曉
乃謫朝選發之以媚華亭尤不可信鼎元考世有以洪芳洲發揚順爲據徐少階相國後芳洲爲勞堪所發謂爲天
道好選故福建通志按語云云夫楊順者仰與嚴世蕃合謀殺沈青霞者也世俗議論無好惡之心一至於此令予
發歎矣遵巖集與李中谿書云吾鄉洪芳洲先生文直得韓歐曾王家法與唐荊川君最相知其所作視荊川不啻
王深甫之於曾南豐張文潛之於蘇東坡充其所至嘗爲本朝名家而其爲人峻嚴忠信卓然有古獨行之操不以
世味緒衰亂志尤爲荊川所發朱竹垞云時唐應德王道思韋銳意古文詞彝臣韓不與入才子列而實聯鑣並驅
鼎元考荊川文章交諸之深遵巖后與外爲芳洲集門所不逮也芳洲以守正修死而明史無傳故摘福建通志補

之如此萬季野新樂府洪侍郎一首序云萬曆時刑部侍郎洪公朝選家居爲大學士張居正所惡及勞堪巡撫福建會有訟洪公者堪知居正素惡之也急摭置於獄三日而即瘐之堪得召入內臺未幾居正死堪論戍觀海衛詩云侍郎死真堪悼中丞咸毋乃暴借問胡爲殺大臣欲博相君一微笑但使相君肯解頤安顧他人髓骨糜髓骨糜他自悲且得好官運我爲羅盡手原神逮（堪將治洪公先移書於居正居正報書曰閩人殺猶非公譯屬手無以治之）侍郎何辜遭爾罪昔年曾被相君嗔不道中丞嗔更酷侍郎非仇何見嗔此嗔爲因爲相君相君一嗔猶可解中丞一嗔即殺人噫嘻中丞自謂巧可憐冰山不日倒異時亦向海濱行誰遣好官長得保李彥和見聞雜記云張（江陵在朝氣焰凌人意所欲爲事不必面囑亦無煩作書承塋者悉逢迎爲之殺人求媚不可勝記其最慘者有吳士朔南直隸寧國人曾上書詣江陵而當事者又不欲杖死顯示人令獄卒絕食飲數日間乞食不得飢弗能忍初咬所穿衣衫既而咬木柱齒落痛慘備極死恣行法外之詩發怨傷天地之元和自古未有酷烈於此者萬季野新樂府近人崑山趙詒琛刻入又滿樓叢書

公孫儆純舉於鄉

十一年癸未

公弟子姜寶起太常少卿提督四夷館廷善前以南祭酒爲高新鄭所惡罷

歸者祀十五年皇甫子循卒徐少湖卒二月年八十一謚曰文貞明史本傳云萬曆十年階年八十明年卒又云階立朝有相度保全善類嘉隆之政多所匡救閒有委蛇亦不失大節

王龍谿卒六月子循與龍谿年均八十六

讀徐少湖撰王龍谿先生傳（見世經堂續集南京國學圖書館藏本）會三殿災（據明史應作九廟災此誤）部求直言六科疏薦君學有淵源宜使備顧問輔聖德遂試君僉學面罷吏科都給事咸賢官君同時爲（明刻本龍谿集本傳有南字）武選郎再疏乞休致司報許終養矣嘉靖年當考察貴溪使人寄書考功某（集傳作貴溪使人謂南京薛考功曰某僞學有明旨卿不一人不可遺之（集傳作當首及之）考功畏公識未敢決而時知君者交以書責考功太史荊川（集傳有書字）至以爲不復知人間廉恥事考功怒遂力去君以決意而因厚自結於貴溪（集傳無此入字）[illegible]

鼎元考方山南都察吏時夏貴溪方罷居山中於何而掾人方山於何而用勢史册具在鼎元（前巳言之矣少與方山交情甚篤然龍谿然結契不可諱不深吾試言之嘉靖十六年方山爲九江倡學義授少卿提學浙江通志方山署白鹿洞書院（見薛氏家譜方山公記）二十二年少卿除北祭酒北上訪方山於五牧里居與李荊川方山顧談至夜半自云諸多不經人道然要之不評論至人卿與方山共舟至南都而別（見世經堂正集

與鄭文擧書)二十六年方山喪父竹泉公少湖爲之誌墓甚道方山之賢(見世經堂正集)二十九年方山入都
官禮部郎嚴分宜面謂方山云徐少湖是君鄉里相厚固宜云云(見方山答華師會同)是少湖之與方山相契
閣諸人人矣而翁東厓之卒也少湖以誌墓文屬方山代己爲之(見方山文集)夫在二十六年以後之事均方
山筆察以後之事使方山果有愧鄭之行少湖卽與之絕可也願生而厚之死而誣之可乎且少湖始亦由於
貴溪之提攜誣方山並誣貴溪矣吾又考之薛氏方山公紀略有云隆慶元年首相徐存齋(卽少湖)被御史齊
康論劾極其醜詆猶居位如故方山念舊日交誼貽書促之致仕速其歸至次年始去意者少湖官情獨濃方山
詞語切直致大拂其意豈高新鄭不勝轉而遷怒方山乎嗚呼此進言之所以爲難也龍溪被謫猶能拜方山
面諍之然於少湖以盛氣諂焉己而譏方山不能爲使役之嗚呼此講學之所以不易也皇甫子循局中人也(爲
南發勳)見閱更切於少湖其說無邪考察一事(詳見前二十四年)可謂憤切矣然極其辭不過日同論賢不肯蹈
其所素嫉而留其易與以快己私而已未有云逢迎夏貴溪也是知逢迎貴溪之說實始於少湖爲龍溪生傳
時不待方山九原難作同時諸公皆已物故少湖日有人不能謂其無也于是李卓吾續藏書用庫門聖學心
傳皆發是說矣羸涇陽與海門弟子祁承緒書書海門孜之(見涇陽年譜)而方山孫支壹且云龍溪涇宦與方
山草家年月不合謂撫溪蕺蕺事邑人事相其撰方山掌南察擧亦主是說云黃梨洲猶以此事爲眞者未見

經語年譜之故而不知卓吾庵門皆以少湖此傳爲蓋本面經歸文臺猶著皆未之見也少湖原文書方山曰權勢又曰因厚自結於貴倖而龍谿集本傳則改權勢二字爲受嫌末一語則竟删之清道光時重刻龍谿集首列本傳則書謂龍谿被黜一段文字僅云論年被察去始刻龍谿集者卽陶門等蓋已不盡信少湖之說矣方山於龍谿逆黨白洛原及本州賢太守符青棻荊川自不能不有所不快荊川不能匿怨自不免對人有憤賢之論然必不至誣爲不知人間有廉恥事而論與方山書中言之此又必無之事也二公中年論學不合互相參敎終歸大同方山祭荊川文固自言之若至以書詆爲不知人間有廉恥事豈復論學參政之辭肆弱必怒豈發如方山者所能受而二公後日復何能觀面哉少觀原文中本無書字至龍谿集傳文始有之想爲龍門等所增愈傳而愈失真也近見薛子庸語有曰永嘉閣復貴谿浸子猶可言也分宜家貲千二百萬華亭（指徐少湖）莊田千八百頃則前代所未有也蓋元宵徐少湖一代賢相其區數實多萬曆初年之治韓日江陵爲之實少湖爲之基也少湖之子雖在里有買田事然決不至如此之多方山不爲賢者諱乃至與分宜並書此方山之失筆也然則少湖之書方山與龍谿日逢迎夏貴谿稔見此而爲報復之辭歟是方山少湖晚年交惡矣此君子之有始終爲難也

是歲萬履菴有送公孫傚純會試詩履菴集送外孫唐傚純會試二首云弦矢

四方價風志若爲瀛淚向江律庭闈始別經千里父母儔渠共一身莫忘君恩單奕葉好從祖武步高塵朝端倚有

杏衰老十載前爲白髮人之子英才幼出羣空齋嬰嬰謝塵氣風搏北海鵬生翼縣蹤南山豹澤文淡泊此心如止

水鑒名物外卸浮雲情操莫遺爲華擇忠孝家聲定有聞

十二年甲申

姜寶陞南太常卿旋陞南刑部侍郎

十三年乙酉

姜寶改南吏部侍郎張居正歿公子鶴徵復起爲工部郎

中胡廬山卒年六十九從曾孫際明舉武魁鄉進士九思

子也

十四年丙戌

從曾孫際明會試掄魁姜寶陞南京刑部尚書萬履菴卒

二十一明年七十一謚曰文恭太倉王元馭錫爵誌墓明年

丁亥葬於澗南公子鶴徵時爲疉卿先以行役得赴履菴

喪

十六年戊子

莫中江卒年八十一 公子鶴徵率其妻萬恭人北上

十七年己丑

王南岷卒謚恭節公孫儆純成進士選庶吉士字敬止號完初是歲十月卒年三十二無錫顧叔時憲成誌墓載涇陽藏稿胡宗憲孫登舉於鄉爲其祖叩閽請恩典諭葬謚襄懋

十八年庚寅

公子鶴徵自再起歷工部郎遷尙寶司丞陞光祿少卿又陞太常寺少卿以不諧時好至是告歸王鳳洲卒年六十五

二十三年乙未

公外孫愼行舉進士第三人官編修累官左庶子愼行字
聞斯號淇澳幼聞外祖荆川公論即嗜學數請假還里鍵
戶息交覃精理學爲一代名臣

二十七年己亥

公猶子魁徵卒字掄卿號震庵公仲弟仲庵之子無錫華
學士鵷山女壻也年五十王明逸卒年七十九

二十九年辛丑

茅鹿門卒年九十

三十年壬寅

公冢玄孫宇昭生

三十一年癸卯

知府歐陽東鳳贖龍城書院舊址（萬曆初張居正毀天下書院龍城書院亦奉旨拆毀鬻其地巷民）建先賢祠以公入祀焉

鼎元考當時以鄉賢祠所祀應祀不爵公論特建先賢祠合祀一郡五邑自延陵季子而下凡六十九人啟賢
公每人各爲傳贊曰晉陵先賢傳而折衷羣論建建諸賢者爲顧涇陽高景逸諸先生以詳方山之賢而不錢
入祀其最可知矣鼎元尚論方山實在應祀之列不知當日羣論出之者何說也方山涇陽師也涇陽之不排
羣論以入之豈以明其無私乎此亦賢者之過也（讀歐陽公先賢傳序曰詳學遠應祈之通經嗜古云云錢節）
皆所謂鄉之著蔡國之表儀參考未盡挂漏實多衆議給叔折衷匪易姑存之以待論定云是則歐陽公亦有
意入方山而沮於羣議者也乃嗣後歷有增祀皆未及方山方山請程朱之學律己甚嚴非僅通經嗜古而已
後經陽與方山之孫教皆增入而更不及方山何也豈以其嚴於繇以循夏責錢之誣猶惜衆口乎此予所
以不得不爲之辨也（辨見前）歐陽東夏字千仞潛江人明史附見顧憲成傳
鼎元又考顧涇凡（名允成憲成弟）于龜山之論蔡邑朱徐之俊曰大抵論君子不可越論小人不可越孔子曰
人之過也各於其黨觀過斯知仁矣又曰君子而不仁者有矣夫未有小人而仁者也必如是方不埋蕪君子
方不出脫小人乃萬古不易之斷案也又涇凡筆記一則倭奴侵朝鮮横甚道餓起莩通訪故及余曰此等事
我輩亦應理一番起華曰我已無意于用世矣余曰不要道等樣說且道我輩做了進士不要進士甚做了百
姓又不爽百姓苦是謂恩德若下爲者總食發衣服個人類中禽獸上爲者則乎吾心尊做個簡編中蠹魚成

慈廢學問既爲國家臣子須將國家事料理一番羹然我不用世學我所知以待用世者採擇亦不爲無以報
國也觀此則東林之學脈源淵緒泗面其識論亦祭合荆川之旨最當象口精精荆川之日主以先實祀荆川
面經陽且爲荆川作傳也段陽干例晉後先賢傳序又日鄉先生疫面可祭於社國郡無處數百人而此六十
九君子則其名實念起婿百代者也辨

後邑人更建三賢祠於東郭文成壩以公與方山先生合

祀

謝夏奇有碑記見邑乘壇廟志清洪楊後祠基被四鄰侵佔重經傍文吾師錢名山先生有與人論二賢祠書
略云二賢祠執業定東鄉夾城額字五百六十九號分平三畝有奇孝仁鄉東直國字十二號平一畝有奇
合四畝一分有奇牌坊可考至今被土人侵佔大半生猶指現存之二賢祠爲非二賢祠則此四畝畢將無
着落此振鐘之不能無疑者也二賢道德功勳爲世宗仰而荆川先生之力禦倭寇功在桑梓武陽合志列二賢
祠於理祀豈區區之理祠可與道論先生不知二賢之當祀但云今二賢之當爲觀音堂此又振鐘之不能無
疑者也先生又夾排龍王廟言之則又未審孫考誠實最初舊基爲國安寺二賢龍王武帝皆在國安寺境內
原基二十餘畝年久失考現今二賢祠畢四畝才及五分之一必無龍王廟基地在內龍王廟倘別有基地公

可另冥之決不可與二賢知識

三十二年甲辰

公子鶴徵南遊訪友歸撰南遊稿

節吉水曾公同亨南遊稿序吾嘗貽書元卿請王文成之學疏傳於吾吉今先輩凋落殆盡獨塘南王先生真修妙悟爲吾黨赤幟巋然若魯光之獨存君得無意乎元卿開之證以書問學於王先生及得王先生報書益大喜歲甲辰姻家吳直指按江以西以書幣迎元卿遊匡廬之勝元卿欣然買舟東下渡錢塘踰嶺讀玉泓彭蠡晤直指於白鷺之渚遂請王先生連日夜語多契合返舟訪鄒吏部於文江又東訪李中丞於武夷北訪徐太常於三衢各據所自得者相與商榷歸而以諸君子所問答及途次贈貽箴規之作萃爲一帙曰南遊稿元卿天挺異資又以荊川爲之父師淵源有自逈出尋常吳中自魏恭簡以來六十年間士大夫少讀朱陸之書者元卿比歸偕顧高諸君子會於龜山書院以其南遊所得者大闡厥旨將來東南列郡彬彬嚮風元卿興起之功大矣又墓誌疑庵義在官疾瑟最大義指一而言篤了百千言立辯究極天文地理術數陰陽曉年折節理學

知府歐陽公士修府志延公子鶴徵任總纂知縣晏公文輝以武進大邑無志乘請於府聘兼任纂組

三十三年乙巳

武進縣志成凝庵公及晏公並有序陸平泉卒年九十七謚曰文定

三十四年丙午

公子鶴徵起爲南京太常寺少卿

三十五年丁未

公玄孫宇量生

三十六年戊申

公玄孫宇全生

三十七年己酉

公從孫貞明舉於鄉

三十八年庚戌

公子鶴徵南太常告歸纂唐氏譜牒成任採訪之役者荊川從孫徵成也凝

庵公序略見前重膺府主劉公聘總纂府志凝庵公赴南太常志事中輟至是復任纂

墓公季弟立之卒年八十二字應禮號敬庵荆川公殁後

胡梅林欲屈致之許以參戎不往也公子鶴徵誌墓春元敬徵

敬庵公詩優勞幕府示弓旌豈屈奇才障一城解選由來天爵貴可知堂上有難兄

四十年壬子

顧叔時卒年六十三謚曰端文

四十六年戊午

重修常州府志成公子鶴徵自爲之序

四十七年己未

公子鶴徵卒年八十二甥楨行誌墓明史附見荆川公傳

明儒學案及江南通志郡邑志並有傳

郡志傳唐鶴徵字元卿號凝庵武進人隆慶辛未進士授禮部主事歷官太常寺少卿請以陳獻章從祀文廟得允既以言歸重起南太常計擒妖人劉天緒又疏劾璫殷屬丞得旨嚴治人轉忌之遂病免所著詩文若干卷郡邑志若干卷（詳見書目考）黃梨洲云先生始由意氣勝之以圖林絲竹而後泊然歸之道素（明儒學案）病

草時聞楊鎬兵敗遼東失松山杏山與甥慎行相對流
涕（見孫文介挽詩注）鼎元徵復齋庵公詩劍甲胸中十

萬絲英雄學道有橫渠幾才雨
世難爲用千載令人悔讀書

光宗泰昌元年庚申

公從曾孫繼寅貢成均仕廣平清和縣知縣海莽公玄孫

也

熹宗天啓元年辛酉

公外孫孫慎行召爲禮部尚書首論李可灼進紅丸李選侍

不早移宮直聲動天下繼爭秦藩賄封事忤旨引疾去魏

閹用事以紅丸案戍慎行寧夏思宗立赦免復官力辭不

赴

六年丙寅

高存之卒年六十五謚日忠憲

七年丁卯

公從曾孫士嶸從玄孫德昇舉於鄉德昇克庵孫一鳳子

止庵姪也

思宗崇禎元年戊辰

公玄孫宇全貢成均

二年己巳

公曾孫獻可詣闕爲公請謚帝御撰謚襄文云劉念臺曰易名之典五年一舉至嚴也至尚論於百年之後愈嚴矣

列朝詩集小傳唐獻可字君俞武進人荆川先生順之之曾孫太常少卿鶴徵之孫庶吉士效純之子也讀書任俠崇禎初詣闕爲荆川請謚不就落魄歸而家益落有大志無所展慨快而卒士論惜之有三才子皆以制科有聞（君俞爲荆川請謚事吾唐氏譜無載）

金壇王彥泓贈君俞詩序云樸園（君俞外號）續翁幽棲久矣忽走京都人咸以官情疑之余獨知其不然也既面爲荆川先生請謚朝奏疏夕報可客復有進議者曰見時爲陳荆乞一藍得旨如寄耳暖然日吾融走貴塵爲先公易名而字耳今幸邀主恩歸報家廟安能更食[illegible]爲故山猿鶴笑耶飄然策蹇歸逍遥林下余竊怪向之[illegible]

詩云中丞啟擎擧藹芷一代文章推正始發身骨漢更夷猶斂手鬣瑜綜百史曉歸綜銀培庵廬扶桑清要綰

琥襟大星空伴忠魂頭光祿何曾敍雜金璧明積世搜韻鳳義簡殘編百朋重四部彙廬丙夜觀入編特賞經

時塢李牧功名異代思買生壽策文孫用日月昭同冥漢光風雲掩映標湘勳落落名孫饒祖風揚書千卷寄

雍容歌娛當鳳吹簫碧辭怨棠梨落韓紅奇文弱冠人倩詩俠寶風塵爭引重潘岳家風首述詩壁擬世衛先

諫頌千里瓜裝獨雪行不求身責謂公卿情許曾向情時吐名世真僧佇易名聖主從前勞寵寐寬書未半儂

宜驛不用詞林蓄例沿雲章親定褒文字同俗方求樂教孫拔文至錄瓊（一作漏）明齋豈知骨性自煙賈冥倫

早已諷然尚松桂讀芬滿舊山酒鐙茶白掩柴關實將馬鐙塵千角換却逸竿水一灣幅巾東路狄尊美惟有

狂吟頌天子徽骨難投世網中才名不替家聲起家廟焚費享畫成不擲野服拜明始從來相業山中事衣白

何坊是毀人

朱竹垞日制川閱濟之才閔攬百家辟不發會報然自任天下之重倭人漢患志在摔牧圖以保鄉曲是時晉

師之蒙惟而江海林是寄公舍富局二人誰可與談方略者瀨不知者以公為雨江所薦介鍰所知因此薄公

豈惟昧埜知人井不義時務者矣其建平倭之策謂書禦之府外故北自崇明南至皎門乘經破張身作先鋒

讀勞而頌是豈事能贊述功名者聊襄文之盛允符公論也已

子貢曰君子一言以為智一言以為不智諺曰開口見喉嚨凡論人而不當於其人則其所言之良否皆己之見錢孫也世以阮亭與竹坨並稱阮亭之識荊川也如彼竹坨之識荊川也如此豈止錢之與孫智與不智而已哉

凝庵桃溪劄記荊川公所纂諸儒語要一則曰管登之嘗分別學有透得乾元者有只透得坤元者此千古儒者所不能道語亦千古儒者所不可不知語透得坤元只見得盡人物之性是當爲之事猶似替人了事惟透得乾元纔知盡人物之性是人不容不爲之事直見了自己事

荊川公兩漢解疑朱穆條曰朱公叔穆兼資文武自樹忠清祿仕數十載布衣蔬食家無餘資常著崇厚論以刺薄絕交論以矯世疏除閹宦不遂乃至憤懣發疽而

卒蔡邕謂貞而孤楊龜山乃謂穆從梁冀僥辟烏得爲
貞又謂邕之從卓無異梁冀故不以朱穆爲過而稱之
楊氏之論何如解曰賢者處世當從其時擇主而事賢
士之則也然止可行於列國各據之時至天下一君舍
此則無所之矣士不欲出而圖君則已苟出而圖君必
待夢卜之求後車之迎世道陵遲何所得商周之令主
哉不得已因人而進第顧其後之所處何如耳如因小
人進卽與小人比是黨惡也是失己也苟進焉而忠正
自持鋤強抑暴此正疾風之勁草傾流之砥柱也如張
稜爲梁不疑所舉乃伸國憲以報私恩楊震爲鄧隲所
進乃著清白而昌奕葉初何損於善艮哉楊氏諄諄以
朱穆過亦未達於時也鼎元謂龜山以朱穆爲過然其後應蔡京之召者何也豈亦自
信但在己之立身如何以前說爲未爽至遺乎

王龍谿曰大乘禪宗尙不肯作自了漢況平生種下萬物一體眞種子世間痛癢關心天機感觸隨處生發豈容自已又云鄉黨自好與賢者分明是兩條路徑賢者自信本心是是非非一毫不從人轉換鄉黨自好卽鄉愿也不能自信未免以毀譽爲是非始有違心之行徇俗之情此龍谿之言高明如荆川安得不拜

羅念菴曰凡自修者於毀譽有何干涉吾輩所致力者豈能取足聲聞哉要亦矜飭於獨知之地而已爾使其心非僞耶卽天下一國非之吾亦何疑何也吾信吾心人言不足爲吾損也使其心有僞耶卽在邦無怨在家無怨吾且自慚何也吾未信吾心人言不足爲吾益也此卽荆川公人以我爲豪傑亦只是這箇人人以我爲污染亦只是這箇人之意又曰吾此中若天然毀譽好醜咸無與焉夫安得撓

鼎元考以上溯則荆川公孫之先儒取之石友平日講翁垂爲家學述以爲晚年出山張本者也伊尹之視天下有飢者由己飢之溺者由己溺之孔子之棲棲皇皇周流列國孟子之當今之世舍我其誰皆遊之得乾元者也後世聖學不講以恬退爲至德視氣節爲無倚矣不知後世之所謂氣節古之猶者之所爲也未至於道者也後世以鄉黨自好者當猶者苟有仁以爲己任出而欲行道教民則羣怪駭之荆川公當庚戌歲虜逼都城奮致磬身勤王及至癸丑以後南倭北虜交至遂浸萬民困懸汲汲不可終日又非以庚戌歲比矣公又痛心疾首於倭賊之兇殘誓不與之俱生矣又數數登御史壘說總按周覽所破賊矣而公此時道既透徹學亦大成其致積手以救斯民以報國家之情急也使朝廷不起復公公必自出請纓如庚戌歲之欲奮身勤王又可知也然爲文華一薦朝廷召公公韓後倜聽諸不能決者何哉彼後之人紛紛所以議公者公豈不先窺及之然是寔也朱子之所謂三則私意起而非任道人之所宜有也及念菴責之以柰此三金革不得辭雖之日而與徵士寔士翁出寔兄平生學力安在公于是乎訣矣這既出山嘗日人謂我豪傑只是這箇人請我污渠亦只是這菊人幾一切化手毀去詩爲一忌不可及之人矣嗚呼並時苦爲念菴這德最高海內所宗依者也而勤公之出陸平泉世所仰爲模楷鳳凰吉也雨集於楊州官舍薛方山謂朱子學識論最嚴者也周動後勸分宜萬死而一生者也卿公之弟子若萬恩節美廷善亦均以件分宜被戮者然無有以公之出爲非疑其有依附分宜

之情者及公之役也念著爲下福之儀方山有魏故之哭新民則奔弔公家人心至神至微不可敬使公出山之後而目稽改其何以得此於諸公哉而公之傳作於顯故時公所釋諸儒論要序於高景逸公襄文之論觀撰於莊烈帝莊烈帝最最之主顧高東林領袖而顧亦學宗禁錮不輕放過人者公論定久矣彼紛紛之譏何損公之毫末哉

薛方山起建有曰狄梁公豈直社稷之臣哉推其心萬物一體而無間者向使其功不成而此心不白於天下亦安然受之矣又曰漢諸葛武侯唐狄梁公宋范文正公皆三代以上人物豈惟功名事業而已哉雖謂之聖學可也方山之論狄梁公如此知其深契荊川晚年之出矣宜其哭之哀也荊川曰人以我爲污渠只是遠箇人即方山所謂此心不白於天下亦安然受之

四年辛未

公曾孫獻可卒年五十有五君俞好客座中賓客常滿薛堆山案爲墓誌銘曰自江南以迄海內凡胸中有一點墨瀋耳中有先輩姓氏目中有烟巒樹靄篆籀鼎釜形者無不字而頌之曰君俞君俞詩自眉山漸近輞川書法米襄

陽畫在董巨黄倪間學使者以朝局心慊太常遂以青衿終以曾孫執玉追贈兵部尚書著有桐花碧風秦維揆仙雀門行行鵲樹桃谿八集薛堆山字諧孟方山玄孫崇禎辛未進士仕至開封知府國亡後爲曾君粂所著八集今無存僅於列朝詩集中見文白門江上七律一首耳鼎元敬傳君粂公詩二首七葉譜撰公子尊猶欣未見拔邦論信交廣坐延賓客儒俠屠沽盡在門北海才名四海款龍潛大壑發長吟人間八集無尋虞冷畫山林著述心

七年甲戌

公從曾孫士嶸成進士字靜甫號損占鄉貢士貞明子荆川叔祖父月樓公五世孫也

八年乙亥

朝廷以公外孫槇行操行峻潔爲一時縉紳冠會推閣臣咸以槇行對命下已得疾入都未及陛見卒年七十四劉念臺撰傳作七十二謚文介所著有槇獨義百篇傳於世尤善書法

劉念臺為文祭之並為傳贊曰予讀文鈔而知公之之書出入也靜章備老無所不得纖讀田思鈔而知公學一事

于正折衷羣儒克遵先學讀錄讀義百通而知公反躬之功依乎中庸讀一易二易三易四易而知公履躬率

河洛之原心存要患與時消息乎盡之矣及讀公奏議若愛惜愛量痛領里居曳尾諸記而知公于出處願晦生

死之祭無一不以言願行子臣弟友歸之健健之地是說稟義德而正中志天民之所志後千百年庶幾有以窺焉

公世號又云公晚好石更號石齋以自況生有異姿母唐氏淵川先生女故源淵有自

九年丙子

公冢玄孫宇昭舉於鄉

十二年己卯

公玄孫宇量舉于鄉

十三年庚辰

公從曾孫士嶸由南京禮部郎中出守河南歸德府歸德當賊衝赤眉銅馬充斥兩河士嶸築城濬濠日夜營戰守

九屬無恙明年辛巳告病歸

宏光元年甲申

八月公從曾孫士嶸以冢宰徐虞求薦即家起補嘉興知

府拮据措餉釐剔宿弊值選淑女中官及按部爪牙橫甚

以法力折之明年乙酉遷浙江按察副使整飭水利未及

上南都失守歸隱奉母二十餘年卒公冢玄孫宇昭字雲

客宇量字茂弘一字聞川宇全字人玉一字天客明亡兄

弟偕隱以不肯薙髮沒產有司迫上公車中途遁歸見邑志隱

逸傳宇昭自署半園外史夫人于氏善詩有半園唱和草子

于光字子晉號匹士工丹青與惲南田齊名有唐荷花惲

牡丹之稱見邑志藝術傳于光有女能傳家法常自署半園女孫

時王石谷及南田常主半園宇昭少時見蘇州陳元素元

素重之改其字曰孔明贈詩曰韋皋表表亦名臣諸葛何

嘗有後身兩字贈君原不薄數千年內只三人宇量國變

後焚棄筆硯爲生壙於荊川公墓右時淹處其中自號孏
雲道人年七十歲卒宇昭年七十一卒宇全年七十三卒
荊川仲弟重菴公有曾孫名獻恂字君知號絜菴魁徵孫
也國變後棄諸生業黃冠遁世嘗渡錢塘遊越中問遺民
以昔時江東戰守狀關中李二曲顒過江寓郡中一見莫
逆稱爲三代遺直年八十六卒獻恂子曰宇肩號若營工
米襄陽書承父志猶不應試鬻書自給江南通志稱其書
與惲格畫並珍於時年七十六卒宇昭書法與薛寀白銘
楊二溥爲毘陵前四家宇肩與薛瑎楊喬白萬爲後四家
云宇全有孫曰執玉字益功號薊門始舉清康熙癸未進
士於是明亡六十載矣執玉上數至荊川公爲六世雍正
朝官兵刑兩部尚書出總督直隸籌西征糧稽以勤瘁清
剛著稱名臣歿無以爲殮垂歿曰西師未還臣目不瞑也

清史列傳大學士孫嘉淦撰家傳侍講楊椿撰墓誌銘宜興儲大文邑人毛燧傳先後撰神道碑（大文撰神道碑收載大者獻類徵初編元）執玉有二子長孝本字念淳號復園康熙庚子舉人仕至撫州知府宰臺灣時悍弁結諸無賴設雅片館於曲房羣不逞倚爲狡兔窟孝本突於夜半密召鄉勇蹲館捽其魁行數里俄有脫帽短衣者數人持械直犯謂所捕乃營兵縣官不得治孝本下車并擒之旦日武弁率營兵數百譁而至謂縣官乃敢執千總大無禮吾等將致命孝本佩劍印升堂洞開署門傳命日朝廷自有法吾擒奸犯之爲亂者爾等敢助亂譁者乃沮喪愕眙莫敢動次少游號樱園欽賜舉人隨父柩歸哀毀卒自孝本少游以下荊川公子孫雖猶多讀書風徽未替然罕顯達者矣（謂以荊門公之勳業而無謚則以無賢子孫叩閽而爲之請也）

鼎元謹考荊川公生太學公凝庵凝庵生翰林公完初完初生贈尚書公君象均畢集吾愈有子三人長舉人

公雲客仲舉人公蜀川季贈尚書公人玉人玉公有子六四稱贈尚書公致堯致堯生文學公蘅禪大司馬公

荊門荊門生知府公復國舉人公發國荊川子孫在乾嘉時蕃衍矣洪揚之劫百不存一雲客聞川裔皆絕獨

人玉公一支存而人玉公昔之派衍為六者今亦絕其三存三四五三房鼎元則荊門公長子復國公後也吾

唐氏在明中葉清乾嘉以前為最盛其時若凝庵克庵之理學荊門之勳業皆足名世以壓於荊川公不著而

世獨知有荊川荊川子孫遺明傳鼎革之際可謂盡之六比之幼安靖節何多讓為不肖每讀諸公傳記而感

璞幼時大父奎參公為言有彌鐵槍一柄昔荊川公剿倭家丁擒同者嘗以之指往後門洪揚時失之近年寇

警海上譜是說思彌鐵槍不已

鼎元敬懷鄉庵公詩選百責冠仙鶴事猶尋遠老問前朝低徊折戟沉沙應鳴咽寒江聽夜潮

敬懷若曾公詩蘇黃米蔡諸翁後入十年間萬事非只有中庭新月好筆尖猶吐首陽薇

敬懷半園公詩半國才氣蓋山川諸葛龍川可比肩豈料市朝移易後只來石谷真南田

敬懷閣川公詩幼安著榻木猶穿土宅晉形莫問天坳笑淵明復多事漆詩尚懷義熙年

敬懷四士公詩家國蒼條付暮雲丹青秀稽奉展昏憤華家世真堪詔我是荷花十葉孫

敬復發堯公詩天賜嶺鵠昌故家由來孝友鬼神嘉致
堯詩草無妨夫只詠一眉棠棣花致堯公龔門父也以

孝友
啓後

敬復蘭門公詩門第江南第一家（用歸大文撰神道碑
中語）重從天中秀蓮花風雷直犯無廻遊遺草猶堪鑄

莫邪

敬復復國公詩潤開鈞閣劍送寥悍弁驕兵
發懷肝安得與州驚大筆段公逸事狀人看

鼎元撰荊川公蕭書樓敢（業久易姓）突兀破屋官衛旁
畫者比爲宛委莊搢保亢濂十萬卷天下爭說昆陵廣

（吳梅村詩嘉蔭以來蕭書家天下昆陵與鄭鄉）年珠事
達儼興裹空看仙叢僵鼎叢健昔黃門漢殿趙口銜天

寇逃番禺自出號門渡夜海歷經百國撰究都會稽羅
浮及閩嶠名山況多異人居廣探奇閱紀程草齊收秘

本指行車有夔巖定同生令纓嶺奇領偕宦旋月照嵩
山拜石室雲閒燕從役墨選鬼呵神護須攜守爲開大

復安百廚襄文兵出編緣華準詩事公途唐寅兩世造
成絕代儒九區發此一變書小子慈矣十四業宜生荒

味草設墜（鼎元所言孤村四野之中雜爲蔭門簡書舊
瀷實然歷經兵燹琴書無存矣）故家喬木陰巳遂一文

苦荀穿粟石偃莖乞鼓散行書終以孤墨荒豪桑常逸
詵段隨埃塵獨遊血胤污賢哲我公藏書肆已散公志

俠俠則可見沉有入廟函天地荊川一集流行漏歐薛
韓柳抗光鉅堯舜伊孔賈一樂場場斯民爍鑿心披愛

奔放淚流面莣教一息存海島千載貴泉有餘城圖家
何日復乘鱗小子前行佩吳鉤鵠稱萬溉故碧流盡翁

綜觀無一留伐取扶桑長百丈載歸重葉藏
書樓還灼餘齊讀公集鄉要亂縱蒼西願

燭鐵槍砍燭鐵槍千年物寶光凜凜鬼膽寒點點斑斑
老蛟血上可正日光旁可成發斂老將家中神護藍看

殺只作尋常識豈是歲久能變化六十年來
尋不得國家今正用爾詩誰乎誰乎合當出

明唐荊川先生年譜卷八

十四世孫鼎元謹輯

十二世孫　肯校刊

錢家驥

鄉後學周仁泳謹校

崔　龍

十四世孫　斐

纘道　仝校

褒崇

巡撫劉景韶奏請卹典疏

疏云竊見故巡撫鳳陽都察院右僉都御史唐順之忠誠報國慷慨任事頃蒙恩起廢授兵部職方司主事陞本司郎中敕查閱薊鎮兵馬奏補主兵三萬餘名諸邊

客兵乃得減調條陳邊務一十七事兩邊積廢因而振復尋改浙直視師凡浙之東西江之南北一切地方險夷無不偏歷水陸戰守悉賴經略且其親犯風濤横厲海上截賊初來斬倭首一百二十三級擊沉賊船十有餘隻繼陞太僕寺少卿轉通政司仍舊視師浙直等處一聞淮揚警報忠義激發遣兵應援遂成姚蕩之捷凡斬倭首四百七十八級旋即躬擐甲胄引軍分行親冒矢石直搗廟灣之巢斬倭首四十四級迨三沙遁賊再寇江北本官又復親督總兵劉顯過江戮力剿賊斬倭首一百七十級前後功次俱經各該巡撫御史覆覈明白奏報在部荷蒙聖恩三次賞賚順之銀兩表裏有差後陞鳳陽巡撫到任未幾即巡歷江海兵將怯弱精選易置地方險要分布防守雖除夕元日猶在海壖巡行

卒猝須臾之間至於諸凡待敵禦寇之具鮮不畢備且可爲民安養之謀罔不曲施及因江淮飢荒異常殍死者枕藉於溝壑轉徙者相屬於道路本官晝夜苦心策慮多方措處錢糧分投設法振救故今歲江北倭不爲患民多全活者實賴本官經略先聲區畫振救之力居多也以致勞累過度遂在振濟地名姜堰舟中溘爾奄逝三日之後方就棺殮士民父老皆爲痛楚感泣且易簀之際猶口授責辦救飢方略攝治軍書不置視昔人病革連呼過河者三真爲不殊若順之者誠所謂鞠躬盡瘁死而後已者矣但即今屍棺暴露尚未入土聞者莫不重爲哀傷臣伏覩大明會典內一款凡在京在外文武官員不拘品級其以死勤事者恩典取自上裁又一款若官品未高或以死勤事特恩賜謚者不拘常例

欽此欽遵臣又查得原任甯夏巡撫吳鎧順天巡撫張嵩俱以右僉都御史身故俱蒙賜給恩典及查延綏巡撫右副都御史張愚在鎮身故該總督三邊軍務王以旂代奏亦蒙特恩優卹臣隨移咨總督浙直福建等處軍務兼巡撫浙江地方太子太保兵部尚書兼都察院右僉都御史胡宗憲照唐順之品級旣與吳鎧張嵩相同死事亦與二臣無間所據卹典似應比例請給臣又惟人臣受職於君固有崇卑之議而任職自靖實有難易之分若使尋常守位者却荷殊恩而勤勞死事者不蒙褒錄將何以風勵忠勤明彰朝廷報功之盛典況臣與本官先日同事今復代任親見其赤心報國以死勤事甚爲詳悉倘臣甘於隱蔽不爲奏請是臣泯後人善豈爲國酬忠之義伏望皇上憫念唐順之抗身軍旅夙

夜匪懈不憚勞瘁廓清海氛底甯疆宇功在邊陲歷有可紀乞敕禮部再加覆實並查本官生平學行事實不拘常格議擬上請特賜褒錄庶國家報功之典益彰而勞臣致身之績不泯忠魂永慰於泉壤而人心愈勸于將來云云讀此疏荆川公禦倭功績昭然幾經審核非可文飾乃丁元薦西山日記記荆川事四則四言兵敗且日兵敗參死吾不知其言何從得之劉景韶字子成號白川崇陽人少時貧無書可受往往從人所借鈔又不給則間行之肆閱之歸而闔誦且誦其義中嘉靖甲辰進士歷官按察副使治兵防海賊倭功最多代公迎接鳳陽劉官西曹日與李于鱗王元美吳國倫交最深錢三代及其本身墓銘墓表皆出三人手面讀之頌荆川公功德如此可謂出於公道矣

總督胡宗憲奏請卹典疏

疏云已故巡撫鳳陽都察院右僉都御史唐順之幼稟異資早魁多士出入史館允匹班馬之儔肥遯山林實係黔黎之望已而德望益彰聖明簡在銜命趨事既見

猷爲始焉振兩關之廢墜邊鎮幸藉其餘休繼焉淸浙直之侵氛士民咸稱其美績扁舟航海凡達洋僻澳皆足跡之所臨單騎當鋒雖勁敵在前亦奮身而罔顧且一夫不獲若己之辜故振荒徧歷窮濱死尙爲之區畫今准都御史劉景韶備開前因實出聞見之鑿鑿可據然止以事業而言未足盡本官之生平至於功勳著述實能繼往而開來義嚴取予足以廉頑而起懦究心性理之學造詣已極于真純力革浮靡之習人文因之而丕變其于世教裨益良多臣與往來於養晦之日出入於兵伍之間知之獨深不忍見其湮沒旣經查有前項事例相應比請云云

上耿提學請從祀荆川先生議　王升 世新

謹按祭法曰法施於民則祀之能捍大患則祀之以死

勤事則祀之法施於民者謂真知實踐動爲世式者也能捍大患者謂捐身犯難戡亂安民者也以死勤事者謂孜孜奉國志决身殲者也有一於此皆祀典之所必錄聖世之所必褒而況三者之兼備乎竊照武進大儒故部御史唐某夙禀異資早尋墜緒精詣絕識卓爾不羣蹈義履仁確然不舍破俗學之迂曲而性道之本原已探養靜中之端倪而神明之妙用斯得臭味色聲不起一念言語文字俱爲前塵有精金百練之剛而鑠之者不見其變有壁立萬仞之峻而就之者祗覺其温故一言之出通國以爲蓍龜而一行之成天下視爲模楷況纂述垂萬世之規文章發千古之祕其施法於民也不既大乎迨乎南北多虞痌瘝在己應召而起重委不辭北使薊遼則夙夜歷冰霜乎塞垣而嚴覈什伍邊關

爲之振飭南視吳越則赤日策戎馬於炎海而矢竭謀力妖氛爲之廓清其爲國之光爲民之福亦已多矣謂之能捍大患不亦宜乎若夫淮揚節制之命正其厄贏抱病之晨然且設振荒之奇策活萬命於師旅倥偬之中晝殄寇之遠謀置一身於生死存亡之外不幸事垂就緒而營中之星已墜矣此真所謂鞠躬盡瘁死而後已者也而以死勤事誰能過之夫由其法施於民也則雖進而侑食于孔庭可也由其捍患勤事也則雖小而顓祀於一方亦可也夫何督府之移文雖久而有司之奉行未稱廟宇則因陋就簡不足以妥乎神靈祠額則舍大取小不足以副乎瞻仰此有志聖學者之所深嗟而當道崇儒者之所宜亟圖也而好議論者又因其出處而訾之曰先生早年抗疏辭榮慕夫高尚之軌中歲

葆真繕性幾干山澤之臞而輕身一出立躋膴顯無乃詭考槃之永矢取終南之捷徑歟此疑先生以富貴爲事者也使其誠以富貴爲事也則委蛇翰林優游歲月自可以坐致乎卿相何必蹈危履險而後僅得僉都之職也哉夫不爲其易而爲其難不慕乎大而慕其小此豈近於人情乎議者又謂先生懷材抱略鬱鬱未伸故求試盤錯將以別利器也求處囊中將以昭穎脫也此疑先生以功名爲念者也使其誠以功名爲念也則假令久處乎翰林天下之文章復有能過其光燄者乎假令久處乎兵曹天下之經濟復有能擢其鋒鍔者乎夫士之以功名表見於斯世也自文章經濟之外無多術矣先生皆不得而讓焉則雍容廟堂動望不憂其不隆舍此不爲而必欲崎嶇戎馬之間以希冀不可必成之

事此豈近於人情乎然則先生何爲而出也爲道而出也其爲道也奈何仁義而已矣一物不得其所非仁也天威違於咫尺非義也是故先生之出其不能自已者時也乃所以爲仁也其不容直遂者勢也乃所以爲義也何也蓋先生少年徵近於狷及林棲二十餘載克復功深充養完粹剖藩籬融人我天地萬物通爲一體疾痛疴癢舉切吾身雖草衣木食之中而國事之臧否生民之休戚每惓惓焉初非果哉之徒長往而不返者比也故南倭北違猖然內噬心切隱憂思一引手拯焉而具又在我是故苟有用我者吾斯行矣期以盡吾實心展吾實材以施諸天下之實事而已其難易利鈍生死安危皆有所不計也而況其他乎此其觸於時而不能自已者仁之至也道之中也雖然其不待再三之召而

往者何也夫聘而不起與屢聘而後應者惟處士可也若先生則朝廷既復其官矣天子以其官召之矣猶欲偃蹇不行其將不比於慢乎而先生肯以爲安乎況未起之先先生方在制中當軸者使人示以天子嚮用之意申以金革無避之說先生既辭泣而拒之矣則夫服終而召也其又何說之辭此其限於勢而不容直遂者義之盡也道之中也由是觀之向使先生狷介之節未融則必不出雖德己進而無南北之變則必不出身爲處士而不以官召亦必不出雖以官召而喪制未闋亦必不出然則其出也而豈苟哉而可輕議哉彼以富貴功名爲疑者其尙足與之辨哉或者又曰龜山先生程門高弟也非富貴功名者流也一蒙蔡氏之召未免貽自處太高之譏唐公雖盛德也得毋似之乎曰此未易

言也龜山之出當時疑者甚衆其知之者惟胡文定公
而已文定之言曰楊公非有求於人者蔡氏焉能浼之
又曰當時若能信用決須救得一半晦翁以爲此論最
公先生之於龜山其所養固未可軒輊論也而其經略
之才似實過之且聖天子在上英明神武而金甌完固
萬姓歸心雖時有倭胡之擾亦疥癬之疾而已較之於
宋其事與時皆有不可同日語者而先生之出亦何嫌
於自處之太高耶縱令盡如或者之議則康侯之論固
不可易也而又何疑耶今龜山之可疑者是非已定不
特所居所寓之各有顓祠已也而實俎豆於聖宫之側
矣則荆川先生毓秀之地講道之鄉祀典之崇其容緩
乎伏惟文宗先生爲天子之耳目掌南國之教化不有
表揚焉攸激勸乞查照陽明先生書院事例移文本府

俾廟貌觀嚴祠名稱實庶乎四方學者有所依瞻而興起他日有欲奏請從祀孔庭者亦自此而權輿矣其於世教實非小補謹議按世新此文凡世俗紛紛所以議荊川者一舉盡碎矣楊虞坡博者與荊川同年成進士而在下第名出荊川下甚遠然且早長兵曹出會重領為北門鎖鑰位至公孤使荊川公果志富貴功名在宮寮時從游養望不批龍鱗取容豈讓虞坡先張居正科第舉荃較荊川尤後互卑由翰林數轉而躋相位之荊川之死未及下壽使不任荊後之勞瘁則不死分宜之所少待有不及荊川入閣而引中朝如豪勃李春芳及中山很如高拱者乎（江陵入閣亦在少劉之後）故世新之說非為荊川公辨其情也學齋集世不常見此集由宜興友人路為岐陽袁書中敢提學卽敢天臺定向進註公于趙像家渡升表日闢嘗讀孔孟學說獨得其正者在宋惟周元公程純公我朝惟台沙先生先考而已此昭辭與俗儒言也千百世而後有得其解者知之徽之非阿其親也象元亦誦公有伯夷之清春伊尹之任復謹由之藝後世若有修陳孔庭組豆當有進而列之而無遁祀天下者豈僅祀于其鄉而已哉王世新之議可賢諸鬼神而無疑百世以俟聖人而不惑者也

奏請表揚儒臣疏

姜寶廷善

疏略云乞表揚儒臣以光聖治事原任淮揚巡撫都御史唐順之由翰林編修改宮坊司諫當時因世宗皇帝聖躬違和與同官疏請東宮代見羣臣於文華殿忤旨罷官屏居二十餘年後因倭亂大臣訪知順之諳韜鈐曉兵機薦起南兵主事順之自惟廢棄久而一旦叨起乃出自主上特恩文學臣而起以兵事乃朝廷欲用人以濟時艱如此不敢避難自是臣子分義不敢疏辭其自南兵主事陞兵部員外郎郎中遣之查閱兵馬於薊鎮遣之視師舟山屢有建白並見采納施行其陞太僕少卿右通政協同總督胡宗憲剿倭於海上皆兵事皆難事也嘗領兵擣賊巢於三片沙嘗親冒矢石斬賊首百餘級於馬邇港其陞督撫淮揚也嘗驅賊入海遁去前後並嘗以功受賞又嘗因振饑抱病行部殞命於舟

中按順之自幼勵志飭行真有一介不取之操卻撫按諸臣修坊折幣餽遺後先貯庫積至二千餘金所纂左編文編稗編三書行世有著述功闡明經學多先儒之所未發其文章足以傳後而信今其節槩足以廉頑而起懦臣與原任禮部尚書萬士和南京工部尚書曹三暘給事中楊允繩布政莫如忠等皆出其門身後臣等門生各捐資買地與伊子今尚寶少卿唐鶴徵同建一祠該府縣兩學諸生呈蒙前任提學御史今南京都察院右都御史耿定向批允春秋致祭然未經請命於朝臣等心切不安照得本官素履無愧古之鄉先生歿而祭於社者其身故舟中又合於以死勤事之祭法如蒙敕下禮部議照蔡清等例許祠於鄉予之以祠額庶可興起後學於聖治爲有光矣云云

太倉州志陸世儀傳或曰易於昆陵大儒祠即是祠也今里巷猶沿稱之不知大儒祠名即係當日延善所請御題否

唐荆川先生祠堂記即大儒祠也　王錫爵元馭

武進荆川先生弱冠魁南宮以道行文章高天下嘉靖庚子建言削籍歸草衣木食若將終身焉會倭擾東南先生從田間起視師海上尋進右通政巡撫維揚卒以勤事死提學耿公定向同巡撫謝公登之操江洪公朝選巡按董公[illegible]僉議先生於德於功當特祀遂創建祠堂祀先生於鄉頃之先生之子太常君鶴徵始詰錫爵爲記錫爵薄劣不足以知先生姑按先生始末論其世焉竊惟先生躬蓋世之才負王佐之望乃其殁也弗獲勒於宗彝祭於大烝而僅僅從鄉曲之議捧土揭木而爇師儒之俎豆先生之不幸也世之望先生者未止此也世人

埜先生太高責成功太速多斷斷不可於晚歲之一出夫是處而非出也果哉沮溺之所事守也古未之前聞也或曰孔子則嘗以不仕說漆雕開矣夫開自以未信說耳奚不仕之足說且信亦難言之孔明自信以管樂卒爲管樂孔子自信爲周公未嘗爲周公而亦不以其故貶聖事固不可以膚論也況今天下一主東西南北惟天子命民人社稷量力而共猶之可耳有如畀之以金革嬰之以寇難而逡巡揖讓猥以未信爲解此其爲易也難也壬癸之交東南何等時也戰骨爍於野而檻車復相屬於道當其時舍清冷之淵而親焦頭爛額之危智者所不爲也而先生以十五年不爐不扇一柰一葛之夫安所取資於世而險難其身以博功名如是此其自信審矣所云自信者亦曰吾斯云耳及其成功則

時與命參焉昔者以漢武之雄略匈奴猶崇死疾闕不衰止而從容稽顙於甘露之朝世遂以丙魏之優於衞霍也而不知其襲衞霍之餘威也時之所會非但寇有憒歸事有挺緩即兵將亦有不鍊而自精朝論亦有不爭而自定之日當先生之爲將彼未竭我未盈僅僅適相當而止而李胡兩司馬卒收其成雖然使李公當先生時兵氣圍圉未揚廟謨孽寇安能保困獸之不鬬使先生而胡公者叛人未繫組而身已伏歐刀於市矣故日時也大抵先生之聰明膽勇強力忍詬類王文成文成秉義士之銳平烏合未定之賊於呼吸反掌之間故似難而易先生以孱將弱卒破大自爲戰之賊於鼓衰甲弊之後故似易而難而至其桑榆未收棟梁已壞出師幾時遽有志決身殲之痛道之不行也天命之矣先

生縱自信能信於天乎夫隱非難也求志爲難枯槁之士求泉石得泉石如求以行義達道而可以必得哉求無負而已邇先生十五年之精研博討攻苦習勞將以何求縱其功用不大展而被髮纓冠以急國家之難迄於今啓手啓足而無改於山中之面目其可以抱志而瞑矣自先生志不大就而世人爲之語曰何必窮六經優游抱槧可以爲公卿何必苦身己膏粟華腴可以飽妻子何必履刃而登鋒以退爲進操文墨而處人後可以有功嗚呼避夷而席險辭康而就溷先生獨非人情乎抑先生有云吾出山來看盡世事只少一寧武子之愚愚者非但不擇利兼不擇名苟不能爲蠱之不事則寧爲蹇之匪躬大過之滅頂未有浮沉於仕隱之間以自解免者今先生往矣而嘶靡至於常之君子猶皆斤

所以讀書窮理砥節修行冠冕天下先生之流風至今在也夫其智可及也其愚不可及也夫元馭此文悽惋愍哉極得弇州心事亦極心悅誠服贊美頌揚之致元馭與鳳洲同里用（元馭望太原鳳洲望琅琊故不言同宗）且情好如弟毘陵荊川果有不利鳳洲父思質如流俗所云者元馭爲此文死何以謝思質生何以謝鳳洲徐學謨么麼綱肆之議不用多所引證只以此文折之足矣又考此文載緱山集元馭子衡代父作也

重修襄文公祠堂記　　十一世孫鈞培受甄

明嘉靖三十九年吾祖襄文公以右僉都御史鳳揚巡撫卒於王事總督胡宗憲爲請於朝獲賜祭葬地方有司爲營塋於陳渡橋之左營祠於郡城巽隅關侯廟之右嘉靖四十五年復移祠於今地在西下塘軒轅宮左太倉王公錫爵爲之記有司春秋致祭載郡邑志禋祀門其後復以公子太常凝庵六世孫薊門兩公從祀焉洪楊兵燹祠屋被毁過半惟享堂三楹猶明之遺也雖榱桷之材

巋然聳實而甍瓦穿漏檐軒凋落無以布筵設俎登薦
烝嘗其嫡裔率嗇於遇欲修復之而未能也每屆春秋
上戊恆假大宗祠以行祀事垂簾設主於正龕之前神
人之心皆有未安近百年來錫支日臻繁盛其讀書出
仕者科名政績均有可紀而從事懋遷者亦上追陶猗
其昌熾知有由來矣同憶鈞培在髫齡先伯子良公奔
走譜事來常者屢見宗祠享堂丕足妥先靈念本源所
在卽歸措資重建而於公祠則未遑兼及民國九年鈞
培就職錫校與弟圻鎮昕夕相過從晤談間均以公祠
未復爲憾圻鎮乘間因語兄滋鎮則曰此先君之志也
會族姪鑑章亦願贊助斯舉而興復之議成所需經費
滋鎮鑑章分任之於是衆工畢舉其享殿之壞者補之
腐者易之接以堂廡統施丹堊復爲東西廳事各五楹

南爲大門屋亦五楹自布奠飲福以至庖廚丁役之處各有其所秩然煥然神妥人悅而奔走董其事者弟圻鎮爲尤勞焉民國十年秋興修翌年春竣事都計修葺等費八千金於是鈞培拜手揚言曰公祠之不葺爲公裔者之責也爲公之裔者無其力至勞爲公昆弟之裔者爲之其可感也是堂也爲公之特祠地方禮賢者之所瞻而仰苟其賢與德不相侔則不克從祀於公之堂雖然宜推公友于之情設龕於東楹以祀公之弟曰重庵曰歎庵重庵歎庵賢德未甚相讓而歎庵則又錫支嗣鎮等之所自出也僉曰然鈞培遂誌其略於石

常州先賢傳荊川公論

歐陽東鳳千仞

歐陽公萬曆年間守吾郡以鄉賢祠所祀凡維不厭公論特建先賢祠合祀一郡五邑自延陵季子而下凡六十九人而荊川公與焉歐陽公命各爲之傳而爲之論于後

論曰先生之晚出也蓋羅念庵先生贊之云善乎羅先生之言曰嚮已隸名仕籍此身非我有況當國事多艱豈得復私其身以與徵士處士論進止其言苦切有味矣夫矯世避人潔己明迹其足以買譽而全名此不待兩先生而知也而先生寧爲此不爲彼此其志可諒也天下有道丘不與易當今之世舍我其誰此孔門家法固未可與曲士拘咫尺之義以爲奇者道也李翊丁元韓章均如

是

揚州唐襄文公祠堂記

王掞字藻儒號顓庵

揚州府城外巽隅一二里有祠祀明鳳陽巡撫都御史毘陵唐襄文公蓋公建中丞節剿倭東南卒於通州之舟次民悼喪公若慈母祀公邗江百數十年於兹矣明嘉靖中海內承平日久魁人鉅公薦紳秉笏於朝堂從容

坐論以文學氣節相矜尚至若兵機戎略相戒以爲粗官武夫之事而非儒者所宜言會倭寇擾於東南先後幾三十年公時在廢籍朝廷亟才起公任樞曹擢京卿畀疆事公於是國爾忘家鞠躬盡瘁日夜與賊相角於瀕海之區倭患漸平而公亦病且殆矣當是時督撫大吏朱紈張經輩以南人任南事罹不測重禍惟公與李襄敏遂胡襄懋宗憲以辦倭自任克有成功襄懋恆在浙公與襄敏恆在南畿而公實代襄敏爲鳳撫南畿倭患之平公與襄敏力也抑嘗論之襄懋之功似鉅然賊徐海降汪直率以計誘之非力角也襄敏之功似多然前後三十餘戰斬獲三千八百率遣將當之非親敵也惟公身在行間突陣摩壘泛大洋者千里寢海舟者累月不避矢石不諉裨校三沙之戰姚家蕩之戰廟灣之

戰功與兩公齊而忠義慷慨過之用未竟而身先殁天
也公嘗論禦倭上策當截之海外縱使登陸則內地咸
受禍矣故公每邀寇於波濤而脫民於烽火寧使此身
在鋒鏑死亡之地而不忍使吾邦爲戎馬蹂躪之場民
之沿海者既莫不賴公以得生而其居腹者亦莫不恃
公以無恐當日之耆老壽終幼孤遂長者皆公恩也異
時之士食舊德民服先疇者亦公恩也公生則頌禱之
公殁則尸祝之建祠刻碑俎豆百世夫豈一郡一邑之
人心而已哉以其生於常而殁於通而討賊之師於揚
尤數祠之於揚乃衆心所同然而公靈所式憑自初祀
迄今日久漸圮江都邑侯李君蘇政成民和公暇討古
緬賢哲之遺徽推父老之遐慕新厥廟貌頓逾舊觀江
南北士大夫相率馳書請予顧有記也予按祭法以勞

定國以死勤事法皆得祀公祀兩應經義宜垂永久禦倭事蹟稍掇大凡以曉當世至公平生制藝與王錢齊驅古文爲歐蘇後勁出永嘉之門不與附麗文章氣節一時無出公右者俱具公本傳茲不贅述云

又　章學誠實齋

事至愈久而不忘必其英靈足以震懾於奕禩者也歲月既遠屢廢必有屢興而必適逮乎其會此中有天有人追前事可爲後起法也前巡撫鳳陽僉都御史武進唐襄文公行誼著於史牒文章傳於學者搢紳皆能言之惟其經濟偉略見於剿平海寇而又盡瘁以殲其身當日襟江帶海諸城億萬生聚皆公擐甲胄風霆戰搏於洪濤汎湍之中捍衛而得全者也揚州城南有公祠宇雖不知所創始意必彼時身被澤者相與構造奉春

秋祠也積久習而相忘聖朝威靈丕振海不揚波居人
不復知前代患苦公祠亦頹廢無聞矣康熙五十六年
公六世孫故總督直隸兵部尙書諱執玉公於未開府
時道出揚州創率鄉人修葺一新故大學士華亭王公
掞碑記其事論公功烈甚偉以曉邦人長洲何學士焯
書丹於石文旨宏深書法遒美學者爭傳誦之蓋一時
佳話也去今八十餘年祠又傾頹碑亦埋沒無知矣乾
隆六十年前兖沂曹兵備道江都唐君侍陛適歸故鄉
展謁公祠慨然在念君先世故忠武進遷揚明季兵亂
失其譜牒而祖行嘗官京朝者與尙書公追敘宗支實
爲兄弟則君與襄文公實爲八世族孫因謂公功德於
鄉雖在異姓猶當崇奉況於本族名賢流風未遠其敢
他委爰力鳩工煥然鼎新並於瓦礫泥塗中拔剔華亭

公撰記何氏所書碑石猶完好無剜闕仍卓立之以示後人於是邦人奮起謂不特興廢盛舉亦藝林快事也學誠適游邗上君屬筆其端委學誠竊惟裹文公文章氣節事功前人言之備矣其廟食兹土華亭公推論已詳惟是盛衰興替固視前人靈爽之憑而興於廢者必由肖德之胄與嗣聲之裔則古亦希覯矣尚書公節制畿輔爲時名臣兵備君歷任監司以廉幹著先後更修廟貌皆出裹文公後葉其人則皆不愧公之家法覩斯盛者不特欽公功德抑且羨公家風世範久而益老後此數十年或千百年倘有踵事增華皆出唐氏後賢當益歎天之報公者爲獨厚也因爲迎送神詞使歌以侑享其詞曰東南海兮際天蛟龍窟宅兮狂寇煽公奮搏兮洪濤斬鯨鯢兮腥風血刀殲厥身兮軍務勞帝愍忠

夏兮遣巫陽而下招公之神兮上下旌旆揚兮瀟灑駕雙虬兮驂鸞赫容光兮渥赭陟降庭兮歆止鏗劍佩兮魚魚雅雅揚之水兮安流海舶沓貢兮琳球時歲豐兮黍稻競疇父老酣嬉兮飽而遊溯功德兮公劭修祀事兮春秋公醉飽兮載起雲英英兮升自階戺囘顧盼兮色笑嘉殺芳兮酒旨惠揚人兮樂康垂奕葉兮莫祀此記從李氏遺書得之王掞籍太倉非華亭相國元馭曾孫奉常烟客第八子倩康熙時官至大學士

又　陳肇燊

揚州介江淮之間擅鹽筴之富淮以南一都會也明代設府治江都統州三縣九今通泰各鹽揚咸屬於揚嘉靖間倭躪江北則皆揚轄境也倭之爲寇由閩浙奸民啓之而其禍延及今江蘇濱海之地常伺風利張帆一日連數百里登岸大掠飽卽颺去而以崇明三沙爲其

巢前後幾二十年卒之剷平寇亂者武進唐襄文公與巡撫豐城李公遂而襄文之功尤多公謂禦倭上策當截之海外縱使登陸則內地受禍嘗親督舟師邀倭崇明斬馘甚衆沉其舟十三江北告急公復馳援與巡撫李公大破之姚家蕩又破之廟灣蓋倭巢之張在江南北相爲首尾而其勢之殺則以首尾之不能相顧公一創之於崇明而江南之倭衰再創之於姚家蕩於廟灣而江北之倭蹙故李公克竟厥功然非得劉顯之力則劉莊之巢不可破而白駒之餘寇未易殄也劉顯者公之副總兵所遣援李公者也史稱公威暑居海舟兩月得疾返太倉朝命代李公爲巡撫不敢辭嘉靖三十九年春汛期至力疾泛海至通州卒常州府志則云行至泰州江都縣續志則云卒於泰州之姜堰鎮通泰壞相

接史或有誤當援志以正史也又史稱公代李公爲巡
撫適淮揚大饑條上海防善後九事不言其振饑之方
而江都縣續志謂公請餘鹽易米煑粥以振全活數百
萬衆與李贄所撰公傳相同是又史略而志傳詳也蓋
公之於揚能禦大災捍大患又以死勤事於法宜祀郡
學列公名宦而別有專祠在南門外官河南岸鄰福緣
庵建於明代有淸康熙間江都知縣李蘇捐貲重修乾
隆之末祠傾頽地爲庵僧所侵八世裔孫侍陞籍江都
者請於官釐正之重新其祠久而復廢今公十二世孫
肯據江都縣續志所載並出康熙乾隆兩碑文屬爲勘
明祠址詢之福緣庵僧則云中更兵燹歲久不可考而
以公遺愛在民禮應俎豆請仿焦山祀楊忠愍平山堂
祀歐陽文忠之例以大殿後偏別院屋四楹奉公栗主

前闢門即爲公祠邦人士亦咸曰宜余可其請遂於四月二十八日行落成禮於戲襄文之歿距今三百餘年祠屢廢而屢興固由功德及人之深亦其子孫之賢不忘先祖余適官斯土獲襄盛典爰舉公生平事蹟縈揚州者書之於石以示後人其他具在史官及諸家撰述不復論是爲記

文成壩二賢祠記　明　謝旻琦

祀典最重郡國祀孔子於學其次從祀其次有功德於民其次鄉之賢惟從祀附孔子廟餘皆合祀最後乃有專祠以祭以功以勞以死與古人之大賢生且歿於其鄉者非是不在祀典世有賢者得厠其間人以爲榮及夫王道廢闕人人得自爲祀士大夫祀其師及親與私庶人祀其恩澤祀其崇信或權貴則祀或子孫蕃衍則

祀於是祠愈多而祀乃愈不足重夫執祀典以律士之
賢則天下之可祀者尚少而士之賢者幸得而與於祀
典不幸又爲衆人之所祀則又疑其不足重於天下故
君子之論祀蓋其難哉雖然惟其賢若是者朝廷之制
草野之論蓋交重云余來毘陵毘陵之賢者唐公荆川
薛公方山其生平已見於郡乘不備論其没也天子命
禮臣請祀之學宮每春秋釋奠郡縣吏祭於祠子孫祭
於廟嗚呼盛矣郡人士又相與祭於二賢祠考祠之作
蓋自文成壩始余聞之薦紳先生云方壩始作邦之人
相與言曰惟河流汎濫不治不利其風氣衰敝亦惟是
之故今鳩工於東作凡我同人迺版迺築無有或後既
成則相與言曰功之成極難庶後世無輕改爲惟賢士
大夫是賴及作禋祀俾無廢墜垂之永久則又相與言

日凡我公卿大夫某貴於位某威於族與祠祀則謙先衆皆曰未可曰惟唐惟薛兩先生賢衆曰俞乃作二賢祠邦之人歲時享祭至於今不廢夫惟兩先生之祀於學朝廷曰惟其賢其祀於祠草野亦曰惟其賢乃所謂交相重也其合於祀典者固足爲兩先生榮而衆人之祀之亦不同於鄉之所稱更足以重於天下皆不可不記故記之以告後之論祀之君子鼎元按祠址今杞豐正然陳教二賢主廟東瓦屋三間乃昔之祠宇後屋係後廟親自有僚赴邦人君子與二賢之奮也

重修荆川先生讀書處碑記　　唐文治

距武進南郭五里曰陳渡橋舊有園焉吾宗大賢荆川先生讀書處也三百餘年世變滄桑一度易姓昔時拔揚文化之地幾爲荒烟蔓草之區民國二十有三年教育廳長周佛海聞而嘆曰荆川先生吾國名世之英雄

也今遺堂傾圮名勝就湮不卽不圖非有司之責乎爰
檄武進邑令蔡培重謀建造蔡錫人也亟贊助之而今
邑令侯厚宗與武錫兩邑宗人悉力經營衆工齊事踰
年工告訖功屬文治爲文以鐫之石考謝應芝襄文讀
書記載是園清溪一曲樓觀環抱其東北隅一楹曰嬾
雲閣其西樓五楹曰五言樓又西室五楹曰春池館又
西迤北壓溪榭三楹西壁有石刻先生外孫愼行書曰
荆川先生讀書處蓋先生藏修之所實維五言樓厰旁
莢樹紫藤盤曲而下垂者先生所手植也今重建者堂
樓三楹別度隙地所宜綴以亭榭花木非悉依舊貫彌
令人攄景仰之蓄念云先生於學無所不闚自天文地
理樂律兵法弧矢勾股壬奇禽乙靡不究極原委嘗取
古今載籍分別部居爲左右文武儒稗六編今散失者

駿矣黛加意蒐羅庋藏於斯尤考古博聞之淵藪也文治生長婁東幼從事於陸桴亭先生之學弱冠又聞先生之風而慕之先生與桴亭先生同闡性理同講時務同習武事先生撰武編而桴亭先生著八陣發明然先生伏波戰績震耀當世書於史官今讀書處亦粗具輪奐矣而桴亭先生蠖屈終身鄉老故家不知其墓訪維雲寺講學故址牆墉剝蝕蓬蒿後人昔賢身後之遇殆有天命存乎其間耶俯仰今古世道人心之任吾儒負之大要在淑民性順民情持民之志無暴民之氣用能體用賅備允武允文百姓尊君親上樂禦外侮而不辭是豈外襲無本而致然哉先生紹明正學以天機爲心體以無欲爲極功治心以治兵蓋與王文成言破山中賊易破心中賊難戚武毅言克一嚴城易克一私欲難

若合符節而其浩然正大之氣充塞宇宙至今而不磨是故普言政治學術者必自精研性理始登斯處也豪傑之士可以憬然悟躍然興知以聖賢道德爲師矣是役之成爲費凡萬餘金武邑公帑補助二千金而武錫後裔共襄盛舉在武進者曰肯字企林任捐資曰鼎字子權任督造在無錫者曰滋鎮字保謙曰殿鎮字驥廷曰圻鎮字申伯曰鑾鎮字紀雲亦爭共醵資以蕆事十餘世雲礽追遠若此洵可謂有孝有德維持世教者矣於是乎書太倉宗後學唐文治頓首拜撰陳渡草堂爲荊川先生讀書院三百年來滄桑遞變屢易其主長且鞠爲茂草蓁余承乏武邑每過其地徘徊瞻眺如聞先賢謦欬心[illegible]往之會教育廳長周公佛海以先生文章功業彪炳史冊傑勝蹟之久湮徵縣修復乃函商諸武進唐氏後裔與夫邑之士紳公私捐助得萬餘金尤賴今邑令侯君厚宗力贊不懈竟余未竟之願比者堂構重新而舊觀巳裝受爲補書故志其緣起知此時在民國二十四年十月後學蔡培書修復讀書處鼎元廳之久矣唐族中

亦聚有是議未果行癸亥歲夏鼎元省觀八里會蔡公子平嘗察五邑面尹武進謁之論通家建風蔡公先德

有諱應者荊川公弟子也以修復議書建爲言蔡公乃自以爲任而族中之賢有力者日企林方會察河南公日

星海以遊選有聲於鄉蔡公分函告之以聚金商均贊日語而教育庠長周公佛海之徹至蔡公以示地方士

坤亦均勇躍贊襄蔡公自亦損俸金千貫集議定面蔡公去代之者侯公履之以舉卒底於成星海者保謀詞

君面告之周廉長務徵至縣者邑人劉耿儒也爲元註

荊川公傳贊　　明　李開先伯華

唐子爲人超脫豪邁不作小器局其於處富貴貧賤威武如古之所謂大丈夫者素有之不待學而能其於婞婞牢籠匿情行詐素無之不待學而去蓋篤於自信者矣

荊川公贊　　明　洪朝選芳洲

於乎以公之爲人巍乎若山岳之高皎乎若日星之明浩乎若滄溟之博自他人視之已不及矣而公未嘗自

以爲足也嘗病世人徒事口說而不知求之本心徒事

閑行而不知靜坐徒事外求而不知吾心中自有元明

一竅必若孔子之終日不食終夜不寢顏子之仰鑽瞻

忽是乃聖賢傳心一脈喫緊用功之處耳居常閉戶五

六日默然絕無一語經月不設牀褥兀兀靜坐不臥不

寢然則公之苦志苦功將以何爲也哉至其臨終又以

不了十年山中此心之盟爲悔使公功名之事粗畢而

坐者深山或當有進於是者乎或當養成元明一段真

境象乎若公者可謂千古之豪傑矣見荊川行狀

又云強力自克勇於任事未嘗造作以近名譽亦未嘗

掩蓋以自文飾

荊川公傳贊　明馮時可元成

聖門之學學爲仁而已孔子好古敏求忘寢忘食急天

下萬世而已無資焉蓋仁體流行與物同而與天運又安有寧息先生其幾乎能不虛隱則能不虛出戊己之際天子側席虞寇蒼生且日就塗炭而尚得高臥置之漠然乎卽使孔孟而在萬無不出矣世或以出疑先生然先生鍊性治身羔皮馬革不席榮不甘肥又何疑其出自先生後天下益波或徹藩踰檢而語心體猶傲然自謂得玄珠嗚呼安得起先生一挽之哉

荊川公傳論

明　焦竑弱侯

嘉靖己丑唐公應德羅公達夫同爲舉首一時以爲聯璧云達夫一斥不復用世以難進歸之應德晚節爲分宜所薦至今以爲詬病不知爲達夫易爲應德難也嘗觀易之否以包承小人爲大人之吉甚且包羞而不辭唐梁公婁師德周旋女主之朝豈誠戀戀于腐鼠之流

哉非隱忍堅決將取日虞淵之功終委之溝瀆固志在
天下者所不忍出也始島夷躪姑蘇戕嬰兒爲戲公一
見痛心疾首憤不與之俱生此其志何如而可以硜硜
之節繩之哉漢人有言中世選士務于清慤謹慎循常
習故者乃婦女之檢柙鄉曲之常人耳嗚呼世多隱情
惜己之人殆難與道此也

明儒學案荆川公傳論　　明　黄宗羲太冲

先生晚年之出由於分宜故人多議之先生固嘗謀之
念菴念菴謂向嘗隸名仕籍此身已非己有當軍旅不
得辭難之日與徵士處士論進止是私此身也兄之學
力安在於是遂決龜山應蔡京之召龜山徵士處士也
論者尚且原之況於先生乎

祭文輓詩啓書等

諭祭文 惟此文載在家譜餘均錄自各家本集

維嘉靖四十一年二月日皇帝遣常州府署府事通判王繼諭祭巡撫鳳陽都察院右僉都御史唐順之日爾性資英敏才識宏深早登甲科蜚聲藝苑尋乃解職遵養益充爰及公薦起任兵事督兵兩浙為國殫忠審固謀猷擒倭奏績云胡一疾遽至長終軫念爾勤特頒恩卹遣官諭祭庸示褒嘉靈其有知尚克歆服

羅念菴祭文

嗚呼我兄名播天下令譽彌宣知音斯寡神援妙質性厭浮華動出全力業擅名家靖節貞夷志完剛厲進不苦難思常入細齒登弱冠魁壓同袍文體丕變紙價爭高惟帝知人因言拔士天語衮褒聖鑒燭視孤忠素許

況感殊遇事計浮食施懼屯膏薦入詞林遂探藝苑劇
理幽元範格高遠九經該貫諸史窮搜文繼歐曾詩觜
韋劉山鑱冢遺象衡數緯密算毫芒洞疏涇渭孝全手
足行質鬼神脫屣軒冕潛鞶荊榛叔夜交絕黔婁守醇
不慕融顯不媚鄉鄰決履常穿垢衣至敝櫛沐屢忘寒
暄盡廢義嚴一介諾重萬鈞墍盧者愧執經者馴仁急
顛連藝兼文武無問鉅纖咸求裨補官條民故水會兵
防制備古今技列短長欲試經營不辭飢渴去爪挽繮
短後露跣凡茲集美衆已讓能在行輩內以豪傑稱乃
願所安在期自得從善轉圜好德如色亙知至足動意
俱非空諸所有漸可入微根柢一原出入二氏相離卽
非惑袪似是言詮瑕解形累髦遺千載上遡獨立靡移
非直天聰實資友助雖判醇疵忍坐背負取珠棄櫝汔

齋梵舟庭靡逸晷席滿名疏慮極專勤見異曩昔信己
愈異愛人無擇謂道如水滯豈旁通謂道如谷隘豈廣
容取必此心弗倚於外舉世非笑莫我芥蔕物皆吾與
安用察淵時隨代謝難挽逝川司方爲員制用于朴大
方曷拘至潔不濯幸際吐握獲覲承明南北奉使寒暑
載更痛絕清談峻揚風采隱達戎懷情輸謀紹畢知殫
精炎潮溽海宵枕甲戈朝巡營壘酬動進秩開府專征
武侯食少峴首淚傾嗚呼哀哉謂生稟殊無所於賴盍
阻荒遐乃起吳會謂因材篤有意則然盍靳其幾乃奪
之年知者傷之虞其過銳忌者短之逆其改計或憎其
僻或賞其奇卽門下士疑信半之籍籍在人絕非所惜
豈茲循牆始名完璧嘗聞自哂出則羣咻知之而蹈中
必有由捄焚逞遯力田罔秋謀身或缺報主則周譬疾

於醫藥力未久命也不淑人亦何咎易著殊途士憎多口匪阿所私誰出其右嗚呼哀哉胡取瓠落早虛左車謙以持下美不獨居敢望及肩嵂崒嶆嶁瞻之在前瞠乎其後聯署載筆共棹還山肝膽畢露骨肉相關管鮑取與朱張規切過失本標詞章軌轍睽孤廿載頁覿三中每當抗耦輒數軼塵我疾苦衰使來告逮昌江之濱雲巖之麓曾贊其決不疑所行割囊助室反袂分程詎謂茲遊竟成永訣違訃忽傳長號欲咽嗚呼哀哉斟悟養生徑超欲界多疾見嗤勿藥是戒君勞忘倦躡險若飛暇而冥坐杳乎沉機丁寧結束武夷九曲歲寒同盟山靈攸屬言猶未踐身乃先徂所不瞑者復奚念乎嗚呼哀哉弦韋異佩蓬麻互倚禽有比翼木有連理而今而後孰做孰企孰繩枉違孰領議擬一寄空木一類拘

株剗餘殘息臥而待餔未究底裏寧係有無縱留後死

誰與爲徒嗚呼哀哉初菈維揚行部寄語歲俍野虛同

風冷雨代匠血指待炊乏需不識靜者憫余笑余札成

絕筆句成凶讖將悔之萌亦疲已甚嗚呼哀哉久掩庭

戶幾歷居諸哭不撫棺弔不在閒從此破琴亦遂罷鼙

夢魂去來山川綿邈炯炯正氣烏容泯澌於河招之黃

鶴紫芝兄卽子桑我非曾晳慟何知哀情何知箾越疆

馳騁追之靡及今雨垂垂似助灑泣嗚呼哀哉胡撰金山

念菴行狀先生以病謝客寓居止泣所守不復寂戶終歲獨坐一室閒荊川訃至哭始下榻

又悲荊川詩一首云三月櫻桃紅滿枝江頭紫蟹乍來

時旁人莫話毘陵事須盡毘陵誰得知字須有盡二誤

彙元議考嘉靖間內學者並尊者念菴荊川而念菴所推重者亦推荊川毘陵之會念菴與荊川相對夜話

契心至謂千載一遇追荊川殁之年一出寺內目論之士遂躡尊念菴而殷荊川且擠譏之於是孫奇逢作理學

心傳。沈佳撰明儒言行錄，皆前荊川不書然而念菴之於荊川推重猶是也。聞荊川之死而爲下儒之儀，其祭之文曰：知之而谿中必有由，謀身或缺，報主則周。又云：匿阿所私，誰出其右。又云：敢望及肩，擧嘩嫂嘯之在前壇乎。其後又云：繼留後死，誰與爲徒。於荊川之心事人品，及己推重之誠，盡爲寫出矣。彼孫沈輩既尊念表爲明四大儒之一矣，豈尊其人而棄其言耶？抑未讀此文耶？雖然，後世亦豈無黃梨洲、萬季野其人主持公道哉。（萬季野撰儒林宗派，列荊川並及其子及其弟子等）

王龍谿祭墓文

嗚呼出處大節也生死大分也出處生死而不失其正大義也達節辨分惟義之安雖由於人實係於天方兄之在山人皆慕其高尙及其被召而出也跋前疐後或以爲憂其守若騏驥之困於糾纏兄之在世人皆望其大行及其勤事而死也香消膏爐或以爲喪其所有若至寶之墜于深淵或泥于時才不能以盡展或格于勢智不能以獨全不離乎是盡吾心而已成敗利鈍非有

所計而然鄉人皆好未足爲擬不善者惡論始不偏自
古大聖大賢尚不能盡理于衆口彼嗷嗷者烏足以繫
乎輕重而定乎媸妍兄之出處係污隆生死關盛衰倏
取倏散乃如此實斯人之不幸而世道之可憐獨予于
兄不能已於深惜者夙有心盟出乎恆情之外日邁月
征務期造乎聖賢胡爲乎中道捨我而逝孑然孤立無
與共究夫此學之全粤自辱交於兄形異心同往返離
合者餘二十年時唱而和或仆而興情無拂戾而動無
拘牽或逍遙而徜徉或偃仰而留連或蹈驚波或涉危
巔或潛幽室或訪名園或試三山之履或泛五湖之船
或聯袂而並出或枕肱而交眠或兄爲文予爲持筆或
予乘馬兄爲執鞭或橫經而析義或觀象而窺躔或時
控弦射以角藝或時隱几坐而談玄或予有小悟兄爲

之證或兄有孤憤予爲之宣或探罔象示以攝生或觀無始托以逃禪千古上下六合內外凡載籍之所紀耳目之所經心思之所及神奇臭腐無所不語而靡所不研朋友昆弟情敬異施惟予與兄率意周旋兄爲詩文煒然名世謂予可學每啓其鑰而示之筌兄本多能予分守拙謂予論學頗有微長得於宗教之傳每予啓口輒俛首拜之禮予何敢當而兄之虛受則橫渠之勇不得專美於前嗟嗟荊川予不見兄兩年於玆兄之言在吾耳兄之貌在吾目兄之神在吾心而兄之魂在吾夢獨所謂形骸者不可復作已閉於夜臺之重泉嗚呼痛哉犧罇青黃不願爲材兄于精神亦大潑散年不能副其所志未可專委於造物之迍邅嗚呼痛哉同乎萬物而復歸於無者幻聚之形耳其先天地而生者寂然常

在不隨萬物而化遷日昃月虧天道且爾自古聖賢孰能逃此要之百年同于一蜕而又何惜乎荆川嗚呼荆川已矣葬甫期月宿草未青予不能忘情於一慟者亦以相信之篤而相與之專嗟嗟荆川予復何言

又龍谿與王南岷（廷）書云荆川救世一念可貫金石肉眼尚以塵心窺之可慨也已

又與俞虚江（大猷）書云荆川憂世一念可貫金石原無一毫依附之情但自信太過運謀出處若可與先師（諱陽明）並駕而馳欲以轉世反爲世轉致憎多口於此兄則何損也吾丈素信先師之學且知荆川深故述以請證

耿楚侗（定向）謂龍谿曰荆川先生出處大節可貫金石可質鬼神予信之甚真荆川在山苦節人人以爲甚奇此猶勵行者所能及後來出山一番真心任事不顧毁譽

不避形迹不論成敗惟求其心之所安非惟世人議之相知中亦若有所不滿此正所謂其愚不可及也

龍谿答曰荊川氣魄擔當大救世心切以身徇世犯手做去毀譽成敗一切置之度外此豈世之謭謭者能窺其際耶不肖與荊川有千古心期使天不奪之速不論在山出山尚有無窮事業可做而今已矣惜哉

李詡(字厚德江陰人)戒庵漫筆云唐荊川罷官家居頗自特立知命之後漸染指功名因趙甬江以逢合嚴介谿遂得復職殊失初志鄉人以詩弔之海門潮湧請纓水蒸塞雲堆白羽旄子美文章空寄世孔明事業等輕毛遂人焚草書辭謙兼馬先薦不憚勞莫詩今朝未得出山何似在山高又有送行一詩云云此詩為趙中余師龍谿王公所作(龍谿送行詩見前)又張之純(號爾常清光宣聞人)撰江陰倭寇舊聞詩云吾邑自嘉靖三十二年倭寇四至殺人盈野至三十七年間卯無倭寇入境者固由邑人自爲戰及壘城之防禦得所然亦因鄭坤唐公順之議設於海外也豈斗大之城果足以禦之哉鼎元據詞所云則詞龍谿弟子也然龍谿之說如此而詛之說如彼何其異趣耶所云也荊川捍衛之德江陰之人三百年後猶歷歷頌之而況當日之身受

者乎詢與丁元薦號爲講學人議論不平心非惟不知薦而已且並荊川之品而污之

胡柏泉祭文

嗟嗟我公遽至是耶公以正學介節退處林壑者前後二十餘年天下之人無愚智皆知仰而重之至卜出處以占世道之否泰比甫召用而又遽若是也則九州四海之倒懸將孰與拯豈民之無祿而天未悔禍耶嗟嗟痛矣雖然公之存也天下之人仰之愛之重之其歿也天下惜之傷之痛之真亦生榮而死哀矣公又何恨焉所可恨者賊未滅而身先殞師甫治而星早墮是公之所能者人所不能者天矣撫柩一別遂成永隔於乎痛哉

薛方山祭文

荊川唐君既卒之又明年嘉靖壬戌二月五日將安厝

於陳渡村之新塋先期朔日其姻友薛某以瓣香束帛牲醴果脯之儀奠於几筵因致辭曰嗚呼君以博古通今之學經常權變之才名動海內而海內士人以御李識韓爲幸者多奔走而嚮慕之矣雖死猶生夫復何憾余追維弱冠即與君知而意氣相期實有不在古人下者既而先後入仕皆不究平生之志此固行止有命亦何足論獨晚年元晦或異同於子靜之言而互相參駁終歸大同彼不知者乃曰文人相輕自古而然嗟哉嗟哉毛錐小技戔戔丈夫之所不屑也若君與余豈有是哉茲值君蓋棺之日悼哲人之長逝悲衆言之易淆不能不一及之也嗚呼鍾期既死伯牙絕絃落月屋梁疑見顏色藝士且然矧余與君情其如何九原有知當必有以諒余之衷矣方山撰憲副薛畏齋（甲）墓表云二百年間吾常謝處士子蘭邵宗伯國賢徐司

徒用中毛給事式之唐中丞應德詩以理學聞於時學荆川與先輩並論蓋方山晚年於荆川推服備至矣

方山答丘崩弘（卽恩菴）學論書有云謂鄙人對人事以李翔張藉輩待應德此實好事者爲之而區區實未嘗

有是也應德鼓篋時嘗以舉業文字示余已知其非几後遂數數往來甚相知厚自登第後顧覺稍存形迹余

謂各以事阻初不疑訝今聞君言豈亦好事者有所鼓弄於其間耶昔柳子厚謂韓昌黎收召後學抗顏爲師

正謂翔藉輩也余每謂昌黎曾作師說輒又招自犯之極竊笑其爲人竊某少不如人聞道獨發豈得以舉業

之攷而遂修然借應德以自重耶應德嘗信執事爲衰子之秀而執事亦不可謂不信余者願亦有感于人言

宜乎聞者得逞其討矣鼎元考此書卽方山祭文中所云彼不知者乃云文人相輕之註翻也又知當時信有

讀之者矣吾名山師讀此書云據此則荆川嘗問業于方山矣鼎元考荆川少方山七歲方山君舉業自必先

于荆川然荆川登第先方山兩科荆川逞方山赴試日意君此去當作會元但南京有許仲貽者曾以窗藝相

質君往須防其出一頭地也稽荆川方山平日書函中之粲謂荆川之以制藝視方山亦朋儕中之以文相質

者耳荆川於制藝學之雖遲而治之甚且稽方山後且轉請益也玩荆川逞行之語可知也

姜鳳阿哭尊師荆翁文

維嘉靖三十九年歲次庚申五月丙寅朔越有十日乙

亥門生某謹爲位於天寧之僧舍告於尊師荊川先生之靈而哭之曰於乎惟公道德文章爲世著龜泰山梁木舍公其誰方以救時而一出何期與世而永辭凡吾同志之士亦旣以聞訃而爲公悲矣某也辱游門牆數聞其至生我成我恩何有二寢哭之哀方舉雖嘗聞訃音而致傷心喪之禮未成故又假僧寺而爲位憶昔浙海之行曾於茲而信宿送盧溝復良鄉若情牽而意逐驛亭杯水之遞酌方庶幾有疏食水飲之風詎意數夕之歡談竟兆乎終身之痛哭顧予之駑鈍而非先生誰肯策礪之以爲才擬陳詞以一寫筆欲下而心摧嚼去齒之在目人何時其能來塔有鈴而爲聲若助予之興哀尚饗

又鳳阿祭文

嗚呼衆於俗爲易隨惟有志乃能立非高明之與遊孰
景行乎先哲惟先生卓然不苟自少之時蓋方修業於
舉子即以聖賢而爲師蚤歲登朝名魁海內勵行飭躬
道高當代義關身世再疏皆休來歸林泉樂以忘憂學
者赴之如渴與飢及門之士虛往實歸精金百鍊幾二
十春救世而出乃隕厥身於惟先生文章道德爲世著
龜藝無不通用無不宜義利之辨如析乎秋毫而不爽
出處之審能勇於急流而不疑由初士以至登齒未嘗
有一絲一錢之輕取自暗室以及大庭亦未始有一事
一念或欺學識其大尤博而精根究百氏豈惟六經千
古獨得千古折衷既深發乎周孔之秘妙以尊德性以
道問學又總集乎朱陸之大成至若道義苟非在一介
而甚重片言有諾則雖死而亦輕人之與先生處也方

交緣未湊之初若越南燕北之難乎其合及其道洽而情契則又不異乎手足骨肉之真誠知先生之深者謂其無私難悅從先生之久者又信其有懷之必傾蓋先生既嘗砥礪乎名節又能涵養乎性情是以智圓行方兼乎惠之和而尤不失乎夷之清也鳳阿與莊南溪書云先生兼川翁有云敘出世必先能混世能混世然後能用世胸中有藏既富既盈發而爲言如叩斯鳴詩則子美詩聖堯夫別傳蓋兼二妙以爲一於以摹寫乎性靈文則儒先之精史漢之法既可橫視乎名輩抑疑前身爲莊生方其凝神注思筆不茍下則枯枝蜩甲碧落蛛絲若將嘔出乎心肝而未已及其理到情會得意而得言也則又百轉百折隨物賦象一任其曲直與縱橫嗚呼人一死而皆空惟三立爲不朽若先生之蘊若撞梟氏之鐘乃其傳世之實用世之具雖

少見於文字之流傳以及薊門淮海之奏功若夫可傳而未盡與所施之不及究者則固與先生而俱往矣能不下夫滿襟之淚於英雄嗚呼天予之厚而嗇其施且奪其年人皆宗之而或又毀出於求全也是豈非造物者之所忌而人情世態亦有時而遷雖然疾已革矣猶篤言以行部而從容於死丘之在前是又豈非中自有定雖造化亦不能困之也故能若是之周旋鳳衰狗喪之譏蓋從古而皆然人之信先生者而既多且既有公是於普天矣乃先生於毀譽利害之來則固久置之於度外其又何恤乎人言也某也聞訃京師既嘗執喪於僧寺轉官西蜀茲復來以申意追惟往歲某方憂制移家昆陵師模是爲戊午之夏應召北上某迎自京實慰予仰歷先後凡數載每追隨乎履杖時策騎以相過或

操舟而同往指前修之可躋撫俗學以興歎深夜款款之談幾忘勞而達旦剖疑闡幽更端發難提醒我心庶登彼岸許我婚姻孰爲先容感恩在心欲報無從持瓣香而舉奠敬以爲平南豐惟尊靈之降只其少鑒于予衷尚饗

又鳳阿寄凝庵書

天不祐賢者終領當世之責任使老師壽限竟止於此既可爲世事痛悼某以不肖之身辱與進門牆鞭策成就方自幸有所依歸而遽聞此此尤不可爲某一人私痛悼也聞訃以來每日行住坐臥皆若病心而解體以此知兄抱終天之痛尤不能堪雖然哀之於身後莫若追念其教言於生前先生雖已卽世其所不死者固在也是在吾兄及吾輩爲門生者相與勉之而已矣所諭

先已切切繫念不獨兄爲之子者有是心也治喪之後
聞當一來京師諸所未盡詠尊使一一能轉布矣承家
之要恐不出靜重周慎數字令叔及同門中老成諸兄
凡事埜咨議而行并以此質之如何連日雖執心喪尚
未及爲位郊外一洩其慟哭之私故淚腸鬱結而不能
盡

又鳳阿寄歗庵重庵書

大賢即世海內凡以道脉相通者無不歎惜而悲痛矧
吾二兄及令姪尊兄乃先生之愛弟愛子及我門生輩
嘗叨受者師父天高地厚之恩者乎數日來痛不可堪
以此知三兄之情更有甚於此者恨不能即生羽翰一
一訴彼此之衷曲也雖然徒哀亦何益耶先生有已就
之緒惟吾輩善繼之其未就之志亦惟吾輩善成之耳

古人言卽日有四方之賓來人將於此乎觀禮久之而百凡應務須盡從恬養靜守以無忘先生之訓言此固我二兄之餘事至於令姪尊兄時相與勉之於大事期以道門之慶成身成家於將來則尤我二兄之責任也連日雖執心喪尙未知所以爲情茲將討求古禮爲位於天寧僧舍追老師去時之蹤跡以少紓戀慕痛哭之私而未果卽出故尊使行殊覺腸結而不得盡也懷亭聞野止菴慰懷諸兄想時時有相嚮失聲之舉弟爲一官所羈徒增愧恨耳

萬履菴祭文

惟宇宙之靈氣實造物之所祕非時與地與人之相值則或歷數千年而不一寄嗟儒者之寂寥而正學之蕪廢豈元氣之𣂷漓抑醞釀之未至若吾師之有生得精

靈之所會固天縱之聰明發天光於智慧蓋乾坤之鑰
聚者至是一開而吳地上下數千年間於此盡收其粹
世之分門立戶登壇說法者既非性之所安而規矩準
繩謹守格套者又病其爲忠信廉潔之似不靠傍以隨
人揭真心以從事修飾遮蓋吁其難歟今痛癢之自
知而冷煖之自試震雷過而不驚泰山撼而不顛持空
拳禦萬馬而不搖蹈水火入金石而不貳爲必要其所
成力必如其所志夏不扇而冬不爐日忘食而夕忘寐
惟良工之苦心造種種之奧邃觀萬物之於一身信精
神之通乎天地故先生之一笑一唾莫非寶藏之所存
而人之得其一枝一葉者猶足以垂名而耀世其博物
也天文地理經書子史醫藥算數之說靡不貫串其徵
然一經揀擇則如李光弼入朔方軍而精采頓異其取

益也佛氏之禪定老氏之虛靜養生家之䆿寢靡不悉得其玄然一親經歷則如身坐相輪之上而曲直不蔽學以操鍊爲主則經歲不食肉廿年不洗足野人所不堪而先生持之益勵性以奢侈爲戒則身不輕置一衣屋不輕易一椽廉士以爲難而先生行之自遂時嶷然以深思或淵然而默識苟一得之未融歷數歲而不置忽豹變以龍騰肆泉流而火熾功久熟于仰鑽悟直參乎道器涉傳註之浩繁厭支離之破碎旣淘沙而得金彼糠粃之盡棄及恍然兮有聞乃豁然兮無累收奇功於一源會萬象於同致自博而約由粗而細如莊生之所謂承蜩解牛斵輪累丸之技要皆道之所寓至其得意忘言點頭一笑亦何讓乎曾之唯而顏之喟蓋雖渣滓未化較聖學於毫釐而至大至剛斷乎其接孟氏之

裔惟根茂而資深時漏洩於文字捐早歲之蹤跡失向來之鑪鞴雖其首尾接續變態倔奇取諸班馬韓歐之精華至於識見獨出則一掃陳言之蕪翳莫測者機極壯者勢近作出塞新篇遂奔放豪邁而不可制旣見惡而如讎見善而如嗜卽一能一長者雖庸人賤役或駕舟千里以相尋若夫來夫往者雖公卿貴客至扣門竟日而深避以是而獨立不阿亦以是而招尤速毀苟余心之不愆何謗訕之足計比所得之益多猶歉然其自視嘗欲一人不接一牀不置坐草根於空山求面目之所自宿習盡銷靈根始著假三年之不雜將一得而永契嗟此志之難陳值倭夷之爲祟此已屠戮之難堪彼方斫人以爲戲凡有人心者能不一動其念慮而況萬物一體之仁夫孰非冠之當纓孰爲戶之可閉且蒼生

之塋方殿廟堂之薦相繼乃翻然而改圖奉詔旨以從仕始委之以巡督終託之以撫綏於是勞形殫神鞠躬盡瘁以隻身接兇寇之鋒鏑以六月居東海之瘴癘號令嚴明威行將帥方張之封豕既摧已聚之長鯨盡殪三吳維揚至今帖然者實先生之所遺病既亟以彌留志之死而愈矢誓不安於衽席乃巡方以警示屬天鼓之嗚舟遂端坐而就斃嗚呼先生之處也草衣木食若將終身未嘗享人間一日之富貴其出也履危蹈險傾家貲以助師未嘗享有官者一日之祿費卽其山中事業雖公相何足爲軒輕然而剖破藩籬去彼取此者誠不忍下孤四海之心而上負天之所畀胡正學未明而議論喧豗素同者或以爲疑素異者則以爲忌一時共事者既憤其激切之難勝至泥於形跡者又遂倡言而

力詆邇先生之始終豈改其一介不取之義彼且千駟
萬鍾不顧而何有於蟻羶之垢膩昔伊尹之元聖尙不
免好事者之議矧先生之志伊則亦何解乎嘵嘵者之
喙和自丱歲卽蒙敎誨薰陶琢磨靡不周備喜其心之
稍淳慮其質之柔脆以整襟危坐爲外馳以遍身無病
爲藏穢裁也驕心之未降揚也古人之可冀其驅而之
善也若策駑馬於長途而不息鞭箠其防其墮落也若
以一髮引千鈞之石臨萬仞之淵而將至於墜山巓水
涯花前月際或扁舟相從或徒步隨侍任爭席於樵夫
借跏坐於僧寺罏之以冰爨之風飲之以上池之味時
不言以傳心視針眼之相對凡和之以蠡測豹窺夫孰
非先生之所賜丁巳一別四載違背蒙寄手書言及進
退和適宦沉聞之澆慰惟先覺與先知豈自私而自利

信果哉之無難納溝壑其誰罪以是復于先生而先生謂之日智方謂宇宙之大擔當有人詎意龍蛇之辰適逢其季訃音遑來五內煎沸如可贖兮恨不即逝乞身不報官如肘繫及今撫棺歲已再藝入室嗳然魂飛魄悸乘化返真先生何意木壞山頹其奈我輩昔等交於朱蔡以弱息配先生之嗣託同心於骨肉庶黽勉以相濟嗚呼詞短意長孰知我懟就几筵以布懷仰青天白日而綈淚聞至人兮不死庶英靈之不昧鑒一念之微忱其爲我歆抑爲我噫

王方麓祭文

古稱王佐公也其人道則未盡抑有其其心公心明潔江漢秋陽措爲事業發爲文章方其未試管樂自許指麾若定伯仲伊呂決機兩陳矢石交下身先將吏意氣整

暇公若未死寇何足平何彼悠悠忌公之成朝廷用公公爲世用富貴功名公豈爲動薦引非人權門網羅公皆不染如綈入河遭時淸明論猶未定人爲負公公則何病憶昔避寇公來敝里始得識公遂爲知己孜孜接引欲人之善賀氏夜語誨我不倦隨事有發皆啓其端愧予小子静對無言自見之後學覺有進誠之所感不在答問樵之於公不同於時雖未及門可謂心師忽忽廿年始拜公墓宰木已拱庭宇猶故裴回顧瞻爲之出涕公其格思鑒予誠意樵字明逸嘉靖丁未進士官至刑部侍郎改南京都察院右都御史謚恭簡明史及沈佳明儒言行錄皆有傳當時所稱純謹儒與分宜相抵牾者

莫中江祭文

於惟先生秉宇宙之正氣挺川岳之孤英一言一動可貫金石可質神明一出一處民用是望士用是程辱不

以貧賤故安貞苦節遺俗而獨醒榮不以軒冕故忘家報國盡瘁而捐生蓋畏天悲人志康世屯立言明道功多聖門者也嗚呼無窮者先生之心方振者先生之業卒殞者先生之命不朽者先生之名忠自弱冠挾策神京偶蒙品藻雅竊師承邇及門之有日輒竟晚而何成惟德音之在耳庶終身而服膺曾違別之幾何遽永隔乎幽明予懷愴怳延首涕零攝束帛以遄往跪奠粧以叩靈嗚呼哲人逝矣木壞山頹是非千載孰觀其深哀哉尚饗 崇蘭館集

王孚齋祭文

嗚呼孔孟既徂聖統中絕天啓有宋挺生羣哲聞知見知墜緒斯接自茲以旋文喪澤竭五百年來詎無豪傑或迷本源誤尋枝葉獨有陽明克紹前烈窒竇刬蹊誕

開聖闕先生睿資神契妙合不識一面直遡閫閾知學
之士不謀咸曰濂洛關閩曁於吳越異趨同歸千載一
轍嗚呼先生之沒可以無憾矣至於藝苑種種殊觀欲
名一家沒齒鑽研志於道者鮮克相兼惟我先生洞見
一原精粗大小悉扣其元詩參李杜文軼歐韓天文曆
數龍韜虎鈐刑名錢穀字畫丹鉛陰陽占候騎射劍仙
包羅勿洩靡不精研多能非聖天縱乃全嗚呼先生之
歿可以無憾矣憶昔諸生摳衣門牆多居陽羨或寓游
塘藉名舉業方鳩羣頁啟發引迪輔翼匡襄庶幾狂簡
偕之大方仰窺雅志樂善無量孜孜業業啟處不遑晝
勤宵惕望道未光宏濟四海一飯不忘忠信節義若渴
需漿人有一行或邁彝常不惜齒頰獎借揄揚人之有
技足以自將不遠千里求盡所長先生讀書手不停披

日覽心契妙旨無遺六經正脈二氏毫釐莽夷諸子會通羣儒剪裁班馬點竄諠舒鈎元提要錄大采奇時乎行樂山巔水涯濯泉瀹茗剔蘚摩碑詠風浴沂訢然忘歸時乎閉關庭迹封苔斂膝危坐澄然心齋七情未動觀我本來逍遙林下幾二十年一旦有聞領悟超然半絲不掛萬境昭宣兩忘物我與天周旋昔也固守今覺其煩昔也峻立今覺其偏無適無莫能方能圓隤乎其順確乎其堅方其退處若將終焉及被召命幡然而起爲國爲民無以有己展我經綸大難斯弭北使薊遼按行營壘邊關振飭堵截大舉南來吳越軍情督視矢謀殫力賊勢乃沮提督淮揚規畫處置精密謹嚴事垂就緒天不佑民哲人遄逝傳不云乎邦國殄瘁嗚呼痛哉或疑先生之論大道獨拈性宗恐遺乎末單刀直入恐

傷於捷伊川晦翁或有未協嗟乎千聖同堂詎容一說
言則人殊理無差別矧夫末以本存顛由漸發師與儒
先孰云乖剌或疑先生之於出處時未可爲深藏則宜
勢未可就輕狥則非苟抱利器求試盤錯僅同虞詡功
利是較自處太高忘身受託比於龜山貽譏不度噫嘻
不然先生之出非人所測蚤懷康濟閔時憂國林棲木
食豈誠遯逸南倭北韃蒼生交厄痌瘝切身使我心惻
適有其機何忍復失君命之來異乎處士既復舊銜便
爲朝侍召以官名避則爲罪用之則行召不俟駕孔氏
家法夫誰敢訶竊嘗論之先生之處道似伯夷及其用
世再覩商伊一清一任各以其時大業未究天實爲之
某等久坐春風同受罔極不殖日落匪頑則晝尙冀先
生位登三事治還古昔雍容來歸再陞講席進退古今

踐修形色庶廣厥傳無俾曠寂孰意綠蘿梁壞山頹遽

失怙特窮何所歸窀穸在爾杖履無時敬陳觴豆綈淚

交頤九天徹聲萬古含悲共期不負仰答恩私敢挽章山谷

谿哲人既云萎吾儕欲何之精神滿天地康濟乃書詩閔星鸞搜馬拱木泣鍚尼巳矣二三子還誰得贊皮

皇甫柏泉輓詩

矢心懷北闕扶病起東山迢遞胡關外驅馳戎馬間龍

韜聊自試鶴馭竟無還落盡淮南桂悲來誰爲攀奄棄

人間世空留海上營三軍齊灑泣一市罷言征凱樂成

蒿唱牙旗表素旌更聞遺草在猶是出師情

劉嵩陽輓詩

扈蹕當年染玉毫山中較獵挽烏號英魂一夜歸何處

怒湧江潮百丈高

周訥溪唁公子鶴徵書

尊翁鍾天地至靈之氣繫天下極重之望否運望其傾
贏民望其肥雍熙之治望其致精一之學望其明遽爾
不祿天胡爲其然也此豈一家之哀乃天下之哀也百
身莫贖天道將若何凡聞姓名者莫不驚悼而況素辱
教愛者哀怛如何在足下天性篤孝遭此大事誠難爲
情但宅上世德望重尊翁名世事大四方觀者於是後
來責者於是更願勉思大孝慎護眠食以慰海內知故
之懷佚賤疾稍可奔走當圖躬弔奉慰

趙大洲與羅念菴書

某居甚僻大洲蜀人是時丁憂在家六月末始聞荊川下世正爾痛
傷公三十年骨肉交情悼慟可知矣嗟嗟斯人名溢千
古神遊八極小年促質烏能限之第吾輩後死者日益
落莫單子耳每一念之神傷慘怛知其無益始回向本

參而倏爾之間前之感念又復萌作蓋撥之不得澄之不能不知何日能忘之也想公亦同此情耳奈何

又大洲與姜鳳阿書

昨者郵亭夜語是時鳳阿督學蜀中爲珠江勝事作後來之口實矣且聞荊川公化去事殊痛快此其不朽之大者他則所謂出其緒餘耳其出處之說僕以語人人皆茫然惟門下聆之便忻然以爲確論然惟唐子可以此論若他人則效顰矣孟子不云乎有伊尹之志則可足以此義如何

又大洲與胡柏泉大參書

荊川早逝未盡平生効用之志可痛可痛冢嗣之託惟公深友在近不可不加意想不待丁甯矣

民國二十六年清明掃墓節地方公祭文

嗚呼先生少登高第[illegible]名動八埏推倒流輩時稱才人文滿一家筆張三軍而[illegible]公不屑乃力求之心身嚴辨義利務去欲根粹然理學[illegible]與陽明白沙爲倫初仕職方後改稽勳再起春坊兼掌[illegible]絲綸可廻翔而至公輔巳爲禁密之近臣乃公必欲致[illegible]君堯舜竟以疏諫而歸臥平江郵時方承平競起而爲[illegible]文酒詩讌之會公獨不然入則錢糧兵馬是討經史子[illegible]籍是紬出則山川邊塞是圖弓矢劍矛是肄蓋腹擅[illegible]蘇韓柳之長而身包關張趙馬之技以射法授萬思節[illegible]胡盧山以槍法傳戚南塘俞天被自文武分途二千年[illegible]而重見公門之干城桃李惟國晉能蓄七年之艾而豪[illegible]傑能開一時之風氣廿載林泉公亦老矣甘耽枯寂不[illegible]復出仕天見貪狼地出封豕威弧不張寇警洊至閭里[illegible]塗炭東南鼎沸公目擊痛心忘寢

廢饋欲爲被髮纓冠之救而有不與俱生之誓丹書忽
來先生投袂燕雀啁啾大鵬翔起雲帆挂海日八百里
接戰大洋短兵彌留兩一賊登陸軍令必誅崇明廟灣三
奏捷書嗣是以後寇氛絕吳公以盡瘁殞于道途閩越
逋寇遺之戚俞方公公初出職僅郎中官視軍情與巡按
同本無兵任文檄是以宣高坐省城原可自安公曰不然
吾有誓先民陷鋒鏑死吾何生焉諸將縮後公騎獨前親
冒矢石行提督權戰於鬭方急巡撫告旋旗牌皆去公張
空拳人謂推擔公任益堅我本愚人比寧武子淼淼滄
溟無還有死羸弱成旅奮喻公忠義洎乎開府病已入骨
四月都堂戴星披月振飢不遑馳驅僕僕齊年武侯平
生志畢綜公一生專事奇迴束脩亦辭餽貽盡屏飲水
漱石有過乎夷清之人聖爐扇肉帛裀帷車乘咸捐不用

又似乎頭陀之苦行不尚空談貴踐實境上索旁搜精思苦訂兩戒三辰悉歸鼇正餘及曆算尤嗜若命推測邃古靡施弗準卽論藝事亦足與孔子之游夏齊驅由求並騁本無宦情易退難進晚歲幡然竟應詔命士論疑駭謗飛遠近不爲卻顧又確乎孔孟之自信焦頭爛額甘投湯鼎惟希水火得拯百姓其自任也更勇如耕莘之伊尹凡此大無畏之精神洵足廉頑立懦救吾國巽怯之病同人等或爲鄉邑之後進或以遊宦而屐歷聞風激發熏德真切摩方長之龍鱗拜新封之馬鬣（去年地方政府爲修墳植樹）念未靖之鯨波彌撫今而慨昔節届禁火春近重三華表日暖墓門草藍聞鼙鼓而思頗牧有酒惟澆趙州之土望嵩高再降中甫破浪重掛滄溟之帆

（用疊元韻吾邑清明節公祭先烈川公墓賦此志感并諧去年築堂植樹之作詩淺春滿桃花紅車騎怨集陳）

淀京空巷來拜荆川墓爲激當年死事忠烈公提臺士夫灌錦立碑旌鼓且恭去年閣邑此種樹濃陰漸覆行

人路去年演前爲築堂堂明且家達醫光公去于今四百載生氣彌空若常在世傳入編半爲兵庭拚羣石如

營壘繪演開向興綜旋九泉應知含憤多家藏鐵戈久生鑄（鼎元別有礦鐵槍敬）手點陸符朱未磨（公註陸符

經刊入兵垣四編）雲孫鼎元百不宵七載錢塘供康倒摘等西輿教槍夷（公在西輿江樓自持槍教成元徵繼

光見戚自著紀效新書）劇壓按蠱不敢到文夫舍身當爲國公有遺言倖輿詰年年寒食粱花開野蝴蝶飛紙

發灰祖宗有塋不歸掃轉頃草公莫酒來蕤子知還故家幕稱人淚落塋鄉臺孫復生子子生孫公家高義鄉

有存有身不能繪國土此生莫上荆川墳賦詩永作誓家文更託高爲謝邦人

究謚一

明世宗實錄嘉靖三十九年四月巡撫鳳陽等處右僉都御史唐順之卒賜祭葬如例順之直隸常州府武進人嘉靖己丑舉禮闈第一人賜進士出身改庶吉士授兵部主事調吏部改翰林編修未幾上疏乞養病詔以吏部主事致仕居數年召爲右春坊右司諫兼翰林院編修明年與贊善羅洪先校書郎趙時春上定國本疏忤旨黜爲民順之初欲獵奇致聲譽不意遂廢屏居十餘年上方摧抑浮名無實之士言者屢薦之終不見用會東南有倭患工部侍郎趙文華視師江南順之以策干文華因之交驩嚴嵩子世蕃起爲南京兵部主事尋陞職方員外郎郎中奉命查勘薊鎮邊務復視師浙直總督胡宗憲薦其有功遷太僕寺少卿通政司右通政

俄代都御史李遂巡撫鳳陽卒於官順之博學强記自六經諸子以至算射兵法陰陽小技無不研究其說其文辭足以擅名一家初罷歸閉門獨居力爲矯亢之行非其人不交非其道不取天下士靡然慕之既久之不獲用晚乃由趙文華進得交嚴氏父子覬因以取功名起家不二年開府淮揚然竟靡所建立以卒順之本文士使獲用其所長直石渠金馬之地其著作潤色必有可觀者乃以邊才自詭既假以致身遂不自量忘其爲非有欲以武功自見盡暴其短爲天下笑云

傳後有書曰唐公實有武幹海上人屢言之紀効新書亦載其槍法甚善其出也實遭生靈塗炭人不以薦賢嘉宗憲而反訾唐公陋矣

姜廷善寶與王荊石錫爵閣老書云公子孫開千億之

祥今且繩繩相繼矣忻賀忻賀荆師事另有嘗聞於公
者謹錄如左蓋其與趙浚谷等夙講韜鈐爲經濟學術
而趙甬江督察時欲薦之蓋借以爲重而先師不欲也
時嘗避居金壇不與相見後聞薦不可已則又避地武
夷以示終焉之意薦而聞不欲出也分宜則寄聲恐之
云聞唐荆川欲學吳康齋視吾輩薦用者爲石武清已
難堪至比今上爲英廟非宜矣其脅之如此先師聞此
言也則往吉安羅念菴先生議可否念菴以爲詞臣起
兵事不當避難部屬官不當疏辭勸之且一出而即求
歸是以單車就道到京不久即求得齋詰命差果遂所
圖時聞陸錦衣對分宜言此差非所以處此君遂改差
薊鎮閱兵遂接差舟山視師此後遂從事海上不得脫
離塵網矣其到京初見分宜與之分庭抗禮後從薊鎮

遷京而置酒相款也則請先師正客席而虛嚴老主席在下其子實坐於傍渠父子實不喜其人而待以虛禮如此蓋用之而效則是其用人之功用之而不效則徒負虛名者用亦無益耳人乃以爲因趙文華交驩嚴氏父子豈不寃之甚哉此等語南雍侍教時似嘗面及之故敢述以私相告今不敢別有希望只就門生輩所立之祠予之祠額是所爲辯白其心迹之一端而望公力贊申許兩公共成此舉似亦可以仰藉於高明者也某不勝祈懇之至

王荊石答姜鳳阿書云大疏初舉二公舒傅陸自無他議若令者師則必得盡氣表章一番而後廟堂可處先是實錄稿已發謄矣僕私袖至江陵所白而改之江陵言我亦知其言之太過但公乃副總裁官無反駁正總

裁之理且傳史官慢膳明日我自刪改付之公勿與知可也此亦見江陵好處至今人未有知者翁但見改稿爲之訟冤竟不知原稿之更冤也

萬季野斯同書國史唐應德傳後云初讀國史唐公傳曰此忌者之口也不足辨置之已而念公賢者受誣至此安可不爲之辨公抱負長才林居不試覩鄉邦之塗炭思起而救之適會趙文華薦朝廷有夏官郎之授遂以應命其出處如此乃傳謂公以策干文華因以得進吾觀公文集有卻趙侍郎餽遺一書彼於匪人交際猶且卻絕安肯以策干之文華之薦亦由自知其才欲以博薦賢之名耳豈公干之而後薦耶若以文華之薦爲公累時與公同薦者尚有胡松周相翁大立李文進秦鳴夏五人惟鳴夏赴官道死餘皆至顯官議者未嘗以

文華故責此五人何獨以此爲公累也史於胡公傳備詳其善狀而不言文華之薦獨於公之傳言之不置同出一史而筆削如此豈非有挾而然耶傳又謂公初欲獵奇致聲譽屏居十餘年上方摧抑浮名無實之士言者屢薦終不見用夫公以弱冠登上第一時文名籍甚恐名浮於實故力敦闇然之學雖詩文亦鄙而不爲何嘗無聲譽而須獵奇以致耶其不見用乃當路者不悅上何嘗有意摧抑之公亦豈浮名無實者耶又謂公初罷居力爲矯亢之行非其人不交非其道不取天下士靡然慕之既久之不用晚乃由文華以進夫天下固有非人不交非道不取者而肯變節以希進耶何其量天下士之薄也其爲此言不過謂公欲得官耳公誠欲得官其初嘗兩爲翰林何不優游文史之地馴致通顯撰高

（張居正均以翰苑坐致宰輔　鼎元註）而乃至屢得屢失耶始棄翰苑之華階而晚求部曹之冗職亦大非人情矣至謂公以邊才自詭既假以致身遂不自量欲以武功見盡暴其短爲天下笑夫公於戊午冬始以郎官視師至己未開府維揚僅六月而卒其初則權輕不足以集事其繼則受任日淺故不能大有所展布然公兩以病軀揚帆海外巡歷而歸諸將凜凜悚息軍容爲之一振屢有斬馘功三受金綺之賜一時勞臣宜無如公者志雖未竟天下皆數其忠何短之暴而又何人笑之使當時任事者而盡如公何至若是之糜爛以公之勞勩而猶責之如此又何以責他人甚哉忌者之口可畏也蓋覬覦鄉邦之塗炭而思救之者其本志也不得竟其志者限於年也奈何欲後其生平而詆誣至是哉蓋世宗實錄悉出張居正

之手彼於理學諸儒無所不訾毀而公其尤甚者也然吾觀國史前後諸傳其褒貶不過數語獨公此傳一事而言之再三彼將以是深章其醜不知適足自形其爲忌耳自古史官挾私以枉人者何限吾於公獨深有感也故爲之辨此文係富陽夏[illegible]山鈔致

彜元于乙亥孟冬得明史實錄荊川傳于南京龍蟠里國學圖書館當時憤憤擬別爲文以爲之辨今得萬公季野之辨則予辨可不作攷王文肅公書江陵云我亦知其言之太過則似前人已有具稿而又云無[illegible][illegible][illegible]反駁正[illegible]義之理則此積又似出于江陵之手既經[illegible]改之後誇語猶知此不知江陵何所減于荊川吾又考之洪芳洲荊川之摯友也萬履菴荊川之高弟子也皆與江陵親善江陵且[illegible][illegible][illegible][illegible]芳洲荊川之子凝菴舉進士出江陵之門而不附江陵而驚天動地劾江陵奪情之吳子道（中行）則又荊川鄉人也江陵之[illegible]荊川其以此歟然江陵之舉進士則出于荊川弟子房官[illegible]伯之萬也又實錄荊川傳後書唐公實有武[illegible]云云不知出於何人之筆

究誣二

王貽上居易錄引徐學謨冰廳劄記云荊川巡邊之役
分宜享之西苑直房飲以苡薏酒荊川以爲佳分宜曰
酒故薊遼王總督餽予酒則一年佳一年官却一年不
佳一年荊川領之至薊遼欲馳總督甬道王公自以帶
兵堂銜難之荊川殊怏怏還朝先以巡邊疏託白儀制
啟常呈世蕃內參王公至數百言世蕃覽之大驚曰此
疏入王公械逮矣乃以筆盡删去止留一卒不練誠如
聖諭云云四句乃得秋後處治之旨朝論以苡薏酒之
語謂荊川爲嚴氏報効故不可知矣貽上以爲如徐所
言王司馬之獄發指雖由相嵩荊川實爲搏擊何殊文
華之媒孽張半洲耶
吾鄉楊農先椿侍講與吳子瑞書云昨在館與足下言
唐荊川王思質事會足下有他務未竟所云今爲足下

畢陳之世傳思質之死由於荊川蓋以荊川曾劾思質故也今考實錄荊川之劾在嘉靖三十七年九月思質僅降俸二級而已明年二月把都兒辛愛等自潘家口深入御史王漸方格劾思質幷劾順天巡撫王輪以下詔調輪外任革總兵官歐陽安參將高延齡徐枝提調李廷鎮職俱逮問思質尙停俸自效未逮問也五月辛已格再劾思質遂詔逮下獄而荊川在南討倭已逾七月三十九年冬思質死而荊川先半載卒于泰州舟中不及見其事矣是思質死乃格所爲于荊川何涉薊鎮兩關十區軍九萬一千有奇逃亡者三萬三千有奇見守邊者五萬七千有奇軍額既曠習練又疏荊川奉命查閱安敢不奏其劾辭云積弊之極勢不得不出於此蓋深爲思質解也思質孫士騏駁倭錄云九邊練兵總

尋常套數順之胸中素具甲兵未免求全蓟鎮是荊川劾思質雖思質子孫不能爲思質諱亦不能咎荊川也使思質死果由荊川士驥肯以其祖練兵爲尋常套數反頌荊川爲胸中素具甲兵也哉李于鱗思質傳云御史方輅受草都御史鄢懋卿言思質病悸不任事當罷遂下獄論殺僕㓜聞鄞縣萬季野云思質以潘家口之役恐把都兒等入寇無已時欲請歸又不敢念帝素遇己厚有劾罷之者帝未必不從以懋卿同年相契力懇之懋卿云上干邊事嚴喜怒叵測不可劾遂止輅者思質門人年少喜事思質屬草付之首言思質失策者三繼言可罪者四以頓帝之指冀息帝之怒末言宜亟罷爲民別選才望代之夫失策至三可罪至四不請行誅戮而乃言亟宜罷斥爲民非思質自草而何疏上帝果

大怒如懋卿言是帝之殺思質雖輅所爲而實思質之自殺之也傳云輅受草懋卿蓋懋卿爲嚴氏客思質或以草示之怨其不先爲之地後又不力援之故遷怒及之耳不知懋卿此時不敢援實亦不能援又何從爲思質地乎議者又云思質獻古畫於分宜荊川以閉口喝六證其爲僞分宜因切齒思質置之極典又云荊川死弇州兄弟實遣客刺之夫閉口喝與東坡公麟故事無預荊川荊川死在思質前弇洲兄弟豈忍揣其父必死而先爲報復哉小人之好議論誣先達類如此足下毋爲所惑幸甚楊寅先爲吾鄉康熙時經學大家學問淹博邑志傳儒林書中所引據彝之語勢不得不出於此二語不見今荊川集覆勘薊鎮邊務疏中責先應見有別本或即於北奉使集中見之思質彼荊川疏論敗狀後其年清河楊照之援思質得因以彼責陳鶴明紀鳳洲撰乃父行狀亦載之此後荊川自南思質自北據河之敗思質被王崇方輅等所劾乃遣巨禍責先文中漏一却被責數語特爲補記此文載於集

（先所撰孟靜堂文集乾隆武陽合志亦收錄之武陽志吾常止有殘本浙江圖書館有全帙）

吾鄉趙味辛（懷玉）亦有生齋唐襄文手書詩卷跋云考公成進士出張璁門以不附璁再起再謫讀書陽羨山中負時望者十餘年中外論薦並報寢晚以趙文華薦商出處於羅達夫達夫以爲向已隸名仕籍此身非我有安得佯處士公遂出聞望頗損論者至謂太倉王民應之死實由於公太倉嘗以張擇端清明上河圖貽嚴氏公指圖中博者張口呼六證其贋不知此東坡論李伯時賢已圖事且公在外日多嘉靖三十九年春汎期至力疾泛海至通州卒是年冬民應始死西市此不待知者明之也總之民應之禍其積釁于嚴氏父子已非一日故藁河變聞遂行其計而公爲兵部郎中時嘗覈薊鎮兵籍還奏缺伍三萬有奇見兵亦不任戰民應降俸

二級又嘗序鈐山堂集跡與分宜近（元有鈐山堂集序辭見前）世人好為議論遂緣此附會耶余為鄉後進恐流傳之言易于入人寖久而不能解故因展手跡詳為辨之且願世之士大夫慎于出處偶一失足衆謗集焉雖賢如公亦不免也（鼎元謂道味辛之為荊川辨其美意盡與湯侍講同然其以荊川晚年一出為失足猶以俗眼虛心窺荊川是限於人之學識原無足怪湯侍講之辨詳矣吾今更將弇州四部稿中關於荊川文字臚讀之如左細為論斷之）

藝苑巵言評當時文章諸家云晉江出曾氏而太繁毘陵出蘇氏而微濃皆一時射雕手也

又余嘗序文評曰國初之業潛溪為冠烏傷稱輔臺閣之體東里闢源長沙導流先秦之則北地反正歷下極深新安見裁（自注云汪伯玉）理學之逃伯安立基晉江毘陵藻稅六朝之華昌穀示委勉之沉瀾大要盡之矣

鳳洲先司馬思質府君行狀云節上而練兵之議起矣薊鎮外捍虜內控三輔戍卒故數萬人而承平久多所竄逸自庚戌變後虜日迫勢不能不多調各邊兵爲備邊兵歲苦調發日以減耗後先督撫諸公議練戍卒歲益壯可省調發十之六七大司農省𦳝輿芻粟稱是見以爲名美而戍卒多巽愞不習戰所勾募取充數而已諸老將熟計之不敢任調發如故相嵩與其子世蕃業得之冀以中府君而郎有某生者久廢暴從倖臣文華起廼以謂相嵩相嵩陽驚曰邊事弊乃爾耶於是指授兵部疏令某生出按薊卒所以不練狀而某生至則風府君曰足下何所失相君指耶府君唯唯既行駐昌平再書貽府君曰不佞將入矣何辭以復相君府君曰吾業已失相君指何復爲且某長者吾不敢以污請竟不答

而某生入爲疏則或言戍卒當練不宜以調發疲各邊而毀府君不事事相嵩當擬詔故或其罪寛其罰要府君以後劾府君不敢辨（中發遼左戰揆及把都兒辛愛數萬騎入犯一段節）都御史鄢懋卿相嵩客也欲以府君啖相嵩佯爲露情款者日相君實欲困若念邊事重不復能困若以而不任且縱之歸耳府君謂鄢同年生不賣我果請歸懋卿迺爲屬草授巡按御史方輅輅嘗以邑令事府君雅不欲聽懋卿日毋傷也今相君欲逐王王自請歸是兩狥之也輅以草辭重欲別具懋卿日弗重上勿聽也上勿聽而王勿得歸矣是無德於王而重失相君指也輅迺從受草然府君廉無可迹污者第極言病悸不任事負上恩當罷既疏上相嵩爲內主逮之下錦衣獄獄以讞牘請相嵩子世蕃削所具府君功次上刑部尚書鄭公惜之

持不肯從重論再毀西比守邊將帥守備不設失陷城寨律至明年庚申之十月朔竟不免（中節）自府君歿之一年而御史輅得病歸一夕自恨死又一年而侍御史鄢君論罷相嵩戍子世蕃孫鵠又二年而侍御林君按世蕃反狀詔僇之籍其家相嵩爲編氓以死又一年而都御史懋卿以嵩黨戍（下節鼎元考王方麓西曾記云邊方巡撫總督官係文臣舊時失事重言充軍而已後比依守邊將帥守備不設爲賊掠擄因而失陷城寨斬罪文臣比依將官自此始也所謂始言卽自恩賞始也此鳳洲兄弟之所深痛也恩賞之斬罪出帝意分宜必從中巧構之是時刑部尚書鄭淡泉公號也）

萬曆間鳳洲爲父乞恩卹疏有云先臣數以口語誣觸權相嚴嵩致成仇隙累風勘邊給事御史郞中等官毛摘罪過咸莫之應乃以春防小挫值臣父寢瘵杜門嫉其客御史方輅露劾謂爲托疾避事從中排詆致九重

有投杼之疑臣父卿覆盆之恨云云

李于鱗王思質傳云余觀世貞上疏追訟前功曰虜犯遼左臣父忬以總督督總兵楊照輩便宜發兵擊破之斬首八百餘級策定城池功施邊境嵩父子嫉削臣父功狀並薄照賞而壅先帝掛髀之明成化間總督王越潛師出威甯海殺首虜四百餘級封爲列侯臣愚以爲比罪則遼陽爲肘腋之寇于我必應量敵則掠出楡林塞于虜爲惰歸用師則楊照一部將計勝則首功過當威甯者而懲其深入者悛慮敗則潛師出塞𠠇虜取捷者危越封而臣父不錄令當先帝之世無以春秋擢軍士而示天下以非常功 嘉元考鳳洲爲父訟寃疏不見四部稿中其略見于鱗撰思質

傳中茲摘出之

鳳洲撰汪伯玉壽序云北地古而疏濟南古而棘 是時李于

（[illegible]巳辛鳳洲故下 一韓字公論鼎元註）昆陵晉江暢而今

鳳洲與茅鹿門書（節上）承文大誨諄諄拜誦白華樓續稿

神氣殊王昆陵之後主盟獨公矣史記題評斟酌二君

更自有入心語異時倘有所進固公之餘惠也

鳳洲撰姜鳳阿文集序（節上）先生少爲諸生卽慨然有志

聖賢之學及其成進士入讀中祕書晉史館諸應制酬

物之作斐然矣而是時昆陵公以其學鳴於野先生摳

衣從之（節中）而時出其緒以成文章天下爭模楷之然以

先生爲昆陵高第弟子其學若有所根柢而不知先生

之學深造而自得之者也（節中）惟步驟開闔精神筋絡不

無出入昆陵爾眉山有云歐陽子之文非韓愈之文而

歐陽子之文也余亦曰先生之文非昆陵之文而先生

之文也

鳳洲撰風士錄序云風士錄者何御史李公按吾吳四郡轄軒所經以公車之業試士錄其尤以風者也其所推引而爲後進楷模者故太傅王文恪公尚書瞿文懿公二公吳人也御史中丞唐公唐公晉陵人晉陵亦吳也

鳳洲爲顧箬溪嘉靖乙丑辛墓誌銘謂箬溪最自喜者九章勾股法謂能以人法窮天巧推宇原宙得無師之聖時有唐中丞沈司封者嘗從受學焉

鳳洲爲徐文貞公萬曆辛巳閣階行狀上節後以皇太子出閣妙選官屬公爲司經局洗馬兼翰林侍讀中節政稍簡得以其暇與故鄉文莊公守益羅文恭公洪先鄭端簡公曉趙中丞時春唐中丞順之輩相琢劘爲聖益切

鳳洲撰陳蘇山墓表云蘇山舉鄉薦游太學益肆力於

古其交游亦日進如張少保治傳司徒顧尹宗伯臺朱司空衡唐中丞順之輩天下所推以爲賢豪長者皆折節願交公

歷考鳳洲關於荆川文字惟久廢暴從倖臣文華起數語有詆之之辭然文華薦荆川朝廷雖召之卒未出也越一歲而文華得罪謫死矣更越一歲徐少湖相國函囑尙仰山巡按更薦之朝命促之巡按檄郡縣勸駕而荆川始出則荆川之出可謂得其正矣時遷事異與文華何與鳳洲暴從二字用盡千鈞之力不嫌其煆煉過火乎明史傳謂荆川晚由文華薦于是人云亦云此語遂牢不可解是皆受鳳洲之誣而不悟也顧涇陽憲成撰荆川傳云會有以邊材薦者削文華不書豈爲荆川廻護紀實也所謂薦者屬之少湖屬之仰山無不可也而

諭祭文云爰及公薦起任兵事鄭澹泉貸荊川擢僉都書云今奉簡命實由師錫夫曰公薦曰師錫豈得謂爲文華之薦哉薛文清瑄之召以宦官王振薦卽使薦由文華亦何損荊川且讀鳳洲乃父行狀乃父固未嘗練兵荊川之劾固不爲誣矣思質請薊鎮入衛兵無驟宣大調遣帝怒曰曩命薊鎮練兵今一卒不練耶鳳洲亦曰柢嵩業已知之又救命按薊州卒所以不練狀是薊鎮兵之不練宮廷舉知之矣卽使荊川欲爲掩飾亦何從而掩飾使鳳洲者非思質之子而受荊川之任亦將何以爲之辭耶而鳳洲乃怨荊川毁其父不事事思質之督師閩浙也荊川病中詠詩稱之爲元老祝之以早奏膚功前之頌後之劾稱情而賦當官而行何所容心焉矧荊川此疏乃覆勘疏非專爲劾思質發疏中謂前

此受命諸督撫皆有罪豈專論思質哉鳳洲謂薊鎮練兵徒爲名美是直以兵爲不當練矣而其撰倭志論曰練士卒固險要明賞罰此書生談耳究孰有易之者是鳳洲亦主練兵矣南方禦倭之卒可練豈薊鎮禦虜之卒不可練耶然何以譚綸戚繼光練之薊鎮兵遂爲天下勁旅爲京師保障耶是則思質因循怠惰閣置詔令固無可諱言荊川之論所不容已者也鳳洲孝子之心欲爲乃父迴護支離矛盾處處墮荊棘中矣吾于是嘆李于鱗爲思質作傳于薊鎮不練卒被劾一事一字不書乃爲有見然鳳洲乃父行狀言其父之死由于懋卿方輅不由荊川則彰彰甚明也汪道昆爲美鳳阿集序云昆陵故爲華亭所推夫汪鳳洲黨也可見事實終不能抹殺

思質劾行法仇鸞暴卒之風力御史王儀而奪之位見明

見嘉靖二十九年 與胡梅林劾張半洲而代之同爲鶩于功名之士其不肯媚分宜則有可取者其受任兵間不無功可錄然而兵事非其長也徐少湖與趙浚谷書云王思質襟度志向俱佳至於兵事恐南人終非本色望兄開心與一講究少湖知思質者灤河之戰思質爲敵所誤舉動乖張號令數易師徒潰敗賊逼京師震驚朝廟刑部上獄論戍帝諭改斬謂帝置之重典則可分宜亦以公報私落阱下石焉耳不得謂其陷無辜於大戮也然閣臣果能力爲營救未嘗不可輕減然此豈可望之陰險狠毒素惡王氏之分宜哉明紀於張經李天寵楊繼盛之殺大書其官又曰三人死天下冤之於思質之死盡去其官書曰某月殺忬明史思質與楊選並傳史臣論曰楊選王忬邊防甚疏宜不免云隆慶初鳳洲伏闕

訟父寃是時少湖當國實左右之得復原官誅楊選者
少湖也思質復官而選終伏誅思質有子而選無子也
鳳洲於荆川始爲詆之之辭終且昆陵公中丞公不容
口且尊之爲文章主盟者何也以荆川之論其父本出
乎公且所論甚輕其父之殺本不以此得罪也除藝苑
巵言兩條或係鳳洲少作其餘書序墓銘則皆在乃父
思質公既死之後使鳳洲尚有韡荆川之心鹿門之書
鳳阿之序卽使情不可已何難别尋話頭而必云云然
也少湖行狀蘇山墓表何難剷荆川名不列而必並尊
之爲聖爲賢豪長者也然其爲乃父行狀詆荆川者何
也鳳洲之意其父爲分宜所構而殺不足爲辱而荆川
負天下重名曾爲所刻有不甘心焉詆之以求相勝然
而事實具在天下之目不可盡掩荆川同志賢豪長者

猶多存在故隱名曰某生鳳洲此時實躊躇苦難下筆矣鳳洲君子也並其老且學道者也其爲嘉靖以來首輔傳雖於分宜不肯文致其罪狀其肯與秉公疏奏無傷於其父之荆川爲雠乎鳳洲題歸熙甫文集自謂盛年憍氣齒牙之鍔頗及吳下前輩及見熙甫文有詆爲蚍蜉之撼謂爲無言不雠吾又何憾哉吾又何憾哉卒且以繼韓歐陽贊之故鳳洲於荆川初有詆之之辭者盛年憍氣語也終且毘陵公中丞公不容口尊爲文章主盟爲聖爲賢豪長者私怨釋客氣消而道心長也鳳洲不仇荆川其子士騏自無嫌於稱荆川胸中素具甲兵也昔王龍谿爲薛方山所黜後龍谿遇方山拜之使思質而君子人也當拜荆川而鳳洲士騏又何以仇荆川爲哉

荊川鳳洲固交相推重也荊川於于鱗嘗輕之爲濟南生黃口學語未成（見與洪芳洲書）於鳳洲鳳洲之而不名荊川爲兩漢解疑論斬丁公條曰温公以爲漢高知大義王氏鳳洲以漢爲悖德二說孰是以後生與古大儒並提非甚尊鳳洲者乎鳳洲之譽菽椒山荊川蓋心重之矣王稚川尹洞山皆荊川莫逆友也皆嘗譽菽椒山者也安知荊川不嘗與聞其事乎（荊川與友人書集中佚者甚多）鳳洲無錫華公鵠山門下士又以女女鵠山子叔陽而鵠山則以女女荊川仲弟重庵之子荊川與鳳洲爲姻婭矣且以才而言荊川知惜椒山寧有不惜鳳洲者乎惜鳳洲寧有不惜其父者乎矧思質之落落有同於荊川二十以前未學道之時則思質固亦荊川所引爲氣類者也則劾思質者荊川公也其欲談笑爲思質釋積嫌於分宜

者荊川之私也釋之維何亦欲如教椒山者斂其慷慨激發之氣深其含蓄沉幾之力以教思質耳荊川豈爲居間行賄者哉惜乎鳳洲父子不識荊川意也鳳洲後蓋知之矣

荊川子凝庵刊奉使集遺蘇州皇甫子循子循以集中與分宜書有云臨行時奉尊教所傳言王總督者已一一致之又云王總督相去已遠容更託人轉達尊教云云子循覆書凝庵云人臣無私交奉使出疆便宜從事雖君命有所不受鼎元謂此引得不合勸鎮在裁內安得爲此覆乎何得以宰相之意致之總督者即令先君所勘失事人也荊川勸謂鎮不將謂相府先有所要乃曲庇之令先君所與知也既而據兵非勸失事謂鎮失事又爲一事在後一年鳳洲恩賢行狀亦記得明明白白子循當時人已憤憤如此井爲一讒無經紛紛之讒謂恩賢之死由荊川矣奇哉奇哉設使思質幸而免於大辟

思質不免於棄市（荆川所劾不諫兵思質不過降俸二級後王論方輅劾思質失事乃論棄市今子循亦併爲一談明朝人何獨塗乃爾極明白事乃混亂如此說無怪明朝不明不白之案多多矣）天下將謂相府不滿所求令先君所共釀也是未死之前將受傳言之殃既死之後懼貽追論之釁使王氏藉此以爲口實而理其先人之冤雖百口何以爲令先君白乎亟宜削之可也然而凝庵不以子循所言爲慮竟存之集中能知父之無私也（事使集刻於嘉靖間後萬曆元年併刻入荆川集此書仍存集中卽今商務印書館四部備要照印本是）此集既布之人間鳳洲自見之子循此書既存之稿中鳳洲自亦見之（當時子循鳳洲並負大名有南中士不過王鳳洲卽過皇甫子循之諺而子循鳳洲亦常有文辭詶酢）然而鳳洲理其先人之冤之時不以此爲口實者亦已知荆川之無私也荆川之心盡白之鳳洲在徐少湖歸老之日乎鳳洲常造之必有以曉鳳洲者矣鳳洲萬曆初爲父乞恩卹疏

言相嵩累風勘邊給事御史郎中等官毛摘罪過咸莫之應所謂郎中者非荊川乎荊川已論思質矣猶云莫之應者見荊川之論思質止在事論事未償分宜所求之私也萬曆初是少湖歸者之後也鳳洲著作歿其父行狀中有詆荊川之辭或者未及追改乎鳳洲藝苑卮言自言少年時與于鱗等爲之以議論當時文苑諸公晚歲不能一一追改思質行狀在四部正稿蓋先行付刊者荊川有愛護鳳洲父子之心而世何議爲不利思質乎王稚川材者向分宜爭救椒山者也及分宜罷言者乃謂稚川不利於椒山指爲分宜黨擊之去位鳳洲爲稚川七十壽序曰卽同摶飯參殺人尙得以名與跡而疑之乃謂先生不利仲芳卽椒山哉世貞既雪其家冤強起就吏而言者追論之以救仲芳爲倡狂議夫以狂議責不佞卽先生者不佞所與聞仲芳事也不當以先生不

利仲芳以先生不利仲芳爲不可即不當責不佞以狂議也夫言官者公是非之衡準也而若此者何也夫王稚川之救椒山椒山在獄書之年譜中矣心與跡並著矣荆川愛護鳳洲父子惟有其心況有一効之跡乎言官之是非尚無衡準世議之是非尚有衡準哉鳳洲身受目擊于是乎悟矣而毘陵公中丞公于荆川子矣

王材字子難號稚川江西新城人呂涇野先生高弟子也張夏雒閩源流錄云子難官南司業時王湛二家之說盛行增城官南太宰子難往造業投刺矣見閽者辭筆抵掌歎嘆問爲指尺旗日是藤踵所請書院地直累于金子難日亟反吾刺是於所謂天理者何居乎不見而返王門高弟子官即署名王氏擎有聲（蓋即王稿鑑）子難造焉于彈棋時得其人慧而多機嘆日即多機而慧名良知弟安所極哉亦竟謝不往於是就高陵呂先生於事常即學焉以此觀之子難之不荷豈肯聖請人哉其諸分宜以救椒山猶之康對山諸對瑾以救李空同也然分宜之敗子難竟與董份白啓常等目爲嚴黨而井斥矣（見明紀）俾氏日我不入地獄非入地獄對山子難荆川均入地獄者也然對山子難所救一人荆川所欲救者天下然分宜自分宜荆川自荆川分宜之敗

荆川爲不利於思質如徐學謨所云者鳳洲爲乃父行狀無是說李于鱗爲思質傳無是說吳國倫爲思質誄序中（無有違議及荆川者衆口雖能盡鉗天理然不盡泯也）無是說鳳洲既毘陵公中丞公於荆川而吳國倫撰劉景韶墓表有云上遣儒臣唐公順之來視師亦尊之之辭也弇州史料夥矣豈有關于殺父之事不記今鳳洲不記密如鳳洲之友七子者不記乃待徐學謨記之耶且鳳洲父子既積釁嚴氏徐學謨云荆川爲嚴氏報效矣則荆川劾思質數百言世蕃見之當大喜不當大驚而轉爲删削之只剩四句何不近人情矛盾如此且思質即以被荆川疏論遂見殺耶事實可推黜歲月亦可縮改耶嗚呼彼學謨者何人哉何造謗而未工其術者乎致徐學謨嘉定人嘉靖庚戌進士其改名

以媚分宜則已騰笑簡冊矣學謨初名學詩字子言以上虞人徐學詩劾嚴嵩得罪遂改今名字叔明見野獲編及列朝詩集小傳明詩綜四庫提要戒庵漫筆官至尚書明史無傳惟見七卿表及張居正傳居正臨歿薦徐學謨等二云云則學謨居正黨也居正卒學謨又附首輔申時行爲鄒元標劾罷乃與黨論謂趙定宇吳復庵卿吳中行號召一等浮薄輕進好言喜事之人專與公卿大臣爲難見明國學集鄒元標傳荊川子凝庵則忤居正者與吳爲同里同年誼至厚相與講學則固在學謨所指黨中矣是則學謨之謗荊川由荊川之子凝庵而遷怒而學謨之謂荊川爲時相報效則夫子之自道也既而思之知學謨謂荊川劾王公數百言世稱見之大驚荊川四句云云乃欲歸獄荊川辭說世書也學謨之改名後仕途甚利其猶不忘嚴氏相賦之餘緒乎

鳳洲觚不觚錄云百年前京堂諸公使事還里及以禮致仕若在告者謁巡按巡察兵道則入中門走甬道夫

私謂本省大吏尙走甬道思質雖帶兵部銜荊川奉敕實爲欽使思質帶兵侍胡梅林亦帶兵侍荊川之㫄直與梅林協謀討賊仍以兵部郞奉敕往者杏行督院未聞爲之屬也且甬道之宜馳與否自有制例學謨胡以知荊川以是怏怏也

世有謂朱子支解仲尼者矣有謂王陽明初附宸濠者矣朱子陽明不以是貶賢而爲是言者人皆洞見其肺肝徐學謨之說久沉之糞廁之中乃百有餘年而有王士禎者復摭拾張皇之以荊川與甬江並論直盲目盲心者矣

長洲婁堅明史附歸有光傳祭徐學謨文學古緒言四庫全書著錄曰莫知公賢覆謂公佞柄臣旣傾目公捷徑佞與捷徑是當日士夫爲徐學謨之月旦也婁子柔撰祭文不得不作翻

案語然謂學謨爲賢不爲佞則必謂鄒元標吳中行爲佞不爲賢矣可乎不可乎昌啓間爲張江陵訟冤復官者卽爲江陵廷杖斥革之鄒元標也方江陵獄興奪官籍沒幾至戮屍學謨方長禮部受江陵知遇未聞其能爲茅鹿門之訟冤胡梅林也江陵知薦徐學謨不知起復鄒元標吳中行輩腹中眞草莽也下同諸書參詳其名不通可元薦立朝敢言可謂節概之士矣史稱其嘗從許孚遠顧憲成遊是嘗學問者矣然其無識而敢爲誣誣與徐學謨不甚遠元薦謂荆川之出弟子萬思節沈鏘而諫讀荆川與思節往復之書當知其不然矣然或據道路傳聞之辭又或思節始有不然之意故荆川與之偕往取決念菴迨念菴有此身非我有安得倖處士之責而思節亦爲獨有剖藩籬一意爲天下國家之贊未可

知也元薦不然荆川晚年之出士各有志亦無足怪至其四書荆川兵敗且曰兵敗鬱死吾不知其意所在也元薦長與人在荆川剿倭方域之中成敗之迹昭然其與徐學謨之父母妻子學禮荆川祠詩人元薦生稱樹盧舍皆嘗受荆川死力捍禦者非在天之南地之北道路傳聞之有異辭也荆川之死以賢勞死也而元薦書之曰兵敗鬱死西山日記四言荆川兵敗分韻前韻中川秦誓曰人之有技娼嫉以惡之而違之俾不通荆川之生未爲通也而元薦猶欲其不通於後世然宇宙間秉筆者亦豈元薦一人哉孔子有所謂小人儒者謂其可小知而不可大受知一己而不知天下國家也嗚呼講學亦難矣哉元薦又謂念菴堅不赴召至託方外之游以免云云念菴與荆川齊雲别後靜坐止止所中三年不出閩荆川詩至始下榻而𥈭𥈭

直念菴行狀傳維嶽書念菴傳及各記載明又何嘗為方外之遊乎好為游談不考事實若此類者可勝道哉讚山齋長爲正學、公臣吾未敢信若長又有劉廷璣在園雜誌則又稗販徐學謨冰廳劄記者靈者即萬曆庵所謂守之徒從毅上起念把捉一生只是私意而已也嗚呼今執鄙夫陋儒與夫文人墨客而叩以乾元坤元之說彼則瞠目不知所對彼其心腹腎腸與夫賢聖民飢己飢民溺己溺之懷相隔蓬山固不知其幾萬重也又若小人之於君子本如犬馬之與我不同類惟知齒其影響之伺兒其水草之性以吠嚙蹄觸為事是故賢聖之於世欲求人人知我人人與我合豈不難哉又有隔岸觀火之人不知火中被焚者之痛苦驚怖使後之訾議荆川者生荆川並時處南倭北虜殘破之境未必不日夜禱荆川之出而振其困也然又有事過境遷

安坐自得不感前此焦頭爛額者救之之恩轉搖首張喙而索其癥者此則人心之薄世道之衰使英雄豪傑腐心摧志有披髮入山之憤而世事益不可救

徐少湖日今世士大夫高者談玄理其次爲柔愿下者直以貪黷奔競謀自利其身有一人焉出死力爲國家平定大亂而以忌厚誣之其勢不盡驅士類入於三者之途不止此爲當時之誣陽明者發也然亦可爲誣荆川者言矣

荆川嘗教少湖廷其身彌縫微密以濟天下之幾以誠與才合期之少湖教荆川以孔子之處陽貨處分宜以陽貨處分宜不與爲忤敷衍之而已荆川則有異于是者荆川爲鈐山堂序三復論世之說是納約自牖動分宜悔改之情也 識說 見 荆川嘗與分宜同飯語以人與物

同之說趙是因荊川不甚章說起分宜慨然有違庖廚之戒見荊川大觀最

荊川時時因物爲說思以默移其殘賊之心可知也使介谿見示戊午紀年詩生雖分宜之不忍出于口未必實動于中然

荊川久與分宜處必不爲分宜所緇磷而分宜之毒能

稍殺于前思質之罹禍不至其烈也此易所謂君子有

包承小人之吉也人譏少湖全是霸術無儒者氣象蓋

少湖用其才荊川用其誠然荊川奉使浙直抵死不顧

更入京事平之後雖遣除一雲貴僉事亦願之見荊川集與人

書是見分宜之終不可與處乎嗚呼無少湖不能去嚴

氏嚴氏不去禍不知其極也然荊川能爲王陽明不能

爲徐少湖矣

陳眉公見聞錄記鳳洲父子積釁嚴氏事甚詳有云王

元美爲郎時適有客席而嚴世蕃亦與世蕃久不至衆

客待之良苦已入問何故如許來遲世蕃云忽病傷風耳元美笑謂云爹居相位怎說得傷風衆客大笑而亦有爲咋指者此其開罪嚴氏一也嘗拔椒山經紀其喪慷慨酹奠肆遣嫠弱又一事也沈青霞寃死思質北向唾罵不已又一事也無及清明上河圖焉近人辰伯著有清明上河圖詳考確知其於鳳洲家無涉余曾在四部稿中見鳳洲題清明上河圖別本一則玆錄之於左張擇端清明上河圖有真贋本余俱獲寓目真本人物舟車橋道宮室皆細于髮而絕老勁有力初落墨相家尋籍入天府中遂爲穆廟所愛飾以丹青贋本乃吳人黃彪造或云得擇端稿本加刪潤然與真本殊不相類而亦自工緻可念今在家弟所此卷以爲擇端稿本似未見擇端稿本者其所云於禁烟光景亦不似第筆勢

道逸驚人，雖小粗率，要非近代人所能辦。蓋與擇端同時畫院祗候各圖汴河之勝，而有甲乙者也。吾鄉好事人遂定爲真稿本，而謁彭孔嘉小楷，李文正公記，文徵仲蘇書，吳文定公跋；其張著、楊準二跋，則壽承、休承以小行代之，豈惟出藍，而最後王祿之、陸子傳題字尤精。楚陸於匝漏處毫髮贬駁殆盡，然不能斷其非擇端筆也。使畫家有黃長睿，那得爾？又跋云：擇端圖至勞權相出死搆，再損千金之值而後得，嘻，亦甚矣！嗚呼！使鳳洲父果以此得巨禍，鳳洲尚忍言哉？世多盲目，遂生謬言，能無爲之三嘆。辰伯考：傳明上河圖爲崑山顧懋宏家事，放後人附會成王家故事也。世傳有極淫穢小說，撰於鳳洲，以蠱惑世蕃，爲復仇激憤之具者。考思質之死在嘉靖三十九年十一月，而世蕃之被戮在四十一年三月，陳眉公爲鳳洲墓誌言其居喪凡三年始茹葷第室，凡十年始具衣冠賓讌會家，無聲伎簉媵，以百指亦無一人曉聲律者。以是言之，鳳洲之喪未終，而世蕃之禍已作矣。鳳洲居喪不茹葷不

御室額宅心趾途發之地面日把筆指寓之乎若終寶後則最氏已敗矣而撥爲之更無譜也四部猶有竟江
行勢山風當廬江小吏行一首則鳳洲暴最氏非懸之作也世遂并以塗發小說爲鳳洲作耳眉公又云天下
但知鳳洲爲文章大家而不知精于吏事但知稱稱最氏而不知與新鄭江陵實相左但知正位六勳而不知
老夙閱曹有經世之才而不竟其用但知少年跌宕晚託仙人爲道遂稱而不知公之言勵務依歸會家法但
知公氣誼百代意若無可一世不知公之槩讀後進衣食寒士惓惓如若己出然則海內士大夫之未盡公者
窮鄉出處而已乎于謂世人不識荊川亦不識鳳洲故邪紛之使荊川公得享大年至七十八十嘗與鳳洲把
質入道矣（鳳洲晚年喜學道與人書云于舞在今日恐未能舍而從表蓋此君於所好已深而所居大是故也
雖鳳洲所好之道聲于仙佛非若荊川公之辨然權術然其脫去塵墜契乎與滓則一也）

解惑

吳興李彥和樂見聞雜記云唐荊川先生自登高科後
聲望大震先後按院屢有餽先生牌坊值者先生悉辭
謝不受今仕宦有幾位辭謝上司餽者開口便議先生
先生久高臥已而復出人亦議之余謂先生出也是立

身行道何可議得其出爲巡撫禦倭失策此是可議處
嘉興沈景倩德符野獲編後輩侮先輩條云甲寅乙卯
間王思質忬用禦虜功驟貴以右都御史兼兵侍督薊
遼時唐荆川順之從田間起以職方郎中閱視各邊與
王同吳人也唐舉己丑科王辛丑科相去十二年王位
已重視唐爲堂屬唐自以前輩威名新被簡用公卿俱
下之恚王之簡倨復命疏內議其一卒不練致觸聖怒
不免極典是雖荆川之褊然王亦自取之
又邊材條云唐荆川之學問亦可稱通天地人三材矣
海內仰之如麟鳳晚年一出大不副人望其撫維揚正
值倭難積勞中暍盡瘁軍中終無尺寸之效天下有殷
浩房琯之疑焉至以倖臣趙少保所薦議之則過矣
鄭閑陽若曾江南經略勒功三誓之一云己未之夏毘

陵唐公順之捧策至吳吳經歷海上倭至不得登刼屯兵
於三沙公帥兵圍之賊走江北為李中丞所滅或論之
曰六月興師勞民費財不能擣巢而縱之走未見唐公
之能也愚謂不然夫倭船之來非一歲矣每至即登岸
未有不滿載而去者若非唐公與熊兵憲親出海洋嚴
督將士孰肯僇力驅賊於沙上哉當是時撫按巡江皆
缺唐公原無提督之權無可戰之兵與可調之糧如使
他人處此必坐省城移檄將官閃奸塞責而將官又襲
故套止擊去賊不擊來賊數郡生民廢耕耘填溝壑如
甲寅乙卯歲矣安得賊千三四百人歷三越月而但屯
於一沙不渡海不流突內地不殺人焚刼枵腹而驀竄
哉自此失志島倭聞之至今不敢寇吳唐公保障之功
誠不小矣新例禦賊於海洋不使登岸者雖無斬獲猶

敍超格唐公積勞成疾轉官而歿吳民陰受其賜反訾笑之豈非天地間一大屈哉使操觚者而含糊焉則爲欺朝廷欺上帝矣若曾之所以誓而欲辯者此其一也錢名山振鍠七集讀荆川奏疏云先生奏疏甚憾各總兵官縱賊自以不能督厲諸將罪合首坐吾于是嘆戰非一人之事必用自擇之將自募之兵如手足耳目之相信然後可以成大功荆川廢於時久矣一旦出山與諸將未識面欲其相率而趨死地其不爲馬謖幾希吾因思先生自云恨少住山中十年此謙詞非實事也將不識面兵不手練多住山中十年何益昔者桂匪之亂曾文正公守制團練其所用將不出兄弟執友其兄弟執友各自練兵故卒平天下之賊此國家之幸亦文正之幸也往者粤事起大臣督師與督撫不習戰者大率

覆敗耳假使文正不自團練奉命督師無塔羅彭楊諸將爲效死力其異于僨事大官有幾熊襄愍于才將之難得調兵之無用常痛憤言之是以僅能主守不敢言戰從古以來以不練之卒建不世之功惟王文成耳然宸濠驕脆固非強敵山谷小賊不能攻戰其所遇非荊川比也儒者成功天時人事常相半焉難以一例論矣

荊川臨卒謂俍山中尙少十年工夫以治學言非僅言治兵也鼎元註

鼎元日李沈兩記於荊川出處大節皆能識得非若李戒菴丁長孺之謂荊川之出爲染指功名並其品而蔑之也然李謂荊川禦倭失策可議沈謂荊川禦倭無尺寸之效天下有殷浩房琯之疑與丁長孺之謂荊川兵敗鬱死如出一口是果胡爲乎來哉沈謂荊川恚王思質之簡倨復命疏內譏其一卒不練至觸聖怒不免極

典一節不佞于前辨之詳矣茲不復論今爲詳論其下
所云者以解李沈之惑並以解天下後世之惑焉夫公
稟曠世之才負當代之望久矣即沈記中所謂海內仰
之如麟鳳鄭澹泉所謂數十年來善類皆云南倭北虜
非公不靖者也望之重者則責之也深公建議禦倭上
策當截之海外不令登陸三片沙之捷斬倭首一百二
十三級擊沉賊船十餘隻是公之能自踐其言擊賊海
洋者也姚家蕩之捷斬倭首四百七十八級搗廟灣之
巢斬倭首四十四級三沙賊遁督總兵劉顯過江會剿
斬倭首一百七十級前後功次俱經各該巡撫御史覆
覈明白奏報在部公之禦倭何嘗失策又豈無功哉然
當時之議之者則猶未償責望者之意也且腐儒眼孔
見一卿兵戎不論其事權若何便以爲居將帥之任分

閫外之重卽責以李郭之功不知公之初視浙直軍情
以主事署郎中奉使職等監察本無臨陣之責鄭開陽
所謂原無提督之權無可戰之兵與可調之糧軍伍且
以鄉官目之弗之畏也彼殷浩房琯則據鼎鉉秉斧鉞
承三推董六師居將相之位執生殺之權掃國內以聽
命者也以此相擬何啻癡人說夢荆川公于嘉靖己未
十二月擢任鳳陽巡撫明年四月卒有提督兵馬之權
者僅此三四月而此三四月間所辦者爲調兵設防請
款振荒之事而前此禦倭臨陣衝鋒則皆無其力而獨
行其志者也世人見公銳以兵戎自任多誤以爲出卽
爲巡撫而忘其爲閱視軍情手無兵柄之官觀覽不清
宜其論責多乖矣且夫戰之克捷在有自募手練之兵
吾名山師言之詳矣而以曾文正之團練爲證鼎元請

更證以當日之事戚南塘俞虛江兩名將提卒圍岑港殘賊六越月而不克致動九重之怒及南塘自募金華義烏兵鍊之成每戰輒馘倭數千卒平大寇成大功此一南塘也豈其前後勇怯巧拙之殊哉方倭人之始至也以五十三人越地數千里殺人盈野（見前嘉靖乙卯年）即使一二賊登城荷戈之士心膽俱碎驚奔潰散（孫毅菴語）一聞賊戰如澆冷水顏色可憐縱不便走股已先慄（荊川疏中語）各備官軍不識戰陣所驅與賊相搏者皆田野農夫市井遊手即使孫吳復生一旦委以此責恐非旬朔可取勝（鄭端簡與彭草亭都憲書中語）然荊川以如是之卒感之以精誠勵之以賞罰猶與悍寇持於海中者三月且有三片沙廟灣姚家蕩之捷焉王龍谿云荊川運謀出慮若可與先師並駕而馳使公得自募一旅之師及其已得提督之

權而不即殞命亦何難平南倭北虜之寇爭動文成然南畿倭寇則自公而斷而世乃議其禦倭失策無尺寸之效與殷浩房琯並譏何其妄耶何其妄耶然則李沈之所記亦有自來乎吾又考之荊川集有詩題云浙中流言王遊擊喪師二三千者又聞總督梅林公將至太倉詩以自咎並以志喜題下小註云後總督細查王遊擊喪兵之數只八九十四人可爲一笑（此小註萬曆本荊川集及商務印書館印行本有之金陵書局本已删落）荊川與梅林書云王遊擊善鬪而不能撫下其部兵畏賊之甚而不顧主帥王遊擊父子止與祝夢麟一枝兵攻巢餘望風不進王遊擊父子幾陷虎口其子馬爲賊得去古北口一生員竟爲賊殺弟細詢遊擊部下北諸將官皆言自夢麟兵外其餘兵實不堪戰臨陣只欲潰耳奈何張空一枝士兵其勁兵前時

多被賊殺昨日之戰亦望風不進矣兩戰不得一首級也今只看李沈土兵何如云云（此書見荆川續集其全已錄存前）此卽王游擊兵敗之事實也夫喪兵九十四人流言至二三千之數此可見盛名之下之難居也夫曰浙中流言李彥和沈景倩丁長孺（長興人）固皆浙士也彥和與荆川生並時景倩長孺生稍後此三子者秉筆著書猶未免拾道途流言而紀之亦異乎智者矣鄭開陽崑山人則固目擊荆川戰事者也嗚呼不讀世經堂集不知公之晚出實係乎徐公階也不讀江南經略不知公任事之勇與辦事之難爲德于江南無窮涯也

鄭澹泉每勸公以視軍情爲名但當條上久安長治方略若冒矢石督兵戰守係總督提督事勸之勿任以舍虎爲龍爲言而荆川公弗聽也日看盡世事只少一甯

武子之愚我本愚人只幹愚人事惹出議論所不計也

凡彥和景倩長孺所記云云皆公自惹出議論者也王

龍谿曰若真打破毀譽之人被惡人埋沒一世更無出

頭亦無分毫掛帶又曰今世所謂得失不知指何得失

所謂毀譽不知他毀譽個甚麼嗚呼豪傑之士邈乎遠

矣

荊川公曾仕翰林兼宮諭矣晚年之出朝廷以兵部主

事起之以官而論翰林宮諭清貴而部主事卑矣是故

荊川晚年之出朝廷非以官之爲急材也而公之出亦

非爲仕爲赴難也如其爲仕宜若王介甫之聞小官不

起聞大官則起胡爲其昔爲宮諭今乃爲部主事出也

此一義也世無有論及亦無有發之者而惟斷斷於公

晚年之一出而口耳相傳且有謂公出卽爲淮揚巡撫

者矣彼紀曉嵐輩號稱淹雅者且然遑論其他此亦不可以不辨

姜鳳阿與念菴書云大洲先生自京師來言及先師心事即素以道義相知之人亦無有能諒之者過關中浚谷公其意亦頗有疑此蓋鳳阿曾留學時與大洲相識故又鳳阿寄陳松谷宮洗云先師荆川公昔曾以手書慰諭言欲爲人所不能爲之事則必能堪人所不能堪之情云云以此知豪傑出格作事欲取信流俗難矣至於素以道義相知之友如浚谷公亦頗有疑其情尤爲難堪矣然荆川公竟爲之而一切不顧者亦何爲哉

綺紵集始本擬將荆川公朋好投贈詩文集録之曰編紵集既而將其有歲月可稽者悉纂之譜中而續得歲月不盡可稽者仍置之於此

唐荆川太史養痾護國寺見藏明家詩選百　張詩張詩字子言號崑崙山人世居京師遨遊閩越得時譽寄南停吳楚客於杭方君九敘輩為梓其詩考張公贈荆川公詩非嘉靖十三四年即十九年在翰苑時也

養痾謝金門祇園暫休沐喧囂易塵昏五色眩人目倬矣上才人達生寡情欲空王戒貪嗔道士尚玄獨神仙快遨遊龍驤偏五嶽固哉金石謀愚者苦自促太史翰墨林德義比金玉壯思飛縱横篇章極芬郁煙霞泊綺窗風雲薄珍木靈草非外求仙芝自盈掬鳳翮可翀天紫霧騰文轂豈效世網人進退惟陵谷

偕荆川宿白雲堂見藏明家詩選百　薛甲薛年譜嘉靖入年同舉進士係中

每嗟題鴂變年芳秉燭攜筇夜未央漏盡客心殊耿耿
月明山色故蒼蒼浮生胥靡真遺土末俗支離轉喪羊
擾擾大千維夢覺與君聊卧白雲堂

寄荊川四首

寇盜何充斥焚如靡子遺喪明終有慶遇雨得亡疑四
顧星河迥重來草木滋緣空悟諸有臭腐卽神奇[illegible]
絕無同俗好宇宙合誰親只有雲山近相招便角巾已
知甘陋巷肯復向平津白首能憐我如君是一人[illegible]
犬馬推予齒君今鬢亦斑百年纔幾許一會復何慳高
懷元物外輕舉合人間何必丹崖裏蒼蒼未易攀
艮才不隱世孔孟故依依叢桂雖云可柴桑詎忍違歟
存須闃闔素履只庭闈此情吾近取君說是耶非

寄荊川唐太史 見盧山人集　周詩

周詩字以言號盧巖太倉人據其吉孫慈考此二詩大抵在嘉靖丁未庚戌間作

遼闊分攜後，音徽空爾思。風塵違俗遠，歲月著書遲。蘚逕閒居日，雲山獨往時。何年結蓮社，擔笈一相隨。

和子循寄唐太史應德 見盛明百家詩選

焚魚辭漢闕，歸臥碧山陰。竹徑攜尊過，花源倚棹臨。乳探靈洞祕，芝採白雲深。抗迹羲皇上，逍遥只素琴[illegible]

和荊川題清溪莊二首 見盛明百家詩選　張袞

張袞字補之號水南嘉靖辛未進士仕至光祿卿

書空多咄咄，種樹喜田田。白酒頻邀客，黃庭豈慕仙。興耽尋藥圃，歌聽採菱船。湖白連天色，分明新水篇。

少慕二花樹，蕭然五柳居。登樓看遠嶠，閉戶著方書。堂上頻呼鶴，溪邊不羨魚。客來能賦者，莫不是相如。

東荊川契丈　沈翰卿

沈翰靜字子羽江陵人有石尊集有聲江左與頗同定京師暨段石卷王前舉湯五川諸文人遊酬公贈詩有云客從因才士別署動詞林白髮惠公道青山送苦吟又云行醉鄉黨敬詩好鬼神知世俗誰青眼雲山一鈞綠漢宮嬪寵地徒認畫中姿則所推重愛惜殺可見矣

千里烟波釣艇稀海邊今見築漁磯後車呂尚還同載

前席賈生寧久違獨往春洲搴杜若肯淹別墅醉薔薇

空山飽飫青精飯漫道求仙意轉非

唐荊川太史稽山話舊見盛明百家詩選 陳鶴

爾坐山公馬來尋賀老家別離知幾歲桃樹已三花樓

上燈明座門前雨暗沙故情猶似昨時事轉堪嗟

天界山房積雪盈尺僮子疊爲五峯每峯下作一塔燃

燭其中與僧錄程公共賞之忽憶唐荊川冰燈詩用韻

賦詠一首 華雲中丹

空門積雪滿香壇戲作層峯傍曲闌瑤島巧依蓮宇淨

瑤華清映佛燈寒幻同蜃市連雲起疑向珠宮帶月看
一笑冰山何足問開尊聊盡野人歡

荊溪舟次寄荊川太史（前人時約履菴同會于河橋不至）

林臥殘暑微秋高葉未下荊南突千峯鬱鬱若相迓對
之懷故人徘徊不能舍倘獲接晤言願以中懷寫白雲
何悠悠輕翼安所假銜忽期徒詠思水木澹雲野

寄唐一應德　蔡汝楠

早承優詔返林居滿院蓬蒿仲蔚廬野徑採樵逢射雉
水鄉穿沼試觀魚碧山相對幽情愜愚谷爲鄰世事疏
聞說經年謝詞賦閒窗應注道家書

淮西道中次荊川太史韻因寄　前人

南山寄跡數年間撫景悠然廢舊編還舍揮忘爭席後
爲官那計積薪前淮流變蜃窺玄化濠上觀魚悟妙詮

祇憶知音唐太史不嫌狂客态談天

荆川寄新茶漫興 胡松 譜

內翰遙緘陽羡茶新春投贈意何賒呼童出汲懸銀綆

屬婦行煎看雪花且喜盤餐同屋角不愁盃酌更天涯

椒花柏葉安時俗莫被封侯悔別家

次荆川贈萬鹿園 前人

滄海時聞動鼓鼙老臣深念採薇詩幄中舊富勤王略

掌上新傳破賊期所念帝臣俱驚鶩不愁折服有窮奇

帆檣秔稻連雲轉笑彼么麽竟曷爲

秋日與荆川宿金山寺賦五首 前人

洪濤滚滚竟何之樹影鐘聲奠若斯絕壁倒垂雙日月

隔江遙閃萬旌旗憑欄忽墮憂時淚覽鏡仍增報主悲

最是臨齋易生感浮雲天際正紛披

妙高臺迥接風煙月色潮聲助惘然四海風塵欄檻外

六朝花鳥酒杯前簾含薜荔繁香入座傍芙蓉爽氣偏

傳與魚龍莫浪戲欲移帆影鷺沙邊

吞海樓前翠霧消石欄東畔聽吹簫潮來殿角諸天動

月上林皋萬象昭異日繁華還此地百年朋輩幾同邀

狂來擬共遊仙侶東望扶桑駕雪濤

滄波浩蕩兩空濛飛步底柱之危峯遙分萬里鯨鯢穴

俯瞰千尺蛟鼉宮把酒潛聽老龍語倚檻深憶屠龍雄

乘槎破浪一取醉壯哉宗慤希長風

靈巖橫直大江渦亂後重臨感慨多東去塵氛迷海嶠

向來烽火隔關河傷心草樹愁疑在得意蛙螾喜若何

聞道和戎方罷戰且須釃酒一高歌

唐荆川攜觴邀余遊天甯寺次韻四首　薛應旂 中詳譜

塵外樓臺次第登不勞清供費山僧霜前朱柿逢秋摘
水上青苹向午蒸客倦欲依林石臥心閑猶厭野雲騰
治安豈是長沙傳譴謫于今愧亦曾

十年朝市逐人登今日相看白塔僧石鼎香消紅火活
竹爐茶沸翠雲蒸雨花滿座蒲團靜過羽飛空錫杖騰
可笑黃粱炊未熟不知塵夢醒來曾

世路年來覺懶登叩關終日訪高僧晡時宿霧將收斂
冬月恆暘尚鬱蒸因謝紛華能妙悟不緣降伏制奔騰
利名海闊多沉溺末路回頭又幾曾

香臺拉伴喜同登自信吾儕有髮僧蘿薜任穿安用補
蕪菁坐啖不須蒸忙中常覺心苗靜夢裏原無意馬騰
盡說機關應解脫直從參透有誰曾

乞書記前

嗚呼鼎元自丁卯以後十年之間其蹤跡蓋不離乎吳越之間周五百里之內余之纂荊川公年譜也實惟浙江省立圖書館緊賴然館中所不足者欲外求之而未能也嗚呼貧賤之困人不其痛哉于是形諸夢寐見諸羹牆而呼籲於四方之知識與同道之人或託代購借或託代鈔十年之間曩所求而不獲者稍稍償其願焉蓋宜興路鳴奇首爲覓贈王孚齋集（第一次爲我失去重爲覓贈）潮州翁子光贈我重刊稽愆集北平徐石雪爲代購熊南沙集杭州徐曙岑介我而得讀萬曆本荊川集同邑張季易介我得讀胡莊肅集（上海富晉書社收買本）且因同門奚昇初之力而得讀李中麓閒居集（上海受古書店收買本）因同事千照古之介獲讀世經堂集（爾時世經堂集藏西湖博物館賣書王秋渠爲館長從容

假歸抄現此書已歸浙江省立圖書館可以公開閱覽矣天津趙幼梅丈爲假寄江午坡集弟子巢章甫爲摘抄叢蘭館集南京龍蟠里國學圖書館柳館長翼謀爲檢摘張陸兩文定及姜鳳阿馮文敏等集弟子錢耀山爲摘鈔鄭東廓王敬所諸集亦國學圖書館藏本既而還平湖葛稚威于陳讓蔛席假我蘭暉堂集而海鹽張菊生丈特借寄其所藏鄭端簡公集同事吳季明假我聶雙江集長興王季歡假我見聞雜記及野獲編永康程師湘宜興萬深祥假我先德兩文恭公遺集無錫顧欽伯贈其先德清溪莊遺集並爲摘鈔華鴻山嚴居詩稿嘉善倪徵庸在甯波天一閣摘鈔登科錄同邑顧嶠若假我晉陵先賢傳董劍菴爲摘鈔毛古菴集徐養齋山堂萃稿而葉常茲于役昆明歸乃購贈我李中溪集嗟乎鼎元行不出五百里之外而獲

聚萬里以外之書海內不可獲見之本而擷摘其文字詎不以以上諸者先生與諸友人之力哉其可忘也耶其可忘也耶先是鼎元嘗欲之北平圖書館閱書一月日不我與然北平圖書館藏本若鄭端簡公集李中麓集程萬兩文恭公集蘭暉堂集胡莊肅集徐養齋集逸巡數年中亦既得之尚所欲查者爲周約菴之撫上郡稿蔡白石之自知堂集華補菴之勾吳集劉汝素之嵩陽集王士騏之禦倭錄等約十餘種去歲冬曾乞北平汪伯烈代往查之報書云書不在館然此數種者亦惟可供參考潤飾之用而於此譜最有關係者則爲江南經略世經堂集李中麓集鄭端簡公集萬文恭集姜鳳阿集王孕齋集江南經略世經堂集近在西湖圖書館餘則求之館之外者也今皆得之可無憾也而李中溪

集來自炎徼亦可喜也且夫一人之智有限兩目之用不周吾因陳䕫圃之詔而知求萬曆本荆川集得陳渡阡表知覓西山日記得丁長孺議荆川者數條一一檢出實證實據辭而闢之丁將自此抱恨九泉也因夏樸山之詔知覓仙居叢書得林介山與荆川一書與萬履菴上荆川書對勘之知荆川少壯之耿介子特與晚歲之含弘截然兩人其進德之猛變化氣質之速爲不可及也余之假書于西湖圖書館也史叔同常朗之得從容錄讀而王易士高𨛦山先後假我明史邵潭秋假我明紀皆有功德于是譜者昔鄭開陽輯籌海圖編成歷述其倡首及中間佐助諸君子名鼎元何敢昧之嗟乎浙圖書館孕此譜者也其館外諸書則乞之乳者也

江陰王希玉鈔寄黄海南傳奔牛陳允琴鈔寄姜鳳阿傳曾述荆川弟子考有功蘇州楊祖述亦曾摘鈔乘變

江集迨後始假得吳氏藏本閱之年譜稍凡六七易稿弟鎮元鈔寫不及屢請民莊觀澄謝一枕獨志條徐鍾

英同寓杭州嘗爲助鈔焉

乞書記後

天下惟富與貴不可求舍是則無不可求鼎元爲荊川子孫一日發憤欲爲荊川年譜稽之家譜惟明史列傳一篇顧涇陽李溫陵撰傳各一篇趙平涼撰墓誌銘一篇查誌傳及世系中均不載荊川生月日以子孫而爲先世撰年譜而不知其生月日以家譜而不能考知先世生月日豈非皆可怪事耶嘗謂撰年譜必資於行狀荊川行狀非惟家譜不載且不知其爲撰者何人也一日冥坐若憶爲洪芳洲撰者然徧搜家譜又無徵甲戌歲冬至在海上獲讀李中麓集有撰荊川傳兩篇讀其前傳而得荊川生月日讀其後傳知荊川行狀果爲芳

洲作也愕然久之于是求芳洲集益亟託之吾友閩侯陳子南陵又轉託之陳先生石遺石遺方修福建通志求之不獲吾又函同安縣圖書館爲徵詢地方人士亦不獲凡友人有四方之行者無不託之迄不獲報已絕望是書矣然吾十年來徧閱荊川同志諸公集又得凝庵公所爲陳渡阡表荊川事略大備譜之數十萬言卽不得行狀亦無傷惟心終不釋迺懇周子邦式聲中央日報徵之亦以盡人事耳逾月寓京閩人林君承志以芳洲集報謂仍得之同安芳洲之裔竟獲讀荊川行狀知中麓所撰荊川後傳大都將行狀轉寫一過略有改動耳而陳眉公見聞錄所記荊川惡衣惡食數條亦多本之行狀此皆已輯入年譜中卽吾前所揣雖不得行狀亦無傷也然行狀中記却楊遂菴相國索殿試對策

較諸陳渡阡表爲尤詳又有記三沙賊遁之前荆川劍其必遁欲設伏誘至伏中殲之伏兵怯見賊遁賊亦遁此事至有關係又於集中獲讀安子介墓表子介爲荆川刻集即世所著稱嘉靖刻本不知其亦爲荆川弟子余方輯荆川弟子考欣獲補入則余於是書豈爲虛求哉曩余之求萬履菴集姜鳳阿集李中麓集鄭端簡集皆求之三四五年夕形諸夢寐殆將絕望而後得之而洪芳洲集著錄者僅有黄氏千頃堂書目四庫全書並存目而無之余謂是書已佚於乾隆前矣迺今竟得之而未獲是書未讀中麓集之前即知荆川行狀爲芳洲撰者豈所謂思之思之鬼神通之者非耶以是知天壤間惟富貴不可求若先哲遺著先哲精神之所寄靈爽之所憑苟竭誠以求之蓋無不可得余於以前所獲讀

諸書借之者與指示之者悉錄其姓氏入前乞書記中復爲此記所以謝周子與林君也將兩記附刊年譜後永以誌感焉而數數爲任傳遞之勞者余從毋之姪孫林清華也芳洲從荆川與王遵巖遊悉獲其作文之法其爲撫臺譚侯平寇碑敘事處卽學荆川廣右戰功錄不啻肖之矣吾師錢先生名山每深恨痛疾於張居正謂居正之惡埒於曹操而其諂事馮保則曹操之所不爲此集附錄中記居正嫉閩撫慘殺芳洲事甚詳讀之令人裂眥腐心益信吾師之言爲非過芳洲倘有賢裔能翻刻是書一宣其先人之功烈文章與受權相貪吏之慘毒俾天下共覩亦一快也不佞日夜望之矣丙子孟秋鼎元再記

讀甌東錄

嗚呼吾讀甌東錄則不獲見母見母則不獲讀甌東錄也先是吾母病風三年時作時瘉是歲霜降之前疾復大作業逾霜降矣謂有瘉理而不肖之遲遲歸省者適浙圖書館有文獻展覽會之舉而不肖自纂荆川公年譜以來惟於舊書籍寤寐是求是日入會盤旋久之見甌東錄甌東錄者荆川公會試同年項子喬之所作也荆川集有與項甌東郡守書又與周約菴中丞論項守書不肖之知有甌東也以此見書乃大喜孰知吾見甌東錄之時即吾母在里屬纊之日哉蓋出會即奉吾母逝世之電匍匐奔喪歸在苫次函啓圖書館長陳君叔良乞暫留是書暨葬母來杭夏君樸山乃抱是書詣寓俾獲讀焉書十册有書啟疏判牘說釋傳記誌銘行狀祭文詩詞頌爲浙江省永嘉區徵輯鄉先哲遺著委員

會鈔本有缺字缺行其先已刊未刊不可知項公爲廬州守廉其同僚不便也飛書謗之將得罪中丞周約菴（名金）公已獎雪之謂項曰我欲舉爾第一而爾遇此等同僚奈何項曰若爲此遂棄某不舉君子何恃而爲善小人何憚而不爲惡耶於張羅山相公孚敬之初召也進開誠布公人自不忍操戈之説再召也進敬以下賢舜猶戒傲虐之説三召進包荒用賢始終無間之説凡此皆切中羅山之病其爲參議廣東也與黄泰泉少詹論鄉士大夫與本省二司相見引古禮以相責而不肯稍自貶蓋誾誾然有古君子之風焉項公嘗云予同年卓犖向上者視他科爲盛若羅達夫之純和唐應德之剛健楊伯修之視死如歸黄士尚之處困篤學者皆大賢以上人也又與張吉山方伯云仕優而學倘又得

一二學道如唐荊川王汝中者相啓發則所就益不可
量矣荊川尙矣汝中亦儘有益人處不可以人言而不
之與也又云喬以王聯誣奏聖明目爲逆犯應罄葅從
邊上遣官致厚餽於予傴僂以聖明必平反之意而南
部郎中洪芳洲朝選同年唐荊川亦各有書餽嗚呼孰
謂今人中無古人哉又與戚南山書云平生得歐陽南
野教益居多而羅達夫王汝中程舜敷輩次之間有不
事講解亦能夾持則唐應德劉實夫章汝明郭君弼楊
實卿蔡亨之以下數人皆日夕不可少者又與王湛唐
侍御書云自陽明先生發明千古作聖之訣海內豪傑
之士翕然宗之某所知者若安福鄒東廓吉水羅達夫
武進唐應德永康程舜敷福山郭君弼遂寧楊實卿泰
州林東城全椒戚南山泰和歐陽南野朝陽薛中離永

豐聶雙江山陰王汝中茅治卿雖才質不同所造亦異要皆所謂豪傑之士也又與傅印臺書云不求同於俗而求同於理奉道義以周旋昔與郭君豸唐應德諸同志嘗以此相期於終身又寄趙峻谷翰林書云日讀抗疏令人毛骨聳然嗣又知與唐荊川同肝膈荊川時一曠世豪傑也邇來充養日粹矣蓋項公之於荊川公其與荊川之交情焉且項與羅念菴論學頗有可採語而書中不啻三致意焉而鼎元之獲見是書也可傷而是書將來之傳與不傳也未可知故備錄之使後世見項世無知項爲講學人者黃梨洲作明儒學案亦無道及則黃氏恐尚未見此書也余毋氏陳卒以禹曆丙子歲九月十八日鼎元少時家貧艱難致之學并記之

南京圖書館閱書記略

吾師名山嘗謂鼎元子撰荊川年譜而未閱明實錄終爲一憾事往予嘗欲至北平圖書館閱書未果既而知其古本書多已移至滬上不公開閱覽丙子季秋鼎元以奔毋喪回里既葬毋乃以其暇急走金陵之龍蟠里國學圖書館索明實錄閱之實錄于荊川事晦昧不章所爲荊川一傳近于謗書然獲讀王樗菴田叔禾林東城諸集皆荊川公之金石友也頗得補充資料又于姜鳳阿集鈔得與王荊石書論荊川出處苦心以闢實錄傳文之誣此書至有關係鳳阿集中上荊川師書凡十餘通已託館中人代鈔得之獨未及此書以此知事貴躬親卽得此一書鼎元爲不虛此行矣又于明鄉會試錄鈔得荊川大父黃門公會試文三篇如獲至寶閱書凡五日此外得者尚多此行宿錢煒卿處晤程滄波周

恕齋陸孔章顧嶠若錢易卿謝稚柳孔章嶠若易卿且助余鈔書恕齋工詩心交久至是始面治素齋餉予又謁晤石部長蘅青蔡司長子平林祕書鐵錚是數公皆有意于鼎元者蔡公前年牧武進爲修復荆川公陳渡草堂讀書處厥功尤不可忘林公與朱彊村輩治詞學有聲自余閱書歸爲文數千言揭之報端茲刺取數百字附譜後嗟乎甲戌歲冬至歸值毋病未能奉侍湯藥聞滬上有胡莊肅集即趨而之滬茲親柩始入土又衰麻騄出雖以閱書之故亦罪之大者烽火四照落筆惘然禹曆丁丑歲仲夏之晦離盧溝橋事發生後二十有八日

王東厓先生年譜紀略

袁承業輯　民國元年鉛印本

明儒王東厓先生遺集卷首

年譜紀略 （附出處事蹟）

先生諱襞字宗順號東厓泰州安豐場人其先伯壽自姑蘇徙居生國祥國祥生仲仁仲仁生文貴文貴生公美公美生紀芳紀芳生艮即先公心齋也先公生五子仲即先生也先生身長七尺九寸貌骨奇古初生尤異首伏左腋下肋骨獨甃別於右肋左耳旁有肉珠俗稱心齋掌上珍也（心齋有肉珠在掌左一右二）於是正德六年間居仁三月半先公悟入之始先生生方九齡從先公遊學江浙至二十始歸娶不半載又過陽明夫子宅八年獨得先公之傳師事緒山錢公龍谿王公迨先公歾開門受徒倡大家學海內嚮應者恍若先公當道屢聘主教交薦於朝（海陵凌都憲昭陽李太師交薦隱逸）暮年別號天南逸叟壽七十七歲著語略詩歌等作配享先公東淘精舍祠後議入鄉賢咸稱東厓先生云

明武宗正德六年辛未十一月壬申先生生（是爲十一月二十六日辰時也）

十四年己卯先生九歲從先公遊學江浙（至越侍陽明夫子側一日大會不下數百人公命童子歌衆囁先生高歌下）

自如陽明呼硯之許日吾說吾浙無此子也奇之又一日入公府數十犬環吠之先生神色不動衆犬委委而退陽明益奇之謂大衆曰此子器宇不凡吾道當有寄矣居十年方歸娶

世宗嘉靖三年甲申先生十四歲是年精音律善操陽明公以玉琴贈先生曰此王侯物也遂辭之

八年庚寅先生二十歲歸東淘議婚娶未半載復如陽明夫子宅八年方歸先生天賚聰睿諸士夫重之期以科甲先公止之曰吾願其為學問中人也

十四年丙申先生二十六歲冬十二月祖守庵公卒遵先公執喪一如古禮是年鹽法御史新安洪垣搆先公東淘精舍以居四方來學之士

十六年戊戌先生二十八歲先公有疾不出四方來學之士集安豐者百餘人皆先生應酬之內外上下帖然也

十八年庚子先生三十歲冬十一月考心齋公卒相兄東堧執三年喪哭泣甚哀喪畢三十年後遇父母忌日及配先祭掃猶號泣悲涕是年開門受徒毅然以師道自任凡月三會聚講精舍書院

二十年壬寅先生三十二歲南昌胡公植督學南畿薦允改先公書院為祠置祭田定祀典

二十七年己酉先生三十九歲同叔汝龍兄東堧瀛樓南岡諸弟東隅東日等倡立宗會創族譜睦衆是年遊學於杭州府會講錢王祠

二十八年庚戌先生四十歲冬十一月母吳氏卒 哭泣甚哀是年閩宋卦洲昭陽韓貞來學

三十三年甲寅先生四十四歲 南昌羅公汝芳知寧國聘講水西書院

三十五年丙辰先生四十六歲 四方從遊日衆是年靖叔一山公欲師事先生避不敢當春二月講學於閩建寧府謁紫陽公故廬埒樂安蓉山霊公署府事有一指揮官當問革職先生爲關渠弟念及先人勤業之言竊公曲全之彼宻賄千金以報先生曰予爲利來耶厲色邵之因自矢曰山人山居不欲以垢名玷山場而還笑山靈掩首而去也孟公聞而歎曰吾師兄節操宛然吾先師家法也于是留半年始歸

三十六年丁巳先生四十七歲歸東淘春二月子之翰生

三十九年庚申先生五十歲 先公門人道州周公良相貳維揚江防廳迎先生瓜渚劇與論學是年娶繼室倪氏

四十一年壬戌先生五十二歲秋八月兄東堧公卒

四十四年乙丑先生五十五歲會講金陵 楚黃耿公定向督學南畿聘請督建泰山安定書院是年東淘周思兼來學冬十月子之盤生

四十五年丙寅先生五十六歲 儀真主政李皐華公聘主講席是年閩津州陳九叔海陵陳釆東淘梅埜等來學

穆宗隆慶元年丁卯先生五十七歲 倡明家學後進悅服卽先公羣弟子撫不事先生若先公夏五月督學耿公按泰並祀先公子安定書院秋七月昭陽太師李石公麓薦隱逸于朝力辭

三年己巳先生五十九歲春二月搜先公語錄遺稿梓行于世

五年辛未先生六十一歲夏六月弟東日卒

六年壬申先生六十二歲春臺蔡公知泰州聘主講席風動三吳是年閏着田林訥海陵儲鮍等來學三月子士奇生

萬曆元年癸酉先生六十三歲大中丞海陵凌公儒薦逸於朝後兩舉鄉飲大賓俱堅謝弗受

二年甲戌先生六十四歲耿公定向遷南京戶部尚書聘先生主會金陵發明先學格物宗旨夏六月子士介生

四年丙子先生六十六歲會金陵兵憲孝感程公學博州守秦和蕭公景調撰中丞耿公德宜特建海陵崇儒祠復祀先公

口口于州之西嘱先生董其事春秋特祀冬十月子士美生

五年丁丑先生六十七歲是年成猶子之垣難嗣將命之納妾對日垣年三十有八室醫一十七載若納妾登之誓也其待垣過四十

平先生喜日存心若汝殆必有好子生逾年任孫元鼎生

六年戊寅先生六十八歲會學者講崇儒祠每會五日是年兩淮運判徐公樣來學本宗弟宏道宏器任佾修年伍頤後先來學

七年己卯先生六十九歲謁昭陽石麓李公勒崇儒祠碑記埀不朽

十年壬午先生七十二歲儀真縣尹樊公遣庠士王兆鸞劉崇正具幣聘先生于別署率郡士執弟子禮十日一會尹釋敬便服受教秋八月子士文生

十一年癸未先生七十三歲 以海陵崇儒祠屬襞子之垣子孫世守管理勉其克紹家學

十二年甲申先生七十四歲 奉兵部主政蔡公範吾臨意肖先公像於東淘精舍祠

十三年乙酉先生七十五歲 「奉都憲宋公陽山如皐縣尹鄭公克漸刻先公年譜行於世

十四年丙戌先生七十六歲 高郵州水田遭水荒兼歲福糧差里遞離倶先生晉接當道志同交密門下有爲解者曰盍殷之便先生曰己所不欲勿施于人遂罷產倶通

十五年丁亥先生七十七歲冬十月十一日先生卒 先生疾將終危坐定氣養神時命門人梅垂發雅歌取樂顧門人曰爾等惟有講學一事付託之復題諸詞曰汝曹只覲君子遠小人一生受用不盡無一言及家事

附諸名公贈言并壽序行狀墓誌祭奠文挽詩傳文

嘉靖乙丑仲秋先生遊都歸時諸名公贈別詩歌遺選 冊葉首簡載道而南

太嶽山人楊希淳撰詩引

載道而南者爲東厓子發也東厓子姓王氏揚之泰州人心齋先生之仲子也先生倡孔孟之絕學而東厓子默承其宗印顧其深然天成容無表暴以故知之者尚少而乙丑仲秋之來吾留都也都人士獨心醉焉一時諸同志聞其遺詣自得之學皆克然若有悟也將別乃各爲詩歌以見己志而題之知此云東厓子以始至而論學也有問學何以乎曰樂再問之則曰樂者心之本體也有不樂焉非心之初也吾求以復其初而已矣然則必如何而後樂乎曰本體未嘗不樂今曰必如何而後能是欲有加於本體之外也然後則遂無事於學

乎曰何爲其然也莫非學也而皆所以求此樂也樂者樂此學學者學此樂吾先子蓋嘗言之也如是則樂亦有辨乎曰有有所倚而後樂者樂以人者也一失其所倚則慊然若不足也無所倚而自樂者樂以天者也舒慘欣戚榮悴得喪無適而不可也既無所倚則樂者果何物乎道乎心乎曰無物故樂有物則否矣且樂即道也樂即心也而曰所樂者道所樂者心是牀上之牀也學止於是而已乎曰昔孔子之稱顏回但曰不改其樂而其自名也亦曰樂在其中其所以喟然而與點者亦以此也二程夫子之聞學於茂叔也於此蓋終身焉而豈復有所加也曰孔顏之樂未易識也吾欲始之以憂而終之以樂可乎曰孔顏之樂愚夫愚婦之所同然也何以曰未易識也且樂者心之體也憂者心之障也欲識其樂而先之以憂是欲全其體而故障之也然則何以曰憂道何以曰君子有終身之憂乎曰所謂憂者非如世之膠膠然役役然以外物爲戚戚者也所憂者道也其憂道者憂其不得乎樂也舜自耕稼陶漁以至爲帝無往不樂而吾獨否焉是故君子終身憂之也是其憂也乃所以爲樂其樂也則自無庸於憂耳凡東匡子之論學隨機指示言人人殊而其大都不出乎此以故上智者聞而樂焉曰明珠在懷而吾何必索之途也淺機者聞而樂焉曰吾亦有是珠而獨何爲其自昧也蓋其東匡子至而吾留都諸同志嘗如大寐之得醒其馭馭向往之志若决百川而赴之海也詡之戚道而兩也不其信乎既成諸君恩余有言余惟自東匡子之至余蓋未嘗一日不樂而亦不自知其所以樂也則於其去也亦惡能忘情哉爰述其所論者以歸之而二三子之不能詩者亦各附其名氏示不忘也示學之所自也是亦東匡子之所樂也嘉靖乙丑重陽後二日書

許敬菴孚遠撰

大明闢宇宙
萬古顯斯文
誰是繼往者
幾見開來人
我聞心齋子
崛起東海濱
倡明千聖學
獨立三才身
良知是宗祖
由己非由人
掌握乾坤主
發育天地春
一時振絕響
道大難爲倫
毫釐遂千里
支藝成剗椽
我生値其後
恍惚疑與眞
求之正扞格
喜見東匡君
君聞過庭

訓解脫形與神信手拈靈秘平空轉法輪指揮無一字提點化工新到處生光舞人人洗宿塵我因君始悟君與我同臻此氣塞宇宙浩浩無涯津

願鑄萬斛航勉旃勿遠遐秋風送離駒明月照懷襟千秋長悵望誰復是知音

焦弱侯竑撰

蚤歲頗好道遠求大藥資疲精事八煉愍勤問九思鼎爐漫追求勞勞設訣釋中道逢至人長跪問所師仙人閔予言玉屑稍一揮

饑食而渴飲還丹即在斯舍此徒茫茫于道日以支予聞喜不寐持倚更何疑擊碎鼎中汞解放龍與龜顧言從君去君去欲何之朝登蒼梧巔莫

遊崑崙池渤澥以爲酒大塊以爲卮一醉千萬言縱浪不復稱風鑪任驅使日月隨鞭笞遙指塵界中長笑忘還期

許吳儒撰

蕩蕩界中渾一竅昔嘗踏之還自愕天欲平治生至人爲仁堂上口正覺又驚雲裡飛來仙共窺斯道扶南岳我師終日發浩歌大驪吾

儕求良藥仙人示藥有殊方但向人身求着落孝弟之間致良知朋友之前討真樂討得真樂日熙熙相與笑唾乾坤躍而今乘槎欲歸去余把仙

樓強來泊飄飄一去泊不住徒坐江山歎雖索歸來伏枕夜如何明月清風還滿閒

金元初撰

昨來樓臥衡山雲雲中忽遇王真君真君授我逍遙訣勃勃紫氣常氤氳星辰蟠胸足烟霧手持日月風雲護昂霄吐氣成飛虹恍惚天

上閒韶鼓朝登蒼梧莫渤海俯仰乾坤幾千載鳶魚飛躍恒悠悠此中真趣看予亥丈夫有身不可羈茫茫六合何所公執戟既疲耕豈樂轄環夫

子誠吾師君今暫且歸山澤我亦還山崦玉液與君共結萬古期鴻鵠冥冥海天碧

龔熿撰

憶我髫髮白昂然氣節心雖慙未聞道難與俗升沉稍長纍鉛槧千遣念紛紛茫昧二十年忽幸逢至人閔我病未久虔與好金鍼平平與坦

坦便是日用應日用只如斯奚向旁蹊尋小子方依依左右嗇相臨未饑思魯狂嗟我更誰任送別江之滸潛潛淚滿襟柳條不可係悵望江水深

庶發既去後惠我金玉音

歸安沈桐撰

人生名有限其道無終窮如何百年內罪馳空西東要如合下宜便與終身同對面既不唔安望將來功念子賢者後會針早相進

遲證韜鴛鴦傑然異良工金陵多少年錯矯稱羣龍指授未暖膚言別何敘匆秋風吹白楊分袂念萬里再來異無暮桃杏映春紅

東匡子之來余不能從東匡子之去余不能挽所恃者東匡之再來爾若余老非所謂當面錯過者耶書以志媿

王堯臣撰

叔世論沉久滔滔攀利牽蹬亡爭博獵誰復業踏筌役役祗窮般未殊狂與顯不知身世援猶蹭亡便便袞哉林總徒苦瘳覺何遺天蹤

文明會風流有大賢獨紹傳心學振衣千仞巔乾坤無內外歌詠有魚古春風隨處拂秋月坐時縣惻予井底餅授以火中運了除諸惡趣萬滌萬

劫緣坦坦異如見始識未發前大哉本來證清通如此焉斬我陷迷途一去四十年不有披雲手能復了生還敬承鼎發力敢綴遍生難薄海同吾

澄真機俱自全岡期珍此意咸與樂堯天

李登撰

心齋夫子稱豪雄宜超萬古遊鴻濛阿誰飆飆繼家學人賓挺出東匡公留都人士氣如虹翕然欲挽唐虞風天風送長扁舟至令我昭然如

發蒙風花坐上鳴天籟笑臨場巾幹化工吳哉不着絲毫力坐運乾坤韋揠中先生歸去雲幾重何時復過江之東會須攜我同登着共娛芳春花

柳粱

楚甑山人張遂跋

予弱冠遊東肩適心齋先生計至同志賓位哭之比框傳先生生平奇踐悼借未已予時無所知妄意先生之學得良知

之簡宗真後死者所易從乃顧萩焉自僊非其入也復盤楦久之震執顯顯面卒妄承焉近官南中三數年來凡三過先生乃子東匡君予信心日

及而釜覺東匡之學日逐今年秋會波之會翁然稱盛而東匡適至大有以發之同志無論少長咸克然若有得者於其別也各寫其盛過之懷微冊而聯之太嶽楊子首狀北樂證而一時薦紳冠極其咏歌之而由未已也問一二瑕尚託予挽留以卒所請予矢之日先生樂體東是定世非承茲所名獄乃其統體云爾話其名言不足總之以浩歌浩歌不足覺知忘於無言者又覺是冊所能盡載耶乃東匡之附取具足日扣不窮者亦既役路多矣今複而歸返復何所有也凡我同儕無或過自疑慮或問僕往昔之病可也否則東匡日進且別釀影遠矣而予發詩題中道一停雲而符遜迴隔或爲明眼所詳曰東匡亦證人之子而吾儕參自疑慮者將非夫也邪故卒安中心湖以質之東海若云乙丑秋九月

江西永豐兵部給事中聶子安靜撰先生六十壽序

吾符觀士君子負才盟于蔣者牽皆以豪傑自命許足矣先正曰豪傑而不聖賢者有之未有聖賢而不豪傑者也是聖賢之學其立人道之極歟學自得盧精一執中之傳聖聖相傳以及我白沙陽明給經先源心諸夫子起而倡明之而聖學之旨始晚然千游內知道非外得學本諸心一洗支離之習洞示易會之宗殆如果日當奈而大陰絳之皆不足以聯其掛而也向之貿貿然者今如百川之宗湖而行北隘矣是非今豪傑諸之幸奈東崖王兄丞從倖若心諳夫子遊陽明之門陽則見而異之臣乃卒業役習懋承家學端居以自藤疑符以隆遁時出而就訂諸方造遊游絲不措勤業由是詣泳日深究覺搦至隆與已已兄道余家留倫極月壽去余思兄之所言居賢默啟渙然融燈啟所得于兄者弟也兄之立教以自得以本志爲宗大高明心之也茲愛恭敬心之蔣也先歷壽月心之疇也協花協樹心之還也語默動靜心之發也出還進退心之時也範圍云也曲成萬物心之度也三千三百心之鹽也發青岐極心之發也人有外自本心于日用之徒乎迷而弗悟於是乎篤端起誠不勝非支而自誤交即兄之驗果非聖賢之學而今豪傑之所未及

究貺故其所至士庶輒百十爲盥華聚講下與楚閩趙之淵信之尤篤盛乎既祭德學日爲一騎籍師督學督徽交馳或本部陸陶樹室教延至君海濟之風範多化于兄之敢迪北遠本心以聲人物之性少紙見矣使遺時發康厐攄素蘊功烈証可盘哉今年庚午十一月念有六日兄誕辰也兄門士吟都浴部炎松瑶霸武嶽千里徽余言爲變余推兄之學京末易倫而教已獨至北壽益巽北八萬萬也因舉爲二予告俾益知所以祝而傲之

先生叔弟東陽褆撰先生六十家慶壽言

師門爲學日久而年又飛高精力更強健言行更顯和家庭中更能總過發發然日進炎如公于斯令大有光于後學大有振于鄉黨宗族大有倡來于四方遠近大有觀望也是月念有六日壽登六十諸有道者稱艤提錚忝爲弟爲任感朝夕蒙青付無一言以變顛隕壽原以髮公之造詬夫壽有幾曰有痰若有葆壽有際壽有元壽有造壽有徵壽有術壽有盜壽精氣完固寒暑弗能侵爲是謂窮壽抱朴守素嗜慾弗能艷焉是謂葆壽時逢照秦無兵革火荒以闘天年是謂窮壽天空游關月白風消壽壽皆鳴無一而非此鏡爲飛魚躍無一而非妙用千紅萬紫可句可能揚柳栖桐可做可提是爲元燕執天之掘提人之紀居處居立正位行大道使乎天下澤被萬世是謂遊壽溫衾扇枕臥冰泣竹然所剩路是翻徵壽吐精嗟葬刀走入口而白日羽翰是謂衛壽闔髮松然而德之弗逮是謂盜壽盜壽以言乎負也有壽以言乎幻也徹壽以言乎髮也元焉以言乎性也際壽以言乎時也葆壽以言乎人也窠壽以言乎天也惱造壽之盛大矣公之壽果熟從而得之或曰一之近四之中二之不與焉褪曰不然昔朱子都八九十亦當硬袞做去如公臾杖于雲水之間對盡冠三三兩兩拈出兒在合協物各有契所死然有零上之風此修身見世之錯也公之壽或從此而得之公年今六十爲之七十八十百歲而無倦焉則師門之所

以壽公者何如公之所以後學百世者又何如則公之乚長自壽又不可以年日幾之也是爲序而因附以詩詩曰春風滿地芸室開壽荔皆綠

門徑栽歲月又傳新甲子乾坤未許老蓬萊機閒合信超凡骨性會食岡結聖胎何處藏梅來進酒盞明末席酌稱若和逢不問此何年消息洽淵

道可傳千里雲光生黎壁一籬春色載華筵聲聞早度機錄攬風月無邊信手拈門外岔花岩契所百千世界伍黎前

王東日補撰海天老鶴藝鳴 訓附詩迎長言廣言等數章長言以脉慶廣首以原並無非爲東匡仲兄以壽吾私以焉云耳

又壽脉 山室酌酒歲山花古嵩風光白我矣無數遷篇出鷗谷一行鳴雁勸天永世須老乎扶皇極天綏長眉行歲華吾廬來聽輕看韶澗流道更定

無遐

又壽頌 詩詩南山四國仰止人孰不祈祈我谷子爲云君子阿誰不齒指天齊只惟人樂只對詩有山仰止四國人孰不謀惶其九德卜我君子德

給莫期文兮武兮舜兮堯兮諮諮前山松柏森森人孰不欽凡寫彬彬敦我後人歎我前人伯曰叔因叔曰伯因

又壽原 夫天下之有生也莫不求有壽也天下之生同而天下之求壽不同所求不同以其所好不同所好不同以其所歸不同耳是故有好百年言

者有好萬年壽者有好無算壽者有好一人壽者有好萬人壽者有好無大壽者所好不同甚豈同故故夫進壁遐俗聚精欲神可以任百年而不

折形于世爲此昭好一人而得百年之壽者也造一世之功垂異世之名篤一世之行流異世之風思功而終一如生也間風而與一如生也此罷

好萬人而得萬年之壽者也若夫萃闔闢乎乾坤之機操代別乎日月之本同運用乎鬼神之妙持生育乎萬物之原可開而不名至神而莫滿不

固于形氣之生滅不與于造化之循環廓無內外道無終始吾熙熙乎于其間浩浩乎以自常以之立天地之心以之造生民之命以之繼往聖之

王東厓先生遺集　卷首　六

賑以之開萬世太平此之謂好無算無大之壽者也是故無算無大非道壽歟萬人而萬年非名壽歟特一人而私百年非形壽歟形壽獨壽也形
朽止其名壽不與焉死道壽乎而名壽享報功被澤之光者也功溢澤益亦止矣雖愈于形壽而道益不與焉得夫道壽益矣形名俱在其中亦何
足論哉聊聞屑見而凡以延生之說相偏者衆矣志維才傳行篤集高而能建功無名者吾亦常見其人矣至若超凡脫俗見聞躋本然之境悟不
孫之意而傾以道壽爲吾好求若抑幾何人耶非是之解也吾固謂所謂不同也然所識不同又非所發所近之便然歟今余之所識也敢自謂其
獨覺耶亦得于吾仲兄東壁翁之下近也乘吾叔兄東隅翁也余三人者又得于吾先公之遺緒也迴吾先[illegible]又上得於孔孟之隅脈者也吾因敢
自謂所識孔孟之識也所好孔孟之好也所求孔孟之求也雖曰吾家也敢自以私淑爲哉今吾匡兄甲子之周尚德並躋遐邇稱慶焉遐邇之
慶慶吾匡兄之形壽也弟之所慶併慶吾匡兄之道壽也是爲壽原之說

先生姪孫王天眞元鼎撰先生行狀

諱襞字宗順別號東厓生於泰州安豐場其初徙自姑蘇始祖伯壽生國祥國祥生
仲仁仲仁生文貴文貴生公美公美生紀芳紀芳生父艮卽心齋先公也先公生仲子仲卽先生也生於正德六年十一月二十六日是年先公悟
道行住語默皆在發中寄書座右云正德六年開居仁三月半是年先生生人咸異其不偶年九歲時卽隨先公讀書於文成公家一日大會縉紳
士夫不啻千人公命童子歌衆青歎獨先生高歌自如文成公呼親之知爲先公子也乃新之曰吾說吾浙子無此予也因奇之又一日入公府値
數十犬叢吠之先生拱立不動神色自如公見益奇之告於衆曰此子器宇不凡吾道當有寄矣居十年方歸娶耳聞目見悉皆先發型範以故濟
蒸日久德器日粹年未及二十而丰儀修偉神情朗裕望之者儼然知其有道氣象也當時諸縉紳先生從先公遊者罔不欽重之一日[illegible]於先公

曰驟稱甲中人也爲令習舉子業先公曰天下英豪濟濟何獨少斯人哉吾願其爲學則中人也先公抱病時四方來學之士輻集安豈者日不下百人米背先生應欄之內外上下帖然也先公病將危顯諡季曰吾有子吾道有繼吾何發汝有兄知此學吾復何處惟汝實善耶之遂無言而卒先生悲慟骨立佐兄執三年喪悉遵古禮行事居數年學有悟處聞門受徂時年三十矣毅然以師道自任講學于東湖請益凡三月會凡會大有所發明毋論後進者頌誠悅服御先公華渚子無不畢先生若先公也師事緒山錢公龍溪王公就正所學一日遊學於閩謂紫陽公故臨時樂安容山黃公署府事有一揮使官當問革先生潙渠弟念及先人勤業之嘗嗟公甚全之彼國恩思報策贈千金先生見而諱之曰吾公利而來耶厲色御之因自矢曰山人山居不欲以斯名玷山場而逝笑山岳施者而去也蕊公闘而獄曰東匯節操宛然吾先御家法也先生居常介然宕守與士大夫交游盍不爲于洲大邵顯先近溪羅公知省羽事倡明理學大會諸公延先生主之嘗曰東匡跡若潜體而見龍之證已且矣姑莛士習民風多湯蒲郡太守蔡米臺公秋挽回之乃延先生久居談鄉約定其教念乃遐耿中丞公督學南都延先生於金陵接談間恍然有契遂定爲執友云一時關居興起者其集母道而公昔曰先生遜陸都窮以指授都人士庶婁燕留動知者得歸道宗者老爲之太息醫敎爲之析徐我介爲之動容解臺爲之色莫上根爲之背背初授爲之心開鄙今吾辭部一二卓然剖悟可侯將來者其關諭皆自先生啟也滲閱太史公符以詩冊贈別其絕句云夫君起寒新高論臚珠球隙發拜六籍浩氣存九牛片齋指剛翔四座皆回頭云云其冊王今踐于家先生符與抄直山公書曰良知即乾之證刪毯中正繡粹至精本無發與毫搭些子不上亙焉古間有或變者也不容人分毫作見加意其間幾有纖毫什兒與些子力於其間便非天道便有窒礙處放念平常則念本色省力處便是得力處也先生教人升曰人心只有此一事千古只有這一件念此一事皆開句當離此一件總

兒丁心公之南丁不夜十月生正驗道弟孝先委從與先吾氣人是
女亥術門詮柔襲拘不年所家於也標竭不生曲遊焉成韓不要棚
子十配人士曹年格忍後爲居陽啟紳力可嘗者日部其貞令立漾
入月卒也奇惟北先釋續盡每山己諸赴及追無來皺墾見人意安
臥十先生士立村生手誠日月宋巳公工巳叢所每擢東誅畏在忍
房一祠女介入適泥先泣而朔公先崇建吾先不會用匪徹亦天將
危日一二士女先與生悲勸肅泉公奬倡獨公盤當之非有不地有
坐巳配一美惟生送每謁凡衣匪道先祠不之其數州心殊令間限
定時甫配士立門爲行先遇冠孫有德又能孝心百府驟行人出光
氣舉梁虎文受人壩四生丁具公諸以做立欲荷人最遣是狎頭陰
養於閣墩之柔網之方喜祭備一錄示之身一可不實不門沿做却
神協智崔銓於鄉與會讀三酒匪尚恩歎揚光以計者出人海件付
時東適般姿先貢天學曹日卒郭紛勳公名顯光寒同還中之好閒
命宿三之壩公任輔覽暇詢子公錯而創之一顯暑發倡之鄉事勾
門塋子三周門陳女名則即弟簪未所定顯而其客公人最顯亦當
人先周子裴人儒也山檢蜜祭山就以忍其局觀至舉來著化足無
梅生時崔之源二生勝閱飛貿蜜拔招與親于即盡先凌者而爲窮
墾疾偕希三山尹女境古乘祖公訂捺置乎體竭日生中耿善此妙
發病其翰女農倜一訪今誠先恭先之祭遂制力近固丞中良心用
雅將年般妻方室適高致迴題訂生者田因于爲則守壽丞者之乃
歌終七亦父氏方壽人先先會錫乃則勸請是之歉素樓嘗彬隙坐
取時十先周卒氏陵邊哲公于集手先石部乃是留志公日彬先棚
樂三有公源娶生丁士會先家四錄生于使欸非遊堅旋心成生塗
頤日七之溪倪于北賜有祖寄垣之立兩之曰毀則確麾豬俗持杷
門翁卒門公氏一村處合諮中付過身禮命士舉設不陞無有身也
人仰於人東生之之賦處諱考之豫行此卒大不循出遊東與春又
曰不萬篤郭了論長詩咨口究梓衷道固諧夫計周由先匪化風日
附令曆古鄉五娶子亦分三一先就之當子之也旋是生不樂和吾

學惟有講學一事付託之復暇諸嗣曰汝等只視吾于遠小人一生受用
不盡更無一言及家事傍有見先生敘定令扶起孜孜先生曰是速之也
復令其從容俟氣盡行之少頃瞑目歛容以逝先生生前李太師扃云篇
賓高明克世家學沒後耿司徒祭其墓焦太史誌其銘工部海門周公左
遐兩淮慕先生奉先生神位同林東城公徐波石公等十餘人配享先公
祠之側春秋祫祀先生歿後二十四年門人子弟思墓先生不可再作因
父諸生之坦在日所親紀許人新鄉羅編為行實以俟先生同志諸大人
採摘作誌後因稱君泮刊行林師訥所輯道集遂附刻以傳焉姪孫諸生
元鼎
謹識

秣陵焦公弱侯竑撰先生墓誌銘

陽明公以理學主盟偏宇內而泰州王心齋副
起其徒幾中分魯國故遡而言學者皆本兩
王公心齋子東厓先生推衍其說學士翠附景從至今不絕蓋以學徵其
家有以開天下而風異世可謂懸矣先生卒於萬曆丁亥十月十有一日
追今十九年嵩末有銘先生兩子以屬余則曷敢辭先生諱襞字宗順學
者稱東厓先生上世家姑蘇諱伯壽者徒泰州安豐場五傳曰國祥曰仲
仁曰文貴曰公美曰紀芳芳生良字汝止號心齋先生父也毋吳氏生九
齡隨父之陽明公所士大夫會者千人公命童子歌多囁囁不能應先生
意氣恬如歌聲若金石公召視之知爲心齋子詠曰吾固知越中無此兒
也頎奇而授之學是時龍谿緒山玉芝皆在公左右先生以公命悉師事
之踰十年踏婁已之邈復留者八年師友相陶汰氣揀神誦耳新目明標
樹山諸之上越軾風塵之外孫枝葉而逐其根尋派流而迴其源沛如也
久之陽明卒於師心齋始授徒淮南先生相之覃思悠然講論鑄然不僭
陽明之存也已心齋歿先生望日隆四方聘以主教者沓至羅近溪守宛
則迎之蔡春臺守蘇則迎之李文定迎之興化宋中丞迎之吉安李計部
迎之異州黃都丞迎之建甯殆難悉歛歸則留村落小大扁舟往來歌聲

興林越和激發開者以爲殃雩之虱復出王是風聲彬彬盈字內矣天聲耿師譽唔先生迎謂曰衆多君冊了於道有得君自謂若何先生曰道者
六通四謂之途也藉謂我有之將深取焉而又曰我能得之謂已攀矣余師大貸其言定爲石交云至金陵與多士講習述稱累何口問稽討朕不
慨其欲以去余友禍道虞怨之云東屋子至而論學也則學何以曰樂又問曰樂者心體也有不樂非其遜也吾求以復之而已然此如之何而後
樂曰吾體自樂曰如之可而後樂是加於證之外也然則學可廢乎了否莫非學也而皆此樂也樂者樂此學學者學此樂吾先子益言之矣樂有
辯乎曰有所倚而樂者樂以人也[illegible]其所樂則不樂無所樂而樂者樂以天也舒慘欣哦榮悴失得無之而[illegible]可曰無倚而樂非樂道耶曰樂學道
也而曰樂道是隸上之隸也學顧止此乎曰孔顧不改非樂樂在其中於此蓋終身焉而何以加詣然則何以曰憂道曰君子非以外牧爲成成也
所憂者道也憂道者憂其不得乎樂也云屬先生孔孟之言未替一日去於口其推而與世其也未嘗一日忘於心赤大意其此矣居恒不類謂削
而動中規矩非其義千金至繭不一吟也爽祭必遊古論建先祠證祭田月朔卒子弟盡衣致負溺考一月成爲境日乃謂謂心齋以綺身格物爲
趨先生殿取予數孝弟聯宗族闡於行詬者毛發必謹宛然先人家法爲中丞淩海樓疏藹於朔辭遜操爪先生堅臥自如[illegible]絡屏竭女毋德近逸
門人子弟觀賢講學語不及私距生正德幸已十一月二十六日年七十有七裴於場來新壁配與氏儒宗方氏子之翰倪氏之詮士奇士介士矣
士文夫先生之材籍有所倚其度最功業豈有既哉絡其身一不眉意益自心猶絕去利祿一以明道覺人爲任此儀封人得孔子者當時不盛
知也先生父子守所明於古至再世不稍發此豈可其其見寡明者道哉先生所與遊皆當世實家長者余無賦願受益爲深錄不撰而爲銘銘山
其密也蠖屈其動也龍發身不離潛其爪則見如川之至如木之升准南之緒以與不與以開厥後人

南京戶部尚書麻城耿天臺定向撰祭文

東匡王君以萬曆丁亥冬卒於安豐之里越己丑冬十有一月楚黃友人耿某由南中丞晉司徒疏辭候命於真州梁君之里居不遑伊邇宿草既生弔祭未逮媿焉有慚乃遣門人林曬往代雞黍之奠而爲之辭曰出閶門而西注兮渺揚舲於中江離邗溝以俟命兮梁哲人之故鄉朔風淒其以漸塞兮念逝者之孔傷喇哀恫而未寫兮謂死者之不亡昔文成之崛起兮緒千古之正脈粵心齋之嗣興兮詢宗傳之胤武自度蠡而印可兮歸踐道於淮南闡格物之真諦兮紹姚江爲兩驂顧家學之淵源兮其克嗣者爲誰惟君之挺特兮塞五常之白眉我嘗叩其由入兮惟反身而默識感一言之契予兮至於今其無斁學宗孔仁兮伊獨釋回而增美君隨機而指授兮固振聾而發聵惟鎬都人士之景從兮紛聲氣之與同時推衍其道緒兮因曲暢其宗風爰天良之未泯兮普欣欣以向榮往承學之失真兮間淪胥於謗佚致送膺之態疑兮遂道心而議迹彼同然於千古兮終當協於克一雖顯晦之有時兮諒茲脈之無息惟西河之日老兮待其人而用行我來遊忍亟訂兮乃觀化而遐升慨同遊之淵謝兮假落落如晨星而君復去我而何之兮僭臨匪而涕零君有子詩告我兮些題慈而勤銘我雖未即往兮懷耿耿而未傾聊緘辭以寄哀兮與江水而西征謂伊人之宛在兮想孚鑒於冥冥

福建漳平陳文溪九叙撰奠文

萬曆庚寅四月壬申朔越二十六日丁酉門生陳九叔自杭州遣人齎香帛庶羞告奠於東匡老師王先生之靈曰嗚呼聖資既殁道術湮論不有先覺洗起而振聵我心齋先生天挺獨復拔萃離倫演會稽之學而自得其真其要歸於格物其道極於修身樂學一歌濂洛道緒大成有作出處一致凡厥同門遊荷其撮乃生匪師道遊庭趨克承先志四方求友訂其所至凡東郭龍谿緒山諸先生莫不折節爰詢猥趨其以是深造洞成倡道海瀕而嚮動金陵凡我同方莫不願見其顏色而側聆其指陳粵自幸未適與吾友千里間

學則跡師門諄諄汲引春風座生或指導其所聞或聯肇而浩吟吸數釜之良多忻色笑之可觀獨信夫爲日之淺乃漸止於再句言別參長巳一官之繁第欲待側而莫能叢惟幸巳奉命口江而始獲一通刺于司關翻師翰誨德音獨存惟是致良知於日用以求自慊信中波之一孤而剖眼之金緘也又孰意夫會閱叢之凝何奄忽逝此哲八恨婁山之頹深乃家廓夫訃聞嗟余生之寡昧將卒業而奚從哀鐸響之既邅誰興振後學之沉論登大運之弗辰抑彼蒼之無意於斯文嗟賢嗣之我顧兮歆歔相與慨述夫生平幸道言之未泯兮猶可以想像其儀型儼神靈之可通兮將陰佑不敏小子於冥冥

同里周紹旦思兼撰挽詩一首

古貌蒼頌作聖貽琅琅議論出塵埃依歸淮擬應多日爭余先生去不回

補遺

邑子袁承業輯

先生姪孫王天眞元鼎撰先生傳

先生諱襞字宗順號東崖泰州安豐塲人其先伯壽自姑蘇徙居生國祥國祥生仲仁仲仁生文貴文貴生公美公美生紀芳紀芳生良卽先公心齋也先公生五子仲卽先生也先生身長七尺九寸貌骨奇古初生尤異首伏左脅下肋骨獨整別於右肋左耳旁有肉珠俗稱心齋掌上珍也正德六年冊居仁三月半先公悟入之始先生生方九齡從先公游學江浙侍陽明夫子側一日大會不下數百人公命童子歌衆囁嚅先生高歌自如陽明呼觀之許曰吾說吾浙無此子也奇之又一日入公府數十犬驚吠之先生神色不動衆犬委委而退陽明益奇之謂大衆曰此子器宇不凡吾道當有寄矣居十年方歸娶不半載又過漈明夫子宅八年歸得先生之傳師事緒山錢公龍谿王公道先公殁開門授徒倡大家學海內響應者恍若先公當道歷聘主教海陵淩郁憲昭陽李太師交薦於朝暮年別號天府逸叟

壽七十七歲著語略詩歌等作疾將終三日前郎不令兒女子入臥房危
坐定氣養神時命門人梅壓盛雅歌取樂顯門人曰留等惟有請學一事
付托之復顧諸嗣曰汝曹只視君子遠小人一生受用不盡無一言及家
事傍有見事定令扶起著衣先生曰是速之也遂令其從容俠氣壺行之
少頃瞑目斂容以逝配享先公東淵精
舍祠後議入鄉賢咸稱東崖先生云

江西吉安府知府泰州草堰場袁株懷堂撰先生六十壽文

東崖王先生先哲
人心齋公之嗣嗣

服心齋之教禕海以西大江有北無論鶚冠野服之夫卽縉紳章甫之士
聞其道者咸儼僕問學門人韓子樂吾尤祭酒哉予臥聽吉安治悊告歸
沐日謝客樂吾子適倏我於庭予攜衣走出攜樂吾子背而長瘞曰子高
步曠野隱隱不進胡爲乎躡我庭乎樂吾子左辟者再覩用隨曰文貞夫
子子東崖氏者裘六十仲冬月二十六日其誕辰用徽公言以爲壽予再
色笑曰昔夫子問禮於老聃濩季李君執雉於孔融尙修通家之誼翊予
躬間學於心齋於東崖方兩世誼也口無言乎心璣擷起漸海形願而說
蜿古掌如沁丹左握一脈與突而起右握二脉貫珠桑桑衣斑衣乘鉤車
西遊江湘閒陽羽良知之教遂醲羅放歌歸與二三子學孔顏之樂上下
鱻魚數閒性蕴至論經世之務卽闢闡弛張洞觀字衜辟若李北平之出
邈萬夫辟易莫敢不下驅走也造東崖嗣興叔炙趨庭直指仁體冲微上
下暴秋陽之皜烈守江漢之正脈隸當時之學者或矜文學炫於勁業甚
垂流於二氏之況頓知偏詖淆雜若小巫之迥大巫而神氣自索也碩啟
王氏之學乎其大行則壽君壽國其窮居則壽鄉邑壽斯民也況有道者
乂窩莫最於畜德而金璧不與焉畜莫最於聞道而象魚弗與焉壽眞壽
於道脉而垂白台耇弗與焉東崖猶孔門之孫思樂吾子亦王氏之子與
氏也亦知人世之壽以神壽乎以形壽乎幹子起而拜曰權古人謂得志
一時曰殀流芳亘世曰壽況開千載之心學乎予遂趨掌大笑曾以爲子

東崖子壽

儀眞知縣樊養鳳撰聘先生啓

伏以六經垂訓指在傳心四教育才學先教本迺士習徒騖乎口耳致聖學久際於性靈不有眞儒毓明正脈光嶽鍾秀賢哲挺生文成公揭良知之旨上繼絕學心齋翁承師授之緒足闡眞銓肆我先生夙承家學力任斯文溯東海之淵源祛西京之龜懸吾道宗主士類斗山鳳承乏眞邑觀士泮宮第知厝意於詞章罔能遙心於理學是猶不溯源而澄其流不沃根而游其枝卽書歸於文字之能工於道德性命乎何有非傾先知之訓迪誰開後學之沉冥茲設絳帷祗迎道絜敷杏壇之化雨振洙水之儒風惟先生儼然尊而臨之幸甚幸甚

觀生記

（明）耿定向編　民國十四年鉛印本

耿天臺先生全書

觀生紀序

觀生觀我生平之履也人之觀我莫如我自觀我之明攸紀觀生惟昔孔子十五志學時己志大觀之學矣晚而傳易至觀之上九曰觀其生志未平也玩其辭若猶未厭志者生人之道難盡如此耶惟我生而㓜長而黠若幾壯始妄意古人之學而茫無所入祇賴仲啟始解反身以觀而習深質駁所謂童觀耳窺觀耳嗣蹤跡名場墜仆數起進退未至失道者非我之能觀天也逮茲遲暮載觀國光祇思尙友海內仁賢資切觀摩期此生無咎爾而髮種種然而齒槃槃然生有涯而志難平嗟何及也顧我自觀厥有生以來天故貧我困我始稍稍伸我而又病我已乃達我閒又抑我憂戚我無非所以成我也父母劬瘁育我慈我而故嚴以督我內而諸弟胥稚㓜者

武昌正信印務館代印

方憂其植立之難而顧能啓我外之朋友諸振我翼我剸切我愚妻猬子未嘗萌纖
世俗念謫我累我皆天所以贊我也由是以觀天之生我意若篤至矣一息尚存安
忍棄天悖天不求無忝所生哉奮揮魯陽之戈懸挂西山之日猶冀復陽以觀我餘
生焉紀此者蓋俛爲惜陰分寸之程且將以觀我後人云耳

耿天臺先生全書卷八

觀生紀

嘉靖三年甲申十月初十日辛丑我生於嚴冲祖宅

四年乙酉我生二歲其年王父爲顚人黃姓者刺傷血流不止幾斃家人惶懼甚余依依榻前不忍離時揩眉作呵護狀自是王父于諸孫中獨鍾愛之

五年丙戌我生三歲恆言子生三年然後免于父母之懷乃我生即多病善啼三年間父母鞠育之恩十倍常情已嘗病腹痛醫診謂有蛔投藥下之中夜吐瀉交作蛔乘之上下出無筭先淑人忍臥積穢中虫群鑽腐惴惴瀕死終不敢啓衾拂拭懼風

襲奩我病也其鞠育艱辛類此

六年丁亥我生四歲

七年戊子我生五歲

八年己丑我生六歲

九年庚寅我生七歲先大夫手書大學篇令就仲世父一所受句讀爲命今名其年

王母李淑人棄世得視含飯哭之甚哀既葬丞暮率昆從瓣香展拜其墓自是日繞

王父膝下夜臥枕邊未嘗一日違離

十年辛卯我生八歲

十一年壬辰我生九歲發疹甚厲王父臥之腹上者月餘始愈

十二年癸巳我生十歲就傅于伯世父三角山庄傅爲閔燧

十三年甲午我生十一歲仲弟定理生其年春先大夫新築館于朱庄延閔爲傅以

其嚴也余日受夏楚先大夫不少姑息是秋仍其館延光山傅式爲師

十四年乙未我生十二歲師從叔父宗進于嚴冲塝館始習時藝宗進授徒尠從者多嬉惰而故善誘掖我業因少進是秋先大夫遣訪彭公甫台于其宅乃親課試制文甫因過我定交自是始時公甫好奕鬬博余恂恂不喜弄其冬寓塔子山媚陳氏館

十五年丙申我生十三歲肄業於嚴冲口塾師爲彭不終而罷秋病瘧冬王父遣仍師宗進叔于嚴冲塝上館居何無藝漸通師爲嘉賞季世父携所程藝就正于舊先生瀾汪甚許可因命題十數寄試作以呈汪益嘉賞焉

十六年丁酉我生十四歲先大夫與諸父謀請于王父遣師汪先生玉父扶筇步送至横坡凹下乃還時館于先生宅先生任余出入閭闔與其子女雜處無猜蓋諒余醇未漓也其年出就邑令童子試未錄而舊邑士紳故多賞識之是秋仍從汪先生

館於七里岡冬聞王父訃奔歸沿途七十里哭聲不絕柴瘠甚甚尋往卒業

十七年戊戌我生十五歲復從汪先生于七里岡館時從先生者三十餘人每試輒居儕其年初附從昆子櫂燮子櫂先歸無一奚童供樵採依一老友相與躬爨卒業焉

十八年己亥我生十六歲師從兄少韓于嚴小塝館甃壁爲牖拾葉代膏即篝簟不具與同業從昆共寢稿秸中解裳爲席聯衣爲衾而已有二三宿學負時名者訪師偶閱余藝己揹膺而吁曰何物小子業已至此足決科矣吾輩當斂避也館罷聞李君由之坪名徙跣往從之爲舊師要止未果冬師鄒先生楷于烟墩羅氏館旬餘鄒先生往宅所館罷余自憤業不加進不歸即羅館羅氏兄弟課時義若干首吳德甫昆季見而奇之是歲大侵米價騰貴余縮腹積糈斛餘貯書笥中擬市時集歲暮歸

睨仲世毋突無烟惻然日市書何爲盤飱以周之

十九年庚子我生十七年復師少韓于臘朮塘館無何赴舊邑童子試時合邑就試者以千計而余錄居雋等仲世父携赴郡試亦取居雋夏中督學使者劉汝楠臨黃往就試無僕共旅橐附親友以往比至郡城親友不與郡錄先歸余煢煢旅館嘗至枵腹乃遷依少韓兄寓少韓飯我試畢附從伯父襄山舟歸從伯父恆湎酒在舟中踰日夜酒而不飯余飢甚時有彥士李姓者在舟賞余藝因飯我至三家店從陸歸時暑甚烈日徒跣且乏蓋歸卽病痢甚劇先淑人廢寢提抱猶嬰孺時督學使者以病去校事未竣

二十年辛丑我生十八歲叔子定力生其年師謝先生寅和于大安寺先淑人輟膳給餉事載譜傳中其年業日益爲名彥輩所賞識朋儔四十餘人中多富室輕俊因

爲所濡染習漸挑達任放好詭嗣非兩尊人嚴訓良友規切而又身處窘困之極足以動心忍性幾至墮墜矣是冬與陳氏兄諾言弟訥言同事于其館

二十一年壬寅我生十九歲時家輪胥易役從先大夫仲世父冒雪往應行至姻陳宅擬止宿余視主人無留意趣諸父行就途雪益繽紛既至河滸諸父搴裳碎冰以涉傍睨諸父膚赭如血我衷切然若刲也既至邑諸父爲市滑窘辱甚甚念年幾冠矣不能博一衿佩爲門戶服勞役困衡益棘尋歸與公甫共事閉關易床隨爲舊傅謝先生強復從之鎖口劉館館罷冬與二三從肆業王庄

二十二年癸卯我生二十歲補邑庠弟子員春師劉先生炎于舊邑館屢遷後止城南閻宅其年先大夫以諸父訟累又季世父客死于黃不暇資給俄邑報督學使者臨黃余挈友熊子徵往赴跟蹌走時無銖金合精也子徵戚曰無資焉能往余日子

第從強與偕至旅次覩同類諸少年館穀則連袂直入上座曰有此嘉客奈何不簡
諸少亦驩然相迎避席推食沿途胥如是至郡城家給金三銖至又苦無僕共爨汲
即以付館人就食焉乃館人又以官府事犯逆余兩人率并日而食忍飢攻業凡文
史目輒成誦蓋困衡棘則發憤也維時子徵恆愠至跌足余赦軒匕然有遐舉意間
相知者徵召我則懷棄遺子徵以療其飢念余時血氣未定雖好點宕然於邑郡旅
館中具能效爲男子無愧爰行者由天窘我得忍性地又嘗病我動切愛生念也夏
就督學使者應試見錄先大夫艱於具贄意不補仲世父謂近制非入庠序則進取
無階率余遍貸姻家無應者己貸於勢家僕得十金時先淑人側止一女奴命鬻之
佐贄費無重負貸勢族者償用其半半爲伯氏從昆強貸爲賈踰時始至學宮謁先
師註與籍而歸

二十三年甲辰我生二十一歲仲冬彭淑人歸我其年春母黨二三子弟從業於朱庄前爲贅稱貸者至是期及勢家奴來督負兩尊人徇見勢家奴坌然坐堂中邑邑假不臥起余省知之困衡益棘乃亟走舊邑相知家丐貸以償者月徒跣往回幾十里竟無能爲處者歲旱甚幸余家獨得天晚稑稍未穡而時谷價騰貴賴此以償伯氏從昆祇爲強貸前餘五金遂至傾矣余目擊勢族舉債之酷虐如此

二十四年乙巳我生二十二歲陳氏兄弟及熊子徵共肄業於朱庄彭公甫時來爲文會是歲侵甚朝夕止饘粥且約口縮腹推以給同事友日常至不能舉火云是秋督學使者王嘉賓臨黃校取居列准入試

二十五年丙午我生二十三歲初比秋闈不偶其年春偕彭公甫肄業於三角山麓僧舍初以門戶役赴舊邑歸病寒疾甚劇仲子時年才十三嘗迅雷暴雨中涉谿走

歸報兩尊人至前則長號不能語語已趣冒雨還視余先大夫偕之來以輿舁我歸調逾月乃愈比秋試日霖雨且寒甚先淑人露立堧中自試不耐念之終夕不瞬余場中潦草成篇停午即出後聞分校者亦取中未錄覔舟歸歸時熙熙如常無幾微愠色同舟者訝之

二十六年丁未我生二十四歲春爲陶氏延館居無何辭歸從仲子肄業於朱庄作愼獨樓是秋督學使者喬世寧臨黄校取優列之次

二十七年戊申我生二十五歲春同公甫肄業於高笋塘寺嗣邑令金心齋闕文勿菴任初煒然有治聲其政尙風裁而尠請機宜因試余策對盡規幾五千言剴切事情令君嘉納掄冠諸庠士九月亂子汝恩生尋督學使者喬世寧臨黄試士取余居儔等第二得以次與餼

二十八年己酉我生二十六歲再比秋闈不偶其年春邑令延訓其子時行兼視邑令國士遇我歆豔以爲奇遭先嘉議暨先淑人顧邑邑不樂時屬向曰吾兩人耆視兒館公衙若在囹圄中日夕食寢無寧已念此間爲淵友恤難振滯晦不自功或爲致謝惴惴若浼云時重自負以取科第猶掇之而同儕亦僉爲推讓乃竟不偶歸入視兩親糲食藜羹出覩諸從鶉衣菜色衷荼若刺憶余從前雖常貧窶拂鬱而敚泊然無慼懷自是夕常寤寐而欷日常罷節而喟然非爲一己榮名念也

二十九年庚戌我生二十七歲始志學是歲公甫下第歸同肄業于愼獨樓公甫嘗讀程朱語錄有省余時困衡極亦齋自樹亦與商切志聖賢而孤陋寡聞不知所入公甫賓賓然趨繩蹈矩執謂程朱主敬功當如是余曰自堯舜緊統道惟明倫盡倫所學聖也惡用此拘拘撿抑爲著五倫圖說以明其旨蓋余自慶多天倫之幸亦以

放任習不能即格也公甫不能易吾說而余詞亦漸入公甫規勉自檢飭云其年始
創家譜草

三十年辛亥我生二十八歲同公甫肄業愼獨樓夏遷天寧僧舍秋余率族人應錢更役于公時公甫疾力疾與偕族人爲市猾所困余復不禮于邑幕衷憤憤謂公甫曰丈夫志康濟天下一弱族且不能庇非夫矣子代我了此余歸而修吾業也歸獨居愼獨樓茹苦忘寢既卒歲著經藝六百餘首先是余自己酉失利歸經歲惰業不修公甫肫切規勉時閱余攻業觔甚則又重憐之時時祝余愼自愛云

三十一年壬子我生二十九歲鄉試中式春初公甫疾移居古城畈余送之往同經紀其後事公甫爲永訣曰以子之才取巍科登仕此不卜可決第慮吾沒子失輔無與成厥志耳余矢此生尙友不終負云歸獨居愼獨樓肄業夏赴邑試尋赴郡試時

公公甫訃悲愴兩試皆末列後就督學使者林懋和試始躋高等入試中第二十七
內簾爲㕑文教諭婺源程宗落外簾爲桂陽州守全蔣行時而監臨直指使則績溪
胡公宗憲也放榜後同年要余製綺及蓋不聽仍吾舊布袍宴鹿鳴也歸至陽邏病
痢甚劇乃從徑道歸郡邑迎宴俱未與再踰月痢始少差季冬與計偕囊十金爲嚧
先嘉議命僉之余曰兒節約當自足也除歲日行抵洪縣
三十二年癸丑我生三十歲正月至京師僕二皆病其一死會試下第三月歸自京
師獨居愼獨樓初與計偕例得乘傳旣至京埀中入覲者賄卷約共三四金足給薪
米費是歲同年周子徵第貧余質騎前囊十金爲嚧濟完之歸歸無何病怯緣前攻
業過劬又病痢久下血多也心叟公甫不壽惕惕憂生乃舍業將調日挽竹弓自娛
經年始瘥

三十三年甲寅我生三十一歲春游南雍叔子從叔子時年十四強欲從至岐亭而
病病劇嘉議強輿之還啼不肯余俟之少間竟舟東下即前所留金爲資斧既至止
雞鳴寺其年余病腸風下血面黃而癬心憂疑就下關醫楊姓者診曰無恙劑得勿
藥之喜乃卒業南雍甫旬日會直指來淸臚檄往共事遂得歸前所持贐金仍完歸
歸至黃謁文宗林維時趙文肅以左遷過黃黃岡令楊（字剛文）者亦蜀人也非毀文肅怒
而攘背相詬余疑以質林先生先生曰趙公之學禪學也衷怒慨發禪學故如是云
是歲里中饑甚家無儋石儲不能舉火乃即前贐金外貸方民十金告糴于陶以濟
三十四年乙卯我生三十二歲其年春里中飢甚比戶突無烟野有殍且疫大作伯
氏一支諸從昆暨其婦子相繼滅余奉嘉議公居愼獨樓叔子與懋兒侍余時自儋
邑躬負米以養而仲子奉泰淑人家居淑人時時輟飧推饘賑同垣之不舉火者又

治藥物汲新水持飲疫者疫而歿者仲子躬舁而荷鍤瘞之憶維時余怦怦忡忡此身若寄空霧中云是冬上春官仲子送余至羅山而還

三十五年丙辰我生三十三歲會試中式第四名主者餘姚呂閣學南渠先生本副主考翰林院學士永新尹洞山公台本房則宮諭常熟瞿昆湖公景淳也廷試賜同進士出身觀吏部政其年冬十月授行人司行人余自家抵京至揭曉日費未及五金嗣屢徙邸寓來往長安道中持一敝囊朝夕飯糗茹草月未一肉食也先是仲子生而外稚三四歲語不了了顧其孝友至性則若夙植者及齔余授之章句顓蒙不啟竟日不能識一二行已父母命之督耕則又儒弱不力居常芼茁悶悶邑邑忡忡若失若恤臏容燄顏俛首不伸者屢年父母咸以爲不慧苦之乃其衷顧自咎爲心不了明憒憒然若有目之瞽無以比數於人也者以是爲憤憤而鬱結是歲鬱極而

病失血乃舍然自悲曰是七尺已非吾有於人世判斷矣斯時也蓋不特外物巳外生已間嘗耳揣生家青天不起浮雲障語勉爲息念休心之學久之一旦劃然豐蔀若祛靈扃若啟怡然若自得也蓋漆園所謂外生而朝徹朝徹而見獨矣

三十六年丁巳我生三十四歲時都下有講學會同志或要之赴余執前見以謝倫質踐聆諸讕說無當也無何三殿災奉命詔于楚得便過里適値恭淑人誕晨得稱觴焉時覩仲貌及其日履心竊易之一日余語曰余雖幸第胞中時有兩行人者在念以是日孳孳不敢自隳墜也仲曰何念余曰念世之英髦才俊與余均者何限今榮名世資不吾若者多矣以此俯思願外心當自消也至於褆躬樹業仰思古人其粹然焯然者抑何多也余茲不逮遠矣以此仰思竊往心當自奮也仲曰吾胞中亦有兩人行者在念也余曰云何曰吾嘗覩街衢中行乞丐子固亦人子也鶉衣不掩

體糯漠不糊口彼亦熙熙然生於世矣吾即貧且賤未至此極奈何營營然不自適也久竊思自古至聖上賢亦人也彼自盡其性耳天既授形於我爲人不爲物吾亦必有恆性也吾不能知性盡性可但已耶以此夕惕時刻不容自已矣余奇其言昕夕因與討論始測其已有聞云余定省暇恆居愼獨樓仲子日夕趺坐於樓隅忘食忘寢者踰時余屢訶止不聽余聞乙卯歲羅文恭曾習靜于道明山中因訪其門徒訊之曰羅先生在此作何工課曰聞諸先生云學須靜中得一番光景方有入路白沙所謂養出端倪是也余以質仲仲艴然曰此痴子亂道語有何光景兄亦默識於時光景可也余因反觀有契自是學以存爲主著肯喻并四箴是冬爲叔子子健加冠於嚴沖祖宅策二尹秦廬山舅父爲賓

三十七年戊午我生三十歲春遐朝報命閩學使劉初泉公從事於學者因取道魏

陽期晤之正焉仲子叔子暨汝忠從時初泉公寢疾仲子諱言吾弟而託爲醫士以
診病見初泉因留宿署中與語竟夜大奇之晨晤余噱曰此恵能後身也奈何役之
舂米願其見高目空一世須善養之既入都邸時與盱江羅維德泰和胡正甫安成
鄒繼甫輩游諸公深相契許余時學爲存之功頗綿密顧于應感處自覺支已一日
與仲共飯偶契文成良知之指以常知爲功仲子喜私謂諸同志曰阿兄近知反約
以約失之者鮮矣夏中仲子隻身先歸是冬以汝府喪禮奉命使衛輝行與諸同志
別維德曰別去如何用工余曰常知已耳夫復何言維德曰阿仲天啟非吾儕可
方子毋挾長與貴而易之子學篤信常知是矣須知到淵淵其淵浩浩其天而後可
歸矣慮心與阿弟細商可行次景州候荆川唐先生一晤先是唐先生在京謝客甚
嚴余祗候于司馬署一晤時有司官問子畏於匡乃聖人亦有怖死心耶先生曰聖

人與人同聖人與人異予因有省云仲子往慕先生其曾擬藥方爲贄謁先生未得達其方謂以天根一味爲太極丸也余時爲先生述之先生亟爲首頷云便過大名訪陳見吾兵憲往公見吾于學有得乃迂道訪之至衛竣事歸歸適遇嘉議公誕辰得稱觴焉

三十八年己未我生三十六歲春偕劉魯橋師召游天台夏中習靜于五雲山嶺踰時歸省偶舉筵有省語仲曰嘻渾身皆知體也奈何耿耿于膺耶頗自喜仲曰通天徹地皆知體也益有省大喜焉是秋入京偕友人孟原仁行値選至省蕲陽馮五山公爲少宰屬同年蔡春湖完要余見余固辭不往九月陞雲南道試御史報至余謂原仁曰予初行人忽御史時吾御史子布衣試各反觀何加損焉原仁有省

三十九年庚申我生三十七歲三月實授雲南道監察御史是月先嘉議遣叔子偕

汝愚將彭淑人來京時銓政濁亂余上疏彈太宰及以賄進者語侵要人要人側目日夕遣邏卒在門伺余動靜同志胡正甫今宗伯姜廷善俱累外補時知交經予邸巷者策馬過之江陵謂我曰我能忘人人自忘我危疑中持一忘字要矣余深有契乎其言也時高新鄭在穆廟藩邸爲講官投揭分宜求出陞司成余謂藩邸講讀官例不出府司成職司風教例應庭推未可以干請也擬疏彈之事泄高洮江陵爲游說中止其年巡東城嚴良賤輿服之等謹閭閻童蒙之教省訟便民平反疑獄重辟若干頗足盡其心者兼監管盔甲廠光祿寺收放暨賑飢施藥等務時永豐梁子汝元秀水錢主政同文同年孝感程問程學顏承傳心齋緒言譚說孔學匡廓甚辨余疑之歸以語仲仲曰然有是哉神明默成存乎其人彼離其本矣無成將有災也

四十年辛酉我生三十八歲夏初奉命巡按甘肅命下陛辭後別華亭徐相君行徐

公曰時南中吳督學待次陞矣意借重公西夏之行姑少遲以待其年畿內河北大飢殍盈野流離塞途行間目之側側既渡河諗河以南麥大稔價且涌賤計得千金糴賑可活數萬命沿途條晝收糴散賑策寓書河南撫臺白石蔡公公嘆賞擬行后爲有司無識者撓阻便過里復遇秦淑人誕辰以上賜騎羅爲壽余以徐公意濡滯在里仲曰徐公意雖如是是時事權尚在分宜兄分宜深忮也第得免足矣倘得此美差機必動渠危矣彼志雖悟用物宏矣必能計此趣余行秋仲遂行過胡玉甫于漢江之滸詳漢許訂宗紀嗣南督學差果不及余徐公書來恨爲有力者奪去云仲子送余偕遊太和山至均州而別別謂余曰惟臺職所司爲天子布風者也風無定形隨時隨地而布之可也又曰情隨柳絮隨風起蓋謂情念不可着根云余以九月入關十月抵棨昌時分宜柄國凡直指使者御命出都必加祭燕之且致饋焉直指使者至

所部則刮取贖金報謝以數百計甚至以千計者余入關邂逅同事者詢之曰是不可已彼方當煬吾儕寄生萬里外利害所關不得不爾余有愓仲子布風之言念天下風俗靡靡矣今御天子命省一方當亟挽而振之者初至部即以賄交要津聞何以風也乃第爲奏記說以古義而侑以帛二杷果一襲將意焉乃分宜得余書嘆賞不置報書致感謝意甚殷也嗣余又說之曰相公秉國當爲天下求士因薦二人其一即江陵曰此他日可以託國者其一爲羅維德曰此閣下里中人有厚德異日不相負者尋分宜敗時諸蠅附者咸解體惟德獨憐而朝夕存省之分宜嗟嘆曰吾識公晚矣憶耿公嘗謂我耿公聖人乎多巡臨洮著巡夏約法三章

四十一年壬戌我生三十九歲正月巡蘭州渡河以西歷莊浪巡凉州歷山丹至甘州循西寧湟中還駐鞏昌關中之寒甚于燕京河以西寒視關中尤甚往直指使者

巡彼中中丞例具氈帷貂裘帽諸共帳以迎于時中丞爲滄州晉庵戴公左右以故
事請公曰吾視耿公行事蓋古道人也而以世俗禮事之反爲所鄙一切將饋賄儀
可省也余至甘州公即以情告余感公能諒相得益驩瀕行止遺一研近嘉峪玉也
受已徐思此中抵家七千里收之笥亦苦役夫矣念子弟苟能文拾瓦礫足共筆墨
無須此竟納之甘閫帑中其時慮罪重辟多所平反頗有獲心者其年閏三月改督
南直隸學政在事七越月例皆舉朝所屬余所主如太宰王公本固宗伯孫公應鰲
中丞孟公養性方伯趙公希夔時皆藩臬中雅負材望者而司馬王公崇古時朝士
尠知之余聞其有折衝材特曲爲之解而薦之宅所舉將領如傅津雷龍李節李震
劉承業劉濟后咸爲大將布列沿途而雷龍舉於廢閒劉濟拔自行伍一時疆埸多
賴焉余改督學差無何分宜遂敗報至余默默服仲先識云初計徑歸載得爲秦淑

人壽著紀過或曰當候代乃迂道至耀州候三石喬先生取進止尋政府還書謂不須候代乃趣歸余歸時行裝止二小笥過關中董直指鯤饋余石經若干卷留之洛陽庠中有留經記至華陰仲子迎至偕之游華山歸秋偕仲及里中友遊天台冬十月奉嘉議公秦淑人就養於南京督學公署其年季冬貴陽李湜之與論行已有恥省因受學湜之名渭時爲應天治中累官至大參時始巡校廬州府

四十二年癸亥我生四十歲正月駐廬州郡校其屬庠二月歷鳳陽三月及徐州四月巡駐淮安過毛冢宰介川與論孟子性命之旨有契歷校揚州屬時屬泰州守鼎王東厓壁來晤至則余校事未竣不便晤也乃語鼎法徐嚴泉礩先往晤之徐與論克己復禮東厓釋克己即能己以天地萬物依己不以己依天地萬物云云蓋承傳乃父立本旨也徐君未遂以質余余曰講學不須在此陳言上解釋即察王君當下

心神真能承服役學欲以其學通吾儕別無一纖塵襟便是能立己吾儕當下心神
惟是求學更無些子勢位在胞中作障便是克己余仲釋克己是無我云徐君因大
有省退而累牘來謝因著四書初問人士多悅之既報命改差北直隸督學五月廿
後還京爲秦淑人壽先淑人在署日 闕文
四十三年甲子我生四十一歲正月巡淞江還駐立興校常州鎮江二屬便校溧陽
畢時王龍溪至因與偕游張公洞聯榻晤語再宿予與論從前聖賢揭示宗旨如春
秋時孔子提出一個仁字戰國時孟子提出一個義字至宋濂溪欲追復古禮横渠
以禮爲教程朱主敬亦總是一個禮字近陽明揭良知爲宗亦是時節因緣造化循
環當如是也顧今談良知者衆矣須實有諸己得一信字可也王公深以爲然爲衍
其説闡及念庵羅先生王曰此方今第一人也余於當下良知尚信不及耳余曰翁

若信得及羅先生亦信及矣翁若自信亦不及也王公愕然曰何謂吾信不及余曰翁若信得及良知具足矣何又拜胡清虛別求住世法耶王公初強辨不認余曰此貴鄉陶念齋謂我念齋豈爲誑語者王公無以應徐曰渠亦有所遇其師所授修持工夫亦有一二言可取余曰何言曰彼云脩煉術初曰敵欠曰從亦有節度可采也余曰吾家亦自有之夫子曰即樂而學可知云始作須精神凝聚收攝所謂學以聚之亦敵意也繼則從之未可拘迫把捉所謂寬以居之若然須純如繹如而后皦如蓋須綿密保任而乃可爲緝熙光明也實信良知者自能如是何須持鉢向彼門乞耶王公亦首頷云還京遣汝思從叔子歸試四月巡駐太平校太平屬及應天屬五月巡駐寧國校其屬庠取校徽屬幷廣德屬還京巡駐句容校遺才秋八月還京九月聞叔子秋捷報十月叔子偕阴子禮胡達夫來自下汝思從冬十一月上疏請告

十二月十五日部覆云本官志行峻潔學問宏深南畿士子方覩感興之效雖有愲

時小疾不妨在任調理云云

四十四年乙丑我生四十二歲先是蒲圻方公逢時守甯國陞任久矣朝士猶以其

初任宜興浮誣訾皺之余因宜興貢士王升言訟其材㪍違其誣無因特揭投政府

暨銓部稱爲社稷臣是時大計南北台省交論卒得保全蓋王生有隱力焉后方公

同王公崇古能樹績邊陲余亦脉脉自幸偶中云春二月汝愚加冠於明道祠祭茶

陵劉養旦應峯爲賓三月叔子下第自京還至南邸肄業四月巡駐滁州校其屬便

校和州六合江浦至揚州迎祭景藩還京八月叔子偕汝愚以其眷屬還里余送至

太湖境九月還駐廬州府校其屬十月輯碩輔寶鑑巡鳳陽駐壽州取校潁州亳州

十一月移駐泗州校鳳陽府縣兩岸及五河虹縣與諸理論知天說十二月校淮安

庠及山陽清河桃源諸庠畢還京過柳塘于江浦仲子自家來省
四十五年丙午我生四十三歲春初同年穎泉鄒丈北上因見過留宿署中余與論
學至夜分仲子侍耳之既寢余側聆仲子時喟時欷蓋踖踖然反側未寐也逮中夜
仲起伏鄒丈榻下欵語曰先生世紹斯學者此行都人士所共宗仰即余聆夜來與
家兄語語皆聞也非達也鄒丈優然披衣起扣之不已翌日別去道過諸同志遂理
前語蔺切爲余聞之謂仲曰鄒丈不以汝後生直突爲訝而虛受若此只此是達蓋
所謂慮以下人也鄒氏之紹斯學有夫仲子莞爾曰弟之質直亦好義耶其年仲子
謁闕里登泰山還者有所啟與焦竑楊希淳吳自新二三子蔺切有契謂余若僴有
鬪時時垂涕盡規余因有省益余往猶未免就無溺妙以此合彼見在至是乃豁然
一徹也夏初巡駐寧國取校太平屬擬巡校徽郡至涇聞警還先是聞淳安令海公

武昌正信印務館代印

瑞鳳節嘉賞爲著傳薦之徐相國晉補戶部主政無何海公抗疏忤上槩詔獄余擬
疏申救相國懼益上怒止之夏中鄒德涵至留都居之明道祠德涵就仲問學數問
而仲數不答德涵拂袂起曰吾獨不能自心參而向人吻求乎歸鍵一室靜求者踰
時未有解愈自刻厲至忘寢食余屬與焦竑處踰年始有悟發寓書重感得仲初相
激六月崇正書院成延焦竑主其教檄髦士從講著崇正書院會儀尹宗伯瓚來會
有答問記秋巡徽州畢遊齊雲山文人說勉潘生絲立本說勉詹生一麟還冬校池
州有窮理說便取校安慶畢還京十一月巡駐句容校應天學暨句容溧水高淳江
浦六合及鎭江屬
隆慶元年丁卯我生四十四歲輯興學商求題之受梓春二月巡駐宜興校常州屬
取校蘇松屬校畢至五月巡駐揚州歷淮安便校徐州屬六月由淮巡駐泗州校鳳

陽屬與同年孫立亭同上章彈新鄭巡校廬郡便校和州巡還句容校各屬遺材七月陞大理寺右寺丞八月還京九月駐和州草舉劾疏暨申救羅維德王龍池疏是月終還里十一月陞本寺左寺丞是歲仲冬李湜之自韶來省偕登天臺仲子與語曰君有近道之資載道之器體道之基任道之力弘道之量達道之材顧須緻求道之志開見道之眼始得湜之因有深省云

二年戊辰我生四十五歲三月北上次汝寧上疏請告同仲子及潘生絲官孝廉思恕居大中書院月餘由確山歸與官孝廉周子徵寓天窩九月命下予告冬光山蔡默齋先率其三子敬中一元毅中來受學焦弱侯率其徒田既霑李能之同來省有詩一卷

三年己巳我生四十六歲春偕弱侯登天臺弱侯為余賦北山有台什里中子弟從

者十數人仲子諗其中子弟俱質木無能賦者令各稱引古語幷古詩爲贈欲溺侯
一一答之模古人贈處之詣叔子譔次之爲天台別訂余送至官孝廉宅而別
四年庚午我生四十七歲與廬山會于赤壁宿武昌公署是年忽有旨考察台省余
以浮躁謫盞新鄭修前郤也四月爲汝念加冠於新城祠堂衆周子徵爲賓十一月
除廣西南寧府橫州州判是冬貴陽李浧之來省與仲子同榻夜話極稱明道識仁
語仲子不答忽疾呼浧之何在浧之應聲曰在仲子曰公在此安從明道識仁浧之
灑然有省
五年辛未我生四十八歲叔子第是年九月余引疾乞休
六年壬申我生四十九歲以御史馬明謨等奏薦起陞浙江衢州府推官未任叔子
以差歸從余偕子徵游天臺遍題其山刻之石巖白下儀部李正郎逢陽來訪仲子

偕吳存甫附其舟南游至白鹿洞過大參徐魯源用檢聯舟東下與商學甚契號若同胞要至淮上還過金陵與李宏甫焦弱侯輩商學是歲秋梁子汝元來居之天窩仲子與語曰子欲如何梁子語已仲又曰如此要如何梁子對云云仲曰道二仁與不仁而已覩子學猶緣木求魚也且有後災矣歲秒李士龍省仲子送之河滸

萬歷元年癸酉我生五十歲二月陞工部屯田司主事未任其年在里甑山來訪贈尋常致曲用中三說是年九月陞尚寶司司丞冬抵任徐魯源寓書仲子勉之博學仲子以執射執御說進爲衍其意見庸言與何考功有知天說其二嗣又有知天說其三既終見庸言

二年甲戌我生五十一歲春奉命魯府册封過沛著知命解還過維揚焦弱侯偕王東厓逆之眞州東厓爲余述其父曰萁僕之往來及中云余詰之曰聞尊君少時偕

呂商販山東因謁孔陵而賚發學孔之志想當時商販于山東諸侶之往來道上皆此中也惟尊君發念謁孔陵即今士紳之謁孔陵者亦衆矣往來道上亦此中也惟尊君發念願學孔子何也與商切蹤數宿而別弱侯送余至和州爲述仲子顏子不遷怒不貳過解弱侯深有契因過里便省是年八月陞本司少卿

三年乙亥我生五十二歲春二月報命三月陞太僕寺少卿尋陞都察右僉都御史協理院事五月聞妣秦淑人訃奔喪歸里其年季冬十月爲秦淑人襄大事于嚴冲口吉水羅孝廉來訪因會葬

四年丙子我生五十三歲宅憂在里

五年丁丑我生五十四歲元日有夢與同志語見庸言其年春初安成劉孝廉調甫元卿來訪居天窩踰月與語學有三關有四証云三關者大旨謂須解郎心卽道進

之解即事即心要之擇術云四證者蓋曰學爲聖人也即異教家亦有證果說吾儕志學聖人可弗反身自証耶夫行一不義殺一不辜雖得天下不爲此聖人本根間一善言見一善行若决江河莫禦此聖人虛靈江漢以濯秋陽以暴此聖人心體爲法天下可傳後世此聖人事行吾儕試自反躬証之如是四著若何春暮鄒汝光自京來逆至白果寺再宿與論程子無獨必有對語

六年戊寅我生五十五歲汝思貢于南宮北上尋廷試首選三月孫應璧生三齡而殤比年嘉議公以高年鰥居昕夕不忍離奉寓龍灣庄侍養將終身已矣乃是歲本省兩台奏薦服闋起以原職提督軍務巡撫福建地方七月中忽報至艴然曰悒悒不自得亟勒疏引疾乞休爲柄國者格不報相知者僉謂朝廷以軍旅任起義未可久稽于家嘉議公託旲心學方一鳳兩老友趣余行余含涕就道衷擬至豫章託此

中撫臺凝齋劉公堯誨爲轉奏計可得允九月中至新建會閩有警報而省中且有言將過撥下劉公難之不爲奏書來趣予往余不得已行循建昌哂羅近溪十月中入閩受事閩在遠徼朝廷詔令難暨余初至述綸簡類編以約所屬監司及牧伯庶尹先是大司馬譚公謂前任凝齋劉公曰閩阻山瀕海時應戒不虞顧不難于兵而難于餉凝齋爲是榷商稅綴積逋清侵隱官田租拮据百方而餉始稍饒嗣惶菴龐公尚鵬乘之一切省簡寬民民多譽之后紫山劉公思問在事時懼失民譽悉因龐政已得內召溯行下令復修舉凝齋法余承其后若行其命悉因凝齋法則民沸若反其令仍因龐政則兵匱殊爲苦心賴漳州陳文溪九叙者同志友也先是爲我條畫頗悉而又得方伯沈人种問人喬懋敬者熟諳閩宜贊我裒益調劑乃于兵民稍得無斁云

七年己卯我生五十六歲在閩于時詔下方田閩田多在竇谷峻嶺者如梯如盂少
廣阡巨原其濱海澳江沱者則如漚無常方之之難十倍他省也余令模廣輿圖式
爲方畫縮之一省分八府府各爲一圖圖中一方計百里府分所屬州縣各爲一圖
圖中一方計十里州縣分境內鄉區又各爲一圖圖中一方計一里州縣總綜境內
各鄉區圖合之張帖后拜日披之州牧邑長咸若足到而目徧者蓋先此而後方田
之法可施也其法手爲條者八欵又閩中田產爲主者三四其粮官民八九則從來
矣田既方余乃定畫計畝上下均之官民統爲一則不爲勢族撓阻其賦役曰綱曰
站曰兵曰徭者計丁粮爲條鞭著爲成籍又采鄭少參汝璧議用片扎開每米一石
該辦銀若干人丁一丁該銀若干偏布之窮鄉僻壤咸使聞知余按欽依脩舉保甲
法有司不知卽國初里甲令制里甲制故即古比閭族黨法也閩之海瀕山藪多匿

奸萌此法尤不可已固申明之爲剔七弊祛三疑令即飭保甲于里甲之中行鄉約
于保甲之內而又爲述誥令宣榜諭明里社爲令制牒下察奸宄同民風焉秋初巡
興化歷泉州漳州汀州至建寧便遊武夷謁朱文公祠有詠循延平還會城課新貢
院記代撰試錄前序公餘輯小學經傳並衍義闡訓禮纂權子有書與貲司寇論昭
代典則又書與劉凝齋論廣東誌並示門人管登之書

八年庚辰我生五十七歲閏四月聞先嘉議府君訃以候代至八月始得奔歸其年
春有書與王龍溪論學

九年辛巳我生五十八歲宅憂在里季冬十日爲嘉議公襄事于紫潭

十年壬午我生五十九歲在里秋兩臺奏薦服闋八月從子汝志鄉試中式

十一年癸未我生六十歲在里正月該臺省周邦傑等奏薦十二月該都給事中蕭

彥及給事中鄒元標各奏薦著獨箴答周子徵書草黃安初乘成南中舊相知爲壽

是歲叔子補成都守

十二年甲申我生六十一歲二月該南直隸提學御史王國三月兵科給事中王亮

南京河南道御史郭惟賢各奏薦又該本省巡按涂杰奏薦本月起都察院左僉都

御史協理院事七月抵任是月二十三日仲子卒于家八月陞本院左副都御史協

理院事至冬草崇祀文成疏及申白陸司寇光祖忠直疏

十三年乙酉我生六十二歲四月初五日陞刑部左侍郎撰復李文正賜第募義疏

及鄒伯子汝海墓誌銘

十四年丙戌我生六十三歲正月十四日彭淑人卒于京邸三月以其櫬還其年著

譯異編

十五年丁亥我生六十四歲三月署刑部篆至十月代七月五日以三年滿考得贈
大父暨父中憲公爲嘉議大夫刑部左侍郎王母李妣秦恭人爲淑人十一月陞南
京都察院右侍都御史著擇術解贈鄒汝光述達解贈祝介卿彙輯庸言成著知命
解後勉子健
十六年戊子我生六十五歲便還里以二月葬仲弟三月葬彭淑人撰哭仲子文暨
亡妻彭淑人壙誌五月之任六月初八日履任家譜世叙受梓撰胡正甫墓誌銘七
月初七日汝憲入南雍是歲春叔子晋閩督學還里七月之任
十七年己丑我生六十六歲正月病痰初十日疏上請告二月初二日旨下云某清
望素著着照舊供職吏部知道三月初四日再疏上請告四月初三日旨下某着在
任調理不准辭吏部知道六月初八日三疏乞罷中申敕撫臣陳有年徐元太周繼

三公二十四日旨下吏部看了來說七月初八日給事中王孟煦許弘綱連章參論留中都御史吳時來疏申臺規奉旨都察院既有相沿舊規兩京都着一體遵行王藩臣罰俸二個月吏部知道吏部題覆云某道義禔身忠直許國立朝大節歷歷可稱目今總憲南臺眞足表儀士類乃論人不當失在御史豈得自劾求罷其薦原任江西巡撫陳有年四川巡撫徐元太並請周繼照舊供職蓋實見得三臣才品過人去任者未可終棄在任者不宜動搖誠爲國家愛惜人才眞大臣之所以用心也除周繼已奉旨留用訖及今查陳有年素負淸節徐元太雅有才名遽爾投閑似有可惜委宜及時起用既經具奏前來相應酌議覆請合無恭候命下行令某照舊供職徐元太陳有年遇缺推用庶憲體益得申明而人才不至終棄矣奉旨是都御史臺臣之長是非可否當言即言何必自陳求退某着照舊供職吏部知道七月二十三

日四疏乞骸八月十一日旨下某着遵前旨照舊供職不准辭吏部知道八月二十一日五疏乞骸九月十二日旨下某已屢旨慰留着在任調理不必再辭吏部知道是月二十三日六疏正人心並乞休二十五日七疏明大義申白王司寇世貞未上十月初十日接部咨奉旨某陞戶部尙書總督倉場寫勑與他十一日八疏祈免重任十八日出南都駐儀眞候旨十一月十三日接部咨正人心疏下奉旨某着遵新命前來供職不准辭吏部知道十八日接部咨辭免疏下奉旨卿淸愼詳練倉庾重務特咨督理宜遵新命上緊前來供職不准辭吏部知道二十一日九疏乞骸二十五日解纜歸十二月初二日奉旨卿耆德碩望簡任司徒以疾固辭情詞懇切准回籍調理痊可之日撫臣等具奏起用吏部知道是歲里中大飢其年三月初七日爲汝思加冠於南臺秉德堂延大尹李士龍爲賓四月輯先進遺風成

十八年庚寅我生六十七歲正月歸至黃城借寓至三月初抵里六月聞謗作求傚書蔡弘甫序梓之以告同志是歲里中大疫賦閔時謠

十九年辛卯我生六十八歲春莫李士龍自白下來秋初安成劉調甫來蔡弘甫亦至與調甫有別訂著論醫說寄吳中丞蔡弘甫著焚書辨先是謗者自悔愧書來秋仲病痡力疾著贅言解以寄焦弱侯冬初著大事譯寄白下諸友是歲春叔子晉河南藩參歸夏之任

二十年壬辰我生六十九歲春中鄒內翰汝光仲子來徵廸祖年譜序夏病胃及脾著病喻秋叔子晉奉常冬歸自汴儒宗傳成

二十一年癸巳我生七十歲夏中作傳家牒沈太守鐵寓書問學著贅言答之尋爲譔浮湘集叙秋中晤于灊口聞張甑山緒訃誄以詩詞門弟蕭少司徒彥吳少司寇

自新先後訃聞並爲詩誄之里友劉别駕師葬致奠有詞是歲秋季借子健游天台

有詠瀴詩初冬誕辰寓通議府君塋所時郡丞日新來淮李命登來自留都臧門弟

華復元等詩一帙爲壽賦詩贈答北都宮諭孫繼皋廷譔唐文獻焦竑符丞潘士藻

顔素等致文幣爲壽文郗内翰德溥譔也

觀生紀草草成之此汝輩子弟門人事也余病中乃力疾亟爲之者念生平德凉而

蒙虛名才詘而據崇位其取數抑已浮矣萬一一旦朝露二三子或未悉我履蔽于

所好其稱述間有溢詞是重我身恧恥也故勉爲此紀蓋余自少無奇穎徇齊殊質

比長㞳鴻茂犖逴懿行足以表見來世茲所紀者大都述微時艱窘困苦之狀少年

騃宕訢㳂之行父母鞠育撫教之恩朋友兄弟切劘之益示我後人知困窮拂鬱之

能進人毋爲逆境戚戚知劣質紕行之尤可悛改不以凡庸自暱且識父母兄弟朋

友相成之德念之永永無以世遠遺忘云爾病中成之殊草草有訛舛者爲我改之有遺脫者爲我補之文不雅馴者爲我稍潤色之仲子事行爲學漸次即付入各年下不必另爲紀亦可萬歷己丑三月與叔子子健

黃忠端公年譜

〔明〕莊起儔编　清道光九年刻本

禮部謹

奏為遵

旨議奏事內閣抄出浙閩總督趙慎畛等奏請明

臣黃道周從祀

文廟一摺奉

硃批禮部議奏欽此查原奏內稱據福建在籍紳

士編修陳壽祺等呈稱明臣黃道周行完忠
孝學貫天人著述本於六經節義典乎百世
其發明聖學衛道宗經大旨與劉宗周相近
今宗周既從祀
文廟道周宜併請從祀等因臣等查明史黃道
周傳贊稱其指陳深中時弊足為萬世龜鑑

御批通鑑輯覽紀其學行推重於天下乾隆四十

一年

特賜專謚忠端伏讀

高宗純皇帝聖諭劉宗周黃道周立朝守正風節凜

然其奏議慷慨極言忠藎溢於簡牘不愧一

代完人臣等竊惟道周碩學清操孤忠亮節

其生平著述尤富四庫採録其書多至十種
皆闡明經旨推究治道囊括大典體用兼賅
而最湛深於易經孝經雖在獄中猶草易圖
六十四象正手寫孝經百有二十本可謂篤
於信道熟於成仁其講學浙閩罔非以明道
翼經崇正闢邪為己任榕壇問業一書考古

證今探微抉奥發端以致知格物為第一要

義益宗周以誠意為主而歸功於慎獨能闡

王守仁之緒言而救其流弊道周以致知為

宗而止宿於至善確守朱熹之道脉而獨遡

宗傳

皇上昌明正學崇奬儒林道光二年

俞臺臣之請以劉宗周從祀
文廟列於西廡明臣蔡清之次伏以道周與宗
周臨危授命大節既相接踵正誼明道學術
亦復比肩似宜俯如紳士所請併列兩廡之
祀以維世教以勵貞修等語臣等查康熙五
十四年題准以宋儒范仲淹學問精純經綸

卓越從祀

聖廟位列東廡唐儒韓愈之次雍正二年遵

旨議定以縣亶牧皮樂正子公都子萬章公孫丑

漢諸葛亮宋尹焞魏了翁黃幹陳淳何基王

柏元趙復金履祥許謙陳澔明羅欽順蔡清

本朝陸隴其二十人增祀

文廟乾隆二年以元儒吳澄復祀太學在東廡
元儒趙復之次道光二年三年節經遵
旨議准以明臣劉宗周從祀西廡列明臣蔡清之
次以
本朝臣湯斌從祀東廡列明臣羅欽順之次各
在案伏思先儒祔饗

廟庭必其人扶持名教羽翼聖經有關學術人
心始能升諸從祀之列典至鉅也茲查明史
黄道周列傳暨乾隆四十一年
賜謚原案道周籍隸漳浦歷官少詹忠言讜論
守正不阿中遭貶黜矢志不移卒能致命成
仁完名全節明史傳贊稱其指陳深中時弊

足為萬世龜鑑臣等復恭繹

高宗純皇帝諭旨褒其立朝風節不愧一代完人

聖訓昭垂誠為千古定論至其生平講學淅閩

以格致為宗而歸宿於至善與劉宗周之以

誠意為宗而歸本於慎獨學術洵為相等雖

其講易兼明象數亦猶邵子先天之學可與

程子易傳專言義理者並行實與聖經有裨
足為後學師承是其亮節孤忠早樹楷模於
史冊正誼明道復標圭臬於儒林應如該督
等所請准其從祀
文廟東廡在明臣羅欽順之次以崇儒術而闡
幽光所有 臣 等核議緣由是否有當伏乞

皇上聖鑒

訓示施行道光三年二月十六日奏本日奉

旨依議

前署河南禹州知州 臣 黃鳴盛敬書

石齋先生忠節在天壤閒如日星河嶽人所

共見至闡揚經義之功則當時猶未甚顯我

高宗純皇帝特賜公謚曰忠端且徵其經學諸書與

欈壇問業列入

四庫而後千秋始有定論道光癸未

今上復允疆臣請以公從祀

文廟勝國儒臣累邀

興朝曠典洵可謂遭逢極盛已公裔孫前署陳

留令 鳴盛 家藏明莊子鶴所撰公年譜四卷

云得之蔡文勤公手抄將鋟版以永其傳昔

方望溪侍郎嘗記公逸事言其在金陵獄中

日誦尚書周易數月貌加豐正命之日憶人

有以卷索書者既許之矣和墨伸紙作小楷
及行書幅甚長以大字竟之加印章畢從容
就義每讀侍郎此文覺公生氣凜然至今如
在以譜中失載聊附及之亦俾黄氏後人無
忘先烈焉爾
道光九年歲在己丑夏六月河南督理通省

鹽法水利糧務道渾源後學栗毓美謹識

明纂修弟子姓氏

漳浦張天維 中貴　朱　桓 伯勤

龍溪莊起儔 子鶴　侯世催 晋水

郭萬完 鞏侯　王經邦 豐功

楊天宰 玉成　莊六成 儕鶴

朱用光 元績　李時宗 六甫

劉元長 仁威　趙輿櫶 楚材

鍾正岳視公

長泰柯宰季容

平和張璵鎮璞

黃忠端公年譜卷一

受業莊起儔　編

後學蔡世遠　校

恭聞仁毅元誠乾坤之粹美貞忠文孝倫物之撐持昔者皇圖方鞏大命未吁鴻運猶罷民氣未漓帝有惕焉監茲下土將以粹美畀夫一人撐持急乎末季爰篤生我文明伯少保黃夫子學者稱爲

石齋先生先生諱道周字幼玄一字細遵生當
神宗萬歷十三年乙酉二月九日詳稽其歷爲月乙
卯日庚戌而時丁丑命直南斗次於奎初實涵象
緯之秀又所生之地在漳郡銅山所之深井世稱
深井黃氏其地鬱律環迴大浸浩汗先生之生蓋
備萃天海之精者也曾祖侃介公諱宗德祖肅毅
公諱世懋皆以先生貴弘光中恩贈俞旨而未及

授勅父青原公諱嘉卿初贈文林郎累贈如先生秩母陳氏封孺人累贈太夫人貢生陳王教之姊也姙娠之夕青原公夢金甲金斧擁神人而至故先生續騷之詞曰始龍夢彼乾精兮嵌鏐鎦其若鎧趯蹻崒而裓靹兮旋盤礴於腑内能爲父稱故先生初亦字曰螭若也

已丑五歲入小學授論語先生曰頭一葉書孔子只

教人讀書有子如何教人孝弟孔子只教人老實
曾子如何教人省事問之授者不能答
辛卯七歲青原公以事至會城置通鑑綱目躬負以
歸手爲點定先生昕夕研閱便知忠良邪正之辨
入治王道之大按丹臺林公諱茂桂續騷序云七
歲讀父書過目成誦也
壬辰八歲卽能爲比偶文顧獨喜挾冊走最高峰倚

松欹石踽踽忘返先生雖恂焉髫穉乎然修勅翹

上冠履濟楚稍不如意即棄去雅不樂與儕俗等

夷故獨從伯兄講業于漁鼓溪之頓坑者凡數年

自經傳子籍旁及詩賦聲律鉛汞陰陽之學無不

耽精玄覽焉

甲午十歲按丹臺序云十歲作古文詞若有神授也

丁酉年十三往來過從輙作長者游按先生和邑王

文成祠記云憶余舞象時常游邑中時時出豐西過瞻舊祠疑其庭徑湫側意世有達人溯源嶓岷必有起而更事者今果卜奕起也

戊戌年十四喜談黃白術有棄家騰舉意適江西二王子至先生修刺伏謁言丹砂可化爲黃金其說有驗而是時神宗靜攝頗好道家言先生遂作書將因王子上於朝而又聞羅浮二山有眞人居焉

其上多明砂曾青諸靈藥物意忻然欲往會先生
毋族有宦博羅學者其子往覲先生遂偕與往至
博羅聞有韓大夫素以賢豪好士稱先生不謁宦
署徑詣韓大夫語及羅浮振筆作羅浮山賦無停
筆焉而多奇字大夫訝曰年少軼才也即邀先生
與諸子同處于別館自是藉其一馬一力遍游羅
浮尋所謂朱明洞者暮返朝往冀有異人隱現其

間時時長嘯以呼之一日策馬渡水水驟泛人馬漂溺里許得淺渚不死然緣玆遘疾不能數出韓之諸子競以醫藥進方霍然起而邑有曾某者亦豪公子也价韓氏以迓先生先生既至則已蚤𠡠治具相與共登觀海樓轟飲極歡酒酣因以觀海樓賦爲請比撤席返已夜分矣先生晨起疾書數千言致之曾氏則又大訝雖夙搆未遽能如是乃

奉十金及二一葛爲壽先生辭金而受葛錄是神異之稱遍博羅焉

已亥年十五寓博羅有貴族以女議配者先生謝却之續騷所謂神女婭姽而相慕兮又孰知余之不敢娶者也按先生與張煙叔書云僕生年十五六猶問姆氏男女匹配是爲何故迄今思之噴飯也則未定之戒先生不爲血氣所動久矣

庚子年十六按丹臺序云垂髫即志四方游羅浮
崧臺匡阜所至名公翰客無不下榻虛席每有結
撰俱黃金贄而白璧酬意稍弗愜脫屩去矣又聞
先生游歸發篋諸稿皆詩賦青原公怒責之先生
遂焚其稿更習舉子業然於時事得失往往慷慨
指畫有賈生涕息之意不能自禁云
癸卯年十九按先生自註續騷云秋以書干藩臬不

遇

甲辰年二十按續騷云曷不覯夫天宫兮聞要渺而莫底自註云春詰闕上大理通書不果

乙巳年二十一復遊於粤數月而還按先生從澤記云太陰處火之年中谷有萑之歲其德背寅其刑在申號號者震驚之口嘵嘵者風雨之音蓋是歲青原公有族人之難云又日分戀庭闈割别親愛

北揖大王之峯南歷天子之障西踰五軍之巔東涉二女之江還射的之舟出尋檀之道躡踔四顧不自知其寥落者也或疑先生一時遊歷未必及此蓋命筆所至隨并舉之不專在是年也

丙午年二十二移居頓坑按徙澤記云時歲柔兆丙也二月得乙日加於丑爰托幽谷强負白首幽觸壟樹雖迫處此豈得已哉當是時伯兄匪石公亦已

佐讀躬耕矣故先生後有別兄詩云憶昔親在時
四畦少遺穗吾兄日拮据手口俱憔悴又言某間
助兄把鋤輙十指出血暇則還從松間讀易嘗與
兄講易大石上有虎出其下因謂之曰吾兄弟在
此談經爾亦來聽耶虎乃弭伏而去於是先生更
築小隱引水爲池雜樹丹荔龍目榛栗諸果績繇
所謂鑿白石以爲巖兮爰遯乎窈窅之宮者也又

日攬牛女以挹精兮謁彼嶽于陽先生自註云是

秋再干藩臬不遇

丁未年二十三夏四月丁外艱拔丹臺續騷序云方

遊歸而值家變窶益甚先生自序亦言不能自具

殯殮酬意萬一又聞先生當父沒遠告諸友得數

金號哭奔馳且踊且仆中途忽遺其金行十餘里

乃覺悲傷恇懔復還尋覓有野人得所遺金守之

不去曰此此必嚮者孝子所遺也俄而先生至呼號
搶地野人曰金幸在此老夫懼所需之亟也故踆
踆於此以須君來耳悉授所遺金先生於是捧野
老令坐拜謝而去故憂愁憤鬱而作續騷而邑父
母黃公諱應舉爲之序曰余治漳浦初校士得黃
生文置第一及召對多士獨不見黃生已知其有
喪也徐詢其狀數繫策往來山間時時遨遊千里

外趨五使召至果白衣冠揮涕至縣庭偃蹇不發
大聲言生命數奇不能事吾父又安能事長者遂
趨出余大異其人數念生貧問喪具悉無有乃問
撰結何若生又自謂無有既乃隕涕出其袖中書
文如離騷也
戊申年二十四館于盧司徒日令從者給侍久之先
生弗樂也適孝廉張紹和諱燮至浦與先生談契

如舊相得已還郡言於太史高公諱克正爲書以
迓先生先生遂以是秋來居紹和之霏雲居紹和
性通脫先生竟夕危坐平居未嘗離衣冠於是紹
和不敢爲宴見命其弟煜叔諱紹科肅先生晨夕
起居紹和乃時間出商略上下故先生後有書云
某嘗臥齋頭近千日盤盂庋閣半可勒銘也
已酉年二十五服除是歲奉母僑居浦邑中已娶孺

人林氏復居浦之東郭按先生徙澤記云於是屠維作噩酉巳日月俱合獨掖老母外托人國伯達斷情於華陰謂伯兄也仲翔寄家於蠻服雖得雌得雄未辨出世之心而匪兕匪虎各深在野之感矣又曰計吾生世稍有知識未二十載三移其居焉秋七月先生隨衆赴會城就試不遇返渡釣龍江舟覆溺水恍惚如夢遇有一人導之前行至一殿甚宏

厰榜曰倪黄復導而出出乃泊岈衣裳盡濕先生
大異而姑識其事天啟壬戌選館之夕倪鴻寶亦
夢之比揭榜倪第一而先生第二兩人各述所夢
遂交相得驩甚厰後行事亦相類葢定數云
庚戌年二十六時時來郡中諸先達競延致如素交
先生雖布衣輙持古誼坐上座無詘按先生棬壇
問業云某未爲諸生時嘗過鄭觀察方取器量唇

問某云若知北極有處中天否某謝不知又問表影有處倒南否亦謝不知又問日出入有非卯酉否又謝不知觀察默然別論史漢文章諸雜事某歸愧恨不食也夜持竹几坐中庭者如此兩年之間二三百日乃知南北中分陰陽羸縮之說似非觀察授我誣也先生又嘗於鄰山告諸同人曰後生近先輩最爲有益某年二十餘嘗同丹臺林公

至郡寺謁西聖及先賢像林公曰若知今茲共謁
者何人也某云聰明智慧人也林公曰是億劫來
勞心苦行人耳吾輩硬豎脊梁仰鑽勞心霜鐵苦
行則異日亦可受人拜謁矣嗟乎後生求益何可
不親近先輩
辛亥年二十七時攝浦篆爲司李張公諱鵬霄而主府
事者爲照余閔公諱夢得於是邑試郡試皆以先生

爲第一

壬子年二十八補郡弟子員時督學馮公諱挺得先生文及一歲寒暑之候論大加玄賞遂拔赴棘闈

癸丑年二十九作大咸經以形聲色九九相推各得七百二十九本河圖曲折之勢兩其陰陽以六因之盡萬物之用然大要與太玄同摹其所差者謂元會運世與歲月日時約畧相等耳今其書亦未

行於世

甲寅年三十時督學鄭公俊諱三校漳士先生試居第五

乙卯年三十一春粵之潮州守詹公雨諱佐遣使致幣逆先生居郡齋命其子侍先生講論先生因宴次論文請以文行酒樽酒未冷而文成先生得文二十二篇引滿二十餘大白而先生徑醉矣居頃之

先生意弗㥞不辭徑出詹公更備禮而導之歸先生歸未幾遂赴科試是科典鄉試事爲內翰來公諱宗道及科臣姜公諱性得先生文擬第一矣而以違式聞督學鄭公嘆惋久之因以齒録後序屬先生代草來公姜公出謁先生於旅次皆曠舉也既而鄭公中飛語解組將以先生歸先生行至水口而兄匪石公以毋命及之乃還鄭公復舉學租百三

十金爲先生母壽故先生於鄭公感遇爲深也

丙辰年三十二方杜門著易象劉漁仲云先生在浦東草廬於時已有易象八卷疇象八卷當時亦三屬草本但文義與今象正俱別耳

丁巳年三十三先生杜門不出有問字者皆如種與蠡從狗竇中往來授業拨先生林奎甫制義序云奎甫旣高車下里門從容抉狗竇從予談談天下

長者不復論議文字又曰予少奎甫一歲今三十三年矣自稱有覺知十餘年以來文人参契如卜之墨兆者多矣是予所爲夙怵也

戊午年三十四是時督學岳公諱和聲抵漳校士拔先生第一因極論喜怒哀樂未發之旨復與先生講學會城秋八月先生中式鄉試第七人典試者爲內翰丁公諱紹軾禮科張公諱孔教分校者晉江令張

公諱履端松江華亭人也

已未年三十五歸自燕都復杜門著三易洞璣未就

客有裒其雜作爲駢枝別集以行世者非其好也

於是先生自爲序曰夙年著書數十萬言明天地

之道帝王之義萬物變化之紀極博窮微世猶非

之乃復貶其論以自托于雕鏤之末然其持論

不一遑遑自蠱今之人亦無得而稱焉

泰昌元年庚申年三十六以三易未成書則布筭夜
則分野樓戸無外交有書與紹和云某寡識之生
與六親澹泛自以一身飄泊塵海獨守廬舍無似
人聲動一二三月也
天啓元年辛酉年三十七是秋公車北上生平著經
書制義其刻行於世者曰逆流小草其未刻者亦
不下千餘首嘗有言曰戰場中援父救兄異鄉裏

遇妻憐子天下事都如做秀才赴科場時則何事不可做也

壬戌年三十八成進士是科會試分考者爲韓公諱日纘得先生文異之曰此必福建黃子也比析號益自詫不妄又起儔聞之先君先生既授館職乃不能別賃屋寓于漳會館之廡下先君諱烈時登壬戌武籍每策蹇伏謁先生通刺以手雖旅次雜遝而

門戶悠然是時魏璫虐熖方熾文湛持諱震孟鄭峚陽諱鄤與先生約同盡言報國湛持請以身先之死而後繼之先生疏稿已具旣而弗果上故先生後有疏云鄭鄤者天啟時與臣同爲庶常鄤與震孟後先抗疏臣以迎母且至三疏三焚鄭鄤常以爲怯嗚呼先生許友報國之盟蓋敦踐于十餘年之後矣

癸亥年三十九迎太夫人來京就養而孺人林氏侍
太夫人至嘉興病卒時同鄉周公諱元起方巡撫姑
蘇聞之經紀其喪更遣人護太夫人至京及歲丙
寅周公以忤璫被逮先生在家傾奏得數十金隨
衆捐助而太夫人猶恨薄酬也按先生與煙叔書
云吾母聞綿翁之變涕泣闌干至爲婢兒所笑母
乃愈泣繼之以詈今想此懷猿腸盡絕耳

甲子年四十初散館授翰林院編修與修國史實録
按先生疏有初散館請使朝鮮之語
乙丑年四十一夏四月請告歸里秋七月至家冬十
二月葬青原公于北山因結廬其下躬自負土成
墳勒先人行事銘于屏石盥沐爲書每書輒簪筆
以拜一字一拜拜畢而後書文皆從古如三代以
上碑復立小石屏于墳設顔曰青原立石背鐫三

十五字語同古讖不可解次及墳庭亦取青石員
砥之著河洛正變之文宛然地上經營數年然後
就常日吾茲塋域上下數之卦變俱全後世誰復
有能知之者張鎮樸璵曰先生自是之後出則言
朝還則守墓蓋百年精神結聚於此云
丙寅年四十二春娶夫人蔡氏計部蔡公諱乾金姪女
也越兩月而毋太夫人違養先生水勺不入口者

五日自此勅斷外事依依北山不面津縣不與宴
會不作詩文也
丁卯年四十三時海冠屢警摽掠肆行郭外村里遠
近爲墟先生獨營墳不輟諸暴客亦相戒無擾臘
月乃塟太夫人于北山
崇禎元年戊辰年四十四是春塟先王毋及伯叔又
塟前夫人林氏于北山之左嘗有書日吾今塟祖

毋伯叔及亡妻畢便當倘平婚嫁之願毋發一事
頭髮便白然視世間舍此亦無復情致褭人子作
此浩蕩爲諸銀窖子所笑奈何奈何又撥先生詩
序云八月淡墨已除甫親筆硯有援琴示諸知巳
之作又有同諸生出墓側談經分命四章各證所
說之作
巳巳年四十五三易洞璣書成有料理三易稍巳就

緒之作是冬辭墓出山發郵過南巖因偕紹和鐵山再歸兩洞信宿而去至建安知遵化已破羽檄徵師驛道騷然乃汰家從獨自攜琴出關

庚午年四十六獻歲抵信州建德溪中探邸報不至繫纜數日登釣臺諸峰元夕泊桐君山攜酒與桐君對酌至臨安聞良固失守四師俱衂又有檄止十道師爲之愀然至毘陵見鄭崟陽于家將渡江

閩都門戒嚴驛騎留滯乃單車就道寄孥鄭園至儀真遲回數日還向毘陵召家北上夏四月入都未幾與科臣熊德陽同出典浙江鄉試先生在棘闈每晨起設香案堂上率同校諸臣北面再拜而後閱卷進卷無私謁程士録亦於當堂起草放榜之候躊躇更換凡諸請託倖竇一時俱塞而權貴人子弟不得志或多側目者矣事竣還都逢神宗

實錄成晉右春坊右中允是時督臣袁崇煥以誘
殺毛文龍抵罪詞連舊輔錢龍錫併逮詔獄廷臣
無復言者先生乃中夜草疏排闥扣閽畧曰槩輔
所坐爲罪督擧緣耳督臣受鉞制閫令有事得撫
閣臣語爲質則是綸扉之內割邊牆爲殊域也且
陛下御極以來輔臣獲重譴者九人矣一代之間
有幾宰輔乎常堯舜盛時岳牧擧鯀貽禍滔天未

聞岳牧槃槃煩皐陶之聽也人臣事主自當以堯
舜爲師倘罪輔猶可贖臣請輟清華歷疆埸約束
東江收拾遼廣誓得一當以爲槩輔減千一之死
時臘月十三日也疏奏天子疑爲詆毁曲庇着令
回奏三奏而疑未釋待命四十日
辛未年四十七春正月十九日先生回奏三疏始下
已降三級調用矣而禮科又吹索浙闈事數亥不

巳先生遂更三疏乞休同官倪公諱元璐抗疏稱先生爲古今第一詞臣願以職讓先生先生因屬之以詩其序曰文綱未釋乞休爲勞倪鴻寳特疏見白爲詩言謝非乖叔向引誼之情未殊孟博避咎之旨也夏五月朔上以久旱步禱南郊十三日乃釋舊輔錢龍錫先生于是有大解綱之詩而乞休之疏旋於後十二月廿七日下矣臘月舉一子親

朋畢賀蓋郎長公子麑也故先生詩云乳汁不從

俸米得後來應記伐檀詩是也

壬申年四十八春正月束裝將行有故門陳事疏略

云臣自庚午正月攜家北上今又正月間闢南旋

往還昌難首尾三年在朝班不上三十日食俸米

四石五斗罪過山積僅餘骸骨恐一旦溘然幸及

殘喘冐昧吐之臣自少學易以天道爲準以詩春

秋推其運候上下載籍二千四百年攷其治亂百不一失其法以春秋元年巳未爲始加五十有五得周幽王甲子其明年十月辛卯朔日食以是上下中分二千一百六十年內損十四得洪武元年戊申爲大明資始戊申距今二百六十四年以乾屯需師別之三卦五爻丁卯大雪入師之上六是陛下登極之元年正當師之上六其辭曰大君有

命開國承家小人勿用自有易辭告誡未有深切
明著若此者也凡易一卦直六十七年零一百五
日一爻直十一年零七十七日有奇今歷十分之
四矣臣觀陛下開承應大君之實而小人柄用懷
于命之心在陛下以大君之哲可制小人而有餘
在小人以于命之才可中大君所不覺臣攷自丁
卯大雪至戊寅春分凡十一年零七十七日皆在

師上六勿用之防誠不可已臣病久援筆氣絕乞
念垂徃之言併依例放行已復遵旨再奏以濫舉
逞臆削籍爲民春二月掛帽出都門自濟寧過兗
州至曲阜上孔林謁周文公廟下昌嶧徘徊九龍
山孟林在焉先生各繫之以詩乃買舟至留都寄
家城隅自僦小舟泝江而上遂歷黃山白岳九華
皖臺匡廬之勝是秋至餘杭諸同人畢集因築書

院于大滌山大滌山者當餘杭之西宋人所營洞
霄宮者也舊祀李伯紀朱元晦二先生至是更加
啟闢何義兆實綱紀其事莢暨聿立四方高躅之
彥時亦往來與詠其間先生於是爲文以記之然
先生出都以來自春徂秋亦隱意放浪山水東南
奧區十盡七八日何圖杖屨遂包斗牛之美是冬
抵墓下誦陶詩曰徘徊丘隴間依依昔人居乃曰

吾怪陶廬不在士行之側而山中蒸濕人跡罕至
床几藤筬已半就腐墜惟經史子籍可九千餘卷
爛浥未盡先生泣然曰道堅於器友看書骨亦牢
於牀几也歲暮復走南請諸山二鼓乃歸明日歲
除無以祀竈偶友人餉一熟雞先生爲喜動色過
元日親朋乃知先生在於是咸集先生曰如此熱
鬧不當與袁安燒火耳或問先生所裁定自已已

至壬申詠業七百餘首爲塋陽持去乃勸先生咲

曰闢門已放復著五千言耶

癸酉年四十九在北山復治墳廬有書與烴叔云邃

生之年忽忽已至郎一墳廬未能知非何問其餘

乎比無所營樹唯修葺諸傾頹者耳又氷天紀事

云往歲先生治墳皆自持畚鍤日負土數百斤比

遂不同但督諸傭保耳往歲登第後不作舉業比

時時爲之或疑其相反先生曰筋力時休神曠不歇先生又曰漢唐而下斗分自贏趣縮文章自盛而衰崔蔡之文不及班楊韓柳之詩不及沈宋至元而來斗分自縮而贏文章自衰而盛陶劉之繼而有徐何徐何之繼而有王李先輩詩盛而制義未昌近者詩衰而制義始盛皆於情理有關至極不在繁約之間

甲戌年五十自抵家守墓諸弟子相從講論皆在浦之北山先生談經之餘屢屢勸人讀史嘗於歷代史中自漢迄宋取十二人人自爲傳三傳爲卷每卷各以行事相比曰懿畜前編其編則首諸葛侯而終鄴侯是可以窺先生微意之所存也又取明興以來楊文貞而下得二十四人所附見者凡若干人曰懿畜後編二編皆綜厥大義或詳或畧非

復史臣之所能到矣適秋水曹公諱惟才以莆李攝

府敦請先生發皇聖學於是夏五月先生始即漳

郡紫陽學堂爲講舍定於四仲之月雅集課藝因

文證聖併分紙一張隨所疑難先經後傳先籍後

史自近溪敬齋而上周程羅李而下不妨兼舉以

印身心久之先生自次所條答爲榕壇問業以行

世臘月乃還北山守墓

乙亥年五十一夏五月復會於榕壇先生家居秉禮雖涖講席有期之喪腰絰不除張昺之瑞鍾請曰聞晦翁欲集三禮大成有所未及吳幼清論次稍定又多所遺吾漳素遵家禮然期功之喪亦鮮有持者不知孔門諸雜記平居皆可詳說否先生曰平居且勿暇論然三禮詮次極是學問中要緊久已分類引伸但日用疏澹未能繕寫耳即以三禮

定本付剞之然尚未及刊布也先生與諸友登天
治巖歸適漳郡地震有聲時爲冬十一月三日已
酉雞棲矣或問春秋五震始終於臣而中於君大
抵以爲陰盛也今玄月藏伏而地動其在於周則
正月也古有之乎先生曰凡占者家不占國郡邑
不占天下然君子痌瘝乃身匹夫納溝尚爲怵然
何況大地劉向輙指郡國事爲正應其義極疎兒

所言者與劉向異指自足稱耳語未究而環命適至先生講席不輟翌日諸友叙別勸駕先生因酒酣發慨時艱悲憤涕泗不已亦會歲暮復還山守墓

丙子年五十二時新奉環命將改荔衣擬拜疏請告稍謝朋從抱膝看松增其寥落會先生誕辰諸弟子請於宮庶蔣公（諱德璟）蔣公就問業中拈十八條

摧暢立風以抒嘉祝先生曰自某談論以來風過
樹翻無人更看落葉蔣公纔拈一枝覺樹樹紅酣
山山碧戰此處不發憤那得樂來前日爲誰開此
罪過諸子云此問不從蔣來不從諸生却自夫子
生下帶來先生憮然請一一舉似詳爲條答先生
曰蔣公揭棘見實初示聞道之艱難末示成道之
不易叮嚀告誡于孔蘧寡過之年所以裁成垂引

爲不少矣又日任看山山樹樹仍是老至倦來卽
一部易書只是乾乾乾終日已而有司敦促上道先
生至秋盡乃發臘月遂至京

黃忠端公年譜卷二

受業莊起儔　編

後學蔡世遠　校

丁丑年五十三春正月朔入朝二月分校會試詩一房得士二十一八夏四月二十八日具疏乞休凡再上不允五月陞諭德兼掌司經局六月十三日具疏辭職自劾臣有三罪四恥七不如之語冬十

月有申明掌故一疏畧云司經名局實無一書東宮有日問誰司局事者何以對之先臣丘濬嘗稱我朝著作聖祖極多然當永樂時召授東宮惟文華寶鑑聖學心法廣昭鑑録務本之訓四種書而已今四書傳本甚少可發內本謄刷由是推之書中有二典三謨洪範無逸禮記之中有王制月令儒行緇衣坊記表記禮器禮運學記樂記易中有

乾坤文言上繫下繫詩中有二南豳風正雅周頌
擇此四經大篇鉅章不過五六十帙講官六人人
習十篇錯於四書以翼寶訓在約御博不及二年
而義類備舉矣乞次第舉行有旨彙集進覽冬十
二月陞少詹事協理府事兼管玉牒復疏辭云臣
自出山以來期捐七尺決頂踵以報陛下必不可
得亦當有昌言顯行裨益涓埃而去決非爲改衣

摸帶來也今既十載寂無一語臣之學術槩可知矣如臣者但守原職料理經書俟其修成縱之巖壑自謂過矣乞改授蔣德璟謝德溥一臣使臣樵戶稍完職業不允

戊寅年五十四春二月侍經筵隨班召對退而補牘云臣承清問人才臣言人才如樹木霜雪摧殘之後須勿折其萌芽又譬養火亦要積薪臣以餘生

親見堯舜無復一語可佐纖塵則亦無用讀書爲
矣臣懲艾已深捫古日久豈敢重干嚴旨以自取
戾然私計天下人才如鄭三俊姚希孟求其影似
未可多得皇上誠愛士莫如愛已成之士誠理財
莫如理有式之財當茲衆渙之時幸引孚萃之旨
時十有二日也至二十三日旨下以先生偏私再
疏又以爲支飾先生自知不容于朝矣第以數書

未就不欲遽去乃復奏曰臣生逢聖主不能質直自將學求事君又蹈迂疎之失惶遽之下追尋前草已自盡焚不能復憶惟憶所述失體援筆莫措昔魏徵在帷幄十七載奏疏數十萬言無一忤旨亦未能比績皐夔真德秀立朝僅一月條陳百餘事無一紕漏亦未能差肩王魏臣在詞林十七載已同魏徵之年立朝十四月更踰德秀之數章未

十上語之萬言而迷謬煩仍瑕釁山積欲以仰贊高深滌蹤於古昔良亦難矣臣自揣草野之資終非法物京身席藁以待褫斥倘念纂述未就寬假數月是臣望外之恩未敢自必三月九日得旨不究然先生錄是諸疏草皆命曰焚草也夏六月十八日又因隨衆召對復補牘云臣有感事三疏阨於時會不能自達死有餘恥按先生三疏一論推

督臣不拘守制一　論宣大督臣奪情一　論遼撫臣議欵其論推督臣者謂宣大督臣盧象昇父殯載道請近撫臣權攝忽有并推在籍守制之旨夫使守制者可推則是聞喪者可以不去也聞喪者可以不去則是爲子者可以不父爲臣者可以不子也陛下以日月煇氣徇下詔引躬明示以君臣父子皆受於天禮樂刑政所從出而人臣以哀毀不

祥之身決裂馳騣玷陛下仁孝之治是不宜使天下四夷聞且見之也嗣昌在事二年才智備覩矣更起一不祥之人與之表裏指鳥指鳧說夢捕風猶狼狽之獸倚肩俱走無從施其鞭策又何益於負重乎甚論督臣奪情謂臣不知陳新甲為何人然聞其丁艱未終制又聞其走邪徑託捷足天下即甚無才亦未宜移借及此也凡論人才觀其所

難批龍鱗難於履虎尾冒斧鉞難於冒鋒鏑今諸

負氣直節敢諫之臣棄不録矣而欲使畝美容悅

者叩頭折枝以建非常之功垂不世之業豈可得

乎臣所纂數卷書已移月可畢筆札杆楯均爲報

恩天下即無人臣願解清華以執鎖鑰何必使被

棘負塗被不祥以玷皇化哉方今熒惑漸次箕尾

是爲燕分八九月交當南斗口是雖有道所不談

然思患豫防聖人垂戒新甲崎嶇秦蜀載道赴宣
度須半載廬象昇以煢煢歸罪之身待其遲遲援
琴之道所謂乞河神而濡突火也語曰奔車無仲
尼覆舟無伯夷臣雖不才受皇上殊恩猶將安轡
奔車之間扳衣覆舟之下其論遼撫臣議款疏臣
接得遼撫臣揭帖援俺答故事議欵臣不覺爲之
頓足投牒於地陛下勵精十餘年思以堯舜之化

被四海而諸臣無能出一死以紓主憂此不待有
志之士爲之關弓而鳴鼓也且如遼撫之說謂款
成即可撤兵以討流寇毋論款必不可成成必不
可久即成矣久矣以視帑錦遵薊宣大之師何處
可撤者方今上天告災星象垂警國家大事宜以
實示羣情毋以文稽衆論樞邊諸臣欺罔詭閟啟
侮取羞惟陛下慨然發樞邊諸疏衆正其罪毋使

事成禍積異日不可復悔三疏遂同封以進時秋七月初三日也至初五日上持三疏不下乃召閣臣荊郭及先生聞言乎[illegible]日先生已註籍矣以特召故往上謂先生曰朕幼失學但聞經筵講論有所爲而爲是欲非理三疏不先不後在不點用之時可謂無所爲乎曰臣所爲者綱常名教不爲一已爵祿是以自信其無所爲也上曰三疏不上

有何時曾爲阨日臣以同鄉林蘭友何楷有疏恐涉嫌疑耳上曰如今便無嫌疑耶曰今日不言後將無及臣之有言臣不得已也且臣如緘默亦可濫叨升斗但所惜者陛下之綱常名教語未畢楊嗣昌出言臣請就綱常[illegible]對衆明剖所謂綱常者君爲臣綱父爲子綱君臣還在父子之前臣父臣母皆無所逃臣又逃于何所臣聞古人有言會

獸知母而不知父今鄭鄤杖母禽獸不如某又自
謂不如鄭鄤論綱常蓋撫先生前疏有文章意氣
輒軻歷落臣不如鄭鄤之語也先生於是即大體
以正之日故事諫官論執政者出聽對伏讀彈文
臣雖非言官未有大臣跪在上前爭辨不容臣盡
言者嗣昌乃謝非體請放歸里上即以温語留之
先生亦自奏臣素耻言人過今與嗣昌角口亦非

體臣爲陛下存人心而已上曰你無端詆毁大臣又以大題目壓他恐是別有所爲曰臣爲侍從論思之臣與嗣昌朋肩事主比不得詆毁大臣臣二十躬耕四十喪親負土成墳畚鍤自荷誠不忍見奪情之事上曰如此又何云不如鄭鄤曰臣章奏於通國孟子不失禮貌孔子自云辭命不如宰予臣亦謂文章不如鄭鄤上曰章子不得于父豈鄭

鄖杖毋之比你說不如鄭鄖是朋比耳日衆惡必

察奈何迫於權勢使皇上不知是非之實上曰陳

新甲諳練軍情汝又言其走邪徑覓督撫才料朕

一一不知只聽人競營耶曰凡人必正則行正心邪

則行邪嗣昌以已奪情又推陳新甲呼釐引類使

成奪情世界是亦今日之聦也上曰鄭鄖五倫俱

絶許曦言其罪狀甚明小臣有公論而大臣反無

豈不可恥曰宋人惡李定不丁母憂故賜孝子徐
積粟帛以風之臣如要救鄭鄤則攻嗣昌非所以
救鄭鄤也上曰向以汝偏激稍示裁抑後聞操守
隨即賜環將遂擢用不圖如此偏激放肆先生曰
臣今日不言則臣負陛下陛下殺臣是陛下負臣
上乃曰一生學問只得佞口遂著先生令起先生
於是叩頭而起已還復跪請再剖忠佞夫人臣在

君父前獨立敢言爲佞豈阿諛順旨爲忠耶敢爭
是非辨邪正爲佞豈容悅緘口爲忠耶上曰聞此
遁彼非佞如何若論紅牌支吾當斬聞者咋舌先
生乃侃侃而退嗣冒覔請皇上優容某可以教天
下臣子上曰近來人心澆薄故特召諭政所以正
人心蓋上終以先生爲非無所爲也乃後之論者
謂當時皇上實心敬先生但以時事孔棘不得不

起二人用之而面論先生則日暑天勞頓之餘能
成一篇文字才亦可愛蓋嘗先生與楊輔同日面
試楊輔言畧而字潦草先生灑灑詳盡而楷法端
謹故上雖不用猶爲留意也然則皇上不可謂不
愛才而先生於皇上未可云不知遇也徒以號綱
揭嘗聲責者大故反以爲有所爲而激耳嗚呼不
激不奮不憤不激合以三緘膺特簡吾知先生必

不願也即勿論不用設用矣而時事已去吁都咈俞細大必爭吾又知綸扉雖貴不足紓先生行跡也天之置先生固將別有以用之矣誰復能與先生爭萬古者故閣臣翌日擬詞以爲朋串撓亂降級調用而在廷諸臣亦無更起而爭者先生於是不得不行矣乃取前所裒纂諸書上之其疏畧曰臣思古人身蹈不測尚圖纂述以贖殊辜況臣受

命在先豈得消藏以滋罪戾用將臣所纂完洪範
三冊月令二冊儒行二冊緇衣二冊凡八冊四函
先呈進覽八月調江西布政司都事臨行更上乞
休疏云陛下憐臣孤苦雖加創艾猶畀俸錢俾就
一官以圖報効臣思此生祿養之榮不及父母頂
踵之報總爲君親自賜環而賜謫均非微臣之軀
由再死而再生彌載如天之惠然而寸心易竭九

折難醫自顧殘生真無所用矣臣素恥言貧病又毋日計勞而食自去冬迄今二百餘日經寒涉暑手纂寫三十萬言凡再易草實無一刻之暇不合感事發其狂癡旬日以來兩目就眚加以體羸嘔血盈掌如此升斗亦豈濫叨乎臣通籍十七載猶然書生立朝五百日未酬犬馬倘淹忽半途流播他土將使千古上下不知陛下憂恤之恩仁聞之

澤懇乞還山以就醫藥苟殘喘之尚存何餘年之
足惜惟陛下察其真病真危許其待痊待補不允
是月出都發潞河五百里登泰山絕頂作詩曰何
處尋天下培塿視古今已至岱山頂觀日則日海國
尋常望中原特創觀又曰蕭然何所怪自弄兩丸
看其胸中浩落不知如何是冬至大滌陳臥子曹
木上諸友日奉杖履捫高探深嘗曰大滌三洞雖

不必異人是樓然使漢武聞而搴裳燕昭聽而抵
掌何詎過乎又曰謝傅棲遲此山五十餘年捉鼻
拂巾爲司馬主簿使其時風鶴無靈鞭流遂斷蒼
生之恨東山之痛豈可復滌耶徘徊日久坐卧朱
李几案之下者久之已復黯然思别屈指歲暮料
理松楸迅于飛鳥乃以覆被餘夢閑就六詩録存
山中日後有覽者知出處聚散之會未能無芥於

懷也將行矣又爲諸友蘩維三日會倪鴻寶祭酒
來自山陰持邊信相示悚然聳聽未忍絶帆胥江
長至後十日乃發何義兆曹木上送至嚴灘登釣
臺先生蕭然感歎乃作詩曰鳥墜魚驚風色緊天
下無山可高隱蘿裳荔帶荷葉冠白日文螭化蚯
蚓又曰從此辭君各千載故園門前千尺海海中
疎島千高駝記得投竿雙縢在既書此爲别併寫

雙臺八松以識分手

已卯年五十五復還山守墓以前疏批旨有朋串之語乃於石蓑山中堊廬之下別構數椽以列大雅左曰十朋軒軒不容戀壁間位置曰管葛管夷吾潁上人諸葛亮沂洲人曰鄭董鄭國僑鄭人董仲舒廣川人曰吳郭吳季札郭泰介休人曰晏丙晏嬰濰人丙吉魯人曰張李張良禹州人李泌長安人曰黃王黃憲汝南人王通龍門人曰田羊田叔井陘人羊祜新泰人曰疏魏疏廣嶧人魏舒任城

人曰管陶管寧臨人陶潛潯陽人曰邴皇邴原齊人皇甫謐朝那人曰
申阮申屠蟠陳留人阮孝緒尉氏人曰梅張梅福壽春人張翰吳郡人曰周沈
周盤汝南人沈麟士武康人凡二十六人右曰九串閣閭儻九
尺壁間位置曰屈賈屈原郢人賈誼洛陽人曰魯李魯仲連臨海人
李白彰明人曰樂王樂毅靈壽人王猛北海人曰劉韓劉向彭城人韓愈南陽人
曰汲魏汲黯濮陽人魏徵晉州人曰黃張黃霸陽夏人張詠濮州人曰五馬
、第五倫長陵人馬周茌平人曰高蘇高允蓨人蘇頌晉江人曰謝李謝安太康

人李綱邵武人曰王白王羲之臨沂人白樂天渭南人曰陸蘇陸贄嘉興人蘇軾眉山人曰宋范宋璟南和人范仲淹吳縣人曰裴韓裴度聞喜人韓琦安陽人曰張趙張九齡曲江人趙忭西安人曰李馬李絳贊皇人馬光夏縣人凡三十人皆異代同風韻實殊致道鼎儕輩遞為賓師趙邠卿之壁縣四像司空圖之壙引羣賓聊有所契託于同人各係之以贊焉

庚辰年五十六在北山守墓一切謝絕客誕日題門

日殘生餘年死不敢受弔兄受賀乎客有自浦至
者閭人輒辭去唯諸同人至自漳先生令人延之
別館迨晚出見客乃共列坐石上酣飲懽洽先生
手自疊三石而坐曰吾今此坐雖安亦危已蓋是
時薛國觀蔡國用當國而楊陳俱用事故先生虞
不免也翌日有異僧至先生與坐對榻僧一無所
言既退倦然而歎或疑僧有異徵言以諷之僧曰

正若此事毒火將動不得藥線不發今中旨已萌不幸外疏及之禍且不測耳未幾而江西巡撫解公諱學龍以薦剡聞而逮命下矣先生聞報即於五月二十三日辭墓就道時緹騎尙在南昌先生中夜出門匍匐至水口揮手作詩以謝同人有曰臣罪如傾河當於何者起親朋但道古引涕便不是至適中驛道有詩日生平少屏語臨難乃自遂疾

雷破孤峰要非物所碎至南昌開遠諸子依依不
去欲同北上先生毅然麾之作詩曰生離死別不
可知友道君恩已如此又曰天上魏神輕意氣琴
哀筑經安所寘斯文未喪應能來湯花火花仍復
開至碭山道中遇警身先緹騎得過壽張接邸報
薛以罪死蔡壽廢卒先生乃於七月末旬至京緹
騎以聞中旨未下而計部主事葉公諱廷秀毅然上

疏請以身代罪葉公者濮州人也登第後以魏璫
故不出既補冷曹與先生未嘗有覿面之雅聞先
生就逮號於曹署曰吾輩稱冠進賢冠今名賢羅厄
忍復坐視耶呼一曹不應又呼一曹呼已繼之以
駡又復駡又復呼如此徧呼六曹畢無一人應者
葉公乃挺身上疏請自代先生而八月杳下先生
與解公各杖八十發西庫司問擬越數日而葉公

之疏亦下旗校索葉公葉公曰吾待子來久矣請
入視吾居有旗校隨入見其左側置秘器一具右
陳全襲壽服葉公曰吾老母已終世又無妻子帥
累今日惟須公輩來一了事耳即隨旗校同往拜
杖監杖者聞之曰異哉千古乃有如此人葉公不
行一銖一錢諸執杖者皆愕眙不忍下乃反輕於
他杖者既拜杖已削籍回濮州先生乃就床簀爲

詩以贈其行有曰鯁血得金腥味骨得玉氣又曰乳血在君親霜露不敢侵總此未墜生呱啼亦古今實未嘗一識葉公也而先生杖瘡亦發幾不支乃召醫傳藥剜去惡肉故在獄中作書與經叔曰古人於仁義爛時自畏血肉僕於血肉爛時自畏仁義悠悠命也誰爲談者蓋先生臥病八十餘日抱足扶首僅能起立顧念自雲斗室如椰子大不

見三光自揣生平喜探幽窟窮極之趣呈於夢寐

乃作沮洞之詩曰鑱胸強作玄奥窟要使鬼谷傲

聳閲果然精魅爲都君狐巢兔館來温存又曰千

今歷歷成精怪一竈一床不自在日光漏綫不肯

垂飛鼠飛飛欲晝癖作沮洞已復唫囈如答客嘲

者於是有唫囈之詩曰洞壑精靈不揑怪開襟揖

客了無礙何處白雲起庫門強捉入裾作芥蔕又

日儘有通人納軒殿如穿水竇負門扇一尺席地能精專飛神越空騰青天先生既以清苦聞天下諸獄役皆不敢有望於先生惟日奉紙札丐先生書先生時時爲書孝經以當役錢凡手書孝經乙百二十本皆爲役卒持去散盡無餘於是憂患備至艱貞罔利迴思幼喜易象迨茲五十餘年矣而天人憤悱未能有明九京可質羲文猶惘自是臥

息成爻食思擬象乃研理極數而著易象正方開府仁植與先生同在西庫自言詮易三世未畢此理見先生所著片字落紙輒觀玩不已曰吾雖不及次公寧怖夕死遂墜朝聞乎時先生方草十二圖未畢忽錦衣着筐籃來徵先生先生徐曰吾畫一圖完就逮耳役人不可遽以先生去諸圖象翻播床下既去方公更掇拾收藏之故先生詩曰筐

監一日臨五門風雨瞥天雷霆尊迴顧白雲不可見經書化蝶皆驚翻絗想方公食三歎定謂此書終河漢蓋是時太學生涂仲吉上書訟先生冤故徵先生同對北寺也比至北寺械鞫四次且拶且責毒痛之下指節纔續又爲六十四象正故又詩日右手貫鎖左袖書解鎖寫書向帶血會有朱生永明冒難入北寺爲先生櫛沐朱生者縚與諸生

也薄遊京師持百錢叩北寺門將遺仲吉爲邏者獲奏遂同繫獄中朱生入獄拜先生於床下請給侍左右先生既在北司有二子爲侍代執爨役得一意著書故又詩曰淹留北寺五月餘仰鑽亦已粗成書二十萬言動指節欲斷不斷形模殊未幾復轉西庫方公喜而索書故又詩曰此書方成未一夜樞扭又過白雲下方公含喜來叩門薰釁纍朱

施便欲借㸐先生自以九折餘生意言未愜不欲
遽爲傳播而諸中貴人竊因朱生以其間購先生
筆禮故皇上亦於宮中時時見先生所書孝經指
曰沽名㸐所以得不死者亦未必非念其名也故
又詩曰小臣叩首稱天恩年來北寺誰能存已甘
垂翼歸地火何敢開眼談乾坤蓋有慟于二周諸
公畢命之處矣初仲吉之上疏救先生也通政施

公(諱邦曜)駁其疏曰寬以俟之仲吉又上施公又駁
曰存此議論仲吉猶持上不已施公召謂之曰吾
與石齋先生交最厚故不欲以過激僨事若奈何
更欲速之乎仲吉乃復出手疏參施公施公遂併
二疏封上而令仲吉自取保保質否則宜在城司候
旨右堂馬公(諱思理)以仲吉名家子持名紙付司令
灑埽一室與仲吉而仲吉道遇鄉人爲保質實未

嘗荏司獄也旨下杖一百併究詰同謀指使施公以是落職回家而馬公則逮付詔獄矣乃又追論葉公廷秀復逮至北寺同日對簿諸君子纍纍然相望司廷而未能相識葉公乃前俯而揖問誰爲黃老先生者先生却就謂之曰是其爲葉老先生矣葉公乃以次鞠身更揖曰斯當爲解老先生乎於是相與諦視唏嘘俱伏堂下聽質蓋當時牽連

株送幾二十人故先生詩曰鷹巢逢落鳳虎穴見啼麟矣而堂司乃備拷仲吉所繇指使狀仲吉受榜掠無異辭問何人指使曰某隻身萬里攜孤忠以上叩九閽何容別受他人指使必欲究所爲指使者請剖臣肝以獻語聞上頗心動然未肯遽釋先生也

辛巳年五十七按先生有自西庫過請室逢除夕詩

則先生庚辰臘月已在請室矣舊例鞫審雖在北司而結案必繇刑部故先生復移西庫至十一月刑部擬讞先生乃上疏曰今刑部定臣何罪臣不敢辨亦不敢知然臣自計生平無門外交遊無一介取與鉛槧終年不知馬足即如丁丑年冬至戊寅七月所進三十六卷書皆手勤再易草則臣之不暇朋從可知已十二月又上疏云臣自北司過

刑部又一 伏臘矣九鞫四拷不敢言寃誠感陛下
摧折懲艾之諭許其自新别圖報効也臣生於海
隅輕蹈狂瞽然自戊寅降謫而外未有過犯直以
撫臣例薦萬里逮杖又以諸臣申救嚴拷數番事
出意表非臣所料惜臣曩昔召對平臺惶遽之餘
進不擇言捫心何極然至於撫賊和戎之説遺禍
蒼生罣誤大計臣猶自悔知之不盡言之無力也

臣通籍二十載歷俸未三年今垂老髀消與囚對
泣即欲洗骨滌髓篡書自贖誰肯信者幸以螻蟻
餘魂及聞覓大之恩蟄蟲俯草欣欣更生惟聖主
仁憫再加宥焉是月謫戍辰陽而解公葉公馬公
與涂仲吉亦各分戍於閩於楚於辰州
壬午年五十八春二月出京將適楚取道復至大滌
按先生大滌三記云予以解網至白下買舟將出

長沙值江北告警桐莞騷然又每倚杖聽明詔多
寬大之音得徘徊容與與波相上下念此暮年節
屢垂絶浸近崦嵫何期復至大滌與親朋談話詢
諸旅客長年咸云南出臨安涉富春沂信州從貴
溪西流下臨袁不二千里可至長沙省諸波濤風
鶴之險嗚呼余如擇地避險者亦豈遂至此乎四
月十五日至西洽二十五日與錢去非等入禹航

僦青山船入九鎖溪鶴語堂舍依然未墜而修葺
抽篠蘆舊加長矣又雁田諸友兢發至誠摭舊塵
疑義稍稍與子靜開滌諸友亦欣然無異漸復汎
濫易詩書禮樂新故異同之致不能不與元晦牴
牾而元晦醇邃矣拾級循牆可至堂室高者不造
頂無歸深者不眩崖驚墜由其道百世無弊則必
元晦也又云周濂溪欲營溢江結廬其下既而不

果謂潘興嗣曰三十年讀書亦欲一濟蒼生今兹所學如果不遂與子盤桓論道未爲晚耳嗚呼識命在天著心便誤有待而營何者不晩華嶽嵩少俱爲豺狼之區而大滌僅存數椽與朱李木主相對僕又當西行採蘭佩芷賈楊以爲顏閔景宋以爲游夏不知五百年後誰復念此山如吾之於朱李者六月至九江西林寺病瘧初瘳亟覓紙筆取

易象正更定之曰及吾在不定此本後世誰復定
之者蓋是書雖成于西庫然先生每言及輒有不
璞見噞之恨料理三十餘日將有次第而環報適
至先生猶以是書未完留滯江渚已乃操小舠入
蘆葦中攜璞被穿關至江口乃以完本付陳彥升
而發疏謝病其辭曰臣自去歲臘月解網以來槩
於今歲仲春束裝就伍自揣殘年無可報主得子

孫永世禦魑魅保烟嵐足矣酸楚間關躑躅載道至六月始抵九江西望辰陽尚三千里江楚間民以癘下爲微疴瘧痁爲小恙而臣以摧殘老病之軀當之癘瘧頻仍動數十日遂至委頓無復生理中夜撫涕謂臣廬墓十餘年乃不死於北寺而死於江楚命也栖遲數月痊可無期伏枕蕭寺人跡盡絕不圖十月朔日有人從留都來傳接出聖諭

念其清操力學尙堪策勵特准赦罪還職臣伏枕
墜床恍惚如夢起設香案匍匐叩頭隕越階下念
自古人臣或以文才前席或以直戇召還未有迂
狂貫罪如臣而得起于戍籍申以華奬者也臣少
孤貧長而傭書今年垂望六體經九折百病所侵
一絲未絕臣思漢臣馬援病卧土窟中聞鼓角聲
曳杖延頸數癈見者哀之又如宋臣范鎭劉安世

屬纊之時猶以天下爲念今臣未即死而委頓如此智不如葵忠不如曝自古儒臣亦豈有匍匐而就鵷行扶攜以酬馬骨者乎臣幸逢盛世遭明主脫離罪罟下就邱墓蘗壤偷陰餘息幾何惟願陛下力行仁義使流氛早靖宗社奠安臣雖朝夕溘就草露猶與九原父母銜結無窮還至留都聞解學龍葉廷秀等未蒙寬宥復上疏云臣甫離盆蓋

不敢遽有籲呼然廷秀病極學龍垂老皆以日爲
歲度日如年陛下既以特旨赦臣乞以特恩再沛
恩澤悉赦諸坐臣株連者疏上已別有旨赦免先
生亦以是月促裝回家有附告朱李二先生文云
某以解網得乞骸還山欲再入大滌講論而先是
夏五盤桓講舍已三十餘日策訪歸雲杖折墜崖
髀爲重創不復能臨眺如常時即當歸設特羊誓

誡先隴還酬里鼓以報鄉人亦庸髮之不傷告兆域之未絕也何羲兆送不肖至桐君山謹附數行告兩先生並不使桐老嚴陵訾吾濡滯也

黃忠端公年譜卷三

受業莊起儔　編

後學蔡世遠　校

癸未年五十九居北山春三月先生挈舟至蓬萊峽將營講堂其間有詩曰但使同心人共娛鴻濛髓指顧六合間一一平如砥竹醉前一日復同諸子汎舟於此按先生記云鄰侯山即漳艮嶽之陰北

溪迸流長橋東之領谺多奇蓋蛟龍出没風濤崩
激砂土已汰石骨總出舊稱蓬萊峽里人名之曰
石仙石仙者指其蜕峙林立飄然若登者也石仙
十五六輩褰裳欲渡簇而告語皆昂藏百餘尺植
劍柱笏以隊相命計諸丈未出山時皆罨覆其下
不勝風雨稍出戸庭高蹠一動遂見破縱令呼諸
丈稍納足復還故處則猶然混沌也嗚呼信混沌

吾安能從汝遊乎予以癸未抵里五月十日實始
啟疆乃扶筇上下點定其處令諸友得命意匠焉
未幾復還北山守墓秋八月朔孝經集傳成是日
先生同諸弟子就北山草廬具章服北面望闕五
拜三稽首又向青原太老師墓前四拜再稽首乃
於堂中特祀管夷吾諸葛武侯吳季子李鄴侯四先生前再
拜起立置書案上諸弟子各四拜受卒業焉按先

生自序曰孝經之書在戊寅秋月起草巳卯春畧有次第未經進呈幸不中廢乃於九江綜其遺緒癸未抵家爰發敝笥以示同人冬十月坊記表記集傳成按先生序云宋淳化至道間嘗以坊表二記須賜廷臣今禮經備在學宫而習者沿爲幽臺遺言無繇知爲春秋義例之所從出者故復畧舉大意使相屬比引伸觸類以究其指歸又云是書

起草於已卯之春中間危乖成於癸未之秋未及
進呈統俟賢達訓討删定庶無乖戾焉臘月出江
東登逃雨巖墜崖卽事賦詩八章因名崖曰捨身
崖又曰鳥道不絕風雲逼
甲申年六十春正月有在山乞致仕䟽畧云臣禀受
窮奇沉痾自頓臣鄉又當寇攘臣托身墓下寄命
松楸一月數驚未有動理臘月臣始决意出山離

墓下至江東已百四十里諸生相持登高臨遠臣
失足顛隕層崖二十餘丈適墜石灰中頂踵幸全
而左腕右足困於庸醫幾成廢疾嗟哉命也臣生
逢盛時位登華胄進多狂瞽則有斧鑕之虞退可
棲遲又有溝壑之患臣死於溝壑伏於斧鑕則重
傷明主之心斧鑕得生溝壑不死又莫塞孤臣之
願所繇者持身不審寡過未能德薄則不佑於鬼

神數奇則取憎於造物雖復招以弓旌寵以綸綍徒足生其災眚覆其消受也惟冀皇上擴覆載之仁旣以特恩全臣於溝壑之中臣茹草飯糗與穉子里婦播天舞地誦德無極臣力疾具疏先生旣入盧墓北山而浦東舊居日就荒圮浦諸弟子因請搆爲講舍所謂明誠堂也時春三月庚子明誠堂落成門人張天維林翰冲等爰先三旬致簡同

人將以是日共升斯堂仰受傳習郡司李曹公諱廣
龍溪令劉公諱鴻嘉漳浦令冼公諱光昌亦申斯約而
先生以三月朔日祭埽渡江至十日乃歸歸之前
一日浦南渠魁初就俘馘先生以餘孽未殄恐不
遑於俎豆而曹公劉公已先一日至諸及門誼不
敢辭庚子邑中諸先生亦至是日也天氣清和春
風四敷同郡孝廉至者十有六人茂才遠近至者

八十一人觀者盖堵牆焉先生謁先聖先賢畢乃
請公祖父母曰子弟之不肖瘖瘂之未起賴豈弟
樂只之拾其文德也以獲寧宇敢不再拜請公祖
父母西嚮請諸先生曰以宗祐之靈蒼生之福得
從俎豆以趨下風敢不再拜交拜畢乃共吏請先
生先生曰業從諸老先生之後矣敢辭諸先生不
可亦皆再拜環揖而入先生數長者之席及諸經

論聽問之坐稍後懸間鐘磬琴瑟各一坐定講史
振聲讀誓誡凡七條畢乃講書以東西問答相起
也問今日明誠二字的從中庸裡來可是爲良知
主敬者下鍼藥曰良知主敬只是明誠註子從誠
生明是良知從明歸誠是主敬先後賢初無兩路
亦自不用鍼藥問明誠雖有天人之分畢竟只是
一物若看爲兩物則金自不柔木自不剛火自不

凉水自不熱卽有氣質如何變化得來記曰地載神氣神氣風霆風霆流形品物化生一塊大地風霆出入初無土石之隔豈性命存於形色之中能有形色之礙耶曰天道人道是人生而上不須說只說一事一物先明得過後信得過譬如一鏡先要刮垢磨光然後隨形映物尚要刮垢磨光切莫道鏡卽是光光卽是鏡也問思誠明善憤樂循環

泱不在愛敬義利笑夢中間忙討消息又不在覩聞斷絕牆枯壁立處苦作工夫畢竟如何曰聖人言誠要與天地合德言明要與日月合明此理實是探討不得周公於此仰思顏回於此竭才雖道仲尼撒手拾得聖人於此此都有一番嘔心默體工夫難爲大家誦說耳做聖賢人不喫便飯問明明天上亦有日月星辰白白江中亦有波瀾島嶼孔

子生在東魯再不說蜃氣樓臺周公治於天中亦
不辨晷影長短只繇他見明所以信得過亦繇信
過所以見得明如憑空心硬說知貫猶望海際云
與天通泛槎十年終不到牛女之下也看來王道
待人只是箇禮禮自廣大精微高明中庸新故相
生敦崇遞起知者百世不知牆面周公仰思仲尼
發憤皆爲此物留與後人一再叅觀曰禮樂只是

中和致中謂禮致和謂樂易說大壯以非禮弗履
說豫以作樂崇德兩卦皆雷也天地作用雷爲大
人身作用怒爲大風雨皆生於雷哀樂皆生於怒
雷從健出比於禮雷從順出比於樂怒從健出禮
以止之怒從順出樂以平之故先王爲禮樂以導
中和天地性情居然可見地雷曰復天雷曰无妄
雷地曰豫雷天曰大壯禮樂中和於是見像而誠

明之義亦盡於此講畢請諸長者教誨乞言先生
曰日中矣勿多混長者爲乃召饔人爲食次每席
八簋各視主者以定其客先生親饋祭酒畢乃就
主人之位酒初巡歌者歌瓠葉之詩先生出致辭
曰以長者之盛德訓誨諸子弟又無以獻也敢以
瓠葉先於兔首諸賓客謝過當也就坐酒六巡歌
出車之末二章先生出獻曹公曰以此春日執訊

獲醜雖有飛鴞食椹變音況倉庚乎乃皆再拜又
歌六月之卒章先生又獻曰雖無孝友之朋願分
燕喜之慶曹公曰吉甫何當張仲爲多矣又皆再
拜乃退就坐歌者歌南山之全篇先生出獻劉公
及沈公曰以父母之光邦家也以父母之德音也
南山紀壽何足多乎乃皆再拜卒爵磬作就坐歌
菁莪之四章酒七巡又歌隰桑之四章及黍苗之

五章贊者曰賓主交相獻也先生乃出獻公祖父
母曰今日喜見君子也小人之於君子猶黍苗之
於陰雨飲德而已何報之有乃皆再拜先生又獻
諸老先生曰以往者之不愼罹于眚災爲諸先生
憂今幸旣見善義隱桑不是過也願終教誨之諸
先生亦再拜曰原隰將平泉流將淸王心將寧保
艾異日未有艾也於是揖而飲酬酢三反乃復位

酒再巡講監立於縣間之左誦抑戒之七章講史
立於縣右誦賓筵之卒章於是磬作賓起金奏主
人及諸友皆出肅賓於道左長少先後禮儀笑語
無有違者蓋自甯武叔豹韓厥趙孟子產大叔而
下踰三千年未有與於此者矣先是去歲王春盜
賊四起諸弟子勸先生入就郡邑先生以廬舍松
楸無復遠理諸避難廡下者又望北山爲歸先生

以是偃臥諸暴子亦相戒去三十里之外也今春賊又大起洶洶如前先生又以懸崖折屐歸衆愈益懼先生曰無畏吾病百日瘥耳蒼生與吾等病也於是三月諸賊又敗或問先生何以知之先生曰吾得還浦修一日之禮樂則亦天也天與吾禮樂則不與吾干戈吾之與浦豈有二天哉諸弟子亦藉是自信也曰凡是黎獻皆遊於先生之天先

生謝不敢曰吾過矣吾過矣夏五月三日先生以盛暑避跡於江東之鄰園持襆被一具脫粟四斗枯魚鰕三五觔束脯數片擬作十日住蓬萊峰居民以天中令節值先生在江滸集十餘船在水嬉者三日而中丞張公諱肯堂既平漳寇奏凱以書約過鄰園作一日談話於是諸弟子至者凡五十三人先一日作張公奏凱序及詩乃以九日會於三

近堂三近堂者先生之讌居也時以南講舍未就
因集此堂爲初會焉諸弟子迎張公入謁先聖先
賢畢乃於三近堂霤中祖道先生持尊至前命讀
祝辭曰天贊張公剗平漳寇黎民旣安克善厥後
懋德崇功百禄是受凡我明神悉保護之讀畢再
拜各就坐弟子講書畢執籩豆陳饌八簋尊簋豹
也酒七巡歌先生奏凱贈言一闋賓出拜致辭曰

吉甫作誦穆如清風凉德何修獲此拱璧先生舉
觴賀曰用如不疑功如不居禹鼎倕鍾湛以詩書
覆舉卑辭爲公慶頌交再拜復就坐於是賓主舉
醻者三諸弟子以五爲行皆出旅勸以燕賓先生
呼名而品敘之張公亦賞吾海邦之多君子也先
生揖張公進於石翁講臺佇立以收諸勝而還遂
別次日郡司李曹公重證講約是爲鄴山次會諸

弟子維舟薇江尙未解去得効駿奔皆如故儀因
郎三近堂講仲尼好學周公力行伊尹知耻因三
聖作三近堂抽繹酬酢成禮而退曹公復以書再
申十問詳大易剛柔磨盪之旨語皆玄邃不能盡
錄也越十餘日而燕都三月十九日之變至先生
乃率諸弟子爲位於鄰園袒髮而哭者三日計大
明之歷自洪武戊申迄崇禎甲申二百七十五年

從河圖之數爲禄穡末際同歷西周先生于機象
之書已詳之故曰使詩書無徵則卜洛無過矣然
猶以造命之權懸於君相諸臣泄泄遂致悞國故
當乙酉之春覆命前事而深慨欸議之不足恃也
嘗有疏曰去歲三月賊至眞保諸臣猶偃然不敢
召兵以謂堅壁清野可坐却敵紅旗擢戰爲覆轍
怪事四方援師伏床不上及賊至城下猶使中貴

人講欵是以開門延寇招此禍凶也令當其時有
李綱种師道一二輩經營城守持三五日以俟三
協宣雲之師亦豈遂崩裂至此哉蓋自朝議以欵
餌邊又思以撫餌賊至于兩局俱敗重臣自裁先
生聞之愀然曰毒瘡雖去元氣削矣蓋先生終以
刻深少恩非國之福又况西庫請室縉紳囚㦸恒
百數十人乎不能不還惻夫文網之密也故有詩

日前車既覆後車看後人又發前人嘆火雲燒天海水竭龍虎自噉之黃血揷刀入山不可拔空使壯士嗔唏髮哀憫聲慘彼慟哭矣嗟乎君死社稷臣死君上正也七尺可用君子用之况位隆鉉耳乎故又詩曰多寶閣前掩畫卷偃月堂頭賦紈扇蟋蟀開籠不敢啼丞相抱頭藏雞棲蓋深惡夫台輔而不死者矣至已不自死人且死之甚有求死

不得者故又詩曰丞相何爲朝不餐短衣露裸稱饑寒雨卒夾草銜木九悔不剖腹納龍肝于是乃嘆倪施諸公從君以死之爲得其正也然而未數數矣故又詩曰世間幾箇爲君死卞壼嵇紹李若水又明朝頓有六十人冰城雪書行青春年少諸生何足論眼光白晝開青燐又按先生與友人書云蟄處天末無殊聾聵五月二十七日乃聞神州

陸沉鼎湖戰血此自臣子奸回陷我君父剖肝瀉髓莫贖其辜故于六月三日追悼時事瀝爲詩章舐血嚼齒語肩世道非徒山哀浦思凄焉引歎矣然前此五月十五日南都諸臣已擁立福王之子諱由崧即皇帝位以明年乙酉爲弘光元年是時馬士英爲首輔因時望會推先生爲吏部左侍郎兼翰林院侍讀學士先生聞報乃于夏六月二十

有二日遣義男具疏云臣以去臘墜崖乞休不獲從諸臣號弓鼎湖有靦視息無地自容誠欲亟詣靈武則荒蹇難前欲起義雍邱則家徒四壁竊意今日之事類多伏莽不設重臣不能復馭蓋以南都定鼎則福建江右皆爲首藩江右之有虔鎮南攜肇廣西揭汀漳有事則合三省之師不十日出於鄱陽之外福建之有浦城建陽東連温處北距

玉鉛水陸所奏在於衢州衢之北虔鎮雖爲差弱
建瓴之勢虔衢相等有事則合三省之師亦不十
日出於錢塘之外誠以嶺南之餉濟虔鎮以嶺東
之餉濟福省以兩省之事權分注贛州衢州則督
拮之形成藩屏之義固矣疏上未能見之施行也
有司以朝命敦趣就道而鄴山書舍成秋九月朔
日丙戌同人涓吉於鄴園講習爰先二日先生率

諸弟子告三堂之成于司土其祝曰維爾大樸[口]琱其質爾尙葆琱使樸不失深谷高陵世久欲變爾尙不變有畔有岸亦有舊田亦有新畬一曲豚蹄消籌滿車往來行人各安其家桃杏李梅秋實春華熾雨肓風勿生咨嗟何以報爾蔬食羹瓜越茲朔之黎明諸子弟從先生就神堂之內安列聖先師遂釋奠焉堂曰與善次迎郡祀主出外堂曰

高景致晦翁直卿之位從以犖渠剩夫梅雪白石鶴峯仲先諸先生牲醑告具先生盥薦辭曰念玆桑梓爲紫陽過化之邦瞻此雲泉亦德星共聚之地百里內有賢人十步間多芳草先覺之覺後覺文既在玆見知之知聞知道如有待況斯樂山樂水之致共爲分仁分知之宗爰集十一先生仝堂而修盥薦何圖五百餘歲應運以致威祥後海先

河粗陳俎豆師梧友嶽并藉蘋蘩倘岸谷未更千
秋猶爲覿面即京原可作牛榻或與明心主人黄
某不勝瞻仰之至奠已諸公祖父母學師長及諸
鄉先生踵接而至如禮謁先聖先儒畢乃至講舍
序位交拜畢諸弟子肅班行禮膝相踐也遂鳴鼓
升樂性堂先生敷衆賔坐次第揖序之衆賔率諸
子弟請先生就臯比於堂上先生固辭乃就主人

下位庭前觀者如圜橋從邁無大小肅如也講監
唱誓戒及弟子職已乃講書例如明誠問答相起
問今日樂性堂中講論不過說此中自有樂地假
如天地崩頹生民塗炭此時一身而外全不得力
仁義禮智亦無消歸不知所樂安在曰論命則有
憂有樂論性則無加無損又能盡性則仁義禮智
是我本心天下四海是我面背學問事業皆自本

根本色做出變旣不存樂亦何有縱令天地崩隤
生民塗炭猶吾身已有時毀壞爪甲皮髮有時損
折吾此性上白地明光初無毀壞損折也問孔門
論仁大要是有體有用中心粹白耳陳文子子文
心不粹白故說不得仁管仲雖未粹白却有體有
用有體者常生有用者常不死水火以有體常生
以有用常不死故曰民之於仁甚於水火人只爲

怕死做致不仁已做不仁便無生理有子說本立道生分明是有體有用不在面背塗抹曰既說有體有用少不得是仁義禮智以爲心根天下四海以爲面背夫子與顏子克復便說天下歸仁管仲匡合雖器量不大已焰管得四五分今人看王導謝安已在天半如何敢小管仲但如求赤文子子文之徒亦各有數分體用只是充擴不開如些小

水火不死不生灼灼涓涓終不能與日星河漢同
行天上人生精神要如河漢日星與天地共轉只
爲人習小於身遂使身小於天地管仲行年七十
不爲長大顏子行年三十不爲天小禹稷做一代
宗祖細於路人仲尼做樹下先生尊於天地此處
看破纔有克復源頭不然劈頭便做禹稷亦是晉
面工夫何況管樂王謝之輩問蜀漢一武侯保有

四十年餘焰竟將不如如靠相已是應驗舊方只是
廿草與烏頭同咽不下耳王充不召董卓豈有曹
陽之辱庾亮不召蘇峻豈有石頭之禍看來不義
不成爲仁無禮不得爲智以此空說知人愛人不
如且放智仁談樂山樂水去也日仁義禮智總亦
同根凡國家鼎革之際士民紳弁政要採討此項
消息仲尼一部春秋主意是勤王討賊復仇申包

胥乞師秦庭千古苦心春秋不載其事藏孫紇乞師於楚代齊取邑仲尼以爲要君當路君子平居不能安民定志臨變不能逆折姦萌雖有常山之蛇成何首尾就使貔貅成羣終作儀蛙不得譬如齊襄復九世之讐不保其身萇弘支巳傾之天徒碧其血發憤一番亦無用耳如要實落三種事只須牢靠四根心若四字不明即做成掀揭事業亦

無樂處凡作人須於孔孟門首整頓衣冠切莫向
桓文部下提刀弄戟要大家仔細相量也講畢磬
三聲各陳講義而退乃命鬯人以肆筵席合四十
有七席先生每席親饋而致其齒長乃就主人之
位酒五巡歌者歌小宛四章繼歌沔水之篇先生
出獻諸公祖曰越在草莽狎於鷗盟忽覩蓼蕭龍
光有嘶匏葉兔首乃歌小宛邁征沔水憂讒得無

過乎寘拜謝曰乾坤改華夙夜靡遑無忝乃合所
生念亂以風有位敬聞先生之教也獻酬畢乃就
坐酒七巡歌下泉及鶴鳴先生出獻諸父母曰下
泉替而思其隆所以貴父母孔邇也攻玉惜而知
其美能無云德音不瑕乎敢祈秉斗以詠濯罍諸
寘拜謝曰黍苗粒我蒸民在先生飲之食之鳴皋
蒸我髦士自先生教之誨之徒有斯罄是可恥也

安得絃歌遂其莞然於是獻酬如前復就坐酒九
巡歌車攻之篇又繼歌吉日以亂焉先生出獻衆
賓致辭曰周宣之車攻吉日備而無患維今之同
仇敵愾奮於有心夷吾一匡豈曰馬上得之傳說
三命愈知師古力也敢爲諸公頌諸賓復謝曰大
成之盧初終天子之燕左右初不在大平務飾而
在人人格心也舉觴交再拜先生洗爵亞獻諸先

生亦致辭曰明與歷合成周德逾建武臥東山而
起者君父義重華嵩膚神州之沈者詩書力維桑
梓後天下之樂有先知覺先子弟之樂有賢父兄
諸先生亦交再拜謝曰獲覩講席方新正值光華
復旦人心之有禮義干櫓猶大阜之有車馬蒐獮
也想望太平先生爲兆日者安蒲既戒以慰蒼生
覆幬無偏同依絳帳吾鄉幸甚天下幸甚於是主

賓酬酢皆三反焉酒再巡告終筵誦抑戒及賓筵
如常儀以底厥事是月也秋空明迥江水漪瀾計
與新鄰山大會者公祖父母八人學師長四人搢
紳先生十五人孝廉二十四人茂才二百三十三
人及先生之長公子麑次公子麐與通家懿戚二
十一人總凡三百八十四人其諸僕役侍從舟楫
車馬膳饔之數不與焉次日先生同諸子登黃龍

洞用先叙方來群賢畢集爲韻以志依永維是先生將趨宣室暫輟講筵讀書之窩方成提命之鐸乍遠得無山蹊易塞蒙者奚求先生於是留數歲於山中云其一 箴曰見可喜不羨其內多諛聞可駭不驚其中有氏是以過市拾帷者不流眄於麗觀中夜整冠者不失聲於雷斧又曰禮樂不可斯須去身冠裳佩玉常有摶鬨之心猶擊五絃于刀

劍之上不獨了無成音亦啞然可笑矣又曰外慕多則內景滅繁華盛則美實衰天道拙前者贏後人情盈貌者中虛常若無餘而轉其不足則可以語學矣縣景盤桓講舍閱十餘日是月十五日先生既祖取道出山至晉安忽萌回車之志蔣公若椰力爲勸駕乃發蓋先生酒酣後有言曰始某在白雲庫時鄉先輩來省余遂有詢及後事者某心

知其故而意殊不然也憶某數十年前常夢身爲
宰輔至南都忽見逼迫令草詔某流涕號慟擲筆
不肯草遂折其兩臂繇此言之白雲庫豈能死余
哉方言此時天下猶金甌如故未幾而乾坤半壁
矣先生又以爲臣子造孽貽禍至此苟能渙然寤
且與新君更始則江左夷吾何殊中原管葛若復
怙勢爭權蒙面屈膝天下事尚可爲哉然而所上

之疏輒持不下又聞屢有北行之使是以常知其難也故作書與楊機部曰吾輩頑石擣骨合藥無補於天猶冀後人嗅此藥氣耳先生行未至都晉禮部尚書先生即於衢州上疏請告不允時孟冬十月也乃決意詣都蓋自是而先生終無還山之期矣

黄忠端公年譜卷四

受業莊起儔　編

後學蔡世遠　校

弘光元年乙酉年六十一春正月入都先生見用事諸臣措置乖方不欲久厠朝班即於二月二十三日疏請奉勅祭禹陵比抵會稽致齋七日夏四月庚申至禹廟行禮祀事既竣復具疏乞歸初先生

出都將至天寧州爲風驅回泊龍江灣不得發時
春三月一日也夜夢高皇帝淒然謂曰卿竟捨我
去也先生對曰朝廷舍臣非臣舍朝廷寤而惆悵
以是雖乞歸猶徘徊江渚未忍遽去及至夏五月
十五日聞大駕播遷皇太后至臨安與駕相失而
首輔馬士英擁兵西湖士民詰問則曰聖駕在靖
南軍中先生乃上奉太后請趣馬士英統黥兵至

黄得功軍輔翼聖駕又請速召金華江右兵及閩
中潰兵令立功自贖不宜拘守舊說遏阻義旅又
草諸檄及諭數千百言娓娓不已無非爲高皇帝
致此區區也乃先生疏請雖切而太后懿旨閴然
無聞潞藩在浙省已稱監國先生再具啟勸進及
上監國事宜凡七條指事繫日所旅行不容遼緩
者又皆持未下時爲夏六月之十日是日潞藩賜

先生食命李進高起潛孫元德二內侍為陪而元德脫巾狎坐起潛作恣睢語又宛然曩時先生請面謁有所商畧而李進辭以懿駕在內先生見諸沓沓無可共事者不得已乃移舟至桐廬忽接鄭鴻遠檄令所在扶駕恫疑久之問其材官則曰聖駕乃唐藩非潞藩也朱大典適造訪亦云唐藩未還封安得至此但以潞藩閉關修齋度不能修康

王故事乃於十三日晚從舟中晤唐藩見所談論慷慨以恢復自任因同衆交拜約成大業明日遂具啟請監國亦以板蕩之會非太祖親藩不足復襄大業也是晚至衢州誓衆犒師而潰卒至者不能數千軍容不立先生意欲唐藩駐蹕衢州方可號召二浙聯絡江右不欲偷安入閩而諸將擁唐藩將遂過仙霞嶺先生懼不足係天下之望也故

復啟云職觀天下險絶之處未有甚於閩中者也
自五代以來割據者數主矣卒帘逾自保爲河山
所圍不能自拔今天下瓦解獨此一方寧謐竊以
爲欲獎帝室宜明四通四塞之要所謂四通者西
北立信州之鎮以通大關東治三寨之舟以通海
道東北以衢州權爲行在足通兩路之師西約虔
臺實爲犄角以資策應之用有是四通隨因而塞

之西北塞五虎杉關以斷建昌北塞車盤大安以防東楚東塞溫州之嶺以防間道東北塞淸湖江山以阸小關有此四通四塞者而天下人心亦次第可收也以殿下之才寬仁以爲城郭慈儉以爲袵席察四通四塞之宜輕重布之國勢可立矣啟上而唐籲已行先生遂不獲再與議論唐藩既至閩撫臣張肯堂撥臣吳春枝猶豫未決得先生書

乃奉唐藩入省中擬于閏六月初八日行監國事而先生在浦城追趨不及及所持論往往與勳臣不協先生乃遣人入賀而身從洪塘取間道還山唐藩令人迓先生于道先生遂以初九日入謁是時百事草創危疑未定兩粵虔郢以西諸省雖未驛騷而泮渙不屬大江左右諸臣又皆擁衆橫行蓄威自衛而抱妻攜子藏馬於舟掠資於道經都

越邑嗷嗷瞻烏先生以爲不早正大位則人心旣
渙高皇之統將絶無以收拾遠邇號召天下乃偕
勳臣及撫按僚屬臣民協力勸進遂於秋七月朔
日奉唐王卽天子位改元隆武大赦天下仍以閩
省爲福京稱行在凡大小禮節庶務皆先生所區
畫裁定於是晉先生少保兼太子太師吏部尚書
武英殿大學士先生每進見輒自請行邊上爲改

容加禮焉翌日賜宴殿上而位署之間文武爭次
先生以疏求去云臣以國恥未雪中夜撫心思聖
明垂諭之言一字一淚一血是以奮不自量務請
行邊而旁觀側目姍笑詆譏臣茫然無覺猶聾焉
思鍾啞蟬操琴了不知其意所在嗟乎臣爲高皇
之世界未清陛下之大業未遂耳豈衡門之下不
可棲遲乎臣去矣臣不去諸搢口實者必不肯奮

臣藉引車之義爲推轂之實上慰留再四乃疏薦蔣德璟林欲楫及朱繼祚黃斌卿等七人即有旨推用先生復繼請行邊以爲光澤崇安浦城政和一帶四關數十徑曲折數千里臣不可不涉其間審地險以得人和是月二十二日朝餞啟行秋八月初三日先生在延平聞上意決策親征乃上疏諫止之曰臣聞雲雷伊始利于盤桓澤火之初宜

于鞏輩所以然者人心未寧國本未固猶之樹木方受天滋搖根一寸損柯一尺不可不慎也方今郡邑凋弊人情泮渙陛下即以儉約將事而六飛所届雲物景從橋梁舟車部署次舍供億饔飧大難爲裁也昔漢文帝欲從灞州光武欲征隴蜀親臣冒昧皆欲斷其靷今之危甚於灞州勢艱于隴蜀而群臣雍容未有當車止輦者何也疏上乃不

果行然當是時議者亦已盡閩而守矣顧閩地依
山阻水東南際海幸可無虞惟東北西北迤邐一
帶以嶺爲界西自汀出虔鎮以窺江南形勢最便
而頗遼遠饋餉艱阻東北出衢州抵臨安爲近而
仙霞天險未易踰越中北劃界兩路由光澤出杉
關爲建昌由崇安出大關則廣信矣嶺不甚峻而
叢雜迴複步行爲利三關通道皆在建陽故嶺內

重鎮莫要於建陽而關外要害莫急於廣信廣信以徽州爲衝蔽以衢處爲犄角先生以爲吳越戰征方擾東衢西處必無靜理惟廣信一府爲全閩北門再經撓亂而封疆如故實高皇之靈陰護此州也而是秋八月十一日廣信知府解立敬知縣蔣元士鄉紳詹兆恒王孫蕃等俱遣人請先生入信州先生於是決意從中路出會徽州誠以仁義

之師堅持不戰廣布德意以爲招徠庶幾大功可
成然而無兵無餉此事決非暴馮之所嘗試故又
疏言臣今挾三五秀才欲出豺狼之道於餉部未
嘗有升斗之餉於兵部未嘗有孑遺之兵於府庫
未嘗有一錐一粒火藥器械之助臣事濟則爲中
外所撓事不濟則爲中外所笑笑之與撓一也而
臣猶且爲之者臣以高皇宇宙八百三十年之歷

有所未罄主愚極昧淇溷于無所逃之下耳臣庸
下已極筆舌盡充逃巖岫不得而復逃之行伍逃
之行伍不得復當還之巖岫惟陛下保重凝麻轂
郊圻之行以養宮闈之福臣及前驅稍有端緒陸
續奏聞是月十八日至建陽即於二十六日發先
鋒遊擊陳雄飛應士英及守備應天祥等一營共
七百六十八名出關蓋先生所治營法以五百八

十四名爲度因而兩之七百六十八名凡在建安建陽兩次操演畫陣成圖指爻按象非復昔之空冒濫竽比也初于延平建寧二郡募得三營一千一百五十二名比過建陽諸親朋所募多寡不等亦可至三營之數而先生是時尚在建陽遂有以外交諸藩飛語聞于上者上卽令以來入原書付先生蓋先生嘗草代言數十牘與諸藩鎭大臣又

自屢屢爲書招征凡發書七十六封上所諭知故
忌者因而中之先生乃以疏自明曰臣耕無一畝
居無一椽幸以是見憫于主上允信于親友然不
能以是見諒于犬豕豺狼臣于二十九日退居後
堂有人持小書云是舊按臣陸青源書皇上手拆
臣錯愕展玩有雲南都立主臣當元勳臣驚懼欲
死念陸青源生平謹慎何至有此臣行素六十年

無險心詖語爲凶人所仇無奇功異能爲要人所嫉獨持一片肝腸爲高皇列宗與天下黎獻相對白日耳臣雖庸下亦讀書至老遭逢陛下魚水相期猶一月之內四疏乞歸何至以元勳微膻爲狹邪所誘若至子弟慕義勤王雖天性使然亦恐臣孤身隻手陷於絕域每一相見涕泗漣如當二十六日以前溽暑未收毒水四下臣兵自延過寧漏

而谷汲病者八九一日下操十隊之士呼半不起
遂損去健將陳伯輿念其雄畧十射九破千蹴之
力盡於盆水四顧癯者何能不哀今稍稍平復遂
相對強顏勸臣出關嗚呼此喟歎者亦臣子也豈
盡讀書受朝廷之寵顧而攄憤若此今在廷諸臣
不滌腸刮胞誓同將卒分膽共薪而喩騶譏訕望
影射沙欲何爲者陛下不屑爲宋高宗臣亦恋不屑

爲伯紀取法不高則庸佞狎來視人太卑則奸豪肆志惟陛下垂察然是役也忌先生者不欲先生出關卽愛先生者亦不欲先生出關蓋無大兵重餉僅以數千君子之軍雍容拱手其不足破重甲摱鐵騎而滅此朝食明矣故朝議欲留先生駐關鎭壓內消奸宄之萌外蓄在山之勢而先生不啻激之使出也遂抗疏屢上自陳不文不武爲中外

所嫂且言臣老四十八歲始有子今春三月家中舉子呱呱未嘗一視又臣兒道深年七十七一子一孫皆從臣所父兄聞臣得歸無不跂足稱慶今復棲遲行間則大小悲零有酒泉玉門之歎臣老且病遇明時又附鱗翼特達之知何所取償高降階而慕之惟陛下矜憫放臣還山見老兄稚子勿使徒遭禍敗拜文綱爲親知所憐而側目所笑得

旨以爲朕慮猝然未可成軍何忍魚水重臣子然
令進亂離之地且留彈壓關內出于愛卿之誠適
見卿報募兵已至則朕事托卿身喜卿之進必不
欲卿止矣朕親發袍膳三百兩爲卿製寒衣卿身
若煖朕始心和於是先生卽以所賜分給軍士遂
於九月十九日同諸將出關冬十月朔至廣信聞
徽州九月二十三日已破相距七日耳先生卽遣

將守馬鈴嶺嶺高極天爲江南腰脊下嶺不百里
即徽州矣時廣信諸紳并共請先生入城而城內
居民亦已蕩析離竄公儲私積俱盡先生惓然曰
古人有作內政寄軍令者吾今且以王道寓兵機
乃下令行養老之政凡民年七十以上者予以金
帛酒肉又明日出示考教子弟於是老幼咸集而
壯者不召自歸矣遂更申在泮獻馘之義講學于

明倫堂諸鄉紳子弟皆已畢至因請樂助軍需免致催科之擾諸人咸願樂輸軍賴以濟又勸令自募鄉兵固圉翼助王師給以閣劄而信州鄉紳詹兆恒俞益華次及金華鄭守書堂山呂繼望東鄉張受祿等諸募義從軍者幾及萬人軍聲頗振先生即於是月初九日分遣諸將一出撫州一出婺源一出休寧而出婺源者黃奇壽有牛頭嶺之捷

時乃陰積兩叅將黃奇壽監紀許應夢等冒雨從八都至牛頭嶺下甬稍露傳有騎千餘至許應夢等據河爲守黃奇壽盡銳過河遇百餘人克醜特甚持鐵骨朶格鬬艮久奇壽師且却許應夢黃家徵等全營馳至兩營合堵掩殺得四十一人奪獲大旗金印馬三疋器械四十具帽甲三十件先生一一驗視復列外庭與衆同觀當初發師令兩路

分進先生心憂之以大易筮得大畜之六五又以
焦易筮得小過之體卦曰初雖驚惶後反無傷旣
而破敵於是先生疏請優奬以爲將士勸又身至
八都視師更上疏曰臣已遣五營將士出婺源臣
亦尅日再率四部資其後勁步擔米糧以佐饔飧
如使祁黟之卒可再鼓休婺之士可再收則臣當
大集義旅震號於牛首石頭之上如猶是泛泛臣

將循東山建德與鄭三俊吳應箕之師合覓江西星子之船循流東下萬不可復亦中道自廢臣必不使食言失信於天下有旨便宜而行朕不中制先生乃自八都復還廣信調發兵食以爲前軍策應不能不有感於事機之屢變而危疆之難防也上疏曰臣前陛辭時稱便宜行事不以兵車臣實愚昧以高皇在天陛下御乾同仇之詩聊與衆共

謫之耳非謂臣能空手措兵措餉也自臣爲此言而怨謗沓至阻卸橫生炎涼既分肘踵盡見以四千之卒給三月之餉而臣之心血皮骨消磨俱盡矣臣如一貧兒割股療親東隣乞湯西隣乞肉此股之肉存者幾何臣今存兵不過四營二千五百二十馬不過十臣無高國之鼓九合之助而欲以樽俎仁義坐收其功眞爲韋𧿹君子之所齒冷也

陛下注念危疆宜于風力能臣速擇一人總督或
即以信撫徐世蔭布政徐應秋因其地望聯絡較
易速出上江接理軍務無徒悠忽爲國家羞又疏
舉趙士超俞黑華徐敬時徐孚遠等九人請受職
立功冬十月二十八日奉旨所薦舉俱聽軍前效
用惟廣信要地撫臣徐世蔭着嚴防守不便輕移
時諸將業前受命出師又有牛頭嶺之捷乘勝趨

發源臨河而陣先生亦遣監紀王綱先約海口劉
受叅將董壽庚等率鄉衆八百餘人豫為接應又
約發源舊副總游麟等率義勇百餘人佐之自十
月十九日至二十二日屢次掠陣擒獲相當至二
十三日合戰遊擊李芬當先發銃殺一將董壽庚
及余勲各斬一將翁良柽李純各射殺一將李純
亦被射落其二齒猶奮前不顧諸亂民大鼓譟延

寧諸新募者皆不習爲鐵騎所躪參將王加封手殺數十人乃死遊擊李忠遠被鎧登山爲所得凡奔陷將士無名目者三十餘人所殺敵可八九十人獲馬八匹凡軍士所敗皆餘利敵馬不砍馬砍敵敵以短箭三十步射之皆斃漳士以被當楯箭不能入故屢勝延寧軍士徒恃銃無以自蔽故敗是役也董壽庚斷後又漳士繼至幸不大敗然皆

潰散山谷兵將或有不相録者矣冬十一月先生在廣信聞休婺二師俱潰方招集逃散召募鄉衆以圖再舉未幾而收復撫州之師又潰先生乃上考核諸路將領及請贈䘏疏云臣以十月初九日臣出師討休婺申敕將士謂師寡切不宜分當併力一路先至婺源因其粮食率其鄉衆以静制動俟五營皆至然後角逐而時值天陰連雨十數日

陳雄飛賴履葵二營徑東往玉山出馬鈴嶺以趨休寧黃奇壽應天相三營又從八都出牛頭嶺尋婺源之路李瑛一營又出童家坊以攻婺源之東臣見報知其離軍單弱爲憂悶不食一日發四箭趣其合營而東西異路相去百餘里嶺高溪深卒不可合黃奇壽有牛頭嶺之捷諸將益自便間道獨出十月二十三日應天祥之營先挫于婺源城

下時約二十八日齊舉而應天祥以先發故敗臣
再發箭趣李英與奇壽合營堅謂不可李英一營
又敗黃奇壽在海口亦爲所襲亦損十餘人是婺
源之師也又當冬至諸將士宴會休寧婺源各以
是日發騎猝至出休寧者有三百餘騎屢趨陳雄
飛雄飛不下關遣叅將應士璞等將二百人應之
已斬首二十七級自謂無害俄而騎兵大至屯于

高傴橋前後路絶諸將各力鬬以死是休寧之師也至于湖東之師漸出瑞洪臣以三營千二百人濟之亦復分路兵士叉潰臣見李晟每出師不自爲意使諸將各自搏戰以此不甚掣諸將士唯敵是求傷哉邇年以來肯用命幾于鋒鏑以寡搏衆之死靡他惟諸將士耳臣非有厚糈重祿使諸子弟捐軀圖報而執筆以鞭其後臣實不仁且均一

冬至前後數日而陳雄飛之師隕于白磔李英之
師衂于九都陳學鵬之師挫于瑞洪臣之調度無
能亦可見矣儒士守儒終無武人之貞又歲月趣
人物力已絀蝦蟆審視雖跳不遠乞亟正李英陳
雄飛應天祥之罪以謝死者並亟正臣之罪以謝
三弁即照例與王加封等十人贈䘏以爲志士捐
軀報國者之勸他如胡海定汪自強等皆練鄉勇

爲王師殲廩或亡或執各不屈無降者俟查確嗣
請疏上而旨未下先生自念出關以來已逾百日
雖有潰敗而志不挫所部署休歙之間若許廉汪
淶楊振新之徒尚千百人聯絡山砦動稱數萬而
前師守馬鈴嶺及先鋒陳雄飛白際之師總兵方
機沙溪之師合可三四千人誠得諸師直驅徽寧
堅持不鬭觀釁而動事猶可爲也而四顧前後將

遂顛踣欲自貶以激勵諸將士隨有疏云臣以孤掌觸兵免鋒懸軍暴露百體具見此徒爲人所蹈藉廢敗而反耳里人有病舍蹇馬者降而自走不十里困矣蹇馬仰天而笑臣今爲蹇馬所笑也臣猶欲以蛭顛螳臂伸大義于天下臣兩路兵以數少道分俱于初六日報衂臣請爲諸將士受過席稾褫職以待斧鉞是時諸路潰衂突騎四逼不特

士氣不堪再鼓而信州亦無固志矣先生於是終悼其功之不成也乃上疏云臣今年六十有二才能智勇不踰中人而自請行邊拮据關外譬之雞然風雨如晦鳴聲不已即有不寤之人起而刀俎之亦無可奈何而已臣少而學道于物無競所以荏苒噍嘵瘁毛鎩羽爲朝廷守一日之藩籬非曰能之亦各盡其義耳今敵之來者日以壓境衆之

附者日以攜志蠢冥何知唯利是視貪生怖死則
前後異致信州閭巷雞犬方集今復翩然欲舍而
去矣徽州人來者咸云海口傻水焚掠殆盡傻水
距信州百餘里臣師守海口退屯八都者千五百
人其東出馬鈴者七百餘人又千二百西去饒撫
馳收未回所餘帳下千二百人而已臣自八月以
來東弭台寧之釁西消金賊之孽精力疲于文告

歲月馳于期會未有一智一謀佐于其內一瞀一力助于其外空以老疲一意報主今事勢甚急可亟命方國安以萬衆搗徽州乘其西馳可以破敵即不然亦可解信州之危成牽制之功爲此哀懇以聞得旨着方國安從嚴州鄭鴻逵從馬金兩路以牽其勢然而諸路之師竟無一出者先生以爲坐而待困孰若先而制人乃以成師獨出而信州

諸守臣鄉紳皆攀留先生不欲先生出先生不爲
阻遂提師至明堂里時爲臘月二十有四日先生
是夜得夢甚惡旦起爲文以禳命具牲牾未及禳
而突騎至矣先生策馬前進中書賴繼謹執令箭
催衆混戰而皆奔潰不支先生及諸同人俱爲所
獲乃更以輿擁先生至婺源又具饌奉先生先生
罵不食諸被執者皆涕淚飲泣不能仰視繼謹獨

從容飲啖自若曰師存與存師亡與亡從師以死
幸矣何唏嘘涕泣爲繼謹者字敬孺漳之平和諸
生也慷慨多大節於鄭山大會始與起儔同事先
生憶在建陽勸先生駐關上先生弗是也因與繼
謹相對至夜分起儔曰茲行也生封侯死廟食已
繼謹曰事未可知予有老母義宜亟歸吾惟師是
依誓不歸矣時且握手唯唯目光如炬自分以死

也翌日起儔以告先生先生慨然曰爲我致意鄉
山吾亦欲歸未知何日盖先生倉卒不忘鄉山也
然聞先生自推年歷至六十二歲止而不推先生
能明國祚之修短豈不能知身命之延促故謂先
生不愛其身以愛國家非也先生盖一念而窮數
千載矣顧維鴻濛以來便有昏曉然昏曉屬天易
昏曉從人難已乃即杜詩陰陽割昏曉之句摘詩

八章詳剖舊史其第七章曰傾危世事廿年中曾夢高皇與二宗勝負當頭應有數去留舍我更何從所云夢高皇者即前龍江阻風有卿舍我去之語故先生又識曰不圖今日舍身于此也二宗者謂文皇神宗也按先生以天啟甲子散館夢神宗召謂曰汝欲勝入道在自勝又以崇禎丙子入都夢文皇召至床前屈指者再云三九四七誠如所

言蓋指易象中命歷也先生身致立感如此久已在帝左右矣而是時留羈婺源七日不食于是有過言自悼造怨諸詩迨發婺源復進水樂又夢道中勒石曰夷猶吾行兮于是有夷猶之詩夷猶者言進退由人不得自持也正月十二日至新安西橋見演燈甚盛爲魚龍百戲群趨帳下又念世事不競遂使民情至此豈日遂絕粒適繼謹附書同

家囑以兄子爲嗣先生不復爲書第題其後曰蹈仁不死履險若夷有隕自天含命不渝先生蓋奉天而行者也而當時與難者自賴繼謹而外有中書蔡春溶字時培爲先生從內弟漳之龍溪人嘗與鄭山會者也又有司馬趙士超字淵卿福之侯官茂才也別駕毛玉潔字立水盧之六合人以明經初爲沙邑丞毛趙各以義從先生故先生一署

監紀一授以判信州事也自先生罹厄以來四子
朝夕相持者彌月矣至二十四日到留都始別幽
先生禁城中而以四子分羈他所先生即潛然有
懷無從寄問矣于是有待命歸疊諸作待命猶延
頸也歸疊歸就疊鼓也各爲詩八章不能盡録録
其東山詩曰垂老談爲仁了不見精緻緬懷七尺
軀膚髮徽天地斯民旣顛隮骨血安足恃抱頭入

林葬亦與狐豕類況可負日月而竊鬼火氣管子膠目時已得禮樂意弘才不可遇季路亦其次孔門道成人於此無二義蒼黃既可奈生死何足異顏回委陋巷正則蹈水濟當其併命時要一無所繫鬈髮聯華嵩眉睫熠百世試問古仁人成就無乃是嗚呼此先生初至白下旅次所作也及既繫膳監夜聞鐘聲感舊事前後又得絕句百餘首有

日啼定方知是禁城不堪臥起轉分明只覺晨趨

沈百梓從無朝鼓續嚴更哽咽絕續不勝傷悼而

左右乃又時時折玉梅爲供令人弄琴以娛先生

先生益悲憤爲詩曰馬頭寧得有蛾眉老大明妃

出塞時自付飄風看墜葉御溝芳草未應知蓋先

生不食於茲十有四日矣或疑其死也乃又不死

因復爲詩以寄四子曰高坐虎頭撩百獸別傳精

意與驪熊又曰畫符莫貼閶門風雨足騰空洒自尊蓋以死寄也然亦無從必其達否聊以示意耳至二十九日不死更進水漿二月九日又爲先生誕辰乃作蒿里十章以自弔又有凝絶八章思在黄海六章自識云防風雖倒猶留一節以問尼父自是潦倒餘生不能執筆也遂以三月五日完節于金陵之曹街兀立不朴已更提四子赴他市而

趙士超過曹街趨抱先生首於懷慟哭曰師乎魂

其少須吾即來矣四子遂同日就義嗚呼擬黴婺

于陳蔡哲有十將幾其半等匡難于都變回之下

更得其三蓋不獨二百七十餘年之綱常肩自一

人抑且三千年之師弟子玆僅覩者也是日也留

都晝晦聞者莫不流涕云訃至上爲震悼罷朝先

生自天啟壬戌登第甲子授翰林院編修崇禎朝

晉經筵日講官詹事府少詹事協理府事兼翰林院侍讀學士纂修實録弘光朝陞禮部尚書隆武元年賜號奉天翊運中興守正文臣光禄大夫柱國少保兼太子太師吏部尚書兼兵部尚書武英殿大學士至是議贈先生爲文明伯謚忠烈賜祭妻封一品夫人先生有四子長曰子中授錦衣衛指揮次曰子成錦衣衛正千戸俱世襲三曰子和

尙寶司丞四日子平中書舍人有司立一廟於本
鄉一廟於福京春秋致祭旨下而起儔與中書張
瑞鍾擬同抗疏以先生忠孝大節昭然觀聽而學
粹天人語翼經傳眞足遠紹朱子之傳請從祀學
宮以光俎豆併乞給引出關以收先生髮齒而湞
桑倏變有志未果庚寅之歲先生之門人張天維
偕鄰山諸弟子告于鄉紳師長以夏四月七日祟

祀先生于三近堂而先生之長公子復偕同人趙之璧徃留都招先生魂遂以是歲秋九月十五日回至鄴山葢即先生甲申歲出山一日也是亦事之偶符者矣諸弟子乃留先生魂于鄴山爲位而哭奠者三朝夕至十九日發引二十一日奉旅櫬歸于北山冬十一月二十三日殯于先人之墓側嗚呼痛哉日月命視風雲能語葢先生之可見畧

備于此而其不可見者浩氣磅礴昭回雲漢而未

已泫然執筆聊述所聞百世以俟君子

明鄞山　莊子鶴先生編

忠烈公年譜校之正史頗有異同蓋諸弟子親承

訓誨患難相從誓同殉國故記其言行皆確切

不浮也鉉自弱冠流寓京江未歸故里訪求手

澤心切憾焉庚寅仲夏見　桼聞之先生家藏

此册珍同拱璧鋐借抄十日再拜還之泣思

公一生大節畧備於斯能使海濵多士禮樂教化

同於鄒魯天生我

公豈偶然哉惜鋐需次成都未能刋刻以廣其傳

惟願世世子孫克肖

公於萬一是則鋐之所厚望也夫

姪曾孫元鋐薰沐敬書

年譜補遺

明黄忠烈公夫人蔡氏字介石

題侯太孺人遺詩

崇禎十年天子策士之歲夫子分典校閲共薦士二十一人文章行誼皆冠一時侯先生閥閲經濟伯仲於諸公而忠孝懇篤之意于夫子别有符券及持太孺人書請爲太封君銘固知鳳毛有種盖以熊荻宜

其德器有過人者歸以語余晨夕告誡未嘗不以孺人爲規則余雖未奉提誨然私自景仰不啻儀型數載之間滄桑倏變孺人以乙酉歸眞夫子亦以就義掄揚之願未償荼苦之茹並受晦冥以來津隘不通忠魂未返腸日九廻庚寅仲夏乃以長頭子中同友人趙叔寶往鍾陵省視謀所以收扶遺魄者使受教于先生與陸魯瞻先生獲遂全歸時子中負劇病卧

先生山房自六月初七至七月十五日共四十日湯藥調治加于骨肉因得備悉太封君與太孺人卓行懿軌於前所聞又更詳焉先生授以太孺人遺詩使一言附太孺人以不朽此搢紳先生之事余何敢任顧夫子有願未酬又是行也子中將曾贍先生懃懇之意與先生哀慕之情以歸不得不伸一言以慰之以予之今昧太孺人之昔痛若一聯執筆涕下唯有

欷歔
淳懿發至性冰潔勵松筠如何遭薄祜中道折良人
晝哭哭無盡瑶草沒青春況乃秉端操儉勤素所遵
子讀毋夜作無忘夕與晨諄諄惟爾誨恐不克負薪
事翁復至孝含德振彝倫教兒繼祖業不敢尚逡巡
無愧昔鄒母三遷擇比鄰履仁道所貴服節豈終屯
孫既列賢籍子亦負簪纓一門荷榮顯流澤布徽聲

猶驚墜前緒競業保令名慚余負四教得配君子庭
豈期遭板蕩王室倏以崩夫志炳日月苦節終以貞
萬里歸孤櫬碧血灑鍾陵捐軀事則已豈顧兒女情
撫茲四呱孽羅刻未成行况無擔石積寧保立與成
深負泉下人不得俱死生感傷五內裂涕泣淚縱橫
慚讀貞烈詩形管播芳馨不愧表旌節婦式照汗青

侯太孺人遺詩

憶余違嚴慈十六締家室舉案傚齊眉相莊友琹瑟
屈指甫十春昊天降酷烈摧我連理枝折我雙飛翼
號天天無光哭日日無色聲咽不成啼淚盡繼以血
漿粥不染唇寸腸痛碎裂誓死三尺繩微軀奚足恤
睠顧膝下孩難割此雛孽更思腹中兒抱血不忍擲
余毋涕交頤勸子姑進食因以偷餘生課兒任厥責
長兒歲八齡腹兒僅濡沫寸壤望喬嵩疇年幾成立

呼兒夜讀書篝燈事剪尺中夜每悲啼虫聲荅唧唧
兒或荒于嬉童心玩歲月雖愛能勿勞提誨敢姑息
操杖薄責之未下余手怯懼負九原人又憐兒啼泣
踟躇涕漣洏擲杖淚流臆翁也憐孤兒以祖代父職
諄諄踰蒙師每自坐師席翁又殞大星悲腸倍百結
雀牙外侮來榛棘世途仄黽勉督吾兒焚膏繼祖業
乙卯倖邀天兒名廁賢籍豈不破愁顔歡中帶慘慼

父也苦埋頭未展雲中翮孺子席其餘父又弗能覬
撫此泥金書霑淚帨巾濕呼兒立庭中訓以父遺德
父行勵皎霜父襟霽白日雖云給舍兒寒素乃厥實
初余歸爾家規余謝綺飾父唯知讀書余亦唯袵織
閉戶寡見聞幾不辨菽麥口不言錢刀言之頰發赤
躄躄行道中塗人罔有識檢身如處娃恂如慎口舌
古樸羞逕趨偃庭無履跡入室儼大賓燕居屏狎客

天性惡繁華布袍數浣滌不獵豪俠名不蹈貴見轍
不隨世態遷不因家勢熱咲彼齷齪者胡為戰蝸國
立志奮鵾鵬餘人盡駑鴨趨步慕聖賢矢志耻苟得
或以阿堵歆髪指怒冲幘或以尺牘干手裂紙飛陌
豈謂我性柔乃以腐鼠嚇我固童子鴻不愧父清白
郎之則溫良犯之仍巇嶮括囊慎有餘干霄氣莫過
義交恒澹如不為咡噓客一二道誼朋締好比膠漆

蓼水有徐君筆硯相晨夕共披忠烈書拍案叫快絕
相對評古今達旦夜不席其性煦于春其腸勁于鐵
立志邁千秋傷哉中道折小子奚有能父慶所流溢
勉矣毋忽忘鏤鉥父遺則兒乃倖速飛薄種小有獲
公車踰十年偷薆耽遊逸青雲阻半途九原心愈惻
兒雖已眉鬚命跪爲兒述兒時戲以嬉父唯勤以飭
兒時迓挾邪父絕平康迹兒時披綺羅父衣唯毛褐

兒時饜肥甘父唯呷藜汁兒時娛管絃父未曉笙笛
兒嬉荒歲時父讀忘氷雪兒館歷封几父館晝下鑰
父耕子乃畬天眼從古碧兒顧自滿盈竟爾忘先澤
非余覬冠披責兒如此急慮兒壯志灰懼兒中道跌
黃泉望欲穿待兒賁幽蹟能無涕滂沱為兒絮言說
丁丑倖春闈倒籍先人烈況出黃師門山斗幸不遜
寄東馳長安茲售良可悅余愧未同歸已蒙荷旌節

父行多隱潛仰乞如掾筆吾爲一開顏得爲素願畢
忽聞除齊安未免裹遑迫正處驚愕時曦孫報蘭茁
俯仰四十年悲歡判今昔然余懼盛盈徼天太耀赫
一子拖綬紳一壻先袍笏雛孫髮覆眉叨榮復昌奕
月滿防其虧日中憂其昃兒曹來吾前婦媳與俱集
既已勤兒箴亦思勤婦式勿以泥沙後勿以晏安溺
勿以珠玉誇勿以簧舌惑常思富可貧貴亦可賤易

夜月理機絲朝𩞄就盥櫛知余晚向榮不知早茹蘖
如何口捋荼遺兹田與宅如何歷險巇屆兹脫岑寂
哭夫哭次兒順少恒多拂哭翁哭毋姑喜一愁恒百
榮枯倏忽移衰盛古今驛男行祈全瑜婦職無圭缺
長此交相成內外各努力毋學世途儇吾自安吾拙
蒼天不負人施償理自直余語不厭多聊以代砭石
止此不虔言祈早歸同穴聚首可千年少補存亡隔

曷願海籌添曷畧夜臺罴合掌叩蓮臺真性勞收拾
撒手即歸家咲與兒孫别此詩藏匣中留俟他年刻
順治八年二月朔日
漳海黄道周妻蔡氏玉卿歛袵拜書
蔡夫人手書真蹟向存金陵侯氏有石刻行世裔
孫鳴盛謹記

黃子年譜

（明）洪思编　清道光二十四年刻本

謹按黄子生年月日時可考如此諸家刻本時酉作而[illegible]以月支爲[illegible]時乙作己[illegible]以年干混月皆[illegible]誤也按明史列傳及各傳誌作字幼平若然

黄子年譜

門人龍溪洪　思浩士述

後學龍溪曾　省

林黄遵校刊

明神宗萬歷十三年乙酉二月己卯九日庚戌丑時黄子生於銅山之深井諱道周字幼立一字細遵號石齋其先有俔介公宗德俔介公生肅毅公世懋肅毅公生青原公嘉卿青原公生子青原公是夜夢有執金斧擁神人而至者故子生青原公喜其異人也然則子雲之學蓋取諸嚴君平仲淹之學蓋取諸關子明堯夫之學蓋取諸李

則四公嚴子不宜後名子平矣恐誤石秋子云時漳上諸鄉先達爭以上賓之禮禮于益自大夫深州林公方伯薛公始也林諱茂桂字德芬薛諱士彥字[illegible]鄭諱懷[illegible]子略思

挺之子起於海濵其學獨無所取與曰甚矣子之善學也子在白屋時鄉之先生則有若方伯薛公則有若大夫林公則有若觀察鄭公皆時下白屋而從之游他日子過鄭公叩其扉鄭公方取器而量晷舍而出揖之道左而入子身負麤布之衣大布以為冠岸然而趨揖而上坐茶定鄭公乃舉似曰若知北極有處中天否子謝不知表影有處倒南否子又謝不知日出入有非卯酉否子又謝不知鄭公嘿然與談文史而別子歸恨不食也又二十年子在榕壇因竊然

按莊譜云于幼字螭若或云若螭引續賦始呼余以若螭爲證門人[illegible]註雖巳正其誤

念鄭公也謂門人曰吾見鄭公歸夜持竹几坐中庭者二年乃知南北中分陰陽盈縮之故以非鄭公授我誣也甚矣子之善學也

十七年巳丑黄子五歲入小學而慧授論語黄子曰聖人只教人以讀書有子何教人以孝弟聖人只教人以老實曾子何教人以省事問之授者授者不能答也

十九年辛卯黄子七歲授綱目矣青原公至自榕城負綱目一部歸而授之黄子讀之數月不出戶自是知古今邪正之辨與王道之大也

洪譜云二十二年甲午子十歲丹臺序云十歲作古文詞若有神授也

按師宜作子儋譜時亦更正

二十年壬辰黄子八歲好觀六經之文雅不樂於俗也每喜挾冊而游振衣於漁鼓谿之上而樂焉乃從其里人講業於此求之六經遂盡六經之意三年而能屬文時走孤峰蔭長松便踽踽不能去然則古人志趣高遠必在於妙年乎曰何夫子之似周茂叔也茂叔十三時里有小亭在谿上甚濂溪也茂叔常釣其上吟弄風月至今父老猶能言之

二十五年丁酉黄子十有三歲師如平和過王文成公廟而歎見其湫側爲之徘徊乃去既三十年四明施公

按丞謝邦曜四明人世稱四明先生

爲漳海守始改其廟貌移之於東郊以請予聞之喜
曰以祖功德禮也於是爲之碑因歎其學被於天下
高接於陸家卑入於佛者今天下爭辯之然漳海自
紫陽以來垂五百年矣已久淫於二氏而平和獨以
敦樸無詖邪相靡學士篤於經綸豈其山川雄駿苞
鬱使然亦賢人所治諄諄講道德之力昌黎所謂民
醇易於道古者乎子乃入其廟而歌曰折瓊枝兮擣
瓊靡思君兮中阻飢揚靈鼉兮播靈旗矯欲來兮何
期大江橫兮大嶺絶射朝曦兮馬當發招余弓兮雲

中遺余佩兮木末雖無德兮心所知會昔來兮安足
辭露所生兮雨膏之菊有風兮蘭與吹追鄹車兮抗
嶧馬上天兮下土不同時兮安得游登君堂兮不得
語耿徘徊兮中衣令諸生歌之以爲迎送神之曲子
已而悲曰得毋以爲楚聲乎
二十六年戊戌黄子十有四歲始見名山也聞羅浮二山
其間有神人居焉上多明砂會青毋欲往於是因毋
黨之官者往至博羅聞有大夫韓公其人好士而家
多書徑詣之語既入羅浮振筆作羅浮山賦筆無停

莊譜云韓公諱日纘

輟而多奇字韓公大驚邀與其子處遂主其家且得
觀其書韓公與之一馬一童子自是長騎入羅浮矣
尋所謂朱明洞者疑其中有異人時時長嘯以呼之
常策馬渡水水驟泛人馬皆溺而去博羅之人追之
可里許然後得之水邊不死黃子亦病博羅之人以
爲神異也
二十七年巳亥黃子十有五歲在博羅有貴族以女議配
者子辭之於是博羅貴顯之家愛其名士也爭欲昏
之黃子雅避之乃歸詩云豈其娶妻必齊之姜豈其

莊譜云蓋大理通書也

娶妻。必求之子衡門之士。亦多有所不敢娶也。

二十八年庚子。黄子十有六歲。髫年卽有四方之志。游羅浮嵩臺匡阜。所至無不下榻虛左。

二十九年辛丑。黄子十有七歲。治律呂。

三十年壬寅。黄子十有八歲。作疇象。

三十一年癸卯。黄子十有九歲。秋七月。子獻時事策以干藩臬。不用而去。

三十二年甲辰。黄子二十歲。之平和。居大朋山。所謂大峰山也。春。欲往闕下上書。不果。夫子知王道難行也。河

水到何下或疑有闕○按陳布衣先生字剩夫明天順三年詣闕上程朱正學纂要時不能用有布衣遺集行世

汾二十而學成慨然有濟蒼生之心游長安上書文帝談王道也名入見而不用伊川二十而學成慨然念蒼生游京師上書仁宗亦以談王道也乞召見不報夫子知王道難行也況欲以白衣之士一旦出蓬戶談非常之功動明主乎本朝有陳剩夫

三十三年乙巳黃子二十有一歲復游於粵

三十四年丙午黃子二十有二歲子耕於銅山之下以事二人時負米歸則與其兄把鋤必十指出血也暇乃退於長松閒讀易常與其兄講易大石上有虎出其

道光丁亥歲子銅山祖塋有奸人謀侵隙地山石忽成苦字若黃山黃界黃字或眞或隸凡八九處都人士作爲詩歌以紀異奸謀遂寢

下因謂之曰吾兄弟在此談經爾亦來聽邪虎乃弭伏而去自是移其家於漁鼓谿之上避族人之難也子亦不復遠游矣始卜築於此以爲精舍雜樹芙蓉丹荔龍目脩竹以居然日益貧寂而益讀書不衰

三十五年丁未黃子二十有三歲夏四月丁外艱念其親恇懔不能自直負奇以死又值艱難委命於空山親戚乖離無以自振窮至不能爲喪雖欲自比湘纍又何過焉嗟哉已矣古有賢士失時窮止其身辱不逮親以視道周何如者子乃走數十里外告其友其友

賻之金歸且哭且奔而且踊也路而遺其金反十里而尋之有一野人守其金不去曰此必鄉者孝子所遺也望見子跣而被髮呼天而來逆謂之曰金幸在於此老夫懼所需之亟也子乃下拜然後敢受金以謝野人而去故憂愁憤鬱而續離騷賦作離亥經既殯作九𥁞傳南海黃公應舉爲漳浦令初校士得黃生文置第一黃公必異之以爲其人必魁岸而多髯如平津牧豕時少者亦不下如長沙亟欲見其人及名諸生倉皇問衆人黃生安在知其有喪乃徐詢其

掾子平恐是平子無考不敢臆改

狀。蓋二十許人。數繫策往來山開。時時游數千里外。黃公又大異。以爲彼所謂仲蔚子平之流者乎。趨五掾名子。數日乃至。果白衣冠揮涕而入。偃蹇不拜。大聲言生命數奇。卬」不能事吾父。又安能事長者。遂趨出。黃公益大異其人。浦中薦紳先生皆謂得異人也。子性不嗜貴人。惟世其家糠覈藿其耳。然黃公數念其貧。問子有所言。皆曰無有。乃問撰結何若。子亦曰無有也。既乃隕涕出其袖中書文如離騷也。黃公見之泣曰。余亦幼而孤。而黃生如此者。其才使之然也。

湛譜云三十六年戊申黄子二十有四歳初館於浦中盧司徒家是秋張公紹和乃言於太史高公致書迎子居於蘭水之霏雲室按自子始入州府以下宜

余視生類有道者千古而下多生知者余未敢自爲知已也而其相傾則既如此矣時讀數行黄公不覺滂泗之横集也

子始入州府主張紹和家於是黄子之名震浦中司徒盧公與大夫林公爭識之日遣籃輿以迎子於海也已而徵君張公與子遇於浦中甚樂張公歸蘭水見太史高公遂言之而相嗟賞高公恐求子而不得也日移書以迎子於浦中子喜張公以孝廉不應公車而家多書始入蘭水遂主其家高公見子十日矣履

依莊本另譜
○盧公諱維
正字司典高
公諱克正字
中川○張公
即所稱汰沃
徵君者

蘭水今南靖
治地
蔣公諱孟育
字道力

不敢先也子雅好獨居日未嘗離衣冠張公亦不敢
爲宴見遣其子弟日作肅時出商略上下耳常深夜
過之必見其負衣冠左右圖書而坐如王勝之乘月
過郤堯夫於深山時蓋張夔也

子講易於漳上居無何蘭水之人或以爲黄子達者少
宰蔣公始見子而問易子與之略談大畜而別於是
蘭水之人聞之往而問易焉

三十七年己酉黄子二十有五歲服除奉毋居浦中娶林
氏復居浦之東郭子毋自謂吾生世未二十載三移

倪公元璐字鴻寶與子齊名一死北都一死南都出處若合符契有倪黃合刻行世

其居皆以枳棘爲桑土然且甘之亦已適矣秋七月子赴省就試不遇返渡釣龍江舟覆溺水恍惚如夢遇有一人導之前行至一殿甚宏敞榜曰倪黃復導而出出乃泊岸衣裳盡溼子大異而姑識其事天啟壬戌選館之夕倪鴻寶亦夢之比揭榜倪第一而子第二兩人各述所夢遂交相得

子家於東皋葢浦中也黃子既免喪乃奉毋靑原夫人廬於東皋以居後門人所築爲明誠堂今爲黃子祠是也紹宗二年所賜表文明書院

子作易本象凡八卷亦以深明天人之際然黃子猶謂未足以盡易不欲存以屬門人張若化張若仲存其草於山中令勿傳自易象正作而後門人以易本象附其後

子推律呂黃子觀李文利書而歎病其踈矣子少時常推李文利之律而用之今復推之於東皋之上知其不然也子乃求之史記伶州鳩管夷吾左邱明而律正然後黃圖之二十有四律出焉然則子之律何取之曰子之律蓋取之歷與易也吾觀子之推律也尺

有二寸。分之以爲二宮。上宮以爲陰。下宮以爲陽。始於黃鍾之陽八十有一。終於黃鍾之陰三十有九。嗚呼。有律以來。秦人或以黃鍾之陰爲黃鍾。漢人或以黃鍾之陽爲黃鍾。故本朝李文利及鄭世子諸家皆因呂氏淮南子以三寸九分爲黃鍾矣。至於子始以爲不然。而正之。然則京房如何。曰。京房之律有六十。萬寶常之律有八十有四。錢樂之之律有三百有六十。而子獨以爲京房精微也。謂其猶有古人之法存焉。然皆不如一律之各有一百二十分。與一律之各

有上下宮嗟乎禮樂之壞既二千年必有達人起而
整頓之乎。

三十八年庚戌黃子二十有六歲或時來郡中諸先達競
延致如素交子在鄮山時常語門人曰後生近前輩
最爲有益

三十九年辛亥黃子二十有七歲是時邑試張公郡試閔
公皆以子爲第一

四十年壬子黃子二十有八歲始補博士弟子時學使張
公得子文及一歲寒暑者之候論大加玄賞遂拔赴棘

張公諱鵬霄
閔公諱夢得
按別本俱作
學使馮公諱
挺

西陳字弓甫
南陳字賓玉

闈。

子入省赴秋試。下第以歸。

子教於東皐。黃子謂門人曰。此道寂然。今當於深山之

中遇之也。城市之中。雖復哀呼。無可告者。昔者孔子

順見公孫龍曰。不說非馬。即以爲師。公孫龍謝之曰。

我無非馬。更無教處。嗚呼。僕生平放浪言若雌風。恐

不足以頓轉人心。今舍數行帖括。更無教處。徒使人

厭耳。然則當時有銅山陳子士奇者。門人所謂西陳。

有銅山陳子璸者。門人所謂南陳。非帖括之徒。與曰

按同時又有漳浦陳公與言以部郎監臨清倉慈谿劉公振之以鄢陵令清死王公世琇以歸德司李建昌蕭公漢以鍾祥令皆守官不屈罵賊死見子集內王仲婺傳南都繼亡死國者華亭陳公子龍夏公允彝也如梁山徐公晉斌輩

子之學興先問業於其家者唯海邊西南陳耳子益喜其貧而親之入則與子共硯出則與子共衣夜則與子共被日則與子共取柴水子毎爲之歎曰可以援干而舞者西陳之才可以曳屣而歌者南陳之器其事於子也最久故皆篤於忠信以澤於仁義之言甚深既成進士及在朝廷惟一意報主以名教爲已任西陳開府於三巴南陳監軍於長沙皆以不屈而死於賊甚烈今行人過銅山下因以想見其當時從子講業於石齋之山時必留之移時乃去因呼曰此

湮沒不傳者
尚多惜乎無
從起糸籍門
下諸賢於九
原而一問之
○劉公善懋
字[redacted]
張公若化字
雨玉若仲字
聲玉後遭亂
偕隱丹竈山
中以沒

三忠臣石也然則海邊而多賢人何也曰又有銅山孝廉劉子善懋之清夷與丹山孝廉張子若化進士張子若仲之靜謐在盛明之世皆不樂仕無一日不以山居自娛人皆曰此國之顏子也門人歸之仁以張劉稱

四十一年癸丑黄子二十有九歲子始杜門於東皋杜門莫盛於漢人然則袁閎陳咸將以避世也故杜門而黄子將以著書也亦杜門焉何也曰人豈有不避世而可以著書者乎子杜門時其旁鑿一竇惟問業者

得入焉。戒門人曰。人苟有近於勢利者。則君子必避之也。古人讀書。入山必深。入林必密。但杜門乎。自是寶之內。非問業者不至。然黃子少已著書數十萬言。以明天地之道。帝王之義。萬物變化之紀。皆壹本於六經。而世猶或非之。以爲今之人未可以語此也。時復卑貶其論。欲與世爲通。比之以滑稽。又渾之以藻采。然而子不樂也。是以杜門益著書。以尋六經之緒。

子作太咸。以形聲色九九相推。各得七百二十九。本河

莊潛云督學
鄭公諱三俊
於漳士子試
居第五明年
鄭中蜚語以
子歸同行至
水口而兄匪
石公以毋命
止之乃還故
子於鄭公感

圖曲折之勢。兩其陰陽。以六因之。盡萬物之用。然太
要與太乙同摹。其所差者。謂元會運世。與歲月日時
約略相等耳。

四十二年甲寅。黃子三十歲。作詩表。

四十三年乙卯。黃子三十有一歲。之粵。講業於潮陽。以太
守詹公甫（諱佐）之招也。詹公聞黃子甚達者也。發一掾
以幣迎之漳海之濱。至州郡。令其子而問業焉。子一
日念欲見青原夫人。不告而出。詹公追之。遣一掾以
幣送之。乃歸。子歸未幾。遂赴秋試。是科典閩中考者

遇尤深

爲來公（諱宗道）及姜公（諱性）舉於省試擬第一人以違式聞二公乃出見子於旅次皆曠舉也

四十四年丙辰黃子三十有二歲杜門作詩揆春秋揆以應人之求

四十五年丁巳黃子三十有三歲杜門不出有問字者皆從竇中往來授業

四十六年戊午黃子三十有四歲是時學使岳公（諱和聲）抵漳校士拔子第一乃與之探討羅文質公李文靖公極論喜怒哀樂未發之旨時岳公爲之爽然

按是科典試者內翰丁公諱紹軾禮科張公諱孔教分校者晉江令張公諱履端

予自序云納足衕中妨帽礙着必不得已刻管細書盈十餘行自謂多矣已抵長安發篋出簏乃近五十頭序而存之曰逆流小草云

子講學於榕城以學使岳公之招也秋八月予舉於鄉第七人

十一月予如京師作逆流序

四十七年己未黃子三十有五歲自京師歸復杜門於東皋作三易洞璣有書與門人曰驢載道淒風烈日計六千里幸以皮骨歸見老親雙鬢之外四壁自如窮於昔日又有書曰僕自兩年來日市數升米或一二斗許雖苗魚薑蕨莫之敢問自計為諸生時未嘗至此今無可奈何耳貧何所不樂但令老母日憂朝

已未年莊譜云是年裒其雜作爲騈枝別集行世非其好也

按明史及諸家刻本俱作熹宗

順天二字疑衍

餐殊非人理耳忍此過後年不知如何

光宗泰昌元年庚申黄子三十有六歲復杜門作三易洞璣未成晝測治忽夜測星漢楗戶無外交有書與絡和云某寡特之士與六親澹泛自以一身飄泊塵海獨守廬舍似無人聲動二三月也

熹宗天啟元年辛酉黄子三十有七歲是秋如京師盖公車也

二年壬戌黄子三十有八歲在京師始成進士同考順天試者韓公纘諱日得子之文異之曰此必福建黄子也

時子以迎養大夫人在途[illegible]禍發及母疏彈案上來終歸里旋後丁艱而魏璫亦投首矣璫禍罷烈宰不及丁殆天留之因殷有明二百七十五年之結局賢人與國互爲存亡豈偶然哉

子爲庶常時。魏璫虐焰方熾。文湛持諱震孟鄭崑陽諱鄤與子約同盡言報國。湛持請以身先之死。而後繼之。子疏稿已具。旣而弗果上。故子後有疏云。鄭鄤者天啟時與臣同爲庶常。鄤與震孟後先抗疏。臣以迎母且至。三疏三焚。鄭鄤常以爲怯。

三年癸亥。黃子三十有九歲。迎太夫人來京師就養。而孺人林氏。侍太夫人至嘉興。病卒。時周忠愍公諱起元方巡撫姑蘇。經紀其喪。更遣人護太夫人至京。及丙寅歲。周公以忤璫被逮。按子與友人書。曰吾毋聞緜翁

石秋子云子爲庶常獨憂遼甚著解遼環凡三章

劉公字長瑺世稱元如先生長泰之西湖人

鄭譜當魏瑺時經筵故事展書官必奉書膝行子以經筵道尊不宜有此獨以

之變涕泣闌干至爲婢兒所笑毋乃愈泣繼之以詈

今想此懷猿腸盡絶耳

四年甲子黄子四十歲初散館授翰林院編修與修國史

實錄請使朝鮮

五年乙丑黄子四十有一歲子曰乙丑春余在長安與劉

御史其忠隔一邸舍子既以講筵獲罪御史用劾魏

瑺杜門雖咫尺不相往來既逾月御史以甘肅差去

余用侍養歸未移時而禍發所不見血者劍首之縷

也夏四月請告歸里秋七月至家冬十二月葬青原

平步進親墻
月之不能難
也○按子辨
明仁義疏亦
云臣侍經筵
僅一日以忤
璫去即此事
也
按諸家刻本
玄石作玄冢
按雖字别本
作諱
考文明夫人
傳云夫人生
寫峰徵士家
計部諱乾釜

公於北山因結廬其下躬自負土成墳勤先人行事。銘於屏石每書輒贊筆以拜一字一拜拜畢而後書。文皆從古如三代以上碑復立小石屏於墳後曰青原玄石背勒三十五字語同古讖不可解次及墳庭亦取青石員砥之著河洛正變之文宛然地上經營數年然後就常曰吾茲墳域上下數之卦變俱全後世雖復有能知之者。

六年丙寅黃子四十有二歲春娶夫人蔡氏越兩月而太夫人卒子水勺不入口者五日勑斷外事依依北山

公姪女幼通書史有至性十歲與女弟割臂愈親疾長適黃子時子以抗疏忤權相累遭貶削入詔獄夫人無幾微見於詞色子殉國夫人乃率幼少諸孤遯跡深山備嘗苦況猶以文公之孫有朱浚魏公之孫有張鏜家世忠孝相勸勉

不見津驛不與宴會不作詩文。
七年丁卯黃子四十有三歲時海寇方亂摽掠肆行遠近爲墟子獨營墳不輟諸寇亦相戒無擾臘月乃窆太夫人於北山。
毅宗崇禎元年戊辰黃子四十有四歲八月淡墨已除甫親筆硯有援琴賦詩示諸門人又同諸生出墓側談經
二年己巳黃子四十有五歲三易洞璣成冬辭墓出山過南巖偕張紹和鑿山信宿而去至建安知遵化已破

嗚呼天毓孝徽作配忠烈造物締合之奇至於如此

按莊譜云上年于汝家從攜孥出關至是寄家鄭園

莊譜時同典浙江試者科臣熊德陽也

羽檄徵師驛道騷然

三年庚午黃子四十有六歲至信州建德谿中探邸報不至繫纜數日登釣臺諸峰元夕泊桐君山攜酒與桐君對酌至臨安聞艮固破有檄止十道師為之愀然至毘陵見鄭崟陽於家將渡江聞都門戒嚴驛騎留滯乃單車就道寄家鄭園至儀真還向毘陵名家北上夏四月入都未幾出典試浙江子在棘闈每晨起焚香堂上同諸臣北面再拜而後閱卷事竣還都逢神宗實錄成晉右春坊右中允是時督臣袁崇煥以

誘殺毛文龍抵罪詞連舊輔錢龍錫併逮詔獄廷臣無復言者子乃中夜草疏排闥叩閽略曰纍輔所坐爲罪督攀緣耳督臣受劍制閫令有事得摭閣臣語爲質則是綸扉之內割邊牆爲殊域也且陛下御極以來輔臣獲重譴者九人矣一代之間有幾宰輔乎當堯舜盛時岳牧舉鯀貽禍滔天未聞岳牧繫纍殞臯陶之聽也人臣事主自當以堯舜爲師倘罪輔猶可贖臣請輟清華歷疆場約束東江收拾遼廣誓得一當以爲纍輔減千一之死時臘月十三日也疏奏

天子疑爲詆毀曲庇着令回奏三奏而疑未釋待命

四十日

四年辛未黃子四十有七歲春正月十九日子回奏三疏

始下降三級調用禮科又吹索浙闈事數次不已子

遂更三疏乞休同官倪公諱元璐抗疏稱子爲古今第

一詞臣願以職讓子子因屬之以詩其序曰文網未

霽云云不矜[illegible]冤鳥寶詩壽晁白爲詩言窮非飛叔句

引誼之情未殊孟博避咎之旨也夏五月朔上以久

旱步禱南郊十三日釋舊輔錢龍錫子乃賦大解網

之詩乞休之疏旋於後十一月廿七日下矣臘月舉
一子親朋畢賀蓋長公子麑也
五年壬申黄子四十有八歲春正月束裝將行有放門陳
事疏畧云臣自甲午正月攜家北上今又正月閒關
南旋往還冒難首尾三年在朝班不上三十日食俸
米四石五斗罪過山積僅餘骸骨恐一旦溘然幸及
殘喘冒昧吐之臣自少學易以天道為準以詩春秋
推其運候上下載籍二千四百年攷其治亂百不一
失其法以春秋元年己未為始加五十有五得周幽

王甲子。其明年十月辛卯朔日食。以是上下中分三千一百六十年内損十四。得洪武元年戊申為大明資始。戊申距今二百六十四年。以乾屯需師别之三卦五爻。丁卯大雪入師之上六。是陛下御極之元年。正當師之上六。其辭曰。大君有命。開國承家。小人勿用。自有易辭告誡。未有深切明著若此者也。凡易一卦直六十七年零一百五日。一爻直十一年零七十七日有奇。今歷十分之四矣。臣觀陛下開承應大君之實。而小人柄用。懷干進之心。在陛下以大君之哲。

按全謝山大滌山房祀典議云漳海大儒其寒芒在日星之間天生與蕺山作對顧不之祀而屑屑於提

可制小人而有餘在小人以干命之才可中大君而不覺臣攷自丁卯大雪至戊寅春分凡十一年零七十七日皆在師上六勿用之防誠不可已臣病久援筆氣絶乞念垂亡之言併依例放行已復遵旨再奏以濫舉逞臆削籍爲民

春二月掛冠出都門自濟寧過兖州至曲阜上孔林謁周文公廟下昌嶧徘徊九龍山孟林在焉子各繫之以詩乃買舟至留都寄家城隅自僦小舟泝江而上遂歷黄山白岳九華皖臺匡廬之勝是秋至餘杭諸

畢諸君亦何爲者又云漳海正命門人星散何羲兆呂漢嵩二公抱其遺書君山房終身不出以遺民終亦可傳也何諱瑞圖呂諱叔倫

子自出都別本無自字衍文也

門人畢集因築書院於大滌山大滌山者當餘杭之西宋人所營洞霄宮者也舊祀李伯紀朱元晦二先生至是更加啟闢子於是爲文以記之然子自出都以來自春徂秋亦隨意放浪山水東南奧區十盡七八曰何圖杖屨遂包斗牛之美是冬抵墓下誦陶詩曰徘徊邱隴閒依依昔人居乃曰吾怪陶盧不在土行之側歲暮復走南靖諸山一鼓乃歸明日歲除無以祀竈偶友人餉一熟雞子爲喜動色過元日親朋乃知子在於是咸集子曰如此熱鬧不當與袁安燒

按莊譜云於是著懿畜前後二篇

火耳。

六年癸酉黄子四十有九歲在北山復治墳墓

七年甲戌黄子五十歲自抵家守墓諸弟子相從講論皆在浦之北山子談經之餘適秋水曹公（諱惟）才敦請子發皇聖學於是夏五月子始即漳郡紫陽學堂爲講舍定於四仲之月雅集課藝因文證聖隨所疑難先經後傳先籍後史自近谿敬齋而上周程羅李而下不妨兼舉以印身心子自次所條答爲榕壇問業臘月乃還北山守墓

八年乙亥黃子五十有一歲夏五月復會於榕壇子涖講
席有期之喪腰絰不除張勛之瑞鍾請曰聞晦翁欲
集三禮大成有所未及吳幼清論次稍定又多所遺
吾漳素遵家禮然期功之喪亦鮮有持者不知孔門
諸雜記平居皆可詳說否子曰平居且勿暇論然三
禮詮次極是學問中要緊久已分類引伸但日用疏
淡未能繕寫耳即以三禮定本付勛之然尚未及刊
布也

子與諸友登天治巖歸適漳郡地震有聲時冬十二月

三日已酉雞棲矣或問春秋五震始終於臣而中於君大抵以爲陰盛也今立月伏藏而地動其在於周則正月也古有之乎子曰凡占者家不占國郡邑不占天下然君子痌瘝乃身匹夫納溝尚爲怵然何況大地劉向輒指郡國事爲正應其義極疎兒所言者與劉向異指自足稱耳語未究而環命適至子講席不輟翊日諸友敘別勸駕子因酒酣發慨時艱悲憤涕泗不已亦會歲暮復還山守墓

疏請告稍謝朋從會子誕辰諸弟子請於宮庶蔣公諱德璟蔣公就問業中拈十八條推暢立風以抒嘉祝子曰自某談論以來風過樹翻無人更看落葉蔣公纔拈一枝覺樹樹紅酣山山碧戰此處不發憤那得樂來前日爲誰開此罪過諸子云此問不從蔣來不從諸生却自夫子生下帶來子懽然請一一舉似詳爲條答子曰蔣公揚糠見寶初示聞道之艱難末示成道之不易叮嚀告誡於孔蘧寡過之年所以裁成垂引爲不少矣又曰任看山山樹樹仍是老至倦來

一部易書只是乾乾終日已而有司敦促上道子至

秋盡乃發臘月遂至京

十年丁丑黄子五十有三歲正月朔見朝二月分校會試

詩一房得士廿一人夏四月廿八日具疏乞休甩再

上不允五月陞諭德兼掌司經局六月十三日具疏

辭職自劾臣有三罪四恥七不如之語冬十月有申

明掌故一疏畧曰司經名局寔無一書東宮有日問

誰司局事者何以對之先臣邱濬嘗稱

我朝著作聖祖極多然當永樂時名授東宮惟奕華

寶鑑聖學心法廣昭鑑錄務本之訓四種書而已今

四書傳本甚少可發內本謄刷由是推之書中有二

典三謨洪範無逸禮記之中有玉制月令儒行緇衣

坊記表記禮器禮運學記樂記易中有乾坤文言上
繫下繫詩中有二南豳風正雅周頌擇此四經大篇
鉅章不過五六十帙講官六人人習十篇錯於四書
以翼寶訓在約御博不及二年而義類備舉矣乞次
第舉行有旨
彙集進覽。

冬十二月陞經筵日講官詹事府少詹事協理府事兼
翰林院侍讀學士兼管理玉牒復疏辭云臣自出山
以來期捐七尺決頂踵以報陛下必不可得亦當有
昌言顯行裨益涓埃而去決非為改衣換帶來也今
既一載寂無一語臣之學術槪可知矣如臣者但守
原職料理經書俟其咫尺成縱之嚴釐自謂過矣乞改

授蔣德璟謝德溥二臣使臣楗戶稍完職業不允
十一年戊寅黃子五十有四歲作孝經大傳春二月侍經
筵隨班名對退而補牘云臣承清問人才臣言人才
如樹木霜雪摧殘之後須勿折其萌芽又譬養火亦
要積薪臣以餘生親見堯舜無復一語可佐纖塵則
亦無用讀書爲矣臣懲艾已深捫舌日久豈敢重干
嚴旨以自取戾然私計天下人才如鄭三俊姚希孟
求其影似未可多得皇上誠愛士莫如愛已成之士
誠理財莫如理有式之財當茲衆渙之時幸弘孚萃

按班譜及本
疏章未十上
之下有書乏
萬言句

之旨。時十有二日也。至二十有三日。旨下。以子偏私。再疏又以爲支飾。子自知不容於朝矣。第以數書未就。不欲遽去。乃復奏曰。臣生逢聖主。不能質直自將學求事君。又蹈迂疏之失。惶遽之下。追尋前章。已自盡焚。不能復憶。惟憶所述失體。援筆莫措。昔魏徵在帷幄十七載。奏疏數十萬言。無一忤旨。亦未能比績皋夔。眞德秀立朝。僅一月。條陳百餘事。無一紕漏。亦未能差肩王魏。臣在詞林十七載。已同魏徵之年。立朝十四月。更踰德秀之數。章未十上。而迷繆頻仍。瑕

按三疏雖同時並封以進而子草疏在未枚卜之前故疏內論楊嗣昌只發其在樞邊諸罪而已至嗣昌入閣後子隨衆召對政本

釁山積欲以仰贊高深希踪去昔良亦難矣臣自揣草野之資終非法物束身席藁以待褫斥倘念纂述未就寬假數月是臣望外之恩未敢自必三月九日得旨不究然子孫是諸疏草皆命日焚草也

夏六月十八日又因隨衆召對與上論清任和仁明武復補牘云臣有感事三疏阨於時會不能自達死有餘恥按子三疏一論推督臣不拘守制一論宣大督臣奪情一論遼撫臣議款其論推督臣者謂宣大督臣盧象昇父殯載道請近撫臣權攝忽有并推在籍

風化云云乃面奏語也。平臺召對紀云三疏與此微有異同，但不及此之明斷耳。○東事方殷，遼撫臣方一藻，宜大督臣陳新甲，樞輔臣楊嗣昌，皆庸懦怯兵，朋謀誤國，故子發疏論之。楊陳奪情，乃其餘罪也。○擬于向有擬請誅楊嗣昌

守制之旨。夫使守制者可推。則是聞喪者可以不去也。聞喪者可以不去。則是為子者可以不父。為臣者可以不君也。陛下以日月燁氣。俯下詔引咎。明示以君臣父子。皆受於天。禮樂刑政所從出。而人臣以哀毀不祥之身。決裂馳驟。玷陛下仁孝之治。是不宜使天下四夷聞且見之也。嗣昌在事一年。才智備殫。是更起一不祥之人。與之表裏指皃指訖。說夢捕風。猶狠狽之獸。倚肩俱走。無從施其鞭策。又何益於負重乎。其論督臣奪情。謂臣不知陳新甲為何人。然聞其

等疏一言溢地均輸之失計一言割地撫賞之非策集內文多闕錄

丁艱未終制又聞其走邪徑托提足天下即甚無才亦未宜移借及此也凡論人才觀其所難批龍鱗難於履虎尾冒斧鑕難於冒鋒鏑今諸負氣直節敢諫之臣棄不錄矣而欲使軟美容悅者叩頭折枝以建非常之功垂不世之業豈可得乎臣所纂數卷書已移月可畢筆札干櫝均爲報恩天下即無人臣願解清華以執鎖鑰何必使被棘負塗用此不祥人以玷皇化哉方今熒惑漸次箕尾是爲燕分十月交當南斗口是雖有道所不談然思患預防聖人垂戒新甲

崎嶇秦蜀。載道赴宣度須百日。慮象昇以煢煢歸說

之身。待其遲遲援琴之道所謂乞河神以濡突火也。

語曰奔車無仲尼覆舟無伯夷。臣雖不才受皇上殊

恩猶將安轡奔車之閒振衣覆舟之下。其論遼撫臣

款疏謂臣接得遼撫臣方一藁揭帖援俺答故事議

款。臣不覺爲之頓足投牒於地。陛下勵精十餘年思

以堯舜之化被四海而諸臣無能出一死以紓主憂

此不待有志之士爲之涕弓而鳴鼓也且如遼撫之

說謂款成卽可撤兵以討流寇毋論款必不可成成

必不可久卽成矣久矣以視寧錦遵薊宣大之師何
處可撤者方今上天告災星象垂警國家大事宜以
實示羣情毋以文稽衆論樞邊諸臣欺罔詭闒啟侮
取羞惟陛下慨然發樞邊諸疏衆正其罪毋使事歲
禍積異日不可復悔三疏遂同封以進時秋七月初
三日也至初五日上持三疏不下子疏言嗣昌爲本
兵時兵革之事情可奪今政本風化之原不可奪上
乃名對羣臣及子於中左門首召六卿各問其當行
事畢及子謂疏發於枚卜不點之後似有爲子言臣

林公字[redacted]號[redacted]何公字元子號黃如

爲綱常計不爲一己計是以自信其無所爲也上終以爲非子力言非私上曰三疏不上有何時會爲陁曰臣以同鄉林蘭友何楷有疏恐涉嫌疑耳上曰如今便無嫌疑耶曰今日不言後將無及臣之有言臣不得已也且臣如緘默亦可濫叨升斗但所惜者陛下之綱常名教語未畢楊嗣昌出言臣請言綱常君爲臣綱父爲子綱君臣還在父子之前臣父臣毋皆無所逃臣又逃於何所嗣昌又言鄭鄤杖毋道周推之何不言綱常子曰故事言官論執政者出聽對伏

讀彈文義當迴避使人盡言臣雖非言官未有大臣
跪在上前爭辯不容臣盡言者嗣昌乃謝非體請放
歸里上以溫語留之令嗣昌起子言臣素恥言人過
今爲陛下存人心而已上曰汝無端汚衊彼豈得不
辯子言臣二十躬耕四十負土誠不忍見奪情之事
上曰如此汝又何言不如鄭鄤曰臣章奏於通國孟
子不失禮貌孔子自云辭命不如宰予臣亦謂文章
不如鄭鄤上曰汝言不如鄭鄤是朋比耳曰衆惡必
察奈何迫於權勢使陛下不知是非之實上曰陳新

甲素達軍情汝又謂其走邪徑豈朕一不知只聽人競營耶曰凡人心正則行正心邪則行邪嗣昌以巳奪情又推新甲呼羣引類使成奪情世界亦今日之恥也上曰許譽言鄭鄤罪狀甚明小臣且有公論而大臣反無豈不可恥曰宋人惡李定不丁母憂故賜孝子徐積粟帛以風之臣如必救鄭鄤則攻嗣昌非所以救鄭鄤也然上故以子言有爲欲藉子之口耳子曰綱常名教自是陛下綱常名教但今獨立敢言人少讒諂面諛人多不得不言上又以少正卯擬子

子曰少正卯欺世盜名心術不端臣心正行正無一毫私上曰向以汝偏激稍示裁抑後聞操守隨則賜環前日奏對文字才亦可愛還欲用汝不意如此偏矯恣肆上令起候旨以免拿問子曰臣今日不言臣負陛下陛下今日殺臣是陛下負臣上乃曰平生學問只一佞口遂令子起子於是叩頭而起已還復跪請再論忠佞曰人臣在上前獨立敢言者爲佞豈讒諂而不言者爲忠耶敢爭是非辯邪正者爲佞豈容悅順旨而不爭辯者爲忠耶上曰朕非輕加汝佞但

問此遁彼非佞如何若論紅牌轉換支吾當斬上復名群臣先自責因言人心關於國運近來諸臣專黨同伐異假公濟私朝廷用一人便百端詆毀律之以法當如何國寇易治唯衣冠之寇難除再如此者立置重典因令輔臣擬子罪翌日擬以朋串撓亂時在廷諸臣亦無更起而爭者乃取前所奏命撰述洪範月令儒行緇衣先呈進覽然後去

八月調江西布政司都事臨行更上乞休疏云陛下憐臣孤苦雖加創艾猶畀俸錢俾就一官以圖報效臣

思此生祿養之榮不及父母頂踵之報總爲君親自
賜環而賜譎均非微臣之軀由再死而再生彌載如
天之惠然而寸心易竭九折難醫自顧殘生眞無所
用矣臣素恥言貧病又毎日計勞而食自去冬迄今
二百餘日經寒涉暑手纂寫三十萬言凡再易草實
無一刻之暇不合感事發其狂癡旬日以來兩目就
眚加以體羸嘔血盈掌如此升斗亦豈濫叨乎臣通
籍十七載猶然書生立朝五百日未酬犬馬倘淹忽
半途流播他土將使千古上下不知陛下恍恂之恩

仁閔之澤。懇乞還山。以就醫藥。苟殘喘之尚存。何餘
年之足惜。惟陛下察其眞病眞危。許其待痊待補。不
允。
是月出都。發潞河五百里。登泰山絕頂觀日作詩。是冬
至大滌。陳卧子、曹木上、諸友。日奉杖履。將行。又爲諸
友爇維三日。會倪鴻寶祭酒來自山陰。持邊信相示。
悚然警聽。未忍絕帆。胥江長至後十日。乃發。何羲兆、
曹木上送至嚴灘。登釣臺。子蕭然感歎。乃作詩爲別。
併寫雙臺八松。以識分手。

十二年巳卯黃子五十有五歲復還山守墓以前疏批旨有朋串之語乃於石養山中堊廬之下別搆數椽以列大雅左曰十朋軒軒不容幰壁閒位置自管葛鄭董至梅張周沈凡二十六人右曰九串軒軒不容幰壁閒位置自屈賈曾李至張趙李馬凡三十人

十三年庚辰黃子五十有六歲在北山守墓誕日題門曰殘生餘年死不受弔況受賀乎客有自浦至者閽人輒辭去唯諸同人至自漳子令人延之別館迨晚出見客乃共列坐石上子手自疊三石而坐曰吾今此

……公號石帆

坐雖安亦危有異僧至子與坐對榻僧一無所言既退惓然而歎或疑僧有異徵言以諷之僧曰火將動今不幸外疏及之禍且不測耳未幾而江西巡撫解公（諱學龍）以薦劾聞而逮命下矣子聞報即於五月二十三日辭墓就道時緹騎尚在南昌子中夜出門匍匐至氷口揮手作詩以謝同人有曰臣罪如傾河當於何者起親朋但道古引湯便不是至南昌開逮諸子依依不去欲同北上子毅然麾之作詩曰生離死別不可知友道君恩已如此又曰斯文未喪應能來

按莊譜謂薛國觀蔡國用二罪輔也

葉公號潤山

湯花火花仍復開至碭山道中遇讐身先緹騎得過壽張接邸報薛以罪死蔡尋廢卒子乃於七月至京緹騎以聞中旨未下而訃部王事葉公諱廷秀毅然上疏請以身代罪葉公者濮州人也登第後以魏璫故不出既補冷曹與子未嘗一見聞子就逮號於曹署曰吾輩稱冠進賢冠今名賢罹厄忍坐視耶呼一曹不應又呼一曹呼已繼之以罵又復罵又復呼如此遍呼六曹畢無一人應者葉公乃上疏請代子而八月旨下子與解公各杖八十發西庫司問擬越數日

而葉公之疏亦下旗校索葉公葉公曰吾待子來久
矣請入視吾居所有旗校隨入見其左側置秘器一
具右陳全襲壽服葉公曰吾老母已終世又無妻子
貽累今日惟須公輩來一了事耳卽隨旗校同往拜
杖監杖者聞之曰異哉千古乃有如此人葉公不行
一銖一錢諸執杖者皆貽愕不忍下乃反輕於他杖
者既拜杖已削籍回濮州子乃就床簀爲詩以贈其
行有曰乳血在君親霜露不敢侵總此未墜生呱啼
亦古今實未嘗一識葉公也子在獄中與門人書曰

古人於仁義爛時自裏血肉僕於血肉爛時自裏仁義悠悠命也誰爲談者子卧病八十餘日抱足扶首僅能起立子以清苦聞於天下諸獄役惟日奉縑札爭乞書子爲書孝經以當役錢書孝經一百二十本各有贊義本本各別皆爲役卒持去今已散逸不可復見著易象正方開府仁植與子同在西庫見子所著輒觀玩不已時子方草十二圖未畢忽錦衣着篋籃來徵子子徐曰吾畫一圖完就逮耳役人不可遽以子去諸圖象翻播床下既去方公更掇拾藏之時

涂公紀言一蔞先生武子字紡安小字德公

按莊譜朱紹與諸生此作崑山未知孰是

祭酒諸生涂仲吉上書請代子故徵子同對北寺也比至北寺械鞫四次毒痛之下掊節纔續又爲六十四象正賦詩曰右手貫鎖左袖書解鎖寫書向帶血崑山諸生朱永明時游京師持百錢叩北寺門將遺仲吉入北寺拜子於床下請侍左右孰爨未幾復過西庫諸中貴人皆因朱生購子筆札故皇上亦於宮中時時見子所書孝經指曰沽名初仲吉之上疏救子也通政施公曜（諱邦）駁其疏曰寬以俟之仲吉又上施公又駁曰存此議論仲吉猶持上不已施公名謂

之曰吾與石齋先生交最厚故不欲以過激僨事若奈何更欲速之乎仲吉乃復出疏參施公施公遂併二疏上令仲吉自取保質不則宜在城司候旨右堂馬公諱思理告司令一室與仲吉旨下杖一百併究詰同謀指使施公落職回家馬公逮付詔獄矣乃又追論葉公廷秀復逮至北寺同日對簿諸君子纍纍然相望司廷而未能相識葉公乃前俯而揖問誰爲黃老先生者子卻就謂之曰是其爲葉老先生矣葉公乃以次鞠身更揖曰斯當爲解老先生乎於是相與

諦視唏嘘俱伏堂下聽質葢當時牽連幾二十人堂司拷仲吉所繇指使狀仲吉受榜掠無異詞問何人指使曰某隻身萬里攜孤心以上叩九閽何容別受他人指使必欲究所爲指使者請剖臣肝以獻語聞

上顙心動十二月過請室

十四年辛巳黄子五十有七歲在請室十一月刑部擬讞

子乃上疏曰今刑部定臣何罪臣不敢辯亦不敢知然臣自計生平無門外交游無一介取與鉛槧終年不知馬足即如丁丑三冬至戊寅七月所進三十六

卷書皆手勒再易草則臣之不暇朋從可知已十二月又疏云臣生於海隅輕蹈狂瞽然自戊寅降謫而外未有過犯直以撫臣例薦萬里遠杖又以諸臣申救嚴栲數番事出意表非臣所料憶臣曩昔名對平臺惶遽之餘進不擇言拊心何極然至於撫賊和戎之說遺禍著生臣猶自悔知之不盡言之無力也臣逼籍二十載歷俸未三年今垂老辭消與因對泣節欲洗骨滌髓纂書自贖誰肯信者唯聖主仁閔再加宥焉疏上諭戊辰陽解公葉公馬公與徐仲吉亦各

按譜內凡以
先生稱子者
宜改歸畫一
蓋筆誤未盡
删也

分戍於閩於楚於辰州。

十五年壬午。黃子五十有八歲春二月出京將適楚取道至大滌至白下買舟將出長沙時江北告警桐莞騷然或云南至臨安涉富春泝信州從貴谿西流下臨袁不二千里可至長沙省諸波濤之險先生曰嗚呼子如擇地避險者亦豈遂至此乎四月十五日至西泠與錢去非諸門人入禹航僦青山船入九鎖谿至大滌山講堂諸友先後至剖析鵝鹿疑義復汎濫易詩書禮樂新故異同之致先生曰周濂溪欲結廬溢

江不果謂潘興嗣曰三十年讀書亦欲一濟蒼生如果不遂與子論道未爲晚耳嗚呼司命在天有待而營何者不晚華嶽嵩少俱爲豺狼之區而大滌僅存與朱李木王相對僕又當西行賈楊以爲顏閔景宋以爲游夏不知五百年後誰復念此山如吾之於朱李者六月至九江西林寺定易象正日及吾在不定此本後世誰復能定之者環報至先生猶以是書未完留滯江渚至江口乃發疏謝病曰臣自去歲臘月解網以來槩於今歲仲春束裝就伍自揣殘年無可

報王得子孫永世禦魑魅保煙嵐足矣酸楚閒關躑躅載道至六月始抵九江西望辰陽尚三千里臣以摧殘老病遂至委頓無復生理中夜揮涕謂臣盧墓十餘年乃不死於北寺而死於江楚命也栖栖數月伏枕蕭寺人迹盡絕十月朔日有人從留都來傳聖諭念其清操力學尚堪策勵准赦罪還職臣伏枕墜牀恍惚如夢起設香案匍匐叩頭隕越階下念自古人臣未有迂狂賈罪如臣而得起於戍籍者也臣少孤貧長而傭書今以老病一絲未絕臣思漢臣馬援

病臥土窟中聞鼓角聲曳杖延頸數廢見者哀之又
如宋臣范鎮劉安世屬纊之時猶以天下爲念今臣
未即死而委頓如此智不如葵忠不如曝自古儒臣
亦豈有匍匐而就鴆行扶攜以酬馬骨者乎臣幸逢
盛世遭明主脫離罪罟下就邱墓擊壤偷隱餘息幾
何惟願陛下力行仁義使流氣早靖宗社奠安臣雖
朝夕溘就草露猶與九原父母銜結無窮還至留都
聞解學龍葉廷秀諸公尚未免戍復上疏云臣甫離
盆蓋不敢遽有籲呼然廷秀病極學龍垂老皆以日

按余字疑當作予

爲歲慶日如年陛下旣以特旨赦臣乞以特恩再沛

臣澤悉赦諸坐臣株連者疏上赦免先生亦以是月

回家何羲兆送子至桐君山子乃爲文埘告朱李二六

先生曰並不使桐老嚴陵訾吾濡滯也

十六年癸未黄子五十有九歲居北山春三月子挈舟至

蓬萊峽講堂鄭侯山舊稱蓬萊峽余五月十日實始

啟疆乃扶筇上下黙定其處令諸友得命意匠焉未

幾復還北山守墓

秋八月朔孝經集傳成子同諸門人就北山草堂具章

服北面望闕五拜三稽首又向青原公墓前四拜再稽首乃於堂中置書案上諸門人各受業焉子曰孝經之書戊寅起草未經進呈乃於九江綜其遺緒以示同人

冬十月坊記表記集傳成子云宋淳化至道閒嘗以坊記表記頒賜廷臣今禮經備在學宮而習者沿爲曲臺遺言無繇知爲春秋義例之所從出故復略舉大意使相屬比引伸觸類以究其指歸又云是書起草於己卯之春中間危厄未及進呈統俟賢達訓討刪

定庶無乖馳焉。臘月出江東。登逃兩巖。墜崖。賦詩。因名崖曰捨身崖。又曰鳥道。

十七年甲申。黃子六十歲。春正月。有在山乞致仕疏。略云。臣稟受窮奇。沈疴日頓。臣鄉又當寇擾。臣托居墓下。寄命松楸。一月數驚。未有動理。臘月臣始決意出山。離墓下至江東。已百四十里。諸生相持登高臨遠。臣失足顛隕層崖二十餘丈。適墜石灰中。頂踵幸全。而左腕右足困於庸醫。幾成廢疾。嗟哉命也。臣生逢盛時。位登華貫。進多狂瞽。則有斧鑕之虞。退可棲遲。又

曹公諱廣字遠思

有溝壑之患臣死於溝壑伏於斧鑕則重傷明主之心斧鑕得生溝壑不死又莫塞孤臣之願所由者持身不審寡過未能德薄則不佑於鬼神數奇則取憎於造物雖復招以弓旌寵以綸綍徒足生其災眚覆其消殳也惟冀皇上擴覆載之仁既以特恩起臣於斧鑕之下再以特恩全臣於溝壑之中臣茹草飯糗與稚子里婦播天舞地誦德無極臣力疾具疏

春三月庚子明誠堂成司李曹公及諸先生至諸門人乃侍子謁先聖先賢畢乃請諸公祖父毋諸先生交

拜畢。乃共更請先生。先生曰。業從諸老先生之後矣。敢辭。諸先生不可。亦皆再拜。環揖而入。先生敷長者之席。及諸論聽問之坐。稍後懸鬧鐘磬琴瑟各一。坐定。講史讀誓誡。凡七條畢。乃講書。以東西問答相起也。問今日明誠二字。的從中庸裡來。是可爲良知王敬。別下鍼藥。曰良知王敬。只是明誠註子。從誠生明是良知。從明歸誠是王敬。先後賢初無兩路。亦自不用鍼藥。問明誠雖有天人之分。畢竟只是一物。若看爲兩物。則金自不柔。木自不剛。火自不涼。水自不熱

即有氣質如何變化得來記曰地載神氣神氣風霆
風霆流形品物化生一塊大地風霆出入初無土石
之隔豈性命存於形色之中能有形色之礙耶曰天
道人道是人生而上不須說只說一物一事先明得
過後信得過譬如一鏡先要刮垢磨光然後隨形映
物到他隨形映物尚要刮垢磨光切莫道鏡即是光
光即是鏡也問思誠明善憤樂循環決不在愛敬義
利笑夢中閒忙討消息又不在覩聞斷絕牆枯壁立
處苦作工夫畢竟如何曰聖人言誠要與天地合德

言明要與日月合明此理實是探討不得周公於此仰思顏回於此竭才難道仲尼撒手拾得聖人於此都有一番嘔心點體工夫難爲大家誦說耳做聖賢人不喫便飯問明明天上亦有日月星辰白白江中亦有波瀾島嶼孔子生在東魯再不說蜃氣樓臺周公治於天中亦不辯晷影長短只繇他見明所以信得過亦由信過所以見得明如憑空心硬說知貫猶望海際云與天通泛槎十年終不到牛女之下也看來至道待人只是箇禮禮自廣大精微高明中庸新

故相生。敦崇遞起。知者百世不知牆面。周公仰思。仲尼發憤。皆爲此物。留與後人一再參觀。曰禮樂只是中和。致中謂禮。致和謂樂。易說大壯以非禮弗履。說豫以作樂崇德。兩卦皆雷也。天地作用。雷爲大人身作用。怒爲大風雨。皆生於雷。哀樂皆生於怒。雷從健出。比於禮。雷從順出。比於樂。怒從健出。禮以止之。怒從順出。樂以平之。故先王爲禮樂以導中和。天地性情。居然可見。地雷曰復。天雷曰無妄。雷地曰豫。雷天曰大壯。禮樂中和。於是具像。而誠明之義。亦盡於此。

講畢。先生親饋祭酒畢。乃就主人之位。酒初巡。歌者歌匏葉之詩。先生出致詞。曰。以長者之盛德。又無以獻也。敢以匏葉先於兔首。諸賓拜謝。就坐。酒六巡。歌出車之末一章。先生出獻曹公。曰。以此春日執訊獲醜。雖有飛鴞食椹。變音況倉庚乎。乃皆再拜。又歌六月之卒章。先生出獻曹公。曰。吉甫何當張仲爲多矣。又皆再拜。乃退就位。歌者歌南山之全篇。先生出獻劉公及沈公。曰。以父母之光。邦家也。以父母之德音也。南山何足多乎。乃皆再拜。卒爵。磬作。就坐。歌者歌

菁莪之四章酒七巡又歌隰桑之四章及黍苗之五
章贊者曰賓主交相獻先生乃出獻賓曰今日喜見
君子也小人之於君子猶黍苗之於陰雨飲德而已
何報之有乃皆再拜酬酢三反乃復位酒再巡講監
立於縣閒之左誦抑戒之七章講史立於縣右誦賓
筵之卒章於是磬作賓起金奏主人送賓先是去歲
王春盜賊四起諸弟子勸先生入焦桐山先生以廬
舍松楸無復遺理諸避難廡下者又望北山爲歸先
生以是偃卧諸暴子亦相戒去三十里之外也今春

賊大起先生又以縣崖折屐歸家愈益懼先生曰無

畏吾病蒼生與吾等病也於是二月諸賊又敗或問

先生何以知之先生曰吾得還漳修一日之禮樂則

亦天也天與吾禮樂則不與吾干戈吾之與漳豈有

二天哉諸弟子亦藉是自信也曰凡是黎獻皆游於

先生之天先生謝不敢曰吾過矣吾過矣

夏五月子在焦桐山中丞張公（諱肯堂）既平漳寇過鄴園

諸弟子至者五十二人迎張公入謁先聖賢畢乃於

三近堂霤中祖道子持尊至前命讀祝曰天贊張公

削平滛寇黎民旣安克善厥後懋德崇功百祿是爰凡我明神悉保護之讀畢再拜各就位弟子講書畢執籩豆陳饋八簋酒七巡歌子奏凱贈言一闋賓出拜致辭曰吉甫作誦穆如清風涼德何脩獲此拱璧子舉觴賀曰用如不疑功如不居禹胼無鍾湛以詩書交再拜復就位於是賓王舉觴者三子揖張公游於石翁講堂遂別

次日郡司李曹公至鄴山諸弟子維舟蔽江尚未解去因卽三近堂講仲尼好學周公力行伊尹知恥此

將有疑子不
對熟雜詩云
萬國共傳衣
帶詔一人方
函水檣詩今
讀與陳臥子
書知燕都之
信尚未通也
即水檣序內
亦云誠相幷
兩之內將機
同舟府救之
舉朋心就進
避拔壩西以

三聖人作三近事抽繹酬酢成禮而退曹公復申十
問詳大易剛柔摩盪之旨語皆玄邃不能盡錄也
燕都三月十九日之變至先生乃率諸弟子爲位於鄭
園袒髮而哭者三日計大明之歷自洪武戊申迄崇
禎甲申二百七十五年從河圖之數爲稼穡末際同
歷西周子於璣象諸書已詳之故曰使詩書無徵則
卜洛爲過矣子謂陳臥子云吾處天末無殊聾瞶五
月廿七日乃聞神州陸沈鄂湖血戰此自臣子姧回
陷我君父剖肝瀝髓莫贖其辜故於六月三日追惋

遊渤海踴焦原以出孟門猶或可爲是子之志未嘗須臾忘天下也蚍蜉撼樹庸有當乎詩存其集中恐誤後人亟辨[illegible]此

時事瀝爲詩章舐血嚼齒語肩世道非徒山哀浦思凄焉引歎矣時南都諸臣已擁立福王即皇帝位因時望會推子爲吏部左侍郎兼翰林院侍讀學士子聞報乃於夏六月二十有二日發疏疏云臣以去臘隆崖乞休不獲從諸臣號弓鼎湖有覥視息無地自容誠欲亟詰靈武則荒蹇難前竊意今日之事類多伏莽不設重臣不能復馭蕪以南都定鼎則閩中江右皆爲首藩江右之有虔鎮南攜肇廣西揭汀漳有事則合三省之師不十日出於鄱陽之外閩中之有

浦城建陽東連溫處北距玉鉛水陸所湊在於衢州有事則合三省之師亦不十日出於錢塘之外誠以嶺南之餉濟江右以嶺東之餉濟閩中以兩省之事權分注贛州衢州則藩屏之義固矣疏上未能見之施行也有司以朝命敦趣上道而鄴山書舍成

甲申秋九月朔丙戌諸門人從子升與善堂安列聖先師遂釋奠外祀朱元晦黃直卿陳安卿王子合陳剩夫林白石蔡鶴峰諸先生盥薦致辭曰念茲桑梓爲紫陽過化之邦緊此雲泉亦德星共聚之地百里內

有賢人十步閒多芳草先覺之覺後覺文旣在茲見知之知聞知道如有待況斯樂山樂水之致共爲分仁分智之宗爰集十一先生同堂而修盟薦何徒五百餘歲應運而致威祥後海先河籩陳俎豆師梧友嶽弁藉蘋蘩倘岸谷未更千秋猶爲覿面即京原可作半榻或與明心主人黄某不勝瞻仰之至奠已諸公祖父毋學師長及諸鄉大夫至謁先聖賢畢乃至講舍序位交拜畢諸弟子遂鳴鼓升樂性堂子敷諸賓坐講監唱誓戒及弟子職已乃講書問答相起也

講畢磬三聲各陳講義而退酒五巡歌者歌小宛四
章繼歌沔水之篇子出獻諸公祖曰越在草莽惠然
肯來忽覩蓼蕭龍光有慙瓠葉兔首乃歠小宛適征
沔水憂讒得無過乎賓拜謝獻酬畢乃就坐酒七巡
歌下泉及鶴鳴子出獻諸父毋曰下泉替而思其隆
所以貴父毋孔邇也諸賓拜謝於是獻酬如前復就
坐酒九巡歌車攻之篇又繼歌吉日以亂焉子出獻
衆賓致辭曰周宣之車攻吉日備而無患敢爲諸公
頌諸賓復謝舉觴交再拜子洗爵亞獻諸先生亦致

辭曰今日中興歷合成周德適建武臥東山而起者君父之義也痛神州之沈者詩書之力也子弟之樂有賢父兄諸先生亦交再拜謝曰中興之日見此講席以慰天下蒼生人心之有禮義干櫓猶大阜之有車馬蒐獮也於是主賓酬酢皆三反酒再巡告終筵誦抑戒及賓筵如常儀斯會諸州太守令君學師長十有二人薦紳先生十有五人孝廉二十有四人茂才三百三十有二人及子之長公子麑次公子麐與懿戚二十有一人凡三百八十有四人次日子向諸

子登黃龍洞。子於是留數箴於山中。

是月十五日。子出山。至晉安。忽欲止。蔣公若椰力爲勸駕。乃發。子言曰。始某在白雲庫時。鄉先輩來省子。遂有詢及後事者。某心知其故。而意殊不然也。憶某數十年前。嘗夢身爲宰輔。至南都。忽見逼迫令草詔。某流涕號慟。擲筆不肯草。遂折其兩臂。繇此言之。白雲庫豈能死乎哉。然而所上之疏。輒持不下。又聞屢有北行之使。以是常知其難也。故作書與楊機部曰。吾徒頑石擣骨。合藥無補。於天猶冀。後人嗅此藥氣耳

按文明夫人傳云子自禹陵歸知國事已去潛刺大明孤臣黃某七字於秘篋門人曰他日以此識吾屍

子行未至都晉禮部尚書子卽於衢州上疏請告不允時孟冬十月也乃決意詣都

宏光元年乙酉黃子六十有一歲春正月入都子於二月疏請奉勑祭禹陵比抵會稽致齋七日夏四月庚申至禹廟行禮復疏乞休初子出都將至天寧州爲風驅回泊龍江灣不得發時春三月一日也夜夢高皇帝謂曰卿竟舍我去耶子對曰朝廷舍臣非臣舍朝廷以是雖乞歸猶徘徊江渚未忍遽去思曰子以大宗伯名出焦桐山及至禹航山中聞逐劉念臺先生以謝四鎭子謂門人曰此自李師道吳元濟所不敢爲者而今日

挾潞王監國詔侍坐下有子請面諭等刊

見之吾何爲又出出山乎又獻策而安及至夏五月聞
帝不用乃出祭禹陵麥高皇帝名云
大駕播遷皇太后至臨安與駕相失首輔馬士英擁
兵西湖則曰聖駕在靖南軍中子乃上奏太后請趣
黔兵至黃得功軍輔翼聖駕又請速召金華江右兵
及閩中潰兵令立功自贖又草諸檄諭子疏請雖切
太后闃然無聞潞藩在浙省已稱監國子再具啟勸
進及上監國事宜凡七條又皆持未下時夏六月潞
藩賜子食命李進高起潛孫元德三內侍侍坐李進
辭以懿駕在內子乃移舟至桐廬忽接檄令所在扶

駕恫疑久之問其材官則曰聖駕乃唐藩非潞藩也朱大典云唐藩未還封安得至此但以潞藩閉關脩齋虔不能修康王故事乃從舟中晤唐藩見所談論慷慨以恢復自任因同衆交拜約成大業明日遂請監國至衢州誓衆犒師而潰卒至者不能數千軍容不立予意欲唐駕駐蹕衢州方可號召二浙聯絡江右不欲入閩而諸將擁唐駕入閩中關予懼不足係天下之望也故復啟云職觀天下險絕之處未有甚於閩中者也自五代以來割據者數王矣卒席媮自

保爲山河所圍不能自拔今天下瓦解獨此一方宴謐竊以爲欲奬帝室宜明四通四塞之要所謂四通者西北立信州之鎭以通大關東治三寨之舟以通海道東北以衢州權爲行在足通兩路之師西約虔臺賓爲犄角以資策應之用有是四通隨因而塞之西北塞五虎杉關以斷建昌北塞車盤大安以防東楚東塞溫州諸嶺以防閩道東北塞清湖江山以阨小關有此四通四塞者而天下人心亦次第可收也以殿下之才寬仁以爲城郭慈儉以爲袵席察四通

按鄭譜云當是之時朝廷草次兵食大事俱仰給鄭芝龍隆武雖擁空名實爲寄生獨倚黃子爲重黃子知事不可爲每陛見相對泣下輒請行邊

四塞之宜輕重布之國勢可立矣箋上而唐駕已行唐藩至閩撫臣張肯堂猶豫不決得子書乃奉唐藩入省中閏六月行監國事而子尚在浦城又所持論往往與勳臣不協子乃遣人入賀從閒道還山唐藩令人迎子於道子入謁乃偕諸臣民協力勸進秋七月朔奉唐王即天子位改元隆武大赦天下以閩京稱行在凡大小禮節庶務皆子所區畫裁定於是以子爲少保兼太子太師吏部尚書兼兵部尚書武英殿大學士子每進見輒自請行邊翌日賜宴殿上而位

署之閒文武爭次子以疏求去云臣以國恥未雪中
夜撫心思聖明垂諭之言一字一淚一血是以奮不
自量務請行邊而旁觀側目姍笑詆譏臣茫然無覺
猶聾馬思鐘啞蟬操琴了不知其意所在嗟乎臣爲
高皇之世界未淸陛下之大業未遂耳豈衞門之下
不可棲遲乎臣去矣臣不去諸擿口實者必不肯奮
臣藉引車之義爲推轂之實上慰留再四乃薦蔣德
璟林欲楫及朱繼祚黃斌卿等七人卽推用子復繼
請行邊以爲光澤崇安浦城政和一帶四關數十徑

按解守諱立敬蔣令諱士元詹公諱兆恆王公諱孫蕃

曲折數千里臣不可不涉其間是月廿二日朝餞啟
行
秋八月初三日子在延平聞上意決策親征乃上疏諫止之曰臣聞人心未寧國本未固不可不慎也方今人情泮渙六師所至雲物景從橋梁舟車次舍饔飧難爲裁也昔漢文帝欲從灞州光武欲征隴蜀親臣皆欲斷其靷今之危甚於灞州勢艱於隴蜀而羣臣雍容未有當車止輦者何也疏上乃不果行十一日信州解太守蔣令君詹公王公俱來請子入信州子

按疏內作復
嘗還之巖岫

於是決意從中路出會徽州誓以仁義之師堅持不戰廣布德意以爲招徠庶幾大功可成然而無兵無餉此事決非暴馮之可嘗試故疏云臣今挾三五秀才欲出豺狼之道未嘗於戶部取食未嘗於兵部取兵臣事濟則爲中外所撓事不濟則爲中外所笑笑之與撓一也而臣猶且爲之者臣以高皇八百三十年之歷有所未罄至愚極昧潰淴於無所逃之下耳臣庸下已極逃巖岫不得而復逃之行伍逃之行伍不得復當逃之巖岫惟陛下保重凝庥綴郊圻之行

以養宮闈之福臣執殳前驅稍有端緒陸續奏聞
是月十八日至建陽發陳雄飛二營出關遂有以外交
諸藩飛語聞於上者上卽令以來人原書付子益子
嘗草代言數十牘與諸藩鎮大臣又自屢屢爲書招
征凡發書七十六封上所諗知故忌者因而中之子
乃以疏自明曰臣耕無一畝居無一椽幸以是見憫
於主上允信於親友然不能以是見諒於犬豕豺狼
臣於廿九日退居後堂有人持小書云是舊撥臣陸
靑源書皇上手折臣錯愕展玩有云閩都立主臣當

元勳臣驚懼欲死念陸青源生平謹愼何至有此臣
行素六十年無險心酖語爲凶人所仇無奇功異能
爲要人所嫉獨持一片肝腸爲高皇列宗與天下黎
獻相對白日耳臣雖庸下亦讀書至老遭逢陛下魚
水相期猶一月之內四疏乞歸何至以元勳微軀爲
狹邪所謗若至子舅慕義勤王雖天性使然亦恐臣
孤身隻手陷於絶域每一相見涕泗漣如當二十六
日以前溽暑未收毒水四下臣兵自延過寧渴而欲
飲病者八九一日下操十隊之士呼半不起遂損去

健將陳伯輿念其雄略十射九破千觔之力盡於盆水四顧墐者何能不哀今稍稍平復遂相對强顏勸臣出闕嗚呼此喟喟者亦臣子也豈盡讀書受朝廷之寵顧而攄憤若此今在廷諸臣不滌腸剖胸誓同將卒分膽共薪而喻喻詉詉望影射沙欲何爲者陛下不屑爲宋高宗臣亦不屑爲李伯紀取法不高則庸佞狎來視人太卑則奸豪肆志惟陛下垂察又上疏曰不文不武爲中外所嫚且言臣老四十八歲始有子今春三月家中舉子呱呱未嘗一視又臣兄道

臣兄某撰青原公墓碑作諱士珍號匪石先生

琛年七十七一子一孫皆從臣所父兄聞臣得歸無不跂足稱慶今復棲遲行間則大小悲零有酒泉玉門之歎臣老且病遇明時又附鱗翼特達之知何所取管葛降階而慕之惟陛下矜憫放臣還山見老兄稚子勿使徒遭禍敗扞文網爲親知所憐而側目所笑得旨以爲朕慮卒然未可成軍何忍魚水重臣子然令進亂離之地且留彈壓關內出於愛卿之誠適見卿報募兵已至則朕事託卿身喜卿之進必不欲卿止矣朕親發袍膳三百兩爲卿製寒衣卿身若爔

按疏內作卿身若煖朕心始和

朕始心和於是子卽以所賜分給軍士遂於九月十九日同諸將出關

冬十月朔至廣信聞徽州九月廿三日已破相距七日耳子卽遣將守禦鉛嶺嶺高極天爲江南腰脊下嶺不百里卽徽州矣時廣信諸紳弁共請子入城而城內居民亦已蕩析離竄凡儲私積俱盡子惓然曰古人有作內政寄軍令者吾今且以王道寓兵機乃下令行養老之政凡民年七十以上者予以金帛酒肉又明日出示老校子弟於是老幼咸集而壯者不召

自歸矣遂更申在泮獻馘之義講學於明倫堂諸鄉紳子弟皆已畢至樂助軍需免致催科之擾諸人咸願樂輸軍賴以濟又勸令自募鄉兵固圉翼助王師給以閣劄而信州鄉紳詹兆恆俞益華次及金華鄭守書常山呂繼望東鄉張受祿等諸募義從軍者幾及萬人軍聲頗振矣即於是月初九日分遣諸將一出撫州一出婺源一出休寧而出婺源者黃奇壽有牛頭嶺之捷時久陰積雨參將黃奇壽監紀許應夢等冒雨從八都至牛頭嶺下雨稍霽傳有騎千餘至

許應夢等據河爲守。黄奇壽盡銳過河。遇百餘人。兇醜特甚。持鐵骨朵格鬬良久。奇壽師且卻。許應夢黄家徵等。全營馳至。兩營合堵。掩殺四十一人。奪獲大旗金印。馬三匹。器械四十具。帽甲三十件。子一一驗視。復列外庭。與衆同觀。當初令兩路分進。子心憂之。以大易筮。得大畜之六五。又以焦易筮。得小過之體卦。曰。初雖驚惶。後反無傷。既而破敵。於是子疏請優獎。以爲將士勸。又身至十八都視師。更上疏曰。臣已遣五營將士出婺源。臣亦尅日再率四部資其後勁。步

擔米糧以佐饔飧如使祁黟之卒可再鼓休婺之士
可再收則臣當大集義旅震號於牛首石頭之上如
猶是泛泛臣將循東山建德與鄭二俊吳應箕之師
合覓江西星子之船循流東下萬不可復亦中道自
廢臣必不使食言失信於天下有旨便宜而行朕不
中制子乃自八都復還廣信調發兵食以為前軍策
應不能不有感於事機之屢變而危疆之難防也上
疏曰臣前陛辭時稱便宜行事不以兵事臣實愚昧
以高皇在天陛下御乾同仇之詩聊與衆共誦之耳

非謂臣能空手足食而足兵也自臣爲此言而怨謗
沓至阻卻横生炎涼既分肘踵盡見以四千之卒給
三月之餉而臣之心血皮骨消磨俱盡矣臣如一貧
兒割股療親東鄰乞湯西鄰乞肉此股之肉存者幾
何臣今存兵不過四營一千五百二十馬不過十匹
無高國之鼓九合之助而欲以樽俎仁義坐收其功
眞爲韋跗君子之所齒冷也陛下注念危疆宜於風
力能臣速擇一人總督或即以信撫徐世蔭布政徐
應秋因其地望聯絡較易速出上江接理軍務無徒

悠忽爲國家羞又疏舉曲士趙俞墨華徐敬時徐學遠等九人請受職立功冬十月廿八日奉旨所薦舉俱聽軍前効用惟廣信要地撫臣徐世蔭着嚴防守不便輕移時諸將業前受命出師又有牛頭嶺之捷乘勢趨發源臨河而陣于亦遣監紀王綱先約海口劉援參將董壽庚等率鄉衆八百餘人豫爲接應又約婺源舊副總游麟等率義勇百餘人佐之自十月十九日至二十二日屢次掠陣擒獲相當至二十三日合戰游擊李芬當先發銃殺一將董壽庚及余勳

各斬一將。翁艮松李純各射殺一將。李純亦被射。落其二齒。猶奮前不顧。諸亂民大鼓譟延寧諸新募者。皆不習爲鐵騎所躪。參將王加封。手殺數十人乃死。游擊李忠遠被鎧登山。爲所得。凡奔陷將士無名目者三十餘人。所殺敵可八九十人。獲馬八匹。

冬十一月。子在廣信聞休婺二師俱潰。方招集逃散。召募鄉衆。以圖再舉。未幾而收復撫州之師又潰。子乃上考核諸路將領及請贈䘏疏。云臣以十月初九日出師討休婺。申勑將士。謂師寡切不宜分。當併力一

路先至婺源因其糧食卒具鄉衆以靜制動俟五營皆至然後角逐而時值天陰連雨十數日陳雄飛賴履癸二營徑東往玉山出馬鈴嶺以趨休寧黃奇壽應天祥二營又從八都出牛頭嶺尋婺源之路李瑛一營又出童家坊以攻婺源之東臣見報知其離軍單弱爲憂悶不食一日發四箭趣其合營而東西異路相去百餘里嶺高谿深卒不可合黃奇壽有牛頭嶺之捷諸將益自便閒道獨出十月二十三日應天祥之營先挫於婺源城下時約二十八日齊舉而應

天祥以先發故敗。臣再發箭趣李瑛與奇壽合營。堅謂不可。李瑛一營又敗。黄奇壽在海口。亦爲所襲。亦損十餘人。是婺源之師也。又當冬至。諸將士宴會休寧。婺源各以是日發騎卒至。出休寧者有三百餘騎。屢趨陳雄飛。雄飛不下關。遣參將應士瑛等。將二百人應之。已斬首二十七級。自謂無害。俄而騎兵大至。屯於高偃橋。前後路絶。諸將各力鬬以死。是休寧之師也。至於湖東之師。漸出瑞洪。臣以三營千二百人濟之。亦復分路。兵士又潰。臣見李晟每出師。不自爲

意使諸將各自搏戰以此不甚掣諸將士唯敵是求
傷哉邇年用兵以來肯用命斃於鋒鏑以寡搏衆之
死靡他惟諸將士耳臣非厚糈重祿使諸子弟捐軀
圖報而執筆以鞭其後臣實不仁且均一冬至前後
數日而陳雄飛之師隕於白礫李英之師衂於九都
陳學鵬之師挫於瑞洪臣之調度無能亦可見矣儒
生守懦終無武人之貞又歲月邈人物力已絀蝦蟆
審視雖跳不遠乞蚤正李英陳雄飛應天祥之罪以
謝死者並蚤正臣之罪以謝三弁即照例與王加封

等十人贈卹，以爲志士捐軀報國之勸。他如胡海定汪自强等，皆練鄉勇爲王師策應，或亡或執，各不屈無降者。俟詳確嗣請。疏上而旨未下，子又念休歙之閧若許廉、汪淶、瑒新之徒，及陳雄飛、白磔之師，總兵方機沙溪之師，合可三四千人。誠得諸師直驅徽寧，堅持不鬬，覩釁而動，事猶可爲也。而四顧前後，將遂顛蹶，欲自敗以激勵諸將士，隨有疏云：臣以孤掌縣軍，單露白體，具見此徒爲人所蹈藉，屢敗而反耳。里人有病舍蹇馬者，降而旨走，不十里困矣。蹇馬仰天

而笑臣今爲蹇驢所笑也臣猶欲以蜓頭螳臂伸大
義於天下臣兩路兵以數少道分俱於六日報敗臣
請爲諸將士受過席藁褫職以待斧鉞
是時諸路潰敗突騎四遁不特士氣不堪再鼓而信州
亦無固志矣子於是終悼其功之不成也又上疏云
臣今年六十有一才能智勇不如中人而自請行邊
拮据關外譬之雞然風雨如晦鳴聲不已卽有不寤
之人起而刀俎之亦無可奈何而已臣少而學道於
物無競所以荏苒噍嘵瘁毛鎩羽爲朝廷守一日之

藩籬非曰能之亦各其義耳今敵之來日迫衆之附者日以攜志蠢冥何知唯利是視貪生怖死則前後異致信州閭巷雞犬方集今復翩然欲舍而去矣徽州人來者或云海口煖水焚掠殆盡煖水距信州百餘里臣師守海口退屯八都者千五百人其東出馬鈴者七百餘人又千二百西去饒撫馳收未回所餘帳下千二百人而已臣自八月以來所東與台宗之釁西消金賊之孽精力疲於文告歲月馳於期會未有一智一謀佐於其內一膂一力助於其外空以老

瘝一意報主今事勢甚急可亟命方國安以萬衆擣徽州乘其西馳可以破敵即不然亦可解信州之危成牽制之功爲此哀懇以聞得旨著方國安從嚴鄭鴻逵從馬金兩路以牽其勢然而諸路之師竟無一出者子不得已召諸將計曰敵雖衆盡虛聲耳倘延至春仲弓弛馬懈破敵必矣今數千卒即之糧可奈何與其却還潰散無以報朝廷不如一戰決也吾計不再出矣因相持泣下乃以臘月之六日復自廣信進攻婺源至童家坊又聞樂平已破凡弋貴永鉛諸

縣所募二千餘人皆不至而信州守臣及諸鄉紳亦致書迓先生歸先生以成師而出義不反顧且前且卻徒慰軍心併置廣信兵不問獨與閩士及樂平德興二縣鄉勇千餘人鼓行而前而餽餉不繼僅有三百人十日之糧耳乃令許應夢等往催樂德二縣餉皆未及至二十有四日子自新建至壹都距婺城十餘里而軍子是夜得夢甚惡旦起爲文以禳命具牲糈未及禳而突騎至矣子策馬前進中書賴繼謹執令箭督衆鏖戰攻殺十餘人奪獲馬匹子疑爲誘騎

傳令勿逐參將高萬榮不受節度謂兵法乘高者勝遽引兵登山而敵騎已從間道山行抄我陣後軍士遇之皆奔黃肅倪彪等望見以爲師却矣亦遁子獨引中軍營札守不動乃以所佩招征印及帝賚艮鄉印付中書陳駿音令疾馳還曰脫有不虞國印不可失也幸善護之時惟樂平將士翼衛先生先生戟手一呼爭爲奮發而飛鏃雨集塵沙被面樂平將士勢孤不支退就中軍而退不可止遂大潰路塞馬不得行子及諸同人俱爲所獲乃更以輿擁子至婺源又

考文章節義傳云時大帥經略乃子同年且同鄉夜分微服持名帖過招子子愕然大慟曰吾友死封疆久矣何物鼠輩玷汚清名始憖而退今其人身列貳臣傳中薰蕕相去奚啻霄壤

具席奉子。子罵不食諸被執者皆滂洟飲泣不能仰視繼謹獨從容飲啜自若曰師存與存師亡與亡從師以死幸矣何噓唏滂泣爲繼謹者字敬孺漳之平和諸生也慷慨多大節在建陽時勸子馹師閩中子弗是也敬孺悲曰事未可知吾唯師是依誓不歸矣然聞子自推年歷至六十二歲止而不推子能明國祚之脩短豈不能知身歷之延促故謂子不愛其身以愛國家者非也子益一念而窮數千載矣顧緬維鴻濛以來便有昏曉然昏曉屬大易昏曉從人難已

乃即杜詩陰陽割昏曉之句摘詩八章詳剖舊史其第七章曰傾危世事廿年中會夢高皇與二宗勝負當頭應有數去留舍我更何從所云夢高皇者即前龍江阻風有卿舍我去之語故子又識曰不圖今日舍身於此也二宗者謂文皇神宗也按子以天啟甲子散館夢神宗名謂曰汝欲勝人道在自勝又以崇禎丙子入都夢文皇名至牀前屈指者再云三九四七誠如所言盍指易象中命歷也子身致玄感如此久已在帝左右矣而是時覊留婺源七日不食於是

按鄭譜云隆武二年丙戌黃子六十有二歲陳恭甫云自正月十二日以下宜依鄭白麓本另譜以符黃子自推年歷至六十二歲止之數莊譜與洪譜同

蔡春溶字時培子丙弟也

有過言自悼造怨諸詩追發婺源復進水槳又夢道中勒石曰夷猶吾行兮於是有夷猶之詩夷猶者言進退由人不得自持也正月十二日至新安西橋見演燈甚盛爲魚龍百戲羣趨帳下又念世事不競遂使民情至此翌日遂絕粒適繼謹附書回家請以兄子爲嗣子不復爲書第題其後曰蹈仁不死履險如夷有隕自天舍命不渝子益奉天而行者也而當時與難者自賴繼謹而外有中書蔡春溶龍溪人司馬趙士超字淵卿侯官人別駕毛玉潔字立水廬州六

合人四子朝夕相持彌月矣至廿四日到留都始別幽子禁城中而以四子分羈他所予即潛焉有懷無從寄問矣於是有待命歸釁諸作待命猶延頸也歸釁歸就釁鼓也各爲詩八章及既繫膳監而左右乃又時時折玉梅爲供令人弄胡琴以娛予予益悲憤爲詩曰馬頭寕得有蛾眉老大明妃出塞時自付飄零看墜葉御溝芳草未應知予不食於茲十有四日矣或疑其死也乃又不死因復爲詩以寄四子然亦無從必其達否聊以示意耳至廿九日不死更進水

按何綎兆麟書紀略作三月十五日黃梨洲明儒學案作三月七日與明史及諸家傳誌不符未知何據　鄭譜云時懷陵故相爲子紀傳不敘捐軀始末哀哉猶有恥心之存也

辮三月九日又爲子誕辰乃作蒿里十章以自弔又有癡絕八章思在黃海六章自識云防風雖倒猶留一節以問尼父自是潦倒餘生不能執筆也遂以三月五日完節於金陵之曹街兀立不仆已更提四子赴他市而趙士超過曹街趨抱子之首於懷慟哭曰師乎魂其少須吾即來矣四子遂同日就義嗚呼盍不獨二百七十餘年之綱常肩自一人抑且三千年來之師弟於茲僅覩者也是日出留都晝晦聞者莫不流涕訃至上爲震悼罷朝子台天啟壬戌登第甲

文明夫人傳云長公麟子次公鑣子又同日死於兵三麟子早世惟鑣子與魔子之孫僅存天之降栽於忠烈人也如此按鑣子即子平先生也後諸門人脩年譜收遺文子平先生實與有力焉

按本傳先是

子授翰林院編修崇禎朝晉經筵日講官詹事府少詹事協理府事兼翰林院侍讀學士纂脩實錄宏光朝陞禮部尚書隆武元年賜號奉天翊運中興守正文臣光祿大夫柱國少傅兼太子太師吏部尚書兼兵部尚書武英殿大學士至是議贈子爲文明伯謚忠烈賜祭妻封一品夫人子有四子長曰子中授錦衣衛指揮次曰子成錦衣衛正千戸俱世襲三曰子和尚寶司丞四曰子平中書舍人令有司立一廟於福京天興府曰閩中樹中興大忠坊立一廟於漳所

門人陸曾贍自巖以千金奉子齒髮合遺蛻權殯鍾陵四生與焉後迎子櫬歸北山四生亦同時從葬墳皆左侍師弟就義之盛今古罕倫

按今謚忠端郡縣專祠道光五年崇祀東廡配享廟廷

居鄉曰報忠樹中興蓋輔坊春秋致祭。庚寅之歲子之門人以夏四月七日崇祀子於三近堂而子之長公復偕同人趙之璧往留都招子之魂遂以是歲秋九月十五日回至鄴山盖即子甲申歲出山之日也諸弟子乃留子之魂於鄴山為位而哭奠者三朝夕至十九日發紖廿一日奉旅櫬歸於北山冬十一月廿三日殯於先人之墓側嗚呼痛哉泣然執筆聊述所聞百世以俟君子

黄子年譜終　　後學龍溪林廣穫重校

書後贅語

黃子年譜漳上舊刻莊子鶴先生本行世已久近省垣又
重刻之以冠全集卷首而洪石秋鄭白麓二先生本
世不多見道光甲辰懿戚曾君省偕家弟廣邁得洪
譜鈔本亟梓而行之屬穫校字穫乃颺言曰淵哉是
書也莊譜博而繁鄭譜核而簡惟是爲醖懿高古發
皇　黃子之蘊也傳誌稱先生與其尊人皆漳海高
足弟子　黃子嘗爲之序言曰余起海濱自爲易象
正孝經大傳以來天下高賢未有能明是說洞達如

洪圖者則先生淵源大旨可知矣顧是譜義例未盡歸一又偶有脫落戊申丙戌二年附記於丁未乙酉之後未合易紀傳爲編年體製豈世無剞本傳鈔日久沿誤而然耶抑當時文網猶嚴有不盡言盡意之旨耶今從原鈔舊本付刻以昭敬慎之意而莊鄭二譜及羣書所載有足相發明者與曾君商榷得若干條附贅簡首極知僭踰無所逃罪然於先生尊聞之義或不至有所謬盭云後學龍溪林廣穫敬書

黄子年譜印送姓氏

龍溪舉人林廣穫敬印壹百部

龍溪廩生曾　省敬印伍拾部

南靖童生歐陽鉦敬印柒拾部

龍溪生員洪登三敬印貳拾肆部

龍溪童生佘日章敬印伍拾部

龍溪太學生黄秉心敬印貳拾肆部

龍溪生員陳應奎敬印貳拾肆部

龍溪生員許如清敬印伍拾部

龍溪生員陳嗣隆敬印貳拾肆部

龍溪廩生林廣遵敬印伍拾部

南靖優貢王　治敬印貳拾部

龍溪童生陳尚賢敬印伍拾部

龍溪童生翁觀湖敬印貳拾肆部

晋江童生呂紹端敬印貳拾肆部

南靖童生黄金華敬印貳拾肆部

龍溪武生黄登貴敬印肆拾部

龍溪廩生陳榮彬敬印柒拾部

龍溪舉人林廣邁再敬印伍拾部

知漳州府趙 鏞敬印壹百部

平和生員曾逵蔡敬印壹拾部

平和童生曾初齡敬印弍拾部

龍溪訓導施觀濤敬印叁拾部

龍溪武生林秋斗敬印陸拾部

龍溪童生黃長庚敬印伍拾部

龍溪生員蔡藴鏞敬印叁拾部